자율학습시 비상구 완자로 53

중등 역사 2

구성과 특징

"내용이 너무 간략해서 이해가 잘 안 돼요."
"내용이 너무 많아서 뭐가 중요한지 모르겠어요~"

역사가 어려운 학생들은 완자 역사로 공부해요!
완자 역사는 복잡한 내용을 개념 카드로 세분화하고, 풍부한 시각 자료와 함께 구성했어요.
짧은 시간에 개념을 이해하고, 오래 기억할 수 있어요.
선생님 강의처럼 상세한 설명이 주석으로 달려 있어서 선생님이 옆에 계신 듯 혼자서도 쉽게 공부할 수 있어요.
완자 역사는 '내 옆의 선생님'이에요.

내 옆의 선생님 완자
- 교과 내용을 세분화한 개념 카드
- '개념 카드 + 확인 문제' 세트 구성
- 자세한 문제 해설

→ **혼자서도 쉽게 공부할 수 있는 자율 학습서**

1 '개념 카드 + 확인 문제' 세트 구성

개념 이해는 공부의 첫걸음! 개념 카드를 공부하고, 문제로 바로 확인하면 한 번에 빠르게 이해할 수 있습니다.

- 복잡한 내용을 개념 카드로 세분화
- 그림과 도표로 시각화
- 한눈에 보이는 핵심과 친절한 설명
- 개념을 바로바로 확인하는 시스템

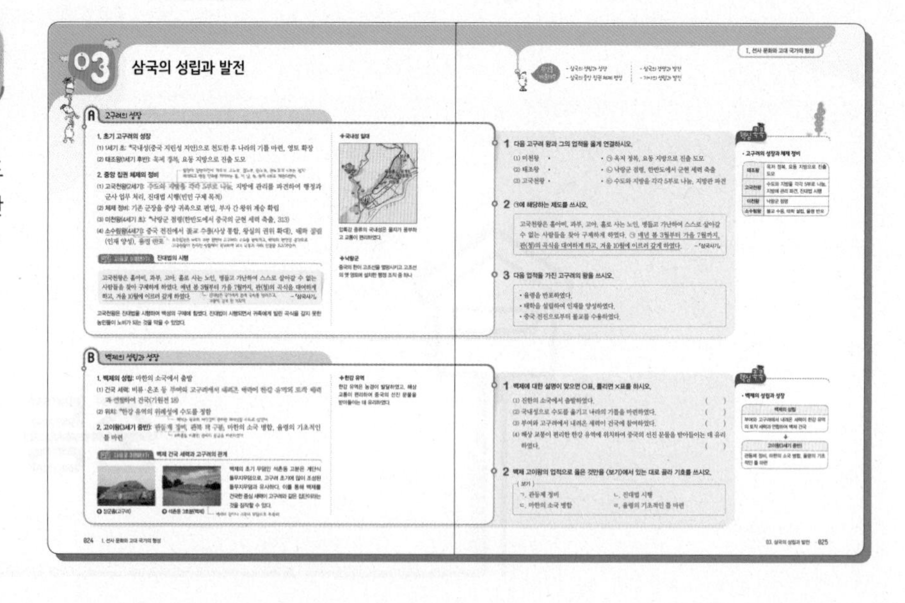

2 실력 향상을 위한 다양한 문제 풀이

문제로 실력 점검! 기출 문제를 분석하여 뽑아낸 다양한 유형의 문제를 풀어 보면서 시험에 대비할 수 있습니다.

- 실력 탄탄 핵심 문제
- 서술형 문제
- 시험 적중 마무리 문제

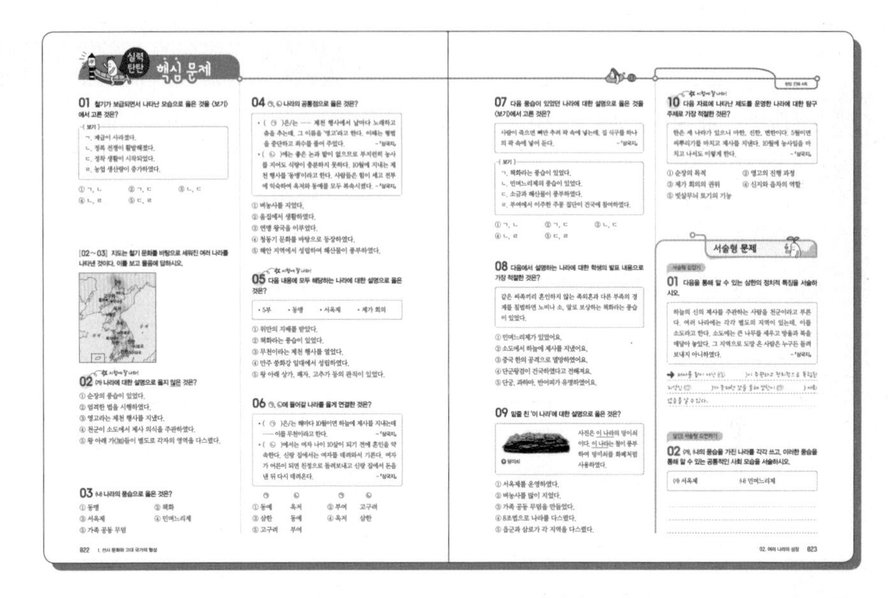

실력 탄탄 핵심 문제

01 철기가 보급되면서 나타난 모습으로 옳은 것을 〈보기〉에서 고른 것은?

〈보기〉
ㄱ. 계급이 사라졌다.
ㄴ. 정복 전쟁이 활발해졌다.
ㄷ. 정착 생활이 시작되었다.
ㄹ. 농업 생산량이 증가하였다.

① ㄱ, ㄴ ② ㄱ, ㄷ ③ ㄴ, ㄷ ④ ㄴ, ㄹ ⑤ ㄷ, ㄹ

[02~03] 지도는 철기 문화를 바탕으로 세워진 여러 나라를 나타낸 것이다. 이를 보고 물음에 답하시오.

02 (가) 나라에 대한 설명으로 옳지 않은 것은?
① 순장의 풍습이 있었다.
② 엄격한 법을 시행하였다.
③ 영고라는 제천 행사를 지냈다.
④ 천군이 소도에서 제사 의식을 주관하였다.
⑤ 왕 아래 가(加)들이 별도로 각자의 영역을 다스렸다.

03 (나) 나라의 풍습으로 옳은 것은?
① 동맹 ② 책화 ③ 서옥제 ④ 민며느리제 ⑤ 가족 공동 무덤

04 ㉠, ㉡ 나라의 공통점으로 옳은 것은?

• (㉠)은/는 …… 제천 행사에서 날마다 노래하고 춤을 추는데, 그 이름을 '영고'라고 한다. 이때는 형벌을 중단하고 죄수를 풀어 주었다. - 「삼국지」
• (㉡)에는 좋은 논과 밭이 없으므로 부지런히 농사를 지어도 식량이 충분하지 못하다. 10월에 지내는 제천 행사를 '동맹'이라고 한다. 사람들은 힘이 세고 전투에 익숙하여 옥저와 동예를 모두 복속시켰다. - 「삼국지」

① 벼농사를 지었다.
② 움집에서 생활하였다.
③ 연맹 왕국을 이루었다.
④ 청동기 문화를 바탕으로 등장하였다.
⑤ 해안 지역에서 성립하여 해산물이 풍부하였다.

05 다음 내용에 모두 해당하는 나라에 대한 설명으로 옳은 것은?

• 5부 • 동맹 • 서옥제 • 제가 회의

① 위만의 지배를 받았다.
② 책화라는 풍습이 있었다.
③ 무천이라는 제천 행사를 열었다.
④ 만주 쑹화강 일대에서 성립하였다.
⑤ 왕 아래 상가, 패자, 고추가 등의 관직이 있었다.

06 ㉠, ㉡에 들어갈 나라를 옳게 연결한 것은?

• (㉠)은/는 해마다 10월이면 하늘에 제사를 지내는데 …… 이를 무천이라고 한다. - 「삼국지」
• (㉡)에서는 여자 나이 10살이 되기 전에 혼인을 약속한다. 신랑 집에서는 여자를 데려와서 기른다. 여자가 어른이 되면 친정으로 돌려보내고 신랑 집에서 돈을 낸 뒤 다시 데려온다. - 「삼국지」

	㉠	㉡
①	동예	옥저
②	부여	고구려
③	삼한	동예
④	옥저	삼한
⑤	고구려	부여

822 I. 선사 문화와 고대 국가의 형성

07 다음 풍습이 있었던 나라에 대한 설명으로 옳은 것을 〈보기〉에서 고른 것은?

사람이 죽으면 뼈만 추려 곽 속에 넣는데, 집 식구를 하나의 곽 속에 넣어 둔다. - 「삼국지」

〈보기〉
ㄱ. 책화라는 풍습이 있었다.
ㄴ. 민며느리제의 풍습이 있었다.
ㄷ. 소금과 해산물이 풍부하였다.
ㄹ. 부여에서 이주한 주몽 집단이 건국에 참여하였다.

① ㄱ, ㄴ ② ㄱ, ㄷ ③ ㄴ, ㄷ ④ ㄴ, ㄹ ⑤ ㄷ, ㄹ

08 다음에서 설명하는 나라에 대한 학생의 발표 내용으로 가장 적절한 것은?

같은 씨족끼리 혼인하지 않는 족외혼과 다른 부족의 경계를 침범하면 노비나 소, 말로 보상하는 책화라는 풍습이 있었다.

① 민며느리제가 있었어요.
② 소도에서 하늘에 제사를 지냈어요.
③ 중국 한의 공격으로 멸망하였어요.
④ 단군왕검이 건국하였다고 전해져요.
⑤ 단궁, 과하마, 반어피가 유명하였어요.

09 밑줄 친 '이 나라'에 대한 설명으로 옳은 것은?

사진은 이 나라의 덩이쇠이다. 이 나라는 철이 풍부하여 덩이쇠를 화폐처럼 사용하였다.
덩이쇠

① 서옥제를 운영하였다.
② 벼농사를 많이 지었다.
③ 가족 공동 무덤을 만들었다.
④ 8조법으로 나라를 다스렸다.
⑤ 읍군과 삼로가 각 지역을 다스렸다.

10 다음 자료에 나타난 제도를 운영한 나라에 대한 탐구 주제로 가장 적절한 것은?

한은 세 나라가 있으니 마한, 진한, 변한이다. 5월이면 씨뿌리기를 마치고 제사를 지낸다. 10월에 농사일을 마치고 나서도 이렇게 한다. - 「삼국지」

① 순장의 목적 ② 영고의 진행 과정 ③ 제가 회의의 권위 ④ 신지와 읍차의 역할 ⑤ 빗살무늬 토기의 기능

서술형 문제

01 다음을 통해 알 수 있는 삼한의 정치적 특징을 서술하시오.

하늘의 신의 제사를 주관하는 사람을 천군이라고 부른다. 여러 나라에는 각각 별도의 지역이 있는데, 이를 소도라고 한다. 소도에는 큰 나무를 세우고 방울과 북을 매달아 놓았다. 그 지역으로 도망 온 사람은 누구든 돌려보내지 아니하였다. - 「삼국지」

02 (가), (나)의 풍습을 가진 나라를 각각 쓰고, 이러한 풍습을 통해 알 수 있는 공통적인 사회 모습을 서술하시오.

(가) 서옥제 (나) 민며느리제

02. 여러 나라의 성장 023

3 또 한 권의 책 '정답 친해'

더 이상 모르는 문제는 없다! 가려운 곳을 콕 짚어 자세하게 설명했으므로 문제를 완벽하게 이해할 수 있습니다.

- 정확한 답과 친절한 해설
- 중요한 자료는 입체적으로 해설
- 상세한 오답 풀이

I. 선사 문화와 고대 국가의 형성

01 선사 문화와 고조선

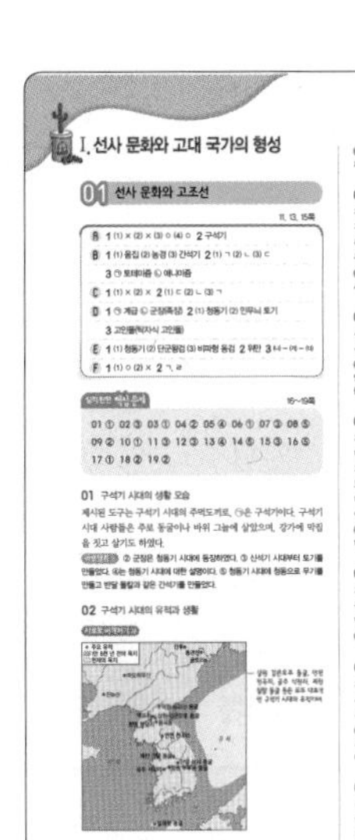

완자와 내 교과서 단원 비교하기

		완자	비상교육	금성	동아출판	미래엔	지학사	천재교육
I 선사 문화와 고대 국가의 형성	01 선사 문화와 고조선	10~19	10~17	10~15	12~17	12~21	10~15	12~19
	02 여러 나라의 성장	20~23	18~23	16~19	18~21	22~25	18~21	20~23
	03 삼국의 성립과 발전	24~37	24~35	20~29	24~33	26~39	24~31	24~33
	04 삼국의 문화와 대외 교류	38~47	36~43	30~37	36~41	40~47	32~39	34~41

		완자	비상교육	금성	동아출판	미래엔	지학사	천재교육
II 남북국 시대의 전개	01 신라의 삼국 통일과 발해의 건국	56~65	48~55	44~49	48~53	54~61	44~50	46~53
	02 남북국의 발전과 변화	66~75	56~63	50~55	56~63	62~69	52~59	54~59
	03 남북국의 문화와 대외 관계	76~85	64~71	56~61	66~71	70~75	60~69	60~71

		완자	비상교육	금성	동아출판	미래엔	지학사	천재교육
III 고려의 성립과 변천	01 고려의 건국과 정치 변화(1)	94~103	76~82	68~73	76~80	82~89	74~79	76~80
	02 고려의 건국과 정치 변화(2)	104~109	83~85	74~75	80~81	90~91	80~81	82~83
	03 고려의 대외 관계	110~115	86~91	76~79	84~85	92~95	84~86	84~87
	04 몽골의 간섭과 고려의 개혁	116~129	92~99	80~85	86~93	97~101	89~94	88~95
	05 고려의 생활과 문화	130~143	100~109	86~93	96~101	102~107	96~103	96~105

단원	주제	완자	비상교육	금성	동아출판	미래엔	지학사	천재교육
Ⅳ 조선의 성립과 발전	01 통치 체제와 대외 관계	152~165	114~121	100~105	108~113	114~121	108~115	110~115
	02 사림 세력과 정치 변화	166~171	122~127	106~109	116~119	122~125	116~121	116~121
	03 문화의 발달과 사회 변화	172~179	128~133	110~115	119~123	126~131	124~131	122~127
	04 왜란·호란의 발발과 영향	180~189	134~139	116~121	126~131	132~139	132~137	128~135
Ⅴ 조선 사회의 변동	01 조선 후기의 정치 변동	198~207	144~149	128~133	138~143	146~153	142~147	140~147
	02 사회 변화와 농민의 봉기	208~217	150~155	134~137, 140	144~145, 148~149, 152~153	154~157, 166	150~154, 159	148~153, 156
	03 학문과 예술의 새로운 경향 ~ 생활과 문화의 새로운 양상	218~231	156~169	138~149	150~151, 153, 156~161	158~169	156~166	154~165
Ⅵ 근·현대 사회의 전개	01 국민 국가의 수립(1)	240~245	174~180	156~161	168~171	176~179	174~178	170~177
	02 국민 국가의 수립(2)	246~253	181~185	162~165	172~179	180~183	179~183	178~183
	03 자본주의와 사회 변화	254~265	186~195	166~171	190~195	186~195	184~191	184~191
	04 민주주의의 발전	266~275	196~203	172~179	182~187	196~203	192~199	192~197
	05 평화 통일을 위한 노력	276~281	204~209	180~183	198~201	204~207	202~208	198~201

차례

Ⅳ 조선의 성립과 발전

Ⅴ 조선 사회의 변동

Ⅵ 근·현대 사회의 전개

선사 문화와 고대 국가의 형성

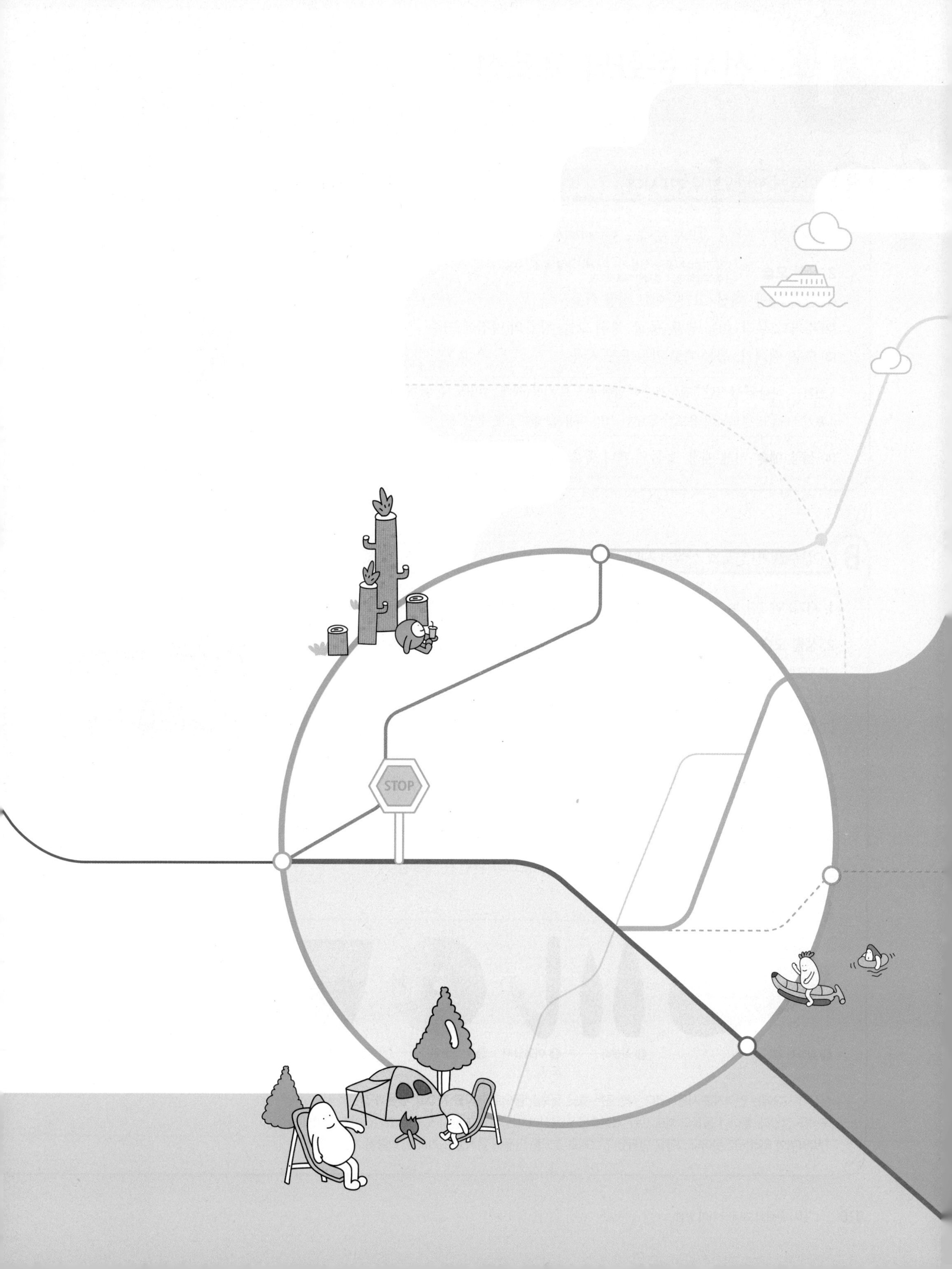
STOP

선사 문화와 고조선

A 만주와 한반도의 구석기 시대

1. 시작: 약 70만 년 전으로 추측 ─ 추운 빙하기와 따뜻한 간빙기가 반복된 시기야.

2. 생활 모습 ─ 상원 검은모루 동굴, 연천 전곡리, 제천 점말 동굴, 공주 석장리 등의 유적이 대표적이야.

(1) 경제: 사냥·채집·고기잡이로 식량 획득

(2) 주거지: 무리·이동 생활, 동굴·바위 그늘·강가의 막집에 거주

(3) 도구: 뗀석기, 동물 뼈로 만든 도구 사용

사냥, 나무 손질, 고기 자르기 등 다양한 용도로 쓰였어.

전기	하나의 큼직한 ⁺뗀석기를 다양한 용도로 사용(찍개, 주먹도끼, 긁개, 밀개 등)
후기	작고 정교하며 용도가 뚜렷한 석기 사용(슴베찌르개, 돌날 등)

(4) 신앙, 예술: 시체 매장, 동물의 뼈나 뿔을 이용한 예술품 제작

└ 사냥의 성공, 풍요로운 식량 획득, 무리의 번성 등을 기원하였어.

+ 뗀석기

구석기 시대 사람들은 돌을 깨뜨려 만든 뗀석기를 사용하였다.

주먹도끼

슴베찌르개

B 만주와 한반도의 신석기 시대

1. 시기: 약 1만 년 전부터 시작 ─ 약 1만 2천 년 전, 또는 약 8천 년 전으로 보는 견해도 있어.

2. 생활 모습

(1) 경제: 사냥·채집·고기잡이, 농경과 목축 시작

조, 피, 기장 등을 재배하고, 돼지, 염소 등을 가축으로 길렀어.

(2) 주거지: 정착 생활 시작(강가와 바닷가의 ⁺움집에 거주), 마을 형성

씨족 단위로 공동 작업하여 식량을 생산하고, 생산물을 공평하게 나누어 빈부의 차이가 없는 평등한 생활을 하였어.

(3) 도구 ─ 약 1만 년 전부터 빙하기가 끝나고 기후가 따뜻해져서 사슴과 같이 작고 날쌘 동물이 번성하자, 이들을 잡기 위해 정교한 간석기가 만들어졌어.

① 간석기: 돌을 갈아서 제작(돌낫, 돌보습, 갈돌과 갈판, 화살촉, 낚시 도구 등)

② 토기: 빗살무늬 토기·덧무늬 토기 등 제작, 음식 조리·식량 저장에 이용

③ 가락바퀴, 뼈바늘: 가락바퀴로 실을 뽑고, 뼈바늘로 옷이나 그물 제작

(4) 종교: ⁺애니미즘·⁺토테미즘 발생, 영혼이나 조상 숭배

(5) 예술: 조개껍데기·동물의 뼈로 장신구 제작, 종교와 관련된 예술품 제작

자료로 이해하기 신석기 시대의 도구

갈돌과 갈판

화살촉

이음낚시 도구

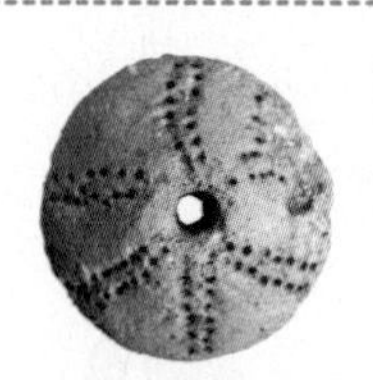

가락바퀴

빗살무늬 토기

신석기 시대에는 간석기를 사용하였다. 사람들은 돌낫, 돌보습 등으로 농사를 지었고, 갈돌과 갈판을 사용하여 곡식을 갈았다. 돌이나 동물의 뼈로 만든 화살촉을 사용하여 사냥하였고 낚시 도구로 고기잡이를 하였으며, 가락바퀴와 뼈바늘로 옷이나 그물을 만들었다. 그리고 토기를 만들어 음식을 조리하고, 식량을 저장하였다.

+ 움집

신석기 시대 사람들은 땅을 판 후 기둥을 세워 움집을 만들었다.

+ 애니미즘

태양, 물, 바위와 같은 자연물에 영혼이 있다고 믿는 신앙

+ 토테미즘

특정 동식물을 숭배하는 신앙

- 구석기 시대의 생활 모습
- 신석기 시대의 생활 모습
- 청동기 사회의 특징
- 고조선의 성립과 발전

1 다음 설명이 맞으면 ○표, 틀리면 ×표를 하시오.

(1) 구석기 시대 사람들은 한곳에 정착하는 생활을 하였다. (　　)

(2) 구석기 시대는 약 1만 년 전에 시작된 것으로 추측된다. (　　)

(3) 구석기 시대 사람들은 사람이 죽으면 시체를 매장하였다. (　　)

(4) 구석기 시대 사람들은 사냥이나 채집으로 식량을 구하였다. (　　)

2 (　　　　) 시대 사람들은 짐승의 뼈로 만든 도구와 돌을 깨뜨려 만든 뗀석기를 사용하였다.

핵심 콕콕

- **구석기 시대의 생활 모습**

경제	사냥, 채집, 고기잡이로 식량 획득
주거지	무리·이동 생활, 동굴·바위 그늘·막집에 거주
도구	뗀석기, 동물 뼈로 만든 도구 사용

1 다음 괄호 안의 내용 중 알맞은 말에 ○표를 하시오.

(1) 신석기 시대 사람들은 주로 (막집, 움집)에 거주하였다.

(2) 신석기 시대에 (농경, 사냥)이 시작되어 사람들이 정착 생활을 하였다.

(3) 약 1만 년 전 기후가 따뜻해지면서 작고 날쌘 동물이 번성하자 (간석기, 뗀석기)가 만들어졌다.

2 다음에서 설명하는 유물을 〈보기〉에서 골라 기호를 쓰시오.

보기

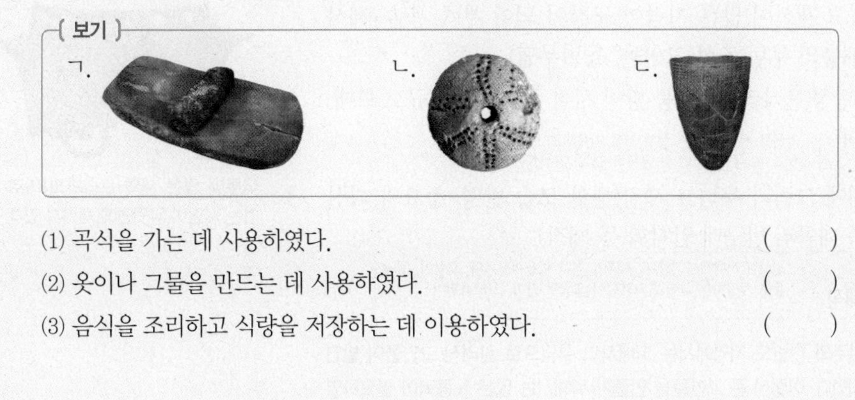

(1) 곡식을 가는 데 사용하였다. (　　)

(2) 옷이나 그물을 만드는 데 사용하였다. (　　)

(3) 음식을 조리하고 식량을 저장하는 데 이용하였다. (　　)

3 신석기 시대에는 특정 동식물을 숭배하는 (㉠　　　　)과 태양, 물, 바위와 같은 자연물에 영혼이 있다고 믿는 (㉡　　　　)이 등장하였다.

핵심 콕콕

- **신석기 시대의 생활 모습**

경제	사냥·채집·고기잡이, 농경과 목축 시작
주거지	정착 생활 시작, 움집에 거주
도구	간석기, 토기(빗살무늬 토기 등), 가락바퀴·뼈바늘 사용

C 만주와 한반도의 청동기 문화

1. 시기: 기원전 2000년경~기원전 1500년경 만주에 청동기 보급

└ 점차 한반도 전역에 확산되었어.

2. 도구 ─ 청동은 구리와 주석, 아연 등의 합금으로, 사람들은 열을 가하여 청동을 녹인 후 거푸집에 부어 청동기를 만들었어.

예) 거친무늬 거울, 잔무늬 거울

청동기	주로 무기·제사용 도구·지배층의 장신구로 쓰임(청동 검, 청동 거울, 팔주령 등)
간석기	돌이나 나무 등으로 일상생활 도구 제작(반달 돌칼, 돌낫 등)
토기	민무늬 토기, 미송리식 토기 등 제작(음식 조리, 곡식 저장 등에 이용)

3. 독자적 청동기 문화: 만주와 한반도를 중심으로 발달(+비파형 동검, +세형 동검 등)

자료로 이해하기 청동기 시대의 도구

2개의 구멍에 끈을 연결하여 손으로 잡고 곡식의 이삭을 자르는 데 사용된 간석기야.

팔주령

└ 제사에 사용된 청동기야.

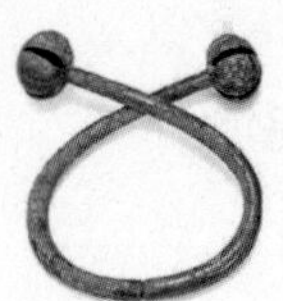
청동 방울

반달 돌칼

민무늬 토기

미송리식 토기

청동기는 그 재료가 귀하였고 땅을 일구거나 나무를 자르기에 적당하지 않았다. 그리하여 청동기 시대에 청동은 지배층의 장신구, 제사용 도구, 무기를 만드는 데 쓰였고, 농기구 같은 일상생활 도구는 나무나 돌로 만들었다.

+ 비파형 동검과 세형 동검

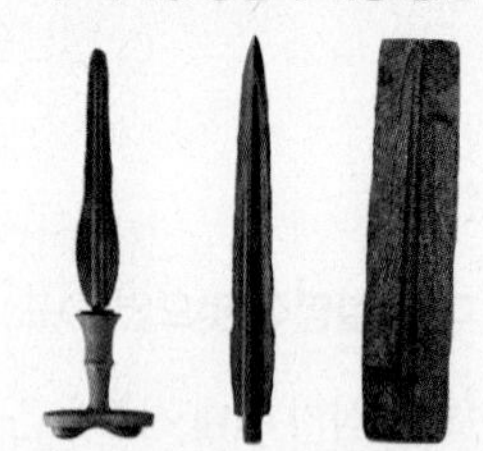
비파형 동검, 세형 동검, 세형 동검의 거푸집(왼쪽부터)

만주와 한반도 지역의 비파형 동검은 중국과 달리 몸체에 손잡이를 끼워 사용하였다. 한반도 지역에서 비파형 동검은 점차 세형 동검으로 발전하였다. 세형 동검은 청동기 시대 후기에서 초기 철기 시대에 한반도에서 사용되었다.

D 청동기 시대의 사회 변화

1. 농경의 발달과 사회 변화

(1) 농경 발달: 농경 기술 발달, 농업 생산력 향상, 잡곡 재배·일부 지역에 벼농사 보급

└ 청동기 시대 사람들은 반달 돌칼, 돌낫 등으로 곡식을 수확하고 민무늬 토기, 미송리식 토기 등에 저장하였어.

(2) 계급의 분화 ─ 비교 구석기 시대와 신석기 시대는 평등 사회였어.

① 계급 발생: 농경과 목축의 발달로 여분의 생산물 발생 → 사유 재산의 개념 등장, 빈부 차이 발생, 계급 발생

꼭 사유 재산의 개념이 나타나자, 생산의 많고 적음에 따라 빈부의 격차가 생겼어.

② 군장(족장)의 등장: 권력이 있고 재산이 많은 사람이 군장이 되어 부족 통솔·제사 주관(→ +제정일치 사회), 지배층의 무덤 조성(고인돌, 돌널무덤)

(3) 주거지: 나지막한 언덕에 마을 형성(울타리·도랑 등 방어 시설 구축), 마을 규모 확대, 움집의 규모 확대·지상 가옥화

─ 청동기 시대에 집은 점차 지상 가옥으로 변하였으며, 창고 등 다양한 크기와 용도의 집이 지어졌어.

2. 신앙과 예술 활동: 유물과 바위에 그림과 무늬를 새김(생활 모습 반영·풍요와 다산 등 기원, +농경문 청동기·울주 대곡리 반구대 암각화 등 제작)

└ 신석기 시대에서 청동기 시대에 걸쳐 만들어졌는데, 호랑이, 멧돼지 등을 사냥하는 그림과 고래잡이 그림이 많이 그려져 있어.

자료로 이해하기 고인돌의 제작

고인돌(탁자식 고인돌)

만주와 한반도 지역에서는 지배자의 무덤으로 알려진 고인돌이 발견되었다. 이렇게 큰 고인돌을 만들기 위해서는 많은 노동력이 필요하였으므로, 당시에 많은 사람을 모을 수 있는 강한 권력을 가진 지배자가 있었음을 짐작할 수 있다.

+ 제정일치

제사와 정치가 일치하는 정치 형태로, 제정일치 사회에서는 정치적 지배자가 제사장의 역할까지 맡았다.

+ 농경문 청동기

나무에 앉은 새의 모습과 따비로 밭을 가는 사람이 앞뒷면에 새겨져 있다.

핵심 콕콕

• 청동기 시대의 도구

청동기	주로 무기, 제사용 도구, 지배층의 장신구로 쓰임(청동 검, 청동 거울, 팔주령 등)
생활 도구	• 일상생활 도구: 돌이나 나무로 제작(반달 돌칼, 돌낫 등) • 토기: 민무늬 토기, 미송리식 토기 제작

1 청동기 시대에 대한 설명이 맞으면 ○표, 틀리면 ×표를 하시오.

(1) 토기를 처음 만들어 곡식을 저장하였다. (　　)

(2) 청동제 농기구가 사용되어 농업 생산력이 향상되었다. (　　)

2 다음에서 설명하는 유물을 〈보기〉에서 골라 기호를 쓰시오.

〈보기〉

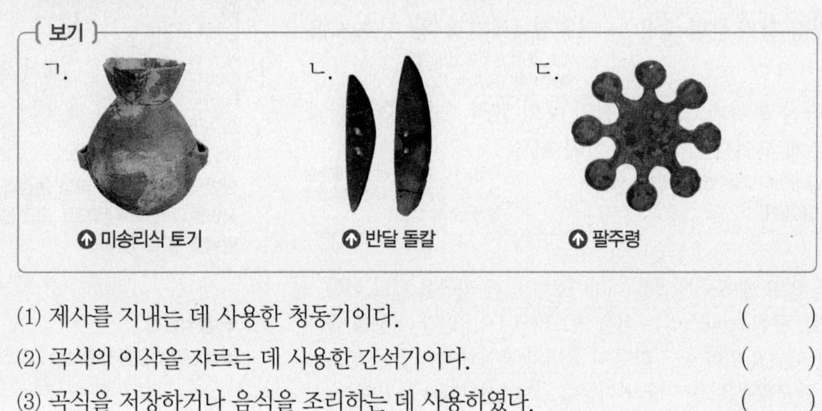

ㄱ. 미송리식 토기　ㄴ. 반달 돌칼　ㄷ. 팔주령

(1) 제사를 지내는 데 사용한 청동기이다. (　　)

(2) 곡식의 이삭을 자르는 데 사용한 간석기이다. (　　)

(3) 곡식을 저장하거나 음식을 조리하는 데 사용하였다. (　　)

핵심 콕콕

• 청동기 시대의 사회 모습

경제	잡곡 재배, 일부 지역에 벼농사 보급
사회	빈부 차이 발생, 계급 발생(군장 등장)
주거지	나지막한 언덕에 마을 형성
신앙, 예술	유물과 바위에 그림과 무늬를 새김(농경문 청동기, 울주 대곡리 반구대 암각화 등)

1 ㉠, ㉡에 들어갈 내용을 각각 쓰시오.

> 청동기 시대에는 농경이 발달하면서 여분의 생산물이 생기자 생산의 많고 적음에 따라 빈부 차이가 생기고 (㉠　　　　)이 나뉘었다. 이에 따라 권력과 재산을 지닌 사람이 지배자인 (㉡　　　　)이 되어 부족을 통솔하고 제사를 이끌었다.

2 다음 괄호 안의 내용 중 알맞은 말에 ○표를 하시오.

(1) (신석기, 청동기) 시대에는 일부 지역에 벼농사가 보급되었다.

(2) 청동기 시대에는 (민무늬 토기, 빗살무늬 토기)가 주로 사용되었다.

3 밑줄 친 '이 무덤'을 쓰시오.

> 이 무덤은 청동기 시대에 만들어진 것으로, 지배층의 무덤으로 알려져 있다. 이 무덤의 거대한 규모를 통해 당시에 많은 사람을 모을 수 있는 강한 권력을 가진 지배자가 있었음을 짐작할 수 있다.

E 고조선의 건국과 발전

1. +고조선의 건국과 건국 이야기

『삼국유사』에 단군의 건국 이야기가 수록되었고, 『동국통감』에는 단군왕검이 기원전 2333년에 고조선을 세웠다고 기록되어 있어.

(1) 건국: 만주와 한반도의 서북부에서 청동기 문화를 바탕으로 단군왕검이 건국(기원전 2333년) → 후기에 한반도 북서부의 대동강 유역으로 중심지 이동

(2) 건국 이야기: 제정일치 사회(단군 – 제사장, 왕검 – 정치적 우두머리), 농업 사회, +홍익인간의 이념, 동물 숭상, 집단 간의 연맹이 드러남

2. 고조선의 발전

연과 교류하고 경쟁하는 과정에서 철기가 보급되기 시작하였어.

(1) 철기의 수용과 발전: 기원전 5세기경 철기 문화 수용 → 기원전 4세기경 '왕' 칭호 사용·연과 맞설 정도로 성장

이를 통해 농업이 발전하고 세력이 확대되었어.

(2) 위만의 집권: 기원전 2세기경 준왕을 몰아내고 집권, 철기 문화 본격 수용, 중국 한과 한반도 남쪽 나라들 사이에서 중계 무역으로 경제적 이익 획득

한이 중국을 통일한 후 무리를 이끌고 연에서 고조선으로 망명하였다고 알려져 있어.

자료로 이해하기 단군의 건국 이야기

바람, 비, 구름은 농업에 중요한 요소로, 고조선이 농업 사회였음을 보여 줘.

> 환인(하늘의 신)이 아들(환웅)의 뜻을 알고 태백산 지역을 내려다보니 인간 세상을 널리 이롭게 할 만하였다. …… 환웅은 바람, 비, 구름을 다스리는 신을 거느리고 …… 인간 세상을 다스렸다. 이때 곰 한 마리와 호랑이 한 마리가 있어 …… 환웅이 웅녀와 혼인하여 아들을 낳으니, 그 이름을 단군왕검이라 하였다. 단군왕검은 …… 나라 이름을 (고)조선이라고 불렀다.

동물 숭상과 집단 간 연맹을 보여 줘.

단군의 건국 이야기를 통해 고조선이 홍익인간을 이념으로 건국되었으며, 농업·제정일치 사회였음을 알 수 있다. 또한 당시 사람들이 동물을 숭상하였고, 고조선이 집단 간의 연맹으로 성립되었음을 짐작할 수 있다.

+ 고조선의 문화 범위

한반도와 만주의 비파형 동검과 탁자식 고인돌의 분포 지역으로 고조선의 문화 범위를 알 수 있다.

+ 홍익인간

널리 인간을 이롭게 한다는 고조선의 이념

F 고조선의 사회와 멸망

1. 고조선의 사회

왕권이 강화되면서 왕 밑에 관직을 두어 관료제를 정비하였어.

(1) 계층 분화: 왕을 비롯한 지배층(상, 대부, 장군 등의 관직에 등용), 피지배층으로 분열

(2) 법 제정: 지배층이 사회 질서 유지를 위해 법(「8조법」) 제정 → 고조선 사회의 모습을 보여 줌(계급 사회, 농업 사회, 개인의 생명(노동력)과 재산 중시 등)

8개 조항 중 3개의 조항이 남아 있어.

2. 고조선의 멸망

왜? 흉노 정벌에 나선 한은 고조선이 흉노와 연결되는 것을 막고자 고조선을 공격하였어.

멸망 과정	한 무제의 고조선 침공 → 고조선이 1년여 동안 저항, 지배층의 분열로 수도 왕검성 함락·멸망(기원전 108)
멸망 이후	+한 군현 설치 → 고조선 유민이 한반도 남쪽으로 이주, 한 군현은 점차 소멸

삼한 사회의 형성과 발전에 영향을 주었어.

자료로 이해하기 고조선의 법(「8조법」)

> 사람을 죽인 자는 바로 사형에 처하고, 남에게 상해를 입힌 자는 곡물로 배상하게 한다. 남의 물건을 훔친 자는 그 집의 노비로 삼으며, 속죄하려고 하는 자는 1인당 50만 전을 내게 한다.

고조선의 「8조법」은 고조선 사회가 인간의 생명(노동력)과 사유 재산을 중요하게 여겼으며, 농업을 기반으로 한 사회였고 노비가 존재하는 계급 사회였음을 보여 준다.

+ 한 군현

한은 고조선을 멸망시킨 후 고조선이 있던 자리에 진번, 임둔, 낙랑, 현도의 4군과 여러 현을 설치하였다.

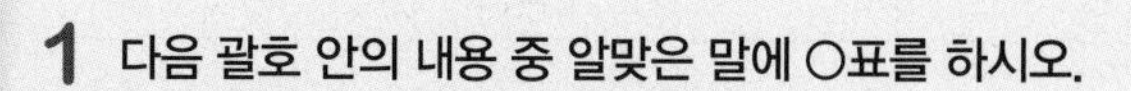

1 다음 괄호 안의 내용 중 알맞은 말에 ○표를 하시오.

(1) 고조선은 (철기, 청동기) 문화를 기반으로 등장하였다.

(2) 동국통감에는 (위만, 단군왕검)이 고조선을 건국하였다고 기록되어 있다.

(3) 고조선의 문화 범위는 탁자식 고인돌과 (세형 동검, 비파형 동검)의 출토 범위로 추측할 수 있다.

2 다음에서 설명하는 인물을 쓰시오.

> 한이 중국을 통일한 후 무리를 이끌고 연에서 고조선으로 망명하여 기원전 2세기경 준왕을 몰아내고 고조선의 왕위를 차지하였다.

3 다음은 고조선에서 있었던 사실이다. (가)~(다)를 일어난 순서대로 나열하시오.

> (가) 왕 칭호를 사용하기 시작하였다.
> (나) 철기 문화를 받아들이기 시작하였다.
> (다) 중국의 한과 한반도 남쪽 나라들 사이에서 중계 무역을 전개하였다.

핵심 콕콕

• **고조선의 건국과 발전**

고조선의 건국
청동기 문화 바탕, 만주와 한반도의 서북부에서 단군왕검이 건국

↓

고조선의 발전
기원전 5세기경 철기 문화 수용 → 기원전 4세기경 '왕' 칭호 사용·연과 맞설 정도로 성장 → 기원전 2세기경 위만 집권(철기 문화 본격 수용, 중계 무역 발달)

1 고조선에 대한 설명이 맞으면 ○표, 틀리면 ×표를 하시오.

(1) 왕 아래 상, 대부, 장군 등의 관직이 있었다. ( )

(2) 흉노에게 수도 왕검성이 함락되어 멸망하였다. ( )

2 다음을 통해 알 수 있는 고조선 사회의 특징만을 〈보기〉에서 있는 대로 골라 기호를 쓰시오.

> 사람을 죽인 자는 바로 사형에 처하고, 남에게 상해를 입힌 자는 곡물로 배상하게 한다. 남의 물건을 훔친 자는 그 집의 노비로 삼으며, 속죄하려고 하는 자는 1인당 50만 전을 내게 한다.
> – 반고, 『한서』

보기

ㄱ. 농업 사회를 형성하였다.
ㄴ. 계급이 없는 평등한 사회였다.
ㄷ. 사유 재산을 인정하지 않았다.
ㄹ. 인간의 생명(노동력)을 중시하였다.

핵심 콕콕

• **고조선 사회의 특징**

구분	내용
계층 분화	지배층(상, 대부, 장군 등의 관직에 등용), 피지배층으로 분열
법률	• 제정 목적: 사회 질서 유지 • 내용: 「8조법」 제정(계급·농경 사회, 개인의 생명(노동력)과 재산 중시 등이 드러남)

시험에 잘 나와!

01 ㉠ 시대에 대한 설명으로 옳은 것은?

① 동굴에서 거주하였다.
② 군장의 지배를 받았다.
③ 토기에 곡식을 저장하였다.
④ 무덤으로 고인돌을 만들었다.
⑤ 청동제 무기와 간석기를 사용하였다.

02 지도의 유적을 남긴 시대의 생활 모습에 대한 설명으로 옳은 것은?

① 농사로 곡식을 수확하였다.
② 강가의 움집에서 생활하였다.
③ 무리 지어 이동 생활을 하였다.
④ 무기로 비파형 동검을 만들었다.
⑤ 계급이 경제생활에 영향을 주었다.

03 다음 설명에 해당하는 도구로 옳은 것은?

> 구석기 시대에는 돌을 깨뜨리고 조각을 떼어 내서 만든 뗀석기를 사용하였다.

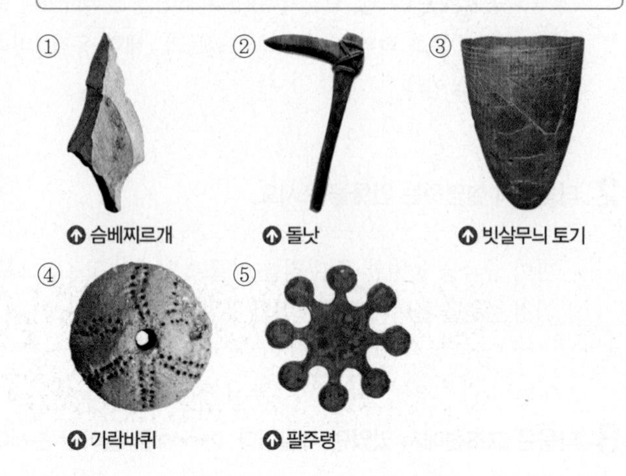

① 슴베찌르개 ② 돌낫 ③ 빗살무늬 토기
④ 가락바퀴 ⑤ 팔주령

04 신석기 시대에 볼 수 있는 모습으로 가장 적절한 것은?

① 8조법에 따라 처벌받는 사람
② 토기에 곡식을 저장하는 사람
③ 농사를 지어 벼를 수확하는 사람
④ 청동 방울을 달고 제사를 지내는 사람
⑤ 지배층의 무덤으로 고인돌을 만드는 사람들

시험에 잘 나와!

05 다음 유물을 사용한 시대에 대한 설명으로 옳지 않은 것은?

갈돌과 갈판

① 움집을 짓고 거주하였다.
② 덧무늬 토기 등을 만들었다.
③ 돌낫, 돌보습과 같은 간석기를 사용하였다.
④ 한반도에서 약 70만 년 전부터 시작되었다.
⑤ 특정 동식물을 숭배하는 신앙이 등장하였다.

정답 친해 2쪽

06 다음 도구를 처음 사용한 시대의 생활 모습으로 옳은 것은?

가락바퀴

① 농경과 목축을 시작하였다.
② 군장(족장)의 지배를 받았다.
③ 돌을 깨뜨려 조리 도구를 만들었다.
④ 비파형 동검을 만들어 전쟁을 벌였다.
⑤ 무리 지어 다니며 동굴과 바위 그늘에 거주하였다.

07 다음 집을 처음 만든 시대에 대한 탐구 활동으로 가장 적절한 것은?

① 계급이 발생한 배경을 알아본다.
② 고조선의 발전 과정을 정리한다.
③ 빗살무늬 토기의 쓰임새를 조사한다.
④ 주먹도끼와 찍개의 제작 방법을 검색한다.
⑤ 한반도에서 독자적 청동기가 발전한 사례를 찾아본다.

08 청동기 시대에 대한 설명으로 옳은 것을 〈보기〉에서 고른 것은?

〈보기〉
ㄱ. 농경이 시작되었다.
ㄴ. 평등 사회를 이루었다.
ㄷ. 사유 재산의 개념이 등장하였다.
ㄹ. 돌이나 나무 등으로 일상생활 도구를 만들었다.

① ㄱ, ㄴ　② ㄱ, ㄷ　③ ㄴ, ㄷ
④ ㄴ, ㄹ　⑤ ㄷ, ㄹ

09 ㉠ 시대의 특징에 대한 설명으로 옳은 것은?

(㉠) 시대에 곡식의 이삭을 자르는 데 쓰인 도구야.

역사 스피드 퀴즈

① 목축이 시작되었다.
② 벼농사가 도입되었다.
③ 뗀석기로 사냥을 하였다.
④ 빗살무늬 토기에 곡식을 저장하기 시작하였다.
⑤ 자연물에 영혼이 있다고 믿는 신앙이 등장하였다.

10 청동기 시대의 군장(족장)에 대한 설명으로 옳은 것을 〈보기〉에서 고른 것은?

〈보기〉
ㄱ. 제사를 주관하였다.
ㄴ. 부족을 통솔하였다.
ㄷ. 집단 사냥을 이끌었다.
ㄹ. 동굴이나 막집에서 거주하였다.

① ㄱ, ㄴ　② ㄱ, ㄷ　③ ㄴ, ㄷ
④ ㄴ, ㄹ　⑤ ㄷ, ㄹ

시험에 잘 나와!

11 다음 유적을 활용한 보고서 주제로 가장 적절한 것은?

① 뗀석기의 발달
② 정착 생활의 시작
③ 지배자 권력의 크기
④ 애니미즘과 토테미즘의 발생
⑤ 만주와 한반도의 독자적 청동기 문화

12 다음 두 유물의 공통점으로 옳은 것은?

빗살무늬 토기 / 민무늬 토기

① 군장의 제사에 활용되었다.
② 신석기 시대에 제작되었다.
③ 음식을 조리하는 데 쓰였다.
④ 곡식을 수확할 때 사용되었다.
⑤ 고인돌 주인의 생활상을 짐작하게 한다.

시험에 잘 나와!

13 ㉠ 시대의 사회 모습으로 옳지 않은 것은?

수행 평가 보고서

1. 탐구 주제: (㉠) 시대의 유물
2. 수집 자료

길이 7.3㎝ 정도의 청동기로, 나무에 앉은 새의 모습과 따비로 밭을 가는 사람이 앞뒷면에 새겨져 있다.

① 계급이 생겨났다.
② 빈부 차이가 발생하였다.
③ 농업 생산력이 향상되었다.
④ 무리 지어 이동 생활을 하였다.
⑤ 마을에 방어 시설을 구축하였다.

14 고조선에 대한 설명으로 옳지 않은 것은?

① 왕의 칭호를 사용하였다.
② 철기 문화를 수용하였다.
③ 농업을 기반으로 발전하였다.
④ 집단 간 연맹으로 건국되었다.
⑤ 신석기 문화를 기반으로 세워졌다.

15 다음 두 자료를 활용한 탐구 주제로 가장 적절한 것은?

① 정착 생활의 계기
② 집단 사냥의 전개
③ 고조선의 문화 범위
④ 신석기 시대의 도구
⑤ 구석기 시대의 주거 문화

16 (가)에 들어갈 내용으로 옳은 것은?

『동국통감』에 따르면 단군왕검이 고조선을 건국하였다. 단군은 제사장, 왕검은 정치적 우두머리를 의미하는데, 이를 통해 단군왕검이 ________(가)________는 사실을 알 수 있다.

① 농사를 장려하였다
② 주먹도끼를 보급하였다
③ 철기 도입을 주도하였다
④ 신석기 시대의 지도자였다
⑤ 제정일치 사회의 지배자였다

17 다음 상황이 전개된 배경으로 가장 적절한 것은?

고조선은 철기 문화를 바탕으로 더욱 세력을 넓혔으며 중국의 한과 한반도 남쪽 나라들 사이에서 중계 무역을 하여 경제적인 이익을 챙겼다.

① 위만이 왕이 되었다.
② 간석기가 제작되었다.
③ 한이 군현을 설치하였다.
④ 빗살무늬 토기가 만들어졌다.
⑤ 왕의 호칭을 사용하기 시작하였다.

18 (가) 나라에 대한 설명으로 옳은 것을 〈보기〉에서 고른 것은?

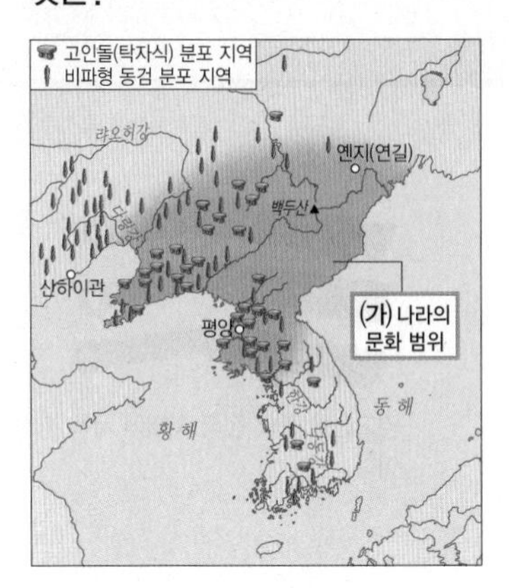

〈보기〉

ㄱ. 한에 멸망하였다.
ㄴ. 철기 문화를 바탕으로 등장하였다.
ㄷ. 상, 대부, 장군 등의 관직이 있었다.
ㄹ. 하나의 큼직한 뗀석기를 만들어 다양한 용도로 사용하였다.

① ㄱ, ㄴ ② ㄱ, ㄷ ③ ㄴ, ㄷ
④ ㄴ, ㄹ ⑤ ㄷ, ㄹ

시험에 잘 나와!

19 다음 건국 이야기를 통해 알 수 있는 고조선 사회의 모습으로 옳지 않은 것은?

> 환인(하늘의 신)이 아들(환웅)의 뜻을 알고 태백산 지역을 내려다보니 인간 세상을 널리 이롭게 할 만하였다. …… 환웅은 바람, 비, 구름을 다스리는 신을 거느리고 …… 인간 세상을 다스렸다. 이때 곰 한 마리와 호랑이 한 마리가 있어 …… 환웅이 웅녀와 혼인하여 아들을 낳으니, 그 이름을 단군왕검이라 하였다. 단군왕검은 …… 나라 이름을 (고)조선이라고 불렀다. －『삼국유사』

① 동물을 숭상하였다.
② 상업이 발달하였다.
③ 제정일치 사회였다.
④ 집단 간의 연맹으로 성립되었다.
⑤ 홍익인간을 이념으로 건국되었다.

서술형 문제

서술형 감잡기

01 ㉠, ㉡을 통해 알 수 있는 고조선의 사회 모습을 서술하시오.

> ㉠ 사람을 죽인 자는 바로 사형에 처하고, 남에게 상해를 입힌 자는 곡물로 배상하게 한다. ㉡ 남의 물건을 훔친 자는 그 집의 노비로 삼으며, 속죄하려고 하는 자는 1인당 50만 전을 내게 한다. － 반고, 『한서』

➜ ㉠ 내용을 통해 고조선 사람들이 사람의 (①　　　)을 중시하였음을 알 수 있고, ㉡ 내용을 통해 (②　　　)을 중요하게 여겼으며 노비가 존재하는 계급 사회였음을 알 수 있다.

실전! 서술형 도전하기

02 다음 자료를 통해 알 수 있는 신석기 시대의 생활 모습을 세 가지 서술하시오.

돌보습

갈돌과 갈판

빗살무늬 토기

03 다음 자료를 기반으로 청동기 시대 도구의 특징을 재료와 관련하여 서술하시오.

미송리식 토기

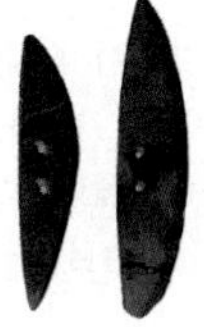
반달 돌칼

팔주령

02 여러 나라의 성장

A 철기의 보급과 사회 변화

1. 철기의 보급과 청동기의 사용

철은 청동보다 구하기 쉽고 단단해서 농기구나 무기로 만들 수 있었어.

(1) 철기의 보급: 기원전 5세기경 만주와 한반도에 보급, 기원전 1세기경 확산

① 철제 농기구: 단단하고 날카로워 땅을 깊게 가는 데 유리 → 농업 생산량 증가

② 철제 무기: 예리하고 튼튼한 무기 제작 → 정복 전쟁 활발

꼭 철기를 활용해 세력을 키운 부족이 주변 부족을 정복하거나 연합하면서 만주와 한반도에 여러 나라가 생겨나기 시작하였어.

(2) 청동기: 주로 의식용 도구나 장신구에 사용(세형 동검 등)

2. 사회 변화: 널무덤과 독무덤 사용, 중국과 활발한 교류 전개(→ 한반도에서 +명도전 발견, 한반도에 한자 전래)

경남 창원 다호리 유적에서 나온 붓을 통해 한반도에 한자가 전래되었음을 알 수 있어.

+ 명도전

명도전은 중국 전국 시대에 사용한 화폐이다.

B 철기 문화를 바탕으로 세워진 여러 나라

1. 여러 나라의 형성: 철기 문화를 바탕으로 만주와 한반도에 +여러 나라 성립

2. 여러 나라의 성장

왕권이 약하여 흉년이 들면 왕이 책임을 지고 물러나거나 죽임을 당하기도 하였어.

마가, 우가, 저가, 구가 등

<table>
<tr><td>부여</td><td colspan="2">만주 쑹화강 일대에서 성립, 농경과 목축 발달, 연맹 왕국 형성(왕 아래 가(加)들이 별도로 각자의 영역 지배), 제천 행사(영고) 거행, 엄격한 법 시행, +순장 풍습</td></tr>
<tr><td>고구려</td><td colspan="2">• 건국: 부여에서 이주한 주몽 집단과 압록강 유역의 토착 세력이 건국(기원전 37)
• 특징: 연맹 왕국(왕 아래 상가·패자·고추가 등의 관직 설치, +5부의 대가가 나라 운영, 제가 회의에서 중대사 결정), 서옥제의 혼인 풍습, 제천 행사(동맹) 거행</td></tr>
<tr><td>옥저</td><td rowspan="2">왕이 없고 군장(읍군·삼로)이 각 지역 지배, 농사 발달, 소금과 해산물 풍부, 고구려의 간섭을 받음</td><td>민며느리제의 혼인 풍습, 가족 공동 무덤 제작</td></tr>
<tr><td>동예</td><td>+족외혼·책화(다른 부족의 경계 침범 시 노비나 소·말로 배상)의 풍습, 제천 행사(무천) 거행, 단궁·과하마·반어피 유명</td></tr>
<tr><td>삼한</td><td colspan="2">마한·진한·변한의 연맹체, 군장(신지·읍차)이 소국 지배, 제사장(천군)이 소도에서 제사 의식 주관, 벼농사 발달, 변한은 철 풍부, 제천 행사(5월, 10월) 거행</td></tr>
</table>

왕과 부족 대표들이 중대사를 결정하였어.

목지국의 지배자가 삼한을 대표하였어.

덩이쇠를 화폐처럼 사용하고 주변국에 철을 수출하였어.

꼭 삼한이 제정 분리 사회였음을 알 수 있어.

자료로 이해하기 고구려와 옥저의 혼인 풍습

서옥제

• 혼인할 때는 …… 여자 집에서 본채 뒤편에 작은 별채인 서옥을 짓는다. …… 신랑은 돈과 비단을 내놓는다. …… 자식을 낳아 장성하면 아내를 데리고 집으로 돌아간다. －『삼국지』

• 여자 나이 10살이 되기 전에 혼인을 약속한다. 신랑 집에서는 여자를 데려와서 기른다. 여자가 어른이 되면 친정으로 돌려보내고 신랑 집에서 돈을 낸 뒤 다시 데려온다. －『삼국지』

민며느리제

고구려에는 신랑이 신부 집 뒤편에 지은 서옥에 살다가, 아들을 낳아 장성하면 아내와 자기 집으로 돌아가는 서옥제의 풍습이 있었다. 옥저에는 신랑이 될 집안이 혼인을 약속한 여자아이를 데려와 키우다 아이가 자라면 남자가 여자의 집에 예물을 주고 혼인을 청하는 민며느리제의 풍습이 있었다. 이는 모두 노동력을 중시하였음을 보여 준다.

+ 여러 나라 성립

만주와 한반도 북부에는 부여, 고구려가 세워졌고, 한반도 동북쪽 해안 지역에는 옥저와 동예, 남부에는 삼한이 성립하였다.

+ 순장

왕이나 귀족이 죽으면 사람을 함께 묻는 장례 풍습

+ 5부

고구려 초기 5개 정치 집단으로, 계루부·소노부·절노부·관노부·순노부가 있었다.

+ 족외혼

같은 씨족끼리 혼인하지 않는 풍습

- 철기 시대의 사회 변화
- 여러 나라의 지리적 위치
- 여러 나라의 정치적 특징
- 여러 나라의 풍속

1 다음 설명이 맞으면 ○표, 틀리면 ×표를 하시오.

(1) 철제 무기가 사용되면서 전쟁이 줄어들었다. ( )

(2) 철기 시대에는 주로 청동기로 농기구를 만들었다. ( )

(3) 철제 농기구가 사용되면서 농업 생산량이 증가하였다. ( )

2 한반도에서 명도전이 발견되어 철기 시대에 한반도 사람들이 ( )과 교류하였음을 짐작할 수 있다.

• **철기의 사용과 사회 변화**

철기의 사용		사회 변화
철제 농기구	→	농업 생산력 향상
철제 무기		정복 전쟁 활발 → 만주와 한반도에 여러 나라 등장

1 다음 괄호 안의 내용 중 알맞은 말에 ○표를 하시오.

(1) (동예, 옥저)에서는 가족 공동 무덤을 만들었다.

(2) 옥저와 동예는 (왕, 군장)이 각 지역을 지배하였다.

(3) 고구려에서는 (동맹, 영고)(이)라는 제천 행사를 열었다.

(4) (부여, 삼한)에서는 왕 아래 가(加)들이 별도로 각자의 영역을 지배하였다.

2 ㉠, ㉡에 들어갈 혼인 풍습을 각각 쓰시오.

> 고구려에는 신랑이 신부 집 뒤편에 지은 서옥에 살다가 아들을 낳아 장성하면 아내를 데리고 집으로 돌아가는 (㉠)의 풍습이 있었다. 옥저에는 신랑이 될 집안이 혼인을 약속한 여자아이를 데려와 키우다가 아이가 자라면 남자가 여자의 집에 예물을 주고 혼인을 청하는 (㉡)의 풍습이 있었다.

3 동예에는 다른 부족의 경계를 침범하면 배상하는 ( )라는 풍습이 있었다.

4 다음 나라와 그 나라의 특징을 옳게 연결하시오.

(1) 동예 • • ㉠ 영고 거행, 순장 풍습

(2) 부여 • • ㉡ 무천 거행, 족외혼 풍습

(3) 삼한 • • ㉢ 군장이 소국 지배, 천군이 소도 지배

• **철기 문화를 바탕으로 세워진 여러 나라**

나라	정치	풍속
부여	연맹 왕국 형성, 영고 거행	
고구려	연맹 왕국 형성, 제가 회의 개최, 서옥제, 동맹 거행	
옥저	군장(읍군·삼로)이 각 지역 지배	민며느리제, 가족 공동 무덤
동예	군장(읍군·삼로)이 각 지역 지배	족외혼, 책화, 무천 거행
삼한	군장(신지·읍차)이 소국 지배, 천군이 소도에서 제사 의식 주관, 제천 행사(5월, 10월) 거행	

01 철기가 보급되면서 나타난 모습으로 옳은 것을 〈보기〉에서 고른 것은?

보기
ㄱ. 계급이 사라졌다.
ㄴ. 정복 전쟁이 활발해졌다.
ㄷ. 정착 생활이 시작되었다.
ㄹ. 농업 생산량이 증가하였다.

① ㄱ, ㄴ ② ㄱ, ㄷ ③ ㄴ, ㄷ
④ ㄴ, ㄹ ⑤ ㄷ, ㄹ

[02~03] 지도는 철기 문화를 바탕으로 세워진 여러 나라를 나타낸 것이다. 이를 보고 물음에 답하시오.

시험에 잘 나와!
02 (가) 나라에 대한 설명으로 옳지 않은 것은?
① 순장의 풍습이 있었다.
② 엄격한 법을 시행하였다.
③ 영고라는 제천 행사를 지냈다.
④ 천군이 소도에서 제사 의식을 주관하였다.
⑤ 왕 아래 가(加)들이 별도로 각자의 영역을 다스렸다.

03 (나) 나라의 풍습으로 옳은 것은?
① 동맹 ② 책화
③ 서옥제 ④ 민며느리제
⑤ 가족 공동 무덤

04 ㉠, ㉡ 나라의 공통점으로 옳은 것은?

• (㉠)은/는 …… 제천 행사에서 날마다 노래하고 춤을 추는데, 그 이름을 '영고'라고 한다. 이때는 형벌을 중단하고 죄수를 풀어 주었다. -『삼국지』
• (㉡)에는 좋은 논과 밭이 없으므로 부지런히 농사를 지어도 식량이 충분하지 못하다. 10월에 지내는 제천 행사를 '동맹'이라고 한다. 사람들은 힘이 세고 전투에 익숙하여 옥저와 동예를 모두 복속시켰다. -『삼국지』

① 벼농사를 지었다.
② 움집에서 생활하였다.
③ 연맹 왕국을 이루었다.
④ 청동기 문화를 바탕으로 등장하였다.
⑤ 해안 지역에서 성립하여 해산물이 풍부하였다.

시험에 잘 나와!
05 다음 내용에 모두 해당하는 나라에 대한 설명으로 옳은 것은?

• 5부 • 동맹 • 서옥제 • 제가 회의

① 위만의 지배를 받았다.
② 책화라는 풍습이 있었다.
③ 무천이라는 제천 행사를 열었다.
④ 만주 쑹화강 일대에서 성립하였다.
⑤ 왕 아래 상가, 패자, 고추가 등의 관직이 있었다.

06 ㉠, ㉡에 들어갈 나라를 옳게 연결한 것은?

• (㉠)은/는 해마다 10월이면 하늘에 제사를 지내는데 …… 이를 무천이라고 한다. -『삼국지』
• (㉡)에서는 여자 나이 10살이 되기 전에 혼인을 약속한다. 신랑 집에서는 여자를 데려와서 기른다. 여자가 어른이 되면 친정으로 돌려보내고 신랑 집에서 돈을 낸 뒤 다시 데려온다. -『삼국지』

	㉠	㉡		㉠	㉡
①	동예	옥저	②	부여	고구려
③	삼한	동예	④	옥저	삼한
⑤	고구려	부여			

07 다음 풍습이 있었던 나라에 대한 설명으로 옳은 것을 〈보기〉에서 고른 것은?

> 사람이 죽으면 뼈만 추려 곽 속에 넣는데, 집 식구를 하나의 곽 속에 넣어 둔다. -『삼국지』

보기
ㄱ. 책화라는 풍습이 있었다.
ㄴ. 민며느리제의 풍습이 있었다.
ㄷ. 소금과 해산물이 풍부하였다.
ㄹ. 부여에서 이주한 주몽 집단이 건국에 참여하였다.

① ㄱ, ㄴ ② ㄱ, ㄷ ③ ㄴ, ㄷ
④ ㄴ, ㄹ ⑤ ㄷ, ㄹ

08 다음에서 설명하는 나라에 대한 학생의 발표 내용으로 가장 적절한 것은?

> 같은 씨족끼리 혼인하지 않는 족외혼과 다른 부족의 경계를 침범하면 노비나 소, 말로 보상하는 책화라는 풍습이 있었다.

① 민며느리제가 있었어요.
② 소도에서 하늘에 제사를 지냈어요.
③ 중국 한의 공격으로 멸망하였어요.
④ 단군왕검이 건국하였다고 전해져요.
⑤ 단궁, 과하마, 반어피가 유명하였어요.

09 밑줄 친 '이 나라'에 대한 설명으로 옳은 것은?

덩이쇠

> 사진은 이 나라의 덩이쇠이다. 이 나라는 철이 풍부하여 덩이쇠를 화폐처럼 사용하였다.

① 서옥제를 운영하였다.
② 벼농사를 많이 지었다.
③ 가족 공동 무덤을 만들었다.
④ 8조법으로 나라를 다스렸다.
⑤ 읍군과 삼로가 각 지역을 다스렸다.

시험에 잘 나와!

10 다음 자료에 나타난 제도를 운영한 나라에 대한 탐구 주제로 가장 적절한 것은?

> 한은 세 나라가 있으니 마한, 진한, 변한이다. 5월이면 씨뿌리기를 마치고 제사를 지낸다. 10월에 농사일을 마치고 나서도 이렇게 한다. -『삼국지』

① 순장의 목적 ② 영고의 진행 과정
③ 제가 회의의 권위 ④ 신지와 읍차의 역할
⑤ 빗살무늬 토기의 기능

서술형 문제

서술형 감잡기

01 다음을 통해 알 수 있는 삼한의 정치적 특징을 서술하시오.

> 하늘의 신의 제사를 주관하는 사람을 천군이라고 부른다. 여러 나라에는 각각 별도의 지역이 있는데, 이를 소도라고 한다. 소도에는 큰 나무를 세우고 방울과 북을 매달아 놓았다. 그 지역으로 도망 온 사람은 누구든 돌려보내지 아니하였다. -『삼국지』

➜ 제사를 왕이 아닌 (①)이 주관하고 정치적으로 독립된 지역인 (②)가 존재한 것을 통해 삼한이 (③) 사회였음을 알 수 있다.

실전! 서술형 도전하기

02 (가), (나)의 풍습을 가진 나라를 각각 쓰고, 이러한 풍습을 통해 알 수 있는 공통적인 사회 모습을 서술하시오.

> (가) 서옥제 (나) 민며느리제

삼국의 성립과 발전

A 고구려의 성장

1. 초기 고구려의 성장

(1) 1세기 초: +국내성(중국 지린성 지안)으로 천도한 후 나라의 기틀 마련, 영토 확장

(2) 태조왕(1세기 후반): 옥저 정복, 요동 지방으로 진출 도모

2. 중앙 집권 체제의 정비

왕권이 성장하면서 계루부, 소노부, 절노부, 순노부, 관노부의 5부는 점차 해체되고 행정 단위를 의미하는 동, 서, 남, 북, 중의 5부로 개편되었어.

(1) 고국천왕(2세기): 수도와 지방을 각각 5부로 나눔, 지방에 관리를 파견하여 행정과 군사 업무 처리, 진대법 시행(빈민 구제 목적)

(2) 체제 정비: 기존 군장을 중앙 귀족으로 편입, 부자 간 왕위 계승 확립

(3) 미천왕(4세기 초): +낙랑군 점령(한반도에서 중국의 군현 세력 축출, 313)

(4) 소수림왕(4세기): 중국 전진에서 불교 수용(사상 통합, 왕실의 권위 확대), 태학 설립(인재 양성), 율령 반포

소수림왕은 4세기 후반 전연이 고구려의 수도를 함락하고, 백제의 평양성 공격으로 고국원왕이 전사한 상황에서 즉위하여 위기 극복과 사회 안정을 도모하였어.

자료로 이해하기 진대법의 시행

고국천왕은 홀아비, 과부, 고아, 홀로 사는 노인, 병들고 가난하여 스스로 살아갈 수 없는 사람들을 찾아 구제하게 하였다. 매년 봄 3월부터 가을 7월까지, 관(청)의 곡식을 대여하게 하고, 겨울 10월에 이르러 갚게 하였다. – 『삼국사기』

진대법은 국가에서 봄에 곡식을 빌려주고, 가을에 갚게 한 제도야.

고국천왕은 진대법을 시행하여 백성의 구제에 힘썼다. 진대법이 시행되면서 귀족에게 빌린 곡식을 갚지 못한 농민들이 노비가 되는 것을 막을 수 있었다.

+ 국내성 일대

압록강 중류의 국내성은 물자가 풍부하고 교통이 편리하였다.

+ 낙랑군

중국의 한이 고조선을 멸망시키고 고조선의 옛 영토에 설치한 행정 조직 중 하나

B 백제의 성립과 성장

1. 백제의 성립: 마한의 소국에서 출발

(1) 건국 세력: 비류·온조 등 부여와 고구려에서 내려온 세력이 한강 유역의 토착 세력과 연합하여 건국(기원전 18)

(2) 위치: +한강 유역의 위례성에 수도를 정함

백제는 육로와 바닷길이 편리한 위례성을 수도로 삼았어.

2. 고이왕(3세기 중반): 관등제 정비, 관복 색 구분, 마한의 소국 병합, 율령의 기초적인 틀 마련

6좌평을 비롯한 관리의 등급을 마련하였어.

자료로 이해하기 백제 건국 세력과 고구려의 관계

장군총(고구려)

석촌동 3호분(백제)

백제의 왕이나 귀족의 무덤으로 추측돼.

백제의 초기 무덤인 석촌동 고분은 계단식 돌무지무덤으로, 고구려 초기에 많이 조성된 돌무지무덤과 유사하다. 이를 통해 백제를 건국한 중심 세력이 고구려와 같은 집단이라는 것을 짐작할 수 있다.

+ 한강 유역

한강 유역은 농경이 발달하였고, 해상 교통이 편리하여 중국의 선진 문물을 받아들이는 데 유리하였다.

- 삼국의 성립과 성장
- 삼국의 중앙 집권 체제 형성
- 삼국의 경쟁과 발전
- 가야의 성립과 발전

1 **다음 고구려 왕과 그의 업적을 옳게 연결하시오.**

(1) 미천왕 • • ㉠ 옥저 정복, 요동 지방으로 진출 도모
(2) 태조왕 • • ㉡ 낙랑군 점령, 한반도에서 군현 세력 축출
(3) 고국천왕 • • ㉢ 수도와 지방을 각각 5부로 나눔, 지방관 파견

2 **㉠에 해당하는 제도를 쓰시오.**

> 고국천왕은 홀아비, 과부, 고아, 홀로 사는 노인, 병들고 가난하여 스스로 살아갈 수 없는 사람들을 찾아 구제하게 하였다. ㉠ 매년 봄 3월부터 가을 7월까지, 관(청)의 곡식을 대여하게 하고, 겨울 10월에 이르러 갚게 하였다. -『삼국사기』

3 **다음 업적을 가진 고구려의 왕을 쓰시오.**

> • 율령을 반포하였다.
> • 태학을 설립하여 인재를 양성하였다.
> • 중국 전진으로부터 불교를 수용하였다.

핵심 콕콕

• **고구려의 성장과 체제 정비**

태조왕	옥저 정복, 요동 지방으로 진출 도모
고국천왕	수도와 지방을 각각 5부로 나눔, 지방관에 관리 파견, 진대법 시행
미천왕	낙랑군 점령
소수림왕	불교 수용, 태학 설립, 율령 반포

1 **백제에 대한 설명이 맞으면 ○표, 틀리면 ×표를 하시오.**

(1) 진한의 소국에서 출발하였다. ( )
(2) 국내성으로 수도를 옮기고 나라의 기틀을 마련하였다. ( )
(3) 부여와 고구려에서 내려온 세력이 건국에 참여하였다. ( )
(4) 해상 교통이 편리한 한강 유역에 위치하여 중국의 선진 문물을 받아들이는 데 유리하였다. ( )

2 **백제 고이왕의 업적으로 옳은 것만을 〈보기〉에서 있는 대로 골라 기호를 쓰시오.**

> 보기
> ㄱ. 관등제 정비 ㄴ. 진대법 시행
> ㄷ. 마한의 소국 병합 ㄹ. 율령의 기초적인 틀 마련

핵심 콕콕

• **백제의 성립과 성장**

백제의 성립
부여와 고구려에서 내려온 세력이 한강 유역의 토착 세력과 연합하여 백제 건국

고이왕(3세기 중반)
관등제 정비, 마한의 소국 병합, 율령의 기초적인 틀 마련

C 신라의 성립과 성장

1. 신라의 성립

(1) 성립: 진한의 소국인 사로국에서 시작(기원전 57) → 삼국 중 정치적 발전이 가장 늦음
- 박혁거세로 대표되는 유이민 세력과 경주·울산 지역의 토착 세력이 결합하여 세웠어.
- 왜? 한반도 동남쪽 끝에 위치하여 중국의 선진 문물을 받아들이기 어려웠기 때문이야.

(2) 초기: 왕권 미약 → 박씨·석씨·김씨가 돌아가며 이사금(왕) 자리 차지
- 중요한 일은 귀족 회의에서 처리하였어.

2. 신라의 성장

(1) 내물왕(4세기 후반): 진한 지역 대부분 병합, 김씨의 왕위 세습 확립, +왕호로 '마립간' 사용, 고구려 광개토 대왕의 도움으로 왜의 침입 격퇴(→ 고구려의 간섭을 받음)

(2) 눌지왕: 백제와 동맹 체결(고구려의 정치적 간섭 탈피 도모)

자료로 이해하기 고구려와 신라의 관계

보병과 기병 5만을 보내 신라를 도와주게 하였다. 남거성을 통해 신라성에 이르렀는데 그곳에 왜적이 가득하였다. 왕의 군대가 이르자 왜적이 도망하였다. 왜적을 쫓아 임나가라(가야)의 종발성에 이르자 성이 곧 복종하였다. – 「광개토 대왕릉비」
- 왕: 광개토 대왕을 가리켜.

경주 호우총에서 발견된 그릇에 '국강상광개토지호태왕' 글자가 새겨져 있어 고구려와 신라의 긴밀한 관계를 보여 줘.

⊙ 경주 호우총 출토 청동 '광개토 대왕'명 호우

신라는 고구려 광개토 대왕의 도움을 받아 왜의 침입을 격퇴하였다. 이후 고구려의 정치적 간섭을 받게 되었지만 고구려를 통해 중국의 문물을 받아들이면서 성장하였다.

+ 신라 왕호의 변천

거서간(귀인) → 차차웅(제사장) → 이사금(연장자, 계승자) → 마립간(대군장) → 왕

신라 왕호는 시기에 따라 호칭과 그 의미가 바뀌었는데, 이는 왕권이 점차 강화되었음을 보여 준다.

D 중앙 집권 체제의 형성

1. 삼국 초기: 연맹 국가 형태로 시작 → 옛 소국 공동체는 독자적으로 내부의 일 처리, 왕과 옛 소국 지배자들이 국가의 중대사를 협의(제가 회의, +화백 회의 등)

2. 삼국의 중앙 집권 체제 정비

(1) 왕권 강화: 왕위의 부자 상속 확립, 정복 전쟁으로 영토 확장

(2) 관등제 정비: 지역 세력을 중앙 귀족으로 흡수·서열화
- 신분제와 관등제를 통해 국가의 관료로 서열화하였어.

고구려	백제	신라
수상 대대로와 10여 관등	수상 상좌평과 16관등	수상 상대등과 17관등

(3) +행정 구역 정비: 수도와 지방의 행정 구역 정비, 지방관 파견
- 지방관을 파견하여 중앙의 명령이 효율적으로 전달되게 하였어.

(4) 율령 반포: 왕 중심의 통치 제도와 법령 정비, 백성을 일원적 규범으로 지배

(5) 불교 수용: 사상 통합으로 다양한 집단 통합, 왕실의 권위 증대
- 불교는 선업을 쌓고 불법을 수호하는 국왕의 권력을 정당화하였어.

자료로 이해하기 중앙 집권 체제의 정비

- 눌지마립간이 왕위에 올랐다. 내물왕의 아들이다. – 왕위의 부자 상속
- 소수림왕 2년, 진왕 부견이 사신과 승려 순도를 파견하여 불상과 경문을 보내왔다. – 불교 수용
- 소수림왕 3년, 율령을 처음으로 반포하였다. – 율령 반포

– 『삼국사기』

고구려, 백제, 신라 삼국은 왕위의 부자 상속, 영토 확장, 관등제와 행정 구역 정비, 불교 수용, 율령 반포 등을 통해 중앙 집권 체제를 강화하였다.

+ 화백 회의

신라의 귀족 회의로, 귀족들은 국가의 주요 사안을 이 회의를 통해 만장일치로 결정하였다. 화백 회의의 대표는 상대등으로 불렸다.

+ 삼국의 행정 구역

고구려는 수도 5부·지방 5부, 백제는 수도 5부·지방 5방, 신라는 중앙 6부·지방 5주로 나누었다.

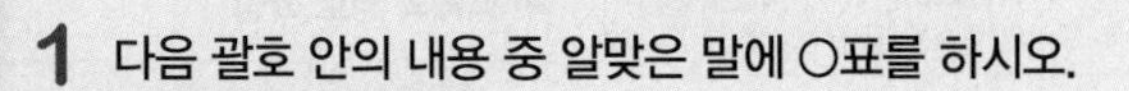

1 다음 괄호 안의 내용 중 알맞은 말에 ○표를 하시오.

(1) 신라 눌지왕은 (백제, 고구려)와 동맹을 체결하였다.
(2) 신라는 (마한, 진한)의 소국인 사로국에서 시작하였다.
(3) 신라는 (내물왕, 눌지왕) 때 김씨의 왕위 세습을 확립하였다.

2 신라 내물왕은 왕호로 대군장을 의미하는 (　　　　　)을 사용하기 시작하였다.

3 ㉠에 들어갈 나라와 ㉡에 들어갈 왕을 각각 쓰시오.

사진은 신라의 경주 호우총에서 발견된 청동 그릇이다. 이 그릇의 바닥에 '국강상광개토지호태왕'이라는 글자가 새겨져 있어, 당시 (㉠　　　　)와 신라의 긴밀한 관계를 알 수 있다. 신라는 (㉡　　　　)의 도움을 받아 왜의 침입을 격퇴한 후 (㉠　　　　)의 정치적 간섭을 받았다.

핵심 콕콕

• 신라의 성립과 성장

신라의 성립
진한의 소국인 사로국에서 시작 → 초기 왕권 미약(박·석·김씨가 돌아가며 왕위 차지)

↓

신라의 성장
• 내물왕: 김씨의 왕위 세습 확립, '마립간' 왕호 사용 • 눌지왕: 백제와 동맹 체결

1 삼국의 중앙 집권 체제 강화에 기여한 정책이 맞으면 ○표, 틀리면 ×표를 하시오.

(1) 세 성씨가 왕위를 돌아가며 맡았다. (　　)
(2) 지역 세력을 중앙 귀족으로 흡수하고 서열화하였다. (　　)
(3) 율령을 반포하여 왕 중심의 통치 제도와 법령을 정비하였다. (　　)

2 다음은 삼국의 관등제를 정리한 것이다. ㉠~㉢에 들어갈 내용을 각각 쓰시오.

구분	고구려	백제	신라
수상	(㉠　　　)	상좌평	(㉢　　　)
등급	10여 관등	(㉡　　　)관등	17관등

3 다음 자료를 통해 알 수 있는 삼국의 정책을 각각 쓰시오.

(1) 눌지마립간이 왕위에 올랐다. 내물왕의 아들이다.
(2) 소수림왕 2년, 진왕 부견이 사신과 승려 순도를 파견하여 불상과 경문을 보내왔다.

(1) 왕위의 (　　　　) 상속 확립　　　(2) (　　　　) 수용

핵심 콕콕

• 삼국의 중앙 집권 체제 정비

왕권 강화	왕위의 부자 상속 확립, 영토 확장
관등제 정비	지역 세력을 중앙 귀족으로 흡수하여 서열화
행정 구역	수도와 지방의 행정 구역 정비, 지방관 파견
율령 반포	왕 중심의 통치 제도와 법령 정비
불교 수용	사상 통합으로 다양한 집단 통합, 왕실의 권위 증대

E 백제의 발전과 중흥 노력

1. 백제의 발전(4세기)

남해안까지 진출하게 되었어.

꼭 일본에서 발견된 칠지도라는 칼에 백제의 왕세자가 왜왕에게 전한다는 기록이 있어 백제와 두 나라의 교류를 짐작하게 해.

근초고왕 (전성기)	⁺영토 확장(마한 지역 대부분 정복, 고구려의 평양성을 공격하여 황해도 일부 차지·고국원왕 전사), 가야 연맹에 영향력 행사, 남조의 동진·왜 등과 교류
침류왕	동진으로부터 불교 수용

2. 백제의 시련과 중흥 노력

이후 백제는 무역 침체와 내정 혼란으로 국력이 약화되었어.

(1) 웅진 천도(475): 고구려가 한성 함락·개로왕 전사 → 웅진(공주) 천도

(2) 동성왕: 중국 남조와 외교 관계 회복, 신라와 혼인 동맹 체결, 신진 세력 등용

(3) 무령왕(6세기 초): 농업 생산 독려, 고구려의 침입 저지, 지방에 22담로 설치(왕족을 파견하여 지방 통제 강화), 중국 남조의 양과 교류

중국 남조의 양과 우호 관계를 맺고 문화 교류에 힘썼어.

(4) 성왕(6세기)

왜? 부여 계승 의식을 내세운 거야.

① 대내외 정비: 사비(부여) 천도(538), 나라 이름을 '남부여'로 개칭, 중앙에 실무 관청 22부 설치, 수도 5부·지방 5방으로 정비, 남조와 교류, 왜에 불교 등 문물 전파

② 한강 유역 회복 노력: 신라와 연합하여 한강 하류 지역 수복(551) → 신라 진흥왕의 기습으로 상실 → 관산성 전투에서 성왕 전사·백제군 패배(554)

나제 동맹은 와해되었어.

+ 백제의 영토 확장

4세기 후반 삼국의 형세

백제는 4세기 근초고왕 때 영토를 확장하고 활발한 대외 교류를 하였다.

F 고구려의 발전과 천하관

1. ⁺고구려의 발전

(1) 광개토 대왕

정복 활동	백제를 공격하여 한강 이북 지역까지 영역 확대, 신라에 침입한 왜군 격퇴(→ 낙동강 하류까지 진출), 후연과 거란을 격파하여 만주와 요동 지역 대부분 차지
국력 과시	'영락' ⁺연호 사용(→ 고구려가 중국과 대등한 국가라는 자신감 표현), 태왕 자처

'크고 위대한 왕'이라는 의미야.

(2) 장수왕

왜? 국내성에 기반을 두고 있던 귀족 세력을 약화하고, 왕권을 강화하기 위해 수도를 평양으로 옮긴 거야.

① 영토 확장: 평양 천도(427), 남진 정책 추진 → 신라와 백제의 나제 동맹 체결 → 고구려가 백제의 수도 한성 함락·한강 유역 전체 차지(475)

충주 고구려비를 통해 알 수 있어.

② 외교 정책: 중국 남북조·몽골 초원의 유연 등과 대등한 외교 전개 → 고구려·유연·북위·남조가 서로 견제·공존하는 다원적 국제 질서 형성

2. 고구려의 천하관: 고구려를 세계의 중심으로 여기는 독자적인 천하관 표방

자료로 이해하기 고구려의 천하관

고구려 사람들은 왕이 신성한 '하늘의 자손'이라는 자부심을 바탕으로 독자적 천하관을 내세웠어.

- 옛날 시조 추모왕이 나라를 세웠다. 시조는 북부여에서 나셨는데, 천제(하늘신)의 아들이다.
- 백잔(百殘, 백제)과 신라는 옛적부터 복속된 백성으로 조공을 바쳐 왔다. -「광개토 대왕릉비」

장수왕이 아버지 광개토 대왕의 업적을 기리기 위해 세운 비석이야.

고구려는 5세기경 한반도 중부 지방에서 만주 지역까지 아우르는 동북아시아의 강대국으로 성장하였으며, 이러한 번영은 6세기 초반까지 이어졌다. 고구려 사람들은 넓어진 영토와 강한 국력에 힘입어 고구려가 세계의 중심이라는 독자적인 천하관을 표방하였다.

+ 고구려의 영토 확장

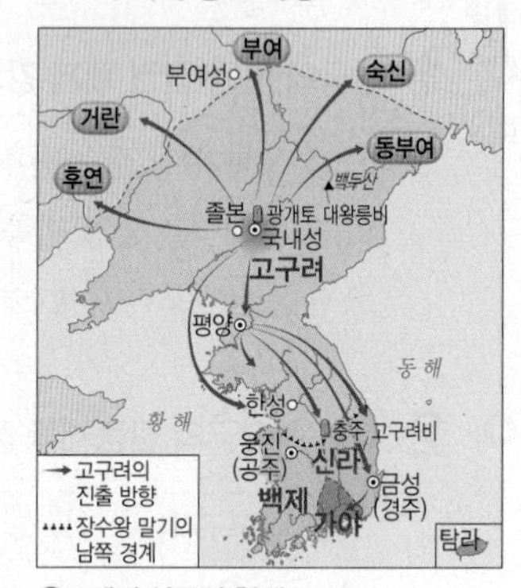

5세기 삼국의 형세

+ 연호

중국 황제들이 자신의 통치 이념을 표현한 것으로, 즉위한 해부터 연도를 나타내는 역할도 하였다.

1 다음 괄호 안의 내용 중 알맞은 말에 ○표를 하시오.

(1) 백제 성왕은 수도를 (사비, 웅진)(으)로 옮겼다.

(2) 백제 (침류왕, 근초고왕)은 고구려 평양성을 공격하여 황해도 일부를 차지하였다.

2 다음 업적을 가진 백제의 왕을 쓰시오.

- 지방에 22담로를 설치하고 왕족을 파견하여 지방 통제를 강화하였다.
- 중국 남조의 양과 우호 관계를 맺고 교류하였다.

3 백제 성왕의 정책이 맞으면 ○표, 틀리면 ×표를 하시오.

(1) 나라 이름을 남부여로 바꾸었다. ( )

(2) 수도는 6부로, 지방은 5주로 나누어 다스렸다. ( )

(3) 중앙에 실무를 담당하는 22부의 관청을 설치하였다. ( )

• 백제의 발전과 중흥 노력

근초고왕(4세기)
영토 확장, 고구려 평양성 공격, 남조의 동진·왜 등과 교류

↓

고구려가 한성 함락, 개로왕 전사

↓

중흥 노력
• 동성왕: 신라와 혼인 동맹 체결 • 무령왕: 지방에 22담로를 설치하고 왕족 파견, 남조와 교류 • 성왕: 사비 천도, 나라 이름을 '남부여'로 개칭

1 다음 고구려 왕과 그의 업적을 옳게 연결하시오.

(1) 장수왕 •   • ㉠ 한강 유역 전체 차지

(2) 광개토 대왕 •   • ㉡ 한강 이북 지역 차지, 신라에 침입한 왜군 격퇴

2 광개토 대왕은 (   )이라는 연호를 사용하여 고구려가 중국과 대등한 국가라는 자신감을 표현하였다.

3 ㉠, ㉡에 들어갈 내용을 각각 쓰시오.

> 고구려의 장수왕은 국내성에 기반을 두고 있던 귀족 세력을 약화하고 왕권을 강화하기 위해 427년 수도를 (㉠   )으로 옮겼다. 이후 장수왕은 적극적으로 (㉡   ) 정책을 추진하여 백제의 수도 한성을 함락하였다.

4 5세기경 국제 정세에 대한 설명이 맞으면 ○표, 틀리면 ×표를 하시오.

(1) 백제와 고구려가 군사 동맹을 맺어 신라에 대항하였다. ( )

(2) 고구려, 유연, 북위, 남조가 서로 견제하고 공존하는 다원적인 국제 질서가 형성되었다. ( )

핵심 콕콕

• 고구려의 발전

광개토 대왕	한강 이북 지역 차지, 신라에 침입한 왜군 격퇴, 만주와 요동 지역 대부분 차지, '영락' 연호 사용
장수왕	평양 천도, 남진 정책(→ 백제의 한성 함락, 한강 유역 전체 차지)

↓

고구려인들은 고구려를 세계의 중심으로 여기는 독자적인 천하관 표방

6 신라의 발전

1. 신라의 국가 체제 정비(6세기 전반)

(1) 지증왕: 국호를 '신라'로 확정, '왕' 호칭 사용, 순장 금지, 영토 확장(경상도 북부 진출, 우산국(울릉도) 정복), 지방관 파견, 소를 이용한 경작 장려, 수도에 시 장 개설

(2) 법흥왕: 병부 설치, 율령 반포, 관등제 정비, 백관 공복의 제도 실시, 불교 공인, 상대등 설치, '태왕' 자처, '건원' 연호 사용, 금관가야 병합(532)

관리의 등급을 17등급으로 확정하였어.

이차돈의 순교를 계기로 이루어졌어.

2. 진흥왕의 체제 정비와 영토 확장(6세기 중반)

이후 고구려와 백제가 한강 유역을 수복하기 위해 신라를 공격하여 삼국 항쟁이 격화되었어.

체제 정비	불교 장려(황룡사 건립), 인재 양성(+화랑도를 국가적 조직으로 재편)
+영토 확장	백제와 연합하여 한강 상류 확보(551), 백제를 몰아내고 한강 유역 전체 차지, 대가야 병합(562), 함흥평야까지 진출 → 정복한 지역에 4개의 순수비와 단양 신라 적성비 건립
대외 정책	한강 유역 확보 이후 고구려와 백제의 연결 차단, 황해를 통해 중국과 집적 교류

예 황초령 신라 진흥왕 순수비, 마운령 신라 진흥왕 순수비, 창녕 신라 진흥왕 척경비, 서울 북한산 신라 진흥왕 순수비

자료로 이해하기 진흥왕의 비석 건립

신라 진흥왕은 점령한 지역에 비석을 세워 영토 확장을 기념하였다. 단양 신라 적성비는 남한강 유역인 적성 지역을 점령한 후 세웠다. 서울 북한산 신라 진흥왕 순수비는 진흥왕이 한강 유역을 차지한 후 업적을 과시하기 위해 세웠다.

단양 신라 적성비(왼쪽)와 서울 북한산 신라 진흥왕 순수비(오른쪽)

+ 화랑도

청소년 단체로, 원광의 세속 5계를 지키며 무예를 익히고 몸과 마음을 단련하였다. 진골 귀족 출신의 화랑과 그를 따르는 낭도로 구성되었다.

+ 신라의 영토 확장

6세기 후반 삼국의 형세

신라는 진흥왕 때 영토를 크게 확장하고 한강 유역을 차지하였다.

H 가야의 성립과 발전

1. 가야 연맹의 형성과 전기 가야 연맹

각 나라는 독자성을 유지하였고, 강한 나라가 연맹을 이끌었어.

(1) +가야 연맹의 형성: 변한 지역에서 작은 나라들이 연합하여 가야 연맹 형성

(2) 전기 가야 연맹: 김해의 금관가야가 주도

금관가야가 위치한 낙동강 하류는 철 생산지가 풍부하였어.

① 금관가야의 성장: 풍부한 철광 보유, 우수한 철기 제작, 해상 교역 발달(낙랑, 왜 등과 교류), 토기 제작 기술 발달(→ 왜에 전파)

낙랑과 왜를 잇는 해상 교역으로 다양한 문화를 받아들였어.

② 전기 가야 연맹의 와해: 고구려의 공격으로 금관가야가 타격을 받아 쇠퇴

광개토 대왕이 신라에 침입한 왜군을 격퇴하는 과정에서 김해 지역을 공격하여 금관가야가 타격을 받았어.

2. 후기 가야 연맹: 대가야가 주도

대가야는 고령의 비옥한 토지, 질 좋은 철 생산을 토대로 발전하였어.

(1) 전개: 고령의 대가야가 세력 확장 → 대가야가 후기 가야 연맹을 이끎

(2) 대가야의 성장: 합천 지역 정복, 소백산맥을 넘어 섬진강 일대로 세력 확장, 중국 남조·왜와 교류, 신라와 백제의 군사 동맹에 참여

3. 가야 연맹의 멸망

배경	각 소국이 독자적 권력 유지, 백제와 신라 사이에 위치하여 불안한 상황 지속 → 중앙 집권 국가로 성장하지 못함
멸망	금관가야는 법흥왕 때 신라에 병합(532) → 대가야는 진흥왕 때 신라에 병합(562)

가야는 연맹 왕국 단계에서 멸망하였어.

가야 연맹의 소국들도 차례로 신라에 병합되었어.

+ 가야 연맹

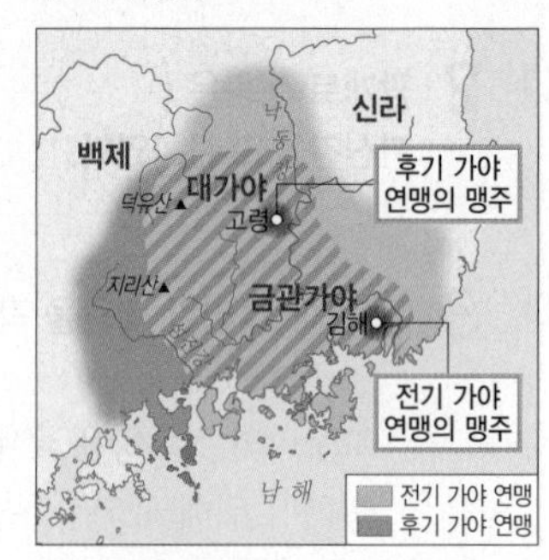

가야 연맹은 김해의 금관가야가 전기 연맹을 이끌었고, 고령의 대가야가 후기 연맹을 주도하였다.

1 다음에서 설명하는 왕을 〈보기〉에서 골라 기호를 쓰시오.

보기		
ㄱ. 법흥왕	ㄴ. 지증왕	ㄷ. 진흥왕

(1) 국호를 신라로 확정하였다. ( )
(2) 백제를 몰아내고 한강 유역 전체를 차지하였다. ( )
(3) 병부를 설치하고 율령을 반포하였으며 불교를 공인하였다. ( )

2 신라 진흥왕 때 국가적인 조직으로 재편된 ( )는 진골 귀족 출신의 화랑과 그를 따르는 낭도로 구성되었다.

3 다음 괄호 안의 내용 중 알맞은 말에 ○표를 하시오.

(1) 법흥왕은 (건원, 영락)이라는 연호를 사용하였다.
(2) 지증왕은 (왕, 마립간)이라는 왕호를 사용하기 시작하였다.
(3) (지증왕, 진흥왕)은 경상도 북부로 진출하고 우산국을 정복하였다.
(4) 진흥왕은 한강 유역을 차지한 업적을 과시하기 위해 (마운령 신라 진흥왕 순수비, 서울 북한산 신라 진흥왕 순수비)를 세웠다.

핵심 콕콕

• 신라의 발전

지증왕	국호를 '신라'로 확정, '왕' 호칭 사용, 경상도 북부 진출, 우산국(울릉도) 정복
법흥왕	병부 설치, 율령 반포, 관등제 정비, 불교 공인, 상대등 설치, '건원' 연호 사용, 금관가야 병합
진흥왕	불교 장려, 화랑도를 국가적 조직으로 재편, 한강 유역 전체 차지, 대가야 정복, 함흥평야까지 진출

1 가야 연맹에 대한 설명이 맞으면 ○표, 틀리면 ×표를 하시오.

(1) 대가야는 진흥왕 때 신라에 병합되었다. ( )
(2) 금관가야는 낙동강 하류의 풍부한 철광을 바탕으로 발전하였다. ( )
(3) 가야 연맹은 강력한 왕권을 기반으로 중앙 집권 국가로 성장하였다. ( )

2 ㉠, ㉡에 들어갈 나라를 각각 쓰시오.

> 전기 가야 연맹을 이끌었던 김해의 (㉠)가 고구려의 공격을 받아 쇠퇴하자, 고령의 (㉡)가 세력을 확장하여 후기 가야 연맹을 이끌었다.

3 다음 나라와 그에 대한 설명을 옳게 연결하시오.

(1) 대가야 • • ㉠ 낙랑·왜 등과 교류, 신라 법흥왕에 병합
(2) 금관가야 • • ㉡ 합천 지역 정복, 섬진강 일대로 세력 확장

핵심 콕콕

• 가야 연맹의 발전

전기 가야 연맹
김해의 금관가야가 주도(풍부한 철광 보유, 우수한 철기 제작, 해상 교역 발달)

↓

고구려의 공격 → 금관가야 쇠퇴

↓

후기 가야 연맹
고령의 대가야가 주도(합천 지역 정복, 섬진강 일대로 세력 확장, 남조·왜와 교류)

핵심 문제

01 (가), (나) 시기 사이에 고구려에서 있었던 사실로 옳은 것은?

> (가) 국내성(중국 지린성 지안)으로 도읍을 옮겼다.
> (나) 미천왕이 낙랑군을 점령하여 한반도에서 중국의 군현 세력을 축출하였다.

① 옥저를 정복하였다.
② 태학을 설립하였다.
③ 한성을 함락하였다.
④ 수도를 평양으로 옮겼다.
⑤ 영락이라는 연호를 사용하였다.

02 다음 자료에 나타난 제도를 실시한 왕에 대한 설명으로 옳은 것은?

> 홀아비, 과부, 고아, 홀로 사는 노인, 병들고 가난하여 스스로 살아갈 수 없는 사람들을 찾아 구제하게 하였다. 매년 봄 3월부터 가을 7월까지, 관(청)의 곡식을 대여하게 하고, 겨울 10월에 이르러 갚게 하였다. -『삼국사기』

① 국내성으로 도읍을 옮겼다.
② 전진으로부터 불교를 수용하였다.
③ 신라에 침입한 왜군을 격퇴하였다.
④ 수도와 지방을 각각 5부로 나누었다.
⑤ 남진 정책을 추진하여 한강 유역을 차지하였다.

03 ㉠ 왕의 업적으로 옳은 것은?

> (㉠) 2년, 진왕 부견이 사신과 승려 순도를 파견하여 (고구려에) 불상과 경문을 보내왔다. -『삼국사기』

① 율령 반포
② 평양 천도
③ 마한 소국 병합
④ 마립간 호칭 사용
⑤ 한강 이북 지역 차지

시험에 잘 나와!

04 ㉠ 나라에 대한 설명으로 옳은 것은?

> **수행 평가 보고서**
> 1. 탐구 주제: 초기 (㉠)의 유적
> 2. 수집 자료
>
> 
>
> 사진은 서울 석촌동에 있는 고분으로, 한강 유역의 위례성에 수도를 정한 (㉠)의 왕이나 귀족의 무덤으로 추측한다.

① 책화의 풍습이 있었다.
② 가족 공동 무덤을 만들었다.
③ 진대법을 시행하여 빈민을 구제하였다.
④ 위만의 집권 이후 중계 무역이 발달하였다.
⑤ 부여와 고구려에서 내려온 세력이 건국에 참여하였다.

05 밑줄 친 '체제 정비'에 해당하는 내용으로 옳은 것은?

> 백제는 3세기 고이왕 때 내부적으로 <u>체제 정비</u>를 하고, 대외적으로는 마한 소국을 병합하였다.

① 관리의 등급을 마련하였다.
② 대대로를 수상으로 삼았다.
③ 왕호를 이사금으로 정하였다.
④ 김씨의 왕위 세습을 확립하였다.
⑤ 태학을 세워 인재를 양성하였다.

06 신라의 건국과 관련된 설명으로 옳은 것을 〈보기〉에서 고른 것은?

> 보기
> ㄱ. 교통이 편리한 한강 유역에 건국되었다.
> ㄴ. 진한의 소국 중 하나인 사로국에서 시작되었다.
> ㄷ. 비류, 온조 등 이주민 세력이 토착 세력과 연합하였다.
> ㄹ. 한반도 동남쪽 끝에 건국되어 중국 문물을 수용하기 어려웠다.

① ㄱ, ㄴ ② ㄱ, ㄷ ③ ㄴ, ㄷ
④ ㄴ, ㄹ ⑤ ㄷ, ㄹ

07 다음은 어느 나라의 역사를 순서대로 정리한 책이다. 찢어진 부분에 들어갈 내용으로 가장 적절한 것은?

사로국에서 출발하여 박혁거세로 대표되는 유이민 세력과 경주·울산 지역의 토착 세력이 결합하여 나라를 세웠다.	4세기 내물왕 때에는 왕권이 더욱 성장하여 대군장을 뜻하는 '마립간'을 왕의 호칭으로 사용하였다.

① 율령을 반포하였다.
② 금관가야를 복속시켰다.
③ 진흥왕 순수비를 곳곳에 세웠다.
④ 한의 공격을 받아 왕검성이 함락되었다.
⑤ 박씨, 석씨, 김씨가 돌아가며 왕위에 올랐다.

08 교사의 질문에 대한 학생의 답변으로 가장 적절한 것은?

① 왜군이 신라를 쳐들어왔어요.
② 천군이 소도를 관리하였어요.
③ 한이 왕검성을 공격하였어요.
④ 신라가 한강 유역을 차지하였어요.
⑤ 신라가 함흥평야까지 진출하였어요.

시험에 잘 나와!

09 다음은 신라의 왕호 변천을 나타낸 것이다. ㉠ 호칭을 처음 사용한 왕의 활동으로 옳은 것은?

차차웅 → 이사금 → ㉠ → 왕

① 국호를 신라로 확정하였다.
② 후기 가야 연맹을 주도하였다.
③ 김씨의 왕위 세습을 확립하였다.
④ 병부를 설치하고 율령을 반포하였다.
⑤ 졸본에서 국내성으로 수도를 옮겼다.

10 다음 자료를 종합하여 알 수 있는 내용으로 옳은 것은?

- 소수림왕 3년, 율령을 처음으로 반포하였다.
- 눌지마립간이 왕위에 올랐다. 내물왕의 아들이다.
- 광개토왕 20년, 무릇 쳐부순 성이 64개, 촌이 1,400개이다.
- 침류왕 1년, 승려 마라난타가 진에서 왔다. …… 불교가 이로부터 시작되었다.

① 정착 생활이 시작되었다.
② 제정 분리 사회가 등장하였다.
③ 중앙 집권 체제가 형성되었다.
④ 우리나라 최초의 국가가 성립되었다.
⑤ 청동기 문화를 기반으로 여러 나라가 발전하였다.

11 고구려의 체제 정비에 대한 설명으로 옳지 않은 것은?

① 상대등이 수상의 역할을 맡았다.
② 관리를 10여 관등으로 나누었다.
③ 수도와 지방을 각각 5부로 나누었다.
④ 제가 회의에서 국가의 중대사를 의논하였다.
⑤ 지방관을 파견하여 행정과 군사 업무를 맡겼다.

시험에 잘 나와!

12 지도와 같이 국제 정세가 형성된 시기에 있었던 사실로 옳은 것은?

① 마한이 성립하였다.
② 고국원왕이 전사하였다.
③ 신라에서 율령을 반포하였다.
④ 백제에 22담로가 설치되었다.
⑤ 백제가 사비(부여)로 수도를 옮겼다.

13 ㉠ 나라에 대한 탐구 주제로 가장 적절한 것은?

> (㉠)은/는 근초고왕 때에 이르러 전성기를 맞이하였다. 북쪽으로는 황해도의 일부를 차지하였고, 남쪽으로는 남해안까지 진출하였다.

① 명도전의 용도　　② 칠지도의 제작
③ 화랑도의 재편　　④ 금관가야의 병합
⑤ 비파형 동검의 분포

14 (가)에 들어갈 내용으로 옳은 것은?

> 백제는 고구려에 한강 유역을 빼앗긴 이후에도 계속해서 고구려의 공격을 받았다. 무역 활동은 침체되었고 귀족들이 권력을 다투어 왕권도 약해졌다. 이에 6세기 무렵 백제는 ______(가)______

① 8조법을 만들었다.
② 불교를 수용하였다.
③ 22담로를 설치하였다.
④ 수도를 웅진(공주)으로 옮겼다.
⑤ 고구려의 평양성을 공격하였다.

시험에 잘 나와!

15 지도와 같이 백제의 수도를 옮긴 왕의 활동으로 옳지 않은 것은?

① 나라 이름을 남부여로 바꾸었다.
② 중앙에 실무 관청 22부를 설치하였다.
③ 왜에 불교를 비롯한 문물을 전파하였다.
④ 수도를 5부, 지방을 5방으로 정비하였다.
⑤ 관산성 전투에서 승리하여 한강 유역을 차지하였다.

16 밑줄 친 '왕'의 업적으로 옳은 것은?

> 보병과 기병 5만을 보내 신라를 도와주게 하였다. 남거성을 통해 신라성에 이르렀는데 그곳에 왜적이 가득하였다. 왕의 군대가 이르자 왜적이 도망하였다. 왜적을 쫓아 임나가라(가야)의 종발성에 이르자 성이 곧 복종하였다.

① 태학 설립　　② 평양 천도
③ 건원 연호 사용　　④ 한강 유역 전체 차지
⑤ 만주와 요동 지역 대부분 차지

17 다음 상황이 나타난 배경으로 가장 적절한 것은?

> 백제는 475년 수도를 웅진(공주)으로 옮겼다.

① 천군이 소도를 관리하였다.
② 고구려가 남진 정책을 실시하였다.
③ 신라가 진한 지역 대부분을 병합하였다.
④ 백제와 신라 사이에 관산성 전투가 일어났다.
⑤ 신라가 고구려의 도움으로 왜군을 격퇴하였다.

시험에 잘 나와!

18 지도에 나타난 시기의 고구려에 대한 학생의 발표 내용으로 가장 적절한 것은?

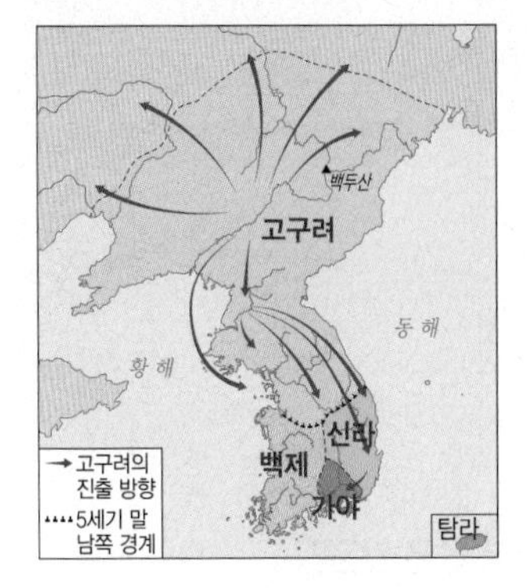

① 옥저를 정복하였어요.
② 마한의 전 지역을 차지하였어요.
③ 장수왕의 정복 활동으로 영토를 확장하였어요.
④ 일시적으로 남부여라는 국가 이름을 사용하였어요.
⑤ 낙랑군을 점령하여 한반도에서 중국의 군현 세력을 축출하였어요.

19 다음 자료를 모두 활용한 발표 제목으로 가장 적절한 것은?

- 왕의 은택은 하늘에 미쳤고 위엄은 사해에 떨쳤다. 나쁜 무리를 쓸어 없애니 백성이 각기 생업에 힘쓰고 편안히 살게 되었다. 나라는 부강해지고 백성은 풍족해졌으며, 오곡이 풍성하게 익었다. - 「광개토 대왕릉비」
- 하백의 손자이며 해와 달의 아들인 추모성왕(주몽)이 북부여에서 태어나셨으니 천하 사방은 이 나라 이 고을이 가장 성스러움을 알지니 ……. - 모두루 무덤 묘지문

① 백제의 중흥 노력
② 고구려의 관등제 정비
③ 가야 연맹의 형성 배경
④ 고구려 사람들의 독자적인 천하관
⑤ 신라의 한강 유역 차지와 이후의 대외 관계

20 다음과 같이 동아시아의 국제 관계가 형성된 시기에 있었던 사실로 옳은 것은?

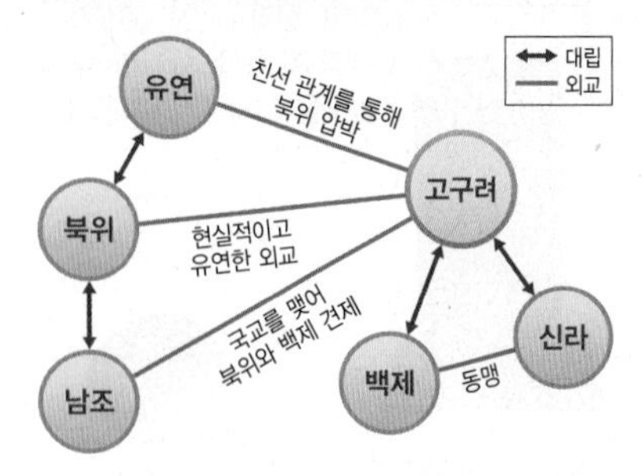

① 대가야가 신라에 복속하였다.
② 백제가 수도를 사비로 옮겼다.
③ 신라에서 황룡사를 건립하였다.
④ 관산성 전투에서 성왕이 전사하였다.
⑤ 고구려가 백제의 수도 한성을 함락하였다.

21 (가)에 들어갈 내용으로 가장 적절한 것은?

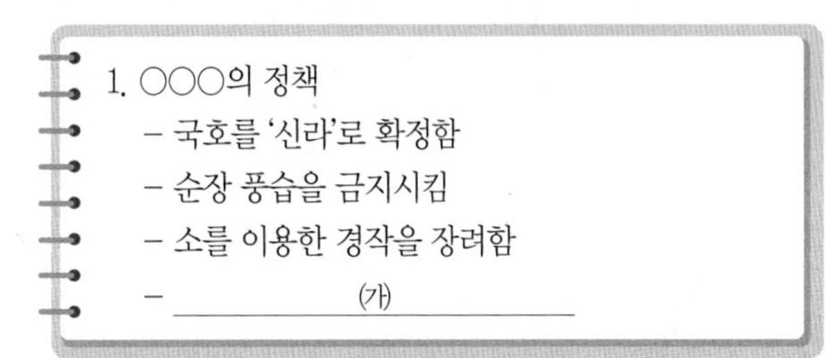

1. ○○○의 정책
   - 국호를 '신라'로 확정함
   - 순장 풍습을 금지시킴
   - 소를 이용한 경작을 장려함
   - (가)

① 율령을 반포함
② 태학을 설립함
③ 대가야를 병합함
④ 왕 호칭을 사용함
⑤ 불교를 처음 공인함

22 법흥왕의 업적으로 옳은 것을 〈보기〉에서 고른 것은?

〈보기〉
ㄱ. 우산국을 정복하였다.
ㄴ. 김씨의 왕위 세습을 확립하였다.
ㄷ. 병부를 설치하여 군권을 장악하였다.
ㄹ. 관리의 등급을 17등급으로 확정하였다.

① ㄱ, ㄴ ② ㄱ, ㄷ ③ ㄴ, ㄷ
④ ㄴ, ㄹ ⑤ ㄷ, ㄹ

시험에 잘 나와!

23 ㉠ 왕의 통치 시기에 신라에서 있었던 사실로 옳은 것은?

① 우산국을 정복하였다.
② 금관가야를 병합하였다.
③ 수도를 국내성으로 옮겼다.
④ 국호를 신라로 확정하였다.
⑤ 화랑도를 국가적인 조직으로 재편하였다.

24 지도는 6세기경 삼국의 정세를 나타낸 것이다. (가) 나라에 대한 설명으로 옳지 않은 것은?

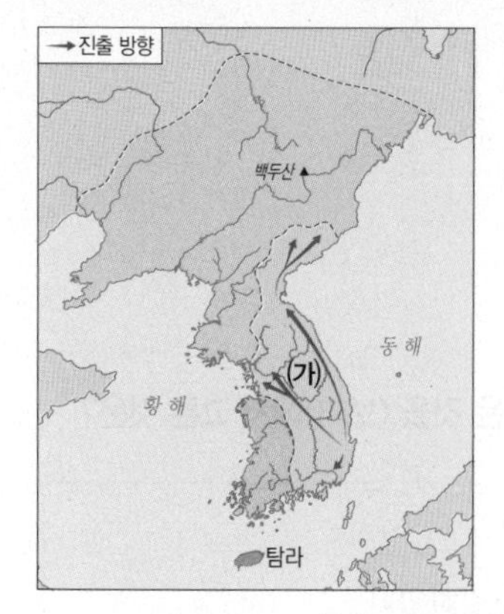

① 진한의 소국인 사로국에서 시작되었다.
② 수상인 상대등과 17관등의 관리가 있었다.
③ 왕권이 강화되면서 왕의 호칭이 변화하였다.
④ 건국 초기 황해를 통해 중국과 직접 교류하였다.
⑤ 중앙은 6부, 지방은 5주로 행정 구역을 정비하였다.

[25~26] 지도를 보고 물음에 답하시오.

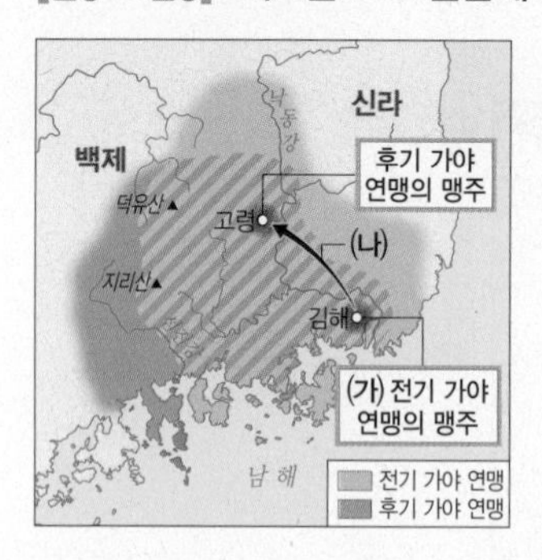

25 (가) 나라에 대한 설명으로 옳은 것은?

① 신라 진흥왕에 병합되었다.
② 우수한 철기를 제작하였다.
③ 건원이라는 연호를 사용하였다.
④ 남부여라는 국호를 사용하였다.
⑤ 온조와 비류 등이 건국에 참여하였다.

26 지도에서 (나)의 이동 배경을 알아보기 위한 탐구 활동으로 가장 적절한 것은?

① 22담로의 기능을 알아본다.
② 나제 동맹의 효과를 검토한다.
③ 광개토 대왕의 활동을 알아본다.
④ 한 군현을 설치한 배경을 파악한다.
⑤ 근초고왕의 세력 확장 내용을 살펴본다.

27 다음은 가야 연맹 맹주의 변화를 나타낸 것이다. ㉠ 나라에 대한 설명으로 옳은 것은?

금관가야	➜	㉠

① 칠지도를 제작하였다.
② 고구려에 멸망당하였다.
③ 웅진을 수도로 정하였다.
④ 마립간이라는 왕호를 사용하였다.
⑤ 소백산맥을 넘어 섬진강 일대로 진출하였다.

서술형 문제

서술형 감잡기

01 다음을 읽고 물음에 답하시오.

> 옛날 시조 추모왕이 나라를 세웠다. 시조는 북부여에서 나셨는데, 천제(하늘신)의 아들이다. …… 영락 대왕의 은택은 하늘까지 미쳤고 위엄은 온 세상에 떨쳤다.

(1) 밑줄 친 '영락 대왕'이 가리키는 왕을 쓰시오.

(2) 자료를 통해 알 수 있는 고구려의 천하관을 근거를 들어 서술하시오.

➜ 비문에서 시조가 천제의 아들이라는 내용을 통해 고구려 왕이 (①)의 자손이라는 자부심이 있었음을 알 수 있고, 왕의 은택이 하늘까지 미쳤고 위엄은 온 세상에 떨쳤다는 내용을 통해 (②)를 세계의 중심이라 여기는 독자적인 천하관이 있었음을 알 수 있다.

실전! 서술형 도전하기

02 다음을 보고 물음에 답하시오.

(가)

장군총

(나)

석촌동 3호분

(1) (가), (나) 무덤을 만든 나라를 각각 쓰시오.

(2) 제시된 유적을 통해 알 수 있는 백제 건국 세력의 특징을 서술하시오.

03 다음 자료를 참고하여 삼국이 중앙 집권 체제를 형성하는 과정에서 실시한 정책을 세 가지 서술하시오.

> • 광개토왕 20년, 무릇 쳐부순 성이 64개, 촌이 1,400개이다. -「광개토 대왕릉비」
> • 눌지마립간이 왕위에 올랐다. 내물왕의 아들이다. -『삼국사기』
> • 소수림왕 2년, 진왕 부견이 사신과 승려 순도를 파견하여 불상과 경문을 보내왔다. -『삼국사기』
> • 법흥왕 7년, 율령을 반포하고 처음으로 모든 관리의 공복을 제정하였고, 붉은색, 자주색으로 위계를 정하였다. -『삼국사기』

04 다음 두 비석을 세운 신라의 왕을 쓰고, 이를 통해 알 수 있는 신라의 영토 확장 내용을 서술하시오.

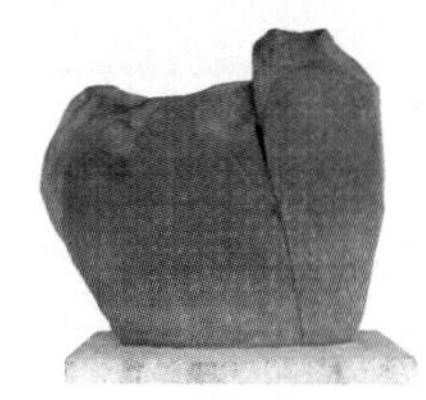

단양 신라 적성비

서울 북한산 신라 진흥왕 순수비

05 가야가 중앙 집권 국가로 성장하지 못하고 연맹 왕국 단계에서 멸망한 배경을 두 가지 서술하시오.

04 삼국의 문화와 대외 교류

A 삼국의 불교

1. 불교의 수용과 발전

(1) 불교 전래 이전: 무속이나 영혼 숭배 등 토속 신앙 존재

(2) 삼국의 불교 수용과 발전 — 불교는 중국을 거쳐 삼국에 들어왔어.

① 수용: 중앙 집권 체제를 강화하는 과정에서 왕실이 적극 수용(지방 세력 포용, 백성의 사상 통합 도모)

② 발전: 불교가 왕의 권위 뒷받침 → 왕실의 보호 아래 국가적 종교로 발전(신라는 불교식 왕명 사용)

- 꼭 불교는 '왕은 곧 부처'라는 사상을 바탕으로 왕의 권위를 뒷받침하였어.
- 예 법흥왕, 진흥왕, 진지왕, 진평왕, 선덕 여왕, 진덕 여왕 등

2. 불교 예술의 발달 — 고구려의 탑은 남아 있는 것이 없어.

사찰	황룡사(신라 진흥왕 때), 미륵사(백제 무왕 때) 등 대규모 사찰 조성
+탑	• 백제: 익산 미륵사지 석탑, 부여 정림사지 5층 석탑 등 • 신라: 경주 분황사 모전 석탑, 황룡사 9층 목탑 등 — 불에 타서 터만 남아 있어.
불상	+금동 연가 7년명 여래 입상(고구려), 서산 용현리 마애 여래 삼존상(백제), 경주 배동 석조 여래 삼존 입상(신라), 미륵보살 반가 사유상(삼국) — 바위에 조각한 불상으로 '백제의 미소'라고 불려.

미륵보살 반가 사유상: 미륵 신앙이 유행하면서 삼국에서 많이 만들었어.

+ 탑

부처의 사리를 모셔 예배의 대상으로 삼았던 건축물

+ 금동 연가 7년명 여래 입상

(앞)

(뒤)

고구려의 불상으로, 중국 북위의 불상 양식과 비슷하다.

B 삼국의 도교, 학문, 과학 기술

1. 도교: 중국에서 전래

(1) 특징: 신선 사상(산천 숭배, 불로장생 추구)과 결합하여 귀족 사회를 중심으로 유행

(2) 문화유산: 사신도(고구려), 산수무늬 벽돌·+백제 금동 대향로(백제)

2. 유학(유교): 고구려는 수도에 태학을 세움(유교 경전과 역사 교육), 백제는 오경박사가 유학 교육, 신라 +임신서기석에 유교 경전을 공부하기로 약속한 내용 기록

- 지방에는 경당을 세워 학문을 가르쳤어.

3. 역사서 편찬: 고구려의 『신집』 5권, 백제의 『서기』, 신라의 『국사』 편찬

- 왜? 중앙 집권 체제를 강화하기 위해 편찬하였어.

4. 과학 기술과 공예: 천문학 발달(고구려 고분 속 별자리 그림, 신라의 첨성대 제작), 금속 공예 발달(신라의 금관과 장신구 등)

자료로 이해하기 삼국의 도교 문화

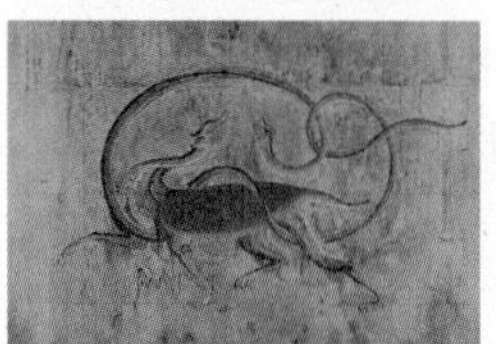
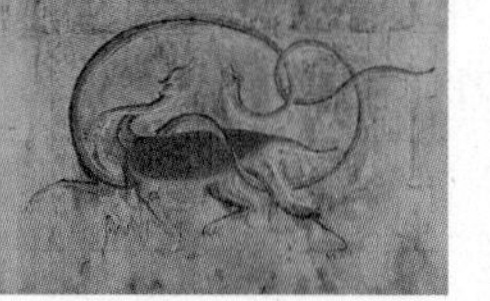

고구려 강서대묘의 사신도 — 현무, 청룡, 백호, 주작

산수무늬 벽돌

삼국에서 도교가 유행함에 따라 고분 벽화나 여러 공예품에 도교 신앙이 반영되었다. 고구려 고분 벽화에는 사신도가 그려졌다. 사신은 도교에서 동서남북을 지키는 상상 속의 동물이다. 백제의 산수무늬 벽돌에는 산과 나무, 계곡의 모습을 조화롭게 새겨 자연과 더불어 살고자 하는 생각을 담았다.

+ 백제 금동 대향로

도교에서 신선이 산다는 이상향과 불교에서 중시하는 연꽃 등이 표현되어 있다.

+ 임신서기석

> 유교 경전을 공부하여 나라에 충성할 것을 맹세한다. …… 시, 상서, 예기, 춘추전을 차례로 공부하기를 맹세하며 기간은 3년으로 한다.

신라의 임신서기석에는 젊은이들이 유교 경전을 공부하겠다는 다짐이 담겨 있어 당시 유학이 발달하였음을 보여 준다.

- 불교의 수용과 불교 예술
- 도교와 유학의 발달
- 삼국과 가야인의 생활 모습
- 삼국과 가야의 문화 교류

1 삼국은 중앙 집권 체제를 강화하는 과정에서 (   )를 수용하여 백성의 사상을 통합하고 왕의 권위를 강화하였다.

2 다음 나라에서 남긴 문화유산을 〈보기〉에서 골라 기호를 쓰시오.

〈보기〉

ㄱ. 부여 정림사지 5층 석탑
ㄴ. 금동 연가 7년명 여래 입상
ㄷ. 경주 분황사 모전 석탑

(1) 고구려 – (   )   (2) 백제 – (   )   (3) 신라 – (   )

• **불교의 수용과 불교 예술**

불교 수용	중앙 집권 체제 강화 과정에서 수용, 왕실의 보호 아래 국가적 종교로 발전
불교 예술	사찰(황룡사, 미륵사 등), 탑(익산 미륵사지 석탑 등), 불상(금동 연가 7년명 여래 입상 등) 제작

1 ㉠, ㉡에 들어갈 내용을 각각 쓰시오.

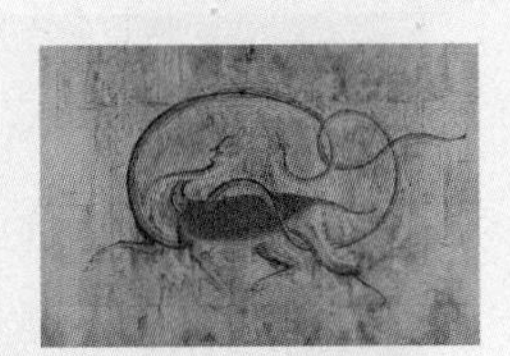
고구려 강서대묘의 사신도

산수무늬 벽돌

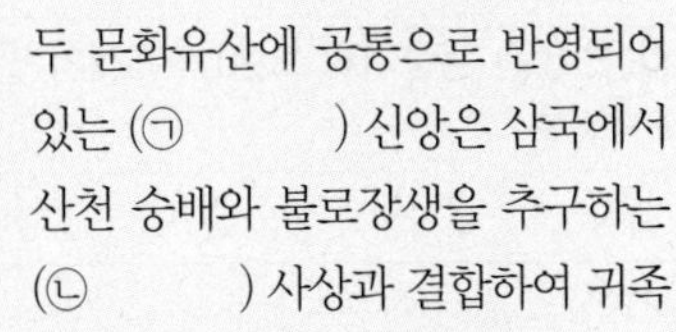
두 문화유산에 공통으로 반영되어 있는 (㉠   ) 신앙은 삼국에서 산천 숭배와 불로장생을 추구하는 (㉡   ) 사상과 결합하여 귀족 사회를 중심으로 유행하였다.

2 백제에서는 (   )가 유학 교육을 담당하였다.

3 다음 괄호 안의 내용 중 알맞은 말에 ○표를 하시오.

(1) 고구려는 수도에 (경당, 태학)을 세우고 유교 경전을 가르쳤다.

(2) 임신서기석에는 신라의 젊은이들이 (불교, 유교) 경전을 공부하겠다는 다짐이 기록되어 있다.

• **삼국의 도교와 유학 발달**

도교	신선 사상과 결합하여 귀족 사회를 중심으로 유행(사신도, 산수무늬 벽돌, 백제 금동 대향로 등 제작)
유학 (유교)	• 고구려: 태학에서 유교 경전 교육 • 백제: 오경박사가 유학 교육 • 신라: 임신서기석에 유교 경전을 공부하기로 약속한 내용 기록

C 삼국과 가야인의 생활 모습

1. 삼국의 신분제 — 삼국은 영토를 넓히고 지배 체제를 정비하는 과정에서 신분제를 확립하였어.

(1) 삼국의 신분: 왕족을 비롯한 귀족, 평민, 천민으로 구분

(2) +골품제: 신라의 신분제, 신분에 따라 정치·사회 활동과 일상생활 제한

└ 신분에 따라 집의 크기, 소유할 수 있는 말의 수 등이 달랐어.

2. 삼국의 의식주: 신분에 따라 차이를 둠

의	• 옷의 모양: 남녀 모두 저고리와 바지가 기본 • 귀족: 화려한 색의 비단옷을 입고 각종 장신구로 치장함 • 평민: 거친 베나 동물 가죽으로 만든 옷 착용
식	• 귀족: 쌀밥, 고기, 가축, 과일, 해산물 등 섭취 • 평민: 잡곡(조, 보리, 콩, 기장)과 도토리 가루 섭취
주	• 귀족: 화려하게 장식한 기와집 등에 거주, 탁자나 침상 사용, 집 안에 부엌·고깃간·수렛간·곡식 창고 등의 건물 축조 • 평민: 움집, 귀틀집, 초가집 등에 거주 • 온돌 등장: 동해안 북부 지역을 중심으로 초기 형태의 온돌 등장

+ 골품제

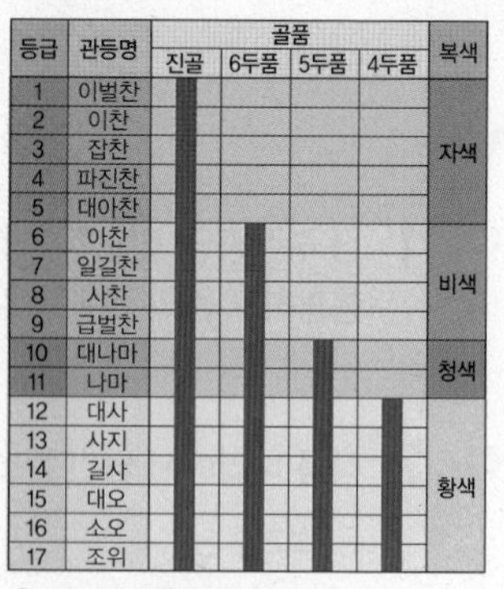

등급	관등명	골품 진골	6두품	5두품	4두품	복색
1	이벌찬					자색
2	이찬					
3	잡찬					
4	파진찬					
5	대아찬					
6	아찬					비색
7	일길찬					
8	사찬					
9	급벌찬					
10	대나마					청색
11	나마					
12	대사					황색
13	사지					
14	길사					
15	대오					
16	소오					
17	조위					

⊙ 신라의 골품과 관등표

신라는 신분을 성골과 진골을 제외하고 6~1두품으로 나누었다.

D 삼국과 가야의 고분 문화

1. 특징: 죽은 뒤에도 영혼과 삶은 계속된다는 생각으로 부장품을 껴묻거나 +고분 벽화를 그림, 순장을 함

└ 고분이 만들어진 시기의 풍속, 신앙, 생활 모습이 나타나 있어.

└ 불교 전파 이후 내세관이 변화하여 순장의 풍습은 사라져 갔어.

2. 고분 문화

고구려	초기 돌무지무덤(장군총 등) → 굴식 돌방무덤 제작(무용총 등)
백제	계단식 돌무지무덤(한성 시기) → 굴식 돌방무덤(웅진·사비 시기), 중국 남조의 영향을 받아 벽돌무덤 제작(무령왕릉, 웅진 시기) ┌ 널방을 벽돌로 쌓았어.
신라	초기 돌무지덧널무덤(벽화가 없음, 많은 껴묻거리 보존) → 6세기 말 이후 굴식 돌방무덤을 주로 제작 └ 예) 천마총, 황남대총
가야	돌덧널무덤 → 굴식 돌방무덤 제작

└ 구덩이에 돌로 벽을 쌓아 만들었어.

자료로 이해하기 고분(무덤) 양식

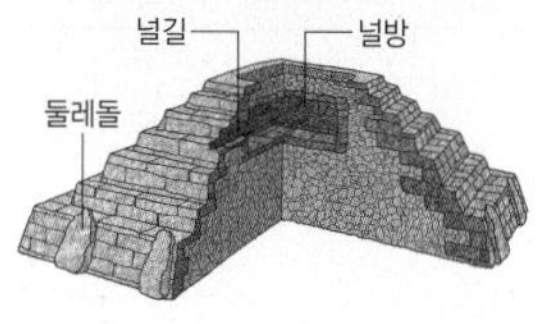

⊙ 돌무지무덤의 구조

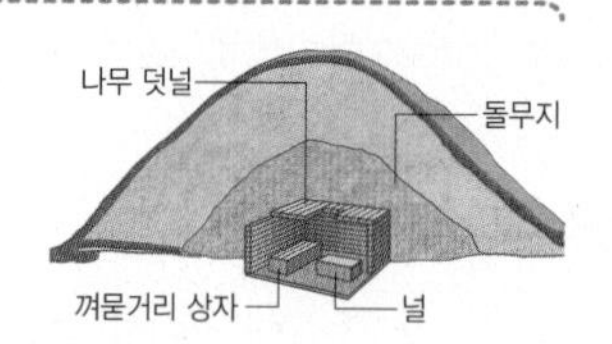

⊙ 굴식 돌방무덤의 구조

나무 덧널
돌무지
껴묻거리 상자
널

⊙ 돌무지덧널무덤의 구조

돌무지무덤은 직사각형의 돌로 테두리를 쌓고 그 속에 막돌을 채웠으며 널방을 갖추었다. 굴식 돌방무덤은 돌로 널방을 만들어 통로를 연결한 후 그 위에 흙을 덮어 봉분을 만들었다. 굴식 돌방무덤의 천장과 벽면에는 벽화를 많이 그렸다. 돌무지덧널무덤은 나무 덧널 위에 돌을 쌓은 뒤 흙으로 봉분을 쌓았는데, 벽화는 없으며 도굴이 어려운 구조여서 많은 껴묻거리가 보존되었다.

+ 고분 벽화

⊙ 고구려 안악 3호분 벽화(위)와 고구려 무용총 벽화(아래)

고구려 안악 3호분 벽화에는 귀족 집의 부엌과 고깃간을 보여 주는 그림이 그려져 있다. 무용총 벽화에는 시종이 주인과 손님을 접대하는 모습이 그려져 있다.

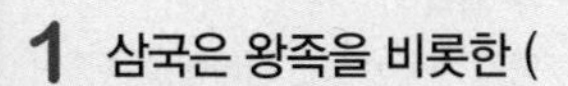

핵심 콕콕

1 삼국은 왕족을 비롯한 (   ), 평민, 천민으로 신분이 구분되었다.

2 다음에서 설명하는 제도를 쓰시오.

> • 신라의 신분제로, 성골과 진골을 제외하고 6두품에서 1두품으로 나누었다.
> • 신분에 따라 정치 활동과 사회 활동, 일상생활을 제한하였다.

3 삼국의 의식주에 대한 설명이 맞으면 ○표, 틀리면 ×표를 하시오.

(1) 일반 평민은 기와집에서 살았으며 탁자와 침상을 사용하였다. (   )
(2) 귀족들은 주로 잡곡을 먹은 반면, 백성들은 주로 쌀밥을 먹었다. (   )
(3) 귀족들은 화려한 색의 비단옷을 입고 각종 장신구로 몸을 치장하였다. (   )

• **삼국의 의식주**

신분에 따라 차이를 둠
↓
귀족과 평민의 의식주
• 귀족: 비단옷 착용, 쌀밥 섭취, 기와집에 거주
• 평민: 거친 베나 동물 가죽으로 만든 옷 착용, 잡곡 섭취, 움집·귀틀집·초가집 등에 거주

핵심 콕콕

1 ㉠, ㉡에 들어갈 내용을 각각 쓰시오.

> 백제의 무령왕릉은 널방을 벽돌로 쌓은 고분 양식인 (㉠   )으로 만들었는데, 이는 (㉡   )의 남조로부터 영향을 받은 것이다.

2 다음 자료에 해당하는 고분 양식을 각각 쓰시오.

(1) (   ) (2) (   ) (3) (   )

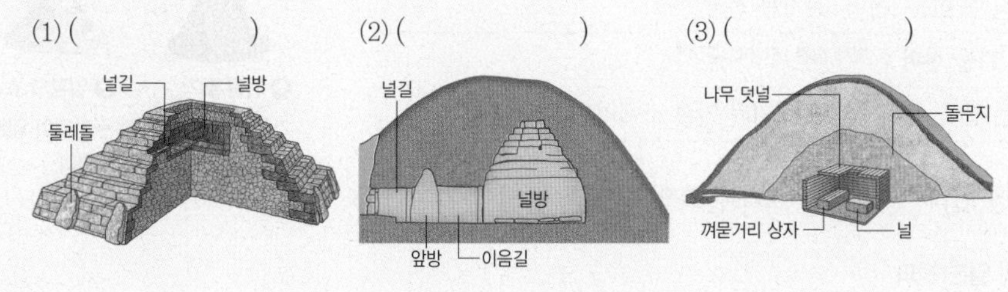

3 다음 고분과 그 특징을 옳게 연결하시오.

(1) 벽돌무덤 •　　　　• ㉠ 중국 남조의 영향을 받았다.
(2) 굴식 돌방무덤 •　　　　• ㉡ 도굴이 어려워 많은 껴묻거리가 남아 있다.
(3) 돌무지덧널무덤 •　　　　• ㉢ 삼국에서 제작되었으며 고분 벽화가 남아 있다.

• **삼국의 고분 문화**

고구려	초기 돌무지무덤 → 굴식 돌방무덤
백제	계단식 돌무지무덤(한성 시기) → 굴식 돌방무덤(웅진·사비 시기), 벽돌무덤(웅진 시기)
신라	초기 돌무지덧널무덤 → 6세기 말 이후 굴식 돌방무덤

E 삼국·가야와 중국, 서역의 교류

1. 삼국과 중국의 교류: 중국을 통해 불교, 유교, 한자, 과학 기술 등을 수용

고구려	바닷길을 통해 중국 남북조와 교역, 왕산악이 중국 악기를 개조하여 거문고 제작
백제	해상 교역로를 이용해 중국 동진·남조와 교류 → 동진과 남조 계통의 유물 발견
신라	초기 고구려·백제를 통해 중국 문화 수용 → 한강 유역 차지 이후 중국과 직접 교류

└ 백제는 서남해를 연결하는 해상 교역을 주도하면서 해상 교역로를 이용하였어.

2. 삼국과 +서역의 교류: 초원길과 비단길(사막길)을 통해 교류

고구려	고분 벽화에 서역 계통의 인물 등장, 서역의 궁전 벽화에서 고구려 사신 발견
신라	고분에서 서역의 것과 유사한 유리그릇, 금제 장식 보검(+경주 계림로 보검 등) 발굴

3. 가야의 대외 교류: 바다를 통해 중국·북방 초원 지대의 민족과 교류

└ 김해 대성동 고분에서 중국과 유라시아 계통의 유물이 출토되었어.

자료로 이해하기 고구려와 서역의 교류

아프라시아브 궁전 벽화에 그려진 인물 중 한 명은 고구려 사신으로 추측되며, 각저총 벽화의 인물 중 한 명이 서역인의 모습을 하고 있어 고구려와 서역의 교류를 짐작하게 한다.

◀ 서역의 아프라시아브 궁전 벽화(왼쪽)와 고구려의 각저총 벽화(오른쪽)

+ 서역
중국 서쪽에 있던 나라들을 통틀어 이르는 말로, 지금의 서아시아, 중앙아시아, 인도, 유럽을 포함한다.

+ 경주 계림로 보검

신라 고분에서 발굴된 금제 장식 보검으로, 이러한 양식의 보검은 그리스, 로마, 서아시아 등지에서 유행한 보검과 유사하다.

F 삼국·가야와 일본의 교류

1. 일본과의 교류 — 삼국과 가야가 중국의 문화를 수용하고 독자적으로 발전시켜 일본에 전파하였어.

고구려	승려 혜자는 쇼토쿠 태자의 스승이 됨, 담징은 종이와 먹의 제조 방법 전파, 고구려 수산리 고분 벽화가 일본의 다카마쓰 고분 벽화에 영향을 줌
백제	일본과 가장 활발하게 교류, 불교 전파, 오경박사·화가·공예 기술자 등이 일본에 건너가 활약, 아직기와 왕인은 한문·논어·천자문 전파
신라	배 만드는 기술과 둑 쌓는 기술 전파
가야	질 좋은 철 수출, 철로 만든 갑옷 전파, +가야 토기가 일본 스에키의 바탕이 됨

└ 백제 성왕 때 전해 주었어.

2. 아스카 문화의 형성: 삼국의 문화 전파 → 일본 아스카 문화의 성립과 발전에 기여함

자료로 이해하기 삼국 문화의 일본 전파

삼국은 중국의 문화를 수용하고 독자적으로 발전시켜 일본에 전파하였다. 일본의 고류사 목조 미륵보살 반가 사유상은 삼국 문화의 영향을 받은 대표적인 문화유산이다. 일본에 있는 다카마쓰 고분 벽화도 벽화에 묘사된 여성들의 의상과 벽화의 내용 및 화풍 등이 고구려 수산리 고분 벽화와 유사하여 고구려의 영향을 받았음을 짐작할 수 있다.

◀ 삼국의 금동 미륵보살 반가 사유상(왼쪽)과 일본의 고류사 목조 미륵보살 반가 사유상(오른쪽)

└ 두 불상의 자세와 형태가 유사해.

+ 가야 문화의 일본 전파

▲ 가야 토기 ▲ 일본의 스에키

가야 토기가 일본에 전파되어 일본 토기인 스에키의 바탕이 되었다.

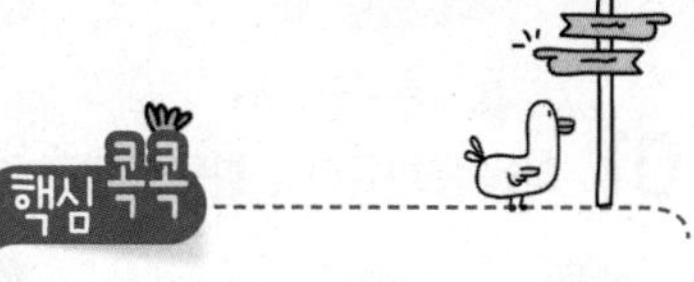

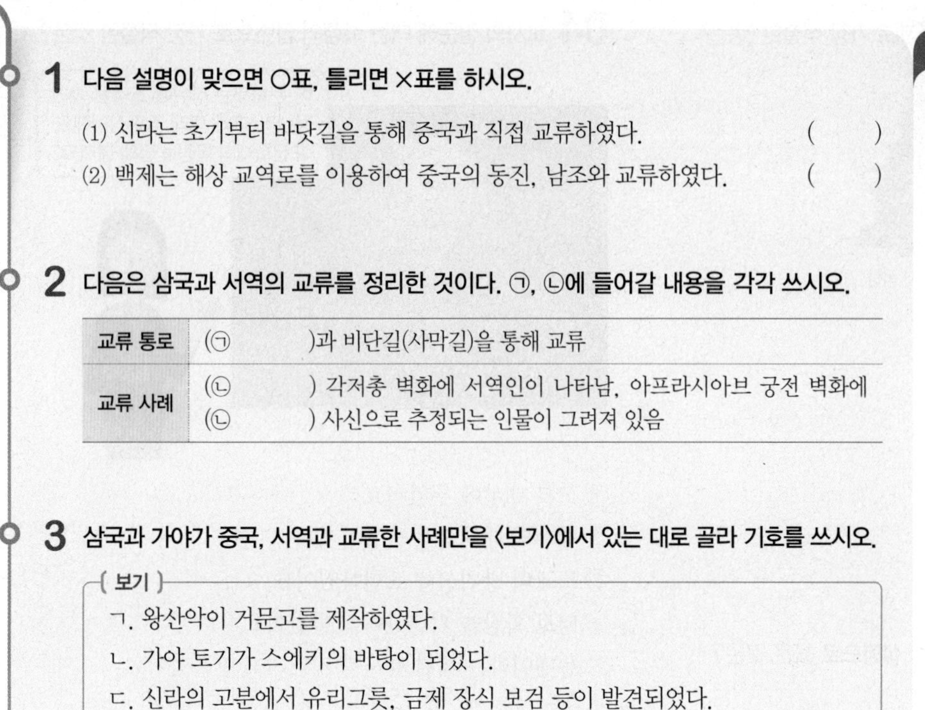

1 다음 설명이 맞으면 ○표, 틀리면 ×표를 하시오.

(1) 신라는 초기부터 바닷길을 통해 중국과 직접 교류하였다. ( )

(2) 백제는 해상 교역로를 이용하여 중국의 동진, 남조와 교류하였다. ( )

2 다음은 삼국과 서역의 교류를 정리한 것이다. ㉠, ㉡에 들어갈 내용을 각각 쓰시오.

교류 통로	(㉠)과 비단길(사막길)을 통해 교류
교류 사례	(㉡) 각저총 벽화에 서역인이 나타남, 아프라시아브 궁전 벽화에 (㉡) 사신으로 추정되는 인물이 그려져 있음

3 삼국과 가야가 중국, 서역과 교류한 사례만을 〈보기〉에서 있는 대로 골라 기호를 쓰시오.

보기
ㄱ. 왕산악이 거문고를 제작하였다.
ㄴ. 가야 토기가 스에키의 바탕이 되었다.
ㄷ. 신라의 고분에서 유리그릇, 금제 장식 보검 등이 발견되었다.

핵심 콕콕

• 중국, 서역과의 교류

중국	중국을 통해 불교, 유교, 한자, 과학 기술 등을 수용
서역	• 교류 통로: 초원길과 비단길(사막길)을 통해 교류 • 교류 사례: 고구려 각저총 벽화, 아프라시아브 궁전 벽화, 신라 고분에서 발굴된 금제 장식 보검 등

1 다음과 같이 일본과 교류한 나라를 〈보기〉에서 골라 기호를 쓰시오.

보기
ㄱ. 가야 ㄴ. 백제 ㄷ. 신라 ㄹ. 고구려

(1) 철로 만든 갑옷을 전파하였다. ( )

(2) 승려 혜자가 쇼토쿠 태자의 스승이 되었다. ( )

(3) 배 만드는 기술과 둑 쌓는 기술을 전파하였다. ( )

(4) 오경박사, 화가, 공예 기술자가 일본에서 활약하였다. ( )

2 다음 괄호 안의 내용 중 알맞은 말에 ○표를 하시오.

(1) (담징, 혜자)은/는 종이와 먹의 제조 방법을 일본에 전파하였다.

(2) 백제의 (담징, 왕인)은 일본에 한문, 논어, 천자문을 전해 주었다.

(3) (가야, 고구려)의 토기는 일본에 전파되어 스에키의 바탕이 되었다.

3 삼국의 문화는 일본에 전해져 일본 ( ) 문화의 성립과 발전에 기여하였다.

핵심 콕콕

• 삼국과 가야 문화의 일본 전파

고구려	승려 혜자는 쇼토쿠 태자의 스승이 됨, 종이와 먹의 제조 방법 전파
백제	불교 전파, 오경박사 등이 일본에서 활약, 아직기와 왕인은 한문·논어·천자문 전파
신라	배 만드는 기술과 둑 쌓는 기술 전파
가야	토기가 전해져 스에키의 바탕이 됨

↓

일본 아스카 문화의 성립과 발전에 기여

시험에 잘 나와!

01 다음 문화유산을 활용한 탐구 주제로 가장 적절한 것은?

금동 연가 7년명 여래 입상 / 익산 미륵사지 석탑

① 불교의 수용
② 신라의 불교 예술
③ 제천 행사의 추진
④ 천군의 제사 주도
⑤ 골품제의 정비와 적용

02 다음 자료에 나타난 종교에 대한 설명으로 옳은 것은?

• 소수림왕 2년, 진왕 부견이 사신과 승려 순도를 파견하여 불상과 경문을 보내왔다. -「삼국사기」
• 법흥왕 15년, 공인하였다. ……… (이차돈의) 목을 베자 피가 솟구쳤는데, 그 색이 우윳빛처럼 희었다. -「삼국사기」

① 신선 사상과 결합하였다.
② 일본으로부터 받아들였다.
③ 왕의 권위를 뒷받침하였다.
④ 소도에서 신에게 제사를 지냈다.
⑤ 사신이 동서남북을 지킨다고 믿었다.

03 다음을 통해 알 수 있는 사실로 옳은 것은?

신라에서는 법흥왕, 진흥왕, 진지왕, 진평왕, 선덕 여왕, 진덕 여왕 등의 왕명을 사용하였다.

① 천문학이 발달하였다.
② 무속이나 토속 신앙이 존재하였다.
③ 유학이 통치 수단으로 활용되었다.
④ 불교가 왕실의 보호 아래 발전하였다.
⑤ 도교가 귀족 사회를 중심으로 유행하였다.

04 교사의 질문에 대한 학생의 답변으로 가장 적절한 것은?

① 고분 내부에 두었어요.
② 백제의 대표적인 불상이에요.
③ 도교의 방위신을 표현하였어요.
④ 영토 확장을 기념하여 만들었어요.
⑤ 동맹이라는 제천 행사를 지내려고 만들었어요.

시험에 잘 나와!

05 ㉠ 사상을 파악하기 위한 자료로 가장 적절한 것은?

산수무늬 벽돌

이 문화재에는 산과 나무, 계곡의 모습을 조화롭게 새겨 자연과 더불어 살고자 하는 생각이 담겨 있다. 이를 통해 당시에 (㉠)이/가 유입되어 발전하였음을 짐작할 수 있다.

①

부여 정림사지 5층 석탑

②

임신서기석

③

황룡사 9층 목탑

④
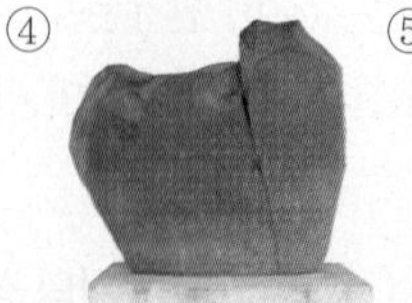
단양 신라 적성비

⑤
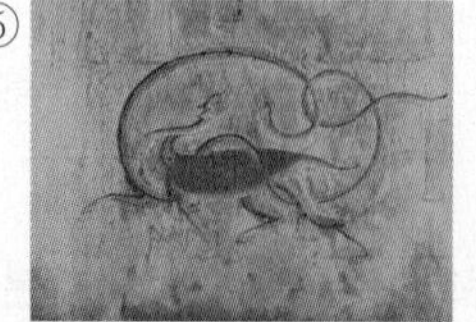
고구려 강서대묘의 사신도

06 삼국의 도교 발달에 대한 설명으로 옳은 것을 〈보기〉에서 고른 것은?

보기

ㄱ. 귀족 사회를 중심으로 유행하였다.
ㄴ. 산천 숭배와 불로장생을 추구하였다.
ㄷ. 탑과 불상을 제작하는 데 영향을 주었다.
ㄹ. 중앙 집권 체제를 정비하면서 왕실이 적극 수용하였다.

① ㄱ, ㄴ ② ㄱ, ㄷ ③ ㄴ, ㄷ
④ ㄴ, ㄹ ⑤ ㄷ, ㄹ

07 (가)에 들어갈 내용으로 가장 적절한 것은?

▶ 지식 Q&A

(가) 과 관련된 보고서를 작성해야 하는데, 어떻게 준비하면 될까요?

▶ 답변하기

↳ 고구려 태학에서 교육한 내용을 찾아보세요.
↳ 백제 오경박사의 역할을 알아보세요.
↳ 신라 임신서기석에 기록된 내용을 조사해 보세요.

① 유학의 발달 ② 천문학의 발달
③ 신선 사상의 유입 ④ 연맹 왕국의 성립
⑤ 철기 시대 여러 나라의 등장

08 다음 문화유산을 남긴 나라에 대한 설명으로 옳지 않은 것은?

경주 분황사 모전 석탑 / 경주 배동 석조 여래 삼존 입상

① 불교식 왕명을 사용하였다.
② 국사라는 역사서를 편찬하였다.
③ 진흥왕 때 황룡사를 건축하였다.
④ 천문학이 발달하여 첨성대를 지었다.
⑤ 승려 혜자가 쇼토쿠 태자의 스승이 되었다.

시험에 잘 나와!

09 다음 자료를 통해 알 수 있는 신라 사회의 모습으로 가장 적절한 것은?

유교 경전을 공부하여 나라에 충성할 것을 맹세한다. …… 시, 상서, 예기, 춘추전을 차례로 공부하기를 맹세하며 기간은 3년으로 한다. – 임신서기석

① 불교를 수용하였다.
② 유학이 발달하였다.
③ 화백 회의를 개최하였다.
④ 왕권 강화를 위해 역사서를 편찬하였다.
⑤ 도교가 신선 사상과 결합하여 발전하였다.

10 다음 두 자료를 통해 알 수 있는 삼국의 사회 모습으로 옳은 것은?

저택의 부엌과 고깃간의 모습

초가집 모양의 토기

① 움집을 짓기 시작하였다.
② 정착 생활을 시작하였다.
③ 제사와 정치가 분리되었다.
④ 죽은 뒤의 세계를 믿지 않았다.
⑤ 신분에 따라 주거에 차이가 있었다.

11 삼국 시대 평민의 생활 모습으로 옳지 않은 것은?

① 도토리 가루를 섭취하였다.
② 조, 보리, 콩 등의 잡곡을 먹었다.
③ 움집이나 초가집 등에 거주하였다.
④ 집 안에 부엌, 고깃간, 곡식 창고를 두었다.
⑤ 거친 베나 동물 가죽으로 만든 옷을 입었다.

12 다음 그림에 대한 설명으로 옳은 것을 〈보기〉에서 고른 것은?

무용총 벽화

〈보기〉

ㄱ. 고인돌에서 볼 수 있다.
ㄴ. 신라의 사회 모습을 보여 준다.
ㄷ. 굴식 돌방무덤에 그려진 벽화이다.
ㄹ. 시종이 주인과 손님을 접대하는 모습이 표현되어 있다.

① ㄱ, ㄴ ② ㄱ, ㄷ ③ ㄴ, ㄷ
④ ㄴ, ㄹ ⑤ ㄷ, ㄹ

시험에 잘 나와!

13 (가)에 들어갈 내용으로 가장 적절한 것은?

웅진 시기 백제의 무덤

1. 특징
 - ______(가)______
 - 대외 교류를 보여 주는 유물이 다수 발견됨
2. 관련 사진

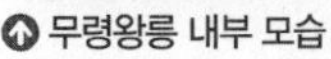

무령왕릉 내부 모습

목관 안에서 발견된 청동 거울

① 중국 남조의 영향을 받음
② 돌무지덧널무덤의 양식을 갖춤
③ 고구려 초기 무덤 양식과 유사함
④ 백제 건국 세력의 특징을 보여 줌
⑤ 돌로 널방을 만들고 그 위에 흙을 덮어 봉분을 만듦

14 (가), (나) 고분 양식에 대한 설명으로 옳은 것은?

(가)
나무 덧널
돌무지
껴묻거리 상자
널

(나)
널길
널방
앞방
이음길

① (가) – 신라 초기에 만들어졌다.
② (가) – 고분 벽화가 많이 남아 있다.
③ (나) – 중국의 영향을 받았다.
④ (나) – 청동기 시대의 군장을 묻었다.
⑤ (가), (나) – 백제 건국의 중심 세력과 고구려의 관계를 보여 준다.

15 다음 글을 뒷받침하는 문화유산으로 옳은 것을 〈보기〉에서 고른 것은?

삼국은 초원길과 비단길(사막길) 등을 따라 서역과 교역을 하였다.

〈보기〉

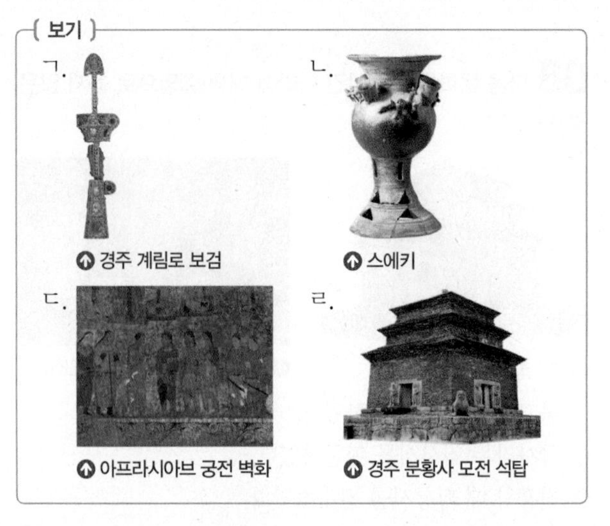

ㄱ. 경주 계림로 보검
ㄴ. 스에키
ㄷ. 아프라시아브 궁전 벽화
ㄹ. 경주 분황사 모전 석탑

① ㄱ, ㄴ ② ㄱ, ㄷ ③ ㄴ, ㄷ
④ ㄴ, ㄹ ⑤ ㄷ, ㄹ

16 다음 두 유물을 활용한 보고서 주제로 가장 적절한 것은?

① 고조선의 문화 범위
② 나제 동맹의 형성 배경
③ 도교가 반영된 문화유산
④ 돌무지덧널무덤의 껴묻거리
⑤ 삼국의 문화가 일본 문화에 끼친 영향

17 다음과 같은 상황의 영향으로 가장 적절한 것은?

> 백제는 일본과 가장 활발한 교류를 하며 문화를 전파하였다. 고구려와 신라도 일본에 선진 문물을 전해 주었다.

① 삼국에서 유학이 발달하였다.
② 초원길과 비단길이 번영하였다.
③ 한반도에 한 군현이 설치되었다.
④ 일본에서 아스카 문화가 발전하였다.
⑤ 신라에서 경주 계림로 보검이 발견되었다.

시험에 잘 나와!

18 지도는 문화의 전파를 나타낸 것이다. (가)에 들어갈 내용으로 옳은 것은?

① 배 만드는 기술
② 스에키 제작 기술
③ 한문, 논어, 천자문
④ 종이와 먹의 제조 방법
⑤ 오경박사과 공예 기술자

서술형 문제

서술형 감잡기

01 다음 자료를 보고 물음에 답하시오.

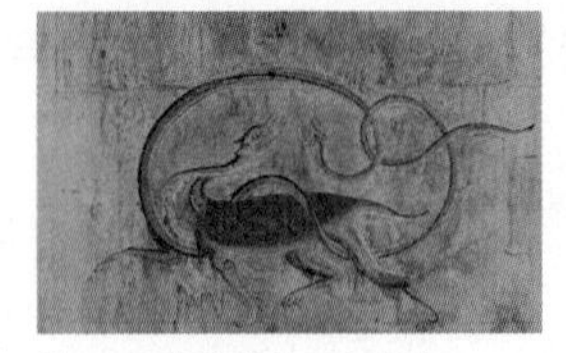
고구려 강서대묘의 사신도

산수무늬 벽돌

(1) 두 문화재에 공통으로 반영된 종교(사상)를 쓰시오.

(2) (1) 종교가 삼국에서 발전한 모습을 서술하시오.

➜ 산천 숭배와 불로장생을 추구하는 (①　　　)과 결합하여 (②　　　) 사회를 중심으로 발전하였다.

실전! 서술형 도전하기

02 삼국의 왕실이 불교를 수용하고 보호한 이유를 서술하시오.

03 다음 벽화를 비교하여 알 수 있는 문화 교류 내용을 근거와 함께 서술하시오.

고구려 수산리 고분 벽화

일본 다카마쓰 고분 벽화

한눈에 보는 대단원

☑ 핵심 선택지 다시보기

1 구석기 시대 사람들은 군장의 지배를 받았다. (　)

2 신석기 시대 사람들은 움집을 짓고 거주하였다. (　)

3 청동기 시대는 평등 사회를 이루었다. (　)

4 단군왕검은 제정일치 사회의 지배자였다. (　)

5 고조선에는 상, 대부, 장군 등의 관직이 있었다. (　)

답 1 × 2 ○ 3 × 4 ○ 5 ○

01 선사 문화와 고조선

(1) 만주와 한반도의 선사 문화와 청동기 문화

구석기 시대	약 70만 년 전에 시작한 것으로 추측, 뗀석기 사용, 사냥·채집·고기잡이, 무리·이동 생활(동굴, 바위 그늘, 막집에 거주)
신석기 시대	약 1만 년 전부터 시작, 간석기 사용, 농경과 목축 시작, 정착 생활(움집 제작), 빗살무늬 토기·덧무늬 토기 등 제작, 가락바퀴·뼈바늘 사용, 애니미즘·토테미즘 발생
청동기 시대	기원전 2000년경~기원전 1500년경 만주에 보급, 청동기는 무기·제사용 도구·지배층의 장신구로 쓰임, 민무늬 토기·미송리식 토기 제작, 사유 재산의 개념 등장, 빈부 차이 발생, 계급 발생, 군장(족장) 등장, 고인돌 제작

(2) 고조선의 건국과 발전

건국	기원전 2333년 청동기 문화를 바탕으로 건국
발전	기원전 5세기경 철기 문화 수용 → 기원전 4세기경 '왕' 칭호 사용·연과 경쟁 → 기원전 2세기경 위만 집권 이후 철기 문화 본격 수용·중계 무역으로 경제적 번영
사회 모습	• 단군의 건국 이야기: 농업 사회, 홍익인간의 이념, 제정일치 사회, 동물 숭상, 집단 간 연맹 • 「8조법」: 계급 사회, 농업 사회, 개인의 생명(노동력)과 사유 재산 중시
멸망	한 무제의 고조선 침공 → 왕검성 함락·멸망(기원전 108)

☑ 핵심 선택지 다시보기

1 부여는 영고라는 제천 행사를 지냈다. (　)

2 고구려에는 책화라는 풍습이 있었다. (　)

3 옥저에는 민며느리제의 풍습이 있었다. (　)

4 동예는 소도에서 하늘에 제사를 지냈다. (　)

5 삼한에서 제가 회의가 열렸다. (　)

답 1 ○ 2 × 3 ○ 4 × 5 ×

02 여러 나라의 성장

(1) 철기의 사용과 사회 변화

철제 농기구	단단하고 날카로워 땅을 깊게 가는 데 유리 → 농업 생산량 증가
철제 무기	예리하고 튼튼한 무기 제작 → 정복 전쟁 활발

(2) 철기 문화를 바탕으로 세워진 여러 나라

<table>
<tr><td>부여</td><td colspan="2">만주 쑹화강 일대에서 성립, 연맹 왕국 형성(왕 아래 가(加)들이 별도로 각자의 영역 지배), 제천 행사(영고) 거행, 엄격한 법 시행, 순장 풍습</td></tr>
<tr><td>고구려</td><td colspan="2">부여에서 이주한 주몽 집단과 압록강 유역의 토착 세력이 건국(기원전 37), 연맹 왕국 형성(5부의 대가가 나라 운영, 제가 회의 개최), 서옥제의 혼인 풍습, 제천 행사(동맹) 거행</td></tr>
<tr><td>옥저</td><td rowspan="2">왕이 없고 군장(읍군·삼로)이 각 지역 지배, 농사 발달, 소금과 해산물 풍부</td><td>민며느리제의 혼인 풍습, 가족 공동 무덤 제작</td></tr>
<tr><td>동예</td><td>족외혼의 혼인 풍습, 책화 시행, 제천 행사(무천) 거행, 단궁·과하마·반어피 유명</td></tr>
<tr><td>삼한</td><td colspan="2">마한·진한·변한의 연맹체로 성립, 제정 분리 사회(군장(신지·읍차)이 소국 지배, 제사장(천군)이 소도에서 제사 의식 주관), 벼농사 발달, 5월과 10월에 제천 행사 거행</td></tr>
</table>

03 삼국의 성립과 발전

(1) 삼국의 발전

구분	내용
고구려	• 태조왕: 옥저 정복, 요동 지방으로 진출 도모 • 소수림왕: 전진에서 불교 수용, 태학 설립, 율령 반포 • 광개토 대왕: 한강 이북 지역 차지, 만주와 요동 지역 대부분 차지, '영락' 연호 사용 • 장수왕: 평양 천도, 남진 정책, 한강 유역 차지
백제	• 성립: 부여·고구려에서 내려온 세력이 한강 유역의 토착 세력과 연합(기원전 18) • 고이왕: 관등제 정비, 관복 색 구분, 마한의 소국 병합, 율령의 기초적인 틀 마련 • 근초고왕: 마한 지역 대부분 정복, 고구려의 평양성 공격, 동진·왜 등과 교류 • 무령왕: 지방에 22담로 설치(왕족을 파견하여 지방 통제 강화), 남조와 교류 • 성왕: 사비(부여) 천도, 국호를 '남부여'로 개칭, 중앙에 실무 관청 22부 설치
신라	• 성립: 진한의 소국인 사로국에서 시작(기원전 57) • 내물왕: 김씨의 왕위 세습 확립, '마립간' 왕호 사용 • 지증왕: 국호를 '신라'로 확정, '왕' 호칭 사용, 경상도 북부 진출, 우산국 정복 • 법흥왕: 병부 설치, 율령 반포, 관등제 정비, 불교 공인, 상대등 설치, 금관가야 병합 • 진흥왕: 화랑도를 국가적 조직으로 재편, 한강 유역 전체 차지, 대가야 정복

(2) 가야의 성립과 발전

구분	내용
금관가야	전기 가야 연맹 주도, 우수한 철기 제작, 해상 교역 발달
대가야	후기 가야 연맹 주도, 섬진강 일대로 세력 확장, 중국 남조·왜와 교류

04 삼국의 문화와 대외 교류

(1) 삼국의 문화와 생활 모습

구분	내용
불교	중앙 집권 체제를 강화하는 과정에서 왕실이 적극 수용 → 사찰, 탑, 불상 건립
도교	신선 사상과 결합, 귀족 사회를 중심으로 유행 → 사신도·백제 금동 대향로 등 제작
유학	고구려는 태학에서 유교 경전 교육, 백제는 오경박사가 유학 교육 담당, 신라의 임신서기석에 유교 경전의 공부를 다짐하는 내용 기록
생활 모습	• 귀족: 비단옷 착용, 장신구로 치장, 쌀밥·고기 섭취, 기와집에 거주 • 평민: 거친 베나 동물 가죽으로 만든 옷 착용, 잡곡 섭취, 움집·초가집 등에 거주
고분 문화	돌무지무덤(초기 고구려와 백제), 굴식 돌방무덤(삼국에서 제작, 벽화를 그림), 돌무지덧널무덤(초기 신라), 벽돌무덤(중국 남조의 영향을 받음, 백제 무령왕릉) 제작

(2) 삼국의 대외 교류

구분	내용
중국	중국을 통해 불교, 유교, 한자, 과학 기술 등 수용
서역	초원길과 비단길(사막길)을 통해 교류, 서역과의 교류를 보여 주는 유물 발견
일본	고구려(종이와 먹의 제조 방법 등 전파), 백제(한문, 논어, 천자문, 불교 등 전파), 신라(배 만드는 기술 등 전파)가 아스카 문화의 형성에 영향을 줌

핵심 선택지 다시보기

1 소수림왕은 평양으로 천도하였다. ( )

2 백제는 부여와 고구려에서 내려온 세력이 건국에 참여하였다. ( )

3 성왕은 나라 이름을 남부여로 바꾸었다. ( )

4 법흥왕은 병부를 설치하여 군권을 장악하였다. ( )

5 신라는 건국 초기 황해를 통해 중국과 직접 교류하였다. ( )

답 1 × 2 ○ 3 ○ 4 ○ 5 ×

핵심 선택지 다시보기

1 불교는 왕의 권위를 뒷받침하였다. ( )

2 삼국의 도교는 산천 숭배와 불로장생을 추구하였다. ( )

3 삼국 시대 평민은 움집이나 초가집 등에 거주하였다. ( )

4 굴식 돌방무덤은 중국의 영향을 받았다. ( )

5 신라는 일본에 종이와 먹의 제조 방법을 전해 주었다. ( )

답 1 ○ 2 ○ 3 ○ 4 × 5 ×

핵심 선택지 다시보기의 정답을 맞힌 개수만큼 아래 표에 색칠해 보자. 많이 틀린 단원은 되돌아가 복습해 보자.

01 선사 문화와 고조선	10쪽
02 여러 나라의 성장	20쪽
03 삼국의 성립과 발전	24쪽
04 삼국의 문화와 대외 교류	38쪽

시험 적중 마무리 문제

01 선사 문화와 고조선

01 다음 도구를 사용한 시대에 대한 설명으로 옳은 것은?

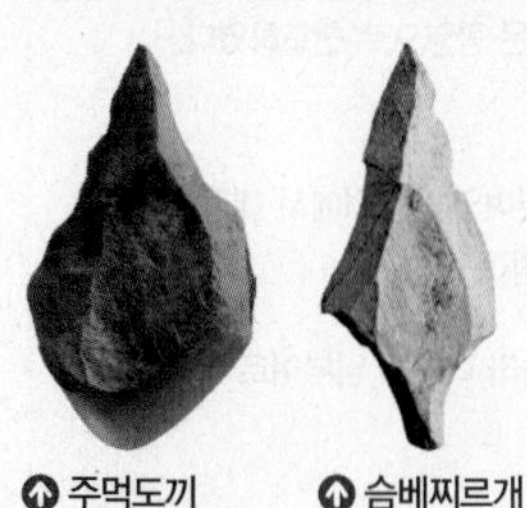

▲주먹도끼 ▲슴베찌르개

① 계급이 생겨났다.
② 농경과 목축이 시작되었다.
③ 미송리식 토기를 제작하였다.
④ 무리 지어 이동 생활을 하였다.
⑤ 애니미즘과 토테미즘이 발생하였다.

+ 창의·융합

02 다음은 신석기 시대의 가상 그림일기이다. ㉠~㉤ 중 적절하지 않은 것은?

㉠ 아버지께서 멧돼지를 잡아 오셔서 움집에 앉아 구워 먹었다. ㉡ 올해 첫 수확한 벼로 만든 밥도 함께 먹었다. ㉢ 내일은 아버지가 낚시 도구를 가지고 물고기를 잡을 거라고 하셨다. ㉣ 나도 따라가서 조개를 잡아 오기로 했다. ㉤ 어머니께서 내일은 빗살무늬 토기에 물고기와 조개를 끓여 먹자고 하셨다.

① ㉠ ② ㉡ ③ ㉢ ④ ㉣ ⑤ ㉤

03 다음 무덤을 만든 시기에 볼 수 있는 모습으로 적절하지 않은 것은?

① 제사를 지내는 군장
② 주먹도끼를 만드는 사람
③ 마을에 울타리를 만드는 사람들
④ 반달 돌칼로 곡식의 이삭을 자르는 사람
⑤ 거푸집에 녹인 청동을 부어 검을 만드는 사람

04 (가), (나) 시기 사이에 고조선에서 있었던 사실로 옳은 것을 〈보기〉에서 고른 것은?

(가) 위만이 고조선의 왕이 되었다.
(나) 한이 고조선의 왕검성을 함락하였다.

보기
ㄱ. 한 군현이 설치되었다.
ㄴ. 왕 호칭을 사용하기 시작하였다.
ㄷ. 철기를 본격적으로 수용하여 농업이 발전하였다.
ㄹ. 중국과 한반도 나라들 사이에서 중계 무역을 하였다.

① ㄱ, ㄴ ② ㄱ, ㄷ ③ ㄴ, ㄷ
④ ㄴ, ㄹ ⑤ ㄷ, ㄹ

05 다음 자료를 통해 알 수 있는 고조선 사회의 특징으로 옳은 것은?

사람을 죽인 자는 바로 사형에 처하고, 남에게 상해를 입힌 자는 곡물로 배상하게 한다. 남의 물건을 훔친 자는 그 집의 노비로 삼으며 …….
– 반고, 「한서」

① 개인의 생명을 중시하였다.
② 계급이 없는 평등 사회였다.
③ 사유 재산은 인정되지 않았다.
④ 불교를 수용하여 왕권을 강화하였다.
⑤ 관등제를 정비하여 중앙 집권 체제를 형성하였다.

02 여러 나라의 성장

06 다음 자료에 해당하는 나라에 대한 설명으로 옳은 것은?

> 가축의 이름으로 관명을 정한 마가, 우가, 저가, 구가 등이 있다. 제가들이 사출도를 다스리는데, 큰 곳은 수천 가호이며 작은 곳은 수백 가호이다. -「삼국지」

① 제가 회의를 열었다.
② 영고라는 제천 행사를 열었다.
③ 마한, 진한, 변한이 연맹하였다.
④ 민며느리제의 혼인 풍습이 있었다.
⑤ 왕이 없고 군장이 나라를 다스렸다.

07 다음 자료에 나타난 혼인 풍습이 있었던 나라에 대한 설명으로 옳은 것은?

> 혼인할 때는 말로 미리 약속하고, 여자 집에서 본채 뒤편에 작은 별채인 서옥을 짓는다. …… 이때 신랑은 돈과 비단을 내놓는다. …… 자식을 낳아 장성하면 아내를 데리고 집으로 돌아간다. -「삼국지」

① 책화의 풍습이 있었다.
② 가족 공동 무덤을 만들었다.
③ 천군이 제사 의식을 주관하였다.
④ 5부의 대가가 나라를 운영하였다.
⑤ 신지, 읍차라고 불린 군장이 소국을 지배하였다.

08 부여와 고구려의 공통점으로 옳은 것을 〈보기〉에서 고른 것은?

> 보기
> ㄱ. 제천 행사를 열었다.
> ㄴ. 연맹 왕국을 이루었다.
> ㄷ. 소금과 해산물이 풍부하였다.
> ㄹ. 읍군이나 삼로로 불린 군장이 각 지역을 지배하였다.

① ㄱ, ㄴ ② ㄱ, ㄷ ③ ㄴ, ㄷ
④ ㄴ, ㄹ ⑤ ㄷ, ㄹ

09 다음 풍습이 있었던 나라에 대한 설명으로 옳지 <u>않은</u> 것은?

> 장사를 지낼 때 큰 곽을 만들어 사람이 죽은 다음 뼈만 추려 곽 속에 넣는다. 죽으면 온 집 식구들의 뼈를 모두 하나의 곽 속에 넣는다.

① 왕이 없었다.
② 농경이 발달하였다.
③ 고구려의 간섭을 받았다.
④ 민며느리제의 혼인 풍습이 있었다.
⑤ 무천이라는 제천 행사를 개최하였다.

10 다음 자료를 읽고 삼한 사회에 대해 학생들이 나눈 대화 내용으로 가장 적절한 것은?

> 하늘의 신의 제사를 주관하는 사람을 천군이라고 부른다. 여러 나라에는 각각 별도의 지역이 있는데, 이를 소도라고 한다. …… (소도로) 도망 온 사람은 누구든 돌려보내지 아니하였다. -「삼국지」

① 제정이 분리된 사회였어요.
② 연맹 왕국으로 발전하였어요.
③ 족외혼의 혼인 풍습이 있었어요.
④ 상가, 패자, 고추가 등의 관직이 있었어요.
⑤ 다른 부족의 경계를 침범하면 노비나 소, 말로 갚게 하였어요.

03 삼국의 성립과 발전

11 다음 활동을 전개한 고구려의 왕으로 옳은 것은?

> • 불교를 수용하여 왕실의 권위를 확대하였다.
> • 태학을 세워 인재를 양성하였다.
> • 율령을 반포하여 통치 조직을 정비하였다.

① 미천왕 ② 장수왕
③ 고국천왕 ④ 소수림왕
⑤ 광개토 대왕

12 다음 내용을 확인하기 위해 조사할 유물이나 유적으로 가장 적절한 것은?

> 백제는 비류, 온조 등 부여와 고구려에서 내려온 세력이 한강 유역의 토착 세력과 연합하여 건국하였다.

① 임신서기석
② 충주 고구려비
③ 무령왕릉
④ 산수무늬 벽돌
⑤ 석촌동 3호분

13 다음 자료에 나타난 시기에 신라를 통치한 왕에 대한 설명으로 옳은 것은?

> 보병과 기병 5만을 보내 신라를 도와주게 하였다. 남거성을 통해 신라성에 이르렀는데 그곳에 왜적이 가득하였다. 왕의 군대가 이르자 왜적이 도망하였다. 왜적을 쫓아 임나가라(가야)의 종발성에 이르자 성이 곧 복종하였다.
> -「광개토 대왕릉비」

① 율령을 반포하였다.
② 한강 유역 전체를 차지하였다.
③ 김씨의 왕위 세습을 확립하였다.
④ 나라 이름을 신라로 확정하였다.
⑤ 병부를 설치하여 군권을 장악하였다.

14 삼국이 중앙 집권 체제를 형성하면서 추진한 정책으로 옳지 <u>않은</u> 것은?

① 불교를 수용하였다.
② 율령을 반포하였다.
③ 관등제를 정비하였다.
④ 여러 성씨가 돌아가면서 왕위를 맡게 하였다.
⑤ 각 지역에 행정 구역을 설치하고 지방관을 파견하였다.

15 지도에 나타난 시기에 백제를 통치한 왕에 대한 설명으로 옳은 것은?

① 사비(부여)로 수도를 옮겼다.
② 나라 이름을 남부여로 바꾸었다.
③ 수도를 5부, 지방을 5방으로 정비하였다.
④ 고구려를 공격하여 고국원왕을 전사시켰다.
⑤ 지방에 22담로를 설치하고 왕족을 파견하였다.

16 밑줄 친 '영락 대왕'의 업적으로 옳은 것은?

> <u>영락 대왕</u>의 은택은 하늘까지 미쳤고 위엄은 온 세상에 떨쳤다. 나쁜 무리를 쓸어 없애니 백성이 각기 생업에 힘쓰고 편안히 살게 되었다.

① 낙랑군을 점령하였다.
② 평양으로 수도를 옮겼다.
③ 한강 유역 전체를 차지하였다.
④ 태학을 세워 인재를 양성하였다.
⑤ 만주와 요동 지역 대부분을 차지하였다.

17 다음 비석을 활용한 탐구 주제로 가장 적절한 것은?

단양 신라 적성비

① 나제 동맹의 체결
② 진흥왕의 영토 확장
③ 백제 건국 세력의 특징
④ 광개토 대왕의 신라 지원
⑤ 법흥왕의 중앙 집권 체제 강화 정책

04 삼국의 문화와 대외 교류

18 (가)에 들어갈 내용으로 가장 적절한 것은?

▶ 지식 Q&A

삼국 시대 ○○의 발달에 대해 알려 주세요.

▶ 답변하기

↳ 중국에서 전래되었어요.
↳ 사신이 동서남북을 지켜 준다고 믿었어요.
↳ 백제 금동 대향로, 산수무늬 벽돌 등에 그 사상이 담겨 있어요.
↳ (가)

① 평민 사회에서 유행하였어요.
② 신선 사상과 결합하여 발전하였어요.
③ 백제의 오경박사가 교육을 담당하였어요.
④ 황룡사, 미륵사 등의 건립에 영향을 주었어요.
⑤ 삼국의 왕실이 중앙 집권 강화를 위해 적극 수용하였어요.

19 다음 문화유산에 반영된 종교에 대한 설명으로 옳은 것은?

금동 연가 7년명 여래 입상

경주 분황사 모전 석탑

① 고구려 태학에서 교육하였다.
② 백성 사이의 분열을 초래하였다.
③ 산천 숭배와 불로장생을 추구하였다.
④ 청동기 시대에 한반도로 전래되었다.
⑤ 삼국 왕실의 보호 아래 국가적 종교로 발전하였다.

20 다음 고분 양식에 대한 설명으로 옳은 것은?

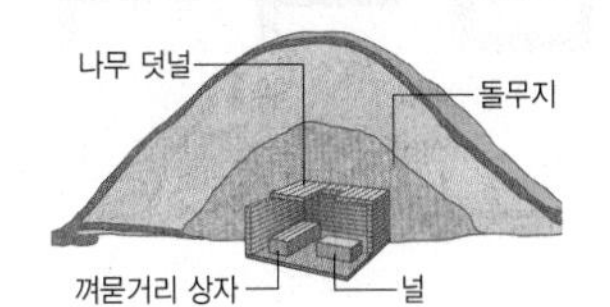

① 삼국에서 모두 만들었다.
② 고분 벽화가 많이 발견되었다.
③ 껴묻거리가 많이 남아 있었다.
④ 장군총과 무용총이 대표적이다.
⑤ 중국 남조의 영향을 받아 만들어졌다.

21 다음 학습 목표를 달성하기 위해 조사할 내용으로 가장 적절한 것은?

• 학습 목표: 고구려가 일본에 문화를 전파한 사실과 그 내용을 알 수 있다.

① 담징의 활동을 조사한다.
② 오경박사가 일본에서 활동한 모습을 살펴본다.
③ 고구려의 토기와 일본의 스에키를 비교해 본다.
④ 아직기와 왕인이 일본에 전파한 문화를 정리한다.
⑤ 일본의 배 만드는 기술과 둑 쌓는 기술을 찾아본다.

남북국 시대의 전개

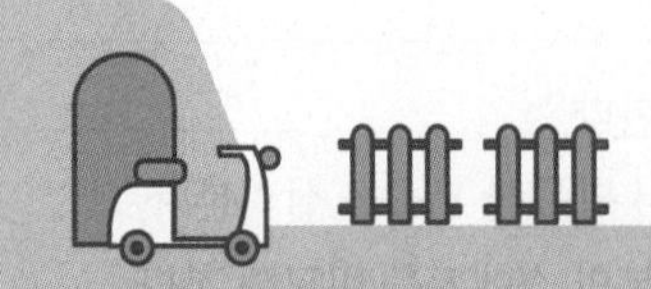

STOP

신라의 삼국 통일과 발해의 건국

A 고구려와 수의 전쟁

1. +6세기 후반~7세기 초 동아시아 정세: 수의 중국 통일(589) → 돌궐, 고구려, 백제, 왜를 연결하는 남북 세력과 신라, 수·당을 연결하는 동서 세력의 대립

└ 신라는 고구려와 백제의 잦은 공격에 맞서기 위해 수에 도움을 요청하였어.

2. 수의 고구려 침입과 격퇴

(1) 수의 고구려 침입

왜? 수가 세력을 넓히며 고구려에 복속을 요구하자, 고구려는 이를 거절하고 요서 지방을 공격하였어.

수 문제	고구려의 요서 지방 선제공격 → 수 문제가 30만 명의 군대를 이끌고 고구려 침공(598) → 수군이 고구려의 방어, 홍수와 전염병 등으로 피해를 입어 별다른 성과 없이 퇴각
수 양제	• 요동성 공격: 113만 명 이상의 군대를 이끌고 고구려 침입 → 요동성 함락 실패 • 살수 대첩: 수의 우중문이 30만 명의 별동대를 이끌고 평양성 공격 → 을지문덕이 살수 대첩으로 수군 격퇴(612) → 이후 고구려는 수의 침략을 여러 번 물리침

(2) 결과: 무리한 고구려 원정으로 인한 국력 소모와 각지의 반란으로 수 멸망(618)

자료로 이해하기 살수 대첩

을지문덕이 수군의 철수를 요구한 시야.

신묘한 계책은 천문을 꿰뚫어 볼 만하고, 오묘한 전술은 땅의 이치를 모조리 알았도다. 전쟁에 이겨서 공이 이미 높아졌으니 만족을 알거든 그만두기를 바라노라.

– 을지문덕이 우중문에게 보낸 시

을지문덕은 수의 군대가 오랜 이동과 굶주림으로 지친 것을 알고, 도망치는 척하면서 수의 군대를 평양성 쪽으로 유인하여 적의 힘을 뺐다. 이때 을지문덕은 수의 장군 우중문에게 철수를 요구하는 시를 보냈다. 고구려군은 후퇴하는 수의 군대가 살수(청천강)를 반쯤 건넜을 때 총공격하여 수군을 거의 전멸시켰다.

+ 6세기 후반~7세기 초 동아시아 정세

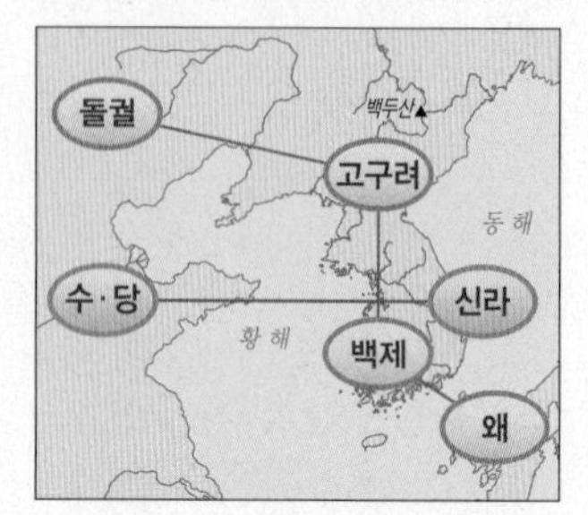

중국 통일 왕조인 수의 등장에 위협을 느낀 고구려는 북쪽의 돌궐과 연합하였고, 남쪽의 백제, 왜와 연결을 꾀하였다. 고구려와 백제의 잦은 침입을 받던 신라는 수에 도움을 요청하였다.

B 고구려와 당의 전쟁

1. 연개소문의 권력 장악

당 태종은 돌궐 등 주변 세력을 정복하며 고구려를 압박하였어.

(1) 고구려와 당의 관계: 당 건국 초기 고구려와 친선 관계 → 당 태종 즉위 후 고구려 압박 → 고구려가 국경 지역에 +천리장성을 쌓고 군사력을 강화하여 당의 침입에 대비

(2) 연개소문의 집권: 연개소문이 정변으로 +대막리지가 되어 권력 장악 → 당·신라에 강경한 대외 정책 전개

└ 연개소문은 영류왕과 귀족을 제거한 후 보장왕을 세우고 스스로 대막리지가 되었어.

2. 당의 침입과 격퇴: 당 태종이 연개소문의 정변을 구실로 고구려 침입 → 요동성과 백암성 함락·안시성 공격 → 안시성의 성주와 백성이 당군 격퇴(안시성 싸움, 645) → 이후 당군의 몇 차례 침입을 고구려가 물리침 – 고구려는 수, 당의 침입을 물리쳐 중국 중심의 국제 질서에 복속하지 않고 독자적인 세력을 유지하였어.

3. 고구려가 수·당의 침입을 막아 낸 원동력: 산성을 이용한 방어 체제, 요동 지방의 철광 지대 확보·뛰어난 제련 기술(→ 강력한 철제 무기와 갑옷 제작 등), 우수한 전투력(갑옷과 투구로 무장, 기병과 보병의 활약)

└ 고구려는 절벽, 가파른 산 등 험준한 지형에 산성을 쌓아 방어력을 높였어.

+ 천리장성

당의 공격에 대비하기 위해 랴오허강을 따라 북쪽의 부여성에서 남쪽의 비사성까지 이어 놓은 장성

+ 대막리지

행정권과 군사권을 장악한 최고 관직

- 고구려와 수·당의 전쟁
- 신라의 삼국 통일
- 백제와 고구려의 부흥 운동
- 발해의 건국과 고구려 계승 의식

1 6세기 후반 수가 중국을 통일하자 고구려는 북쪽의 (　　　　)과 손을 잡았고, 남쪽의 백제, 왜와 연결을 꾀하였다.

2 다음 설명이 맞으면 ○표, 틀리면 ×표를 하시오.

(1) 수는 무리한 고구려 원정으로 국력이 소모되어 멸망하였다. (　　)

(2) 수 문제는 30만 군대를 이끌고 고구려를 침략하여 항복을 받아 냈다. (　　)

3 다음에서 설명하는 전투를 쓰시오.

> 수의 우중문이 30만 명의 별동대를 이끌고 평양성을 공격하였는데, 을지문덕이 후퇴하는 수군이 청천강을 반쯤 건넜을 때 총공격하여 수군을 거의 전멸시켰다.

4 다음 괄호 안의 내용 중 알맞은 말에 ○표를 하시오.

(1) 신라는 고구려와 백제의 잦은 공격에 맞서기 위해 (수, 왜)에 도움을 요청하였다.

(2) 수 (문제, 양제)는 113만 명 이상의 군대를 이끌고 고구려의 요동성을 공격하였으나 함락하지 못하였다.

핵심 콕콕

• **수의 고구려 침입과 격퇴**

수 문제	고구려 침공 → 수군이 고구려의 방어, 홍수와 전염병 등으로 피해를 입고 퇴각
수 양제	요동성 공격 실패 → 우중문이 평양성 공격 → 을지문덕이 살수 대첩에서 수군 격퇴

1 다음 설명이 맞으면 ○표, 틀리면 ×표를 하시오.

(1) 당은 연개소문의 정변을 구실로 고구려에 침입하였다. (　　)

(2) 당에서 태종이 즉위한 이후 당과 고구려가 친선 관계를 맺었다. (　　)

(3) 고구려는 백제와 신라의 도움을 받아 수와 당의 침입을 막아 냈다. (　　)

2 (가)~(다)를 일어난 순서대로 나열하시오.

> (가) 고구려가 천리장성을 쌓기 시작하였다.
> (나) 연개소문이 대막리지가 되어 권력을 장악하였다.
> (다) 당군이 안시성을 공격하였으나 안시성의 성주와 백성이 당군을 격퇴하였다.

• **당의 고구려 침입과 격퇴**

연개소문의 집권, 당에 강경한 정책 전개

↓

안시성 싸움

당 태종의 안시성 공격 → 안시성의 성주와 백성이 막아 냄

C 나당 동맹과 백제·고구려의 멸망

1. 신라와 당의 동맹

왜? 고구려가 신라에 빼앗긴 죽령 이북의 땅을 돌려줄 것을 요구하여 협상이 결렬되었어.

배경	백제 의자왕이 신라를 공격하여 대야성 등 40여 개의 성 함락(642) → 신라 김춘추가 고구려에 군사적 도움을 요청하였으나 실패
과정	김춘추가 당에 건너가 동맹을 제의함 → 나당 동맹 체결·연합군 결성(648)
내용	• 당: 신라에 군사적 지원 약속 • 신라: 당의 고구려 공격 협조, 대동강 이북 지역을 당에 양보하기로 약속

고구려 침략을 여러 번 실패한 당은 고구려를 공략하기 위해 김춘추의 동맹 제안을 받아들였어.

2. 백제와 고구려의 멸망

(1) 백제의 멸망

백제의 귀족으로, 5천여 명의 결사대를 이끌고 신라군과 싸웠어.

배경	+지배층의 분열로 정치 혼란
과정	백제가 기벌포에서 당군에게 패배, 계백의 결사대가 +황산벌 전투에서 김유신이 이끈 신라군에게 패배 → 나당 연합군의 사비성 함락·의자왕이 웅진성에서 항복(백제 멸망, 660)

(2) 고구려의 멸망

이 다툼에서 밀린 남생이 당에 투항하여 고구려 공격에 합세하였어.

배경	수·당과의 전쟁으로 국력 약화, 연개소문 사후 아들들의 권력 다툼으로 정치 혼란
과정	나당 연합군의 평양성 함락(고구려 멸망, 668)

+ 백제 지배층의 분열

의자왕은 집권 초기에 왕권을 강화하여 여러 개혁을 추진하였다. 그러나 귀족 세력을 압박하는 정책을 펼치자 귀족들이 반발하였다.

+ 황산벌 전투

백제의 계백이 이끈 결사대와 김유신이 이끈 신라군 간의 전투이다. 계백이 이끈 백제군이 신라군에 여러 차례 승리하였으나, 신라의 젊은 화랑들이 활약하여 백제군이 패배하였다.

D 백제와 고구려의 부흥 운동

1. +백제의 부흥 운동

과정	복신과 도침은 왕자 (부여)풍을 왕으로 추대(주류성), 흑치상지는 임존성에서 거병 → 200여 개의 성 회복
결과	부흥 운동 지도층의 분열, 백강 전투에서 나당 연합군에 패배, 나당 연합군의 주류성 함락(663) → 부흥 운동 실패, 많은 백제 유민이 일본으로 망명

2. +고구려의 부흥 운동

한반도 전체를 차지하려는 당에 불만이 컸던 신라의 도움을 받았어.

과정	고연무는 요동 지방에서 당군에 맞서 싸움, 검모잠은 한성에서 보장왕의 아들 안승을 왕으로 추대, 평양성 일시 회복
결과	지배층의 분열(안승이 검모잠을 살해하고 신라에 망명) → 부흥 운동 실패

고구려 유민 일부는 신라에 흡수되었고, 상당수는 요동 지역에서 항쟁을 이어 나갔어.

자료로 이해하기 백강 전투

(신라와 당 연합군이) 백강 어귀에서 왜국 군사를 만나 네 번 싸워서 모두 이기고, 그들의 배 4백 척을 불사르니, 연기와 불꽃이 하늘로 오르고 바닷물도 붉은 빛을 띠었다. 이때 (부여)풍은 탈출하여 도주하였으므로 거처를 알지 못하게 되었다. -『삼국사기』

백제 부흥 세력의 요청에 따라 왜는 백제를 지원하기 위하여 대규모 군대를 파견하였다. 663년에는 백제 부흥군과 왜의 지원군이 연합하여 백강(금강 하구)에서 나당 연합군을 여러 차례 공격하였으나 크게 패하였다.

+ 백제와 고구려의 부흥 운동

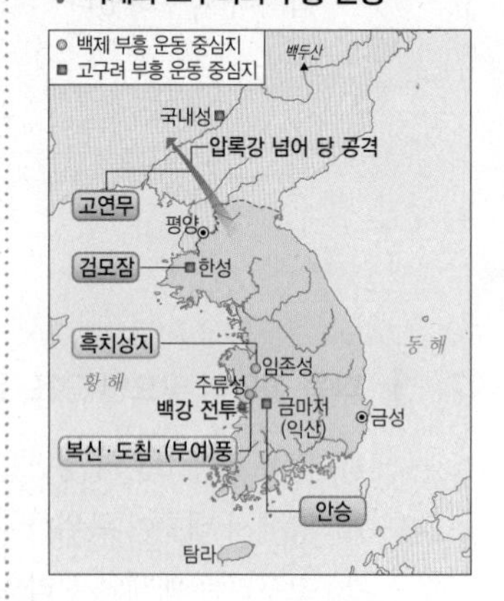

1 나당 동맹에 대한 설명이 맞으면 ○표, 틀리면 ×표를 하시오.

(1) 당은 신라에 군사적 지원을 하기로 하였다. ( )

(2) 신라는 대동강 이남 지역을 당에 양보하기로 약속하였다. ( )

2 다음 빈칸에 들어갈 인물을 쓰시오.

(1) 신라의 ( )는 당에 건너가 나당 동맹을 성사시켰다.

(2) 백제의 ( )은 결사대를 이끌고 황산벌 전투를 벌였으나 김유신이 이끈 신라군에게 패배하였다.

3 (가)~(다)를 일어난 순서대로 나열하시오.

(가) 나당 연합군이 평양성을 함락하였다.
(나) 의자왕이 나당 연합군에 항복하여 백제가 멸망하였다.
(다) 계백의 결사대가 황산벌 전투에서 신라군에게 패배하였다.

핵심 콕콕

• **백제와 고구려의 멸망**

나당 동맹 체결(648)
↓
백제 멸망(660)
백제가 기벌포에서 당군에게 패배, 계백의 결사대가 황산벌 전투에서 패배 → 나당 연합군의 사비성 함락
↓
고구려 멸망(668)
나당 연합군의 평양성 함락

1 다음 인물과 그의 활동을 옳게 연결하시오.

(1) 검모잠 • • ㉠ 임존성에서 군사를 일으켰다.
(2) 흑치상지 • • ㉡ 한성에서 안승을 왕으로 추대하였다.
(3) 복신과 도침 • • ㉢ 주류성에서 왕자 (부여)풍을 왕으로 추대하였다.

2 다음에서 설명하는 전투를 쓰시오.

백제 부흥 세력의 요청에 따라 왜는 백제를 지원하기 위해 군대를 파견하였다. 663년 백제 부흥군과 왜의 지원군이 연합하여 나당 연합군을 여러 차례 공격하였으나 크게 패배하였다.

3 고구려 부흥 운동을 전개한 인물만을 〈보기〉에서 있는 대로 골라 기호를 쓰시오.

보기

ㄱ. 안승　ㄴ. 검모잠　ㄷ. 고연무
ㄹ. (부여)풍　ㅁ. 흑치상지　ㅂ. 복신과 도침

핵심 콕콕

• **백제와 고구려의 부흥 운동**

백제	복신과 도침이 왕자 (부여)풍을 왕으로 추대, 흑치상지가 임존성에서 거병 → 백강 전투 패배, 나당 연합군의 주류성 함락
고구려	고연무가 요동 지방에서 당군과 싸움, 검모잠이 한성에서 안승을 왕으로 추대 → 안승이 검모잠을 살해하고 신라에 망명

E 나당 전쟁과 삼국 통일

1. 당의 한반도 지배 야심

(1) 군사·행정 기구 설치: 웅진도독부(백제의 옛 땅), 안동도호부(고구려의 옛 땅), 계림도독부(신라 금성) 설치 — 꼭 당이 한반도 전체를 지배하려 한 거야.

(2) 신라의 대응: 안승을 보덕국의 왕으로 임명
 └ 왜? 고구려 유민을 포섭하기 위해서였어.

2. +나당 전쟁

이후 당은 안동도호부를 요동으로 옮기고 철수하였어.

과정	신라가 웅진과 사비 지역을 공격하여 당군 축출 → 당이 말갈과 거란 기병을 동원하여 신라 침략 → 신라가 매소성 전투(675)·기벌포 전투(676)에서 당군 격파
결과	대동강 이남 지역에서 당 세력 축출, 삼국 통일 완성(676)

3. 삼국 통일의 한계와 의의

조선의 학자 신채호는 『독사신론』에서 신라의 삼국 통일이 반쪽짜리 통일이라며 그 한계를 지적하였어.

한계	통일 과정에서 외세(당)를 끌어들임, 대동강 이남 지역만 차지
의의	자주적 통일(고구려·백제 유민과 함께 한반도 전체를 지배하려는 당군 격퇴), 우리 민족 최초의 통일로 삼국의 문화가 융합되어 새로운 민족 문화 발전의 기반 마련

+ 나당 전쟁

F 발해의 건국과 고구려 계승 의식

1. 발해의 건국

(1) 배경: 고구려 멸망 이후 고구려 유민이 당에 끌려감 → 요서 지방에서 당의 지배를 받던 거란인의 반란 → 당의 통제력이 약화된 틈에 고구려 장수 출신 대조영이 고구려 유민과 말갈인 일부를 이끌고 요동 지역으로 이동
 (당은 지배층을 비롯한 고구려 유민을 당의 여러 지역으로 이주시켰어.)

(2) 건국: 대조영이 지린성 동모산 근처에 도읍을 정하고 발해 건국(698) → +남북국의 형세를 이룸
 └ 대조영은 추격해 온 당의 군대를 말갈인과 함께 천문령에서 물리치고 발해를 건국하였어.

(3) 주민 구성: 고구려 유민과 말갈인으로 구성
 — 꼭 발해의 지배층에는 고구려 유민이 많았고, 말갈인이 일부 포함되었어.

2. 발해의 고구려 계승 의식: 고구려 유민이 지배층의 다수를 차지, 발해의 왕이 일본에 보낸 외교 문서에 '고려(고구려)'와 '고려(고구려) 국왕' 자처, 일본이 발해를 '고려(고구려)'라고 칭하기도 함

자료로 이해하기 발해의 고구려 계승 근거

- (발해는) 고려(고구려) 옛 땅을 수복하고, 부여의 풍속을 지니고 있다. – 발해가 일본에 보낸 국서
- (일본) 왕은 삼가 고려(고구려) 국왕에게 문안한다. – 『속일본기』
- 대조영은 본래 고려(고구려)의 별종이다. …… (고구려, 말갈) 무리를 이끌고 …… 동모산에 성을 쌓고 살았다. – 『구당서』
- 지난날의 고구려가 오늘의 발해이다. – 최치원, 「여예부배상서찬장」

발해는 고구려 유민이 중심이 되어 세운 나라로 고구려 계승 의식이 강하였다. 발해의 왕은 일본에 보낸 외교 문서에 스스로 '고려(고구려)' 또는 '고려(고구려) 국왕'이라고 표현하였고, 일본이 발해를 '고려(고구려)'라고 부르기도 하였으며, 당에서도 발해를 세운 대조영을 고려(고구려)의 별종이라고 여겼다.

+ 남북국

> 부여 씨가 망하고 고 씨가 망하자 김 씨는 남쪽을 차지했고, 대 씨는 그 북쪽을 차지하고 이름을 발해라고 하였는데, 이것이 남북국이다. 그러니 마땅히 남북국사가 있어야 하는데도 고려가 이를 쓰지 않았으니 잘못이다.
> – 유득공, 『발해고』

조선 후기의 학자 유득공이 '남북국'이라는 말을 처음 사용하여 신라와 발해가 모두 우리 민족의 역사라는 점을 강조하였다.

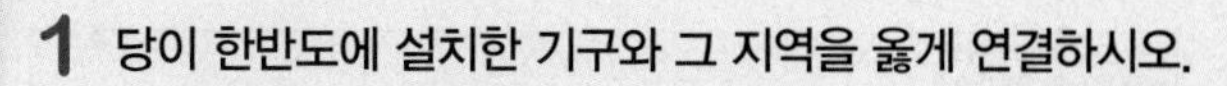

1 당이 한반도에 설치한 기구와 그 지역을 옳게 연결하시오.

(1) 계림도독부 •   • ㉠ 신라 금성
(2) 안동도호부 •   • ㉡ 백제의 옛 땅
(3) 웅진도독부 •   • ㉢ 고구려의 옛 땅

2 (가)~(다)를 일어난 순서대로 나열하시오.

> (가) 신라가 매소성 전투에서 당군을 격파하였다.
> (나) 신라가 기벌포 전투에서 당군에 승리를 거두었다.
> (다) 당이 웅진도독부와 안동도호부, 계림도독부를 설치하였다.

3 신라의 삼국 통일은 그 과정에서 외세인 (   )을 끌어들였다는 한계가 있다.

• **나당 전쟁과 삼국 통일**

당의 한반도 지배 야심
당이 웅진도독부, 안동도호부, 계림도독부 설치

↓

나당 전쟁
신라의 매소성·기벌포 전투 승리, 삼국 통일 완성(676)

1 발해에 대한 설명이 맞으면 ○표, 틀리면 ×표를 하시오.

(1) 백제 유민이 중심이 되어 세웠다. (   )
(2) 주민은 고구려 유민과 말갈인으로 구성되었다. (   )

2 다음에서 설명하는 인물을 쓰시오.

> 고구려 장수 출신으로, 고구려 유민과 말갈인 일부를 이끌고 요동 지역으로 이동하였다가 동모산 근처로 다시 이동하여 발해를 건국하였다.

3 다음 괄호 안의 내용 중 알맞은 말에 ○표를 하시오.

(1) 발해는 (신라, 고구려) 계승 의식이 강하였다.
(2) 발해는 (말갈인, 고구려 유민)이 지배층의 다수를 차지하였다.

4 다음 자료의 빈칸에 들어갈 내용을 쓰시오.

> 부여 씨가 망하고 고 씨가 망하자 김 씨는 남쪽을 차지했고, 대 씨는 그 북쪽을 차지하고 이름을 발해라고 하였는데, 이것이 (   )이다. – 유득공, 『발해고』

• **발해의 건국과 고구려 계승 의식**

발해 건국	대조영이 지린성 동모산 근처에 도읍을 정하고 발해 건국, 고구려 유민과 말갈인이 주민 구성
고구려 계승 의식	고구려 유민이 지배층의 다수를 차지함, 발해 왕이 일본에 보낸 외교 문서에 '고려(고구려) 국왕' 자처

01 6세기 후반에서 7세기 초 동아시아의 정세에 대한 설명으로 옳지 않은 것은?

① 수가 중국을 통일하였다.
② 고구려가 돌궐과 연합하였다.
③ 고구려가 백제, 왜와 연결을 꾀하였다.
④ 고구려에 맞서 나제 동맹이 체결되었다.
⑤ 신라가 고구려와 백제의 잦은 공격에 어려움을 겪었다.

[02~03] 다음을 읽고 물음에 답하시오.

> 신묘한 계책은 천문을 꿰뚫어 볼 만하고, 오묘한 전술은 땅의 이치를 모조리 알았도다. 전쟁에 이겨서 공이 이미 높아졌으니 만족을 알거든 그만두기를 바라노라.
>
> – 고구려 장군이 우중문에게 보낸 시

시험에 잘 나와!

02 위의 시를 지어 수의 장군에게 보낸 인물의 활동으로 옳은 것은?

① 보덕국의 왕이 되었다.
② 고구려 부흥 운동을 주도하였다.
③ 살수 대첩에서 승리를 거두었다.
④ 황산벌 전투에서 백제군을 이끌었다.
⑤ 정변을 일으켜 스스로 대막리지가 되었다.

03 위의 시가 쓰인 배경으로 가장 적절한 것은?

① 나당 동맹이 체결되었다.
② 고구려 부흥 운동이 전개되었다.
③ 수의 별동대가 평양성을 공격하였다.
④ 당이 한반도에 안동도호부를 설치하였다.
⑤ 흑치상지가 임존성에서 군대를 일으켰다.

04 지도에 나타난 전쟁에 대한 설명으로 옳은 것은?

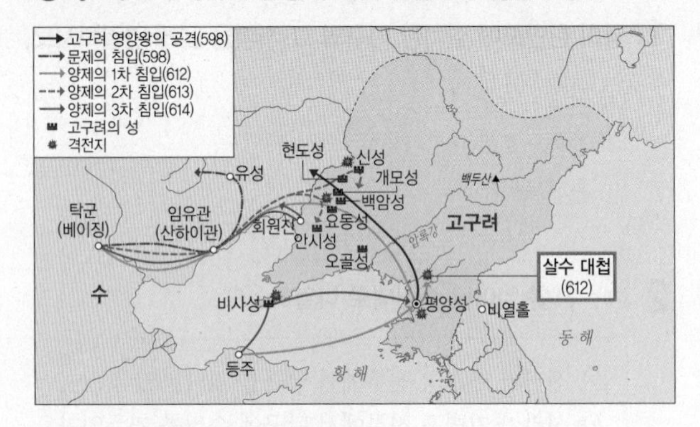

① 수의 멸망을 초래하였다.
② 안시성 싸움이 일어났다.
③ 계백의 결사대가 활약하였다.
④ 안동도호부 설치를 배경으로 일어났다.
⑤ 지배층의 내분으로 고구려가 패배하였다.

05 다음 상황에 대한 고구려의 대응으로 옳은 것은?

> 당 태종은 즉위한 이후 돌궐 등 주변 세력을 정복하며 고구려를 압박하였다.

① 살수 대첩을 벌였다.
② 수도를 평양으로 옮겼다.
③ 요서 지방을 공격하였다.
④ 영락이라는 연호를 사용하였다.
⑤ 국경 지역에 천리장성을 쌓았다.

06 (가)~(라)를 일어난 순서대로 나열한 것은?

> (가) 연개소문이 정변을 일으켰다.
> (나) 고구려가 살수 대첩에서 수군을 격퇴하였다.
> (다) 고구려가 안시성 싸움에서 당군을 격퇴하였다.
> (라) 수 문제가 30만 명의 군대로 고구려를 침략하였다.

① (가) – (나) – (다) – (라)
② (가) – (라) – (나) – (다)
③ (나) – (가) – (다) – (라)
④ (라) – (가) – (나) – (다)
⑤ (라) – (나) – (가) – (다)

07 (가)에 들어갈 내용으로 적절하지 않은 것은?

고구려는 수와 당의 침입을 어떻게 막아 낼 수 있었을까?

고구려가 ______(가)______ 때문이야.

① 백제, 신라와 연합하였기
② 강력한 철제 무기와 갑옷을 만들었기
③ 요동 지방의 철광 지대를 확보하였기
④ 갑옷과 투구로 무장한 병사들이 활약하였기
⑤ 산성을 이용하여 방어 체제를 견고하게 하였기

08 다음 상황이 나타난 배경으로 적절한 것을 〈보기〉에서 고른 것은?

〈보기〉
ㄱ. 백제 부흥 운동이 전개되었다.
ㄴ. 안승이 보덕국의 왕이 되었다.
ㄷ. 당이 고구려 공격에 실패하였다.
ㄹ. 백제가 신라 40여 개의 성을 함락하였다.

① ㄱ, ㄴ　② ㄱ, ㄷ　③ ㄴ, ㄷ
④ ㄴ, ㄹ　⑤ ㄷ, ㄹ

09 (가), (나) 시기 사이에 있었던 사실로 옳은 것은?

(가) 신라와 당이 동맹을 맺었다.
(나) 나당 연합군이 사비성을 함락하였다.

① 신라가 기벌포 전투에서 승리하였다.
② 안시성의 성주와 백성이 당군을 격퇴하였다.
③ 복신과 도침이 왕자 (부여)풍을 왕으로 추대하였다.
④ 계백이 이끈 결사대가 황산벌 전투에서 패배하였다.
⑤ 수의 우중문이 30만 별동대로 평양성을 공격하였다.

10 (가)에 들어갈 내용으로 옳은 것은?

나당 연합군이 고구려를 공격하자, 고구려는 연개소문을 중심으로 막아 냈다. 그러나 고구려는 수·당과의 전쟁으로 국력이 약화되었고, ______(가)______(으)로 혼란하여 결국 나당 연합군에게 평양성이 함락되었다.

① 백강 전투의 패배
② 백제 의자왕의 공격
③ 안승의 검모잠 살해
④ 당의 안동도호부 설치
⑤ 연개소문 아들들의 권력 다툼

시험에 잘 나와!

11 다음 자료에 나타난 전투가 일어난 시기를 연표에서 옳게 고른 것은?

(신라와 당 연합군이) 백강 어귀에서 왜국 군사를 만나 네 번 싸워서 모두 이기고, 그들의 배 4백 척을 불사르니, 연기와 불꽃이 하늘로 오르고 바닷물도 붉은 빛을 띠었다. 이때 (부여)풍은 탈출하여 도주하였으므로 거처를 알지 못하게 되었다. – 『삼국사기』

살수 대첩	(가)	나당 동맹 체결	(나)	백제 멸망	(다)	고구려 멸망	(라)	매소성 전투	(마)	기벌포 전투

① (가)　② (나)　③ (다)　④ (라)　⑤ (마)

12 지도에 표시된 부흥 운동에 대한 설명으로 옳은 것을 〈보기〉에서 고른 것은?

〈보기〉

ㄱ. 신라의 도움을 받았다.
ㄴ. 지도층의 분열로 실패하였다.
ㄷ. 왕자 (부여)풍을 왕으로 추대하였다.
ㄹ. 백강 전투에서 나당 연합군에 패배하였다.

① ㄱ, ㄴ ② ㄱ, ㄷ ③ ㄴ, ㄷ
④ ㄴ, ㄹ ⑤ ㄷ, ㄹ

13 (가), (나) 시기 사이에 있었던 사실로 옳은 것을 〈보기〉에서 고른 것은?

(가)

(나)

〈보기〉

ㄱ. 백제 부흥 운동이 일어났다.
ㄴ. 당이 웅진도독부를 설치하였다.
ㄷ. 안승이 보덕국의 왕으로 임명되었다.
ㄹ. 매소성 전투와 기벌포 전투가 벌어졌다.

① ㄱ, ㄴ ② ㄱ, ㄷ ③ ㄴ, ㄷ
④ ㄴ, ㄹ ⑤ ㄷ, ㄹ

14 (가)에 들어갈 내용으로 가장 적절한 것은?

수행 평가 보고서

1. 탐구 주제: 한반도의 정세
2. 수집 자료
   - 백제의 옛 중심지에 웅진도독부가 설치되었다.
   - 고구려의 옛 중심지에 안동도호부가 설치되었다.
   - 신라 금성에 계림도독부가 설치되었다.
3. 자료 분석: 당은 ______(가)______

① 고구려를 멸망시키려고 하였다.
② 백제의 부흥 운동을 지원하였다.
③ 안시성 싸움을 승리로 이끌었다.
④ 한반도 전체를 지배하려고 하였다.
⑤ 연개소문의 대당 강경책에 맞선 정책을 펼쳤다.

시험에 잘 나와!

15 지도와 같이 전개된 전쟁에 대한 설명으로 옳지 않은 것은?

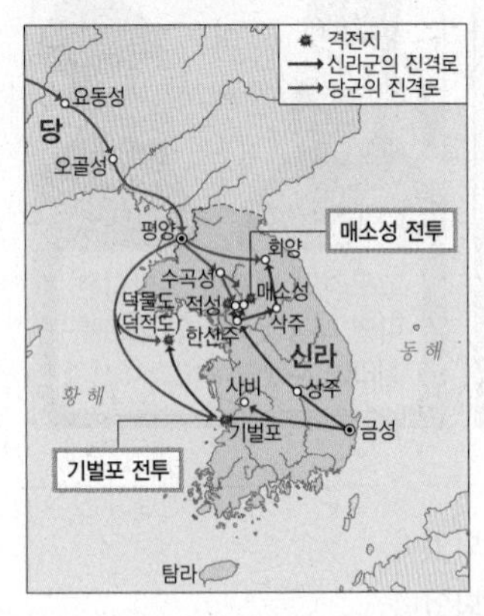

① 우중문이 30만 명의 별동대로 침입하였다.
② 대동강 이남에서 당 세력이 물러나게 되었다.
③ 새로운 민족 문화 발전의 기틀이 마련되었다.
④ 매소성·기벌포 전투에서 당군이 패배하였다.
⑤ 신라가 고구려·백제 유민과 함께 당을 몰아냈다.

16 다음 자료에 나타난 신라의 삼국 통일에 대한 평가로 옳은 것은?

> 다른 민족을 불러들여 같은 민족을 멸망시키는 것은 도적을 끌어들여 형제를 죽이는 것과 다를 바 없다. 고구려가 멸망하여 발해가 되고, 백제가 망하여 신라에 병합되었으니 이는 반쪽짜리 통일이지 전체적인 통일은 아니다. – 신채호, 『독사신론』

① 자주적인 통일이었다.
② 통일 과정에서 외세를 끌어들였다.
③ 우리 민족 최초의 통일을 이루었다.
④ 고구려·백제 유민과 함께 이루었다.
⑤ 삼국의 문화가 융합되는 계기를 마련하였다.

17 발해의 건국 과정에 대한 설명으로 옳은 것을 〈보기〉에서 고른 것은?

보기

ㄱ. 연개소문이 보장왕을 세웠다.
ㄴ. 고구려 장수 출신이 건국하였다.
ㄷ. 대동강 유역에 도읍을 정하였다.
ㄹ. 거란인의 반란이 일어난 시기를 이용하였다.

① ㄱ, ㄴ ② ㄱ, ㄷ ③ ㄴ, ㄷ
④ ㄴ, ㄹ ⑤ ㄷ, ㄹ

시험에 잘 나와!

18 ㉠ 나라에 대한 설명으로 옳지 않은 것은?

> 부여 씨가 망하고 고 씨가 망하자 김 씨는 남쪽을 차지했고, 대 씨는 그 북쪽을 차지하고 이름을 (㉠)(이)라고 하였는데, 이것이 남북국이다. – 유득공

① 대조영이 건국하였다.
② 백제 계승 의식을 가졌다.
③ 말갈인이 주민을 이루었다.
④ 고구려 유민이 지배층의 다수를 차지하였다.
⑤ 남쪽의 신라와 함께 남북국의 형세를 갖추었다.

서술형 문제

서술형 감잡기

01 다음 자료를 바탕으로 발해가 고구려를 계승하였다고 보는 근거를 서술하시오.

> • (발해는) 고려(고구려) 옛 땅을 수복하고, 부여의 풍속을 지니고 있다. – 발해가 일본에 보낸 국서
> • (일본) 왕은 삼가 고려(고구려) 국왕에게 문안한다. – 『속일본기』
> • 대조영은 본래 고려(고구려)의 별종이다. …… (고구려, 말갈) 무리를 이끌고 …… 동모산에 성을 쌓고 살았다. – 『구당서』

➜ 발해는 (①)이 중심이 되어 세운 나라로, 이들이 지배층의 다수를 차지하였으며, 발해 왕은 일본에 보낸 외교 문서에 스스로를 (②) 국왕이라고 하였다. 일본은 발해를 (②)라고 부르기도 하였고, 당도 대조영을 (②)의 별종으로 여겼다.

실전! 서술형 도전하기

02 신라의 삼국 통일이 갖는 의의를 두 가지 서술하시오.

03 밑줄 친 '남북국'이 의미하는 두 나라를 쓰고, '남북국 시대'라는 명칭이 지니는 의미를 서술하시오.

> 부여 씨가 망하고 고 씨가 망하자 김 씨는 남쪽을 차지했고, 대 씨는 그 북쪽을 차지하고 이름을 발해라고 하였는데, 이것이 남북국이다. – 유득공, 『발해고』

02 남북국의 발전과 변화

A 통일 신라 왕권의 강화

1. 삼국 통일 전후의 상황

(1) 지배층의 변화: 7세기 중반 김춘추(무열왕)는 진골 출신으로 처음 왕위에 오름
- 김춘추는 김유신의 도움을 받아 왕위에 올랐어. 이후 무열왕계 직계 자손들이 왕위를 계승하였어.

(2) 무열왕의 정책: +집사부 독립, 시중(중시)의 역할 강화, 귀족 회의의 기능 축소
- 상대등의 권한도 약화되었어.

2. 왕권의 강화: 진골 귀족 세력의 약화 → 6두품이 왕의 정치적 조언자로 성장

문무왕	• 삼국 통일: 고구려를 멸망시키고 나당 전쟁을 승리로 이끌어 삼국 통일 완성 → 인구 증가, 농업 생산력 증가 • 통치: 삼국의 백성 통합(옛 백제인·고구려인에게 관직 하사), 친당적 진골 귀족 축출
신문왕	진골 귀족 세력 숙청(+김흠돌의 난 진압), 국학 설치(유학 보급, 인재 양성), 통치 제도 정비 → 전제 왕권 확립 (국학에서 왕권을 뒷받침할 인재를 양성하였어.)

+ 집사부
진덕 여왕 때 개편된 신라 최고 부서로 장관인 시중(중시)을 중심으로 운영되었다.

+ 김흠돌의 난
681년 신문왕의 장인이자 진골 귀족의 대표인 김흠돌이 반란을 꾀하다 발각되어 처형된 사건

B 통일 신라의 통치 제도 정비

1. 중앙 정치 제도: 집사부 중심 운영, 시중(중시)의 권한 강화, 10여 개의 관청 설치(행정 업무 담당)
- 비교 화백 회의의 기능과 상대등의 권한은 축소되었어.

2. +지방 행정 조직
- 꼭 신문왕이 주도하여 지방 행정 조직을 정비하였어.

9주	전국을 9주로 나누고 그 아래 군·현 설치(지방관 파견), 말단 행정 구역인 촌은 토착 세력인 촌주가 관리(촌락 문서 작성)
5소경	• 설치 목적: 수도인 금성(경주)이 국토의 동남쪽에 치우친 약점 보완, 지방 세력 견제 • 설치와 운영: 지방의 주요 거점에 설치 → 옛 가야·고구려·백제 출신 귀족을 옮겨 살게 함, 지방 정치와 문화의 중심지로 삼음

3. 군사 제도

(1) 9서당(중앙군): 신라인, 고구려·백제 유민, 말갈인으로 구성 → 민족 통합 추구

(2) 10정(지방군): 9주에 1정씩 설치, 국경 지역인 한주에는 2정 배치

4. 토지 제도: 신문왕 때 +관료전 지급·+녹읍 폐지·녹봉 지급 → 성덕왕 때 백성에게 정전을 지급하고 세금 수취 → 경덕왕 때 귀족들의 반발로 녹읍 부활
- 귀족의 경제 기반을 약화하여 국가 재정을 강화하였어.

자료로 이해하기 신라 촌락 문서
- 촌락의 인구 수, 말과 소의 수, 토지의 넓이, 유실수가 몇 그루인지까지 기록되어 있어.

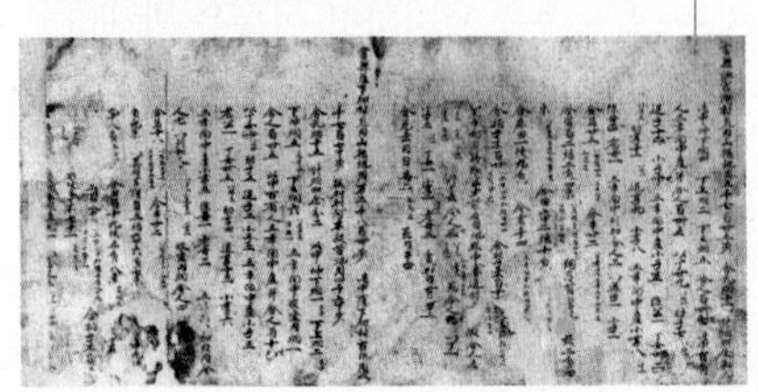
신라 촌락 문서(일본 쇼소인)

신라의 촌주는 촌락 문서를 작성하였다. 촌락 문서에는 촌락의 인구를 비롯한 경제 상황이 기록되어 있어 촌락 문서가 세금 수취를 위하여 작성되었음을 알 수 있다. 신라 정부는 촌락 문서를 통해 지방 농민을 효과적으로 지배하고자 하였다.

+ 신라의 지방 행정 조직

신라는 지방을 9주로 나누고 옛 고구려, 백제, 신라 땅에 각각 3주씩 배치하여 민족 통합을 추구하였다.

+ 관료전과 녹읍
관료전은 관리에게 준 토지로 해당 토지를 경작하는 농민에게 조세만 거둘 수 있었다. 반면 녹읍은 해당 지역 농민에게 조세를 걷고 노동력도 징발할 수 있었다.

- 통일 신라의 통치 체제 정비
- 발해의 통치 체제 정비
- 신라 말 사회의 변화
- 후삼국의 성립

1 다음에서 설명하는 왕을 〈보기〉에서 골라 기호를 쓰시오.

〈보기〉
ㄱ. 무열왕　　ㄴ. 문무왕　　ㄷ. 신문왕

(1) 진골 출신으로 처음 왕위에 올랐다. (　　)
(2) 김흠돌의 난을 진압하고 통치 체제를 정비하였다. (　　)
(3) 삼국 통일을 완성하고 옛 백제인과 고구려인에게 관직을 하사하였다. (　　)

2 통일 신라의 신문왕은 (　　　　)을 설치하여 유학을 보급하고 인재를 양성하였다.

• **삼국 통일 전후 왕권의 강화**

무열왕	진골 출신 최초의 왕, 집사부 독립
문무왕	삼국 통일 완성, 옛 백제인과 고구려인에게 관직 하사
신문왕	진골 귀족 세력 숙청(김흠돌의 난 진압), 국학 설치, 통치 제도 정비

1 통일 신라의 통치 제도에 대한 설명이 맞으면 ○표, 틀리면 ×표를 하시오.

(1) 중앙 정치는 집사부를 중심으로 운영되었다. (　　)
(2) 화백 회의의 기능과 상대등의 권한이 확대되었다. (　　)
(3) 말단 행정 구역인 촌은 토착 세력인 촌주가 관리하였다. (　　)

2 다음 괄호 안의 내용 중 알맞은 말에 ○표를 하시오.

(1) 신문왕은 관리에게 (녹읍, 관료전)을 지급하였다.
(2) 성덕왕은 백성에게 (녹봉, 정전)을 지급하고 세금을 걷었다.
(3) 통일 신라는 전국을 (9주, 5소경)(으)로 나누고 그 아래 군·현을 설치하여 지방관을 파견하였다.

3 통일 신라는 수도 금성이 국토의 동남쪽에 치우친 약점을 보완하고 지방 세력을 견제하기 위해 지방의 주요 거점에 (　　　　)을 설치하였다.

4 ㉠, ㉡에 들어갈 내용을 각각 쓰시오.

통일 신라는 중앙군으로 (㉠　　　)을 두었으며, 지방군으로는 (㉡　　　)을 설치하였다.

• **통일 신라의 통치 제도**

중앙	집사부 중심, 시중(중시)의 권한 강화
지방	전국을 9주로 나눔, 5소경 설치
군사	9서당(중앙군), 10정(지방군) 운영
토지 제도	신문왕 때 관료전 지급·녹읍 폐지, 성덕왕 때 정전 지급

C 발해의 발전과 통치 제도

1. 발해의 발전과 멸망

(1) 발해의 발전

왜? 당이 신라와 흑수 말갈을 이용하여 발해를 견제하자, 이에 대응한 거야.

왕	내용
무왕 (8세기 전반)	'인안' 연호 사용, 북만주 일대 장악, 돌궐·일본과 친선 관계를 맺어 당과 신라 견제, 장문휴를 보내 당의 산둥 지방(등주) 공격(732)
문왕 (8세기 후반)	상경(상경 용천부) 천도, 통치 체제 정비, 황상(황제) 칭호 사용, 당과 친선 관계 형성(당의 문물제도 수용), 교통로를 개설하여 신라와 교류, 일본에 사신 파견
선왕 (9세기 전반)	대부분의 말갈족을 복속시킴, 연해주와 요동 지방까지 영토 확장(최대 영토 확보), 전성기 이룩

정효 공주 묘지석에 문왕을 '황상'으로 칭하였어.

옛 고구려의 영토를 대부분 회복하였어.

(2) 국가 위상 상승: 독자적 연호 사용, 선왕 이후 중국에서 '해동성국'으로 불림

(3) 발해의 멸망: 거란의 침략으로 멸망(926) → 부흥 운동 전개(정안국 건립 → 실패)

'바다 동쪽의 융성한 나라'라는 의미야.

2. 발해의 통치 제도

꼭 당의 제도를 본떠 조직하였으나, 3성을 정책을 집행하는 정당성 중심으로 운영하고 6부의 명칭에 유교 덕목을 사용하는 독자성을 보였어.

구분	내용
+중앙	3성(정당성 중심 운영), 6부(행정 실무 담당, 유교 덕목을 명칭으로 사용)
지방	• +5경: 정치적·군사적 요충지에 설치, 여러 교통망으로 연결 • 15부 62주: 지방 행정 중심지에 15부 설치, 부 아래 주·현 설치(주·현에 지방관 파견) • 촌락: 대부분 말갈인으로 구성, 토착 세력인 말갈 족장(말갈 수령)이 지배
군사	중앙군(10위)은 왕궁과 수도 경비, 전략적 요충지나 국경 지역에 지방군 설치

지방관이 지휘하였어.

+ 발해의 중앙 정치 조직

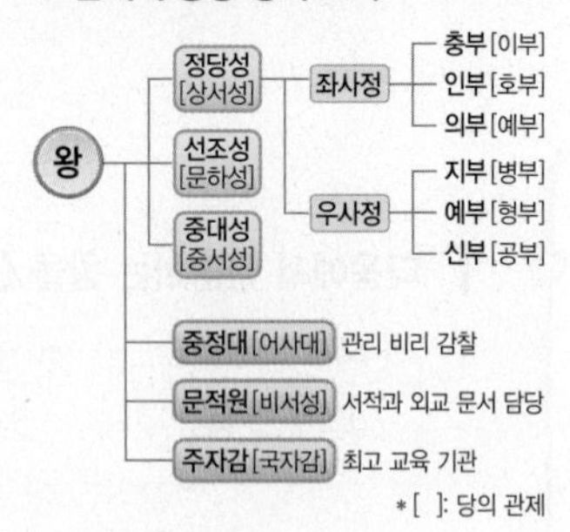

+ 발해의 5경

D 신라의 정치적 동요와 농민 봉기

1. 정치적 동요

구분	내용
배경	8세기 후반부터 소수의 진골 귀족이 권력 독점 → 왕권 약화, 진골 귀족 간 분열 심화
내용	• 중앙: 혜공왕이 어린 나이에 즉위 → 진골 귀족들의 반란으로 혜공왕 피살 → 왕위 쟁탈전 심화(150여 년 동안 20명의 왕이 교체됨) • 지방: 지방 세력의 왕위 쟁탈전 개입(+김헌창의 난, +장보고의 난 등)

무열왕계 왕위 세습이 끊어졌어.

2. 농민 봉기: 9세기 말 진성 여왕 때 확산

꼭 왕위 쟁탈전과 농민 봉기로 지방에 대한 중앙 정부의 통제력이 약화되었어.

구분	내용
배경	정치 혼란, 귀족의 대토지 소유 확대와 농민 수탈, 기근·자연재해·전염병 등으로 농민 생활 악화 → 중앙 정부가 지방에 세금 독촉 → 지방 농민의 불만 폭발
내용	원종과 애노의 난(상주·사벌주, 889)을 시작으로 농민 봉기 확대(적고적의 금성 약탈 등)

농민들은 몰락하여 노비나 도적이 되기도 하였어.

붉은 바지를 입은 무리가 금성까지 쳐들어가기도 하였어.

자료로 이해하기 원종과 애노의 난

> 진성 여왕 3년(889) 주와 군에서 공물과 부세를 바치지 않아 나라의 창고가 텅 비고 왕이 사자를 보내 독촉하니, 도적들이 벌 떼처럼 일어났다. – 『삼국사기』

세금 독촉이 봉기의 직접적인 계기였어.

신라에서 생활이 어려워진 농민들은 9세기 말 진성 여왕 때 일어난 원종과 애노의 난을 시작으로 전국 각지에서 봉기하였다. 이들은 세금 납부를 거부하고 관아를 습격하였다.

+ 김헌창의 난(822)

웅주 도독 김헌창이 무열왕의 직계 자손인 아버지 김주원이 왕이 되지 못한 것에 불만을 품고 일으켰다. '장안'이라는 국호를 내걸었으며, 여러 지역 세력이 가담하였다.

+ 장보고의 난(846)

청해진을 기반으로 군사력을 확대한 장보고가 왕위 계승 분쟁에 개입하여 반란을 일으켰다.

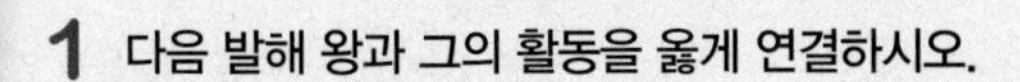

1 다음 발해 왕과 그의 활동을 옳게 연결하시오.

(1) 무왕 • • ㉠ 북만주 일대 장악, 산둥 지방 공격

(2) 선왕 • • ㉡ 연해주와 요동 지방까지 영토 확장

2 다음 대외 정책을 추진한 발해의 왕을 쓰시오.

> 당과 친선 관계를 맺어 당의 문물제도를 수용하였고, 교통로를 개설하여 신라와 교류하였으며, 일본에 사신을 파견하였다.

3 발해는 선왕 때 영토를 크게 확장하여 이후 중국으로부터 바다 동쪽의 융성한 나라라는 의미를 가진 (　　　　)으로 불렸다.

4 다음 괄호 안의 내용 중 알맞은 말에 ○표를 하시오.

(1) 발해의 중앙군인 (10위, 9서당)은/는 왕궁과 수도를 경비하였다.

(2) 발해의 지방 행정 조직은 (9주 5소경, 5경 15부 62주)(으)로 정비되었다.

핵심 콕콕

• **발해의 발전과 통치 제도**

구분	내용
발전	• 무왕: 북만주 일대 장악, 산둥 지방 공격 • 문왕: 상경 천도, 당과 친선 관계 형성, 신라와 교통로 개설 • 선왕: 최대 영토 확보 → 이후 발해는 중국에서 '해동성국'이라 불림
통치 제도	• 중앙: 3성 6부 • 지방: 5경 15부 62주 • 군사: 10위(중앙군), 지방군

1 신라 말의 상황에 대한 설명이 맞으면 ○표, 틀리면 ×표를 하시오.

(1) 무열왕계의 왕위 세습이 시작되었다. (　　)

(2) 소수의 진골 귀족이 권력을 독점하여 왕권이 약화되었다. (　　)

(3) 귀족들의 대토지 소유가 확대되고 농민 수탈이 심화되었다. (　　)

2 다음 빈칸에 들어갈 인물을 쓰시오.

(1) (　　　　)는 청해진을 기반으로 군사력을 확대하여 왕위 계승 분쟁에 개입하였다.

(2) 웅주 도독이었던 (　　　　)은 아버지 김주원이 왕이 되지 못한 것에 불만을 품고 장안이라는 국호를 내걸어 반란을 일으켰다.

3 다음은 신라 말 농민 봉기를 정리한 것이다. ㉠, ㉡에 들어갈 내용을 각각 쓰시오.

구분	내용
배경	귀족의 농민 수탈 심화, 기근·자연재해·전염병 등으로 농민 생활 악화
시기	9세기 말 (㉠　　　　) 때 확산
전개	상주(사벌주)에서 일어난 (㉡　　　　)의 난을 시작으로 전국에서 농민 봉기

핵심 콕콕

• **신라 말의 사회 동요**

구분	내용
귀족	• 중앙: 혜공왕 피살 이후 왕위 쟁탈전 심화 • 지방: 왕위 쟁탈전에 개입(김헌창의 난, 장보고의 난 등)
농민	원종과 애노의 난을 시작으로 농민 봉기 확대

↓

지방에 대한 중앙 정부의 통제력 약화

E 새로운 세력의 성장과 사상의 유행

1. 호족의 성장과 6두품의 사회 비판

(1) 호족

형성	• 등장: 중앙 정부의 통치력 약화 → 호족이 지방에서 독자적 세력 형성 • 출신: 대부분 촌주 출신, 중앙에서 내려온 귀족, 군진 세력, 해상 세력 등
세력 확대	독자적 군사를 보유하고 자신의 근거지에 성을 쌓아 지역 방어(성주나 장군 자처) → 독자적인 통치 기구를 두어 지방을 실질적으로 지배하며 세력 확대

└ 백성에게 세금을 수취하고, 농민을 자신의 군사로 이용하였어.

(2) 6두품의 사회 비판

① 배경: 골품제의 모순으로 관직 진출 제한, 진골 귀족의 권력 독점(→ 6두품의 역할 축소)
└ 개인의 능력보다 혈통을 중시하였어.
└ 장관, 장군, 주 도독 등 최고 관직은 진골이 독차지하였어.

② 6두품의 활동: 당에 유학한 일부 6두품이 골품제의 모순 비판, 사회 개혁안 제시(→ 수용되지 않음)
6두품 세력은 개혁안이 수용되지 않자 정치를 멀리하거나 호족과 함께 새로운 사회 건설을 추구하였어.

③ 대표적 인물: 최치원(진성 여왕에게 개혁안 제시), 최승우, 최언위

2. 새로운 사상의 유행

꼭 선종과 풍수지리설은 지방 호족이 새로운 사회를 건설하는 사상적 기반이 되었어.

선종	경전의 이론에 얽매이지 않고 누구나 일상생활 속에서 내면의 진리를 발견할 수 있다고 가르침, 인간의 마음에 내재된 깨달음 중시, 교종의 전통적 권위에 도전 → 호족의 환영을 받음, 전국에 선종 사찰 건립, +승탑과 탑비 유행
+풍수지리설	• 수용: 신라 말 선종 승려인 도선이 보급 • 확대: 금성(경주) 중심의 지리 개념을 벗어나 지방의 중요성 강조 → 호족의 환영을 받음

3. 새로운 사회 건설 추구: 호족, 일부 6두품 세력이 새로운 사회 건설 추구

+ 승탑
선종 승려들은 스승을 깨달음을 얻는 부처와 같이 보아 승려의 사리를 모시는 승탑을 만들었다.

화순 쌍봉사 철감 선사 탑

+ 풍수지리설
산과 땅의 모양이나 물의 흐름 등이 인간의 길흉화복에 영향을 미친다고 믿는 사상

F 후삼국의 성립

1. +후백제의 성립과 발전

서남 해안을 지키는 군진의 장교였어.

건국	• 견훤의 세력 확대: 진성 여왕 때 농민 봉기를 틈타 독자적 세력 형성 • 후백제 건국: 백제 부흥 표방, 호족 세력을 모아 완산주(전주)에 도읍하고 건국(900)
발전	최승우 등 6두품 세력을 등용하여 통치 체제 정비, 군사력을 키워 신라의 서쪽 국경 공격 → 오늘날 전라도·충청도·경상도 서부 지역까지 영토 확대

2. +후고구려의 성립과 발전

북원(원주) 지역 호족인 양길의 부하로 있다가 자립하였어.

건국	궁예가 경기도·황해도 일대의 호족들을 규합하여 송악(개성)에 도읍을 정하고 건국(901), 고구려 부흥 표방
발전	철원 천도, 국호를 마진·태봉으로 변경, 새로운 관제 마련, 능력 중심의 인재 등용, 오늘날 황해도·경기도·강원도 일대의 영토 확보

3. 신라: 세력이 약화되어 오늘날 경주 부근의 경상도 일대만 지배

+ 후삼국의 성립

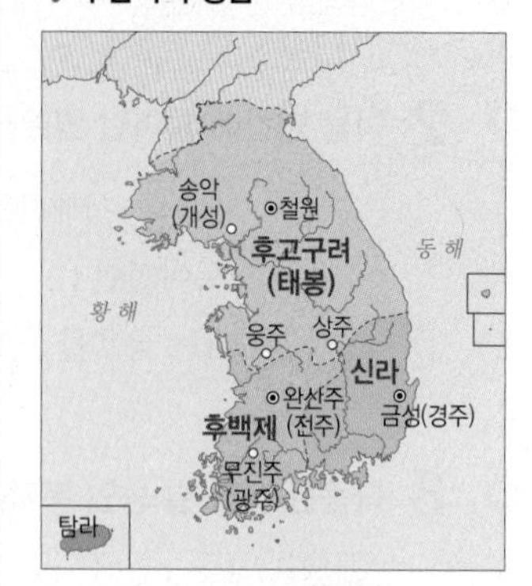

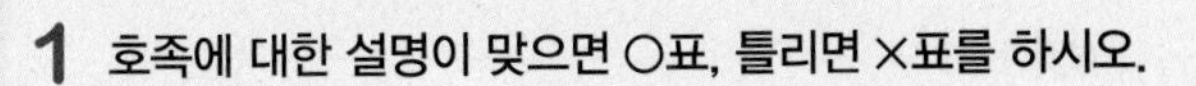

1 호족에 대한 설명이 맞으면 ○표, 틀리면 ×표를 하시오.

(1) 최치원, 최승우, 최언위가 대표적 인물이다. ( )
(2) 독자적인 통치 기구를 두고 지방을 실질적으로 지배하였다. ( )
(3) 자신의 근거지에 성을 쌓아 스스로를 성주나 장군이라 칭하였다. ( )

2 골품제의 모순으로 관직 진출에 제한을 받았던 ( ) 세력은 사회 개혁안이 수용되지 않자 호족과 함께 새로운 사회 건설을 추구하였다.

3 다음에서 설명하는 사상을 쓰시오.

- 신라 말 선종 승려인 도선이 보급하였다.
- 산과 땅의 모양이나 물의 흐름 등이 인간의 길흉화복에 영향을 미친다고 믿는 사상이다.

4 다음 괄호 안의 내용 중 알맞은 말에 ○표를 하시오.

(1) 신라 말 (교종, 선종)이 유행하면서 승려의 사리를 모시는 승탑을 많이 만들었다.
(2) 풍수지리설은 금성(경주) 중심의 지리 개념을 벗어나 지방의 중요성을 강조하여 (호족, 진골 귀족)의 환영을 받았다.

핵심 콕콕

• 신라 말의 상황

새로운 세력의 성장과 사상의 유행
- 정치 세력: 지방에서 호족 성장, 6두품 세력이 골품제의 모순 비판·사회 개혁안 제시
- 사상: 선종 유행, 풍수지리설 보급

↓

호족, 일부 6두품 세력이 선종과 풍수지리설을 기반으로 새로운 사회 건설 추구

1 다음 나라와 그에 대한 설명을 옳게 연결하시오.

(1) 후백제 • • ㉠ 완산주(전주)에 도읍을 정하였다.
(2) 후고구려 • • ㉡ 송악(개성)에 도읍을 정하고 901년에 건국하였다.

2 다음 빈칸에 들어갈 인물을 쓰시오.

(1) 서남 해안을 지키는 군인이었던 ( )은 후백제를 건국하였다.
(2) 북원 지역 호족인 양길의 부하로 있다가 자립한 ( )는 경기도와 황해도 일대의 호족들을 규합하여 후고구려를 건국하였다.

3 후고구려는 국호를 마진으로 바꾸었다가 다시 ( )으로 바꾸었다.

핵심 콕콕

• 후삼국의 성립

구분	내용
후백제	견훤이 완산주(전주)에서 건국, 오늘날 전라도·충청도·경상도 서부 지역까지 영토 확대
후고구려	궁예가 송악(개성)에 도읍을 정하고 건국, 국호를 마진·태봉으로 변경, 오늘날 황해도·경기도·강원도 일대의 영토 확보
신라	오늘날 경주 부근의 경상도 일대만 지배

01 다음에서 설명하는 인물로 옳은 것은?

> 삼국 간의 항쟁이 벌어지던 7세기 중반 김유신의 도움을 받아 진골 출신으로는 처음 왕위에 올랐다.

① 무열왕 ② 문무왕
③ 신문왕 ④ 혜공왕
⑤ 진성 여왕

02 밑줄 친 '이 왕'의 업적으로 옳은 것은?

① 황룡사를 세웠다.
② 백성에게 정전을 지급하였다.
③ 건원이라는 연호를 사용하였다.
④ 화랑도를 국가적인 조직으로 재편하였다.
⑤ 옛 백제인과 고구려인에게 관직을 하사하였다.

03 밑줄 친 '진골 귀족의 난'에 해당하는 사건으로 옳은 것은?

> 신문왕은 진골 귀족의 난을 진압하여 더욱 강력한 왕권을 확립하였다.

① 김헌창의 난
② 김흠돌의 난
③ 장보고의 난
④ 적고적의 난
⑤ 원종과 애노의 난

시험에 잘 나와!

04 신문왕의 업적으로 옳은 것을 〈보기〉에서 고른 것은?

> **보기**
> ㄱ. 국학을 설치하였다.
> ㄴ. 대가야를 복속시켰다.
> ㄷ. 전국을 9주로 나누었다.
> ㄹ. 백성에게 정전을 지급하였다.

① ㄱ, ㄴ ② ㄱ, ㄷ ③ ㄴ, ㄷ
④ ㄴ, ㄹ ⑤ ㄷ, ㄹ

05 ㉠, ㉡에 들어갈 내용을 옳게 연결한 것은?

> 통일 신라의 중앙 정치는 (㉠)을/를 중심으로 운영되었고, 그 장관인 (㉡)의 권한이 강화되었다.

	㉠	㉡
①	정당성	6두품
②	집사부	상대등
③	집사부	시중(중시)
④	화백 회의	상대등
⑤	화백 회의	시중(중시)

06 다음 문서에 대한 설명으로 옳지 않은 것은?

신라 촌락 문서

① 촌주가 작성하였다.
② 세금 수취에 활용되었다.
③ 관료전 지급의 기반이 되었다.
④ 중앙 정부의 지방 농민 지배를 도왔다.
⑤ 촌락의 인구를 비롯한 경제 상황이 기록되었다.

[07~08] 지도를 보고 물음에 답하시오.

시험에 잘 나와!

07 지도와 같은 지방 행정 조직을 갖춘 나라에 대한 설명으로 옳지 않은 것은?

① 한주에 2정을 배치하였다.
② 주 아래에 군과 현을 두었다.
③ 지방군으로 10정을 설치하였다.
④ 지방 행정 중심지에 15부를 두었다.
⑤ 중앙군인 9서당에 고구려와 백제 유민을 포함하였다.

08 (가)를 설치한 목적으로 옳은 것은?

① 발해와 교류하기 위해서
② 6두품을 등용하기 위해서
③ 외적의 침입을 방어하기 위해서
④ 진골 귀족 세력을 숙청하기 위해서
⑤ 수도 금성의 치우침을 보완하기 위해서

09 ㉠, ㉡에 들어갈 토지를 옳게 연결한 것은?

> 신문왕은 관리들에게 (㉠)을 지급하고 (㉡)을 폐지하였다. (㉠)은 해당 토지를 경작하는 농민에게 조세만 거둘 수 있었던 반면, (㉡)은 해당 지역 농민에게 조세를 걷고 노동력도 징발할 수 있었다.

	㉠	㉡		㉠	㉡
①	녹읍	정전	②	녹읍	관료전
③	정전	녹읍	④	관료전	녹읍
⑤	관료전	정전			

10 지도와 같이 수도를 옮긴 왕에 대한 설명으로 옳은 것은?

① 산둥 지방을 공격하였다.
② 최대 영토를 확보하였다.
③ 당과 친선 관계를 맺었다.
④ 북만주 일대를 장악하였다.
⑤ 인안이라는 연호를 사용하였다.

시험에 잘 나와!

11 다음은 발해에서 있었던 일들이다. (가)~(다)를 일어난 순서대로 나열한 것은?

> (가) 교통로를 개설하여 신라와 교류하였다.
> (나) 장문휴가 당의 산둥 지방을 공격하였다.
> (다) 연해주에서 요동까지 영토를 넓혀 옛 고구려 영토의 대부분을 차지하였다.

① (가) – (나) – (다)
② (가) – (다) – (나)
③ (나) – (가) – (다)
④ (나) – (다) – (가)
⑤ (다) – (가) – (나)

12 ㉠ 나라에 대한 역사 신문 제목으로 가장 적절한 것은?

> 김 씨는 남쪽을 차지했고, 대 씨는 그 북쪽을 차지하고 이름을(㉠)(이)라고 하였다. 이것이 남북국이다.
> – 유득공

① 국학 학생의 일과
② 전국을 9주로 나누다
③ 나당 전쟁을 승리로 이끌다
④ 녹읍 폐지에 반발하는 관리들
⑤ 중국으로부터 해동성국의 칭호를 얻다

13 다음 중앙 정치 조직을 갖춘 나라에 대한 설명으로 옳지 않은 것은?

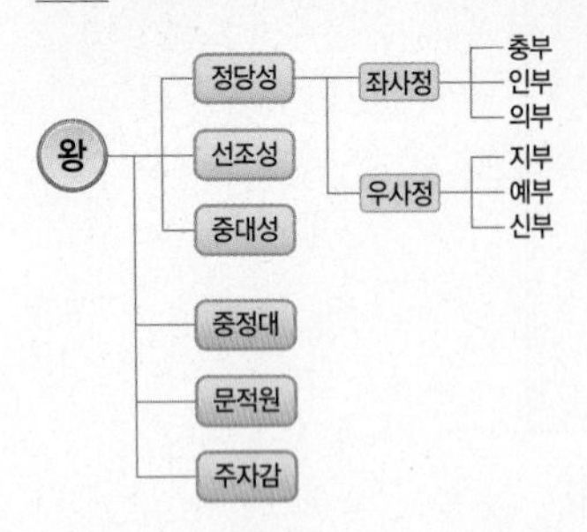

① 9서당의 중앙군을 갖추었다.
② 전국에 15부와 62주를 두었다.
③ 주·현에 지방관을 파견하였다.
④ 정치적·군사적 요충지에 5경을 두었다.
⑤ 토착 세력인 말갈 족장이 촌락을 지배하였다.

14 ㉠에 들어갈 기구로 옳은 것은?

> 발해는 당의 중앙 정치 제도를 본떠 중앙 정치를 정비하였다. 당에서는 정책을 세우고 심의하는 중서성과 문하성이 정치의 중심이었던 반면, 발해에서는 정책을 집행하는 (㉠)이/가 정치의 중심이었다.

① 선조성 ② 정당성
③ 주자감 ④ 중정대
⑤ 집사부

15 다음 사건의 영향으로 가장 적절한 것은?

> 혜공왕 16년 2월, 이찬 김지정이 반란을 일으켜 무리를 모아 궁궐을 에워싸고 공격하였다. 4월에 상대등 김양상과 이찬 김경신이 병력을 일으켜 김지정 등을 죽였으나, 왕과 왕비는 난병에게 해를 입었다. -『삼국사기』

① 녹읍이 폐지되었다.
② 김흠돌이 반란을 일으켰다.
③ 150여 년 동안 20명의 왕이 바뀌었다.
④ 무열왕계 직계 자손들이 왕위를 계승하였다.
⑤ 집사부를 중심으로 중앙 정치가 운영되었다.

16 밑줄 친 '왕'의 재위 시기에 있었던 사실로 옳지 않은 것은?

> <u>왕</u> 3년(889) 주와 군에서 공물과 부세를 바치지 않아 나라의 창고가 텅 비고 왕이 사자를 보내 독촉하니, 도적들이 벌 떼처럼 일어났다. -『삼국사기』

① 지방에서 호족이 성장하였다.
② 금성에 계림도독부가 설치되었다.
③ 진골 귀족 간에 왕위 쟁탈전이 심화되었다.
④ 일부 6두품 세력이 사회 개혁안을 제시하였다.
⑤ 귀족이 대토지를 소유하고 농민을 수탈하였다.

17 지도의 반란이 일어난 시기에 대해 학생들이 나눈 대화 내용으로 적절하지 않은 것은?

① 선종이 유행하였어요.
② 중앙 정부의 지방 통제력이 약화되었어요.
③ 무열왕의 직계 자손이 왕위를 잇기 시작하였어요.
④ 진골 귀족의 대토지 소유와 농민 수탈이 늘어났어요.
⑤ 적고적이라는 무리가 수도 금성을 침입하기도 하였어요.

시험에 잘 나와!

18 호족에 대한 설명으로 옳은 것을 〈보기〉에서 고른 것은?

> 보기
> ㄱ. 최고 관직을 독차지하였다.
> ㄴ. 지방을 실질적으로 지배하였다.
> ㄷ. 삼국 통일 직후 왕의 정치적 조언자 역할을 하였다.
> ㄹ. 자신의 근거지에 성을 쌓고 성주나 장군을 자처하였다.

① ㄱ, ㄴ ② ㄱ, ㄷ ③ ㄴ, ㄷ
④ ㄴ, ㄹ ⑤ ㄷ, ㄹ

서술형 문제

19 시험에 잘 나와!
밑줄 친 '이 불교 종파'에 대한 설명으로 옳은 것은?

이 탑은 화순 쌍봉사 철감 선사 탑으로, 이 불교 종파가 유행하면서 만들어진 승탑이다. 이 불교 종파의 승려들은 스승을 깨달음을 얻은 부처와 같이 보아 승려의 사리를 모시는 승탑을 만들었다.

① 호족들의 환영을 받았다.
② 주로 국학에서 교육하였다.
③ 신라 말 도선이 보급하였다.
④ 경전의 이론을 가장 중시하였다.
⑤ 교종의 전통적인 권위를 강조하였다.

20 ㉠ 인물에 대한 설명으로 옳은 것은?

(㉠)은/는 경기도와 황해도 일대의 호족들을 규합하여 송악(개성)에 도읍을 정하고 후고구려를 건국하였다.

① 삼국을 통일하였다.
② 국호를 마진, 태봉으로 바꾸었다.
③ 서남 해안을 지키는 군진의 장교였다.
④ 청해진을 기반으로 군사력을 확대하였다.
⑤ 오늘날 전라도, 충청도, 경상도 서부까지 영토를 넓혔다.

21 지도는 10세기 초 한반도 정세를 나타낸 것이다. (가) 나라에 대한 설명으로 옳은 것은?

① 궁예가 건국하였다.
② 고구려 부흥을 내세웠다.
③ 관리들에게 관료전을 지급하였다.
④ 집사부가 중앙 정치의 중심이었다.
⑤ 6두품 세력을 등용하여 통치 체제를 정비하였다.

서술형 감잡기

01 다음을 읽고 물음에 답하시오.

이 사상은 선종 승려인 도선이 널리 보급한 사상으로, 산과 땅의 모양이나 물의 흐름 등이 인간의 길흉화복에 영향을 미친다고 믿는 사상이다.

(1) 밑줄 친 '이 사상'을 쓰시오.

(2) (1) 사상이 호족에게 끼친 영향을 근거와 함께 서술하시오.

➜ (①) 중심의 지리 개념에서 벗어나 지방의 중요성을 강조하여 (②) 세력이 새로운 사회를 건설하는 사상적 기반이 되었다.

실전! 서술형 도전하기

02 다음 경제 정책을 실시한 목적을 두 가지 서술하시오.

신문왕은 관리들에게 관료전을 지급하고, 녹읍을 폐지하였다.

03 다음과 같이 왕이 교체되면서 바뀐 당과 신라에 대한 발해의 대외 정책을 서술하시오.

무왕 ➜ 문왕

03 남북국의 문화와 대외 관계

A 통일 신라의 유학 발달

1. 유학 교육의 확대

배경	왕권 강화와 체제 안정을 위해 유학을 정치 이념으로 채택
내용	신문왕 때 국학 설치(유학 교육), 원성왕 때 +독서삼품과 실시

2. 유학자 배출

유학에 대한 이해가 깊어지면서 뛰어난 학자들이 배출되었는데, 대부분 6두품 출신이었어.

강수	당에 보내는 외교 문서를 작성하여 삼국 통일에 기여
설총	+이두를 정리하여 유교 경전을 우리말로 쉽게 풀이
최치원	당의 +빈공과에 합격, 뛰어난 문장가로 활약
김대문	진골 출신, 전기 저술(『고승전』, 『화랑세기』 등)

화랑의 전기를 모은 책이야.

+ 독서삼품과
국학 학생의 유교 경전 이해 수준을 시험하여 상·중·하로 등급을 매기고, 이 성적을 관리 등용에 참고하였다.

+ 이두
한자의 음과 뜻을 빌려 우리말을 적는 표기법

+ 빈공과
당에서 외국인을 대상으로 실시한 과거 시험

B 통일 신라의 불교 발달

1. 배경: 고구려와 백제의 불교가 신라 불교에 흡수, 당에서 유학한 승려들이 새로운 불교 교리 소개, 일부 승려의 인도 순례

불교가 폭넓고 다양하게 발달하였어.

2. 승려의 활동(교종 중심)

원효	• 화쟁 사상 주장: +일심 사상 바탕, 종파 간 사상적 대립의 조화 추구 • 아미타 신앙 전파: 누구나 '나무아미타불'만 외우면 +극락정토에 갈 수 있다고 가르침 → 불교의 대중화에 기여
의상	• 화엄 사상 주장: '하나가 전체요, 전체가 하나다.'라는 모든 존재의 연관성 주장, 신라 화엄종 개창 • 사찰 건립: 부석사 등 여러 사원 건립 • 관음 신앙 전파: 관세음보살이 중생의 고난을 듣고 구제해 준다는 신앙 전파
혜초	인도와 중앙아시아 등지를 순례한 후 『+왕오천축국전』 저술

화엄 사상은 삼국 통일 직후 신라 사회를 통합하는 데 기여하였어.

의상은 지방으로 내려가 부석사를 세우고 천민도 제자로 받아들이는 등 신라 불교문화의 폭을 넓혔어.

3. 선종의 유행: 신라 말 당에서 선종 유입, 지방 사회를 중심으로 유행

지방 여러 곳에 선종 사찰이 세워져 불교 신앙의 중심지가 되었어.

자료로 이해하기 원효의 활동

> 일찍이 이 무애를 가지고 수많은 마을에서 노래하고 춤추며 백성을 교화하고 읊조리며 다녀, 가난한 사람들과 산골에 사는 무지몽매한 자들까지도 모두 다 부처의 이름을 알게 되었고 모두 '나무아미타불'을 부르게 되었으니 원효의 교화는 위대하다 할 것이다. －『삼국유사』

원효는 일심 사상을 바탕으로 종파 간의 조화를 강조하는 화쟁 사상을 주장하여 다양한 불교 종파를 통합하려 하였다. 또한 그는 백성에게 어려운 불교 교리 대신 누구나 '나무아미타불'만 외우면 극락정토에 갈 수 있다고 가르쳐 불교의 대중화에 기여하였다.

+ 일심 사상
모든 것은 오직 한마음에서 나온다는 사상

+ 극락정토
아미타불이 사는 세상으로, 괴로움이 없으며 지극히 안락하고 자유로운 곳을 뜻한다.

+ 왕오천축국전

혜초가 인도와 중앙아시아를 순례하고 쓴 책

- 통일 신라의 유학 발달
- 통일 신라의 불교 발달
- 발해의 유학·불교와 융합적인 문화 발달
- 통일 신라와 발해의 대외 교류

1 원성왕은 (   )를 실시하여 국학 학생의 유교 경전 이해 수준을 시험하고 상·중·하로 등급을 매겨 이 성적을 관리 등용에 참고하였다.

2 다음 유학자와 그의 활동을 옳게 연결하시오.

(1) 강수 •   • ㉠ 고승전, 화랑세기 등 전기를 저술하였다.
(2) 설총 •   • ㉡ 당의 빈공과에 합격하고 뛰어난 문장가로 이름을 떨쳤다.
(3) 김대문 •   • ㉢ 이두를 정리하여 유교 경전을 우리말로 쉽게 풀이하였다.
(4) 최치원 •   • ㉣ 당에 보내는 외교 문서를 작성하여 삼국 통일에 기여하였다.

• 통일 신라의 유학 발달

정책	• 신문왕: 국학 설치 • 원성왕: 독서삼품과 실시
유학자	강수, 설총, 최치원, 김대문 등 활약

1 다음 설명이 맞으면 ○표, 틀리면 ×표를 하시오.

(1) 삼국 통일로 고구려와 백제의 불교가 신라 불교에 흡수되었다. (   )
(2) 신라 말 당에서 교종이 유입되어 지방 사회를 중심으로 유행하였다. (   )
(3) 의상은 화엄 사상을 주장하여 삼국 통일 직후 신라 사회의 통합에 기여하였다. (   )

2 다음에서 설명하는 승려를 〈보기〉에서 골라 기호를 쓰시오.

〈보기〉
ㄱ. 원효   ㄴ. 의상   ㄷ. 혜초

(1) 화엄 사상을 주장하고 신라 화엄종을 개창하였다. (   )
(2) 화쟁 사상을 주장하여 종파 간 사상적 대립을 조화하려 하였다. (   )
(3) 인도와 중앙아시아 등지를 순례한 후 왕오천축국전을 저술하였다. (   )

3 다음에서 설명하는 승려를 쓰시오.

> 누구나 '나무아미타불'만 외우면 극락정토에 갈 수 있다고 가르쳐 통일 신라에서 불교가 대중화되는 데 기여하였다.

핵심 콕콕

• 통일 신라 시대 승려의 활동

원효	화쟁 사상 주장, 아미타 신앙을 전파하여 불교의 대중화에 기여
의상	화엄 사상 주장, 신라 화엄종 개창, 부석사 건립, 관음 신앙 전파
혜초	인도와 중앙아시아 등지를 순례한 후 『왕오천축국전』 저술

C 통일 신라 불교 예술의 발달

건물과 탑을 균형 있게 배치하여 불교에서 추구하는 이상 세계를 표현하였어.

구분	내용
사원	• 경주 불국사: 불교의 이상 세계 표현, 청운교·백운교 설치 • 석굴암: 인공 석굴 사원, ⁺본존상을 중심으로 여러 조각을 조화롭게 배치
탑	이중 기단 위에 3층으로 쌓는 석탑 양식 유행(경주 불국사 3층 석탑, 경주 감은사지 동서 3층 석탑 등), 경주 불국사 다보탑 제작(목조 건축의 구조를 조화롭게 표현)
승탑, 탑비	선종이 확산되면서 승려의 사리를 담은 승탑과 일대기를 담은 탑비 유행
범종	상원사 동종(우리나라에 현존하는 가장 오래된 종), 성덕 대왕 신종 등 제작
기술	제지술과 목판 인쇄술 발달(『⁺무구정광대다라니경』 제작)

우리나라에서 가장 큰 종이야.

불교문화가 융성하면서 불경을 베껴 적거나 인쇄하기 위한 제지술과 목판 인쇄술이 발달하였어.

자료로 이해하기 통일 신라의 석탑

통일 신라의 탑은 이중 기단 위에 3층으로 쌓은 석탑이 유행하였다. 이 양식을 대표하는 경주 불국사 3층 석탑은 석가탑으로도 불리며, 탑 내부에서 『무구정광대다라니경』이 발견되기도 하였다. 경주 불국사 다보탑과 같이 독특한 양식의 탑도 제작되었다. 이 탑은 층수를 알기 어려운 독특한 구조로, 목조 건축의 복잡한 구조를 조화롭게 표현하였다.

경주 불국사 3층 석탑(왼쪽)과 경주 불국사 다보탑(오른쪽)

+ 석굴암 본존상

석굴암 내부의 중앙에 위치하고 있으며, 안정감과 균형미를 갖추었다.

+ 무구정광대다라니경

현존하는 세계에서 가장 오래된 목판 인쇄물로, 불탑을 새로 세우고 그 안에 이 다라니경을 베껴 넣으면 큰 공덕을 얻게 될 것이라는 내용을 담고 있다.

D 발해의 문화

1. 유학과 불교의 발달

정혜 공주·정효 공주 묘지석에 유교 경전이 인용되어 있어 발해의 높은 유학 수준을 보여 줘.

상경성, 중경성 일대에 절터가 많이 남아 있어.

구분	내용
유학	유학을 통치 이념에 반영, 주자감 설치(유학 교육, 인재 양성), 당의 빈공과에 다수 합격
불교	• 발전: 왕실과 귀족의 후원을 받으며 융성(문왕의 불교식 왕명 사용, 사원 건립) • 문화유산: ⁺이불병좌상, ⁺석등, 영광탑(당의 영향을 받은 벽돌 탑) 등

예 '금륜', '성법' 등

발해의 문화는 국제성을 띠었어.

2. 융합적인 발해 문화: 고구려 문화 기반, 당 문화 수용, 말갈의 토착 문화 흡수

구분	내용
상경성	당의 장안성을 모방하여 건설한 계획도시(외성과 내성, 주작대로 건설), 고구려 문화의 영향을 받은 온돌 시설·불상·기와 등 출토
정혜 공주 묘	고구려 고분 양식 계승(굴식 돌방무덤, 모줄임천장 구조)
정효 공주 묘	당의 영향(벽돌무덤), 내부 천장은 고구려 고분 양식 계승
⁺발해의 삼채	당의 당삼채를 받아들여 독자적인 발해 자기로 발전시킴
흙무덤, 말갈식 토기	말갈족의 문화가 일반 백성에게 영향을 줌

발해의 일반 백성들이 주로 만든 흙무덤, 말갈식 토기 등은 말갈의 문화 전통을 보여 줘.

자료로 이해하기 고구려의 영향을 받은 발해 문화

고구려 기와

발해 기와

발해 성터에서 발견된 온돌

발해 문화는 고구려 문화를 수용하여 발전하였다. 그리하여 발해 유적에서는 고구려 것과 유사한 기와, 치미 등이 발견되었고, 고구려와 같은 모양으로 설치한 온돌이 발견되었다.

+ 이불병좌상과 석등

이불병좌상 석등

이불병좌상의 광배와 두 부처의 손이 연결되어 있는 모습, 석등의 연꽃무늬 등은 고구려 문화의 영향을 받은 것으로 여겨진다.

+ 발해의 삼채

당의 삼채 기법을 받아들여 세 가지 유약을 발라 색을 입혔다.

1 다음 빈칸에 들어갈 사원을 쓰시오.

(1) (   )는 청운교, 백운교 등을 설치하여 불교의 이상 세계를 표현하였다.

(2) 인공 석굴 사원인 (   )은 내부에 본존상을 중심으로 여러 조각을 조화롭게 배치하였다.

2 다음 괄호 안의 내용 중 알맞은 말에 ○표를 하시오.

(1) 신라 말 (교종, 선종)이 확산되면서 승탑과 탑비가 유행하였다.

(2) (상원사 동종, 성덕 대왕 신종)은 우리나라에 현존하는 가장 오래된 종이다.

3 다음에서 설명하는 문화유산을 쓰시오.

- 경주 불국사에 세워졌으며, 이중 기단 위에 3층으로 쌓은 석탑이다.
- 내부에서 『무구정광대다라니경』이 발견되었다.

핵심 콕콕

• 통일 신라의 불교 예술

사원	경주 불국사, 석굴암 등
탑	경주 불국사 3층 석탑, 경주 감은사지 동서 3층 석탑, 경주 불국사 다보탑 등
승탑, 탑비	선종의 확산과 함께 유행
범종	상원사 동종, 성덕 대왕 신종 등
인쇄술	『무구정광대다라니경』 제작

1 발해 문화에 대한 설명이 맞으면 ○표, 틀리면 ×표를 하시오.

(1) 왕실과 귀족의 후원을 받으며 불교가 융성하였다. (   )

(2) 국학을 설치하여 유학을 교육하고 인재를 양성하였다. (   )

(3) 고구려 문화를 기반으로 당 문화를 수용하고 말갈의 토착 문화를 흡수하여 국제성을 띠었다. (   )

2 ㉠, ㉡에 들어갈 내용을 각각 쓰시오.

발해의 정효 공주 묘는 당의 영향을 받아 (㉠   )으로 만들어졌지만 내부 천장은 (㉡   )의 고분 양식을 계승하였다.

3 다음은 발해 문화에 영향을 준 문화를 정리한 것이다. ㉠~㉢에 들어갈 내용을 각각 쓰시오.

고구려 문화	• 정혜 공주 묘: 굴식 돌방무덤, (㉠)천장 구조 • 고구려 문화의 전통을 이어받은 온돌 시설, 불상, 기와 등 출토
당 문화	• (㉡): 장안성을 모방한 계획도시(외성과 내성, 주작대로 건설) • 영광탑: 당의 영향을 받은 (㉢) 탑

핵심 콕콕

• 발해의 문화

유학	통치 이념에 반영, 주자감 설치
불교	왕실과 귀족의 후원을 받으며 융성(이불병좌상, 석등 제작)
융합적 문화	고구려 문화 기반, 당 문화 수용, 말갈의 토착 문화 흡수

E 통일 신라의 대외 교류

1. 당, 일본, 서역과의 교류

당	• 교류 양상: 가장 활발하게 교류(공식 사절·유학생·승려·상인 등 왕래, 문물 교류) → 당의 산둥반도 일대에 신라방(신라인 거주지), 신라소(감독관청) 등 설치 • 교역품: 금·은 세공품과 인삼 등 수출, 비단·서적 등 귀족의 사치품 수입
일본	• 교류 양상: 신라가 일본과 당 사이에서 중계 무역을 펼쳐 경제적 이익 획득, 신라의 불교 사상이 일본 불교에 영향을 줌, 일본인이 신라의 배로 당 왕래 • 교역품: 금속 제품·모직물 등 수출, 견직물의 원료 수입
서역	혜초의 순례, 신라에서 +원성왕릉 무인석 등 발견

- 나당 전쟁으로 악화된 관계를 회복하여 당과 교류하였어.
- 의상의 화엄 사상은 일본 화엄종의 발전에 기여하였어.

2. 국제 무역항: 당항성, 울산항 번성

- 울산항에 아라비아 상인이 왕래하면서 신라가 이슬람 세계에 알려졌어.

3. 장보고의 청해진 설치

(1) 배경: 9세기 이후 황해와 남해안 일대에서 해적의 약탈 심화

(2) 청해진 설치: 장보고는 완도에 청해진을 설치하여 해적 소탕, 청해진을 중심으로 당·신라·일본을 연결하는 해상 무역 장악

+ 원성왕릉 무인석

원성왕릉에 세워진 무인석으로, 머리에 쓴 터번과 곱슬머리, 오뚝한 콧날 등 서역인의 모습을 하고 있어 서역과의 교류를 짐작하게 한다.

F 발해의 대외 교류

1. 특징: 여러 교통로를 정비하여 당, 일본, 신라, 거란 등과 교류

- 예 거란도, 영주도, 조공도, 신라도, 일본도

2. 교류 내용

당	• 특징: 문왕 때 친선 관계를 맺은 후 선진 문물 적극 수용, 유학생·승려·상인 왕래 → 산둥반도에 발해관 설치 • 교역품: 말·모피·철·인삼 등 수출, 비단·서적 등 수입
일본	• 특징: 초기 당과 신라를 견제하기 위한 목적으로 교류 → 점차 경제·문화 등 여러 방면에서 교류(일본에서 목간, +발해가 일본에 보낸 외교 문서 등 발견) • 교역품: 모피·인삼 등 수출, 삼베·황금 등 수입
신라	건국 초기 대립 → 신라도를 통해 교류·사신 교환
유목 민족	초원길을 따라 거란 등과 교역 — 담비 등 모피를 교역하였어.

- 당은 산둥반도에 발해관을 설치하여 발해 사신들이 숙소로 이용하도록 하였어.
- 발해의 동경(동경 용원부)에서 신라 국경에 이르는 교통로

자료로 이해하기 발해의 대외 교류

발해의 교통로

발해는 여러 교통로를 정비하여 주변 나라와 교류하였다. 당과는 문왕 때 친선 관계를 맺은 뒤 승려와 학생을 당에 보내 선진 문물을 받아들였다. 상인도 빈번하게 왕래하였다. 당은 산둥반도에 발해관을 설치하여 발해인이 숙소로 이용하도록 하였다. 발해는 당과 신라를 견제하기 위해 일본과도 친선 관계를 맺고 활발하게 교류하였다. 발해는 한때 신라와 대립하였으나, 발해와 당의 관계가 안정된 뒤에는 사신을 교환하였다. 발해는 동경(동경 용원부)에서 신라 국경에 이르는 교통로를 설치하여 신라와 교역하였다.

+ 발해가 일본에 보낸 외교 문서

발해 중대성에서 일본 태정관에 보낸 외교 문서로, 대사, 통역, 서기, 뱃사공 등 모두 100여 명에 이르는 발해 사절단의 이름이 적혀 있다.

1 **통일 신라의 대외 교류에 대한 설명이 맞으면 ○표, 틀리면 ×표를 하시오.**

(1) 일본과 가장 활발하게 교역하였다. ( )

(2) 일본과 당 사이에서 중계 무역을 전개하였다. ( )

(3) 당에 금·은 세공품을 수출하고, 당에서 귀족의 사치품을 수입하였다. ( )

2 **다음 괄호 안의 내용 중 알맞은 말에 ○표를 하시오.**

(1) (당, 발해)와/과 통일 신라의 교류가 활발해지면서 신라방 등이 설치되었다.

(2) 통일 신라의 (금성, 울산항)에 아라비아 상인이 왕래하면서 신라의 이름이 이슬람 세계에 알려졌다.

3 **(   )는 9세기 이후 완도에 청해진을 설치하여 해적을 소탕하고, 이곳을 중심으로 당과 신라, 일본을 연결하는 해상 무역을 장악하였다.**

핵심 콕콕

• 통일 신라의 대외 교류

당	가장 활발하게 교류, 당에 신라방 등 설치
일본	신라가 일본과 당 사이에서 중계 무역 전개, 일본에 불교 사상 전파
서역	혜초의 순례 등 서역과 교역

↓

당항성, 울산항이 국제 무역항으로 번성

1 **발해의 대외 교류에 대한 설명이 맞으면 ○표, 틀리면 ×표를 하시오.**

(1) 신라도를 따라 거란 등과 교역하였다. ( )

(2) 여러 교통로를 정비하여 주변 나라와 교류하였다. ( )

(3) 일본에 모피, 인삼 등을 수출하고 일본에서 삼베 등을 수입하였다. ( )

2 **발해는 (   )에서 신라 국경에 이르는 교통로를 설치하여 신라와 교역하였다.**

3 **지도를 보고 물음에 답하시오.**

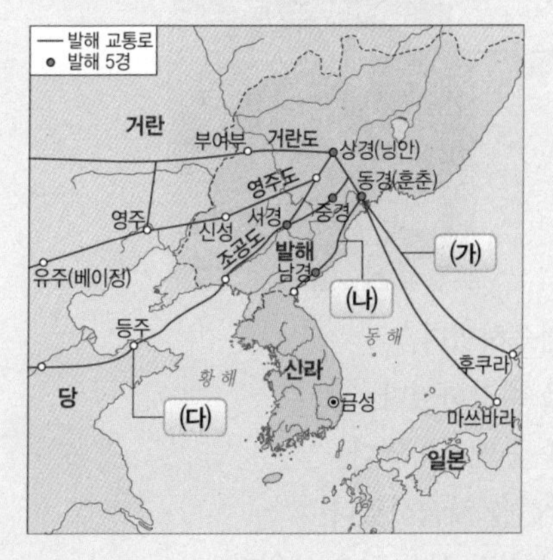

(1) ㈎, ㈏ 교통로의 이름을 각각 쓰시오.

(2) 발해가 ㈎ 교통로를 통해 교역하면서 견제하고자 한 두 나라를 지도에서 찾아 쓰시오.

(3) 당에서 발해 사신들을 위해 ㈐에 설치한 숙소를 쓰시오.

핵심 콕콕

• 발해의 대외 교류

여러 교통로를 정비하여 교류

↓

당	문왕 이후 친선 관계 형성, 산둥반도에 발해관 설치
일본	초기 당과 신라 견제를 목적으로 교류, 교류를 보여 주는 목간과 외교 문서 발견
신라	신라도를 개설하여 교류

01 ㉠, ㉡에 들어갈 왕을 옳게 연결한 것은?

삼국 통일 이후 신라는 왕권 강화와 체제의 안정을 위해 유학을 정치 이념으로 삼았다. (㉠)은 국학을 세워 유학을 가르쳤고, (㉡)은 독서삼품과를 시행하여 국학 학생의 유교 경전 이해 수준을 평가하였다.

	㉠	㉡
①	신문왕	원성왕
②	신문왕	진흥왕
③	원성왕	진흥왕
④	원성왕	진성 여왕
⑤	진성 여왕	신문왕

02 (가)에 들어갈 내용으로 가장 적절한 것은?

통일 신라의 유학 발전을 보여 주는 사례를 말해 줄래?

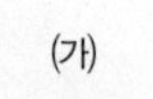

① 신집 5권을 편찬하였어.
② 태학을 세워 유학을 가르쳤어.
③ 고분에 사신도 벽화를 그려 넣었어.
④ 진대법을 시행하여 빈민을 구제하였지.
⑤ 설총이 이두를 정리해 유교 경전을 우리말로 풀이하였어.

03 다음과 같은 활동을 한 인물로 옳은 것은?

진골 출신으로, 화랑의 전기를 모은 『화랑세기』를 저술하였다.

① 설총　② 김대문　③ 김헌창
④ 최승우　⑤ 최치원

시험에 잘 나와!

04 (가)에 들어갈 내용으로 적절한 것을 〈보기〉에서 고른 것은?

수행 평가 보고서

1. 탐구 주제: ○○의 활동
2. 수집 자료
   - "하나가 전체요, 전체가 하나다."라는 화엄 사상을 주장하였다.
   - 신라 화엄종을 열었다.
   - (가)

보기
ㄱ. 부석사를 세웠다.
ㄴ. 관음 신앙을 전파하였다.
ㄷ. 아미타 신앙을 전파하였다.
ㄹ. 일심 사상을 바탕으로 화쟁 사상을 주장하였다.

① ㄱ, ㄴ　② ㄱ, ㄷ　③ ㄴ, ㄷ
④ ㄴ, ㄹ　⑤ ㄷ, ㄹ

05 다음 인물에 대한 설명으로 옳은 것은?

어려운 불교 교리 대신 '나무아미타불'을 외우면 극락정토에 갈 수 있습니다.

① 고승전을 저술하였다.
② 화쟁 사상을 주장하였다.
③ 신라 화엄종을 개창하였다.
④ 왕오천축국전을 저술하였다.
⑤ 화순 쌍봉사 철감 선사 탑을 세웠다.

06 다음 설명에 해당하는 문화유산으로 옳은 것은?

> 통일 신라에서는 이중 기단 위에 3층으로 쌓는 석탑 양식이 유행하였다.

① 부여 정림사지 5층 석탑 ② 경주 불국사 3층 석탑 ③ 영광탑 ④ 경주 불국사 다보탑 ⑤ 경주 분황사 모전 석탑

시험에 잘 나와!

07 교사의 질문에 대한 학생의 답변으로 적절하지 않은 것은?

① 유학을 정치 이념으로 채택하였어요.
② 무구정광대다라니경이 제작되었어요.
③ 당의 수도를 모방하여 상경성을 건설하였어요.
④ 말기에 선종이 지방 사회를 중심으로 유행하였어요.
⑤ 경주 불국사를 건립하여 불교의 이상 세계를 표현하였어요.

08 (가)에 들어갈 내용으로 옳은 것은?

> 발해에서는 유학이 발달하였다. 유학자 중에 당에 유학하여 빈공과에 합격한 사람이 많았고, ____(가)____ 에는 유교 경전의 내용이 인용되어 있어 발해의 유학 수준이 높았음을 보여 준다.

① 경주 계림로 보검
② 무용총 고분 벽화
③ 정효 공주 묘지석
④ 금동 연가 7년명 여래 입상
⑤ 서산 용현리 마애 여래 삼존상

09 발해의 불교 발달에 대한 설명으로 옳은 것은?

① 왕실의 후원을 받았다.
② 원효의 활동으로 대중화되었다.
③ 의상이 화엄 사상을 전파하였다.
④ 경주 불국사, 석굴암 등의 사원을 건립하였다.
⑤ 이중 기단 위에 3층으로 쌓는 석탑 양식이 유행하였다.

10 ㉠, ㉡에 들어갈 내용을 옳게 연결한 것은?

> 정혜 공주 묘는 고구려 고분 양식을 계승하여 모줄임 천장 구조를 갖춘 (㉠) 양식으로 만들었다. 정효 공주 묘는 당의 영향을 받아 (㉡)으로 만들었다.

	㉠	㉡
①	벽돌무덤	굴식 돌방무덤
②	돌무지무덤	벽돌무덤
③	돌무지무덤	돌무지덧널무덤
④	굴식 돌방무덤	벽돌무덤
⑤	굴식 돌방무덤	돌무지덧널무덤

시험에 잘 나와!

11 ㉠을 뒷받침하는 사례로 옳은 것을 〈보기〉에서 고른 것은?

> 발해는 고구려 문화를 바탕으로 하고, ㉠ 당의 문화를 수용하여 문화를 발전시켰다.

〈보기〉

ㄱ. 발해 기와
ㄴ. 발해의 온돌 유적
ㄷ. 발해의 삼채
ㄹ. 정효 공주 묘 구조도

① ㄱ, ㄴ ② ㄱ, ㄷ ③ ㄴ, ㄷ
④ ㄴ, ㄹ ⑤ ㄷ, ㄹ

12 다음 유물들을 통해 알 수 있는 발해 문화의 특징으로 가장 적절한 것은?

영광탑

이불병좌상

① 불교가 대중화되었다.
② 융합적인 성격을 띠었다.
③ 유학을 통치 이념에 반영하였다.
④ 지방 사회를 중심으로 선종이 유행하였다.
⑤ 통일 신라의 문화를 기반으로 발전하였다.

13 다음 학습 목표를 달성한 학생의 발표 내용으로 적절한 것을 〈보기〉에서 고른 것은?

> • 학습 목표: 통일 신라가 당과 교류한 내용을 설명할 수 있다.

〈보기〉
ㄱ. 배 만드는 기술을 전해 주었어요.
ㄴ. 주로 귀족의 사치품을 수입하였어요.
ㄷ. 질 좋은 철과 철로 만든 갑옷을 전하였어요.
ㄹ. 교류가 활발해지면서 산둥반도 일대에 신라방이 생겨났어요.

① ㄱ, ㄴ ② ㄱ, ㄷ ③ ㄴ, ㄷ
④ ㄴ, ㄹ ⑤ ㄷ, ㄹ

14 다음 유물을 활용한 탐구 주제로 가장 적절한 것은?

원성왕릉 무인석

① 발해의 융합적 문화 ② 신라도를 통한 교역
③ 아스카 문화의 발전 ④ 장보고의 해상 활동
⑤ 통일 신라와 서역의 교류

15 다음에서 설명하는 인물로 옳은 것은?

> • 완도에 청해진을 설치하여 해적을 소탕하였다.
> • 청해진을 중심으로 당과 신라, 일본을 연결하는 해상 무역을 장악하였다.

① 강수 ② 김헌창
③ 김흠돌 ④ 장보고
⑤ 최치원

16 발해의 대외 교류에 대한 설명으로 옳은 것을 〈보기〉에서 고른 것은?

〈보기〉
ㄱ. 당에 금·은 세공품을 수출하였다.
ㄴ. 초원길을 따라 유목 민족과 교역하였다.
ㄷ. 여러 교통로를 정비하여 주변국과 교류하였다.
ㄹ. 건국 초부터 신라와 가장 활발하게 교류하였다.

① ㄱ, ㄴ ② ㄱ, ㄷ ③ ㄴ, ㄷ
④ ㄴ, ㄹ ⑤ ㄷ, ㄹ

[17~18] 지도를 보고 물음에 답하시오.

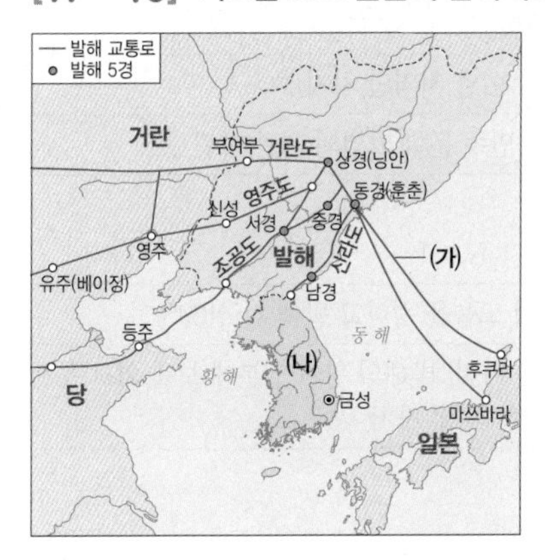

17 (가) 교통로를 통한 교류에 대한 설명으로 옳은 것은?

① 아라비아 상인이 이용하였다.
② 발해 사절들이 발해관에 머물렀다.
③ 발해가 모피, 인삼 등을 수입하였다.
④ 왕오천축국전이 저술되는 계기가 되었다.
⑤ 당과 신라를 견제하기 위한 목적이 있었다.

시험에 잘 나와!

18 (나) 나라의 대외 교류에 대한 설명으로 옳은 것은?

① 일본도를 통해 일본과 교류하였다.
② 일본에 논어와 천자문을 전해 주었다.
③ 당항성과 울산항이 무역항으로 번성하였다.
④ 중국의 문화를 수용하여 거문고를 만들었다.
⑤ 당의 장안성을 모방하여 상경성을 건설하였다.

서술형 문제

서술형 감잡기

01 다음을 읽고 물음에 답하시오.

> 일찍이 이 무애를 가지고 수많은 마을에서 노래하고 춤추며 백성을 교화하고 읊조리며 다녀, 가난한 사람들과 산골에 사는 무지몽매한 자들까지도 모두 다 부처의 이름을 알게 되었고 모두 '나무아미타불'을 부르게 되었으니 (㉠)의 교화는 위대하다 할 것이다. -「삼국유사」

(1) ㉠에 들어갈 승려를 쓰시오.

(2) 윗글을 토대로 (1) 인물이 통일 신라 불교에 끼친 영향을 서술하시오.

➜ 백성에게 어려운 불교 교리 대신 (①)만 외우면 극락정토에 갈 수 있다고 가르쳐 불교의 (②)에 기여하였다.

실전! 서술형 도전하기

02 승려 의상이 삼국 통일 직후 사회 통합에 기여한 바를 그의 사상을 바탕으로 서술하시오.

03 다음을 통해 알 수 있는 발해 문화의 특징을 서술하시오.

> 발해의 수도인 상경성은 외성과 내성, 주작대로를 갖춘 계획도시였다. 이 유적에서 온돌 시설과 기와 등이 발견되었다.

한눈에 보는 대단원

☑ 핵심 선택지 다시보기

1 을지문덕은 살수 대첩에서 승리를 거두었다. ( )

2 당 태종이 고구려를 압박하자, 고구려는 국경 지역에 천리장성을 쌓았다. ( )

3 고구려 부흥 운동 세력은 왕자 (부여)풍을 왕으로 추대하였다. ( )

4 우중문이 30만 명의 별동대로 침입하여 나당 전쟁이 일어났다. ( )

5 발해는 백제 계승 의식을 가졌다. ( )

답 1 ○ 2 ○ 3 × 4 × 5 ×

01 신라의 삼국 통일과 발해의 건국

(1) 고구려와 수·당의 전쟁

수	• 수 문제: 고구려 침공(598) → 고구려의 방어, 홍수와 전염병 등으로 피해를 입고 퇴각 • 수 양제: 요동성 함락 실패 → 수의 우중문이 30만 명의 별동대를 이끌고 평양성 공격 → 을지문덕이 살수 대첩으로 수군 격퇴(612)
당	당 태종이 연개소문의 정변을 구실로 고구려 침입 → 요동성과 백암성 함락·안시성 공격 → 안시성의 성주와 백성이 당군 격퇴(안시성 싸움, 645)

(2) 신라의 삼국 통일

과정	나당 동맹 체결 → 나당 연합군의 사비성 함락(백제 멸망, 660) → 백제 부흥 운동(복신과 도침, (부여)풍, 흑치상지 등) → 나당 연합군의 평양성 함락(고구려 멸망, 668) → 고구려 부흥 운동(고연무, 검모잠, 안승 등) → 나당 전쟁(신라가 매소성·기벌포 전투에서 당군 격파) → 삼국 통일 완성(676)
한계	통일 과정에서 외세(당)를 끌어들임, 대동강 이남 지역만 차지
의의	자주적 통일, 삼국 문화가 융합되어 새로운 민족 문화 발전의 기반 마련

(3) 발해의 건국과 고구려 계승 의식

발해의 건국	대조영이 지린성 동모산 근처에 도읍을 정하고 발해 건국(698)
고구려 계승 의식	고구려 유민이 지배층의 다수를 차지, 발해의 왕이 일본에 보낸 외교 문서에 '고려(고구려)'와 '고려(고구려) 국왕' 자처

☑ 핵심 선택지 다시보기

1 신문왕은 백성에게 정전을 지급하였다. ( )

2 통일 신라는 지방군으로 10정을 설치하였다. ( )

3 발해 문왕은 산둥 지방을 공격하였다. ( )

4 신라 말 선종이 유행하였다. ( )

5 호족은 최고 관직을 독차지하였다. ( )

답 1 × 2 ○ 3 × 4 ○ 5 ×

02 남북국의 발전과 변화

(1) 통일 신라와 발해의 발전

통일 신라	• 무열왕: 최초의 진골 출신 왕, 집사부 독립, 시중(중시)의 역할 강화 • 문무왕: 삼국 통일 완성, 옛 백제인과 고구려인에게 관직 하사 • 신문왕: 진골 귀족 세력 숙청(김흠돌의 난 진압), 국학 설치(유학 보급, 인재 양성)
발해	• 무왕: '인안' 연호 사용, 북만주 일대 장악, 당과 신라 견제, 장문휴를 보내 산둥 지방(등주) 공격(732) • 문왕: 상경(상경 용천부) 천도, 당과 친선 관계 형성, 교통로를 개설하여 신라와 교류 • 선왕: 최대 영토 확보 → 이후 중국으로부터 '해동성국'으로 불림

(2) 통일 신라와 발해의 통치 제도

구분	통일 신라	발해
중앙	집사부 중심, 시중(중시)의 권한 강화	3성(정당성 중심), 6부(행정 실무 담당)
지방	전국을 9주로 나누고 그 아래 군·현 설치(지방관 파견), 5소경 설치	5경 15부 62주로 정비, 주·현에 지방관 파견
군사	9서당(중앙군), 10정(지방군)	10위(중앙군), 지방군

(3) 신라 말의 상황

정치적 동요	• 중앙: 진골 귀족들의 반란으로 혜공왕 피살 → 왕위 쟁탈전 심화 • 지방: 지방 세력의 왕위 쟁탈전 개입(김헌창의 난, 장보고의 난 등)
농민 봉기	중앙 정부가 지방에 세금 독촉 → 지방 농민의 불만 폭발 → 원종과 애노의 난(상주·사벌주, 889)을 시작으로 농민 봉기 확대
새로운 세력의 성장	• 호족: 자신의 근거지에 성을 쌓고 성주·장군 자처, 지방을 실질적으로 지배 • 6두품: 일부 6두품이 사회 개혁안 제시 → 수용되지 않음
새로운 사상의 유행	• 선종: 인간의 마음에 내재된 깨달음 중시 → 호족의 환영을 받음 • 풍수지리설: 신라 말 선종 승려인 도선이 보급, 금성(경주) 중심의 지리 개념 탈피·지방의 중요성 강조(→ 호족의 환영을 받음)

(4) 후삼국의 성립

후백제	견훤이 완산주(전주)에 도읍하고 건국(900), 백제 부흥 표방 → 오늘날 전라도·충청도·경상도 서부 지역까지 영토 확대
후고구려	궁예가 송악(개성)에 도읍하고 건국(901), 고구려 부흥 표방 → 국호를 마진·태봉 등으로 변경, 오늘날 황해도·경기도·강원도 일대의 영토 확보
신라	세력이 약화되어 오늘날 경주 부근의 경상도 일대만 지배

03 남북국의 문화와 대외 관계

(1) 통일 신라와 발해의 문화

통일 신라	• 유학: 정치 이념으로 채택, 국학 설치, 독서삼품과 실시 → 유학자 배출 • 불교: 원효(화쟁 사상 주장, 불교의 대중화에 기여), 의상(화엄 사상 주장, 신라 화엄종 개창, 부석사 건립) 등 승려의 활동으로 발전 • 불교 예술: 사원(경주 불국사, 석굴암 등), 탑(경주 불국사 3층 석탑, 경주 불국사 다보탑 등), 승탑과 탑비, 범종(성덕 대왕 신종 등), 『무구정광대다라니경』 제작
발해	• 유학: 통치 이념에 반영, 주자감 설치, 정혜 공주·정효 공주 묘지석에 유교 경전 인용 • 불교: 왕실과 귀족의 후원을 받으며 융성, 이불병좌상·석등·영광탑 등 제작 • 융합적 문화: 고구려 문화 기반, 당 문화 수용, 말갈의 토착 문화 흡수 → 당의 영향을 받은 상경성 건설, 고구려의 영향을 받은 기와 제작·온돌 시설 건설 등

(2) 통일 신라와 발해의 대외 교류

구분	통일 신라	발해
당	가장 활발하게 교류 → 산둥반도 일대에 신라방 등 설치	문왕 이후 친선 관계 형성 → 산둥반도에 발해관 설치
일본	신라가 일본과 당 사이에서 중계 무역 전개, 일본에 불교 사상 전파	건국 초 당과 신라 견제를 위한 목적으로 교류 → 점차 여러 방면에서 교류
기타	서역과 교류, 당항성·울산항 번성, 장보고의 청해진 설치	신라와 교통로를 통해 교류, 거란 등 유목 민족과 교역

☑ 핵심 선택지 다시보기

1 의상은 아미타 신앙을 전파하였다. ( )

2 통일 신라는 경주 불국사를 건립하여 불교의 이상 세계를 표현하였다. ( )

3 정효 공주 묘는 당의 영향을 받아 벽돌무덤으로 만들었다. ( )

4 최치원은 청해진을 중심으로 당과 신라, 일본을 연결하는 해상 무역을 장악하였다. ( )

5 통일 신라에서는 당항성과 울산항이 무역항으로 번성하였다. ( )

답 1 × 2 ○ 3 ○ 4 × 5 ○

☑ 핵심 선택지 다시보기의 정답을 맞힌 개수만큼 아래 표에 색칠해 보자. 많이 틀린 단원은 되돌아가 복습해 보자.

시험 적중 마무리 문제

01 신라의 삼국 통일과 발해의 건국

01 지도와 같은 형세가 이루어진 시기에 대한 설명으로 옳은 것은?

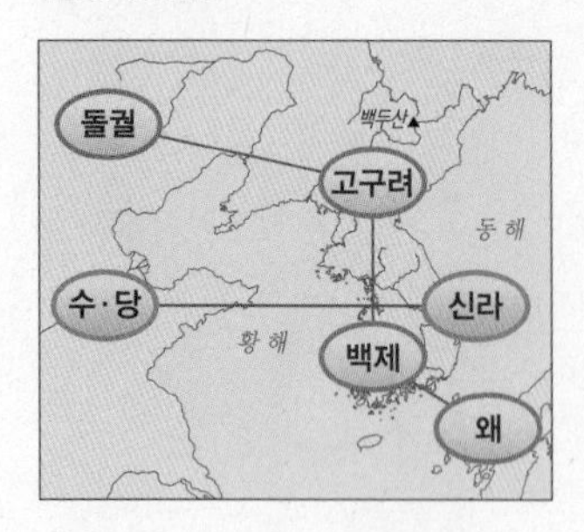

① 나제 동맹이 체결되었다.
② 백제가 한강 유역을 차지하였다.
③ 고구려가 수도를 평양으로 옮겼다.
④ 금관가야가 가야 연맹을 이끌었다.
⑤ 고구려와 백제가 신라를 공격하였다.

02 다음 시가 쓰인 시기에 대한 설명으로 옳은 것은?

> 신묘한 계책은 천문을 꿰뚫어 볼 만하고, 오묘한 전술은 땅의 이치를 모조리 알았도다. 전쟁에 이겨서 공이 이미 높아졌으니 만족을 알거든 그만두기를 바라노라.

① 백제의 군대가 황산벌에서 패배하였다.
② 고구려가 살수 대첩으로 수군을 몰아냈다.
③ 나당 연합군이 고구려의 평양성을 함락하였다.
④ 백제와 왜의 연합군이 백강 전투에서 패배하였다.
⑤ 매소성과 기벌포에서 신라가 당에 큰 승리를 거두었다.

03 다음 사건이 일어난 시기를 연표에서 옳게 고른 것은?

> 당 태종이 고구려를 침입하여 요동성과 백암성을 차례로 함락하고 안시성을 공격하였다. 그러나 안시성의 성주와 백성이 힘을 합쳐 당군을 몰아냈다.

수의 중국 통일	(가)	살수 대첩	(나)	연개소문의 정변	(다)	나당 동맹 체결	(라)	백제 멸망	(마)	고구려 멸망

① (가) ② (나) ③ (다) ④ (라) ⑤ (마)

04 (가), (나) 시기 사이에 있었던 사실로 옳은 것은?

> (가) 백제 의자왕은 신라를 공격하여 신라의 대야성을 비롯한 40여 개의 성을 함락하였다.
> (나) 백제는 사비성이 함락되면서 멸망하였다.

① 고구려가 멸망하였다.
② 백강 전투가 일어났다.
③ 신라와 당이 동맹을 맺었다.
④ 수가 중국 대륙을 통일하였다.
⑤ 을지문덕이 살수에서 수군을 물리쳤다.

05 백제 부흥 운동에 대한 설명으로 옳은 것을 〈보기〉에서 고른 것은?

> 보기
> ㄱ. 검모잠이 안승을 왕으로 추대하였다.
> ㄴ. 흑치상지가 임존성에서 군사를 일으켰다.
> ㄷ. 고연무가 요동 지방에서 당군에 맞서 싸웠다.
> ㄹ. 복신과 도침이 왕자 (부여)풍을 왕으로 추대하였다.

① ㄱ, ㄴ ② ㄱ, ㄷ ③ ㄴ, ㄷ
④ ㄴ, ㄹ ⑤ ㄷ, ㄹ

06 (가)~(라)를 일어난 순서대로 나열한 것은?

> (가) 나당 연합군이 평양성을 함락하였다.
> (나) 안승이 검모잠을 살해하고 신라에 망명하였다.
> (다) 백제가 백강 전투에서 나당 연합군에 패배하였다.
> (라) 신라가 매소성·기벌포 전투에서 당군을 격파하였다.

① (가) – (나) – (다) – (라)
② (나) – (다) – (라) – (가)
③ (다) – (가) – (나) – (라)
④ (라) – (가) – (다) – (나)
⑤ (라) – (나) – (가) – (다)

07 ㉠~㉤ 중 적절하지 않은 것은?

> **신라의 삼국 통일이 갖는 한계와 의의**
>
> 1. 한계: ㉠ 외세인 당을 끌어들임, ㉡ 대동강 이남 지역만 차지함, ㉢ 고구려와 백제 유민의 도움을 받지 못함
> 2. 의의: ㉣ 당군을 격퇴하여 자주적 통일을 이룸, ㉤ 삼국 문화가 융합되어 새로운 민족 문화 발전의 기반을 마련함

① ㉠　② ㉡　③ ㉢　④ ㉣　⑤ ㉤

08 ㉠ 나라에 대한 설명으로 옳지 않은 것은?

> • (㉠)은/는 고려(고구려) 옛 땅을 수복하고, 부여의 풍속을 지니고 있다. – 일본에 보낸 국서
>
> • 지난날의 고구려가 오늘의 (㉠)이다. –「여예부배상서찬장」

① 대조영이 건국하였다.
② 말갈인이 지배층의 다수를 차지하였다.
③ 지린성 동모산 근처에 도읍을 정하였다.
④ 통일 신라와 남북국의 형세를 이루었다.
⑤ 고구려 유민과 말갈인이 주민을 구성하였다.

02 남북국의 발전과 변화

09 다음에서 설명하는 왕으로 옳은 것은?

> 고구려를 멸망시키고 나당 전쟁을 승리로 이끌어 삼국 통일을 완성하였다. 이후 옛 백제인과 고구려인에게 관직을 하사하여 백성을 통합하였고, 친당적인 진골 귀족을 축출하였다.

① 무열왕　② 문무왕
③ 신문왕　④ 진흥왕
⑤ 혜공왕

10 밑줄 친 '이 왕'에 대한 설명으로 옳은 것은?

> 681년 이 왕의 장인이자 진골 귀족의 대표인 김흠돌이 반란을 꾀하다가 발각되어 처형되었다. 이 사건을 계기로 이 왕은 왕권을 강화하였다.

① 국학을 설치하였다.
② 녹읍을 지급하였다.
③ 상대등을 설치하였다.
④ 삼국 통일을 완성하였다.
⑤ 관리의 등급을 17등급으로 확정하였다.

11 지도와 같이 행정 조직을 정비한 나라에 대한 설명으로 옳은 것은?

① 6부가 행정 실무를 담당하였다.
② 말갈 족장이 촌락을 지배하였다.
③ 10위가 왕궁과 수도를 경비하였다.
④ 정치적·군사적 요충지에 5경을 설치하였다.
⑤ 집사부를 중심으로 중앙 정치 기구를 운영하였다.

12 발해 무왕에 대한 탐구 활동으로 가장 적절한 것은?

① 5소경을 설치한 목적을 조사한다.
② 최대 영토를 확보한 과정을 정리한다.
③ 상경으로 수도를 옮긴 효과를 찾아본다.
④ 당의 산둥 지방을 공격한 배경을 알아본다.
⑤ 교통로를 개설한 후 신라와의 교류 내용을 검색한다.

13 다음은 발해의 중앙 정치 조직을 나타낸 것이다. (가) 기구에 대한 설명으로 옳은 것은?

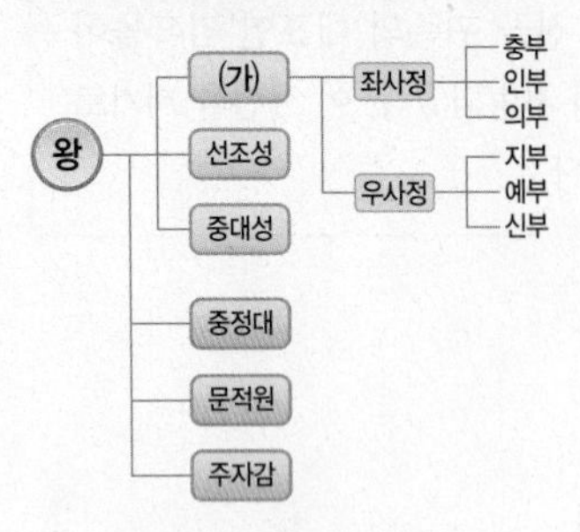

① 정책을 집행하였다.
② 유학 교육을 담당하였다.
③ 관리의 비리를 감찰하였다.
④ 시중(중시)이 장관을 맡았다.
⑤ 명칭에 유교 덕목을 사용하였다.

14 발해의 지방 행정 조직에 대한 설명으로 옳은 것을 〈보기〉에서 고른 것은?

보기
ㄱ. 전국을 9주로 나누었다.
ㄴ. 5경을 여러 교통망으로 연결하였다.
ㄷ. 지방 행정 중심지에 15부를 설치하였다.
ㄹ. 토착 세력인 촌주가 촌락 문서를 작성하였다.

① ㄱ, ㄴ ② ㄱ, ㄷ ③ ㄴ, ㄷ
④ ㄴ, ㄹ ⑤ ㄷ, ㄹ

15 다음 사건이 일어난 시기의 통일 신라에 대한 설명으로 옳지 않은 것은?

김헌창은 아버지 김주원이 왕이 되지 못한 것에 불만을 품고 반란을 일으켰다.

① 녹읍이 부활하였다.
② 왕위 쟁탈전이 심화되었다.
③ 곳곳에서 농민 봉기가 일어났다.
④ 지방에 대한 중앙 정부의 통제력이 강화되었다.
⑤ 무열왕계 직계 자손의 왕위 계승이 단절되었다.

16 ㉠ 세력에 대한 설명으로 옳지 않은 것은?

통일 신라 말 중앙의 통제력이 약화되자 (㉠)이/가 지방에서 독자적인 세력을 형성하였다. (㉠)은/는 자신의 근거지에 성을 쌓고 성주나 장군을 자처하였다.

① 대부분 촌주 출신이었다.
② 독자적으로 군사를 보유하였다.
③ 왕의 정치적 조언자 역할을 하였다.
④ 풍수지리설을 사상적 기반으로 삼았다.
⑤ 선종을 토대로 새로운 사회 건설을 도모하였다.

17 밑줄 친 '이 사상'에 대한 설명으로 옳은 것은?

이 사상은 산과 땅의 모양이나 물의 흐름 등이 인간의 길흉화복에 영향을 미친다고 믿는 사상이다.

① 호족의 환영을 받았다.
② 국학에서 주로 교육하였다.
③ 금성(경주)의 중요성을 강조하였다.
④ 삼국 통일 직후 신라에 보급되었다.
⑤ 인간의 마음에 내재된 깨달음을 중시하였다.

18 지도는 후삼국 시대를 나타낸 것이다. (가) 나라에 대한 설명으로 옳은 것은?

① 견훤이 건국하였다.
② 전국을 9주로 나누었다.
③ 국호를 마진과 태봉 등으로 변경하였다.
④ 서남 해안의 호족 세력을 모아 건국하였다.
⑤ 9서당을 설치하여 왕실과 수도를 수비하게 하였다.

03 남북국의 문화와 대외 관계

+ 창의·융합

19 ㉠ 승려에 대한 설명으로 옳은 것을 〈보기〉에서 고른 것은?

(㉠)은/는 통일 신라의 승려입니다. 백성에게 어려운 불교 교리 대신 '나무아미타불'만 외우면 극락정토에 갈 수 있다고 가르쳤지요.

〈보기〉
ㄱ. 부석사를 건립하였다.
ㄴ. 화쟁 사상을 주장하였다.
ㄷ. 신라 화엄종을 개창하였다.
ㄹ. 불교의 대중화에 기여하였다.

① ㄱ, ㄴ ② ㄱ, ㄷ ③ ㄴ, ㄷ
④ ㄴ, ㄹ ⑤ ㄷ, ㄹ

20 다음 두 석탑을 세운 나라의 문화에 대한 설명으로 옳은 것은?

경주 불국사 3층 석탑 경주 불국사 다보탑

① 독서삼품과를 시행하였다.
② 주자감에서 유학을 교육하였다.
③ 장안성을 본떠 상경성을 건설하였다.
④ 초기에 돌무지무덤이 주로 만들어졌다.
⑤ 정효 공주 묘가 당의 영향을 받아 만들어졌다.

21 고구려 문화의 영향을 받은 발해의 문화유산으로 가장 적절한 것은?

① 
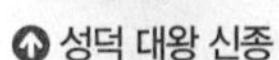
성덕 대왕 신종

② 
석굴암 본존상

③ 
무령왕릉

④ 
발해의 삼채

⑤ 
발해 성터에서 발견된 온돌

22 (가)~(마)에 대한 설명으로 옳지 않은 것은?

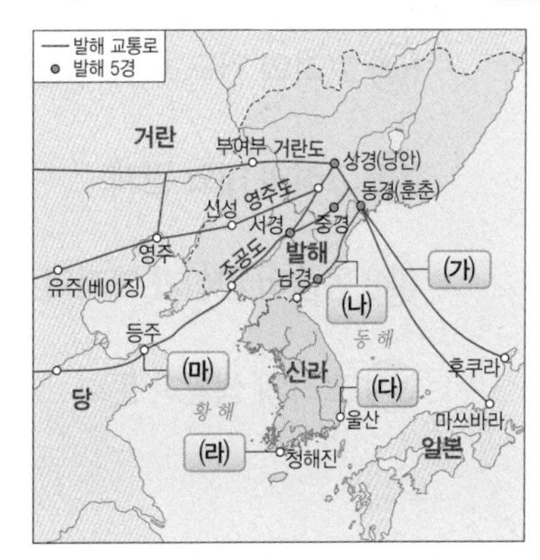

① (가) – 발해가 모피, 인삼 등을 수출한 교통로이다.
② (나) – 발해 무왕 때 개설되었다.
③ (다) – 아라비아 상인이 왕래하였다.
④ (라) – 장보고가 해상 무역의 중심으로 삼았다.
⑤ (마) – 발해인의 숙소가 설치되었다.

고려의 성립과 변천

STOP

01 고려의 건국과 정치 변화(1)

A 고려의 건국과 후삼국 통일

1. 고려의 건국: 왕건이 송악(개성)의 호족 출신으로 궁예의 신하가 됨·공을 세워 최고 관직인 시중의 자리에 오름 → 호족들이 궁예를 내쫓고 왕건을 국왕으로 추대 → 왕건이 고구려 계승을 내세워 국호를 '고려'로 고침(918) → 송악으로 천도(919)

왕건은 후백제의 금성을 점령하는 등 공을 세웠어.

왜? 궁예가 왕권을 강화하기 위해 호족을 탄압하고 포악한 정치로 민심을 잃었기 때문이야.

2. 고려의 후삼국 통일

(1) 과정: 고려가 +고창(안동) 전투에서 후백제에 승리(930) → 후백제의 내분으로 견훤이 고려에 투항(935) → 신라 경순왕이 고려에 항복(935) → 고려는 신검이 이끄는 후백제군 격파(후삼국 통일, 936)

경순왕은 나라를 유지하기 어렵다고 판단하여 고려에 나라를 넘겨주었어.

(2) 의의: 민족 재통합(신라, 후백제, 발해 유민까지 포용), 정치 참여 세력의 확대(호족, 6두품 세력이 정치에 참여)

+ 고창 전투
왕건이 이끄는 고려군이 견훤의 후백제군과 고창(안동)에서 벌인 전투이다. 고려는 이 전투에서 고창 지역 호족들의 도움을 받아 승리하였다.

B 태조의 정책과 통치 체제의 정비

1. 태조의 정책

태조는 백성들의 생활을 안정시키기 위해 세금을 일정한 원칙에 따라 거두도록 하였어.

정책	내용
민생 안정 정책	백성의 세금 감면, 가난한 백성 구제
호족 포섭 정책	유력한 호족과 혼인 관계를 맺음, 왕씨 성·토지·관직 등을 내림, 사심관 제도·+기인 제도로 호족 견제
민족 통합 정책	발해 유민 포용, 옛 신라와 후백제 세력을 지배층으로 수용
북진 정책	고구려 계승 표방·옛 고구려 땅을 되찾고자 함 → 서경(평양)을 북진 정책의 전진 기지로 삼음, 거란 배척 → 청천강~영흥만에 이르는 지역까지 영토 확장
민족 문화 발달	훈요 10조에서 불교 장려·다양한 사상 존중, 중국 문화의 주체적 수용 강조

호족이나 공신을 사심관으로 삼아 그들의 출신 지역을 다스리게 한 제도

왜? 거란이 발해를 멸망시켰기 때문이야.

2. 통치 체제의 정비

(1) 광종: 호족 세력 약화와 왕권 강화 추구 → +노비안검법 실시, 과거제 실시(유교적 지식과 능력을 지닌 인재 선발), 관리의 공복 제정, 개혁에 반대하는 공신과 호족 숙청, 황제 칭호와 독자적인 연호('광덕', '준풍' 등) 사용 등

광종이 후주에서 귀화한 쌍기의 건의를 받아들여 실시하였어.

공복의 색깔을 정하여 관리의 위계질서를 세웠어.

(2) 성종: 최승로의 +시무 28조를 받아들여 유교 정치사상을 통치의 근본이념으로 삼음, 당·송의 제도를 참고하여 중앙 관제 정비(2성 6부), 불교와 토착 신앙 행사 억제, 유학 교육 장려(국자감, 향교 설립) 등

자료로 이해하기 훈요 10조

> 제1조 불교의 힘으로 나라를 세웠으므로, 사찰을 세우고 주지를 파견하여 불도를 닦도록 할 것 – 불교 장려
> 제5조 서경을 중요시할 것 –「고려사」

북진 정책의 전진 기지로 삼은 서경을 후대에도 중시할 것을 강조하였어.

태조는 훈요 10조를 남겨 후대 왕들이 통치의 규범으로 삼도록 하였다. 훈요 10조에는 태조가 중시한 사상과 정책이 담겨 있다.

+ 기인 제도
호족의 자제를 수도에 머물게 하여 출신 지역의 일에 자문을 구하면서, 동시에 이들을 볼모로 삼아 호족 세력을 견제한 제도

+ 노비안검법
호족들이 불법으로 차지한 노비를 양인으로 해방한 조치이다. 광종은 이를 통해 호족 세력을 약화하고 왕권을 안정시켰다.

+ 시무 28조

> 제13조 연등회와 팔관회를 줄여 백성이 힘을 펴게 하십시오.
> 제20조 불교를 믿는 것은 자신을 수양하는 근본이며, 유교를 행하는 것은 나라를 다스리는 근원입니다. 자신을 수양하는 것은 내세에 복을 구하는 일이며, 나라를 다스리는 것은 오늘의 급한 일입니다. –「고려사」

성종은 최승로가 건의한 시무 28조를 받아들여 유교 정치사상을 통치의 근본이념으로 삼았다.

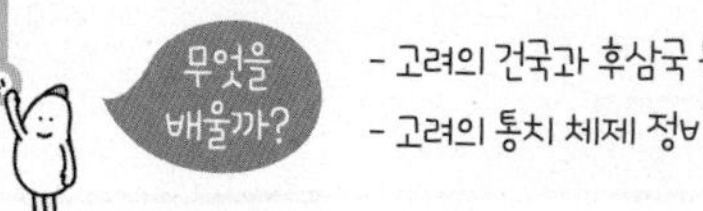

- 고려의 건국과 후삼국 통일 과정
- 고려의 통치 체제 정비
- 이자겸의 난의 배경과 전개
- 서경 천도 운동의 전개와 결과

1 왕건은 (　　　　　)를 계승한다는 의미에서 나라 이름을 고려로 정하였다.

2 (가)~(라)를 일어난 순서대로 나열하시오.

> (가) 왕건이 송악으로 수도를 옮겼다.
> (나) 신라의 경순왕이 고려에 항복하였다.
> (다) 고려가 고창 전투에서 후백제에 승리하였다.
> (라) 고려는 신검이 이끄는 후백제군을 격파하였다.

- 고려의 건국과 후삼국 통일

왕건의 고려 건국(918)
↓
신라 경순왕이 고려에 항복(935)
↓
고려의 후백제군 격파, 후삼국 통일(936)

1 다음에서 설명하는 태조의 정책을 〈보기〉에서 골라 기호를 쓰시오.

> **보기**
> ㄱ.북진 정책　　ㄴ.민족 통합 정책　　ㄷ. 호족 포섭 정책

(1) 고구려의 옛 땅을 되찾기 위해 실시하였다. (　　)
(2) 호족에게 왕씨 성, 토지, 관직 등을 내려 주었다. (　　)
(3) 옛 신라와 후백제 세력을 지배층으로 수용하였다. (　　)

2 다음 왕과 그의 정책을 옳게 연결하시오.

(1) 광종 •　　• ㉠ 사심관 제도와 기인 제도를 실시하였다.
(2) 성종 •　　• ㉡ 과거제를 실시하여 유교적 지식과 능력을 지닌 인재를 선발하였다.
(3) 태조 •　　• ㉢ 최승로의 시무 28조를 받아들여 유교 정치사상을 통치의 근본이념으로 삼았다.

3 다음에서 설명하는 법을 쓰시오.

> 광종이 실시한 법으로, 호족들이 불법으로 차지한 노비를 양인으로 해방하기 위해 만들었다.

- 고려 통치 체제의 정비

태조	• 호족 포섭 정책: 유력한 호족과 혼인 관계를 맺음, 사심관 제도·기인 제도 실시 • 민족 통합 정책: 발해 유민 포용, 옛 신라와 후백제 세력을 지배층으로 수용 • 북진 정책: 옛 고구려 땅을 되찾기 위해 실시, 서경(평양) 중시
광종	노비안검법 실시, 과거제 실시, 황제 칭호와 독자적인 연호 사용
성종	최승로의 시무28조를 수용하여 유교 정치사상을 통치의 근본이념으로 삼음, 중앙 관제 정비

C 중앙 정치 제도

1. 특징: 당의 제도 수용 → 2성 6부로 운영 ─ 고려는 성종 때 당의 3성 6부제를 받아들여 고려의 실정에 맞게 운영하였어.

2. 정치 기구 ─ 실무 행정을 6부로 나누어 중추원을 통해 받은 왕명을 집행하였어.

기구	역할
중서문하성	국가의 정책을 논의·결정하는 최고 관청, 장관인 문하시중이 국정 총괄
상서성	+6부 관할, 정책 집행
중추원	국왕의 비서 기관, 군사 기밀·왕명의 전달 담당
어사대	관리의 비리 감찰, 정치의 잘잘못을 논함, 어사대의 관원은 중서문하성의 일부 관리(낭사)와 함께 +대간으로 불림
삼사	국가 재정의 출납과 회계 업무 담당
도병마사·식목도감	고위 관료들이 국가의 중대사를 논의한 회의 기구

중서문하성과 중추원의 고위 관료들이 국방 문제 및 법 제정과 격식 등에 대한 정책을 합의하여 처리하였어.

자료로 이해하기 고려의 중앙 정치 제도

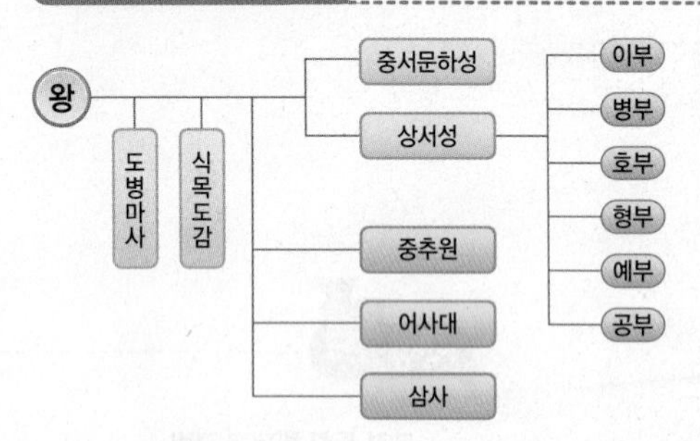

고려는 성종 때 중앙 정치 제도를 정비하였는데, 당의 3성 6부 체제를 받아들여 고려의 실정에 맞게 운영하였다. 또한 송의 제도인 중추원과 삼사를 추가로 도입하여 중앙 정치 제도를 정비하였다. 한편, 도병마사와 식목도감 같은 회의 기구도 마련하였다. 도병마사에서는 국방과 군사 문제를 논의하였고, 식목도감에서는 제도와 시행 규칙을 제정하였다.

+ 6부
이부(관리 임명), 병부(군사), 호부(재정), 형부(법률), 예부(교육), 공부(토목)로 구성되었다.

+ 대간
관리를 감찰하고, 국왕의 잘못된 정치 행위를 비판·견제하여 정치권력의 균형을 잡는 역할을 하였다.

D 지방 행정 제도와 군사 제도

1. +지방 행정 제도

(1) 행정 제도 정비: 성종 때 주요 지역에 12목 설치·지방관 파견 → 이후 전국이 5도·양계·경기로 정비됨

구분	내용
5도	일반 행정 구역, 안찰사 파견, 도 아래에 주·군·현 설치
양계	군사 행정 구역(북계·동계), 병마사 파견, 양계 아래에 주·군·현 설치
경기	수도 개경과 그 주변 지역 → 개경에 필요한 물적 자원 공급
기타	• 3경: 개경, 서경(평양), 동경(경주) → 후기에 동경 대신 남경(서울) 포함 • 향·부곡·소: 특수 행정 구역, 일반 군·현 지역의 주민에 비해 차별 대우를 받음(더 많은 세금 부담, 거주지 이동 제한) ─ 향·부곡 주민은 주로 농업에, 소 주민은 주로 수공업에 종사하였어.

(2) 특징: 주현보다 속현의 수가 많음, 주현의 지방관은 속현 관할, 현에서 향리는 해당 지역의 행정 실무 담당(조세나 공물 징수 등)

군·현은 지방관이 파견된 주현과 지방관이 파견되지 않은 속현으로 구분되었어.

향리는 자신의 직책을 자손에게 물려줄 수 있었으며, 과거를 통해 중앙 고위 관료가 되기도 하였어.

2. 군사 제도

(1) 중앙군: 2군(궁궐과 왕실 호위), 6위(개경과 국경 지방 방어)

(2) 지방군: 주현군(5도의 군사 방어·치안 담당), 주진군(양계에 주둔하며 국경 경비)

+ 고려의 지방 행정 제도

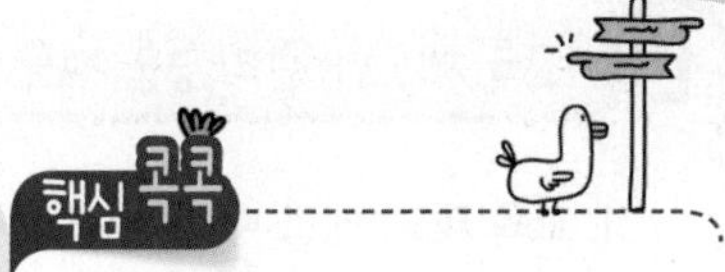

1 **고려의 중앙 정치 제도에 대한 설명이 맞으면 ○표, 틀리면 ×표를 하시오.**

(1) 3성 6부로 정비하였다. ( )

(2) 삼사는 관리의 비리를 감찰하였다. ( )

(3) 상서성은 6부를 관할하고 정책을 집행하였다. ( )

(4) 어사대의 관원은 상서성의 일부 관리와 함께 대간으로 불렸다. ( )

2 **다음 빈칸에 들어갈 고려의 중앙 정치 기구를 쓰시오.**

(1) 고려는 최고 관청인 ( )에서 국가의 정책을 논의하고 결정하였다.

(2) ( )은 국왕의 비서 기관으로, 군사 기밀과 왕명의 전달을 담당하였다.

3 **㉠, ㉡에 들어갈 회의 기구를 각각 쓰시오.**

> 고려는 고위 관료들이 모여 국가의 중대사를 논의하는 회의 기구를 마련하였다. (㉠)에서는 주로 국방과 군사 문제를 논의하였고, (㉡)에서는 제도와 시행 규칙을 제정하였다.

핵심 콕콕

• **고려의 중앙 정치 제도**

기구	내용
중서문하성	국가의 정책 논의·결정
상서성	6부 관할, 정책 집행
중추원	군사 기밀과 왕명 전달 담당
어사대	관리의 비리 감찰
삼사	국가 재정의 출납과 회계 업무 담당
도병마사·식목도감	고위 관료들이 국가의 중대사를 논의한 회의 기구

1 **다음 괄호 안의 내용 중 알맞은 말에 ○표를 하시오.**

(1) 고려의 중앙군인 (2군, 6위)은/는 궁궐과 왕실을 호위하였다.

(2) 고려는 일반 행정 구역인 5도에 (병마사, 안찰사)를 파견하였다.

(3) 고려는 지방관이 파견된 (속현, 주현)보다 지방관이 파견되지 않은 (속현, 주현)이 더 많았다.

2 **다음에서 설명하는 지방 행정 조직을 〈보기〉에서 골라 기호를 쓰시오.**

> 보기
>
> ㄱ. 경기 ㄴ. 양계 ㄷ. 향·부곡·소

(1) 국경 지역으로, 병마사를 파견하여 관리하였다. ( )

(2) 특수 행정 구역으로, 군·현 지역의 주민에 비해 차별 대우를 받았다. ( )

(3) 수도 개경과 그 주변 지역으로, 개경에 필요한 물적 자원을 공급하였다. ( )

핵심 콕콕

• **고려의 지방 행정 제도**

구분	내용
5도	일반 행정 구역, 안찰사 파견
양계	군사 행정 구역, 병마사 파견
경기	수도 개경과 그 주변 지역
기타	• 3경: 개경, 서경, 동경(후에 남경) • 특수 행정 구역: 향·부곡·소

E 교육 제도와 관리 등용 제도

1. 교육 제도: 태조 때 개경·서경에 학교 설립, 성종 때 개경에 국자감·지방에 향교 설치

국자감 학생은 3년간 재학하면 과거 응시 자격이 주어졌고, 재학 중에도 과거에 응시할 수 있었어.

2. +관리 등용 제도

무예나 신체 조건이 뛰어난 사람을 따로 뽑아 무관으로 임명하였어.

(1) 과거제: 원칙적으로 양인 이상이면 응시 가능, 무과는 거의 시행하지 않음

문과	제술과(문장 짓는 능력 시험), 명경과(유교 경전에 대한 이해 정도 시험) → 문관 선발
잡과	법률, 회계, 지리, 의학 등 기술학 시험 → 기술관 선발
승과	합격한 승려에게 승계 부여

(2) 음서: 왕족과 공신의 후손, 5품 이상 고위 관리의 자손은 시험 없이 관리로 등용

고위 관리는 음서를 이용하여 지위를 세습하기도 하였어.

3. +전시과

농민이 국가에 낼 세금을 관리가 대신 거두는 권리

(1) 운영: 관리를 18등급으로 나누어 수조권 지급, 관리가 사망하면 국가에 반납

(2) 공음전: 5품 이상 고위 관리에게 지급한 토지, 자손에게 세습 가능

+ 고려의 관리 등용 제도

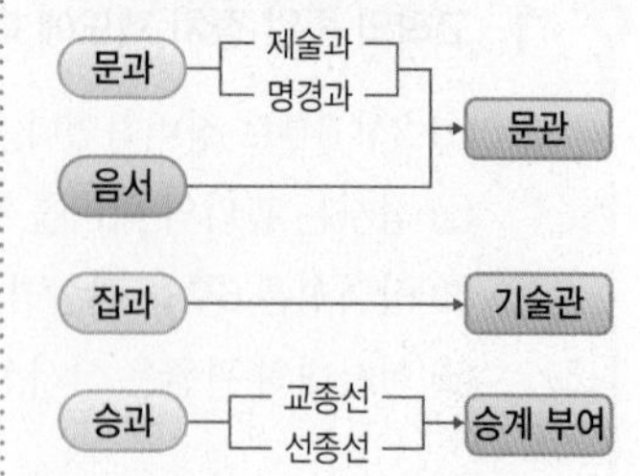

+ 전시과

관리를 18등급으로 나누어 곡식을 거둘 수 있는 전지(농토)와 땔감을 얻을 수 있는 시지(임야)의 수조권을 지급한 제도

F 이자겸의 난과 서경 천도 운동

1. 문벌

(1) 형성: 여러 세대에 걸쳐 고위 관리를 배출한 가문이 문벌 형성

(2) 세력 확대: 과거·음서로 주요 관직 독점, 왕실 및 다른 문벌과 혼인하며 세력 확대

2. 이자겸의 난

반란 과정에서 궁궐이 불탔고, 이자겸 세력이 금의 사대 요구를 받아들여 민심이 동요하였어.

배경	+경원 이씨 가문의 이자겸이 딸들을 예종, 인종과 혼인시키며 권력 장악
전개	이자겸의 권력 독점에 위협을 느낀 인종이 이자겸 제거 시도 → 이자겸과 척준경의 반란(이자겸의 난, 1126) → 척준경이 이자겸 제거 → 왕실의 권위 하락

왜? 척준경은 인종의 회유에 넘어가 이자겸을 제거하였어.

3. 서경 천도 운동

개경 세력인 김부식은 유교 이념에 따라 사회 질서를 확립해야 한다고 주장하였어. 또한 금에 대한 사대를 통한 고려의 안정을 중시하였지.

배경	인종의 왕권 회복 노력(윤언이·정지상 등 개혁 세력 등용), 금을 배격하는 여론 강화, 서경 출신 승려 묘청 등용·개혁 추진(금 정벌 주장, 황제 칭호와 연호 사용 건의)
전개	묘청·정지상 등 서경 세력이 풍수지리설을 근거로 서경 천도 주장 → 김부식을 비롯한 개경 세력이 반대 → 묘청 등이 서경에서 반란을 일으킴(묘청의 난, 1135) → 김부식이 이끄는 관군에게 진압됨 → 서경 세력의 몰락, 김부식 등 문벌의 정치 주도

자료로 이해하기 묘청의 서경 천도 운동

> 서경 지역은 풍수지리설에 의하면 대화세(크게 기운이 꽃피우는 형세)이니 만약 이곳에 궁궐을 세우고 수도를 옮기면 국가의 혼란을 막을 수 있습니다. 또한 금이 조공을 바치고 스스로 항복할 것이며 주변의 여러 나라가 모두 고개를 숙일 것입니다. -「고려사」

묘청 등 서경 세력은 풍수지리설을 근거로 서경으로 수도를 옮기자고 주장하였다. 그러나 김부식 등 개경 세력의 반대로 천도가 좌절되자 나라 이름을 '대위', 연호를 '천개'라고 하면서 서경에서 반란을 일으켰다.

+ 경원 이씨 가문

경원 이씨 가문은 왕실과의 거듭된 혼인으로 세력을 키워 대표적인 문벌로 성장하였다. 특히 이자겸은 딸들을 예종, 인종과 혼인시키며 막강한 권세를 누렸다.

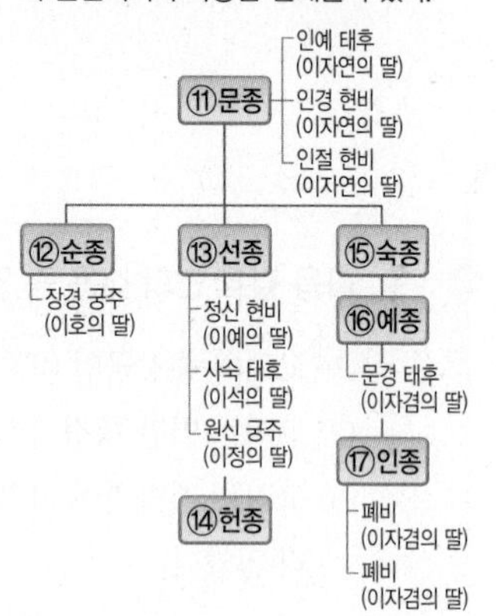

왕실과 경원 이씨 가문의 혼인 관계

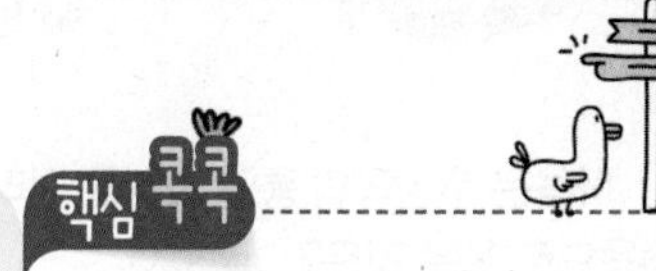

1 **고려의 관리 등용 제도에 대한 설명이 맞으면 ○표, 틀리면 ×표를 하시오.**

(1) 과거제에는 문과, 잡과, 승과, 무과가 있었다. ( )

(2) 과거는 원칙적으로 양인 이상이면 응시할 수 있었다. ( )

(3) 왕족과 공신의 후손, 5품 이상 고위 관리의 자손은 과거를 거치지 않고 음서로 관리가 될 수 있었다. ( )

2 **다음에서 설명하는 제도를 쓰시오.**

> 고려의 토지 제도이다. 관리를 18등급으로 나누어 곡식을 거둘 수 있는 전지와 땔감을 얻을 수 있는 시지의 수조권을 지급하였다.

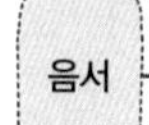

• 고려의 관리 등용 제도

과거제	문과(제술과·명경과 → 문관 선발), 잡과(기술관 선발), 승과(승계 부여)
음서	왕족과 공신의 후손, 5품 이상 고위 관료의 자손을 시험 없이 관리로 등용

1 **고려에서는 여러 세대에 걸쳐 고위 관리를 배출한 가문이 ( )을 형성하였다.**

2 **다음에서 설명하는 인물을 쓰시오.**

> • 딸들을 예종, 인종과 혼인시키며 권력을 장악하였다.
> • 척준경과 함께 반란을 일으켰으나, 척준경에게 제거되었다.

3 **다음 빈칸에 들어갈 내용을 쓰시오.**

(1) 묘청·정지상 등은 풍수지리설을 근거로 하여 ( )으로 수도를 옮기자고 주장하였다.

(2) 이자겸의 난이 일어난 이후 금을 배격하는 여론이 강해지자 인종은 서경 출신의 승려 ( )을 등용하여 개혁을 추진하였다.

4 **고려의 서경 세력과 관련이 있는 것만을 〈보기〉에서 있는 대로 골라 기호를 쓰시오.**

> 보기
> ㄱ. 김부식 중심　　ㄴ. 금 정벌 주장
> ㄷ. 황제 칭호와 연호 사용 건의　　ㄹ. 유교 이념에 따른 사회 질서 확립

• 이자겸의 난과 서경 천도 운동

이자겸의 난	이자겸의 권력 장악 → 인종이 이자겸 제거 시도 → 이자겸과 척준경의 반란 → 척준경이 이자겸 제거
서경 천도 운동	묘청·정지상 등 서경 세력이 서경 천도 주장 → 김부식 등 개경 세력의 반대 → 묘청 등이 서경에서 반란을 일으킴(묘청의 난) → 김부식이 이끄는 관군에게 진압됨

01 다음은 후삼국의 통일 과정을 정리한 것이다. (가)에 들어갈 내용으로 옳은 것은?

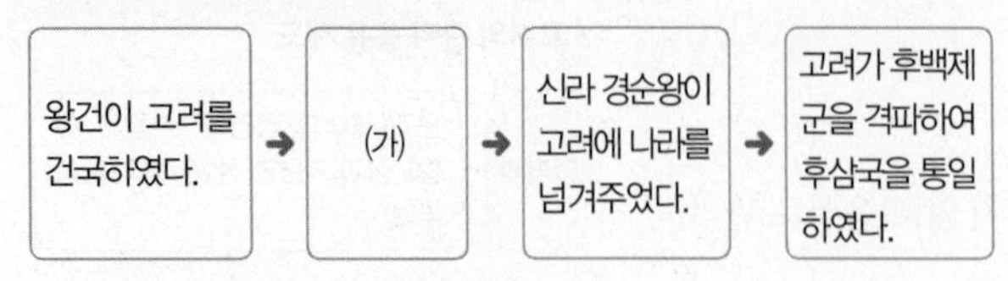

① 견훤이 고려에 투항하였다.
② 견훤이 후백제를 건국하였다.
③ 궁예가 후고구려를 건국하였다.
④ 이자겸과 척준경이 반란을 일으켰다.
⑤ 고려가 신검이 이끄는 후백제군을 격파하였다.

02 고려의 후삼국 통일이 가지는 역사적 의의로 옳은 것을 〈보기〉에서 고른 것은?

〈보기〉
ㄱ. 우리 민족 최초의 통일이었다.
ㄴ. 신라에 비해 정치 참여 세력이 확대되었다.
ㄷ. 고구려, 백제 유민과 힘을 합쳐 외세를 물리쳤다.
ㄹ. 신라와 후백제뿐만 아니라 발해 유민까지 받아들여 민족의 재통합을 이루었다.

① ㄱ, ㄴ ② ㄱ, ㄷ ③ ㄴ, ㄷ
④ ㄴ, ㄹ ⑤ ㄷ, ㄹ

03 ㉠ 왕에 대한 설명으로 옳지 않은 것은?

(㉠)은/는 후대 왕들이 지켜야 할 정책의 기본 방향을 제시한 훈요 10조를 남겼다. 훈요 10조에는 (㉠)이/가 중요시한 사상과 정책이 담겨 있다.

① 과거제를 도입하였다.
② 중국 문화의 주체적 수용을 강조하였다.
③ 서경을 북진 정책의 전진 기지로 삼았다.
④ 호족에게 왕씨 성, 토지 등을 내려 주었다.
⑤ 고려의 영토를 청천강에서 영흥만까지 확장하였다.

04 다음 두 제도의 공통점으로 옳은 것은?

• 사심관 제도 • 기인 제도

① 성종 때 처음 실시하였다.
② 과거 합격자들을 대상으로 하였다.
③ 호족 세력을 견제하는 역할을 하였다.
④ 관리의 위계질서가 확립되는 결과를 가져왔다.
⑤ 유교적 지식을 갖춘 인재 선발을 목적으로 하였다.

시험에 잘 나와!

05 광종의 재위 기간에 있었던 사실로 옳은 것을 〈보기〉에서 고른 것은?

〈보기〉
ㄱ. 12목이 설치되었다.
ㄴ. 노비안검법이 실시되었다.
ㄷ. 2성 6부의 중앙 관제가 정비되었다.
ㄹ. 광덕, 준풍 등의 연호가 사용되었다.

① ㄱ, ㄴ ② ㄱ, ㄷ ③ ㄴ, ㄷ
④ ㄴ, ㄹ ⑤ ㄷ, ㄹ

시험에 잘 나와!

06 다음 건의를 수용한 왕에 대한 설명으로 옳은 것은?

제13조 연등회와 팔관회를 줄여 백성이 힘을 펴게 하십시오.
제20조 불교를 믿는 것은 자신을 수양하는 근본이며, 유교를 행하는 것은 나라를 다스리는 근원입니다. 자신을 수양하는 것은 내세에 복을 구하는 일이며, 나라를 다스리는 것은 오늘의 급한 일입니다.
－『고려사』

① 태학을 설립하였다.
② 대가야를 병합하였다.
③ 관리의 공복을 제정하였다.
④ 묘청을 등용하여 개혁을 추진하였다.
⑤ 유교 정치사상을 통치의 근본이념으로 삼았다.

시험에 잘 나와!

07 (가), (나) 정치 기구에 대한 설명으로 옳은 것은?

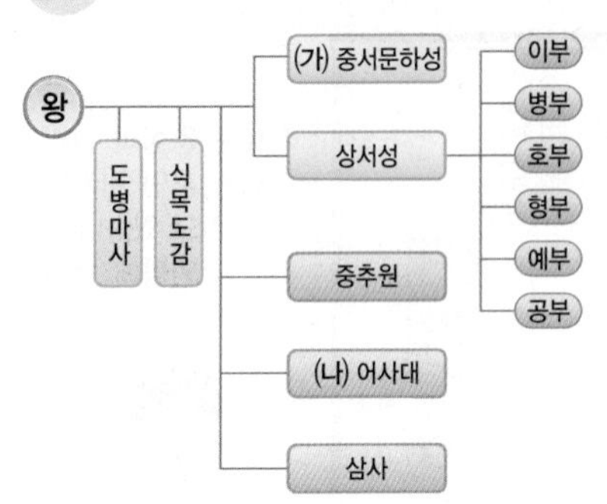

① (가)는 국왕의 비서 기관이었다.
② (가)는 제도와 시행 규칙을 제정하였다
③ (나)는 중시(시중)가 최고 책임자 역할을 하였다.
④ (나)는 국가 재정의 출납과 회계 업무를 담당하였다.
⑤ (가), (나)의 관리는 대간으로 불리며 국왕을 비판·견제하였다.

08 지도와 같이 행정 구역을 갖춘 나라의 지방 통치에 대한 설명으로 옳지 않은 것은?

① 5도에 안찰사를 파견하였다.
② 주현보다 속현의 수가 많았다.
③ 북계와 동계에 병마사를 파견하였다.
④ 22담로를 설치하여 지방을 통제하였다.
⑤ 현의 행정 실무는 해당 지역의 향리가 담당하였다.

09 (가)에 들어갈 내용으로 가장 적절한 것은?

① 3경 ② 5경 ③ 경기
④ 5소경 ⑤ 향·부곡·소

10 고려의 군사 제도에 대한 설명으로 옳지 않은 것은?

① 주진군은 양계에 주둔하였다.
② 지방군은 10정으로 이루어졌다.
③ 2군은 궁궐과 왕실을 호위하였다.
④ 6위는 개경과 국경 지방을 방어하였다.
⑤ 주현군은 5도의 군사 방어와 치안을 담당하였다.

11 (가) 제도에 대한 설명으로 옳은 것을 <보기>에서 고른 것은?

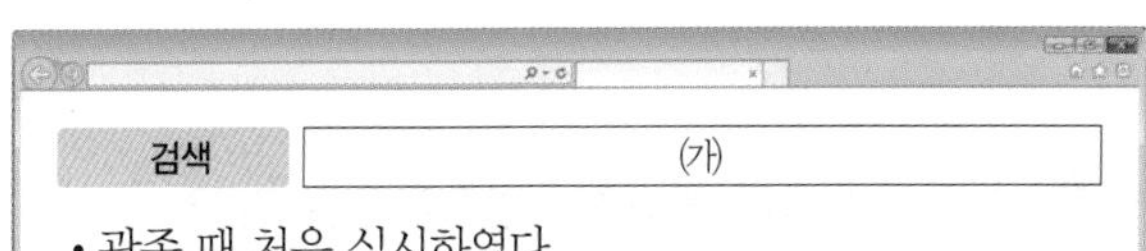

• 광종 때 처음 실시하였다.
• 고려에서 실시한 관리 등용 제도이다.

보기

ㄱ. 문과, 잡과, 무과가 실시되었다.
ㄴ. 승려를 대상으로 하는 승과가 있었다.
ㄷ. 원칙적으로 양인 이상이면 응시할 수 있었다.
ㄹ. 국학 학생의 유교 경전 이해 능력을 시험하여 상·중·하로 등급을 매겼다.

① ㄱ, ㄴ ② ㄱ, ㄷ ③ ㄴ, ㄷ
④ ㄴ, ㄹ ⑤ ㄷ, ㄹ

12 밑줄 친 '교육 기관'으로 옳은 것은?

> 고려는 교육을 중시하여 태조 때 개경과 서경에 학교를 세워 인재를 양성하였다. 성종 때는 최고 교육 기관을 개경에 설치하였는데, 이 교육 기관의 학생은 3년간 재학하면 과거 응시 자격이 주어졌다.

① 태학 ② 국자감 ③ 발해관
④ 주자감 ⑤ 중정대

13 (가)에 들어갈 신문 기사의 제목으로 가장 적절한 것은?

> **한국사 신문** ○○○년
>
> (가)
>
> 고려 정부는 관리를 18등급으로 나누어 곡식을 거둘 수 있는 전지(농토)와 땔감을 얻을 수 있는 시지(임야)의 수조권을 지급하기로 발표하였다.

① 녹읍이 폐지되다
② 진대법을 추진하다
③ 관료전을 지급하다
④ 전시과 제도를 실시하다
⑤ 세습이 가능한 토지를 주다

시험에 잘 나와!

14 밑줄 친 '이 세력'에 대한 설명으로 옳은 것은?

> 이 세력은 고려 전기에 여러 세대에 걸쳐 고위 관리를 배출하였고, 왕실 및 다른 문벌과 혼인하며 세력을 확대하였다.

① 강수, 설총, 최치원 등이 대표적이다.
② 과거와 음서로 주요 관직을 독점하였다.
③ 광종의 노비안검법으로 세력이 약화하였다.
④ 골품제를 비판하며 새로운 정치 이념을 제시하였다.
⑤ 자신의 근거지에 성을 쌓고 스스로 성주나 장군이라 불렀다.

15 교사의 질문에 대한 학생의 답변으로 가장 적절한 것은?

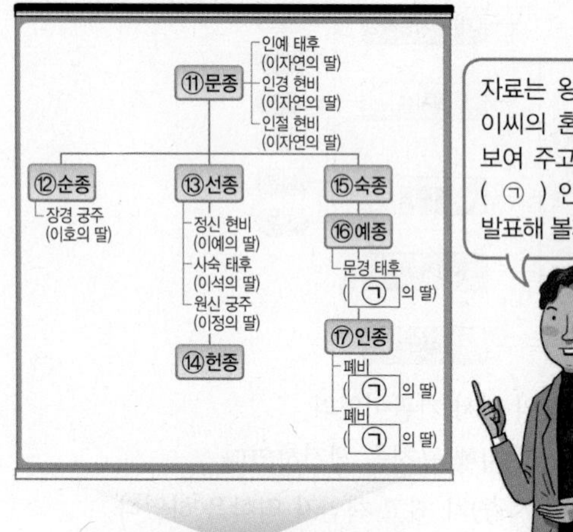

① 왕에게 시무 28조를 올렸습니다.
② 왕오천축국전을 저술하였습니다.
③ 독서삼품과를 통해 성장하였습니다.
④ 척준경과 함께 반란을 일으켰습니다.
⑤ 과거제의 실시를 처음으로 건의하였습니다.

16 밑줄 친 '반란'에 대한 설명으로 옳은 것을 <보기>에서 고른 것은?

> 이자겸의 권력 독점에 위협을 느낀 인종이 측근 세력과 함께 이자겸을 제거하려고 하자, 1126년 이자겸과 척준경은 반란을 일으켰다.

보기
ㄱ. 궁궐을 불태웠다.
ㄴ. 김부식이 이끄는 관군에게 진압되었다.
ㄷ. 왕실의 권위가 하락하는 결과를 가져왔다.
ㄹ. 개경 세력과 서경 세력이 대립하여 일어났다.

① ㄱ, ㄴ ② ㄱ, ㄷ ③ ㄴ, ㄷ
④ ㄴ, ㄹ ⑤ ㄷ, ㄹ

17 (가), (나) 시기 사이에 있었던 사실로 옳은 것은?

> (가) 이자겸의 권력 독점에 위협을 느낀 인종은 이자겸을 제거하려 하였다.
> (나) 인종은 윤언이, 정지상 등을 등용하였다.

① 이자겸의 난이 일어났다.
② 과거제가 처음 실시되었다.
③ 김흠돌이 반역을 도모하였다.
④ 공주에서 김헌창이 반란을 일으켰다.
⑤ 고려군이 고창에서 후백제군을 격파하였다.

18 서경 천도 운동의 배경으로 적절한 것을 〈보기〉에서 고른 것은?

보기

ㄱ. 이자겸이 권력을 장악하였다.
ㄴ. 금을 배격하는 여론이 강화되었다.
ㄷ. 경원 이씨 가문이 문벌로 성장하였다.
ㄹ. 인종이 서경 출신의 승려 묘청을 등용하였다.

① ㄱ, ㄴ ② ㄱ, ㄷ ③ ㄴ, ㄷ
④ ㄴ, ㄹ ⑤ ㄷ, ㄹ

시험에 잘 나와!

19 다음과 같이 주장한 인물에 대한 설명으로 옳지 않은 것은?

> 서경 지역은 풍수지리설에 의하면 대화세(크게 기운이 꽃피우는 형세)이니 만약 이곳에 궁궐을 세우고 수도를 옮기면 국가의 혼란을 막을 수 있습니다. 또한 금이 조공을 바치고 스스로 항복할 것이며 주변의 여러 나라가 모두 고개를 숙일 것입니다. - 『고려사』

① 금을 정벌할 것을 주장하였다.
② 서경으로 도읍을 옮기자고 주장하였다.
③ 국호를 대위라고 하며 반란을 일으켰다.
④ 황제를 칭하고 연호를 사용할 것을 건의하였다.
⑤ 딸들을 왕실과 혼인시키며 대표적인 문벌로 성장하였다.

서술형 문제

서술형 감잡기

01 다음 자료를 통해 알 수 있는 태조의 정책을 서술하시오.

> 제1조 불교의 힘으로 나라를 세웠으므로, 사찰을 세우고 주지를 파견하여 불도를 닦도록 할 것
> 제4조 중국의 풍습을 억지로 따르지 말고, 거란의 언어와 풍습은 다르므로 의관 제도를 본받지 말 것
> 제5조 서경을 중요시할 것 - 『고려사』

➜ 태조는 훈요 10조의 제1조에서 (①) 장려, 제4조에서 중국 문화의 주체적 수용과 거란 배척, 제5조에서 (②)의 전진 기지로 삼은 서경을 후대에도 중시할 것을 강조하였다.

실전! 서술형 도전하기

02 다음을 보고 물음에 답하시오.

(1) ㉠에 들어갈 왕을 쓰시오.

(2) (1) 왕의 업적을 세 가지 서술하시오.

02 고려의 건국과 정치 변화(2)

A 무신 정변의 발생

1. **배경:** 이자겸의 난·서경 천도 운동 이후 정치 질서 동요, 왕권 약화 → 무신에 대한 차별 심화, 문벌의 권력 독점과 부패 지속, ⁺군인전을 제대로 지급받지 못한 하급 군인들의 불만 고조

   의종은 즉위 초 왕권을 강화하려 하였으나 보수적인 문벌의 반발에 부딪혔어. 그러자 정치에 뜻을 잃고 일부 문신과 함께 연회와 놀이에 빠졌어.

2. **전개:** 정중부·이의방 등이 의종의 보현원 행차를 기회로 정변을 일으킴 → 문신 제거, 의종 폐위(무신 정변, 1170) → 무신 정권 성립

   꼭 무신들은 명종을 국왕으로 세웠지만 무신 집권자가 국가의 중요한 정책을 좌우하였어.

자료로 이해하기 무신 정변의 배경

> 왕(의종)이 보현원으로 행차하던 길에 신하들과 술을 마시던 중, …… 무신들을 위로하기 위해 오병수박희를 열었다. …… 대장군 이소응이 수박희에서 패하자, 한뢰가 갑자기 앞으로 나서며 이소응의 뺨을 때리니 계단 아래로 떨어졌다. 왕과 여러 신하가 손뼉을 치면서 크게 웃었다.
>
> – 「고려사」

이 사건을 계기로 그동안 쌓인 무신의 불만이 폭발하여 정변으로 이어졌어.

고려는 문신을 중심으로 정치가 운영되었다. 무신은 관직 승진에 제한이 있었고, 문신이 군사 지휘권까지 장악하였다. 이러한 상황에서 정중부, 이의방 등은 의종의 보현원 행차 때 정변을 일으켜 문신을 제거하였으며, 의종을 폐위하고 명종을 국왕으로 세워 정권을 장악하였다.

+ 군인전
고려 시대 군인들이 군역의 대가로 지급받은 토지

B 무신 정권의 성립

1. **초기 무신 정권**

(1) 권력 기구: 무신들의 회의 기구인 중방을 통해 권력 행사

기존의 정치 기구를 대신하여 최고 권력 기관이 되었어.

(2) 사회 혼란: 문신 반란, 무신들 간의 권력 다툼으로 잦은 집권자 교체(→ 정권 불안정)

일부 문신은 무신 정권에 저항하였지만 모두 실패하였어.

최충헌이 이의민을 제거하고 권력을 잡은 후 정권이 안정되었어.

2. **최씨 정권**

(1) 성립: 최충헌이 이의민을 제거하고 집권 → 4대 60여 년간 최씨 정권 유지

최충헌은 집권 후 봉사 10조를 내걸고 개혁을 주장하였지만, 실상은 지배 기구를 추가로 만들어 막강한 권력을 행사하였어.

(2) 권력 기구

최충헌	교정도감 설치(국가의 주요 정책 결정·집행), 도방 확대(호위 강화)
최우	정방 설치(인사 행정 담당), ⁺서방 설치, ⁺야별초 조직(군사적 기반으로 활용)

자료로 이해하기 무신 정권의 집권자와 지배 기구

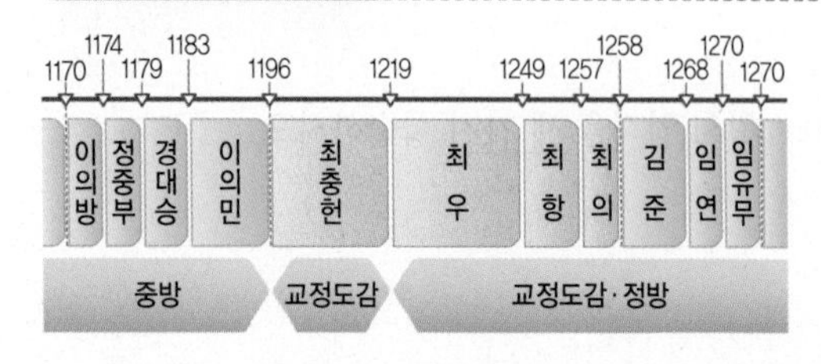

무신 정변 이후 국가의 중요한 일은 중방을 통해 결정되었다. 이후 최충헌은 교정도감을 설치하여 국가의 주요 정책을 결정하였고 도방을 확대하여 권력 유지에 활용하였다. 한편, 최우는 자신의 집에 정방을 설치하여 인사 행정을 장악하였다.

+ 서방
최우가 능력 있는 문인들에게 정책을 자문받기 위해 설치한 기구로, 이규보 등을 등용하였다.

+ 야별초
최우가 도적을 잡기 위해 설치한 군대이다. 야별초는 이후에 좌별초와 우별초로 분리되었고, 대몽 항쟁기에 몽골의 포로가 되었다가 탈출한 군사로 신의군을 조직하여 삼별초를 이루었다.

- 무신 정변의 발생
- 초기 무신 정권의 성립
- 최씨 정권의 성립
- 무신 정권기 농민과 천민의 봉기

1 무신 정변의 발생 배경으로 옳은 것만을 〈보기〉에서 있는 대로 골라 기호를 쓰시오.

보기
ㄱ. 문신에 비해 무신이 차별 대우를 받았다.
ㄴ. 이자겸이 외척으로 막강한 권력을 행사하였다.
ㄷ. 김부식 등 개경 세력이 서경 천도에 반대하였다.
ㄹ. 하급 군인들은 군인전을 제대로 지급받지 못하였다.

2 다음 설명이 맞으면 ○표, 틀리면 ×표를 하시오.

(1) 고려 무신은 관직 승진에 제한이 없었다. ( )
(2) 무신 정변으로 무신 집권자가 중요한 정책을 좌우하였다. ( )
(3) 정중부, 이의방 등은 의종의 보현원 행차를 기회로 정변을 일으켜 문신을 제거하고 의종을 폐위하였다. ( )

핵심 콕콕

• 무신 정변

배경	무신에 대한 차별 심화, 군인전을 제대로 지급받지 못한 하급 군인들의 불만 고조
전개	정중부·이의방 등이 정변을 일으킴 → 문신 제거·의종 폐위 → 무신 정권 성립

1 다음 설명이 맞으면 ○표, 틀리면 ×표를 하시오.

(1) 최충헌은 도방을 확대하여 호위를 강화하였다. ( )
(2) 초기 무신 정권은 정방을 통해 권력을 행사하였다. ( )
(3) 무신 정권 초기에는 권력 다툼으로 집권자가 자주 바뀌었다. ( )

2 다음에서 설명하는 최씨 정권의 권력 기구를 〈보기〉에서 골라 기호를 쓰시오.

보기
ㄱ. 서방　　ㄴ. 정방　　ㄷ. 교정도감

(1) 인사 행정을 담당하였다. ( )
(2) 능력 있는 문인들에게 정책을 자문하였다. ( )
(3) 국가의 중요한 정책을 결정하고 집행하였다. ( )

3 (　　　　)는 야별초를 조직하여 최씨 정권을 보호하는 군사적 기반으로 활용하였다.

핵심 콕콕

• 무신 정권

초기 무신 정권
무신들의 회의 기구인 중방을 통해 권력 행사

↓

최씨 정권
- 성립: 최충헌이 이의민을 제거하고 집권 → 4대 60여 년간 정권 유지
- 권력 기구: 교정도감, 도방, 정방, 서방, 야별초 등

C 무신 정권기 농민과 천민의 봉기 배경

1. 경제적 수탈 심화: 무신 정권 이전 문벌 세력의 토지 확대, 무신 집권자·무신 출신 지방관들의 농장 확대와 과도한 세금 수취 — 무신 집권자들은 백성의 토지를 강제로 빼앗아 자신들의 농장을 넓히고 재산을 늘렸어.

2. 정부의 통제력 약화: 무신들 간의 권력 다툼으로 정치 혼란 지속 → 지방에 대한 정부의 통제력 약화

3. 신분 질서의 동요

(1) 배경: 천민 출신 무신 집권자 등장(+이의민 등), 낮은 신분 사람들의 출세

(2) 내용: 신분 상승에 대한 백성의 기대감 고조

+ 이의민
천민 출신으로 무신 정변에 가담하여 공을 세웠으며, 경대승이 죽은 후 집권하였다가 최충헌에게 살해되었다.

D 무신 정권기 농민과 천민의 봉기

1. +농민과 천민의 봉기 — 무신 정권은 하층민의 봉기를 진압하는 데만 집중했을 뿐, 하층민의 요구를 반영하려는 노력은 하지 않았어.

(1) 농민의 봉기

① 망이·망소이의 난(공주 명학소): 특수 행정 구역에 대한 차별과 과도한 세금 부담에 반발 → 한때 충청도 일대 점령 → 관군에게 진압됨

② 김사미(운문)와 효심(초전)의 난: 지방관의 수탈에 저항하여 봉기 — 김사미와 효심은 농민을 이끌고 일어나 경주 세력과 합세하여 중앙에 저항하였어.

(2) 천민의 봉기 — 전주 관청에 소속되어 있던 공노비들이 주도하였어.

① 전주 관노비의 난 : 지방관의 횡포에 불만을 품고 봉기

② +만적의 난(개경): 사노비였던 만적이 신분 해방을 목적으로 봉기 계획 → 사전에 발각되어 실패

③ 의의: 하층민들의 사회의식 성장에 기여 — 신분 해방을 주장하는 노비들의 봉기가 계속되면서 하층민의 사회의식이 성장하였어.

2. 삼국 부흥 운동: 서경·경주·담양에서 고려 왕조를 부정하며 봉기 → 모두 실패

+ 무신 정권기 농민과 천민의 봉기

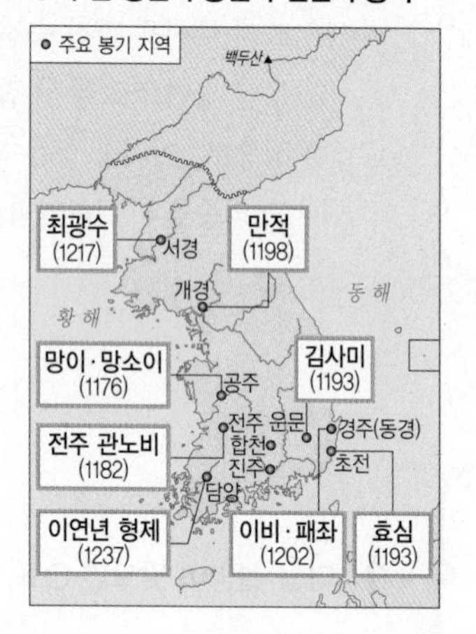

+ 만적
무신 정권기에 개경에 거주하던 사노비로, 다른 노비들과 함께 노비 문서를 불태우기로 약속하며 봉기를 계획하였다.

자료로 이해하기 농민과 천민의 봉기

[망이·망소이의 난]
우리 고향(명학소)을 현(충순현)으로 올려 주었고 수령까지 보내 위로하는 척하더니, 곧 군사를 보내 우리 고을을 치고 어머니와 아내를 잡아 가두니 이것은 무슨 까닭인가? 차라리 싸우다가 죽을지언정 끝까지 굴복하지 않을 것이다. 반드시 개경까지 쳐들어가고야 말겠다.
— 정부는 명학소를 충순현으로 승격하며 주민들을 달랬지만, 이후 명학소의 주민들을 토벌하기 위해 다시 관군을 보냈어.

-『고려사』

[만적의 난]
노비 만적 등 여섯 명이 …… 노비들을 불러 모아 말하기를 "무신 정변 이후에 높은 관직을 얻은 천한 노비가 많이 나왔으니 어찌 장군과 재상이 타고나는 것이겠는가? 때가 오면 누구나 차지할 수 있다. ……"라고 하였다.
— 이의민이 대표적이야.

-『고려사』

무신 정변 이후 지방에 대한 통제력이 약해지면서 '소'에 대한 수탈이 심화되자, 공주 명학소 주민들은 망이·망소이 형제를 중심으로 봉기를 일으켜 관군을 물리치고 공주 지역을 장악하였다. 사노비였던 만적 등은 신분 해방을 목적으로 봉기를 계획하였으나 사전에 발각되어 실패하였다. 그러나 만적의 봉기는 신분 차별을 극복하려 하였다는 점에서 당시 하층민들의 사회의식이 성장하고 있었음을 보여 준다.

1 무신 정권기에 농민과 천민의 봉기가 발생한 배경으로 옳은 것만을 〈보기〉에서 있는 대로 골라 기호를 쓰시오.

〈보기〉
ㄱ. 풍수지리설이 유행하였다.
ㄴ. 금을 배격하는 여론이 강해졌다.
ㄷ. 천민 출신의 무신 집권자가 등장하여 신분 질서가 동요하였다.
ㄹ. 무신들이 백성의 토지를 강제로 빼앗거나 세금을 과도하게 거두었다.

핵심 콕콕

• 농민과 천민의 봉기 배경

무신 정변 발발
↓
• 무신 집권자와 무신 출신 지방관들의 경제적 수탈 심화
• 지방에 대한 정부의 통제력 약화
• 신분 질서 동요

1 다음 설명이 맞으면 ○표, 틀리면 ×표를 하시오.

(1) 무신 정권기 전주에서는 관청에 소속되어 있던 공노비들이 지방관의 횡포에 불만을 품고 봉기하였다. ( )
(2) 무신 정권기에 신분 해방을 주장하는 노비들의 봉기가 계속되면서 하층민의 사회 의식이 성장하였다. ( )
(3) 무신 정권기에 서경, 경주, 담양에서 고려 왕조를 부정하는 삼국 부흥 운동이 일어나 후삼국 시대가 성립되었다. ( )

2 다음 빈칸에 들어갈 인물을 두 명 쓰시오.

무신 정변 이후 지방에 대한 통제력이 약해지면서 '소'에 대한 수탈이 심화되자, 공주 명학소 주민들은 (　　　) 형제를 중심으로 봉기를 일으켰다. 이들은 공주 지역을 장악하기도 하였으나, 결국 관군에게 진압되었다.

3 다음에서 설명하는 인물을 〈보기〉에서 골라 기호를 쓰시오.

〈보기〉
ㄱ. 만적　　ㄴ. 이의민　　ㄷ. 김사미와 효심

(1) 천민 출신으로 무신 집권자가 되었다. ( )
(2) 운문과 초전에서 지방관의 수탈에 반발하여 봉기하였다. ( )
(3) 사노비로 신분 해방을 목적으로 개경의 노비들과 봉기를 계획하였다. ( )

핵심 콕콕

• 농민과 천민의 봉기

농민 봉기	망이·망소이의 난(공주 명학소), 김사미(운문)와 효심(초전)의 난 등 전개
천민 봉기	전주 관노비의 난, 만적의 난(개경) 발발

01 다음 사건이 일어난 배경으로 적절한 것을 〈보기〉에서 고른 것은?

> 정중부, 이의방 등은 의종이 보현원에 숙박하자 정변을 일으켰다. 이들을 수많은 문신을 제거하고 정권을 장악하였다.

〈보기〉
ㄱ. 망이·망소이 형제가 봉기하였다.
ㄴ. 윤언이, 정지상 등 개혁 세력이 등용되었다.
ㄷ. 무신이 관직 승진 등에서 차별 대우를 받았다.
ㄹ. 군인전을 제대로 지급받지 못한 하급 군인의 불만이 커졌다.

① ㄱ, ㄴ ② ㄱ, ㄷ ③ ㄴ, ㄷ
④ ㄴ, ㄹ ⑤ ㄷ, ㄹ

시험에 잘 나와!
02 다음과 같은 상황이 벌어진 이후의 모습으로 적절하지 않은 것은?

> 왕(의종)이 보현원으로 행차하던 길에 신하들과 술을 마시던 중, …… 무신들을 위로하기 위해 오병수박희를 열었다. 대장군 이소응이 수박희에서 패하자, 한뢰가 갑자기 앞으로 나서며 이소응의 뺨을 때리니 계단 아래로 떨어졌다.
> – 『고려사』

① 명종이 왕위에 올랐다.
② 천민 출신 집권자가 등장하였다.
③ 장보고가 청해진에서 반란을 일으켰다.
④ 중방이 최고 권력 기구의 역할을 하였다.
⑤ 전국 각지에서 농민과 천민이 봉기하였다.

03 무신 정권 초기의 상황에 대한 설명으로 옳은 것은?

① 집권자가 자주 교체되었다.
② 정권이 안정되어 지방 통제력이 강화되었다.
③ 이자겸의 난과 같은 문벌의 반란이 일어났다.
④ 묘청을 비롯한 세력이 서경 천도를 주장하였다.
⑤ 원종과 애노의 난을 시작으로 농민 봉기가 확대되었다.

04 밑줄 친 '그'에 대한 설명으로 옳은 것은?

> 그는 이의민을 제거하고 권력을 잡은 뒤 사병 집단인 도방을 확대하여 호위를 강화하였다.

① 교정도감을 설치하였다.
② 척준경에게 제거되었다.
③ 이자겸과 함께 난을 일으켰다.
④ 묘청의 서경 천도 운동을 진압하였다.
⑤ 딸들을 예종, 인종과 혼인시키며 권세를 누렸다.

시험에 잘 나와!
05 (가), (나) 시기에 있었던 사실로 옳은 것은?

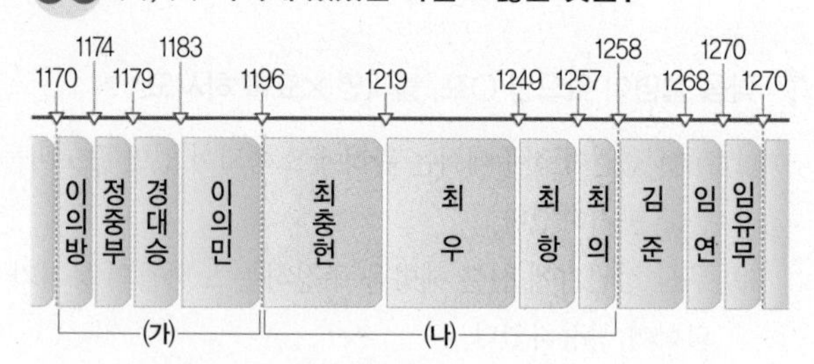

① (가) – 정방이 설치되었다.
② (가) – 야별초가 조직되었다.
③ (나) – 서방이 설치되었다.
④ (나) – 의종이 폐위되었다.
⑤ (가), (나) – 무신들이 중방을 통해 권력을 행사하였다.

06 (가)에 들어갈 내용으로 적절한 것을 〈보기〉에서 고른 것은?

> • 선생님: 야별초의 특징에 대해 말해 볼까요?
> • 학생: ______(가)______

〈보기〉
ㄱ. 경대승이 처음 조직하였어요.
ㄴ. 최씨 정권의 군사적 기반이었어요.
ㄷ. 무신 정권 초기 집권자들의 권력 기구였어요.
ㄹ. 좌별초, 우별초로 분리되었다가 삼별초를 이루었어요.

① ㄱ, ㄴ ② ㄱ, ㄷ ③ ㄴ, ㄷ
④ ㄴ, ㄹ ⑤ ㄷ, ㄹ

07 무신 정권기에 농민과 천민의 봉기가 발생한 배경으로 적절하지 않은 것은?

① 지방에 대한 정부의 통제력이 약화되었다.
② 무신들 간의 권력 다툼으로 정치가 혼란하였다.
③ 신분 질서가 엄격하여 신분 간 이동이 불가능하였다.
④ 특수 행정 구역의 주민들이 세금을 과도하게 부담하였다.
⑤ 무신 집권자들이 백성의 토지를 빼앗아 농장을 확대하였다.

08 다음 자료에 나타난 봉기에 대한 설명으로 옳은 것은?

> 우리 고향(명학소)을 현(충순현)으로 올려 주었고 수령까지 보내 위로하는 척하더니, 곧 군사를 보내 우리 고을을 치고 어머니와 아내를 잡아 가두니 이것은 무슨 까닭인가? 차라리 싸우다가 죽을지언정 끝까지 굴복하지 않을 것이다. 반드시 개경까지 쳐들어가고야 말겠다.
> – 『고려사』

① 고구려 부흥을 주장하였다.
② 묘청, 정지상 등이 중심이 되었다.
③ 김부식이 이끄는 관군에게 진압되었다.
④ 전주 관청에 소속된 노비들이 주도하였다.
⑤ 특수 행정 구역에 대한 차별이 원인이 되었다.

09 지도에 나타난 봉기에 대한 설명으로 옳은 것은?

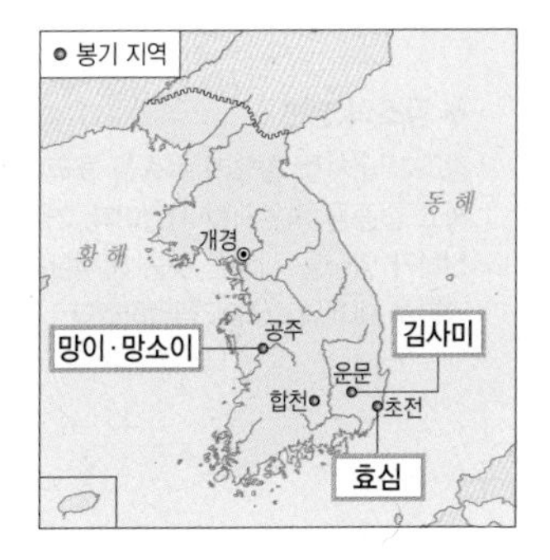

① 성종 시기에 일어났다.
② 삼국의 부흥을 꾀하였다.
③ 무신 정변이 일어나는 데 영향을 주었다.
④ 진골 귀족 간의 권력 다툼으로 일어났다.
⑤ 가혹한 수탈에 맞서 백성들이 봉기하였다.

시험에 잘 나와!

10 만적의 난에 대한 설명으로 옳은 것을 〈보기〉에서 고른 것은?

보기
ㄱ. 고려 왕조를 부정하였다.
ㄴ. 신분 해방을 목표로 하였다.
ㄷ. 사전에 발각되어 실패하였다.
ㄹ. 공주 부근의 명학소에서 일어났다.

① ㄱ, ㄴ ② ㄱ, ㄷ ③ ㄴ, ㄷ
④ ㄴ, ㄹ ⑤ ㄷ, ㄹ

서술형 문제

서술형 감잡기

01 밑줄 친 '최씨 정권'의 정치적 기구를 서술하시오.

> 최충헌은 이의민을 제거한 이후 사회 혼란을 수습하여 최씨 정권을 열었다.

→ (①)을 설치하여 국가의 중요한 정책을 결정·집행 하였으며, (②)을 설치하여 인사 행정을 장악하였다. 또한 (③)을 통해 능력 있는 문인들에게 정책을 자문하였다.

실전! 서술형 도전하기

02 ㉠에 들어갈 인물을 쓰고, 이 인물이 시도한 반란의 의의를 서술하시오.

> 노비 (㉠) 등 여섯 명이 노비들을 불러 모아 말하기를 "무신 정변 이후에 높은 관직을 얻은 천한 노비가 많이 나왔으니 어찌 장군과 재상이 타고나는 것이겠는가? 때가 오면 누구나 차지할 수 있다. ……"라고 하였다.
> – 『고려사』

고려의 대외 관계

A 동아시아 정세의 변화

1. **10세기 동아시아의 정세:** 고려 성립, 거란의 요 건국(거란은 송을 군사력으로 압도하며 동아시아 최강국으로 자리하였어.), +5대 10국의 혼란기를 거쳐 송이 중국 통일 → 고려·거란·송의 세력이 균형을 이루는 다원적인 국제 질서 형성
2. **고려의 대외 정책:** 건국 초부터 북진 정책을 추진하여 거란 견제(왜? 거란이 발해를 멸망시켰기 때문이야.), 송과 우호 관계 체결
3. **송의 대외 정책:** 거란을 견제하기 위해 고려와 친선 관계 유지

+ 5대 10국
당이 멸망한 뒤 송이 중국을 다시 통일하기까지의 혼란기에 성립하였던 다섯 왕조와 10개의 나라

자료로 이해하기 10～12세기 동아시아 정세

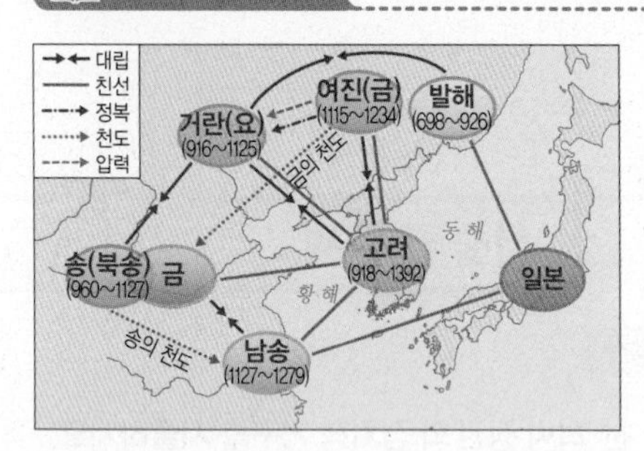

고려가 성립한 10세기에는 고려, 거란, 송을 중심으로 다원적 국제 질서가 형성되었다. 만주 일대에서는 거란이 발해를 멸망시키고 세력을 확대하였다. 중국에서는 5대 10국의 혼란기를 거쳐 송이 중국을 다시 통일하였다. 고려는 북진 정책을 추진하여 거란을 견제하는 한편, 송과는 우호적인 관계를 맺었다. 한편, 여진은 12세기 무렵에 세력을 키워 동아시아의 강자로 떠올랐다.

B 거란의 침입과 격퇴

1차 침입	고려의 거란 배척·송과 친선 관계 유지 → 거란의 고려 침략(993)(왜? 거란은 송과 고려의 연합을 막고자 하였어.) → +서희의 외교 담판으로 강동 6주 획득(고려의 영토가 압록강까지 확대되었어.)
2차 침입	고려와 송의 친선 관계 유지, 거란이 +강조의 정변을 구실로 고려 침략(1010) → 개경 함락 → 양규 등의 활약으로 거란군 격퇴(고려는 거란과 외교 관계의 회복을 약속하며 거란군을 철수시켰어.)
3차 침입	고려가 거란과 외교 관계를 맺지 않음 → 거란의 침입(거란은 강동 6주의 반환을 요구하며 고려를 다시 침입하였어.) → 강감찬이 이끄는 고려군이 귀주에서 거란군 격퇴(귀주 대첩, 1019) → 고려는 개경에 나성을 쌓고 국경 지역에 천리장성을 쌓아 북방 민족의 침입에 대비

+ 서희의 외교 담판
서희는 고려가 고구려의 후예이므로 압록강 근처가 원래 고려의 땅이라고 하고 여진이 이곳을 차지하여 거란과 통교하지 못하므로, 여진을 쫓아내고 그 땅을 고려에게 주면 거란과 외교를 맺을 수 있다고 주장하여 강동 6주를 획득하였다.

+ 강조의 정변
강조가 군사를 일으켜 목종을 물러나게 하고 현종을 즉위시킨 사건이다. 거란은 신하가 임금을 시해한 것을 문책한다는 명분을 내세워 고려에 침입하였다.

자료로 이해하기 거란의 침입과 격퇴

강동 6주
거란의 1차 침입로
거란의 2차 침입로
거란의 3차 침입로
백두산
거란(요)
천리장성 축조 (1033~1044)
여진
흥화진
귀주
용주
통주
철주
곽주
강감찬의 귀주 대첩 (1019)
안융진
서경
고려
동해
서희의 외교 담판 (993)
신은현(신계)
황해
개경

고려가 송과 가깝게 지내자 송에 대한 공격을 준비하던 거란은 고려를 침략하였다. 이때 서희는 거란 장수 소손녕과 외교 담판을 벌여 송과 외교 관계를 끊고 거란과 교류할 것을 약속하는 대신 강동 6주를 고려 영토로 인정받았다. 그러나 고려가 송과 친선 관계를 유지하자 거란은 강조의 정변을 구실로 다시 침입하였다. 이때 개경이 함락되기도 하였으나, 양규 등의 활약으로 거란군을 물리쳤다. 거란의 3차 침입 때에는 강감찬이 귀주에서 거란군을 물리쳤다. 이후 고려는 거란과 외교 관계를 수립하였다.

- 10세기 동아시아의 정세
- 거란의 침입과 격퇴
- 여진 정벌과 동북 9성의 축조
- 고려 전기의 대외 교류

1 다음 빈칸에 들어갈 내용을 쓰시오.

(1) 10세기 초 ( )은 요를 세우고 세력을 확대하였다.

(2) 송은 거란을 견제하기 위해 ( )와의 친선 관계를 유지하였다.

2 ㉠, ㉡에 들어갈 나라를 각각 쓰시오.

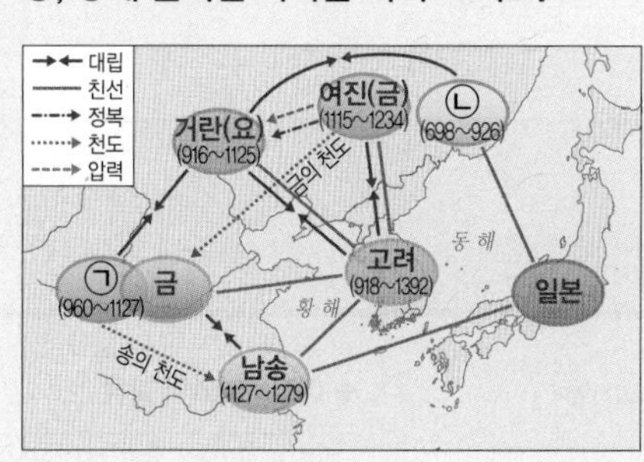

10~12세기 동아시아 정세

- 고려는 (㉠)과 우호 관계를 맺었다.
- 고려는 (㉡)를 멸망시킨 거란(요)을 견제하며 북진 정책을 추진하였다.

핵심 콕콕

- **동아시아 정세와 고려의 대외 정책**

10세기 동아시아의 정세	고려 성립, 거란의 요 건국, 송의 중국 통일 → 고려, 거란, 송의 세력이 균형을 이루는 다원적인 국제 질서 형성
고려의 대외 정책	북진 정책을 추진하여 거란 견제, 송과는 우호 관계 체결

1 다음 설명이 맞으면 ○표, 틀리면 ×표를 하시오.

(1) 거란은 강조의 정변을 구실로 처음 고려를 침략하였다. ( )

(2) 고려의 서희는 거란의 장수 소손녕과 외교 담판을 벌여 강동 6주를 획득하였다. ( )

2 거란의 침입과 그에 대한 고려의 대응을 옳게 연결하시오.

(1) 1차 침입 • • ㉠ 양규의 활약

(2) 2차 침입 • • ㉡ 귀주 대첩 승리

(3) 3차 침입 • • ㉢ 서희의 외교 담판

3 다음 괄호 안의 내용 중 알맞은 말에 ○표를 하시오.

(1) (윤관, 강감찬)이 이끄는 고려 군대가 귀주 대첩에서 거란군을 격퇴하였다.

(2) 고려는 거란과의 전쟁 이후 국경 지역에 (나성, 천리장성)을 쌓아 북방 민족의 침입에 대비하였다.

핵심 콕콕

- **거란의 침입과 격퇴**

1차 침입	서희의 외교 담판(거란과 교류 약속) → 강동 6주 획득
2차 침입	강조의 정변을 구실로 침략 → 양규 등의 활약으로 거란군 격퇴
3차 침입	강감찬의 귀주 대첩 승리

C 여진 정벌과 동북 9성의 축조

1. 고려와 여진의 관계

(1) 초기: 여진은 부족 단위로 흩어져 살며 고려를 부모의 나라로 섬김, 고려는 여진 부족 추장에게 관직을 주고 회유
└ 고려 초부터 대부분의 여진족은 고려에 특산물을 바치며 고려를 부모의 나라로 섬겼어.

(2) 12세기: 여진이 완옌부를 중심으로 부족 통합, 세력 확대 → 고려의 국경 침략

2. 고려의 여진 정벌: 윤관의 +별무반 편성 → 예종 때 윤관이 별무반을 이끌고 여진 정벌·동북 지방에 9성을 쌓고 고려의 영토로 삼음(1107) → 여진의 요구와 방어의 어려움으로 여진에게 9성 반환

3. 여진의 성장: 여진이 세력을 키워 금 건국(1115) 후 거란을 멸망시킴 → 금이 고려에 사대 관계 요구 → 고려 조정에서 반대하는 여론이 높았으나 집권 세력인 이자겸 등이 금의 사대 요구 수용(1126)
┌ 여진족의 추장 아구다는 여러 여진 부족을 통합하여 금을 건국하였어.
Q&? 당시 집권하고 있던 이자겸은 강력한 군사력을 지닌 금과의 전쟁을 피하기 위해 금의 요구를 받아들였어.

+ 별무반
여진을 정벌하기 위해 편성된 특수 부대이다. 기병 부대인 신기군, 보병 부대인 신보군, 승려들로 이루어진 항마군으로 구성되었다.

D 고려 전기의 대외 교류

1. 송과의 교류: 가장 활발하게 교류 — 송의 상인들은 주로 서해안의 바닷길을 이용하여 고려와 교류하였어.

교류 양상	• 고려: 문화적·경제적 실리 추구 → 송의 제도를 참고하여 제도 정비, 사신·학자 등을 보내 송의 선진 문물 수용, 송의 영향으로 청자 제작, 음악 발달 • 송: 정치적·군사적 목적(거란과 여진 견제)으로 고려와 교류
교류품	비단·서적·약재 등 왕실과 귀족의 수요품 수입, 나전 칠기·종이·인삼 등 수출

2. 여러 나라와의 교류

(1) 거란과의 교류: 거란의 침입 격퇴 이후 거란과 외교 관계를 맺고 교류(거란에 정기적으로 사신 파견), 은·모피 등 수입, 농기구·곡식 등 수출
— 거란에서 들여온 대장경은 고려의 대장경 편찬에 도움을 주었어.
— 거란도 고려의 왕이 즉위하거나 왕의 생일이 되면 사신을 보내왔어.

(2) 여진과의 교류: 말·화살 등 수입, 식량·농기구 등 생활필수품 수출

(3) 일본과의 교류: 수은·향료 등 수입, 식량·인삼·서적 등 수출

(4) +아라비아(이슬람)와의 교류: +벽란도를 통해 들어와 수은·향료를 팔고 금·비단을 사 감 → 고려가 코리아라는 이름으로 서방 세계에 알려짐

자료로 이해하기 고려 전기의 대외 교류

고려는 건국 초기부터 송, 거란(요), 여진(금), 일본, 아라비아 상인 등과 활발하게 교류하였다. 그 가운데 송과의 교역이 가장 활발하여 송으로부터 비단과 약재 등을 수입하였고, 금과 은, 나전 칠기 등을 수출하였다. 11세기에는 아라비아 상인들도 벽란도를 통해 개경으로 들어와 수은, 향료 등을 팔고, 금, 비단 등을 사 갔다. 당시 개경 근처 예성강에 자리 잡은 벽란도는 송의 상인뿐만 아니라 일본, 동남아시아 및 서역의 이슬람 상인들까지 자주 드나들던 국제 무역항이었다. 이곳에서는 국가의 공식 무역뿐만 아니라 상인들 사이의 사무역도 활발하게 이루어졌다.

+ 아라비아와의 교류

> 정종 6년(1040) 11월 대식국(아라비아) 상인 보나합 등이 와서 수은, 점성향(베트남에서 생산되는 향신료), 몰약(방부제) 등의 물건을 바쳤다. 왕이 그들을 객관에서 후하게 대접하도록 하고, 그들이 돌아갈 때 금과 비단을 내렸다.
> –『고려사』

11세기에 아라비아 상인들은 몇 차례에 걸쳐 고려를 방문하였다. 그들 가운데 일부는 고려에 귀화하여 정착하기도 하였다.

+ 벽란도
예성강 입구에 위치한 항구로, 고려 시대의 국제 무역항으로 번성하였다.

1 다음 설명이 맞으면 ○표, 틀리면 ×표를 하시오.

(1) 12세기 이후 여진은 완옌부를 중심으로 부족을 통합하였다. ( )

(2) 고려의 집권 세력이었던 이자겸 등은 금의 사대 요구를 거절하였다. ( )

(3) 윤관은 여진을 정벌하고 동북 지방에 9성을 쌓아 고려의 영토로 삼았다. ( )

2 밑줄 친 '특수 부대'를 쓰시오.

> 여진을 정벌하기 위해 고려에서 편성된 특수 부대는 기병 부대인 신기군, 보병 부대인 신보군, 승려들로 이루어진 항마군으로 구성되었다.

핵심 콕콕

- **고려와 여진의 관계**

고려의 여진 정벌
윤관이 별무반을 이끌고 여진 정벌 → 동북 지역에 9성 축조

↓

여진의 성장
금 건국 후 거란(요)을 멸망시킴 → 고려에 사대 관계 요구 → 이자겸 등이 사대 요구 수용

1 다음에서 설명하는 나라를 〈보기〉에서 골라 기호를 쓰시오.

> 보기
> ㄱ. 송 ㄴ. 거란 ㄷ. 여진

(1) 비단, 서적 등 왕실과 귀족의 수요품을 고려에 가져왔다. ( )

(2) 침입을 물리친 이후 고려가 정기적으로 사신을 파견하였다. ( )

(3) 고려에 말과 화살을 바치고, 식량과 농기구 등 생활필수품을 받아 갔다. ( )

2 고려는 ( )과 가장 활발하게 교류하면서 문화적·경제적인 실리를 추구하였다.

3 다음에서 설명하는 무역항을 쓰시오.

> 고려의 수도인 개경 근처 예성강에 자리 잡은 곳으로, 송의 상인뿐만 아니라 일본, 동남아시아 및 서역의 이슬람 상인들까지 왕래한 국제 무역항이다.

4 ㉠, ㉡에 들어갈 내용을 각각 쓰시오.

> 고려는 벽란도를 통해 개경으로 들어온 (㉠) 상인과의 교류를 통해 (㉡)라는 이름으로 서방 세계에 알려졌다.

핵심 콕콕

- **고려 전기의 대외 교류**

나라	교류
송	가장 활발하게 교류, 비단·서적·약재 등 수입, 나전 칠기·종이·인삼 등 수출
거란	거란의 침입을 물리친 이후 고려가 정기적으로 사신 파견, 은·모피 등 수입, 농기구·곡식 등 수출
여진	말·화살 등 수입, 식량·농기구 등 생활 필수품 수출
일본	수은·향료 등 수입, 식량·인삼·서적 등 수출
아라비아	벽란도 이용, 수은·향료를 팔고 금·비단을 사 감

01 10세기 동아시아 정세에 대한 설명으로 옳은 것을 〈보기〉에서 고른 것은?

보기
ㄱ. 송이 중국을 통일하였다.
ㄴ. 거란이 발해를 멸망시켰다.
ㄷ. 고려에서 이자겸의 난이 일어났다.
ㄹ. 여진의 부족들이 완옌부를 중심으로 통합되었다.

① ㄱ, ㄴ ② ㄱ, ㄷ ③ ㄴ, ㄷ
④ ㄴ, ㄹ ⑤ ㄷ, ㄹ

02 거란의 침입과 고려의 격퇴에 대한 탐구 활동으로 적절한 것을 〈보기〉에서 고른 것은?

보기
ㄱ. 양규의 활약상을 찾아본다.
ㄴ. 귀주 대첩의 과정을 정리한다.
ㄷ. 별무반을 편성한 이유를 살펴본다.
ㄹ. 이자겸이 금과 사대를 맺은 배경을 찾아본다.

① ㄱ, ㄴ ② ㄱ, ㄷ ③ ㄴ, ㄷ
④ ㄴ, ㄹ ⑤ ㄷ, ㄹ

시험에 잘 나와!

03 (가) 지역에 대한 설명으로 옳은 것은?

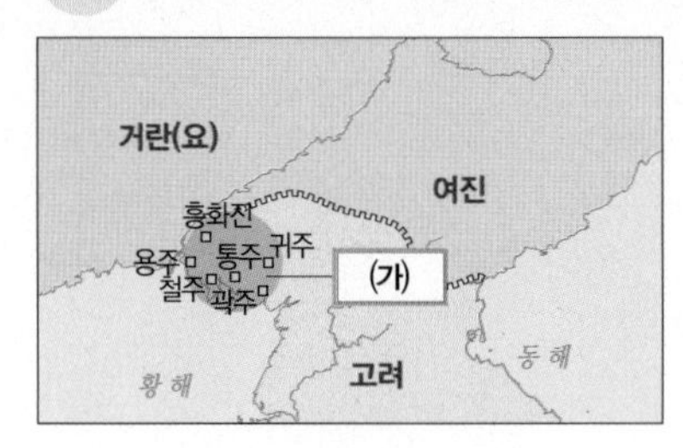

① 고려가 나성을 축조하였다.
② 태조의 북진 정책으로 확보하였다.
③ 벽란도가 위치하여 아라비아 상인이 오고 갔다.
④ 서희가 거란 장수와의 외교 담판으로 획득하였다.
⑤ 윤관이 이끄는 군대가 여진을 정벌하고 차지하였다.

시험에 잘 나와!

04 ㉠ 군대에 대한 설명으로 옳은 것은?

한국사 용어 사전
(㉠)
여진을 정벌하기 위해 조직된 특수 부대로 신기군, 신보군, 항마군으로 구성되었다.

① 양계에 주둔하였다.
② 윤관의 건의로 편성되었다.
③ 귀주 대첩을 승리로 이끌었다.
④ 개경과 국경 지방을 방어하였다.
⑤ 궁궐과 왕실의 호위를 담당하였다.

05 밑줄 친 '이 민족'과 고려의 관계에 대한 설명으로 옳은 것을 〈보기〉에서 고른 것은?

고려 초 이 민족은 고려를 부모의 나라로 섬겼다. 하지만 12세기 이후에는 세력을 키워 고려의 국경을 자주 침략하였다.

보기
ㄱ. 강조의 정변을 구실로 고려를 침략하였다.
ㄴ. 태조에게 왕씨 성, 관직 등을 내려 받았다.
ㄷ. 예종 때 이들을 정벌하고 동북 9성을 개척하였다.
ㄹ. 고려에서 식량과 농기구 등 생활필수품을 받아 갔다.

① ㄱ, ㄴ ② ㄱ, ㄷ ③ ㄴ, ㄷ
④ ㄴ, ㄹ ⑤ ㄷ, ㄹ

06 (가)에 들어갈 내용으로 옳은 것은?

여진족의 아구다가 금을 세우고 고려에 사대 관계를 요구하자, 당시 집권 세력인 이자겸 등은 ＿＿(가)＿＿

① 천리장성을 쌓기 시작하였다.
② 금의 사대 요구를 수용하였다.
③ 도방을 확대하여 호위를 강화하였다.
④ 서방을 설치해 이규보 등을 등용하였다.
⑤ 윤언이, 정지상 등 개혁 세력을 등용하였다.

07 지도는 고려 전기 대외 교류를 나타낸 것이다. (가), (나) 나라와 고려의 교류에 대한 설명으로 옳은 것은?

① (가) – 고려가 가장 활발하게 교류하였다.
② (가) – 고려의 대장경 편찬에 도움을 주었다.
③ (나) – 세 차례 전쟁 이후 외교 관계를 맺었다.
④ (나) – 고려의 중앙 정치 제도 정비에 영향을 주었다.
⑤ (가), (나) – 고려의 이름을 서방 세계에 알리는 역할을 하였다.

08 ㉠, ㉡에 들어갈 내용을 옳게 연결한 것은?

> 고려는 (㉠)에 사신, 학자 등을 보내 선진 문물을 받아들이는 등 문화적·경제적인 실리를 추구하였다. 한편, (㉡) 상인과의 교류를 통해 고려는 코리아라는 이름으로 서방 세계에 알려졌다.

	㉠	㉡		㉠	㉡
①	송	거란	②	송	일본
③	송	아라비아	④	거란	아라비아
⑤	일본	아라비아			

09 다음에서 설명하는 고려의 무역항으로 옳은 것은?

> • 개경에서 가까운 예성강 입구에 위치하였다.
> • 송과 일본, 아라비아 상인까지 왕래하며 국제 무역항으로 번성하였다.

① 당항성 ② 법화원 ③ 벽란도
④ 울산항 ⑤ 청해진

서술형 문제

서술형 감잡기

01 지도를 보고 10~12세기 동아시아의 정세에 대해 서술하시오.

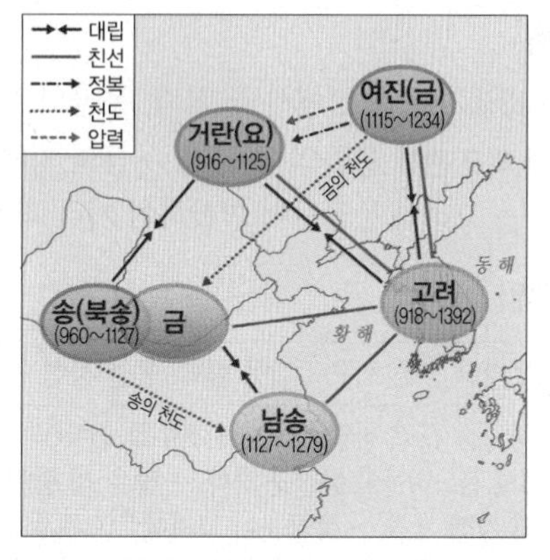

➜ 10세기에 만주 일대에서는 (①)이 성장하여 발해를 멸망시키고 세력을 키웠으며, 중국에서는 5대 10국의 혼란기를 거쳐 (②)이 중국을 다시 통일하였다. 한편, 12세기 무렵 (③)은 세력을 키워 동아시아의 강자로 떠올랐다.

실전! 서술형 도전하기

02 다음 외교 담판의 결과를 서술하시오.

> • 소손녕: 그대 나라(고려)는 옛 신라 땅에서 일어났고, 고구려의 옛 땅은 우리 것인데 …… 우리와 국경을 접하고 있는데도 바다를 건너 송을 섬기기 때문에 오늘 출병한 것이오.
> • 서희: 아니오. 우리나라는 고구려를 이어받았소. 그래서 나라 이름도 고려라고 한 것이오. …… 압록강 안팎도 원래 우리 땅인데, 지금 여진이 그 땅을 훔쳐 살면서 길을 막고 있으니, 당신들에게 가는 것이 바다를 건너기보다 어렵소. …… 여진을 쫓아내고 우리의 옛 땅을 돌려주어 길을 만들면 서로 사신이 오갈 수 있을 것이오.
> –『고려사』

몽골의 간섭과 고려의 개혁

A 몽골과의 접촉과 몽골의 침입

1. 몽골과의 접촉

(1) 몽골의 성장: 13세기 초 중국에서 금 쇠퇴, 몽골의 세력 확대
(칭기즈 칸은 몽골족을 통일하고 막강한 군사력을 바탕으로 정복 활동에 나서 세력을 확대하였어.)

(2) 고려와 몽골의 외교 관계: 몽골의 금 공격 → 금의 지배를 받던 거란족이 몽골군에 쫓겨 고려에 침입 → 고려와 몽골군이 연합하여 거란 격퇴 → 고려와 몽골의 국교 수립

2. 몽골의 1차 침입

(1225년 고려에 왔던 몽골 사신 저고여가 본국으로 돌아가는 도중 압록강 근처에서 피살되었어.)

배경	몽골의 무리한 공물 요구로 갈등 심화, 몽골 사신 저고여의 피살
과정	몽골이 국교를 끊고 침입(1231) → 귀주성 전투(박서가 이끄는 고려군이 몽골군 격퇴), 충주성에서 관노비들이 몽골군 격파 → 많은 성 함락·고려의 방어군 패배 → 최씨 정권이 몽골과 강화 체결 → 몽골군이 고려에 ⁺다루가치를 두고 철수

✚ 다루가치
'속박하는 사람'이라는 몽골어에서 비롯된 말이다. 고려에 파견된 다루가치는 고려의 내정을 감시하고 감독하였다.

B 강화도 천도와 장기간의 항전

1. 강화도 천도와 몽골의 재침입

(1) 강화도 천도: 몽골의 내정 간섭 심화 → ⁺고려의 강화도 천도(→ 백성을 산성과 섬으로 들어가게 하여 항전 준비)

(2) 몽골의 침입: 몽골의 2차 침입(1232) → 처인성 전투 승리(김윤후의 활약) → 몽골군 철수 → 이후 몽골의 여러 차례 침입(⁺충주성 전투 등) → 고려의 관군과 백성이 합심하여 항쟁
(몽골은 수도를 다시 개경으로 옮길 것을 요구하며 고려를 침입하였어.)
(사회적으로 차별받던 특수 행정 구역의 주민과 노비도 단결하여 몽골에 저항하였어.)

2. 팔만대장경 제작(1236~1251): 고려 정부가 민심을 모으고, 불교의 힘으로 몽골을 물리치기 위해 제작

3. 전쟁의 피해: 국토 황폐화, 많은 백성이 죽거나 포로로 끌려감, 문화재 소실(대구 부인사의 대장경(초조대장경) 판목, 황룡사 9층 목탑 등)
(소실: 불에 타서 사라짐)

자료로 이해하기 몽골의 침입과 고려의 항쟁

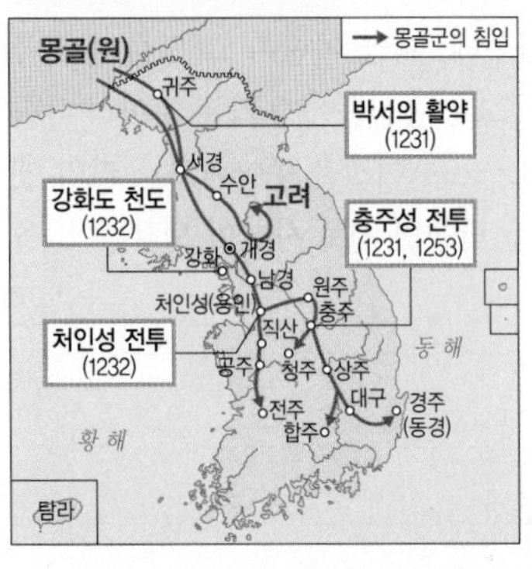

⊙ 고려와 몽골의 전쟁

몽골의 침입에 고려군과 백성은 삶의 터전을 지키기 위해 맞서 싸웠다. 몽골의 1차 침입 때 귀주성에서는 박서와 백성이 약 한 달간의 항전 끝에 몽골군을 물리쳤다. 몽골의 2차 침입 때에는 처인성에서 김윤후가 처인 부곡민을 이끌고 몽골군 대장 살리타를 사살하였다. 이후 김윤후는 충주성에서도 군민과 천민을 이끌고 몽골군을 물리쳤다. 고려는 몽골과의 오랜 전쟁으로 점차 국력이 약해졌다. 또한 고려의 국토는 황폐해졌고, 수많은 사람들이 죽거나 다쳤으며 몽골에 포로로 끌려가기도 하였다.

✚ 고려의 강화도 천도(1232)
고려의 최씨 정권은 몽골의 1차 침입 이후 항전의 의지를 밝히며 전쟁에 유리한 강화도로 수도를 옮겼다. 강화도는 농사짓는 땅이 많아 식량이 넉넉하였고, 물살이 거세어 해전에 약한 몽골군이 쉽게 접근할 수 없었다.

✚ 충주성 전투

> 김윤후가 말하기를 "누구든지 힘을 다 바쳐 싸우면 높고 낮음을 가리지 않고 모두 벼슬을 주겠다. 내 말을 의심하지 말라."라고 하며 관노비의 장부를 불태우고 노획한 소와 말을 나누어 주었다. 이에 모든 사람이 힘을 합쳐 몽골군을 물리쳤다. -『고려사』

김윤후는 1253년 노비 문서를 불태우며 노비들의 사기를 올려 충주성을 지켜 냈다.

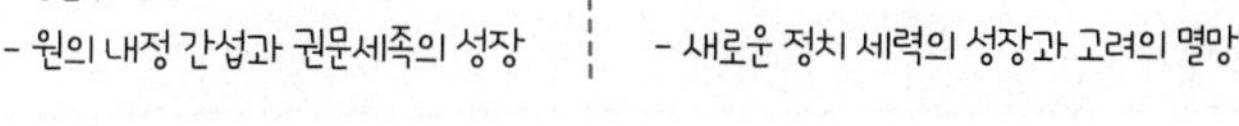

1 다음에서 설명하는 나라를 쓰시오.

- 13세기 초 중국에서 세력을 확대하였다.
- 고려에 왔던 사신 저고여가 피살되자 국교를 끊고 고려를 침입하였다.

2 다음 빈칸에 들어갈 내용을 쓰시오.

(1) 몽골군은 1차 침입 이후 고려의 내정을 감시하고 감독하는 (　　　　)를 두었다.

(2) 몽골의 침입 때 귀주성에서 (　　　　)가 이끄는 고려군이 몽골군을 격퇴하였다.

- 몽골의 침략과 고려의 항쟁

몽골의 1차 침입
↓
귀주성·충주성에서의 항전
↓
최씨 정권이 몽골과 강화 체결
↓
몽골군이 고려에 다루가치를 두고 철수

1 다음 설명이 맞으면 ○표, 틀리면 ×표를 하시오.

(1) 몽골의 고려 침입으로 경주 불국사 3층 석탑이 파괴되었다. (　　)

(2) 몽골과의 전쟁으로 고려의 많은 백성이 죽거나 포로로 끌려갔다. (　　)

(3) 고려에서 사회적으로 차별받던 특수 행정 구역의 주민과 노비도 단결하여 몽골에 저항하였다. (　　)

2 다음에서 설명하는 인물을 쓰시오.

- 몽골의 2차 침입 때에 처인성에서 처인 부곡민을 이끌고 몽골군 대장 살리타를 사살하였다.
- 1253년 충주성에서 노비 문서를 불태우며 노비들의 사기를 높여 몽골군으로부터 성을 지켜 냈다.

3 다음 빈칸에 들어갈 내용을 쓰시오.

(1) 고려 정부는 민심을 모으고 불교의 힘으로 몽골을 물리치기 위해 (　　　　)을 제작하였다.

(2) 고려의 최씨 정권은 몽골의 간섭에 맞서 수도를 개경에서 (　　　　)로 옮기고 항전을 준비하였다.

- 강화도 천도와 몽골의 재침입

강화도 천도	몽골의 내정 간섭 심화 → 최씨 정권이 강화도로 천도
몽골의 재침입	• 항전: 고려의 관군과 백성의 항쟁(처인성·충주성 전투 승리), 팔만대장경 제작 • 전쟁의 피해: 국토 황폐화, 많은 백성이 죽거나 포로로 끌려감, 문화재 소실

C 몽골과의 강화와 삼별초의 항쟁

1. 몽골과의 강화

당시 고려에서는 몽골의 요구를 받아들이자는 여론이 높아졌어.

(1) 배경: 몽골의 강화 제안 → 최씨 정권의 항전 주장 → 무신들이 최씨 정권을 무너뜨리고 몽골과 강화 추진

(2) 과정: ⁺고려 태자와 쿠빌라이의 강화 체결(1259) → 몽골의 내정 간섭 지속 → 내분으로 무신 정권 붕괴 → 고려 정부의 개경 환도(1270)

쿠빌라이는 고려의 수도를 다시 개경으로 옮기고, 일본 원정에 필요한 인력과 물자를 제공하라고 요구하였어.

2. 삼별초의 대몽 항쟁(1270~1273): 고려 정부의 개경 환도에 반대하며 강화도에서 봉기 → 강화도에서 진도·제주도로 이동하며 항전 → 고려와 몽골의 연합군에게 진압됨

자료로 이해하기 삼별초의 대몽 항쟁

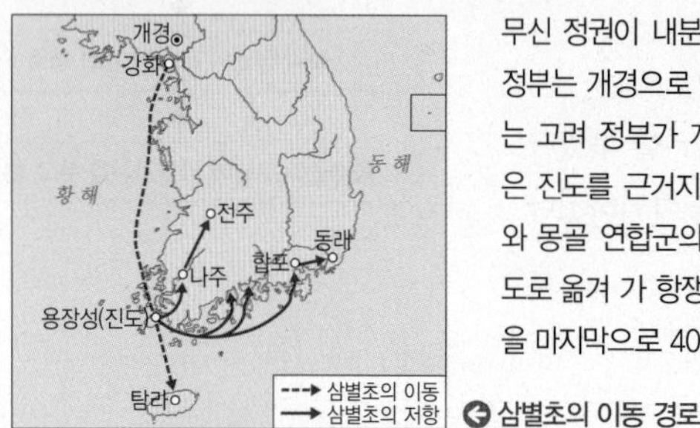

삼별초의 이동 경로

무신 정권이 내분으로 무너지고 몽골과 강화가 이루어진 뒤, 고려 정부는 개경으로 돌아왔다. 무신 정권의 군사적 기반이었던 삼별초는 고려 정부가 개경으로 돌아가는 데 반대하며 봉기하였다. 이들은 진도를 근거지로 삼아 남해안 일대를 장악하였다. 그러나 고려와 몽골 연합군의 공격으로 진도가 함락되었고, 남은 세력이 제주도로 옮겨 가 항쟁을 계속하였지만 결국 진압되었다. 삼별초의 항전을 마지막으로 40여 년에 걸친 고려와 몽골 간의 전쟁은 끝이 났다.

+ 고려 태자와 쿠빌라이의 강화 체결

> 1. 복식은 고려의 풍속에 따라 모두 고치지 않는다.
> 3. 강화도에서 개경으로 수도를 옮기는 것은 힘이 되는대로 시행한다.
> 5. 고려에 설치한 다루가치 일행은 모두 귀환시킨다.
>
> – 고려 태자와 쿠빌라이의 강화 내용

고려의 태자(뒷날 원종)는 중국으로 가서 쿠빌라이를 만나 고려의 독립과 풍속을 유지하는 조건으로 강화를 맺었다.

D 원 간섭기의 사회 모습

1. 원(몽골)의 내정 간섭

(1) 원의 고려 영토 지배: 쌍성총관부(철령 이북), 동녕부(서경), 탐라총관부(제주도) 설치 → 고려 영토 일부를 직접 지배

(2) 정동행성 설치: 일본 원정을 계기로 설치 → 원정이 끝난 뒤 폐지하지 않고 고려의 내정 간섭 기구로 존속

원은 일본 원정을 위해 고려에서 함선과 물자, 병사를 제공받았어.

(3) 고려 국왕을 통한 간접 지배: 고려 국왕이 원의 공주와 혼인, 왕자들이 원에서 성장하며 교육을 받음

고려 국왕이 원 황실의 사위가 된 거야.

(4) ⁺고려의 관제·왕실 용어 격하: 제후국 수준으로 격이 낮아짐 → '폐하'를 '전하'·'태자'를 '세자'로 고침, 고려 국왕이 '충(忠)' 자가 붙은 시호를 받음

원 황제에게 받은 시호로 원에 충성한다는 의미야.

(5) 경제 수탈: 금·인삼·사냥용 매 등 특산물을 공물로 요구, 환관과 공녀 등을 끌고 감

2. 고려와 원의 문화 교류: 고려에서 몽골풍 유행, 원에 고려의 풍습(고려양)이 전해짐

자료로 이해하기 몽골풍의 유행

발립을 쓴 고려 관리

원 간섭기에는 고려와 원의 문화 교류가 활발하게 이루어졌다. 고려에서는 몽골식 복장과 음식 등 몽골풍이 유행하였다. 고려 남자들은 몽골식 머리(변발)를 하고 원에서 유행한 발립을 썼다. 또한 몽골의 만두(상화), 소주 등이 고려에 소개되었다. 한편, 원에는 고려의 복식과 음식 등 고려의 풍습(고려양)이 전해졌다.

+ 고려의 관제·왕실 용어 격하

- 중서문하성, 상서성 → 첨의부
- 중추원 → 밀직사
- 6부 → 4사
- 조, 종 → 충○왕
- 짐 → 고

1 **다음 설명이 맞으면 ○표, 틀리면 ×표를 하시오.**

(1) 내분으로 무신 정권이 붕괴된 이후 고려 정부는 개경으로 돌아왔다. ( )

(2) 강화도 천도 이후에 몽골이 고려에 강화를 제안하자 최씨 정권은 이를 수용하였다. ( )

(3) 고려 태자(원종)는 쿠빌라이를 만나 고려의 독립과 풍속을 유지하는 조건으로 강화를 맺었다. ( )

2 **다음 괄호 안의 내용 중 알맞은 말을 골라 순서대로 쓰시오.**

> 삼별초는 고려 정부가 (개경, 강화도)(으)로 도읍을 옮기는 것에 반대하며 강화도에서 봉기하였다. 이들은 진도를 근거지로 남해안 일대를 장악하였으나 고려와 몽골 연합군의 공격으로 진도가 함락되었다. 남은 세력은 (경주, 제주도)로 옮겨 가 항쟁을 계속하였지만 결국 진압되었다.

- **몽골과의 강화와 삼별초의 항쟁**

몽골과의 강화
고려 태자와 쿠빌라이의 강화 체결(1259) → 내분으로 무신 정권 붕괴 → 고려 정부의 개경 환도(1270)

↓

삼별초의 항쟁
삼별초가 개경 환도에 반대하며 강화도에서 봉기 → 강화도에서 진도·제주도로 이동하며 항전 → 고려와 몽골의 연합군에게 진압됨

1 **원 간섭기 고려에 대한 설명이 맞으면 ○표, 틀리면 ×표를 하시오.**

(1) 원의 황제가 고려를 직접 지배하였다. ( )

(2) 고려의 왕실 용어와 관제가 제후국 수준으로 격이 낮아졌다. ( )

(3) 원은 쌍성총관부, 동녕부, 탐라총관부를 설치하여 고려의 영토 일부를 직접 지배하였다. ( )

2 **( )은 원이 일본 원정을 준비할 때 고려에 설치한 기구로, 일본 원정이 끝난 뒤에도 고려의 내정 간섭 기구로 이용되었다.**

3 **㉠, ㉡에 들어갈 내용을 각각 쓰시오.**

> 원 간섭기에는 고려와 원의 문화 교류가 활발하게 이루어졌다. 고려에서는 몽골식 복장과 음식, 용어 등 (㉠)이 유행하였고, 원에는 고려의 복식과 음식 등 풍습인 (㉡)이 전해졌다.

- **원 간섭기의 사회 모습**

원의 내정 간섭	영토 지배(쌍성총관부, 동녕부, 탐라총관부 설치), 정동행성 설치, 고려의 관제·왕실 용어 격하, 공물·환관·공녀 요구
문화 교류	고려에서 몽골풍 유행, 원에 고려의 풍습(고려양)이 전해짐

E 권문세족

형성	원 간섭기에 잦은 국왕 교체로 왕권 약화·국가의 위상 격하 → 원에 기대어 권력을 누리는 이들이 새로운 지배 세력인 +권문세족 형성
출신	기존 지배 세력, 원과 관련된 업무 종사자(+응방의 관리, 몽골어 통역관 등), 원의 지배층과 혼인한 세력 등 ─ 원 황실과 혼인 관계를 맺은 기철의 가문은 국왕을 압도하는 권력을 누렸어.
특징	다수가 친원적 성향을 지님, 높은 관직 독점, 음서로 세력 확대
폐단	다른 사람 토지를 빼앗고 백성을 노비로 만들어 대규모 농장 경영(→ 국가 재정 악화), 뇌물을 받고 관직 판매

+ 권문세족
'권문'은 권력을 가진 가문, '세족'은 대대로 강한 세력을 유지한 집안이라는 뜻이다.

+ 응방
고려에서 원에 바칠 매를 잡고 기르기 위해 설치한 기구

자료로 이해하기 권문세족의 횡포

> 요즘 들어 간악한 도당들이 남의 토지를 빼앗음이 매우 심하다. …… 남의 땅을 조상으로부터 물려받은 땅이라고 우기면서 주인을 내쫓고 땅을 빼앗는다. -『고려사』

권문세족은 자신의 권력을 이용하여 다른 사람의 노비와 토지를 빼앗고, 농장을 설치하여 국가에 낼 세금을 가로챘다. 또 가난한 백성을 노비로 만들었다. 그 결과 국가에 세금을 내는 백성이 줄어들어 국가 재정이 궁핍해졌다.

F 공민왕의 개혁 정치

1. 공민왕 이전의 개혁: 권문세족의 횡포·국가 재정 악화를 해결하기 위해 충선왕·충목왕 등이 개혁 시도 → 권문세족과 원의 반대로 실패

2. 공민왕의 개혁 정치

개혁 정치	• 자주성 회복: 기철을 비롯한 친원 세력 제거, 정동행성이문소(고려의 내정을 간섭하는 핵심 기구였어.) 폐지, 쌍성총관부 공격, 고려 왕실의 호칭·관청의 옛 제도 복구, 원의 풍습(몽골풍) 금지 • 내정 개혁: 승려 신돈을 등용하여 전민변정도감 설치, 정방 폐지(인사권 장악), +성균관 정비(유학 교육 강화, 개혁을 뒷받침할 세력 육성)
영향	고려의 자주성 회복, 새로운 정치 세력이 성장하는 기반 마련
결과	권문세족의 강력한 반발, 신돈이 제거되고 공민왕이 시해되면서 개혁 중단

비교 백성들은 공민왕의 개혁 정치를 지지하였어.

+ 성균관
고려 시대 최고 국립 교육 기관이었던 국자감의 명칭이 고려 후기에 성균관으로 바뀌었다. 공민왕은 새로운 정치 세력을 육성하기 위해 성균관을 새로 정비하고 이색, 정몽주, 정도전 등을 성균관 책임자로 임명하였다.

자료로 이해하기 공민왕의 개혁 추진

> 근래에 기강이 크게 무너져서 탐욕을 부리는 것이 풍습이 되었으며, …… 토지와 노비를 권세 있는 집에서 거의 다 빼앗아 가졌다. …… 이제 도감(전민변정도감을 말해.)을 설치하여 바로잡겠다. …… 스스로 잘못을 알고 고치면 죄를 묻지 않을 것이나, 기한을 넘겨 일이 발각되면 죄를 조사하여 다스릴 것이다. -『고려사』

14세기 중엽에 즉위한 공민왕은 쌍성총관부를 공격하여 철령 이북의 땅을 점령하였다. 이로써 고려는 충렬왕 때 동녕부와 탐라총관부를 돌려받은 데 이어 원에 빼앗겼던 영토를 모두 되찾았다. 한편, 공민왕은 전민변정도감을 설치하여 권문세족이 약탈한 토지와 노비를 본래 주인에게 돌려주었으며, 억울하게 노비가 된 사람들을 해방하였다. 이를 통해 공민왕은 권문세족의 세력 기반을 약화시키려 하였다.

1 다음에서 설명하는 세력을 쓰시오.

- 원 간섭기에 등장한 지배 세력이다.
- 기존 지배 세력이거나 원과 관련된 업무 종사자 등이 형성하였다.

2 권문세족에 대한 설명으로 옳은 것만을 〈보기〉에서 있는 대로 골라 기호를 쓰시오.

보기

ㄱ. 다수가 친원적 성향을 지녔다.
ㄴ. 주로 과거를 통해 세력을 확대하였다.
ㄷ. 경원 이씨 가문의 이자겸이 대표적이다.
ㄹ. 백성을 노비로 만들어 대규모 농장을 경영하였다.

• 권문세족

등장 시기	원 간섭기
형성	잦은 국왕 교체로 왕권 약화, 국가의 위상이 낮아짐 → 권문세족이 새로운 지배 세력 형성
특징	친원적 성향, 음서로 세력 확대, 대농장 경영 등

1 다음 빈칸에 들어갈 내용을 쓰시오.

(1) 공민왕은 (　　　　)를 공격하여 철령 이북의 땅을 점령하였다.
(2) 공민왕은 고려의 내정을 간섭하는 핵심 기구인 (　　　　)를 폐지하였다.

2 공민왕의 개혁 정치에 대한 설명이 맞으면 ○표, 틀리면 ×표를 하시오.

(1) 원의 풍습을 금지하였다. (　　)
(2) 권문세족의 지지를 받았다. (　　)
(3) 정방을 설치하여 인사권을 장악하였다. (　　)
(4) 고려의 자주성을 회복시키고, 새로운 정치 세력이 성장하는 기반을 마련하였다. (　　)

3 ㉠, ㉡에 들어갈 내용을 각각 쓰시오.

원의 간섭을 물리친 뒤 공민왕은 승려 (㉠　　　)을 등용하여 내정 개혁을 추진하였다. (㉡　　　)을 설치하여 권문세족이 빼앗은 토지와 노비를 원래 주인에게 돌려주고 강제로 노비가 된 사람들을 해방하였다.

• 공민왕의 개혁 정치

자주성 회복	친원 세력 제거, 정동행성이문소 폐지, 쌍성총관부 공격, 고려 왕실의 호칭과 관청의 옛 제도 복구, 원의 풍습 금지
내정 개혁	신돈 등용·전민변정도감 설치, 정방 폐지, 성균관 정비

6 새로운 정치 세력의 성장

1. 신진 사대부

꼭 신진 사대부는 성리학을 개혁의 사상적 기반으로 삼고 도덕과 명분을 중시하였어.

(1) 출신: 대부분 하급 관리나 지방 향리의 자제, 일부는 권문세족 출신

(2) 특징: +성리학 수용, 과거를 통해 관직 진출

공민왕은 국왕이 최종 면접을 보도록 과거제를 개혁하였고 이 과정에서 신진 사대부가 관직에 진출하여 성장하였어.

(3) 성장: 공민왕의 개혁 과정에서 크게 성장 → 권문세족의 비리 비판, 불교의 폐단 비판, 원과 명이 교체되던 시기에 명과 화친할 것을 주장

2. 신흥 무인 세력

(1) 배경: +홍건적과 왜구의 침입을 물리치며 무인들이 백성의 신망을 얻음

(2) 성장: 무인들이 정치 세력 형성 → 신흥 무인 세력으로 성장(최영, 이성계 등)

자료로 이해하기 신흥 무인 세력의 성장

공민왕이 개혁을 추진할 무렵 중국에서는 홍건적의 난이 일어났다. 홍건적은 고려에 두 차례 침입하였고 한때 개경을 함락하여 공민왕이 복주(안동)에 피란하였다. 한편 왜구는 남쪽 해안 지방에서 약탈 활동을 하며 개경까지 위협하였다. 이에 최무선은 화포를 제작하여 왜구의 배를 불태웠으며, 최영과 이성계는 육지에 상륙한 왜구를 크게 물리쳤다. 박위는 전함을 이끌고 쓰시마섬을 토벌하였다. 이러한 과정에서 공을 세운 최영, 이성계 등의 무인들은 백성의 신망을 얻고 신흥 무인 세력으로 성장하였다.

홍건적과 왜구의 격퇴

+ 성리학
남송의 주희가 집대성한 학문으로, 인간의 심성과 우주의 원리를 탐구하는 새로운 유학이다.

+ 홍건적
원 말기에 일어난 한족의 농민 반란군

H 위화도 회군과 고려의 멸망

1. +위화도 회군

(1) 배경: 고려가 명과 외교 관계를 맺음 → 명이 고려를 속국으로 대하며 옛 쌍성총관부 영토 요구 → 우왕과 최영의 요동 정벌 추진

이성계를 비롯한 신진 사대부는 명과의 갈등을 외교적으로 해결하자고 주장하였어.

(2) 과정: 신진 사대부와 이성계의 요동 정벌 반대 → 우왕의 명령으로 이성계 출정 → 이성계가 압록강의 위화도에서 군대를 돌려 개경 장악(위화도 회군, 1388)

(3) 결과: 이성계가 우왕과 최영을 몰아내고 정치·군사의 실권 장악

2. 신진 사대부의 분열

왜? 위화도 회군 이후에 고려 사회의 개혁 방법을 둘러싸고 분열하였어.

급진파 사대부	정도전·조준 등, 새 왕조를 세워야 한다고 주장
온건파 사대부	이색·정몽주 등, 고려 전기의 제도를 회복하는 방식으로 사회 문제를 해결해야 한다고 주장

3. 고려의 멸망: 이성계와 급진파 사대부가 개혁 추진(과전법 실시 등), 왕조 교체에 반대한 정몽주 등 제거 → 공양왕이 이성계에게 왕위를 내어 주어 고려 멸망, 조선 건국(1392)

조세 제도와 토지 제도를 바로잡고 권문세족의 경제적 기반을 약화하기 위해 실시하였어.

+ 위화도 회군

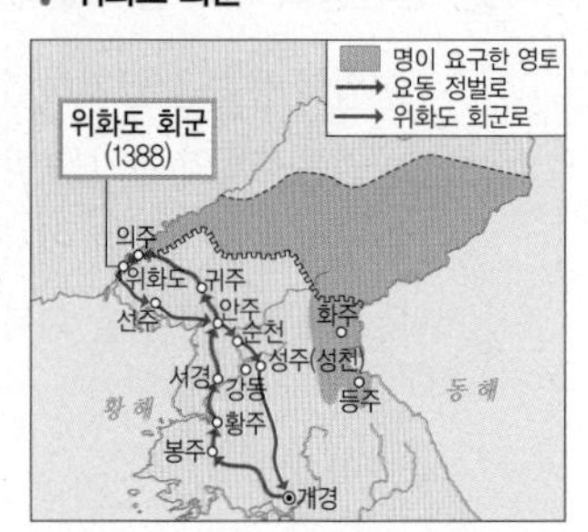

이성계는 요동 정벌에 반대하였지만 우왕의 지시로 군대를 이끌고 출정하였다. 그러나 위화도에서 군대를 돌려 개경으로 돌아가 우왕을 내쫓고 최영을 제거하였다.

1 다음 설명이 맞으면 ○표, 틀리면 ×표를 하시오.

(1) 박위는 화포를 제작하여 왜구를 격퇴하였다. ( )
(2) 신진 사대부는 원과 화친할 것을 주장하였다. ( )
(3) 한족 농민 반란군인 홍건적은 한때 개경을 함락하였다. ( )
(4) 공민왕이 개혁을 추진하던 때에 홍건적과 왜구가 고려에 자주 침입하였다. ( )

2 신진 사대부에 대한 설명으로 옳은 것만을 〈보기〉에서 있는 대로 골라 기호를 쓰시오.

보기
ㄱ. 권문세족의 비리를 비판하였다.
ㄴ. 성리학을 개혁의 사상적 기반으로 삼았다.
ㄷ. 원 간섭기에 새로운 정치 세력으로 등장하였다.
ㄹ. 높은 관직을 독점하고 음서를 이용하여 권력을 세습하였다.

3 고려 말 홍건적과 왜구를 격퇴하는 과정에서 큰 공을 세운 최영, 이성계 등의 무인들은 ( )으로 성장하였다.

• 새로운 정치 세력의 성장

구분	내용
신진 사대부	• 출신: 대부분 하급 관리나 지방 향리의 자제, 일부는 권문세족 출신 • 특징: 성리학 수용, 과거를 통해 관직 진출 • 성장: 공민왕의 개혁 과정에서 성장 → 권문세족의 비리 비판, 명과 화친 주장
신흥 무인 세력	홍건적과 왜구의 침입을 물리치며 백성의 신망을 얻은 무인들이 정치 세력 형성(최영, 이성계 등)

1 다음 빈칸에 들어갈 내용을 쓰시오.

(1) ( )는 위화도 회군으로 개경을 장악하고 우왕과 최영을 몰아내어 정치·군사의 실권을 장악하였다.
(2) 이성계와 급진파 사대부는 문란해진 조세 제도와 토지 제도를 바로잡고 권문세족의 경제적 기반을 약화하기 위해 ( )을 실시하였다.

2 ㉠, ㉡에 들어갈 내용을 각각 쓰시오.

신진 사대부는 위화도 회군 이후에 온건파와 급진파로 분열하였다. 이색·정몽주 등 (㉠) 사대부는 고려 전기의 제도를 회복하는 방식으로 사회 문제를 해결하자고 주장한 반면, 정도전·조준 등 (㉡) 사대부는 새 왕조를 세워야 한다고 주장하였다.

• 위화도 회군과 고려의 멸망

명이 고려에 옛 쌍성총관부의 영토 요구
↓
우왕과 최영의 요동 정벌 추진
↓
우왕의 명령으로 이성계 출정
↓
이성계가 위화도 회군으로 정치·군사의 실권 장악
↓
고려 멸망, 조선 건국

01 고려가 몽골과 국교를 맺게 된 계기로 옳은 것은?

① 고려가 강화도로 수도를 옮겼다.
② 고려와 송이 친선 관계를 맺었다.
③ 고려에서 강조의 정변이 발생하였다.
④ 거란의 장수 소손녕이 고려를 침략하였다.
⑤ 고려와 몽골군이 연합하여 거란을 물리쳤다.

02 다음 사건에 대한 고려의 대응으로 옳은 것은?

> 몽골 사신 저고여가 고려에서 본국으로 돌아가는 길에 피살되자, 몽골은 고려와의 국교를 끊고 고려를 침입하였다.

① 윤관이 동북 지역에 9성을 쌓았다.
② 국경 지역에 천리장성을 축조하였다.
③ 귀주성을 비롯한 여러 성에서 저항하였다.
④ 우왕과 최영이 요동을 공격하기로 결정하였다.
⑤ 서희가 외교 담판을 벌여 강동 6주를 획득하였다.

03 지도에 나타난 시기에 대한 학생들의 대화 내용으로 적절하지 않은 것은?

① 대구 부인사의 대장경 판목이 소실되었어.
② 특수 행정 구역의 주민들과 노비들이 활약하였어.
③ 고려는 북방 민족 정벌을 위해 별무반을 조직하였어.
④ 최씨 정권은 몽골에 맞서기 위해 수도를 강화도로 옮겼어.
⑤ 김윤후는 충주성에서 노비 문서를 불태워 노비들의 사기를 높였어.

시험에 잘 나와!

04 (가), (나) 시기 사이에 고려에서 있었던 사실로 옳은 것은?

> (가) 몽골은 고려에 1차 침입한 이후 북방 점령지와 개경에 다루가치를 두고 돌아갔다.
> (나) 내분으로 무신 정권이 붕괴되고 고려 정부는 개경으로 환도하였다.

① 강조의 정변이 일어났다.
② 양규가 거란군을 물리쳤다.
③ 김헌창이 웅주에서 난을 일으켰다.
④ 김윤후와 부곡민이 처인성에서 항전하였다.
⑤ 삼별초가 고려와 몽골의 연합군에게 진압되었다.

05 ㉠에 들어갈 문화유산으로 옳은 것은?

> ▶ 지식 Q&A
> 고려에서 만든 (㉠)에 대해 알려 주세요.
> ▶ 답변하기
> ↳ 최씨 정권이 민심을 모으고 부처의 힘으로 몽골을 물리치기 위해 제작하였어요.

① 석굴암 ② 팔만대장경
③ 경주 불국사 ④ 왕오천축국전
⑤ 무구정광대다라니경

06 다음 자료를 활용한 탐구 주제로 가장 적절한 것은?

> 1. 복식은 고려의 풍속에 따라 모두 고치지 않는다.
> 3. 강화도에서 개경으로 수도를 옮기는 것은 힘이 되는 대로 시행한다.
> 5. 고려에 설치한 다루가치 일행은 모두 귀환시킨다.

① 고려와 몽골의 강화
② 원의 고려 영토 지배
③ 몽골의 다루가치 파견
④ 고려와 원의 문화 교류
⑤ 몽골의 침략과 하층민의 저항

정답 친해 29쪽

[07～08] 다음 자료를 보고 물음에 답하시오.

07 ㉠에 들어갈 군사 조직으로 옳은 것은?

① 2군 ② 6위
③ 도방 ④ 별무반
⑤ 삼별초

08 ㉠ 부대에 대한 설명으로 옳은 것을 〈보기〉에서 고른 것은?

보기

ㄱ. 5도의 군사 방어를 담당하였다.
ㄴ. 무신 정권의 군사적 기반이었다.
ㄷ. 고려 정부의 개경 환도를 반대하였다.
ㄹ. 신기군, 신보군, 항마군으로 편성되었다.

① ㄱ, ㄴ ② ㄱ, ㄷ ③ ㄴ, ㄷ
④ ㄴ, ㄹ ⑤ ㄷ, ㄹ

09 다음에서 설명하는 기구로 옳은 것은?

원이 일본 원정을 준비하면서 고려에 설치한 기구이다. 일본 원정에 실패한 이후에도 계속 존속하며 고려의 내정에 간섭하였다.

① 응방 ② 동녕부
③ 정동행성 ④ 쌍성총관부
⑤ 탐라총관부

시험에 잘 나와!

10 원 간섭기에 있었던 사실로 옳지 않은 것은?

① 제주에 탐라총관부가 설치되었다.
② 원이 고려에 각종 공물을 요구하였다.
③ 고려 국왕은 원 황실의 사위가 되었다.
④ 고려의 왕자들은 원에서 성장하며 교육을 받았다.
⑤ 망이·망소이 형제가 공주 부근의 명학소에서 봉기하였다.

11 다음 풍속이 나타난 시기에 볼 수 있는 모습으로 가장 적절한 것은?

이 시기 고려 남자들은 사진처럼 발립을 썼으며, 철릭을 입었다. 철릭은 위아래가 붙은 옷으로, 허리에 주름이 있고 소매가 좁아 활동하기에 편리하였다.

① 원에 끌려가는 환관
② 동북 지방에 9성을 쌓는 군인
③ 무신 정변으로 도망가는 문신
④ 이자겸의 난을 진압하는 관군
⑤ 천리장성 축조를 위해 동원되는 농민

12 (가)에 들어갈 내용으로 가장 적절한 것은?

수행 평가 보고서

• 탐구 주제: (가)
• 조사 내용

구분	내용
1모둠	공녀 등이 원으로 끌려간 이유
2모둠	폐하를 전하로, 태자를 세자로 고친 이유

① 금의 사대 요구
② 원의 내정 간섭
③ 만적의 난의 영향
④ 서희의 외교 담판 결과
⑤ 무신 정권기 농민과 천민의 봉기

13 (가)에 들어갈 내용으로 옳은 것은?

> 원은 ____(가)____ 위해 철령 이북에 쌍성총관부, 서경에 동녕부, 제주도에 탐라총관부를 두었다.

① 고려와 문화 교류를 하기
② 고려에 원의 풍습을 전하기
③ 권문세족의 세력 기반을 약화하기
④ 고려의 영토 일부를 직접 지배하기
⑤ 일본 원정에 필요한 물자와 병사를 제공받기

[14~15] 다음을 읽고 물음에 답하시오.

> 요즘 들어 ㉠ 간악한 도당들이 남의 토지를 빼앗음이 매우 심하다. …… 남의 땅을 조상으로부터 물려받은 땅이라고 우기면서 주인을 내쫓고 땅을 빼앗는다. 한 토지의 주인이 대여섯명이 넘기도 하니, 농민들은 세금으로 생산량의 8~9할을 내야 한다. -『고려사』

14 ㉠에 해당하는 정치 세력으로 옳은 것은?

① 문벌 ② 호족
③ 권문세족 ④ 신진 사대부
⑤ 신흥 무인 세력

시험에 잘 나와!

15 ㉠ 세력의 특징으로 옳은 것을 〈보기〉에서 고른 것은?

〈보기〉
ㄱ. 대규모 농장을 경영하였다.
ㄴ. 도방을 확대하여 호위를 강화하였다.
ㄷ. 높은 관직을 독점하고 음서로 세력을 확대하였다.
ㄹ. 스스로를 성주라 부르며 지방의 군사와 행정을 장악하였다.

① ㄱ, ㄴ ② ㄱ, ㄷ ③ ㄴ, ㄷ
④ ㄴ, ㄹ ⑤ ㄷ, ㄹ

16 다음 글의 제목으로 가장 적절한 것은?

> 잦은 국왕 교체로 왕권이 약해지고 국가의 위상이 낮아지자, 고려에서는 새로운 지배 세력이 등장하였다. 이들 중에는 전부터 세력을 유지한 가문도 있었지만, 몽골어를 잘해서 통역에 종사하거나 응방의 관리로 성장한 사람들도 있었다.

① 성리학을 수용한 신진 사대부
② 원을 등에 업고 성장한 권문세족
③ 무신 정변으로 권력을 장악한 무신
④ 외적의 침입을 물리친 신흥 무인 세력
⑤ 과거와 음서로 주요 관직을 독점한 문벌

[17~18] 지도를 보고 물음에 답하시오.

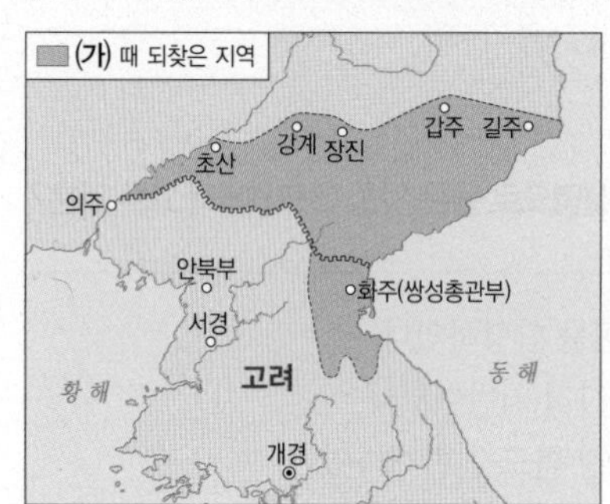

17 (가)에 들어갈 왕으로 옳은 것은?

① 광종 ② 예종 ③ 공민왕
④ 충목왕 ⑤ 충선왕

시험에 잘 나와!

18 (가) 왕이 추진한 정책으로 옳은 것은?

① 정동행성이문소를 폐지하였다.
② 묘청을 등용하여 개혁을 추진하였다.
③ 광덕, 준풍 등 독자적인 연호를 사용하였다.
④ 여진 정벌에 나서 동북 지방에 9성을 쌓았다.
⑤ 노비안검법을 실시하여 노비를 양인으로 해방하였다.

19 (가)에 들어갈 내용으로 적절한 것을 〈보기〉에서 고른 것은?

〈보기〉
ㄱ. 사심관 제도를 실시하였어.
ㄴ. 변발 등 원의 풍습을 금지하였어.
ㄷ. 최승로가 건의한 시무 28조를 받아들였어.
ㄹ. 고려 왕실의 호칭과 관청의 옛 제도를 복구하였어.

① ㄱ, ㄴ ② ㄱ, ㄷ ③ ㄴ, ㄷ
④ ㄴ, ㄹ ⑤ ㄷ, ㄹ

시험에 잘 나와!

20 다음 포고문을 반포한 목적으로 가장 적절한 것은?

근래에 기강이 크게 무너져서 탐욕을 부리는 것이 풍습이 되었으며, …… 토지와 노비를 권세 있는 집에서 거의 다 빼앗아 가졌다. 돌려주라고 판결을 했는데도 그대로 가지고 있고, 백성을 노비로 만들기도 하였다. …… 이제 도감을 설치하여 바로잡겠다. …… 스스로 잘못을 알고 고치면 죄를 묻지 않을 것이나, 기한을 넘겨 일이 발각되면 죄를 조사하여 다스릴 것이다. -「고려사」

① 원의 풍습을 금지하려고 하였다.
② 호족의 세력을 약화하려고 하였다.
③ 원의 내정 간섭에서 벗어나고자 하였다.
④ 권문세족의 세력 기반을 약화하고자 하였다.
⑤ 급진파 사대부가 새로운 왕조를 세우고자 하였다.

21 공민왕의 개혁 정치에 대한 설명으로 옳은 것을 〈보기〉에서 고른 것은?

〈보기〉
ㄱ. 권문세족의 지지를 받았다.
ㄴ. 문벌이 정치를 주도하는 결과를 가져왔다.
ㄷ. 새로운 정치 세력이 성장하는 기반을 마련하였다.
ㄹ. 신돈이 제거되고 공민왕이 시해당하면서 중단되었다.

① ㄱ, ㄴ ② ㄱ, ㄷ ③ ㄴ, ㄷ
④ ㄴ, ㄹ ⑤ ㄷ, ㄹ

22 ㉠에 들어갈 교육 기관으로 옳은 것은?

(㉠)은/는 공민왕이 개혁 세력을 육성하기 위해 정비한 곳으로, 이색, 정몽주, 정도전 등이 책임자로 임명되었다.

① 향교 ② 국학 ③ 태학
④ 성균관 ⑤ 주자감

23 다음 인물들로 대표되는 정치 세력에 대한 설명으로 옳지 않은 것은?

• 이색 • 정도전 • 정몽주

① 성리학을 수용하였다.
② 친원적 성향을 보였다.
③ 권문세족의 횡포를 비판하였다.
④ 과거에 급제하여 관직에 진출하였다.
⑤ 공민왕의 개혁 과정에서 성장하였다.

24 지도는 14세기 외적의 고려 침입을 나타낸 것이다. (가), (나) 세력과 관련된 설명으로 옳은 것을 〈보기〉에서 고른 것은?

〈보기〉

ㄱ. (가)의 침입에 최무선이 진포에서 맞서 싸웠다.
ㄴ. (가)는 12세기 이후 완옌부를 중심으로 부족을 통합하였다.
ㄷ. (나)에 대항하며 박위는 쓰시마섬을 토벌하였다.
ㄹ. (가), (나)를 격퇴하는 과정에서 신흥 무인 세력이 성장하였다.

① ㄱ, ㄴ ② ㄱ, ㄷ ③ ㄴ, ㄷ
④ ㄴ, ㄹ ⑤ ㄷ, ㄹ

25 밑줄 친 '그'의 활동으로 옳은 것은?

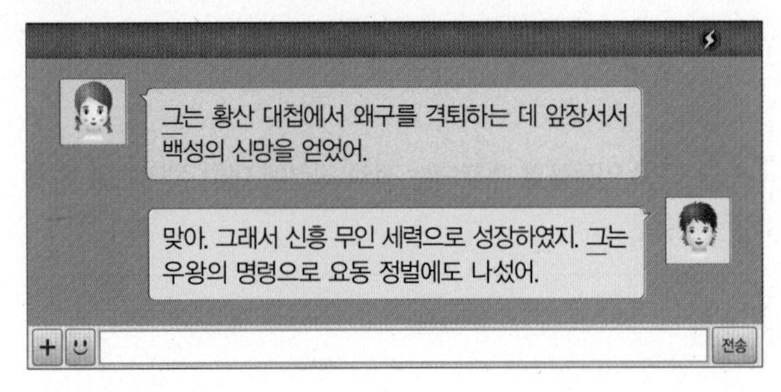

① 야별초를 조직하였다.
② 전민변정도감을 설치하였다.
③ 이의민을 제거하고 권력을 차지하였다.
④ 신돈을 등용하여 내정 개혁을 추진하였다.
⑤ 위화도 회군 이후 정치·군사의 실권을 장악하였다.

26 (가), (나) 세력에 대한 설명으로 옳지 않은 것은?

(가) 급진파 사대부	(나) 온건파 사대부

① (가) – 정도전, 조준 등이 대표 인물이다.
② (가) – 새 왕조를 세워야 한다고 주장하였다.
③ (나) – 이성계와 협력하였다.
④ (나) – 고려 전기의 제도를 회복해야 한다고 하였다.
⑤ (가), (나) – 위화도 회군 이후 고려 사회의 개혁 방법을 둘러싸고 분열하였다.

시험에 잘 나와!

27 (가)에 들어갈 내용으로 옳은 것을 〈보기〉에서 고른 것은?

우왕과 최영이 요동 정벌을 추진하였다. → (가) → 고려가 멸망하고 조선이 건국되었다.

〈보기〉

ㄱ. 고려가 처인성 전투에서 승리하였다.
ㄴ. 왕조 교체에 반대한 정몽주 등이 제거되었다.
ㄷ. 명이 고려에 옛 쌍성총관부 영토를 요구하였다.
ㄹ. 급진파 사대부가 조세 제도와 토지 제도의 개혁을 추진하였다.

① ㄱ, ㄴ ② ㄱ, ㄷ ③ ㄴ, ㄷ
④ ㄴ, ㄹ ⑤ ㄷ, ㄹ

28 ㉠에 해당하는 사실로 가장 적절한 것은?

이성계는 급진파 사대부와 연계하여 ㉠ 문란해진 토지 제도를 바로잡고 권문세족의 경제적 기반을 약화하려 하였다.

① 녹읍을 폐지하였다.
② 과전법을 실시하였다.
③ 관료전을 지급하였다.
④ 진대법을 운영하였다.
⑤ 전시과 제도를 실시하였다.

서술형 문제

서술형 감잡기

01 다음 자료에 나타난 공민왕의 정책과 이를 실시한 목적을 서술하시오.

> 근래에 기강이 크게 무너져서 탐욕을 부리는 것이 풍습이 되었으며, …… 토지와 노비를 권세 있는 집에서 거의 다 빼앗아 가졌다. …… 이제 도감을 설치하여 바로잡겠다. -『고려사』

➜ 공민왕은 (①　　　　)이 약탈한 토지와 노비를 본래 주인에게 돌려주고, 억울하게 노비가 된 사람들을 해방하기 위해 (②　　　　)을 설치하였다.

실전! 서술형 도전하기

02 다음 자료를 통해 알 수 있는 고려 대몽 항쟁의 특징을 서술하시오.

> • 김윤후는 몽골이 침입해 오자 처인부곡의 작은 성에서 살리타를 격살하고 몽골군을 물리쳤다. -『고려사』
> • 김윤후가 …… 관노비의 장부를 불태우고 노획한 소와 말을 나누어 주었다. 이에 모든 사람이 힘을 합쳐 몽골군을 물리쳤다. -『고려사』

03 다음과 같이 관제가 바뀐 시기에 고려 사회의 변화를 세 가지 서술하시오.

> • 2성(중서문하성, 상서성) → 첨의부
> • 중추원 → 밀직사

04 다음을 보고 물음에 답하시오.

(1) (가)에 들어갈 정치 세력을 쓰시오.

(2) (1) 세력의 특징을 세 가지 서술하시오.

05 지도를 보고 물음에 답하시오.

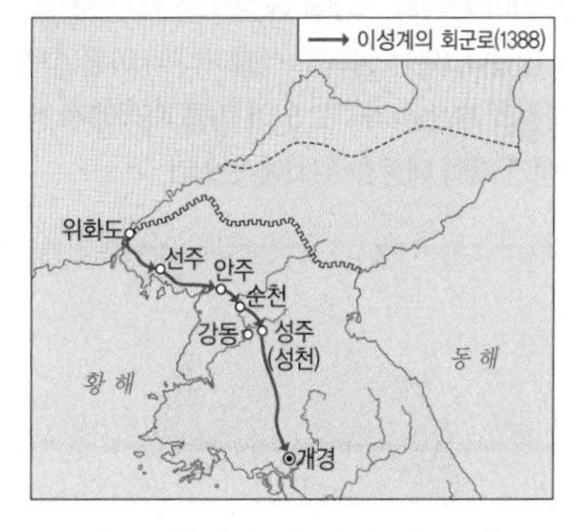

(1) 지도에 나타난 사건을 쓰시오.

(2) (1) 사건 이후 이성계의 정치적 활동을 서술하시오.

05 고려의 생활과 문화

A 고려의 가족 제도

1. 가족과 친족: 성별이나 혼인 여부와 관계없이 각자의 혈연 중심 → 아들과 딸, 남편과 부인이 평등한 관계 유지

재산 상속	부부는 각자 자신의 재산을 소유하고 아들과 딸에게 균등하게 나눠 줌, 자녀가 없으면 각자의 친족에게 재산 상속
제사	친가와 외가의 상을 애도하는 기간을 같게 함, 아들과 딸이 제사 비용 균등 부담
음서제	고위 관리의 사위나 조카, 친손자와 외손자도 음서의 대상이 됨
+친족 용어	부계와 모계를 구분하지 않음

2. 여성의 지위 ― 여성은 결혼 후 가정 경제와 자녀 교육을 맡았고, 자신의 재산을 가지고 사회 활동을 하였어.

(1) **혼인 관계:** 일부일처제가 일반적, 대체로 신랑이 신부 집에서 혼인식을 치르고 자녀를 낳아 기름, 남성과 여성 모두 이혼 요구 가능, 부부 중 한쪽이 사망할 경우 재혼 가능

(2) **호주 상속:** 족보에 친손·외손 모두 기록, 여성도 호주가 될 수 있음, 호적에 태어난 순서대로 적어 남녀 간에 차별을 두지 않음

자료로 이해하기 고려 가족 제도의 특징

나익희는 외아들이라고 하여 누이들보다 재산을 더 받는 것을 사양하였어.

나익희의 어머니가 재산을 나누어 주면서 나익희에게는 따로 노비 40명을 더 주려고 하자, 나익희는 사양하며 "1남 5녀 사이에 어찌 저만 더 받아서 우리 6남매가 골고루 화목하게 살도록 하려는 어머니의 인자한 뜻에 누를 끼칠 수가 있겠습니까?"라고 하니, 어머니가 의롭게 여기면서 그의 말을 따랐다. -「고려사」

고려 시대에는 남녀 구분 없이 자신의 가계를 중심으로 가족 관계를 중시하여 부모 봉양, 제사의 의무에 있어 친가와 외가를 구분하지 않았다. 재산 상속도 성별이나 나이에 상관없이 누구나 같은 몫을 상속받았다. 고려의 여성은 혼인 후에도 자신의 재산을 가지고 있어 이를 자식에게 상속할 수 있었으며, 가정생활이나 경제 활동 등의 일상생활에서는 남성과 거의 대등한 위치에 있었다.

+ 고려의 친족 용어

고려 시대에는 친가와 외가를 동등하게 여겨 호칭도 아버지 쪽과 어머니 쪽을 구분하지 않았다. 부모의 아버지는 '한아비(할아비)', 부모의 어머니는 '한어미', 부모의 자매는 '아자미', 부모의 형제는 '아자비'라고 불렀다.

B 백성의 풍속

1. 향도

특징	농민들이 불교 신앙을 바탕으로 조직한 대규모 노동 조직
발전	향리를 중심으로 운영, +매향 활동을 하고 절이나 불상·석탑 등을 만들 때 주도적인 역할을 함 → 고려 후기에 이웃의 상장례를 함께 치르고 연회를 베풀어 친목을 다지는 소규모 농민 조직으로 변화 (매향: 죽은 뒤의 복을 빌고자 강이나 바닷가에 향나무를 묻는 일)

2. 지방민의 신앙: 지방민들이 각 지역 출신의 위대한 인물을 지역의 수호신으로 섬김 → 제사를 겸한 축제는 지역 고유의 문화로 유지됨

+ 사천 흥사리 매향비

약 4,100명이 함께 모여 내세의 행운을 빌고 매향 활동을 한 내용이 새겨져 있다.

- 고려 시대 사람들의 생활 모습
- 종교와 학문의 발달
- 문화와 예술의 발달
- 인쇄술의 발달

1 고려의 가족 제도에 대한 설명이 맞으면 ○표, 틀리면 ×표를 하시오.

(1) 친족 용어는 부계와 모계를 구분하지 않았다. ( )
(2) 친가와 외가의 상을 애도하는 기간에 차등을 두었다. ( )
(3) 아들과 딸, 남편과 부인이 평등한 관계를 유지하였다. ( )
(4) 부부는 각자의 재산을 소유하고 아들과 딸에게 균등하게 나눠 주었다. ( )
(5) 고위 관리의 사위나 조카, 친손자와 외손자도 모두 음서의 대상이 되었다. ( )

2 다음 괄호 안의 내용 중 알맞은 말에 ○표를 하시오.

(1) 고려의 혼인 제도는 (일부다처제, 일부일처제)가 일반적이었다.
(2) 고려 시대에는 대체로 (신랑 집, 신부 집)에서 혼인식을 치르고, 이곳에 살면서 자녀를 낳아 길렀다.

3 고려 시대 여성의 지위에 대한 설명으로 옳은 것만을 〈보기〉에서 있는 대로 골라 기호를 쓰시오.

보기
ㄱ. 이혼을 요구할 수 없었다.
ㄴ. 일상생활에서 남성과 거의 대등한 위치에 있었다.
ㄷ. 결혼 후에도 자신의 재산을 가지고 사회 활동을 하였다.
ㄹ. 호적에는 태어난 순서와 상관없이 항상 남성의 뒤에 기록되었다.

• 고려의 가족 제도

가족과 친족	• 재산 상속: 아들과 딸에게 재산을 균등하게 분배 • 제사: 친가와 외가의 상을 애도하는 기간을 동등하게 함, 아들과 딸이 제사 비용 균등 부담
여성의 지위	일부일처제가 일반적, 이혼 요구 및 재혼 가능, 호주가 될 수 있음

1 (　　　　)는 농민들이 불교 신앙을 바탕으로 조직한 대규모 노동 조직으로 향리를 중심으로 운영되었다.

2 고려 시대 향도에 대한 설명이 맞으면 ○표, 틀리면 ×표를 하시오.

(1) 노동 공동체로서, 매향 활동을 하였다. ( )
(2) 절이나 불상, 석탑 등을 만들 때 주도적인 역할을 하였다. ( )

• 고려 시대 백성의 풍속

향도	농민들이 불교 신앙을 바탕으로 조직한 대규모 노동 조직, 매향 활동을 함
지방민의 신앙	지방민들이 각 지역 출신의 위대한 인물을 지역의 수호신으로 섬김

C 불교의 발달

1. 고려 시대의 불교

(1) 특징: 국가의 지원을 받아 크게 발전, 왕실과 일반 백성이 불교를 널리 믿음
— 국가는 사원에 토지와 노비를 지급하고, 승려들의 역을 면제해 주었어.

(2) 발전

태조의 불교 장려	+연등회를 비롯한 불교 행사를 성대하게 열 것을 당부함
광종의 제도 정비	과거제에 승과 설치, +국사와 왕사 제도 정비

2. 불교 사상의 발전과 변화

고려 초기	신라 말부터 유행한 선종 중심 → 체제가 안정되면서 국가의 지원의 받은 교종 세력 강화
고려 중기	의천의 교단 통합 운동: 화엄종을 중심으로 교종 통합 노력, 천태종(해동 천태종)을 창시하여 교종의 입장에서 선종을 통합하려 함 → 의천이 죽은 뒤 교단이 다시 분열됨
고려 후기	• 지눌의 불교 개혁 운동: 불교의 세속화를 비판하고 수선사(송광사)를 중심으로 불교 개혁 운동 전개, 선종을 중심으로 교종을 포용하여 선종과 교종의 조화를 이루고자 함(선교 일치) • 원 간섭기: 불교계의 개혁 의지 약화 → 불교계가 권문세족과 연결되어 막대한 토지 소유, 고리대를 통한 재산 축적 등의 폐단을 드러냄

자료로 이해하기 의천과 지눌

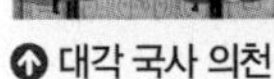

대각 국사 의천

보조 국사 지눌

의천은 고려 문종의 넷째 아들로, 11세에 출가하여 승려가 되었다. 그는 송에 유학하여 불교 교리를 공부하였고, 귀국 후에는 경전의 연구와 깨달음을 위한 수행을 함께 할 것을 주장하며 교단 통합 운동을 벌였다. 한편, 지눌은 불교의 세속화를 비판하며 승려 본연의 자세로 돌아가 불경, 수행, 노동에 고루 힘쓰자는 개혁 운동을 펼쳤다. 또한 깨달음을 수행하는 선종과 지혜를 수행하는 교종은 결국 같은 것이라고 보아 선교 일치를 주장하였다.

+ 연등회
석가모니의 탄생일을 기념하여 등불을 켜 공덕을 기리는 행사

+ 국사와 왕사
고려의 최고 승직으로, 덕이 높아 나라나 왕의 스승이 될 만한 승려에게 주었다.

D 도교와 풍수지리설의 유행

1. +도교

(1) 전래 및 유행: 삼국 시대에 전래, 고려 시대에 왕실을 비롯한 지배층에서 유행

(2) 특징: 고려 사람들이 도교의 여러 신에게 복을 빌며 국가의 안녕과 왕실의 번영 기원, 고려 왕실에서 하늘과 별에 제사를 지내는 도교 행사 자주 개최

2. 풍수지리설

(1) 유행: 신라 말에 널리 퍼짐, 미래의 운명을 예언하는 도참사상과 결합하여 더욱 성행

(2) 영향: 개경과 서경이 가장 좋은 명당으로 여겨짐, 서경 천도 운동에 영향을 줌, 절을 지을 때에 풍수지리설에 따라 터를 잡음
— 개경의 기운이 약해졌으므로 도읍을 서경으로 옮겨야 한다는 서경 길지설이 나오기도 하였어.

+ 도교
불로장생(늙지 않고 오래 사는 것)과 현세의 복을 구하는 종교

핵심 콕콕

• 고려 시대 불교의 발달

고려 시대의 불교	국가의 지원을 받아 크게 발전, 태조의 불교 장려, 광종의 제도 정비
불교 사상의 발전과 변화	• 고려 초기: 신라 말부터 유행한 선종 중심 • 고려 중기: 의천이 천태종을 창시하여 교종을 중심으로 선종을 통합하고자 함 • 고려 후기: 지눌이 선종을 중심으로 교종을 포용하는 선교 일치 주장

1 다음 괄호 안의 내용 중 알맞은 말에 ○표를 하시오.

(1) 고려 시대에 (불교, 풍수지리설)은/는 국가의 지원을 받아 크게 발전하였다.

(2) 고려의 (광종, 태조)은/는 과거제에 승과를 설치하고 국사와 왕사 제도를 정비하였다.

2 다음 빈칸에 들어갈 내용을 쓰시오.

(1) 고려 초기 불교는 신라 말부터 유행한 ( )이 중심이 되었다.

(2) ( )는 석가모니의 탄생일을 기념하여 등불을 켜 공덕을 기리는 행사로, 고려 시대에 개최되었다.

3 다음에서 설명하는 인물을 〈보기〉에서 골라 기호를 쓰시오.

보기

ㄱ. 의천 ㄴ. 지눌

(1) 수선사를 중심으로 불교 개혁 운동을 전개하였다. ( )

(2) 천태종을 통해 교종을 중심으로 선종을 통합하고자 하였다. ( )

4 ㉠, ㉡에 들어갈 내용을 각각 쓰시오.

고려 시대 (㉠) 간섭기에는 불교계의 개혁 의지가 약해졌다. 불교계는 (㉡)과 연결되어 막대한 토지를 소유하였으며, 고리대를 통해 재산을 축적하는 등 여러 폐단을 드러냈다.

핵심 콕콕

• 고려 시대 도교와 풍수지리설의 유행

도교	불로장생과 현세의 복을 구하는 종교로 왕실을 비롯한 지배층에서 유행
풍수지리설	미래의 운명을 예언하는 도참사상과 결합하여 성행, 서경 천도 운동에 영향을 줌

1 다음 설명이 맞으면 ○표, 틀리면 ×표를 하시오.

(1) 도교는 고려 시대에 처음 전래되었다. ( )

(2) 고려 왕실에서는 하늘에 제사 지내는 도교 행사를 자주 개최하였다. ( )

(3) 풍수지리설이 퍼지면서 개경과 서경이 가장 좋은 명당으로 여겨졌다. ( )

2 신라 말에 널리 퍼진 ( )은 미래의 운명을 예언하는 도참사상과 결합하여 성행하였고 서경 천도 운동에 영향을 주었다.

E 유학 교육의 강화와 성리학의 수용

1. 고려 시대의 유학

고려는 정치와 교육 등에서 대부분 유학 사상을 따랐어.

(1) 유학 교육의 강화

① 과거제 실시: 유교적 소양을 갖춘 인재를 관리로 등용

② 교육 제도 정비: ⁺국자감(개경)과 향교(지방)를 두어 유교 경전과 역사서를 가르침

(2) 유학 교육의 변화: 고려 초(유교 경전에 대한 이해 중시) → 고려 중기(시나 문장을 짓는 능력 더욱 중시, 관학 쇠퇴·사학 번성) → 무신 집권기(유학 교육과 연구 쇠퇴)

최충의 학당(문헌공도)을 비롯하여 사립 학교가 번성하자 정부는 국자감에 전문 강좌를 설치하고 장학 재단을 만드는 등 관학을 진흥하기 위해 노력하였어.

2. ⁺성리학의 수용

수용	충렬왕 때 안향에 의해 고려에 소개 → 신진 사대부가 고려 사회의 문제점을 해결하기 위한 개혁 사상으로 받아들임
발전	• ⁺만권당 설치: 이제현 등이 원의 유학자들과 교류하며 성리학에 대한 이해를 높임 • 성리학 보급 노력: 이색이 성균관을 정비하고 정몽주, 정도전 등의 제자 양성
영향	성리학을 수용한 신진 사대부가 불교의 사회적·경제적 폐단 비판, 일부는 불교 교리 부정 → 정계에서 불교의 위상이 낮아지고 성리학이 지도 이념으로 자리 잡음

+ 국자감
성종 때 설치된 것으로, 국학으로 불리다가 고려 후기에 성균관으로 이름이 바뀌었다.

+ 성리학
인간의 심성을 우주의 원리와 연결하여 이해하는 학문으로, 남송의 주희가 집대성하였다.

+ 만권당
충선왕이 원의 수도에 있던 자신의 집에 설치한 서재로, 이곳에서 고려와 원의 학자들 사이에 학문적 교류가 이루어졌다.

F 역사서의 편찬

1. 고려 전기

(1) 『삼국사』, 『⁺7대 실록』: 현재 전하지 않음

(2) 『삼국사기』: 김부식이 편찬, 현존하는 가장 오래된 역사서, 유교적 합리주의 사관과 고려의 신라 계승 의식 반영

김부식은 고려가 통일 신라를 계승하였다고 보았어.

2. 고려 후기

(1) 「⁺동명왕편」: 이규보가 저술, 고려의 고구려 계승 의식 반영

(2) 『삼국유사』: 일연이 편찬, 고대의 설화와 전설 수록, 처음으로 단군의 건국 이야기 기록

(3) 『제왕운기』: 이승휴가 편찬, 단군 조선을 우리 역사상 최초의 국가로 기록

(4) 『사략』: 이제현 편찬, 성리학 수용 후의 정통 의식과 대의명분을 강조하는 사관 반영

(5) 『해동고승전』: 각훈이 편찬, 왕명에 따라 삼국 시대 이래 여러 승려의 전기 기록

몽골의 침입과 원 간섭기를 겪으면서 고려에서는 『삼국유사』, 『제왕운기』 등 자주 의식을 담은 역사서가 편찬되었어.

자료로 이해하기 『삼국사기』와 『삼국유사』

• 신라의 박씨와 석씨는 모두 알에서 태어났으며, 김씨는 금궤에 들어 있다가 하늘로부터 내려왔다거나 혹은 금 수레를 타고 왔다고 하니, 이는 더욱 괴이하여 믿을 수 없다. – 『삼국사기』

• 제왕이 장차 일어날 때에는 반드시 하늘의 명을 받게 된다. 때문에 보통 사람과는 다른 점이 있게 마련이다. 삼국의 시조는 모두 신비스럽게 나왔으니 어찌 괴이할 것이 있겠는가? – 『삼국유사』

김부식은 유교적 합리주의 사관에 따라 설화나 신화 등의 내용을 축소하였어.

『삼국사기』는 유학자 김부식이 이자겸의 난과 서경 천도 운동으로 약해진 왕권을 회복하려는 왕의 명령에 따라 편찬한 역사서이다. 한편, 『삼국유사』는 승려 일연이 원 간섭기에 우리 고유의 문화와 불교에 관한 내용을 담아 저술한 역사서로, 민간에 전해지는 전설, 야사, 신화 등 『삼국사기』에 빠진 내용까지 정리하여 수록하였다.

+ 7대 실록
거란의 침략으로 이전 국왕들의 기록이 불타자 현종이 편찬한 역사서

+ 동명왕편
고구려를 건국한 동명왕의 업적을 칭송한 영웅 서사시

1 다음 괄호 안의 내용 중 알맞은 말에 ○표를 하시오.

(1) 고려는 개경에 (향교, 국자감)을/를 두어 유교 경전을 가르쳤다.

(2) 고려는 (과거제, 음서제)를 실시하여 유교적 소양을 갖춘 인재를 관리로 뽑았다.

2 남송의 주희가 집대성한 ( )은 인간의 심성을 우주의 원리와 연결하여 이해하는 학문이다.

3 다음 인물과 그의 활동을 옳게 연결하시오.

(1) 안향 •　　• ㉠ 고려에 성리학 처음 소개

(2) 이색 •　　• ㉡ 만권당에서 원의 유학자들과 교류

(3) 이제현 •　　• ㉢ 성균관 정비, 정몽주·정도전 등 제자 양성

핵심 콕콕

- **유학 교육의 강화와 성리학의 수용**

고려 시대의 유학	• 유학 교육의 강화: 과거제 실시, 국자감과 향교 설치 • 유학 교육의 변화: 고려 초 유교 경전에 대한 이해 중시 → 시나 문장을 짓는 능력 더욱 중시, 관학 쇠퇴·사학 번성
성리학의 수용	신진 사대부가 고려 사회의 문제점을 해결하기 위한 개혁 사상으로 성리학을 받아들임

1 다음 설명이 맞으면 ○표, 틀리면 ×표를 하시오.

(1) 고려 전기에 편찬된 7대 실록은 현재 전하지 않는다. ( )

(2) 삼국사기는 고려가 고구려를 계승하였다는 의식을 반영하였다. ( )

(3) 몽골의 침입과 원 간섭기를 겪으면서 고려에서는 자주 의식을 담은 역사서가 편찬되었다. ( )

2 다음에서 설명하는 역사서를 〈보기〉에서 골라 기호를 쓰시오.

보기

ㄱ. 동명왕편　　ㄴ. 삼국사기　　ㄷ. 삼국유사

(1) 지금까지 전하는 가장 오래된 역사서이다. ( )

(2) 최초로 단군의 건국 이야기를 기록하였다. ( )

(3) 고구려를 건국한 동명왕의 업적을 칭송한 영웅 서사시이다. ( )

3 이승휴는 ( )에서 단군 조선을 우리 역사상 최초의 국가로 기록하였다.

핵심 콕콕

- **고려 시대의 역사서 편찬**

고려 전기
『삼국사』, 『7대 실록』(현존하지 않음), 김부식의 『삼국사기』(현존하는 가장 오래된 역사서)

↓

고려 후기
이규보의 『동명왕편』, 일연의 『삼국유사』, 이승휴의 『제왕운기』, 이제현의 『사략』

G 문화와 예술의 발달

1. 불교 예술의 발달

(1) 불상: 대형 철제 불상(하남 하사창동 철조 석가여래 좌상), 대규모 석조 불상(논산 관촉사 석조 미륵보살 입상), 통일 신라의 불상 양식을 계승한 불상 등 건립 — 예) 영주 부석사 소조 아미타여래 좌상 등

(2) 석탑: 다각 다층탑 유행(평창 월정사 8각 9층 석탑), 원의 영향을 받은 석탑 제작(개성 경천사지 10층 석탑), 승탑 제작(원주 법천사지 지광 국사 탑)

(3) 불교 건축: 배흘림기둥과 +주심포 양식을 갖춘 사찰 건축(안동 봉정사 극락전, 영주 부석사 무량수전, 예산 수덕사 대웅전), 원의 영향을 받은 +다포 양식의 사찰 건축(황해도 황주 성불사 응진전) — 우리나라 목조 건축물 중 가장 오래되었어.

2. 문화의 발달

회화	• 고려 전기: 현재 전하지 않음 • 고려 후기: 원 화풍의 영향을 받음(「천산대렵도」 — 공민왕의 작품이라고 전해지고 있어.), 지배층의 평안과 극락왕생을 기원하는 불화 제작(아미타불도, 관음보살도, 「양류관음도」 등) — 왕실과 권문세족의 후원을 받아 부처와 이상 세계를 표현하였어.
공예	• 고려청자: 당·송의 기술을 받아들여 청자 제작, 11세기 비색의 순청자 제작 → 12세기 이후 +상감 청자 제작 → 고려 말 청자 생산 쇠퇴, 청자 제작 기법에 새로운 기법을 응용한 분청사기 제작 — 왜? 왜구의 침략으로 청자 생산 지역이 황폐해졌기 때문이야. • 기타: 금속 공예(+입사 기법 발달), 목공예(+나전 칠기 공예 발달)
글씨	굳세고 힘찬 느낌의 구양순체 유행, 탄연의 글씨가 뛰어남
음악	송의 대성악이 궁중 음악인 아악으로 발전, 속악(향악)이 당악의 영향을 받아 발달 — 우리 고유의 음악

자료로 이해하기 불교 예술의 발달

논산 관촉사 석조 미륵보살 입상 — 높이 18m로, 우리나라에서 가장 큰 불상이야.

개성 경천사지 10층 석탑

원주 법천사지 지광 국사 탑

고려 시대에는 불교가 문화의 중심을 이루어 불교 예술이 발달하였다. 고려 초기에는 지방 문화가 발달하여 거대한 석불이 많이 만들어졌는데, 논산 관촉사 석조 미륵보살 입상은 인체 표현이 과장된 거대한 석불이다. 고려 후기에는 개성 경천사지 10층 석탑처럼 원의 영향을 받은 석탑도 제작되었다. 한편, 승탑은 규모는 작지만 조각의 정밀함과 예술성이 뛰어났다.

+ 주심포 양식과 다포 양식
주심포 양식은 공포가 기둥 위에만 있는 것이고, 다포 양식은 기둥과 기둥 사이에도 공포를 둔 것이다.

+ 상감 청자
그릇 표면을 파내고 다른 색의 흙을 메우는 상감법이 사용된 청자이다.

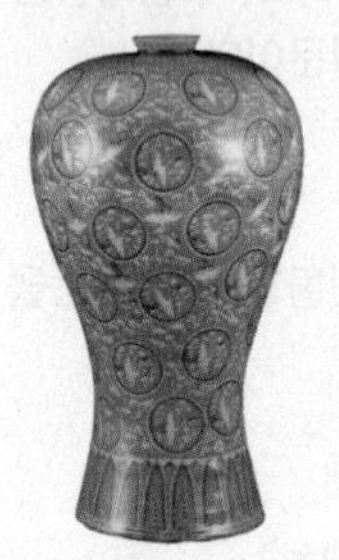
청자 상감 운학문 매병

+ 입사 기법
동, 철 등의 금속에 선이나 홈을 파서 그 부분에 금, 은, 동, 주석 등 다른 금속을 채워 넣는 기법

+ 나전 칠기 공예
옻칠한 바탕에 자개를 붙여 무늬를 내는 공예

나전 칠기로 만든 염주합

H 인쇄술의 발달

1. 목판 인쇄술: 초조대장경 목판(거란의 침입을 물리치기 위해 제작 → 몽골의 침입으로 불에 탐), +팔만대장경(몽골의 침입을 물리치기 위해 제작)

2. 금속 활자 — 고려는 발달된 인쇄술을 바탕으로 세계 최초로 금속 활자를 발명하였어.

(1) 『상정고금예문』: 1234년에 금속 활자로 인쇄했다는 기록이 있으나 현재 전하지 않음

(2) 『직지』: 1377년 청주 흥덕사에서 간행, 세계에서 가장 오래된 금속 활자 인쇄본(금속 활자본)으로 공인 — 『직지심체요절』이라고도 해. 현재는 프랑스 국립 도서관에 보관되어 있어.

+ 팔만대장경
무신 집권자 최우가 부처의 힘에 기대어 몽골의 침입을 물리치기 위해 만들었으며, 보존 상태가 뛰어나 고려 목판 인쇄술의 높은 수준을 보여 준다. 현재 합천 해인사에 보관되어 있다.

1 다음에서 설명하는 문화유산을 〈보기〉에서 골라 기호를 쓰시오.

보기
ㄱ. 개성 경천사지 10층 석탑
ㄴ. 논산 관촉사 석조 미륵보살 입상
ㄷ. 영주 부석사 소조 아미타여래 좌상

(1) 원의 영향을 받아 제작되었다. (　　)
(2) 우리나라에서 가장 큰 불상이다. (　　)
(3) 통일 신라의 불상 양식을 계승하였다. (　　)

2 다음 건축물과 그 건축 양식을 옳게 연결하시오.

(1) 안동 봉정사 극락전 • 　　　• ㉠ 다포 양식
(2) 황해도 황주 성불사 응진전 • 　　　• ㉡ 주심포 양식

3 고려청자의 발달 과정에 대한 설명에서 ㉠~㉢에 들어갈 내용을 각각 쓰시오.

11세기까지는 비색의 (㉠　　　　)를 주로 만들었고, 12세기 이후에는 상감법으로 화려한 무늬를 넣은 (㉡　　　　)를 주로 만들었다. 고려 말에는 청자 제작 기법에 새로운 기법을 응용한 (㉢　　　　)가 제작되었다.

4 다음 괄호 안의 내용 중 알맞은 말에 ○표를 하시오.

(1) 우리 고유의 음악인 (속악, 대성악)은 당악의 영향을 받아 발달하였다.
(2) 고려 후기에는 (아미타불도, 천산대렵도)와 같은 원 화풍의 영향을 받은 그림이 제작되었다.

• 고려 시대 문화와 예술의 발달

불교 예술의 발달	• 불상: 대형 철제 불상 유행, 대규모 석조 불상 등 제작 • 석탑: 다각 다층탑 유행, 원의 영향을 받은 석탑 제작, 승탑 제작 • 불교 건축: 주심포 양식·다포 양식의 사찰 건축
문화의 발달	• 회화: 「천산대렵도」, 아미타불도, 관음보살도 등 제작 • 공예: 청자, 금속 공예, 목공예 발달 • 글씨: 구양순체 유행 • 음악: 아악, 속악(향악) 발달

1 다음 빈칸에 들어갈 내용을 쓰시오.

(1) (　　　　)은 거란의 침입 때 제작되었으나 몽골의 침입으로 소실되었다.
(2) 최우의 주도로 제작된 (　　　　)은 고려 목판 인쇄술의 높은 수준을 보여 준다.
(3) (　　　　)은/는 현존하는 세계에서 가장 오래된 금속 활자 인쇄본으로 공인되고 있다.

• 고려 시대 인쇄술의 발달

목판 인쇄술	초조대장경 목판과 팔만대장경 제작
금속 활자	『상정고금예문』과 『직지』 간행

01 다음 자료를 통해 알 수 있는 고려 가족 제도의 특징으로 가장 적절한 것은?

> 나익희의 어머니가 재산을 나누어 주면서 나익희에게는 따로 노비 40명을 더 주려고 하자, 나익희는 사양하며 "1남 5녀 사이에 어찌 저만 더 받아서 우리 6남매가 골고루 화목하게 살도록 하려는 어머니의 인자한 뜻에 누를 끼칠 수가 있겠습니까?"라고 하니, 어머니가 의롭게 여기면서 그의 말을 따랐다.

① 여성은 이혼을 요구할 수 없었다.
② 정부가 과부의 재혼을 제한하였다.
③ 혼례 후 신부가 신랑 집에서 생활하였다.
④ 아들과 딸이 부모의 재산을 똑같이 상속받았다.
⑤ 제사는 큰아들이 지내야 한다는 인식이 확산되었다.

02 고려의 가족 제도에 대한 설명으로 옳은 것을 〈보기〉에서 고른 것은?

보기
ㄱ. 족보에는 친손만 기록하였다.
ㄴ. 혼인 형태는 일부다처제가 일반적이었다.
ㄷ. 친족 용어는 부계와 모계를 구분하지 않았다.
ㄹ. 친가와 외가의 상을 애도하는 기간에 차등을 두지 않았다.

① ㄱ, ㄴ ② ㄱ, ㄷ ③ ㄴ, ㄷ
④ ㄴ, ㄹ ⑤ ㄷ, ㄹ

03 다음 학습 목표를 달성한 학생의 답변으로 적절하지 않은 것은?

> • 학습 목표: 고려 시대 여성의 지위에 대해 설명할 수 있다.

① 여성은 재혼이 가능하였습니다.
② 여성은 호주가 될 수 없었습니다.
③ 여성은 이혼을 요구할 수 있었습니다.
④ 호적에 남녀 구분 없이 태어난 순서대로 기록되었습니다.
⑤ 여성은 결혼 후 자신의 재산을 가지고 사회 활동을 하였습니다.

04 다음 문화재를 활용한 보고서의 제목으로 가장 적절한 것은?

> 사진은 사천 흥사리 매향비를 보여 준다. 비석의 표면에는 약 4,100명이 함께 모여 내세의 행운을 빌고 나라의 부강과 백성들의 평안을 기원하며 매향 활동을 한 내용이 새겨져 있다.

① 성리학의 수용
② 풍수지리설의 유래
③ 과거제 실시의 목적
④ 서경 길지설이 고려에 끼친 영향
⑤ 향리를 중심으로 운영된 향도의 활동

시험에 잘 나와!

05 (가)에 들어갈 내용으로 적절한 것을 〈보기〉에서 고른 것은?

주제: 고려 시대 불교의 발달

보기
ㄱ. 훈요 10조를 남겼어.
ㄴ. 과거제에 승과를 설치하였어.
ㄷ. 국사와 왕사 제도를 정비하였어.
ㄹ. 최승로의 시무 28조를 받아들였어.

① ㄱ, ㄴ ② ㄱ, ㄷ ③ ㄴ, ㄷ
④ ㄴ, ㄹ ⑤ ㄷ, ㄹ

정답 친해 33쪽

시험에 잘 나와!

06 (가)에 들어갈 내용으로 가장 적절한 것은?

역사 인물 카드

- 이름: 대각 국사 의천
- 생몰 연대: 1055~1101년
- 주요 활동
  - 천태종을 창시하였다.
  - ______(가)______

① 화쟁 사상을 주장하였다.
② 부석사를 비롯한 여러 사원을 세웠다.
③ 당에서 화엄 사상을 공부하고 돌아왔다.
④ 화엄종을 중심으로 교종을 통합하려 하였다.
⑤ 인도와 중앙아시아를 순례하고 왕오천축국전을 썼다.

07 고려 시대 불교에 대한 설명으로 옳지 않은 것은?

① 원효가 불교의 대중화에 힘썼다.
② 초기에는 신라 말부터 유행한 선종이 중심이 되었다.
③ 권문세족과 연결되어 여러 폐단을 드러내기도 하였다.
④ 지눌이 불교의 세속화를 비판하며 불교 개혁 운동을 펼쳤다.
⑤ 태조가 연등회를 비롯한 불교 행사를 성대하게 열 것을 당부하였다.

08 (가)에 들어갈 내용으로 옳은 것은?

① 도교 ② 불교 ③ 유교
④ 민간 신앙 ⑤ 풍수지리설

09 다음 사실이 고려 사회에 끼친 영향으로 적절한 것을 〈보기〉에서 고른 것은?

고려 시대에는 풍수지리설이 미래의 운명을 예언하는 도참사상과 결합하여 더욱 성행하였다.

〈보기〉
ㄱ. 노비안검법이 실시되었다.
ㄴ. 국자감과 향교가 설치되었다.
ㄷ. 개경과 서경이 가장 좋은 명당으로 여겨졌다.
ㄹ. 묘청 등이 서경으로 도읍을 옮기자고 주장하였다.

① ㄱ, ㄴ ② ㄱ, ㄷ ③ ㄴ, ㄷ
④ ㄴ, ㄹ ⑤ ㄷ, ㄹ

10 ㉠에 들어갈 교육 기관으로 옳은 것은?

(㉠)은/는 성종 때 개경에 설치한 최고 국립 교육 기관으로, 고려 후기에 성균관으로 이름이 바뀌었다.

① 태학 ② 향교
③ 국자감 ④ 만권당
⑤ 주자감

11 ㉠~㉤ 중 옳지 않은 것은?

㉠ 고려는 정치나 교육 등에서 대부분 유학 사상을 따랐다. ㉡ 과거제를 실시하여 유교적 소양을 갖춘 인재를 관리로 등용하였고, 개경과 지방의 주요 지역에 유학 교육 기관을 설립하였다. ㉢ 고려 초에는 유교 경전에 대한 이해를 중시하였으나 ㉣ 이후에는 시나 문장을 짓는 능력이 더욱 중시되었다. ㉤ 유학은 점차 발달하여 지방 호족의 사상적 기반이 되었다.

① ㉠ ② ㉡ ③ ㉢ ④ ㉣ ⑤ ㉤

12 (가)에 들어갈 내용으로 가장 적절한 것은?

1. 주제: 고려 시대 사학의 발달
2. 탐구 활동
   - 유학자들이 세운 사립 학교를 조사한다.
   - ______(가)______

① 향교가 설치된 지역을 찾아본다.
② 국학에서 실시한 시험을 알아본다.
③ 문헌공도를 세운 인물을 조사한다.
④ 빈공과에 합격한 인물을 확인한다.
⑤ 만권당에서 학문적 교류를 한 학자들을 살펴본다.

[13~14] 다음을 읽고 물음에 답하시오.

이 학문은 인간의 심성을 우주의 원리와 연결하여 이해하는 학문으로, 남송의 주희가 집대성하였다.

13 밑줄 친 '이 학문'으로 옳은 것은?

① 교종 ② 도교
③ 선종 ④ 성리학
⑤ 풍수지리설

14 밑줄 친 '이 학문'에 대한 설명으로 옳은 것을 <보기>에서 고른 것은?

<보기>
ㄱ. 도선이 널리 보급하였다.
ㄴ. 서경 천도 운동에 영향을 주었다.
ㄷ. 신진 사대부를 중심으로 수용되었다.
ㄹ. 고려 후기에 지도 이념으로 자리 잡았다.

① ㄱ, ㄴ ② ㄱ, ㄷ ③ ㄴ, ㄷ
④ ㄴ, ㄹ ⑤ ㄷ, ㄹ

15 시험에 잘 나와! ㉠ 역사서에 대한 설명으로 옳은 것은?

이달의 책 소개

- 책 이름: (㉠)
- 책의 일부 내용
  신라의 박씨와 석씨는 모두 알에서 태어났으며, 김씨는 금궤에 들어 있다가 하늘로부터 내려왔다거나 혹은 금 수레를 타고 왔다고 하니, 이는 더욱 괴이하여 믿을 수 없다.
- 특징: 유교의 합리주의 사관에 따라 서술하였고, 고려가 통일 신라를 계승하였다고 봄

① 이규보가 저술하였다.
② 단군에 대해 기록하였다.
③ 현존하는 가장 오래된 역사서이다.
④ 주로 고대의 설화와 전설을 수록하였다.
⑤ 영웅 서사시로 동명왕의 업적을 칭송하였다.

16 (가)에 들어갈 역사서로 옳은 것을 <보기>에서 고른 것은?

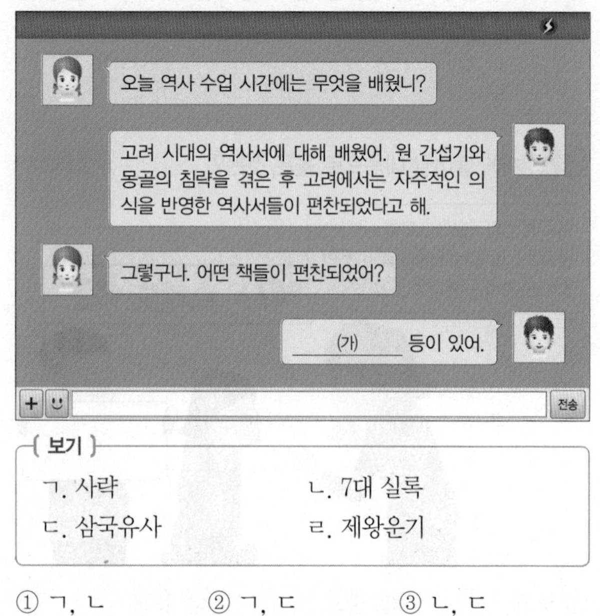

<보기>
ㄱ. 사략 ㄴ. 7대 실록
ㄷ. 삼국유사 ㄹ. 제왕운기

① ㄱ, ㄴ ② ㄱ, ㄷ ③ ㄴ, ㄷ
④ ㄴ, ㄹ ⑤ ㄷ, ㄹ

17 (가)에 들어갈 내용으로 가장 적절한 것은?

① 일연이 편찬하였어.
② 고려 시대에 편찬되었으나 현재 전하지 않고 있어.
③ 단군 조선을 우리 역사상 최초의 국가로 기록하였어.
④ 정통 의식과 대의명분을 강조하는 사관이 반영되었어.
⑤ 이자겸의 난과 서경 천도 운동 이후 왕의 명령에 따라 편찬되었어.

시험에 잘 나와!

18 다음 내용에 해당하는 역사서의 특징으로 옳은 것은?

> 제왕이 장차 일어날 때에는 반드시 하늘의 명을 받게 된다. 때문에 보통 사람과는 다른 점이 있게 마련이다. 삼국의 시조는 모두 신비스럽게 나왔으니 어찌 괴이할 것이 있겠는가?

① 현종 때 편찬되었다.
② 설화나 신화 등의 내용을 축소하였다.
③ 처음으로 단군의 건국 이야기를 기록하였다.
④ 왕명에 따라 삼국 시대 이래 여러 승려의 전기를 기록하였다.
⑤ 이자겸의 난과 서경 천도 운동으로 약해진 왕권을 회복하기 위해 편찬되었다.

19 다음 불상에 대한 설명으로 옳은 것을 〈보기〉에서 고른 것은?

보기

ㄱ. 현존하는 국내 최대의 불상이다.
ㄴ. 지방에 세워진 대형 철제 불상이다.
ㄷ. 논산 관촉사 석조 미륵보살 입상이다.
ㄹ. 통일 신라의 불상 양식을 계승하였다.

① ㄱ, ㄴ　② ㄱ, ㄷ　③ ㄴ, ㄷ
④ ㄴ, ㄹ　⑤ ㄷ, ㄹ

20 밑줄 친 '이것'에 해당하는 문화유산으로 가장 적절한 것은?

> 이것은 고려 후기에 제작된 석탑으로 형태나 제작 기법에서 원의 영향을 받았다.

21 (가), (나)에 대한 설명으로 옳지 않은 것은?

(가) 다포 양식	(나) 주심포 양식

① (가) – 기둥과 기둥 사이에도 공포를 얹었다.
② (가) – 황해도 황주 성불사 응진전이 대표적이다.
③ (나) – 원으로부터 전래되었다.
④ (나) – 기둥 위에만 공포를 두었다.
⑤ (나) – 안동 봉정사 극락전, 예산 수덕사 대웅전이 대표적이다.

22 다음 문화유산에 대한 설명으로 옳은 것을 〈보기〉에서 고른 것은?

〈보기〉
ㄱ. 고려 건국 초기에 제작되었다.
ㄴ. 부처와 이상 세계를 표현하였다.
ㄷ. 화려한 무늬를 넣은 상감 청자이다.
ㄹ. 그릇 표면을 파내고 다른 색의 흙을 메우는 기법이 사용되었다.

① ㄱ, ㄴ ② ㄱ, ㄷ ③ ㄴ, ㄷ
④ ㄴ, ㄹ ⑤ ㄷ, ㄹ

23 ㉠~㉤에 대한 설명으로 옳지 않은 것은?

고려 시대 예술의 발달
1. 글씨: ㉠ 구양순체 유행, 탄연의 글씨 유명
2. 회화: ㉡ 천산대렵도, ㉢ 불화 제작
3. 음악: 아악과 ㉣ 속악(향악) 발달
4. 공예: ㉤ 금속 공예와 목공예 발달

① ㉠ – 굳세고 힘찬 느낌의 글씨체이다.
② ㉡ – 원 화풍의 영향을 확인할 수 있다.
③ ㉢ – 왕실과 권문세족의 후원을 받아 만들어졌다.
④ ㉣ – 송에서 전래된 대성악의 영향을 받아 발달하였다.
⑤ ㉤ – 금속에 홈을 파서 다른 금속을 채워 넣는 입사 기법이 발달하였다.

24 다음에서 설명하는 문화유산으로 옳은 것은?

무신 집권자 최우의 주도로 몽골의 침입을 물리치기 위해 제작하였고, 일정한 서체로 5천만 자가 넘는 글자가 새겨져 있다. 이를 통해 고려 목판 인쇄술의 높은 수준을 알 수 있다.

① 직지
② 팔만대장경
③ 상정고금예문
④ 초조대장경 목판
⑤ 무구정광대다라니경

★ 시험에 잘 나와!

25 교사의 질문에 대한 학생의 답변으로 적절한 것을 〈보기〉에서 고른 것은?

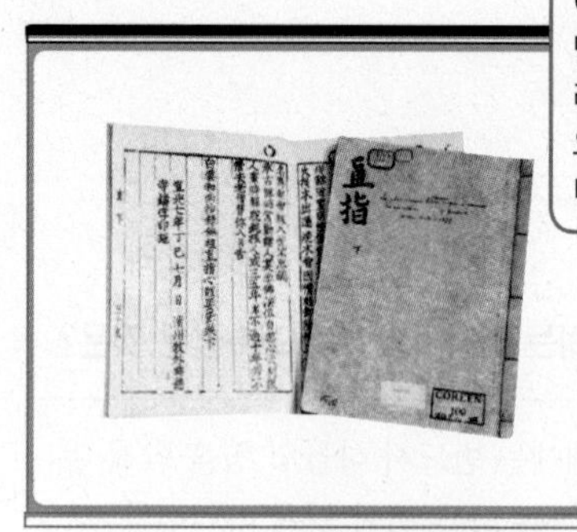

이 문화유산은 고려 시대에 만들어진 세계에서 가장 오래된 금속 활자 인쇄본이에요. 이 문화유산의 특징에 대해 말해 볼까요?

〈보기〉
ㄱ. 청주 흥덕사에서 간행하였어요.
ㄴ. 거란의 침입을 물리치기 위해 만들었어요.
ㄷ. 현재 프랑스 국립 도서관에 보관되어 있어요.
ㄹ. 경주 불국사 3층 석탑 2층에서 발견되었어요.

① ㄱ, ㄴ ② ㄱ, ㄷ ③ ㄴ, ㄷ
④ ㄴ, ㄹ ⑤ ㄷ, ㄹ

서술형 문제

서술형 감잡기

01 다음을 보고 물음에 답하시오.

(㉠)은/는 무신 집권기에 이르러 승려들의 타락을 비판하며, 승려 본연의 자세로 돌아가 불경, 수행, 노동에 고루 힘쓰자는 불교 개혁 운동을 전개하였다.

(1) ㉠에 들어갈 인물을 쓰시오.

(2) (1) 인물이 전개한 불교 개혁 운동을 서술하시오.

➜ 지눌은 (①)를 중심으로 불교 개혁 운동을 전개하였다. 그는 깨달음을 수행하는 선종과 지혜를 수행하는 교종은 결국 같은 것이라고 보아 선종의 입장에서 교종을 포용하는 (②)를 주장하였다.

실전! 서술형 도전하기

02 고려 시대 혼인 관계의 특징을 세 가지 서술하시오.

03 ㉠에 들어갈 단체를 쓰고, 그 활동을 서술하시오.

고려의 농민들은 (㉠)을/를 조직하여 공동체 의식을 다졌다. (㉠)은/는 불교 신앙을 바탕으로 조직된 대규모 노동 조직이었다.

04 다음을 보고 물음에 답하시오.

고려 왕실에서는 하늘과 별에 제사 지내는 (㉠) 행사를 자주 열었다. 사진에서 머리에 봉황이 장식된 관을 쓰고 도포를 입은 인물이 복숭아를 얹은 그릇을 들고 있는데, 이 인물은 (㉠)의 제례를 주관하는 도사의 모습으로 추정된다.

청자 인물형 주전자 ➜

(1) ㉠에 들어갈 종교를 쓰시오.

(2) (1) 종교의 특징을 두 가지 서술하시오.

05 사진은 영주 부석사 무량수전을 보여 준다. 이 건축물에 반영된 건축 양식에 대해 서술하시오.

한눈에 보는 대단원

01~02 고려의 건국과 정치 변화

(1) 고려의 건국과 통치 체제의 정비

고려의 후삼국 통일	고려 건국 → 고려가 고창(안동) 전투에서 후백제에 승리 → 견훤이 고려에 투항 → 신라 경순왕이 고려에 항복 → 고려의 후삼국 통일
왕권의 안정	• 태조: 민생 안정·호족 포섭·북진 정책 등 실시, 훈요 10조 제시 • 광종: 노비안검법·과거제 실시, '광덕'·'준풍' 등의 연호 사용 • 성종: 최승로의 시무 28조 수용, 중앙 관제 정비, 유학 교육 장려
통치 제제 정비	• 중앙 정치 제도: 2성(중서문하성, 상서성), 6부, 중추원, 어사대, 삼사, 도병마사·식목도감(독자적인 회의 기구) 운영 • 지방 행정 제도: 5도, 양계(북계, 동계), 경기로 정비 • 군사 제도: 중앙군(2군, 6위), 지방군(주현군, 주진군) • 관리 등용 제도: 과거제(문과, 잡과, 승과), 음서

(2) 이자겸의 난과 서경 천도 운동

이자겸의 난	이자겸의 권력 독점 → 인종이 이자겸 제거 시도 → 이자겸과 척준경의 반란 → 척준경이 이자겸 제거
서경 천도 운동	묘청 등 서경 세력이 서경 천도 주장 → 김부식 등 개경 세력의 반대 → 묘청 등이 서경에서 반란을 일으킴 → 김부식이 이끄는 관군에게 진압됨

(3) 무신 정권의 성립과 농민·천민의 봉기

무신 정변	무신에 대한 차별 심화 → 정중부, 이의방 등이 정변을 일으킴
무신 정권 성립	초기 무신 정권(중방을 통해 권력 행사, 잦은 집권자 교체) → 최씨 정권(4대 60여 년간 정권 유지, 교정도감 설치)
농민과 천민의 봉기	무신들 간의 권력 다툼으로 정치 혼란 지속, 신분 질서 동요 → 망이·망소이의 난, 김사미와 효심의 난, 만적의 난 등 발생

핵심 선택지 다시보기

1 광종은 노비안검법을 실시하였다. ( )

2 고려는 22담로를 설치하여 지방을 통제하였다. ( )

3 고려의 2군은 궁궐과 왕실을 호위하였다. ( )

4 묘청 등 서경 세력은 서경으로 도읍을 옮기자고 주장하였다. ( )

5 최충헌은 교정도감을 설치하였다. ( )

답 1 ○ 2 × 3 ○ 4 ○ 5 ○

03 고려의 대외 관계

(1) 고려 전기의 대외 관계

거란	1차 침입 때 서희가 외교 담판으로 강동 6주 획득 → 2차 침입 때 양규 등의 활약으로 거란군 격퇴 → 3차 침입 때 강감찬이 이끄는 고려군이 거란군 격퇴(귀주 대첩)
여진	여진이 세력 확대, 고려의 국경 침략 → 윤관이 별무반을 이끌고 여진 정벌, 동북 9성 축조 → 여진이 금 건국 후 고려에 사대 관계 요구 → 이자겸 등이 금의 사대 요구 수용

(2) 고려 전기의 대외 교류

송	고려의 문화적·경제적 실리 추구 → 송의 제도를 참고하여 제도 정비, 사신·학자 등을 보내 송의 선진 문물 수용, 비단·서적 등 수입 및 나전 칠기·종이 등 수출
여러 나라	거란(은·모피 수입, 농기구·곡식 수출), 여진(말·화살 수입, 식량·농기구 수출), 일본(수은·향료 수입, 식량·인삼 수출), 아라비아 등과 교류

핵심 선택지 다시보기

1 서희는 거란과의 외교 담판으로 강동 6주를 획득하였다. ( )

2 별무반은 윤관의 건의로 편성되었다. ( )

3 예종 때 여진을 정벌하고 동북 9성을 개척하였다. ( )

4 고려는 거란과 가장 활발하게 교류하였다. ( )

5 고려는 아라비아 상인과 교류를 통해 코리아라는 이름으로 서방 세계에 알려졌다. ( )

답 1 ○ 2 ○ 3 ○ 4 × 5 ○

04 몽골의 간섭과 고려의 개혁

(1) 몽골의 침입과 대몽 항쟁

몽골의 침입	• 1차 침입: 몽골 사신 저고여의 피살 → 몽골이 국교를 끊고 침입 → 귀주성을 비롯한 여러 성에서 저항 → 최씨 정권이 몽골과 강화 체결 • 2차 침입: 몽골의 내정 간섭 심화 → 고려의 강화도 천도 → 몽골의 2차 침입 → 처인성 전투 승리(김윤후의 활약) → 이후 몽골의 여러 차례 침입
몽골과의 강화	• 내용: 고려 태자와 쿠빌라이의 강화 체결 → 몽골의 내정 간섭 지속 → 내분으로 무신 정권 붕괴 → 고려 정부의 개경 환도 • 영향: 삼별초의 대몽 항쟁(개경 환도에 반대하며 강화도에서 봉기)

(2) 원의 내정 간섭과 공민왕의 개혁 정치

원의 간섭	쌍성총관부 설치, 정동행성을 통해 내정 간섭, 고려의 관제·왕실 용어 격하
권문세족 성장	친원적 성향, 높은 관직 독점, 음서로 세력 확대, 대규모 농장 경영
공민왕의 개혁	• 자주성 회복: 친원 세력 제거, 정동행성이문소 폐지, 쌍성총관부 공격, 고려 왕실의 호칭·관청의 옛 제도 복구, 원의 풍습(몽골풍) 금지 • 내정 개혁: 전민변정도감 설치, 정방 폐지, 성균관 정비

(3) 새로운 정치 세력의 성장과 고려의 멸망

새로운 정치 세력 성장	신진 사대부(성리학 수용, 과거를 통해 관직 진출), 신흥 무인 세력(홍건적과 왜구의 침입을 물리친 무인들이 정치 세력 형성) 성장
고려의 멸망	이성계가 위화도 회군으로 권력 장악 → 고려 멸망, 조선 건국(1392)

05 고려의 생활과 문화

(1) 고려의 가족 제도

가족과 친족	아들과 딸, 남편과 부인이 평등한 관계 유지
여성의 지위	여성도 이혼 요구와 재혼 가능, 여성도 호주가 될 수 있음

(2) 종교와 학문의 발달

종교	불교(의천의 천태종 창시, 지눌의 불교 개혁 운동 전개) 발달, 도교와 풍수지리설 유행
학문	유학 교육 강화 및 성리학 수용, 역사서 편찬(김부식의 『삼국사기』, 이규보의 「동명왕편」, 일연의 『삼국유사』 등)

(3) 문화와 예술의 발달

문화	불교 예술(불상, 석탑, 불교 건축물 건립), 회화(불화 제작), 공예(상감 청자 제작, 금속 공예·목공예 발달), 글씨(구양순체 유행) 등 발달
인쇄술	• 목판 인쇄술: 초조대장경 목판, 팔만대장경 제작 • 금속 활자: 『상정고금예문』, 『직지』(세계에서 가장 오래된 금속 활자 인쇄본) 간행

☑ 핵심 선택지 다시보기

1 고려와 몽골군이 함께 거란을 물리친 것을 계기로 고려가 몽골과 국교를 맺었다. ( )

2 고려는 몽골이 침략하자 국경 지역에 천리장성을 쌓았다. ( )

3 삼별초는 무신 정권의 군사적 기반이었다. ( )

4 공민왕은 변발 등 원의 풍습을 금지하였다. ( )

5 이성계는 위화도 회군 이후 정치·군사의 실권을 장악하였다. ( )

답 1 ○ 2 × 3 ○ 4 ○ 5 ○

☑ 핵심 선택지 다시보기

1 고려 시대에 여성은 호주가 될 수 있었다. ( )

2 의천은 화엄종을 중심으로 교종을 통합하려 하였다. ( )

3 성리학은 서경 천도 운동에 영향을 주었다. ( )

4 고려 시대에는 화려한 무늬를 넣은 상감 청자를 만들었다. ( )

5 팔만대장경은 최우의 주도로 몽골의 침입을 물리치기 위해 제작되었다. ( )

답 1 ○ 2 ○ 3 × 4 ○ 5 ○

☑ 핵심 선택지 다시보기의 정답을 맞힌 개수만큼 아래 표에 색칠해 보자. 많이 틀린 단원은 되돌아가 복습해 보자.

01~02 고려의 건국과 정치 변화	94쪽
03 고려의 대외 관계	110쪽
04 몽골의 간섭과 고려의 개혁	116쪽
05 고려의 생활과 문화	130쪽

01 고려의 건국과 정치 변화 (1)

01 다음 내용을 남긴 왕에 대한 설명으로 옳지 않은 것은?

> 제1조 불교의 힘으로 나라를 세웠으므로, 사찰을 세우고 주지를 파견하여 불도를 닦도록 할 것
> 제4조 중국의 풍습을 억지로 따르지 말고, 거란의 언어와 풍습은 다르므로 의관 제도를 본받지 말 것
> 제5조 서경을 중요시할 것 －「고려사」

① 과거제를 실시하였다.
② 고구려 계승을 내세웠다.
③ 북진 정책을 추진하였다.
④ 청천강에서 영흥만까지 영토를 확장하였다.
⑤ 옛 신라와 후백제 세력을 지배층으로 수용하였다.

02 밑줄 친 '정책'으로 옳은 것을 〈보기〉에서 고른 것은?

> 왕권이 매우 불안정한 상황에서 즉위한 광종은 호족 세력을 견제하고 왕권을 강화하기 위한 정책을 펼쳤다.

보기
ㄱ. 공복 색깔을 정하였다.
ㄴ. 노비안검법을 실시하였다.
ㄷ. 독서삼품과를 시행하였다.
ㄹ. 김흠돌의 난을 진압하였다.

① ㄱ, ㄴ ② ㄱ, ㄷ ③ ㄴ, ㄷ
④ ㄴ, ㄹ ⑤ ㄷ, ㄹ

03 ㉠ 왕에 대한 설명으로 옳은 것은?

> (㉠)은/는 최승로가 건의한 시무 28조를 받아들여 유교 정치사상을 통치의 근본이념으로 삼았다.

① 훈요 10조를 남겼다.
② 국자감을 설치하였다.
③ 후삼국을 통일하였다.
④ 철원에서 송악으로 도읍을 옮겼다.
⑤ 광덕, 준풍 등의 연호를 사용하였다.

04 고려의 중앙 정치 기구에 대한 설명으로 옳지 않은 것은?

① 상서성은 아래에 6부를 두었다.
② 어사대는 관리의 비리를 감찰하였다.
③ 삼사는 국가 재정의 출납과 회계를 담당하였다.
④ 도병마사와 식목도감은 고려의 독자적인 회의 기구이다.
⑤ 중서문하성은 국왕의 비서 기관으로 왕의 명령을 전달하였다.

05 ㉠~㉤에 대한 설명으로 옳지 않은 것은?

> 고려의 관리 등용 제도는 ㉠ 과거제와 음서가 대표적이었다. 과거제는 문과, ㉡ 잡과, ㉢ 승과가 있었고, ㉣ 무과는 거의 시행하지 않았다. 왕족과 공신의 후손, 5품 이상 고위 관리의 자손은 과거를 거치지 않고 ㉤ 음서로 관리가 될 수 있었다.

① ㉠ – 광종 때 처음 실시되었다.
② ㉡ – 제술과와 명경과로 나뉘었다.
③ ㉢ – 승려를 대상으로 하였다.
④ ㉣ – 무예가 뛰어난 사람을 무관으로 임명하였다.
⑤ ㉤ – 고위 관리가 지위를 세습하는 수단이 되었다.

06 (가), (나)에 대한 설명으로 옳은 것을 〈보기〉에서 고른 것은?

> (가) 이자겸의 난 (나) 서경 천도 운동

보기
ㄱ. (가) 이후에 금을 배격하는 여론이 강해졌다.
ㄴ. (가)는 김부식이 이끄는 관군에게 진압되었다.
ㄷ. (나)는 풍수지리설을 근거로 서경 천도를 주장하였다.
ㄹ. (가), (나)는 예종 때 일어났다.

① ㄱ, ㄴ ② ㄱ, ㄷ ③ ㄴ, ㄷ
④ ㄴ, ㄹ ⑤ ㄷ, ㄹ

02 고려의 건국과 정치 변화 (2)

07 다음 학습 목표를 달성한 학생의 답변으로 적절하지 않은 것은?

- 학습 목표: 무신 정변이 일어난 배경을 알 수 있다.

① 무신에 대한 차별이 심해졌다.
② 문벌의 권력 독점과 부패가 지속되었다.
③ 천민 출신의 인물이 무신 집권자가 되었다.
④ 하급 군인이 토지를 제대로 지급받지 못하였다.
⑤ 이자겸의 난, 서경 천도 운동으로 정치 질서가 흔들렸다.

08 (가)에 들어갈 내용으로 적절한 것을 〈보기〉에서 고른 것은?

▶ 지식 Q&A

무신 정권 초기의 모습에 대해 알려 주세요.

▶ 답변하기

(가)

〈보기〉
ㄱ. 김헌창 등이 반란을 일으켰습니다.
ㄴ. 경원 이씨 가문이 권력을 장악하였습니다.
ㄷ. 권력 다툼으로 집권자가 자주 바뀌었습니다.
ㄹ. 무신들이 최고 회의 기구로 중방을 두었습니다.

① ㄱ, ㄴ ② ㄱ, ㄷ ③ ㄴ, ㄷ
④ ㄴ, ㄹ ⑤ ㄷ, ㄹ

09 최씨 무신 정권에 대한 설명으로 옳지 않은 것은?

① 4대 60여 년간 지속되었다.
② 서경 출신의 승려 묘청을 등용하였다.
③ 인사 행정 기구인 정방을 설치하였다.
④ 교정도감에서 국가의 중요한 정책을 결정하였다.
⑤ 사병 집단인 도방을 확대하여 호위를 강화하였다.

10 (가)에 들어갈 내용으로 적절한 것을 〈보기〉에서 고른 것은?

무신 집권기에 농민과 천민의 봉기가 전국적으로 확산되었어.

맞아, 전주에서 관청에 소속되어 있던 공노비들이 봉기하였지.

(가)

〈보기〉
ㄱ. 청해진에서 장보고의 난이 일어났어.
ㄴ. 사벌에서 원종과 애노가 반란을 일으켰어.
ㄷ. 공주 명학소에서 망이·망소이 형제가 봉기하였어.
ㄹ. 경상도 일대에서 김사미와 효심이 중앙에 저항하였어.

① ㄱ, ㄴ ② ㄱ, ㄷ ③ ㄴ, ㄷ
④ ㄴ, ㄹ ⑤ ㄷ, ㄹ

03 고려의 대외 관계

11 (가)~(라)는 고려와 거란의 전쟁 과정에서 있었던 사실들이다. 이를 일어난 순서대로 나열한 것은?

(가) 서희가 거란 장수 소손녕과 외교 담판을 벌였다.
(나) 거란이 강조의 정변을 구실로 고려를 침략하였다.
(다) 강감찬이 이끄는 고려군이 귀주에서 거란군을 격퇴하였다.
(라) 고려가 개경에 나성을 쌓고 국경 지역에 천리장성을 쌓았다.

① (가) - (나) - (다) - (라)
② (가) - (라) - (나) - (다)
③ (다) - (라) - (가) - (나)
④ (라) - (나) - (가) - (다)
⑤ (라) - (다) - (나) - (가)

12 (가)에 들어갈 내용으로 옳지 않은 것은?

• 탐구 주제: 고려 시대 여진과의 관계
• 조사 내용
 – 1모둠: ______(가)______
 – 2모둠: 12세기 이후 여진이 완옌부를 중심으로 부족을 통합하면서 고려와 충돌하였다.

① 초기에는 고려를 부모의 나라로 섬겼다.
② 을지문덕의 군대가 살수에서 승리하였다.
③ 윤관이 별무반을 이끌고 가서 정벌하였다.
④ 고려가 근거지를 점령하여 동북 9성을 쌓았다.
⑤ 금을 세운 후 고려에 사대 관계를 요구하였다.

13 고려와 송의 교류에 대한 설명으로 옳지 않은 것은?

① 고려는 송과 가장 활발하게 교류하였다.
② 고려는 송의 제도를 참고하여 제도를 정비하였다.
③ 고려는 초기에 송의 기술을 받아들여 청자를 만들었다.
④ 송의 상인들은 왕실과 귀족의 수요품을 고려에 가져왔다.
⑤ 송과의 교류를 통해 고려가 코리아라는 이름으로 서방 세계에 알려졌다.

14 고려 전기의 대외 교류에 대한 설명으로 옳은 것을 〈보기〉에서 고른 것은?

보기
ㄱ. 울산항이 국제 무역항으로 번성하였다.
ㄴ. 여진은 고려에 비단, 서적 등을 가져왔다.
ㄷ. 거란은 고려에서 농기구와 곡식 등을 가져갔다.
ㄹ. 일본 상인들은 수은과 향료를 가져와 식량, 인삼 등과 바꾸어 갔다.

① ㄱ, ㄴ ② ㄱ, ㄷ ③ ㄴ, ㄷ
④ ㄴ, ㄹ ⑤ ㄷ, ㄹ

04 몽골의 간섭과 고려의 개혁

15 다음 사실이 고려에 끼친 영향으로 가장 적절한 것은?

고려와 몽골이 갈등을 빚는 상황에서 고려에 온 몽골 사신 저고여가 귀국하는 길에 살해되었다.

① 고려가 국경 지역에 천리장성을 쌓았다.
② 몽골이 국교를 끊고 고려를 침략하였다.
③ 강조가 목종을 몰아내고 현종을 즉위시켰다.
④ 고려가 동북 지방에 9성을 쌓고 고려의 영토로 삼았다.
⑤ 금의 지배를 받던 거란인이 몽골군에 쫓겨 고려에 침입하였다.

16 (가), (나) 시기 사이에 있었던 사실로 옳은 것은?

(가) 최씨 정권이 수도를 개경에서 강화도로 옮겼다.
(나) 태자였던 원종이 쿠빌라이를 만나 강화를 맺었다.

① 삼별초의 항쟁이 진압되었다.
② 고려 정부가 개경으로 환도하였다.
③ 무신 정권이 내분으로 붕괴되었다.
④ 고려가 처인성 전투에서 승리하였다.
⑤ 귀주성 전투에서 박서와 백성이 항전하였다.

17 ㉠, ㉡ 정치 세력에 대한 설명으로 옳지 않은 것은?

원 간섭기에 지배 세력으로 등장한 (㉠)은/는 원과 밀접한 관계를 통해 새롭게 지배층이 된 사람들이었다. 한편, (㉡)은/는 대부분 하급 관리나 지방 향리의 자제로서 과거에 급제하여 관직에 진출하였다.

① ㉠ – 대규모 농장을 경영하였다.
② ㉠ – 음서를 이용하여 권력을 세습하였다.
③ ㉡ – 명과 화친할 것을 주장하였다.
④ ㉡ – 불교를 개혁의 사상적 기반으로 삼았다.
⑤ ㉡ – 공민왕의 개혁 과정에서 크게 성장하였다.

18 다음 사건 이후에 있었던 사실로 옳지 않은 것은?

> 이성계가 압록강의 위화도에서 군대를 돌려 개경을 장악하고 정치, 군사의 실권을 잡았다.

① 신진 사대부가 분열하였다.
② 공양왕이 이성계에게 왕위를 내어 주었다.
③ 왕조 교체에 반대한 정몽주 등이 제거되었다.
④ 이성계가 급진파 사대부와 연계하여 개혁을 추진하였다.
⑤ 명이 옛 쌍성총관부 지역을 직접 다스리겠다고 통보하였다.

05 고려의 생활과 문화

19 (가)에 들어갈 내용으로 옳지 않은 것은?

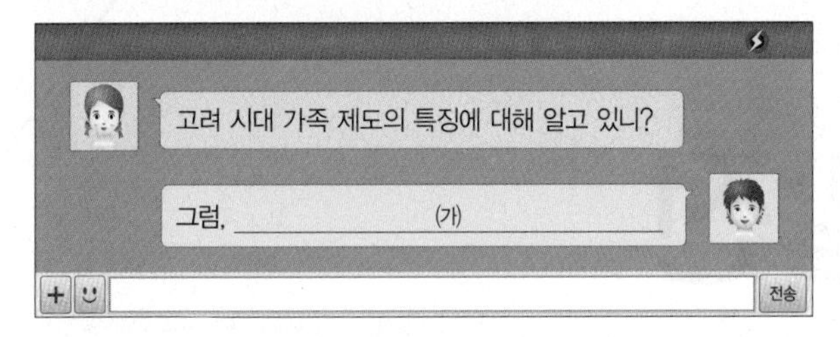

① 족보에 친손만 기록하였어.
② 여성도 호주가 될 수 있었어.
③ 외손자도 음서의 대상이 되었어.
④ 남녀 모두 이혼과 재혼에 제약에 거의 없었어.
⑤ 친가와 외가의 상을 애도하는 기간을 동등하게 하였어.

20 고려 시대 불교에 대한 설명으로 옳은 것을 〈보기〉에서 고른 것은?

보기
ㄱ. 국사와 왕사 제도가 정비되었다.
ㄴ. 의천이 교단 통합 운동을 전개하였다.
ㄷ. 의상이 부석사를 비롯한 여러 사원을 세웠다.
ㄹ. 불교문화가 번성하여 불국사와 석굴암 등이 만들어졌다.

① ㄱ, ㄴ ② ㄱ, ㄷ ③ ㄴ, ㄷ
④ ㄴ, ㄹ ⑤ ㄷ, ㄹ

창의·융합

21 (가)에 들어갈 내용으로 가장 적절한 것은?

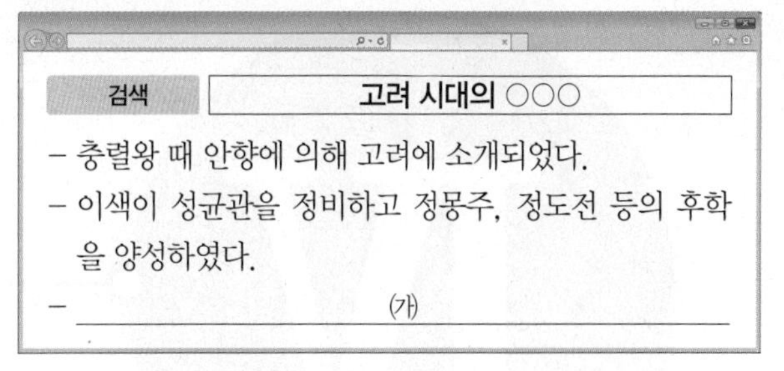

① 서경 천도 운동에 영향을 주었다.
② 도참사상과 결합하여 성행하였다.
③ 불로장생과 현세의 복을 추구하였다.
④ 신진 사대부가 개혁 사상으로 수용하였다.
⑤ 권문세족과 연결되어 여러 폐단을 드러냈다.

22 (가)에 들어갈 내용으로 옳은 것은?

① 삼국사기 ② 삼국유사 ③ 제왕운기
④ 해동고승전 ⑤ 왕오천축국전

23 (가)에 들어갈 내용으로 적절하지 않은 것은?

> • 탐구 주제: 고려 시대의 문화유산
> • 탐구 활동: (가)

① 팔만대장경이 제작된 시기를 조사한다.
② 영주 부석사 무량수전의 건축 양식을 찾아본다.
③ 청자 상감 운학문 매병의 제작 기법을 살펴본다.
④ 논산 관촉사 석조 미륵보살 입상의 특징을 정리한다.
⑤ 무구정광대다라니경이 발견된 석탑의 특징을 알아본다.

조선의 성립과 발전

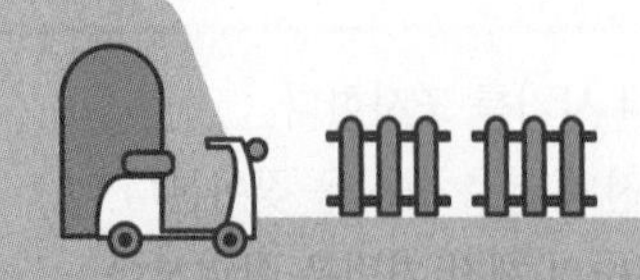

STOP

01 통치 체제와 대외 관계

A 조선의 건국

1. 건국 세력: 신흥 무인 세력이었던 이성계, 정도전을 비롯한 급진파 사대부

2. 건국 과정

(1) 위화도 회군(1388): 이성계가 압록강의 위화도에서 군대를 돌려 권력 장악

(2) +과전법 실시(1391): 이성계와 급진파 사대부가 토지 제도 개혁

목적	농민 생활 안정, 국가 재정 확보 (고려 말 권문세족에게 토지와 노비가 집중되면서 어려워진 민생을 바로잡고자 하였어.)
결과	새 왕조 개창에 참여한 관료들의 경제적 기반이 마련됨

(3) 조선 건국(1392): 정몽주 등의 온건파 사대부 제거 → 새 왕조 수립
(고려 왕조를 유지하려고 하였어.)

3. 건국 의의: 신진 사대부들이 지배 세력이 되어 가문보다 개인의 유교적 지식과 교양을 점차 중시 → 불교 위축, 유교 윤리가 정치·경제·사회·문화 전반에서 중심이 됨
(과거를 통해 유교적 지식과 교양을 갖춘 관료가 정치를 주도하였어.)

+ 과전법
전·현직 관료에게 경기 지역의 토지에 한하여 수조권(토지에서 조세를 거둘 수 있는 권리)이 설정된 토지(과전)를 준 제도

B 건국 초기의 상황

1. 태조(이성계)의 정책

(1) 국호 제정: 고조선을 계승한다는 뜻에서 나라 이름을 '조선'으로 정함

(2) +한양 천도(1394): 당시 풍수지리설에서 명당으로 꼽히던 한양으로 수도를 옮김

(3) 성리학(유교)의 통치 이념 확립: 성리학을 통치 이념으로 삼아 나라의 문물과 제도 정비 → 유교 이념에 따라 +경복궁과 종묘 등을 세움, 여러 제도와 의례 마련
(왕실 조상의 위패를 받드는 곳으로, 유교 예법에 따라 궁궐의 왼편에 두었어.)

2. 왕자의 난 발생

배경	개국 공신인 정도전 등이 건국 초기의 정치 주도(재상 중심의 정치 강조) → 이방원이 정도전 중심의 정국 운영에 불만을 품음
내용	이방원이 두 차례에 걸친 왕자의 난으로 정도전과 세자 등을 제거함 → 이방원(태종)이 왕위에 오름

자료로 이해하기 정도전의 정치사상

> 재상은 임금의 좋은 점은 따르고 나쁜 점은 바로잡으며, 옳은 일은 받들고 옳지 않은 일은 막아서, 임금으로 하여금 가장 올바른 경지에 들게 해야 한다. – 정도전, 『조선경국전』

조선 건국을 이끈 급진파 사대부들은 성리학을 통치 이념으로 삼아 나라의 문물과 제도를 정비하는 데 앞장섰다. 특히 정도전은 현명한 재상이 정치를 이끌어야 한다고 강조하였고, 백성을 근본으로 여기고 인과 덕으로써 백성을 다스리는 왕도 정치를 추구하였다. 정도전은 조선의 통치 기준과 운영 원칙을 제시한 『조선경국전』을 저술하였고, 새 수도 한양에 세운 경복궁과 궁궐 건물의 이름을 정하였다. 고려의 역사를 정리하였고, 성리학의 입장에서 불교 교리를 비판한 『불씨잡변』 등 여러 책을 저술하였다.

+ 한양의 지리적 이점
한양은 한반도의 중앙에 있고 남쪽으로 한강이 흘러 육로와 수로 교통이 편리하였으며, 산으로 둘러싸여 외적을 막기에 유리하였다.

+ 경복궁

'큰 복을 누린다.'라는 의미를 지닌 조선의 정궁이다.

- 조선의 건국
- 국가 기틀의 확립
- 통치 체제의 정비
- 조선 전기의 대외 관계

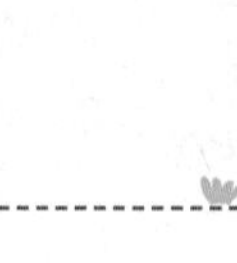

1 **다음 괄호 안의 내용 중 알맞은 말에 ○표를 하시오.**

(1) 정도전 등 (6두품 세력, 신진 사대부)이/가 조선 건국을 주도하였다.

(2) 이성계는 (무신 정변, 위화도 회군)을 통해 최영을 제거하고 고려의 실권을 장악하였다.

2 **다음 설명이 맞으면 ○표, 틀리면 ×표를 하시오.**

(1) 이성계는 온건파 사대부들과 힘을 합쳐 조선을 건국하였다. ( )

(2) 급진파 사대부는 과전법을 실시하여 국가 재정을 확보하고 자신들의 경제적 기반을 마련하였다. ( )

핵심 콕콕

• **조선의 건국 과정**

위화도 회군(1388)
↓
과전법 실시(1391)
↓
정몽주 등 온건파 사대부 제거, 조선 건국(1392)

1 **태조 이성계는 고조선을 계승한다는 뜻에서 나라 이름을 ( )으로 정하였다.**

2 **㉠, ㉡에 들어갈 내용을 각각 쓰시오.**

> 조선의 새로운 수도가 된 (㉠)은 풍수지리적으로 명당으로 손꼽혔으며, 한반도의 중앙에 위치하고 (㉡)이 흘러 육로와 수로 교통이 편리하였다.

3 **다음 괄호 안의 내용 중 알맞은 말에 ○표를 하시오.**

(1) (이방원, 정도전)은 두 차례에 걸친 왕자의 난을 통해 반대파를 제거하고 왕위에 올랐다.

(2) 정도전은 백성을 나라의 근본으로 하는 민본을 내세우며 인과 덕으로써 백성을 다스리는 (귀족 정치, 왕도 정치)를 추구하였다.

(3) 조선 건국을 이끈 급진파 사대부들은 (불교, 성리학)을/를 통치 이념으로 삼아 나라의 문물과 제도를 정비하는 데 앞장섰다.

핵심 콕콕

• **조선 건국 초기의 상황**

태조의 정책	나라 이름을 '조선'으로 정함, 한양 천도, 성리학(유교)을 국가의 통치 이념으로 삼음
왕자의 난	이방원이 정도전과 세자 등을 제거하고 왕위(태종)에 오름

C 국가 기틀의 확립

6조에서 나랏일을 국왕에게 직접 보고하게 하여 의정부의 기능을 약화하였어.

태종	국왕 중심의 정치 지향, 공신과 왕자들의 사병 혁파(군사권 장악), 호적 조사·+호패법 실시(인구 파악, 세금 징수와 군역 부과의 기초 자료 마련)
세종	유교적 이상 정치 추구, 의정부의 권한 강화, 집현전 설치(→ 우수한 학자들을 양성), 경연 활성화, 훈민정음 창제·반포
세조	어린 단종을 몰아내고 왕위에 오름, 의정부의 권한 축소, 집현전과 경연 폐지, +직전법 실시, 국방 강화
성종	의정부의 권한 강화, 홍문관 설치, 경연 재개, 『경국대전』 완성·반포(유교 중심의 국가 통치 질서 확립)

국정 운영에서 재상의 역할을 강화하였고, 인사와 군사에 관한 일은 국왕이 직접 처리하여 왕권과 신권의 조화를 추구하였어.

자료로 이해하기 『경국대전』에 나타난 생활 모습

- 땅이나 가옥을 사고판 후, 100일 이내에 관아에 신고해서 증서를 받아야 한다. -「호전」
- 부모가 불치의 병이 있거나 70세 이상이면 아들 1명의 군역을 면제한다. -「병전」
- 남자는 15세, 여자는 14세에 혼인할 수 있다. 13세가 되면 혼인을 정할 수 있다. -「예전」

『경국대전』은 세조 때 편찬하기 시작하여 성종 때 완성된 조선의 기본 법전으로, 이를 통해 유교적 법치 국가의 토대를 마련하였다. 중앙의 6조 체제에 맞추어 이·호·예·병·형·공전의 6전으로 구성되어 있으며, 그 내용을 통해 조선 사람들의 생활 모습을 짐작할 수 있다.

+ 호패

조선 시대에 16세 이상의 모든 남자가 지니고 다닌 신분증으로, 신분에 따라 호패에 적는 내용이 달랐다.

+ 직전법

현직 관리에게만 수조권을 주는 제도이다. 과전법 실시 이후 관리의 수가 늘고, 각종 명목으로 수조권이 세습되는 토지가 많아지자 국가 재정을 확보하기 위해 실시하였다.

D 중앙 정치 제도의 정비

1. 중앙 정치 제도: 의정부와 6조 중심 → 국왕을 중심으로 의정부의 3정승과 6조의 판서가 의논하여 국가의 중대사 결정

영의정, 좌의정, 우의정

2. +중앙 정치 기구

의정부는 국왕을 보좌하여 정책을 심의·결정하였고, 6조는 이를 집행하였어.

의정부	3정승이 합의하여 국정 총괄	6조	주요 행정 실무를 나누어 맡음
3사	사간원·사헌부·홍문관으로 구성, 언론 기능 담당		
승정원	국왕의 비서 역할 담당, 왕명 전달		
의금부	중대한 죄인을 다스림		
기타	한성부(수도의 행정·치안 담당), 춘추관(역사서 편찬·보관), 성균관(유학 교육)		

꼭 승정원과 의금부는 왕권을 뒷받침하는 역할을 하였어.

자료로 이해하기 3사의 역할

- 사간원은 임금에게 바른말을 하고, 정치의 잘잘못을 따져 지적하는 일을 맡는다.
- 사헌부는 정치를 논하고, 모든 관원을 살피며, 풍속을 바로잡고, 원통하고 억울한 일을 밝히며, 거짓된 언행을 금지하는 일을 맡는다.
- 홍문관은 궁궐 안의 책을 관리하고, 왕의 물음에 대비하여 경연을 담당한다. -『경국대전』

고위 관리는 물론 왕조차도 3사의 활동을 함부로 막을 수 없었어.

조선은 언론 기관으로 사간원, 사헌부, 홍문관의 3사를 두어 권력의 독점과 관리의 부정을 막고 왕권과 신권의 조화와 균형을 꾀하였다. 사간원은 국왕이 올바른 정치를 하도록 일깨웠고, 사헌부는 관리의 잘못을 감찰하였다. 홍문관은 국왕의 정책 자문과 경연을 담당하였다.

+ 조선의 중앙 정치 기구

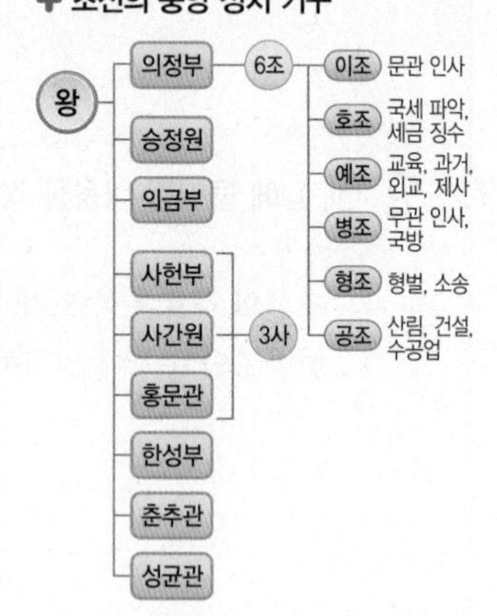

각 기구의 업무는 『경국대전』의 규정에 따라 시행되었고, 각 기구의 실무 담당자들은 주로 과거제를 통해 선발되었다.

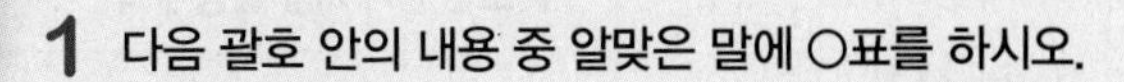

1 다음 괄호 안의 내용 중 알맞은 말에 ○표를 하시오.

(1) 세종은 (집현전, 홍문관)을 설치하여 젊고 유능한 학자들이 학문 연구에 힘쓰도록 하였다.

(2) (성종, 태종)은 호적 조사, 호패법 실시를 통해 인구를 파악하고 세금 징수와 군역 부과의 기초 자료를 마련하였다.

2 세조는 과전법 실시 이후 관리의 수가 늘고, 각종 명목으로 수조권이 세습되는 토지가 많아지자 국가 재정을 확보하기 위해 (　　　　　)을 실시하였다.

3 다음에서 설명하는 법전을 쓰시오.

> 세조 때 편찬하기 시작하여 성종 때 완성된 조선의 기본 법전이다. 이·호·예·병·형·공전의 6전으로 구성되어 있고, 그 내용을 통해 조선 사람들의 생활 모습을 짐작할 수 있다.

핵심 콕콕

• 조선의 국가 기틀 확립

태종
국왕 중심의 정치 지향, 공신과 왕자들의 사병 혁파, 호패법 실시

↓

세종
유교적 이상 정치 추구, 집현전 설치, 경연 활성화, 훈민정음 창제·반포

↓

세조
집현전과 경연 폐지, 직전법 실시

↓

성종
홍문관 설치, 경연 재개, 『경국대전』 완성·반포

1 다음 설명이 맞으면 ○표, 틀리면 ×표를 하시오.

(1) 6조에서는 3정승이 합의하여 국정을 총괄하였다. (　　)

(2) 조선의 중앙 정치는 의정부와 6조를 중심으로 운영되었다. (　　)

2 ㉠~㉢에 들어갈 내용을 각각 쓰시오.

> 조선은 권력 독점과 관리의 부정을 막기 위해 3사를 두었다. (㉠　　　　)은 국왕이 올바른 정치를 하도록 일깨웠고, (㉡　　　　)는 관리의 잘못을 감찰하였다. (㉢　　　　)은 국왕의 정책 자문과 경연을 담당하였다.

3 조선 중앙 정치 기구와 그 기능을 옳게 연결하시오.

(1) 성균관 • 　　　　• ㉠ 국왕의 비서 역할 담당

(2) 승정원 • 　　　　• ㉡ 수도의 행정과 치안 담당

(3) 춘추관 • 　　　　• ㉢ 역사서의 편찬과 보관 담당

(4) 한성부 • 　　　　• ㉣ 유학 교육, 최고 국립 교육 기관

핵심 콕콕

• 조선의 중앙 정치 제도 정비

기구	기능
의정부	3정승이 합의하여 국정 총괄
6조	주요 행정 실무 담당
3사	사간원·사헌부·홍문관으로 구성, 언론 기능 담당
승정원	국왕의 비서 역할 담당
의금부	중대한 죄인을 다스림
춘추관	역사서 편찬·보관
성균관	유학 교육
한성부	수도의 행정·치안 담당

E 지방 행정 제도와 군사 제도

1. 지방 행정 제도

수령을 지휘·감독하였어.

(1) +행정 구역: 전국을 8도(관찰사 파견)로 나누고, 도 아래 부·목·군·현 설치

(2) 운영: 모든 군현에 수령 파견(중앙 집권 강화), 향·부곡·소를 일반 군현에 통합

① 수령: 군현에 파견, 지방의 행정·재판·군사 업무 담당

② 향리: 수령의 실무 보좌

비교 고려의 향리는 지방의 세력가였지만, 조선에서는 하급 관리의 처지가 되어 고려 시대에 비해 지위가 낮아졌어.

③ 유향소: 지방 양반들의 향촌 자치 기구, 수령을 돕고 향리의 비리 감시

2. 군사 제도

(1) 군역 제도: 16~60세의 양인 남자는 직접 군인으로 복무하거나 군인의 비용을 부담함

(2) 군사 조직

중앙군	5위가 한양과 궁궐 수비
지방군	각 도에 병영과 수영 설치, 병마절도사와(육군 지휘) 수군절도사(수군 지휘) 파견

3. 교통·통신 제도: 위급한 상황을 빠르게 알리기 위해 +봉수제 정비, 물자 수송과 통신을 위해 전국 각지에 역참과 원 설치

+ 조선 전기 지방 행정 구역

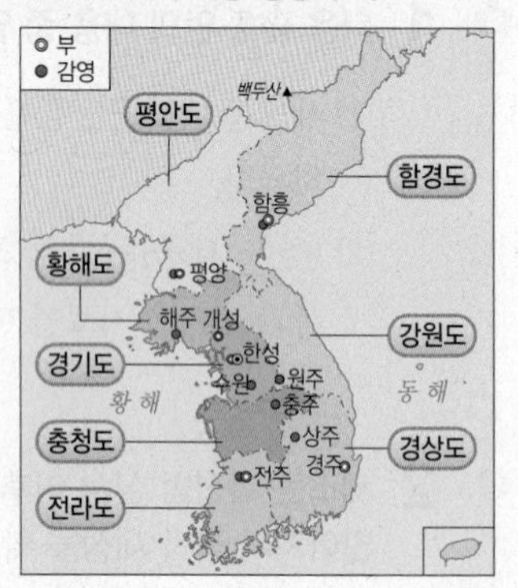

+ 봉수제

지방의 주요 산마다 설치하여 낮에는 연기, 밤에는 불을 피워 위급한 상황을 수도에 알렸다.

F 교육 제도와 관리 등용 제도

1. 교육 제도: 유교적 지식과 교양을 갖춘 관리를 기르는 데 중점을 둠

(1) 유학 교육: 서당(기초적인 유학 지식을 가르침), 수도의 +4부 학당·지방의 향교(유교 경전을 가르침), 성균관(최고 교육 기관, 높은 수준의 유학 교육 실시)에서 실시

(2) 기술 교육: 의학, 법학, 외국어 등 기술 교육은 해당 관청에서 담당

2. 관리 등용 제도

천민이 아니면 응시할 수 있었어.

꼭 조선은 고려와 다르게 무과를 시행하였어.

과거	문과(문관 선발, 주로 양반이 응시), 무과(무관 선발, 양반·향리·상민이 응시), 잡과(기술관 선발, 주로 중인이 응시) 시행
음서	고려에 비해 범위 축소, 음서로 관직에 나간 사람은 과거에 합격하지 못할 경우 낮은 관직에 머무름
천거	관리들의 추천을 받아 개인의 능력을 기준으로 관리 선발

꼭 조선이 고려보다 개인의 능력을 중시한 사회였음을 알 수 있어.

자료로 이해하기 조선의 과거제

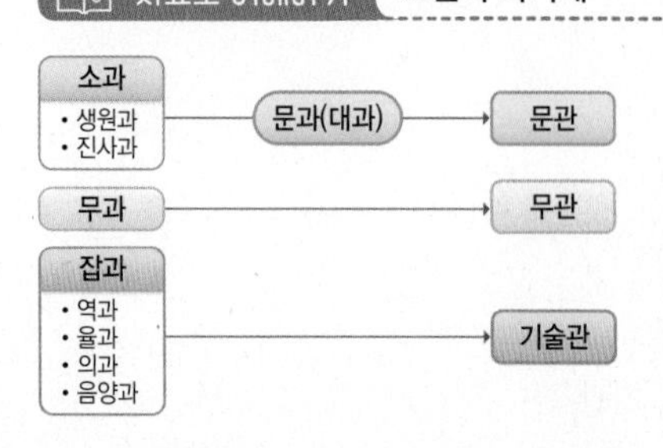

조선의 지배층인 문무 양반 관리는 주로 과거를 통해 선발되었다. 과거에는 문과, 무과, 잡과가 있었다. 과거 시험은 3년마다 정기적으로 치러졌으나, 수시로 시행되는 특별 시험도 있었다. 과거 시험 응시자는 문과에 합격해야 높은 관직에 오를 수 있었다. 하지만 문과의 1차 시험인 소과에서 200명만이 생원·진사가 되었고, 그중에서도 33명만이 대과를 통과할 수 있었다.

+ 4부 학당

조선 시대에, 나라에서 인재를 기르기 위해 서울의 네 곳에 세운 교육 기관이다. 위치에 따라 중학(中學)·동학(東學)·남학(南學)·서학(西學)이 있었는데, 태종 때 설립하여 운영하였다.

1 조선의 지방 행정 제도에 대한 설명이 맞으면 ○표, 틀리면 ×표를 하시오.

(1) 각 도에는 수령을 지휘·감독하는 안찰사를 파견하였다. ( )

(2) 전국을 8도로 나누고 도 아래에 부·목·군·현을 두었다. ( )

(3) 조선의 각 지방 양반들은 유향소를 만들어 수령을 돕고 향리의 비리를 감시하였다. ( )

(4) 향리는 고려 시대에는 지방의 세력가였지만, 조선 시대에는 수령의 실무를 보좌하는 하급 관리의 처지가 되어 지위가 낮아졌다. ( )

2 다음 빈칸에 들어갈 내용을 쓰시오.

(1) 조선은 중앙에 ( )를 두어 한양과 궁궐을 수비하였다.

(2) 조선은 지방의 각 도에 ( )를 파견하여 육군을 지휘하게 하였다.

(3) 조선 시대에는 국경 지대의 위급한 상황을 중앙에 전달하기 위해 ( )제를 정비하였다.

핵심 콕콕

• 조선의 지방 행정 제도와 군사 제도

지방 행정 제도	• 행정 구역: 전국을 8도로 나누고 도 아래 부·목·군·현 설치 • 내용: 8도에 관찰사 파견, 군현에 수령 파견, 유향소 설치
군사 제도	• 16~60세의 양인 남자가 군역 부담 • 중앙군(5위), 지방군(각 도에 병마절도사, 수군절도사 파견)

1 다음 괄호 안의 내용 중 알맞은 말에 ○표를 하시오.

(1) 조선은 수도에 (국학, 4부 학당)을 두어 유교 경전을 가르쳤다.

(2) 조선의 최고 교육 기관인 (향교, 성균관)에서는 높은 수준의 유학 교육을 하였다.

2 ㉠, ㉡에 들어갈 내용을 각각 쓰시오.

> 조선 시대에는 주로 (㉠)를 통해 관리를 선발하였다. 이 외에도 관리들의 추천을 받아 개인의 능력을 기준으로 관리를 뽑는 제도인 (㉡)를 통해 관리를 선발하기도 하였다.

3 조선의 관리 등용 제도에 대한 설명으로 옳은 것만을 〈보기〉에서 있는 대로 골라 기호를 쓰시오.

> 보기
> ㄱ. 문과, 무과, 잡과로 나뉘었다.
> ㄴ. 천민도 과거에 응시할 수 있었다.
> ㄷ. 고려에 비해 음서의 혜택이 줄어들었다.

핵심 콕콕

• 조선의 교육 제도와 관리 등용 제도

교육 제도	• 유학 교육: 서당, 4부 학당·향교, 성균관에서 유학 교육 실시 • 기술 교육: 해당 관청에서 의학·법학·외국어 등을 가르침
관리 등용 제도	• 과거: 문과, 무과, 잡과 시행 • 음서: 고려에 비해 범위 축소 • 천거: 관리의 추천을 받아 관리 선발

G 명과의 사대 관계

1. 조선의 외교 정책: 큰 나라를 섬기는 사대와 이웃 나라와 가깝게 지내는 ⁺교린에 바탕을 둠

2. 명과의 관계

(1) 사대 관계 확립

조선은 명으로부터 선진 문물을 받아들이고, 왕권의 안정과 조선의 국제적 지위를 확보하는 실리를 추구하였어.

건국 초기	태조가 요동 정벌을 추진하여 명과 대립
태종 이후	요동 정벌 중단, 명과 친선 도모 → 사대 관계 확립

(2) 명과의 교류: 조선은 해마다 명에 사신을 파견하여 조공품(말·인삼 등)을 보내고, 명으로부터 답례품(약재·서적 등)을 받음 → 정치적 안정, 경제적·문화적 이익 추구

+ 교린
이웃 나라와 대등한 의례를 나누는 것을 뜻한다. 조선 시대의 교린 관계는 중국을 제외한 주변국과의 교류를 의미한다.

H 주변국과의 교린 관계

1. 여진·일본과의 관계

(1) 여진

강경책	여진의 약탈 지속 → 세종이 압록강과 두만강 지역에 4군(최윤덕)과 6진(김종서) 설치
회유책	국경 지역에 무역소 설치(제한적 교류 허용), 귀화한 여진의 지배층에게 관직과 토지를 주어 귀화 장려

(2) 일본

교역은 왜관을 중심으로 이루어졌고, 두 나라는 사신을 보내 교류하였어.

강경책	왜구가 서남해안 계속 침략 → 세종이 이종무를 보내 대마도 토벌
회유책	⁺3포를 개항하여 일본인의 거류와 제한된 무역 허용 → 조선이 3포의 거류민과 무역의 통제 강화(→ ⁺삼포 왜란 발생)

조선 전기의 대외 관계

2. 동남아시아 국가 및 류큐와의 교류: 시암(태국), 자와(인도네시아), 류큐(오키나와)가 조선에 사신을 파견하여 토산품을 보냄 → 조선이 답례품(문방구·불경·유교 경전 등)을 줌

『조선왕조실록』에는 조선과 류큐가 교역한 이야기가 많이 실려 있어.

자료로 이해하기 여진과의 관계

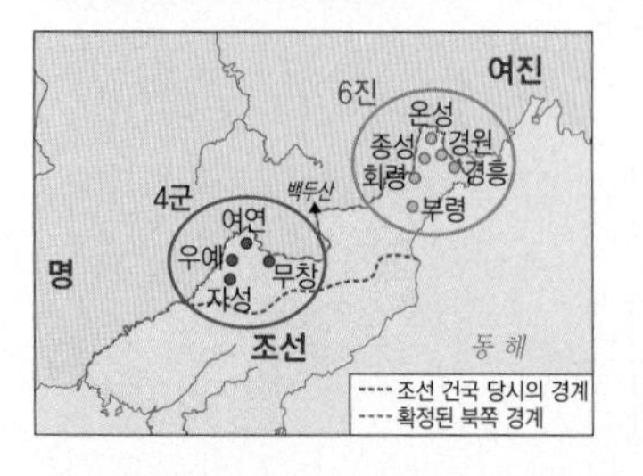

조선은 여진, 일본 등 이웃 나라와 교린 관계를 유지하였다. 그중에서 북방의 여진에게는 국경 지역에 무역소를 설치하여 제한적인 교류를 허용하였고, 조선에 협조적인 여진의 지배층과 귀화인에게 토지와 관직을 하사하였다. 그러나 여진이 국경을 침범하자 세종은 압록강 지역에 최윤덕을 파견하여 4군을 설치하고, 두만강 지역에 김종서를 파견하여 6진을 설치하였다. 이로써 오늘날과 같은 국경선이 확정되었다.

+ 3포 개항
조선은 왜구의 소굴인 대마도를 토벌한 후 대마도 도주의 요청으로 제포(경남 창원 진해), 부산포(부산), 염포(울산 북구)의 포구를 열었다.

+ 삼포 왜란(3포 왜란)
3포(제포, 부산포, 염포)에 거주하는 일본인의 수가 늘자 조선이 거류민과 무역의 통제를 강화하였는데, 이에 반발하여 3포의 일본인들이 일으킨 소동이다.

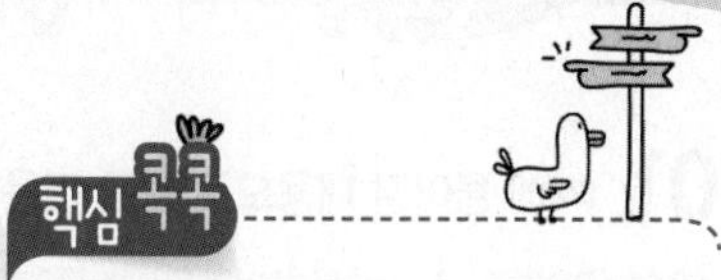

1 조선은 큰 나라를 섬기는 사대와 이웃 나라와 가깝게 지내는 (　　　　)에 바탕을 둔 외교 정책을 펼쳤다.

2 다음 설명이 맞으면 ○표, 틀리면 ×표를 하시오.

(1) 건국 초기 태조는 요동 정벌을 추진하여 명과 대립하였다. (　　)

(2) 조선은 명과의 교류를 통해 왕권의 안정과 조선의 국제적 지위를 확보하는 실리를 추구하였다. (　　)

핵심 콕콕

• 명과의 사대 관계

사대 관계 확립	건국 초기 명과 대립 → 태종 이후 명과 사대 관계 확립
명과의 교류	조선이 명에 조공품(말, 인삼 등)을 보내고 명으로부터 답례품(약재, 서적 등)을 받음

1 ㉠, ㉡에 들어갈 내용을 각각 쓰시오.

> 여진의 약탈이 지속되자, 세종은 압록강 지역에 최윤덕을 파견하여 (㉠　　　　)을 설치하고, 두만강 지역에 김종서를 파견하여 (㉡　　　　)을 개척함으로써 오늘날과 같은 국경선이 확정되었다.

2 다음 괄호 안의 내용 중 알맞은 말에 ○표를 하시오.

(1) 조선은 3포를 개항하여 (명, 일본)에 제한된 무역을 허용하였다.

(2) 왜구가 서남해안을 계속 침략하자 세종은 (김종서, 이종무)를 파견하여 대마도를 토벌하였다.

(3) 조선은 북방의 여진에게 국경 지역에 (무역소, 신라소)를 설치하여 제한적인 교류를 허용하였다.

3 조선 전기의 대외 관계에 대한 설명으로 옳은 것만을 〈보기〉에서 있는 대로 골라 기호를 쓰시오.

〈보기〉

ㄱ. 국제 무역항으로 벽란도가 번성하였다.

ㄴ. 일본과의 교역은 왜관을 중심으로 이루어졌다.

ㄷ. 귀화한 여진의 지배층에게 관직과 토지를 주어 귀화를 장려하였다.

ㄹ. 시암, 자와 등 동남아시아 국가들은 사신을 통해 각종 토산품을 보내왔다.

핵심 콕콕

• 여진·일본과의 교린 관계

여진	• 강경책: 4군과 6진 설치 • 회유책: 무역소 설치, 귀화한 여진의 지배층에게 관직과 토지 지급
일본	• 강경책: 대마도 토벌 • 회유책: 3포 개항

01 (가)에 들어갈 내용으로 옳은 것은?

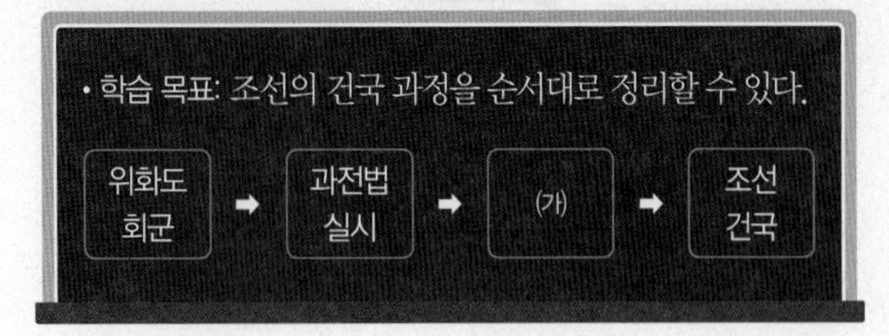

① 한양 천도
② 왕자의 난 발생
③ 쌍성총관부 폐지
④ 우왕과 최영의 요동 정벌 추진
⑤ 정몽주 등의 온건파 사대부 제거

02 다음 두 세력의 공통점으로 가장 적절한 것은?

> • 정도전을 중심으로 한 급진파 사대부
> • 이성계를 중심으로 한 신흥 무인 세력

① 무신 정변을 일으켰다.
② 친원적 성향을 가졌다.
③ 조선의 건국을 주도하였다.
④ 고려 왕조를 유지하고자 하였다.
⑤ 개인의 능력보다 혈통을 중시한 골품제를 비판하였다.

03 다음과 같이 주장한 인물에 대한 설명으로 옳지 않은 것은?

> 재상은 임금의 좋은 점은 따르고 나쁜 점은 바로잡으며, 옳은 일은 받들고 옳지 않은 일은 막아서, 임금으로 하여금 가장 올바른 경지에 들게 해야 한다.

① 왕도 정치를 추구하였다.
② 왕에게 시무 28조를 건의하였다.
③ 조선이 개국한 뒤 정치를 주도하였다.
④ 조선경국전과 불씨잡변을 저술하였다.
⑤ 경복궁과 궁궐 건물의 이름을 정하였다.

04 ㉠ 인물의 활동으로 옳은 것을 <보기>에서 고른 것은?

> (㉠)은/는 두 차례에 걸친 왕자의 난으로 정도전과 세자 등을 제거하고 왕위에 올랐다. 그는 국왕 중심의 정치를 지향하였고, 공신과 왕자들의 사병을 없애 군사권을 장악하였다.

보기
ㄱ. 경복궁을 건설하였다.
ㄴ. 과거제를 처음 실시하였다.
ㄷ. 호적을 조사하고 호패법을 실시하였다.
ㄹ. 6조에서 나랏일을 국왕에게 직접 보고하게 하였다.

① ㄱ, ㄴ ② ㄱ, ㄷ ③ ㄴ, ㄷ
④ ㄴ, ㄹ ⑤ ㄷ, ㄹ

시험에 잘 나와!

05 (가)에 들어갈 내용으로 가장 적절한 것은?

> 역사 탐구 보고서
> 1. 주제: 조선의 왕 ○○의 정책
> 2. 조사한 내용
> – 집현전을 설치하였다.
> – 의정부의 권한을 강화하였다.
> – (가)

① 경연을 폐지하였다.
② 과전법을 만들었다.
③ 훈민정음을 반포하였다.
④ 전민변정도감을 설치하였다.
⑤ 나라 이름을 조선으로 정하였다.

06 밑줄 친 '제도'로 옳은 것은?

> 세조는 과전이 부족해지자 관직 복무의 대가로 현직 관리에게만 수조권을 주는 제도를 실시하였다.

① 과전법 ② 직전법 ③ 호패법
④ 기인 제도 ⑤ 상수리 제도

07 조선 성종에 대한 설명으로 옳은 것은?

① 훈요 10조를 남겼다.
② 노비안검법을 실시하였다.
③ 의정부의 권한을 약화하였다.
④ 홍문관을 설치하여 경연을 다시 열었다.
⑤ 쌍성총관부를 공격하여 영토를 되찾았다.

08 ㉠ 서적에 대한 설명으로 옳은 것은?

(㉠)은/는 이전·호전·예전·병전·형전·공전의 6전으로 구성되어 있고, 그 내용을 통해 조선 사람들의 생활 모습을 짐작할 수 있다.

① 김부식이 저술하였다.
② 고대의 설화와 전설을 수록하였다.
③ 성종 때 완성된 조선의 기본 법전이다.
④ 성리학의 입장에서 불교 교리를 비판하였다.
⑤ 단군 조선을 우리 역사상 최초의 국가로 기록하였다.

09 다음은 조선의 중앙 정치 기구를 나타낸 것이다. (가)에 들어갈 기구에 대한 설명으로 옳은 것은?

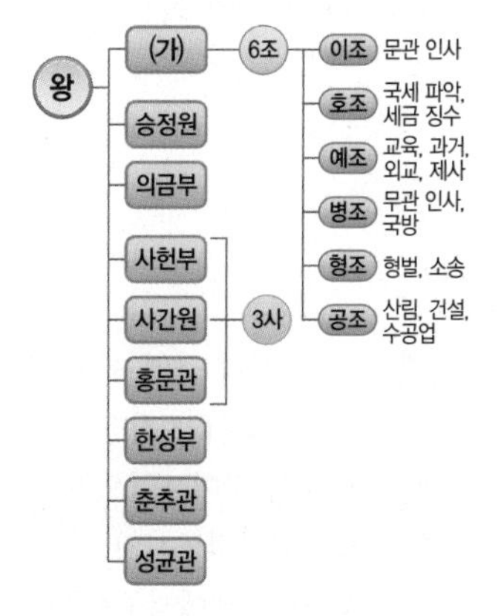

① 유학을 교육하였다.
② 국왕의 비서 역할을 하였다.
③ 반역 등의 큰 죄를 다스렸다.
④ 수도의 행정과 치안을 맡았다.
⑤ 3정승이 합의하여 국정을 총괄하였다.

[10~11] 다음을 읽고 물음에 답하시오.

조선 시대 ○○의 역할

- (㉠)은/는 임금에게 바른말을 하고, 정치의 잘잘못을 따져 지적하는 일을 맡는다.
- (㉡)은/는 궁궐 안의 책을 관리하고, 왕의 물음에 대비하여 경연을 담당한다.
- (㉢)은/는 정치를 논하고, 모든 관원을 살피며, 풍속을 바로잡고, 원통하고 억울한 일을 밝히며, 거짓된 언행을 금지하는 일을 맡는다.

10 ㉠~㉢에 들어갈 기구를 옳게 연결한 것은?

	㉠	㉡	㉢
①	사간원	사헌부	홍문관
②	사간원	홍문관	사헌부
③	사헌부	사간원	홍문관
④	사헌부	홍문관	사간원
⑤	홍문관	사헌부	사간원

11 ㉠~㉢ 기구의 공통된 특징으로 옳은 것을 〈보기〉에서 고른 것은?

보기

ㄱ. 6조를 관리하였다.
ㄴ. 언론 기능을 담당하였다.
ㄷ. 국방과 군사 문제를 주로 논의하였다.
ㄹ. 권력의 독점과 관리의 부정을 막기 위해 설치되었다.

① ㄱ, ㄴ ② ㄱ, ㄷ ③ ㄴ, ㄷ
④ ㄴ, ㄹ ⑤ ㄷ, ㄹ

12 다음에서 설명하는 기구로 옳은 것은?

조선 시대에 역사서의 편찬과 보관을 담당하였던 기구이다.

① 승정원 ② 의금부 ③ 춘추관
④ 한성부 ⑤ 중서문하성

13 (가)에 들어갈 내용으로 옳은 것은?

① 왕의 명령을 전달하였어.
② 왕권을 뒷받침하는 역할을 하였어.
③ 왕의 정책 자문과 경연을 담당하였어.
④ 당과 송의 제도를 참고하여 운영하였어.
⑤ 국가 재정의 출납과 회계 업무를 담당하였어.

14 다음 지방 행정 조직을 마련한 나라에 대한 설명으로 옳지 않은 것은?

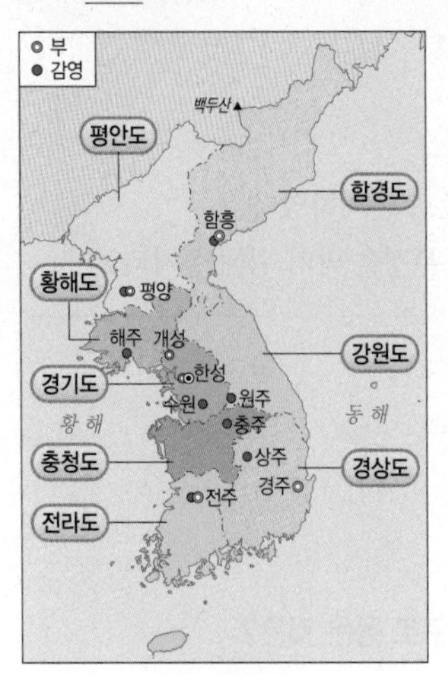

① 전국을 8도로 나누었다.
② 각 도에는 관찰사를 파견하였다.
③ 모든 군현에 수령을 파견하였다.
④ 도 아래에 부·목·군·현을 두었다.
⑤ 특수 행정 구역인 향·부곡·소를 설치하였다.

15 유향소에 대한 설명으로 옳은 것을 〈보기〉에서 고른 것은?

보기

ㄱ. 매향 활동을 전개하였다.
ㄴ. 각 지방의 양반들이 만들었다.
ㄷ. 불교 신앙을 바탕으로 조직되었다.
ㄹ. 수령을 돕고 향리의 비리를 감시하였다.

① ㄱ, ㄴ ② ㄱ, ㄷ ③ ㄴ, ㄷ
④ ㄴ, ㄹ ⑤ ㄷ, ㄹ

16 조선 시대의 향리에 대한 설명으로 가장 적절한 것은?

① 속현을 관리하였다.
② 국경 지역에 파견되었다.
③ 고려 시대에 비해 지위가 낮아졌다.
④ 행정 실무를 담당하는 지방의 세력가였다.
⑤ 행정 업무뿐만 아니라 재판과 군사 업무도 담당하였다.

17 ㉠~㉤ 중 옳지 않은 것은?

조선은 국방력을 강화하기 위해 군사 조직과 군역 제도를 정비하였다. ㉠ 군사 조직은 중앙군인 5위와 지방군으로 구성되었다. ㉡ 5위는 궁궐과 한양을 방어하였으며 ㉢ 지방의 각 도에서는 병마절도사와 수군절도사가 각각 육군과 수군을 지휘하였다. 한편, ㉣ 16세에서 60세의 남자는 신분에 관계없이 모두 군역을 졌다. ㉤ 군역은 직접 군인으로 복무하거나 군인의 비용을 부담하는 방식이었다.

① ㉠ ② ㉡ ③ ㉢ ④ ㉣ ⑤ ㉤

18 교사의 질문에 대한 학생의 답변으로 적절한 것을 〈보기〉에서 고른 것은?

보기

ㄱ. 당의 침입에 대비하기 위한 것이었습니다.
ㄴ. 물자 수송과 통신을 위해 시행되었습니다.
ㄷ. 위급한 상황을 수도에 빠르게 전하였습니다.
ㄹ. 낮에는 연기, 밤에는 불을 피워 신호를 전달하였습니다.

① ㄱ, ㄴ ② ㄱ, ㄷ ③ ㄴ, ㄷ
④ ㄴ, ㄹ ⑤ ㄷ, ㄹ

19 (가)에 들어갈 내용으로 적절하지 않은 것은?

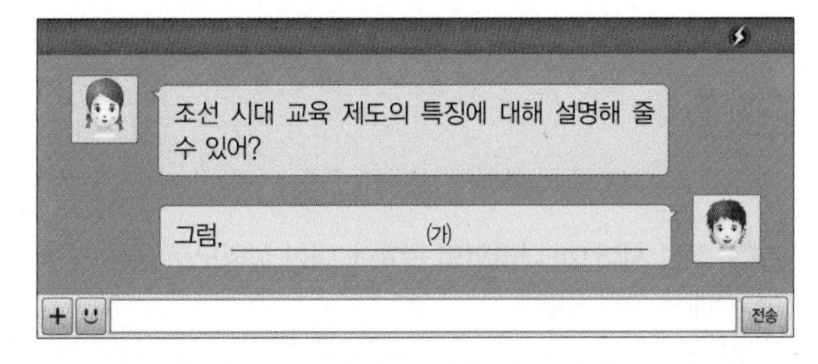

① 서당에서 기초적인 유학 지식을 가르쳤어.
② 4부 학당과 향교에서 유교 경전을 가르쳤어.
③ 사학이 발달하여 문헌공도 등이 설립되었어.
④ 유교적 지식과 교양을 갖춘 관리를 기르는 데 중점을 두었어.
⑤ 의학, 법학, 외국어 등 기술 교육은 해당 관청에서 담당하였어.

20 (가)에 들어갈 내용으로 옳은 것은?

① 태학 ② 향교
③ 성균관 ④ 주자감
⑤ 4부 학당

21 다음을 보고 (가), (나)에 대해 학생들이 나눈 대화 내용으로 가장 적절한 것은?

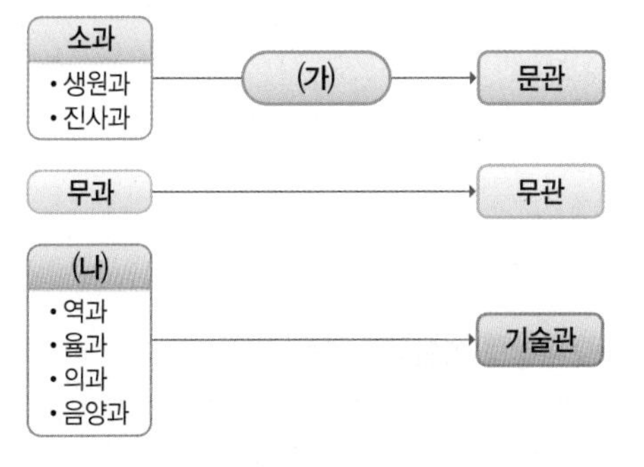

① (가)는 병조에서 담당하였어.
② (가)는 주로 양반이 응시하였어.
③ (나)는 승려들이 주로 응시하였어.
④ (나)는 고려 시대에는 실시되지 않았어.
⑤ (가), (나)는 5품 이상 고위 관리의 자손에게 특혜를 주었어.

22 ㉠~㉤에 대한 설명으로 옳지 않은 것은?

> 조선 시대의 관리 등용 제도에는 ㉠ 과거가 있었는데, 여기에는 문과, ㉡ 무과, ㉢ 잡과가 있었다. 이 밖에도 ㉣ 음서, ㉤ 천거가 있었다.

① ㉠ – 대체로 3년마다 시행되었다.
② ㉡ – 고려 시대에는 거의 시행되지 않았다.
③ ㉢ – 주로 중인이 응시하였고 기술관을 선발하였다.
④ ㉣ – 이를 통해 관직에 나간 사람은 주로 높은 관직에 올랐다.
⑤ ㉤ – 관리들의 추천을 받아 개인의 능력을 기준으로 관리를 선발하였다.

23 조선과 명의 관계에 대한 설명으로 옳은 것을 〈보기〉에서 고른 것은?

> 보기
> ㄱ. 삼포 왜란으로 갈등을 겪었다.
> ㄴ. 태종 이후 친선을 도모하였다.
> ㄷ. 3포를 통해 제한된 무역을 실시하였다.
> ㄹ. 조선이 조공품을 보내면 명이 답례품을 주었다.

① ㄱ, ㄴ ② ㄱ, ㄷ ③ ㄴ, ㄷ
④ ㄴ, ㄹ ⑤ ㄷ, ㄹ

24 ㉠에 들어갈 나라로 적절하지 않은 것은?

> 교린은 이웃 나라와 대등한 의례를 나누는 것을 뜻한다. 조선은 (㉠) 등 주변 세력과 교린 관계를 유지하였다.

① 명 ② 류큐
③ 시암 ④ 일본
⑤ 자와

[25~26] 지도를 보고 물음에 답하시오.

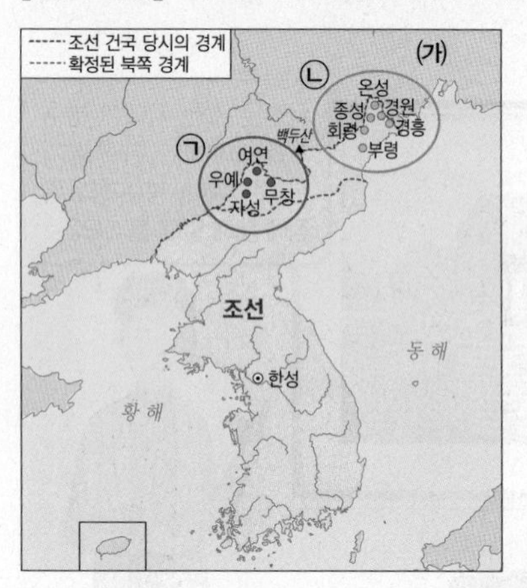

25 ㉠, ㉡에 대한 설명으로 옳지 않은 것은?

① ㉠, ㉡은 모두 세종 때 설치되었다.
② ㉠은 최윤덕을 보내 설치한 4군이다.
③ ㉡은 김종서를 보내 설치한 6진이다.
④ ㉠, ㉡은 명을 토벌하고 설치한 것이다.
⑤ ㉠, ㉡을 설치함으로써 오늘날과 같은 국경선이 확정되었다.

26 조선 시대 (가) 나라와의 관계에 대한 설명으로 옳은 것을 〈보기〉에서 고른 것은?

> 보기
> ㄱ. 교린 관계를 유지하였다.
> ㄴ. 왜관을 중심으로 교역하였다.
> ㄷ. 무역소를 설치하여 교류하였다.
> ㄹ. 세종 때 이종무를 보내 대마도를 토벌하였다.

① ㄱ, ㄴ ② ㄱ, ㄷ ③ ㄴ, ㄷ
④ ㄴ, ㄹ ⑤ ㄷ, ㄹ

서술형 문제

서술형 감잡기

01 다음 책의 완성이 지니는 의의를 서술하시오.

- 땅이나 가옥을 사고판 후, 100일 이내에 관아에 신고해서 증서를 받아야 한다. -「호전」
- 부모가 불치의 병이 있거나 70세 이상이면 아들 1명의 군역을 면제한다. -「병전」
- 남자는 15세, 여자는 14세에 혼인할 수 있다. 13세가 되면 혼인을 정할 수 있다. -「예전」

➜ 조선은 (①)을 완성함으로써 (②) 중심의 국가 통치 질서를 확립하였다.

실전! 서술형 도전하기

02 다음을 읽고 물음에 답하시오.

도성도

지도는 (㉠)의 모습을 보여 준다. 새 왕조를 연 태조는 고조선을 계승한다는 뜻에서 나라 이름을 조선으로 정하고 (㉠)(으)로 도읍을 옮겼다.

(1) ㉠에 들어갈 내용을 쓰시오.

(2) 태조가 (1)로 도읍을 정한 이유를 세 가지 서술하시오.

03 다음을 읽고 물음에 답하시오.

(㉠)은/는 호적을 조사하고 호패법을 시행하였다. 호패는 조선 시대에 16세 이상의 모든 남자가 지니고 다닌 신분증으로, 신분에 따라 호패에 적는 내용이 달랐다.

(1) ㉠에 들어갈 왕을 쓰시오.

(2) (1)이 호패법을 시행한 목적을 두 가지 서술하시오.

04 조선 시대에 다음 기구들을 설치한 목적을 서술하시오.

• 사간원 • 사헌부 • 홍문관

05 밑줄 친 '회유책'과 '강경책'의 사례를 각각 서술하시오.

조선은 여진에 교린 정책을 펼쳐 회유책과 강경책을 병행하였다.

02 사림 세력과 정치 변화

A 사림의 등장

1. 훈구의 권력 독점

세조의 반란(계유정난)에 참여한 공신들이 훈구 세력을 형성하였어. 대표적인 인물로는 한명회가 있지.

(1) 훈구 세력: 세조가 왕위에 오르는 것을 도왔던 공신 세력을 중심으로 형성

(2) 훈구 세력의 권력 독점: 훈구가 중앙의 고위 관직 차지, 국가로부터 많은 토지와 노비를 받음, 일부는 왕실과 혼인 관계를 맺음 → 훈구의 권력 독점, 왕권 제약

2. +사림의 정계 진출

(1) 사림 세력: 조선 건국에 참여하지 않고 지방에서 학문 연구와 교육에 힘쓴 사대부의 제자들, 향촌 자치 및 도덕과 의리를 중시하는 왕도 정치 추구

왕권과 신권의 조화를 추구하는 유교적 이상 정치를 말해.

(2) 사림 세력의 정계 진출

① 배경: 성종이 훈구 세력을 견제하기 위해 김종직 등 사림 대거 등용

② 내용: 사림이 주로 3사의 언관직에 임명되어 훈구 세력의 부정한 행위와 권력 독점 비판 → 사림 세력과 훈구 세력 간의 정치적 갈등 심화

사림은 3사와 같은 언론 기관을 중심으로 여론을 모아 훈구 세력을 비판하고 영향력을 행사하였어.

+ 사림

사림은 고려 말 온건파 사대부인 정몽주와 길재의 학통을 계승한 세력으로, 대표적인 인물로는 김종직이 있다.

사림의 계보도

B 훈구와 사림의 대립

1. 사화: 훈구 세력과 사림 세력이 정치적으로 갈등을 빚어 일어난 사건

2. 사화의 발생

(1) 연산군 시기

무오사화	• 배경: 연산군 즉위 이후 훈구 세력이 사림에 대한 반격 시작 • 내용: 연산군과 훈구 세력이 사초에 실린 김종직의 「+조의제문」을 문제 삼아 사림 제거
갑자사화	연산군이 친어머니의 폐위와 관련된 사람들을 제거하면서 훈구 세력과 함께 사림 세력이 피해를 입음 → 훈구 세력의 주도로 연산군을 몰아냄, 중종이 왕위에 오름(중종반정)

(2) 중종 시기: 기묘사화 발생

왜? 즉위 초 중종반정을 주도한 훈구 세력이 권력을 독점하였기 때문에 중종은 이를 견제하고자 하였어.

① 배경: 중종이 조광조 등 사림 세력 등용(→ 훈구 세력 견제), 조광조의 개혁 추진(왕도 정치 강조, +소격서 폐지, +현량과 실시, 위훈 삭제 주장)

② 내용: 조광조의 급진적인 개혁에 부담을 느낀 중종이 훈구 세력과 함께 조광조를 비롯한 사림 세력 제거

조광조는 반정 당시 공이 과장되거나 공이 없는 신하들을 조사하여 공훈을 삭제하고자 하였어.

(3) 명종 시기: 을사사화 발생(왕의 외척 간에 발생한 정치적 다툼 속에서 많은 사림이 큰 피해를 입음)

3. 사화의 결과: 네 차례의 사화로 사림 세력이 크게 피해를 입음 → 사림이 서원과 향약을 바탕으로 향촌에서 꾸준히 세력 확대, 선조 때 중앙 정치를 주도하게 됨

+ 조의제문

신하였던 항우에게 죽임을 당한 초나라의 왕 의제를 애도한 글이다. 훈구 세력은 김종직이 단종을 몰아낸 세조를 의제를 몰아낸 항우에 빗대어 비판하였다고 주장하였다.

+ 소격서

왕실의 도교 행사를 주관하던 예조 소속 관청

+ 현량과 실시

> 조광조가 중종에게 아뢰기를, "현량과를 실시하여 성리학적 지식뿐만 아니라 덕행이 있는 사람을 천거하게 해 인재를 찾으십시오."라고 하였다.
> -「중종실록」

현량과는 학문과 덕행이 뛰어난 인재를 추천해 과거를 치르지 않고 관리로 등용하는 제도이다. 현량과의 시행으로 많은 사림이 관직에 올랐다.

- 사림의 등장
- 훈구와 사림의 대립
- 서원과 향약의 확산
- 사림의 집권과 붕당의 형성

1 다음 설명이 사림에 해당하면 '사', 훈구에 해당하면 '훈'이라고 쓰시오.

(1) 온건파 사대부의 학통을 계승하였다. ( )

(2) 도덕과 의리를 중시하는 왕도 정치를 추구하였다. ( )

(3) 세조의 즉위에 공을 세운 세력을 중심으로 형성되었다. ( )

2 ㉠, ㉡에 들어갈 내용을 각각 쓰시오.

> 성종은 훈구 세력을 견제하기 위해 (㉠) 세력을 중앙 정계에 등용하였다. 이때 등용된 이들은 주로 (㉡)의 언관직에 임명되어 훈구 세력의 권력 독점과 비리를 비판하였다.

핵심 콕콕

• 훈구와 사림의 특징

구분	내용
훈구	세조가 왕위에 오르는 것을 도왔던 공신 세력, 관직 독점, 막대한 토지와 노비 소유
사림	조선 건국에 참여하지 않고 지방에서 학문 연구와 교육에 힘쓴 사대부의 자제들, 향촌 자치와 왕도 정치 추구

1 다음 빈칸에 들어갈 내용을 쓰시오.

(1) 갑자사화로 피해를 본 훈구 세력은 연산군을 몰아내는 ( )을 주도하였다.

(2) 연산군의 즉위 이후 훈구와의 갈등으로 사림이 큰 피해를 입은 사건을 ( ) 라고 한다.

2 조광조가 추진한 개혁만을 〈보기〉에서 있는 대로 골라 기호를 쓰시오.

> 보기
> ㄱ. 소격서 폐지　　ㄴ. 현량과 시행
> ㄷ. 호패법 실시　　ㄹ. 위훈 삭제 주장

3 다음 사화와 그에 해당하는 내용을 옳게 연결하시오.

(1) 갑자사화 • 　　• ㉠ 조광조의 개혁 정치에 대한 반발로 발생

(2) 기묘사화 • 　　• ㉡ 김종직의 조의제문을 문제 삼아 사림 축출

(3) 무오사화 • 　　• ㉢ 연산군이 친어머니 폐위와 관련된 사람 제거

(4) 을사사화 • 　　• ㉣ 외척 세력 간의 권력 다툼 속에서 사림이 피해를 입음

핵심 콕콕

• 사화의 발생

사화	내용
무오사화	• 배경: 김종직의 「조의제문」이 구실이 됨 • 결과: 사림이 피해를 입음
갑자사화	• 배경: 연산군의 어머니인 폐비 윤씨 사건이 구실이 됨 • 결과: 훈구와 사림이 피해를 입음 → 중종반정
기묘사화	• 배경: 조광조의 개혁 정치 실시 (소격서 폐지, 현량과 실시, 위훈 삭제 주장) • 결과: 조광조를 비롯한 사림 세력이 제거됨
을사사화	• 배경: 외척 간에 권력 다툼이 벌어짐 • 결과: 사림이 피해를 입음

C 서원과 향약의 확산

1. 서원의 확대 — 사림의 주도로 지방 곳곳에 서원이 건립되었어.

서원을 중심으로 특정 학자의 학통을 계승한 학파가 형성되었고, 성리학 연구가 더욱 활발해졌어.

(1) 서원의 기능: 덕망 높은 유학자를 제사 지냄, 성리학 연구, 지방 양반의 자제 교육 → 사림이 서원을 중심으로 성리학 이념 보급, 향촌 사회에서 정치 여론 형성

(2) 서원의 확대

① 백운동 서원 건립: 중종 때 주세붕이 백운동 서원 설립, 최초의 +사액 서원이 됨

② 서원 설립 장려: 국가가 사액 서원에 토지·노비·서적 등 지급, 세금 면제

2. 향약의 보급

꼭 향약의 4대 덕목으로는 덕업상권, 과실상규, 예속상교, 환난상휼이 있었어.

(1) 향약: 사림이 만든 향촌의 자치 규약, 상부상조의 전통과 성리학적 유교 윤리의 결합

(2) 향약의 보급과 확산

사림은 향약의 규약을 잘 지킨 사람에게는 상을 주고, 어긴 사람에게는 벌을 주는 등 지방민들을 향약에 맞춰 규율하였어.

① 보급: 중종 때 조광조 등 사림 세력이 중국의 『여씨 향약』을 번역하며 보급 시작

② 확산: 이황과 이이 등이 국내 실정에 맞는 향약을 만들어 시행, 향촌에 널리 보급

(3) 향약의 기능: 향촌 사회의 풍속 교화, 지방민 통제 → 사림이 향촌 사회의 주도권 강화

+ 사액 서원

'사액'이란 왕이 서원의 이름이 적힌 현판을 하사하는 것을 말한다. 최초의 사액 서원인 백운동 서원은 명종이 직접 쓴 '소수 서원'이라는 현판을 받았다.

소수 서원의 강학당

D 사림의 집권과 붕당의 형성

1. 사림의 집권: 서원과 향약을 기반으로 사림이 향촌 사회에서 학문적 입지와 영향력 확대 → 선조 때 정치의 주도권을 잡음, 3사를 중심으로 언론 활동 주도, +공론 형성

2. 붕당의 형성

훈구 인물을 철저히 배척해야 한다는 세력과 사림에 호의적인 훈구 인물은 포용해야 한다는 세력으로 나뉘었어.

(1) 배경: 정계에 남아 있는 훈구 세력에 대한 처리를 두고 사림 내부에서 갈등 발생, +이조 전랑의 임명 문제를 놓고 갈등 심화

(2) +붕당 형성: 선조 때 사림 세력이 동인과 서인으로 나뉘어 붕당 형성

구분	동인(신진 사림 중심)	서인(기성 사림 중심)
정치적 입장	외척을 정치에서 철저하게 배제할 것을 주장함, 김효원을 지지함	능력 있는 외척 세력을 포용할 것을 주장함, 심의겸을 지지함
학문적 입장	이황, 조식의 학문 계승(영남학파)	이이, 성혼의 학문을 따름(기호학파)

(3) 붕당 정치의 전개: 동인과 서인이 상대 붕당의 입장을 존중하고 학문적 차이를 인정하면서 상호 비판과 견제로 정치를 이끌어 나감

경기, 충청 지역의 사림을 중심으로 하였기 때문에 기호학파라고 하였어.

자료로 이해하기 동인과 서인의 유래

김효원이 …… 이조 전랑의 물망에 올랐으나, …… 심의겸이 반대하였다. 그 뒤에 (심의겸의 동생) 심충겸이 …… 이조 전랑으로 천거되었으나, 외척이라 하여 김효원이 반대하였다. 이에 양편 친지들이 각기 다른 주장을 내세우며 서로 배척하여 동인, 서인이라는 말이 여기에서 비롯되었다. 효원의 집은 동쪽 건천동에 있고, 의겸의 집은 서쪽 정릉동에 있었기 때문이다.

– 이긍익, 『연려실기술』

김효원은 한양의 동쪽 지역에, 심의겸은 한양의 서쪽 지역에 살았다. 이에 김효원과 심의겸을 지지하는 세력을 각각 동인, 서인이라고 하였다.

+ 공론

여러 사람이 뜻을 같이하는 것을 말한다. 사림 집권기의 공론은 붕당 내에서 토론을 거쳐 합의된 의견으로, 일종의 여론을 의미한다.

+ 이조 전랑

이조의 벼슬인 정랑과 좌랑을 함께 일컫는 말이다. 하급 관리와 언론 기관인 3사의 관리를 심사하고 추천할 수 있었으며, 자신의 후임자를 추천할 수 있었던 관직이다.

+ 붕당

특정한 정치적·학문적 입장을 함께하는 양반들이 모여 만든 정치 집단이다. 선조 때 동인과 서인이 형성되었고, 이후 동인은 남인과 북인으로 나뉘었다.

1 다음 설명이 맞으면 ○표, 틀리면 ×표를 하시오.

(1) 향약의 4대 덕목으로 덕업상권, 과실상규, 예속상교, 환난상휼이 있다. ( )

(2) 백운동 서원은 명종 때 사액 서원이 되어 소수 서원으로 이름이 바뀌었다. ( )

(3) 사림은 성균관을 건립하여 향촌의 훌륭한 유학자를 제사 지내고 성리학을 연구하였다. ( )

2 다음 인물과 그의 활동을 옳게 연결하시오.

(1) 이이 • • ㉠ 백운동 서원 건립

(2) 조광조 • • ㉡ 국내 실정에 맞는 향약 제정

(3) 주세붕 • • ㉢ 중국의 향약을 번역하여 보급

핵심 콕콕

• 서원과 향약의 확산

서원	• 기능: 덕망 높은 유학자를 제사 지냄, 성리학 연구 • 확산: 백운동 서원(최초의 사액 서원) 건립 → 서원 수 증가
향약	• 의미: 향촌의 자치 규약 • 확산: 국내 실정에 맞게 향약 제정 → 향촌에 널리 보급 • 기능: 향촌 사회의 풍속 교화, 지방민 통제

1 다음 괄호 안의 내용 중 알맞은 말에 ○표를 하시오.

(1) 사림 집권기의 (공론, 향약)은 붕당 내에서 토론을 거쳐 합의된 의견을 말한다.

(2) (사림, 훈구) 세력은 서원과 향약을 기반으로 향촌 사회에서 영향력을 확대하였다.

(3) (영의정, 이조 전랑)은 3사 관리와 자신의 후임자를 추천할 수 있는 권한을 가졌다.

2 선조 때 정치적·학문적 성향을 같이하는 사림들이 모여 ( )을 형성하였다.

3 ㉠, ㉡에 들어갈 내용을 각각 쓰시오.

> 사림들은 이조 전랑의 자리를 두고 다투었다. 이때 김효원의 집은 한양의 동쪽에 있어서 김효원을 지지하는 세력을 (㉠)이라고 불렀고, 심의겸의 집은 서쪽에 있어서 심의겸을 지지하는 세력을 (㉡)이라고 불렀다.

4 다음 세력과 관련된 내용만을 〈보기〉에서 있는 대로 골라 기호를 쓰시오.

보기
ㄱ. 기성 사림 중심　　ㄴ. 신진 사림 중심
ㄷ. 이황과 조식의 학문 계승　　ㄹ. 이이와 성혼의 학문을 따름

(1) 동인 – ( )　　(2) 서인 – ( )

핵심 콕콕

• 사림의 집권과 붕당의 형성

사림의 집권
향촌에서 세력을 키운 사림이 선조 때 정치의 주도권 장악

↓

붕당의 형성
사림 세력이 훈구 세력에 대한 처리와 이조 전랑의 임명 문제를 둘러싸고 갈등 → 동인과 서인으로 분열

01 다음에서 설명하는 정치 세력으로 옳은 것은?

> 세조가 왕위에 오르는 데 공을 세운 세력으로, 한명회가 대표적인 인물이다. 고위 관직을 차지하며 정치를 주도하였고, 국가로부터 많은 토지와 노비를 받았다.

① 사림　② 서인　③ 호족
④ 훈구　⑤ 권문세족

시험에 잘 나와!

02 다음과 같은 계보를 가진 정치 세력에 대한 설명으로 옳은 것을 〈보기〉에서 고른 것은?

〈보기〉
ㄱ. 계유정난에 참여하였다.
ㄴ. 중종반정을 주도하였다.
ㄷ. 온건파 사대부의 학통을 계승하였다.
ㄹ. 왕도 정치와 향촌 자치를 추구하였다.

① ㄱ, ㄴ　② ㄱ, ㄷ　③ ㄴ, ㄷ
④ ㄴ, ㄹ　⑤ ㄷ, ㄹ

03 (가)에 들어갈 내용으로 가장 적절한 것은?

> **역사 탐구 보고서**
> 1. 탐구 주제: ＿＿＿＿(가)＿＿＿＿
> 2. 조사한 내용: 연산군, 김종직의 「조의제문」

① 붕당의 형성 과정
② 무오사화의 발생 배경
③ 조선 전기 명과의 관계
④ 온건파 사대부와 급진파 사대부의 대립
⑤ 이조 전랑의 자리를 둘러싼 사림 내부의 갈등

[04~05] 다음을 읽고 물음에 답하시오.

> (㉠)이/가 중종에게 아뢰기를, "(㉡)를 실시하여 성리학적 지식뿐만 아니라 덕행이 있는 사람을 천거하게 해 인재를 찾으십시오."라고 하였다. －「중종실록」

04 ㉠, ㉡에 들어갈 내용을 옳게 연결한 것은?

	㉠	㉡
①	김종직	전시과
②	김종직	현량과
③	조광조	전시과
④	조광조	현량과
⑤	한명회	독서삼품과

05 ㉠ 인물에 대한 설명으로 옳지 않은 것은?

① 백운동 서원을 건립하였다.
② 왕도 정치의 실현을 내세웠다.
③ 도교 행사를 주관하는 소격서를 폐지하였다.
④ 중종이 훈구 세력을 견제하기 위해 등용하였다.
⑤ 부당하게 공신이 된 자의 거짓 공훈을 삭제할 것을 주장하였다.

06 (가)~(라)를 일어난 순서대로 나열한 것은?

> (가) 훈구 세력이 연산군을 몰아내고 중종을 왕으로 세웠다.
> (나) 조광조의 급진적인 개혁에 부담을 느낀 왕과 훈구 세력이 사림 세력을 제거하였다.
> (다) 왕의 친어머니인 폐비 윤씨 사건을 구실로 훈구 세력과 사림 세력이 피해를 입었다.
> (라) 왕과 훈구 세력이 김일손이 사초에 기록한 김종직의 「조의제문」을 문제 삼아 사림을 제거하였다.

① (가) － (나) － (라) － (다)
② (나) － (라) － (다) － (가)
③ (다) － (나) － (가) － (라)
④ (라) － (가) － (나) － (다)
⑤ (라) － (다) － (가) － (나)

07 밑줄 친 '이것'에 대해 학생들이 나눈 대화 내용으로 적절하지 않은 것은?

이것은 중종 때 주세붕이 설립하였다. 이후 명종으로부터 '소수'라는 이름이 적힌 현판을 하사받았다.

① 최초의 사액 서원이었어.
② 덕망 높은 유학자를 제사 지냈어.
③ 성리학을 연구하고 지방 양반의 자제를 교육하였어.
④ 국가로부터 토지, 노비, 서적을 지급받고 세금을 면제받았어.
⑤ 조선의 최고 교육 기관으로 높은 수준의 유학 교육을 실시하였어.

08 ㉠에 대한 설명으로 옳은 것은?

(㉠)의 네 가지 덕목

- 덕업상권: 좋은 일은 서로 권한다.
- 과실상규: 잘못된 것은 서로 규제한다.
- 예속상교: 예의 바른 풍속으로 서로 교제한다.
- 환난상휼: 어려운 일은 서로 돕는다.

① 국왕의 정책 자문과 경연을 담당하였다.
② 매향 활동을 하는 대규모 노동 조직이었다.
③ 사림 세력의 노력으로 향촌에 널리 보급되었다.
④ 사림 세력이 정치 여론을 형성하는 기반이 되었다.
⑤ 수령을 돕고 향리의 비리를 감시하는 역할을 하였다.

시험에 잘 나와!

09 사림이 향촌 사회에서 세력을 확대하는 기반이 되었던 것을 <보기>에서 고른 것은?

보기

ㄱ. 서원　　ㄴ. 향교
ㄷ. 향약　　ㄹ. 소격서

① ㄱ, ㄴ　② ㄱ, ㄷ　③ ㄴ, ㄷ
④ ㄴ, ㄹ　⑤ ㄷ, ㄹ

10 조선 전기의 붕당에 대한 설명으로 옳지 않은 것은?

① 선조 때 형성되었다.
② 동인은 영남 지역의 사림이 많았다.
③ 서인은 주로 이이와 성혼의 학문을 따랐다.
④ 정치적·학문적 의견 차이에 따라 형성되었다.
⑤ 상대 붕당의 입장과 학문적 차이를 인정하지 않았다.

서술형 문제

서술형 감잡기

01 밑줄 친 '이들'이 중앙 정계에 진출하게 된 배경과 그들의 활동 내용을 서술하시오.

이들은 고려 말 조선 건국에 참여하지 않고 지방에서 학문 연구와 교육에 힘쓴 사대부의 제자들로, 국왕이 도덕을 바탕으로 통치하되, 현명한 신하와 협력하여 백성을 바르게 이끌어야 한다고 보았다.

→ 성종이 훈구를 견제하고자 (① 　　　)을 등용하면서 중앙 정계에 진출하였다. 주로 (② 　　　)에 배치되었고, 훈구의 권력 독점과 비리를 비판하였다.

실전! 서술형 도전하기

02 ㉠에 들어갈 관직을 쓰고, 그 권한을 두 가지 서술하시오.

선조 때 (㉠)의 자리를 두고 김효원과 심의겸이 갈등하였다. 김효원은 한양의 동쪽 지역에, 심의겸은 한양의 서쪽 지역에 살았기 때문에 김효원과 심의겸을 지지하는 세력을 각각 동인, 서인이라고 하였다.

03 문화의 발달과 사회 변화

A 훈민정음의 창제와 확산

1. +훈민정음 창제

조선 초기부터 실용적이고 자주적인 문화가 발달하면서 훈민정음이 창제되었어.

배경	한자와 +이두는 일반 백성이 배우기가 어려워 쉽게 사용하지 못함
내용	세종이 오랜 연구 끝에 훈민정음을 만들어 반포(1446)
의의	백성이 자신의 생각과 감정을 쉽게 글로 표현할 수 있게 됨, 정부가 백성에게 국가의 통치 이념을 쉽게 전달 가능, 민족 문화 발달에 기여, 국문학 발전의 계기가 됨

2. 훈민정음의 확산: 왕실의 권위를 높이고 유교 윤리와 실용 지식을 보급하는 데 이용(『용비어천가』와 유교 윤리서·각종 기술 서적 등을 훈민정음으로 간행), 하급 관리를 뽑을 때 훈민정음으로 시험을 봄

조선 왕실 선조들의 행적을 찬양하고 왕조 창업의 위대함을 노래한 서사시로, 세종 때 편찬되었어.

자료로 이해하기 훈민정음의 창제 목적

(우리)나라의 말씀이 중국과 달라 문자와 서로 통하지 않는다. 이런 이유로, 백성이 말하고자 하는 바가 있어도 마침내 제 뜻을 펴지 못하는 사람이 많다. 내 이를 가엾게 여겨 새로 스물여덟 글자를 만드니 모든 사람들이 쉽게 익혀 날마다 씀에 편안하게 할 따름이니라. -『훈민정음』 해례본

훈민정음의 창제 원리가 기록된 것으로, 1997년 유네스코 세계 기록 유산으로 등재되었어.

훈민정음이란 '백성을 가르치는 바른 소리'라는 뜻이다. 세종은 우리나라 말소리가 중국과 달라 백성들이 자신의 뜻을 밝히고자 해도 그럴 수 없음을 가엾게 여겨 훈민정음을 창제하였다.

+ 훈민정음

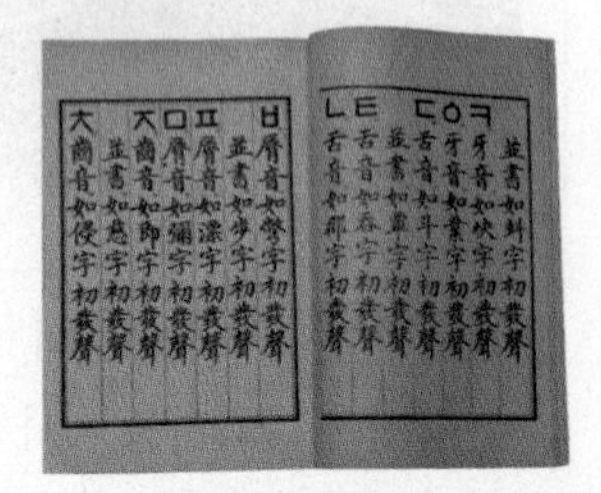

28자로 된 훈민정음은 글자의 원리가 독창적이고 과학적이어서 누구나 쉽게 우리말을 소리 나는 대로 적을 수 있었다.

+ 이두

통일 신라에서 만들어진 우리말 표기법으로, 한자의 음과 뜻을 빌려 우리말을 적었으나 우리말을 제대로 표현하는 데 어려움이 있었다.

B 다양한 서적의 편찬

조선은 건국 초기에 문물을 정비하기 위해 국가 주도의 편찬 사업을 진행하였어.

역사서	『+조선왕조실록』(역대 왕들의 통치 기록을 모아 정리), 『고려사』(고려의 역사 정리), 『동국통감』(고조선부터 고려 말까지의 역사 정리)
지도·지리서	「혼일강리역대국도지도」(태종 때 제작, 세계 지도), 「팔도도」(세조 때 제작, 전국 지도), 『동국여지승람』(지방의 연혁, 인물, 풍속 등 정리)
농서	『농사직설』(세종 때 편찬, 우리나라 실정에 맞는 농법 소개)
의서	『향약집성방』(국산 약재와 이를 이용한 치료법 소개), 『의방유취』(의학 집대성)
법전	『경국대전』(성종 때 반포, 조선의 기본 법전)

『동국여지승람』: 지방 통치에 활용하였어.

꼭 『경국대전』: 통치의 기본 규범이 담겨 있는 최고 법전으로 세조 때 편찬이 시작되어 성종 때 반포되었어.

자료로 이해하기 혼일강리역대국도지도

「혼일강리역대국도지도」는 동양의 현존하는 가장 오래된 세계 지도이다. '혼일'이란 중국과 중국 주변을 하나로 아우른다는 혼연일체를 의미하고, '강리'란 경계를 안다는 의미이다. 즉 온 세상의 영역을 한데 그려 놓고 옛날부터 있어 온 왕조들의 도읍지를 표시해 놓은 지도라는 뜻이다. 이 지도는 유럽과 아프리카 대륙까지 포함하고 있으며, 한반도가 실제보다 크게 그려져 있어 당시 조선 사대부들의 세계관을 엿볼 수 있다.

+ 조선왕조실록

조선 태조부터 철종까지 25대 왕 472년간의 역사를 시간 순서대로 기록한 역사책이다. 국왕이라고 할지라도 함부로 실록의 내용을 보거나 수정할 수 없었으므로, 사관들은 공정하고 객관적으로 실록을 기록할 수 있었다. 1997년에 유네스코 세계 기록 유산으로 등재되었다.

- 훈민정음의 창제와 각종 서적의 편찬
- 과학 기술의 발달
- 유교 윤리의 보급과 사회 변화
- 양반 중심 문화의 발달

1 다음에서 설명하는 문자를 쓰시오.

> 백성을 가르치는 바른 소리라는 뜻으로, 1446년에 반포되었다. 이를 통해 백성은 자신의 생각과 감정을 쉽게 글로 표현할 수 있었다.

2 다음 빈칸에 들어갈 내용을 쓰시오.

(1) (　　　　)은 독창적이고 과학적인 문자인 훈민정음을 창제하였다.

(2) 훈민정음으로 지은 (　　　　)는 조선 왕실 선조들의 행적을 찬양한 서사시이다.

3 다음 설명이 맞으면 ○표, 틀리면 ×표를 하시오.

(1) 조선 정부는 유교 윤리서, 각종 기술 서적을 훈민정음으로 간행하였다. (　　)

(2) 훈민정음의 창제로 조선 정부는 백성에게 국가 통치 이념을 쉽게 전달할 수 있었다. (　　)

핵심 콕콕

• **훈민정음의 창제**

내용	세종이 글자의 원리가 과학적이고 독창적인 훈민정음 창제 및 반포
의의	백성이 자신의 생각과 감정을 쉽게 글로 표현 가능, 정부가 백성에게 국가의 통치 이념을 쉽게 전달 가능, 민족 문화가 발전하는 바탕이 됨

1 다음 괄호 안의 내용 중 알맞은 말에 ○표를 하시오.

(1) 조선 역대 왕의 통치 기록을 모아 (7대 실록, 조선왕조실록)을 편찬하였다.

(2) (동국통감, 고려사절요)은/는 고조선부터 고려 말까지의 역사를 정리한 것이다.

2 태종 때 만든 (　　　　)지도는 동양에서 현존하는 가장 오래된 세계 지도로, 지도에 아프리카, 유럽 지역이 나타나 있다.

3 다음 서적과 그 특징을 옳게 연결하시오.

(1) 경국대전 •　　• ㉠ 조선의 기본 법전

(2) 농사직설 •　　• ㉡ 국산 약재를 소개한 의서

(3) 향약집성방 •　　• ㉢ 국내 실정에 맞는 농사법을 소개한 농서

(4) 동국여지승람 •　　• ㉣ 지방의 연혁, 인물, 풍속을 정리한 지리서

핵심 콕콕

• **조선 전기 서적의 편찬**

배경

건국 초기 문물을 정비하기 위해 국가 주도의 편찬 사업 진행

편찬된 서적

- 역사서: 『조선왕조실록』, 『동국통감』
- 지도: 「혼일강리역대국도지도」, 「팔도도」
- 지리서: 『동국여지승람』
- 농서: 『농사직설』
- 의서: 『향약집성방』
- 법전: 『경국대전』

C 과학 기술의 발달

1. 천문학과 역법의 발달

(1) 배경: 천문학이 왕의 권위를 높이고 농사에 도움을 주어 중시됨

└ 왜? 조선 시대 사람들은 천문 현상에 하늘의 뜻이 담겨 있다고 여기고, 하늘의 뜻을 잘 아는 자가 임금이 되어 백성을 다스려야 한다고 생각하였기 때문이야.

(2) 발달

태조	별자리를 관측한 천문도인 「+천상열차분야지도」를 돌에 새김
세종	혼천의·간의(천체의 운행 관측) 제작, 「+칠정산」 편찬, 자격루(물시계)·앙부일구(해시계)·측우기(강우량 측정) 제작

└ 행성과 별의 위치, 시간, 고도, 방위를 측정할 수 있는 천체 관측기구

2. 인쇄술의 발달: 서적 편찬의 증가로 인쇄술 발달 → 고려의 금속 활자를 개량하여 태종 때 계미자·세종 때 갑인자 등 금속 활자 주조

3. 무기의 발달: 신기전(화약이 달린 화살)과 화차가 개발되어 여진과 왜구 격퇴에 활용됨

└ 수십 개의 화살을 연이어 쏠 수 있는 장치

자료로 이해하기 자격루와 앙부일구

자격루

앙부일구

조선 전기 과학 기술이 발전하면서 자격루, 앙부일구 등이 제작되었다. 자격루는 자동으로 시간을 알려 주는 장치를 갖춘 물시계로, 장영실 등이 만들었다. 앙부일구는 해의 그림자를 보며 시간을 측정하는 해시계로, 세종은 이것을 여러 사람이 오가는 길에 설치하여 백성들도 시간을 알 수 있게 하였다.

+ 천상열차분야지도

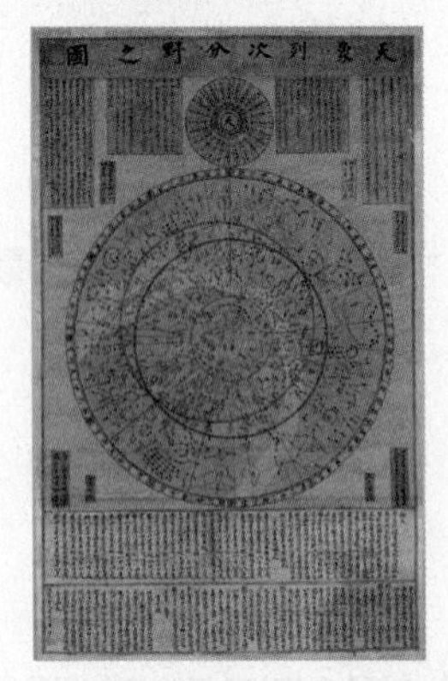

고구려의 천문도를 기반으로 오차를 수정하여 제작하였다. 하늘을 12구역으로 나누어 별자리의 위치와 모양을 표현하였다.

+ 칠정산

실제 천문 관측 기록을 토대로 만든 독자적인 역법서이다. 일출과 일몰, 일식과 월식의 정확한 때를 한양을 기준으로 계산할 수 있게 하였다.

D 유교 윤리의 보급

1. 배경: 조선이 유교 윤리(성리학)를 국가의 통치 이념으로 삼음 → 유교 이념 보급 노력

2. 유교 윤리 보급

└ 조선 정부는 임금과 신하, 부모와 자식, 남편과 부인 사이의 도리를 잘 지킨 사례를 찾아 상을 주었어.

국가	• 윤리서 편찬: 세종 때 유교 윤리와 예법을 백성의 일상생활까지 확산시키기 위해 『삼강행실도』 편찬(충신, 효자, 열녀들의 이야기를 담음) • 의례서 편찬: 성종 때 「+국조오례의」 편찬(국가와 왕실 행사의 절차와 의례를 유교 예법에 따라 정리)
사림	도덕과 의례의 기초 서적인 『소학』과 가정에서 지켜야 할 예절을 정리한 「+가례(주자가례)」의 보급 및 실천, 지방에 향약 보급(→ 양반이 향촌 사회 주도)

└ 아동에게 유교 윤리를 가르치기 위해 편찬된 책

자료로 이해하기 『삼강행실도』의 보급

삼강행실도

조선은 유교적 통치 이념과 함께 유교 윤리를 사회에 널리 보급하고자 노력하였다. 조선 정부는 유교의 기본 윤리인 삼강오륜을 강조하였으며, 세종 때 글과 그림으로 유교 윤리를 담은 『삼강행실도』를 편찬하여 백성들이 유교 윤리를 쉽게 익힐 수 있게 하였다. 또한 성종 때에는 백성들이 『삼강행실도』의 내용을 쉽게 이해할 수 있도록 훈민정음으로 번역한 내용을 추가하였다.

+ 국조오례의

제례, 왕실 혼례, 군대 의식, 사신 접대 의식, 상례 등 국가와 왕실에서 치러지는 의식을 규정한 책

+ 가례(주자가례)

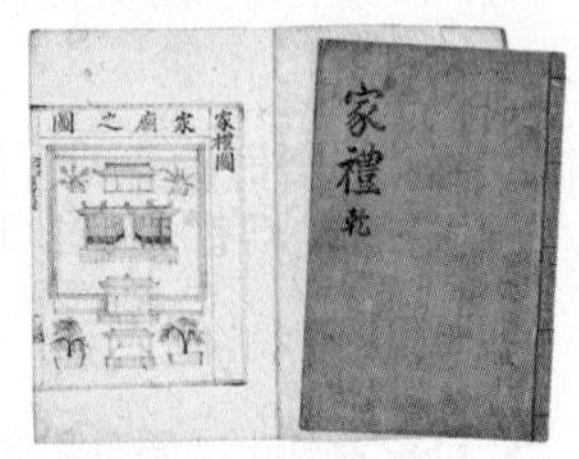

중국 남송의 주희가 사람이 살면서 치르는 관혼상제의 네 가지 의례의 예법을 정리하였다고 전해지는 책

1 조선 태조 때 고구려의 천문도를 기반으로 하여, 별자리를 관측한 천문도인 (　　　　　) 를 돌에 새겼다.

2 다음 내용에 해당하는 것을 〈보기〉에서 골라 기호를 쓰시오.

보기
ㄱ. 자격루　　　ㄴ. 측우기　　　ㄷ. 칠정산　　　ㄹ. 혼천의

(1) 천체를 관측하는 기구 (　　)

(2) 강우량을 측정하는 기구 (　　)

(3) 스스로 시각을 알려 주는 장치를 갖춘 물시계 (　　)

(4) 천문 관측 기록을 토대로 하여 한양을 기준으로 만든 역법서 (　　)

3 조선 전기 과학 기술의 발달과 관련하여 빈칸에 들어갈 내용을 쓰시오.

(1) 고려의 금속 활자를 개량하여 세종 때 (　　　　　)를 주조하였다.

(2) 화약이 달린 화살인 (　　　　　)과 이것을 연속해서 발사할 수 있는 화차를 개발하였다.

- 조선 전기 과학 기술의 발달

구분	내용
천문학·역법	• 발달 배경: 왕의 권위와 연결됨, 농사에 도움을 줌 • 발달 내용: 태조 시기(『천상열차분야지도』 제작), 세종 시기(혼천의·간의, 『칠정산』, 자격루·앙부일구·측우기 제작)
인쇄술	금속 활자를 개량하여 태종 때 계미자·세종 때 갑인자 주조
무기	신기전과 화차 개발

1 ㉠, ㉡에 들어갈 내용을 각각 쓰시오.

> 세종 때 충신, 효자, 열녀의 이야기를 글과 그림으로 엮은 (㉠　　　　)를 편찬하였고, (㉡　　　　) 때에는 백성들이 그 내용을 쉽게 이해할 수 있도록 훈민정음으로 번역한 내용을 추가하였다.

2 다음 서적과 그 내용을 옳게 연결하시오.

(1) 소학 • 　　　• ㉠ 가정에서 실천해야 할 예법 정리

(2) 국조오례의 • 　　　• ㉡ 아동에게 유교 윤리를 가르치기 위해 편찬

(3) 가례(주자가례) • 　　　• ㉢ 국가와 왕실 행사의 절차와 의례를 유교 예법에 따라 정리

3 16세기 이후 정계에 진출한 (　　　　　)은 소학과 가례를 널리 보급하고 실천하는 등 향촌 사회에서 유교 윤리의 확산을 위해 노력하였다.

- 유교 윤리의 보급

구분	내용
국가 주도	• 『삼강행실도』, 『국조오례의』 등 간행 • 충신, 효자, 열녀에게 상을 줌
사림 주도	『소학』, 『가례(주자가례)』의 보급 및 실천

E 유교 윤리의 확산과 사회 변화

1. 성리학적 질서의 확립

(1) +관혼상제의 의례 변화: 양반들이 『가례(주자가례)』에 따라 혼례와 장례를 치르고, 집 안에 사당(가묘)을 세워 조상의 제사를 지냄

(2) 족보 편찬: 부자 관계를 중시하는 유교 이념에 따라 양반들이 조상의 계보를 확인하고 족보를 편찬함 ㄴ 족보를 통해 같은 성씨끼리 단결하며 신분적 우월함을 내세웠어.

2. 신분제의 강화

ㄴ 성리학에서는 명분론을 중시하여 지배층과 피지배층, 남자와 여자에게 맞는 역할이 있다고 보았어.

(1) 배경: 각자의 지위에 맞는 역할과 윤리 강조 → 양반 중심의 신분제 강화

(2) 조선의 신분제: 법제상 양인과 천민으로 구분(양천제) → 양인 중에서 양반과 상민의 구분이 엄격해짐(반상제)

ㄴ 천민 이외의 양반, 중인, 상민이 속해.

ㄴ 나라에서 백성들에게 부과하던 부역

양반	과거를 통해 관직 진출, 국역을 면제받는 특권을 누림
중인	기술관, 서리, 지방의 향리 등이 속함
상민	대다수가 농민, 조세·공납·군역 및 요역의 의무가 있음
천민	대부분이 노비, 노비는 국가나 주인에게 예속되어 재산처럼 상속·매매가 가능함

+ 관혼상제의 의례 변화

관례	성인이 되는 의식으로, 남자는 상투를 틀고 여자는 머리를 말아 올려 비녀를 꽂음
혼례	혼례를 치르고 바로 신랑 집에서 혼인 생활을 시작하는 경우가 점차 늘어남
상례	매장이 확산되고 부모가 돌아가시면 3년상을 치름
제례	조상에 제사를 지내는 것이 효의 기본이 되면서 유교 절차에 따라 제사를 지냄

F 양반 중심 문화의 발달

문학	• 특징: 시조와 가사 문학 발달 • 내용: 서거정이 『동문선』(삼국 시대부터 조선 초기까지의 시와 산문을 모음), 김시습이 『금오신화』(최초의 한문 소설), 정철이 「관동별곡」(한글로 지은 가사 문학)을 지음
그림	• 특징: 그림은 주로 도화서의 화원과 양반 계층의 문인들이 그림 • 내용: 강희안이 「고사관수도」(선비의 정신세계 표현)·안견이 「몽유도원도」(현실 세계와 이상 세계를 조화롭게 표현)를 그림, +사군자화 유행
공예	15세기에 고려 말부터 제작된 +분청사기(소박하고 자연스러운 멋) 유행 → 16세기 이후에 백자(깨끗하고 고상한 느낌) 유행 ㄴ 왜? 선비의 고고하고 청빈한 삶을 보여 준다고 생각하여 사림이 백자를 선호하였기 때문이야.
건축	15세기 궁궐, 학교, 성문 등 건축 → 16세기 사림의 정계 진출 이후 서원 건축 활발

자료로 이해하기 조선 전기 예술의 발달

ㄴ 안평 대군이 이상 세계인 무릉도원에 다녀 온 꿈을 꾼 후 도화서 화원 안견에게 그 내용을 그리게 한 작품이야.

몽유도원도

분청사기 상감 연꽃 넝쿨무늬 병

백자 달 항아리

조선 전기에는 지배층인 양반이 선비다운 기품을 갖추기 위해 예술에도 관심을 쏟으면서 문인화와 산수화가 많이 그려졌다. 공예에서는 화려한 청자 대신에 분청사기와 백자 등이 유행하였다.

+ 사군자화

선비의 기개와 절개를 상징하는 매화, 난초, 국화, 대나무를 소재로 그린 그림

+ 분청사기

회색 계열의 바탕흙 위에 백토를 발라 구워 낸 자기로, 고려 말부터 조선 초까지 유행하였다.

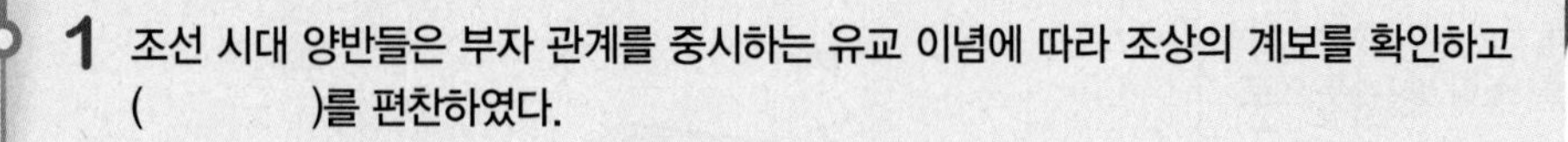

1 조선 시대 양반들은 부자 관계를 중시하는 유교 이념에 따라 조상의 계보를 확인하고 (   )를 편찬하였다.

2 조선 시대 사회에 대한 설명이 맞으면 ○표, 틀리면 ×표를 하시오.

(1) 양인에는 상민과 천민이 속하였다. (   )

(2) 성리학적 질서가 보급되면서 각자의 지위에 맞는 역할이 강조되었다. (   )

3 조선 시대의 신분과 그 특징을 옳게 연결하시오.

(1) 상민 • • ㉠ 기술관, 서리, 지방의 향리가 속함

(2) 양반 • • ㉡ 과거를 통해 관직 진출, 국역을 면제받음

(3) 중인 • • ㉢ 대다수가 농민, 조세·공납·역의 의무가 있음

(4) 천민 • • ㉣ 대다수가 노비로 재산처럼 상속·매매가 가능

핵심 콕콕

• 조선 전기의 사회 변화

구분	내용
성리학적 질서 확립	『가례(주자가례)』의 보급으로 관혼상제의 의례 변화, 양반들이 족보 편찬
신분제 강화	• 배경: 각자 지위에 맞는 역할 강조(명분론 중시) • 내용: 법제상 양천제(양인, 천민으로 나뉨), 실질적으로 반상제(양반, 중인, 상민, 천민으로 나뉨)

1 다음 괄호 안의 내용 중 알맞은 말에 ○표를 하시오.

(1) 조선 전기에는 (서민, 양반) 중심의 문화가 발달하였다.

(2) (동문선, 금오신화)은/는 삼국 시대부터 조선 초기까지의 시와 산문을 모아 펴냈다.

(3) 조선 전기에는 매화, 난초, 국화, 대나무를 소재로 하여 선비의 지조를 나타내는 (불화, 사군자화)가 유행하였다.

2 조선 시대의 문화유산만을 〈보기〉에서 있는 대로 골라 기호를 쓰시오.

〈보기〉

ㄱ. 고사관수도

ㄴ. 몽유도원도

ㄷ. 청자 상감 운학문 매병

3 조선 시대에는 사림의 정계 진출 이후 (   )의 건축이 활발해졌다.

핵심 콕콕

• 양반 중심의 문화 발달

구분	내용
문학	시조와 가사 문학 발달(『동문선』, 『금오신화』, 「관동별곡」 등)
그림	문인화와 산수화 발달(「고사관수도」, 「몽유도원도」 등)
공예	분청사기 유행(15세기) → 백자 유행(16세기 이후)
건축	사림의 정계 진출 이후 서원 건축 활발

시험에 잘 나와!

01 ㉠, ㉡에 들어갈 내용을 옳게 연결한 것은?

> (㉠)은/는 '백성을 가르치는 바른 소리'라는 뜻으로 (㉡)이 오랜 연구 끝에 이를 창제하여 반포하였다.

	㉠	㉡
①	이두	성종
②	이두	세종
③	훈민정음	성종
④	훈민정음	세종
⑤	훈민정음	태종

02 밑줄 친 '조선왕조실록'에 대한 설명으로 옳은 것을 〈보기〉에서 고른 것은?

> 조선 시대에는 역대 왕들의 통치 기록을 모아 『조선왕조실록』이 편찬되었다.

보기
ㄱ. 사림의 주도로 편찬되었다.
ㄴ. 유네스코 세계 기록 유산으로 등재되었다.
ㄷ. 조선 태조부터 철종까지의 역사를 기록하였다.
ㄹ. 국왕이 수시로 내용을 보거나 수정할 수 있었다.

① ㄱ, ㄴ ② ㄱ, ㄷ ③ ㄴ, ㄷ
④ ㄴ, ㄹ ⑤ ㄷ, ㄹ

03 다음 서적에 대한 설명으로 옳지 않은 것은?

① 농사직설 – 국내 실정에 맞는 농사 방법을 정리하였다.
② 향약집성방 – 국산 약재와 이를 이용한 치료법을 소개하였다.
③ 동국통감 – 삼국 시대부터 조선 초기까지의 시와 산문을 모아 펴냈다.
④ 동국여지승람 – 국가 통치에 필요한 지리 정보를 얻기 위해 편찬되었다.
⑤ 혼일강리역대국도지도 – 현존하는 동양에서 가장 오래된 세계 지도이다.

04 (가), (나)에 대한 설명으로 옳은 것은?

(가)

(나)

① (가) – 강우량을 측정하였다.
② (가) – 조선이 중국에서 들여온 기구이다.
③ (나) – 태조 때 제작되었다.
④ (나) – 자동으로 시간을 알려 주었다.
⑤ (가), (나) – 농사를 짓는 데 도움이 되었다.

05 ㉠~㉤ 중 옳지 않은 것은?

> 조선 전기에 ㉠ 제도 정비로 서적 편찬이 늘자 인쇄술이 발전하였다. ㉡ 고려의 금속 활자를 개량하여 ㉢ 태종 때 갑인자를 주조하였다. 한편, ㉣ 신기전과 화차를 개발하였는데 ㉤ 이러한 무기는 여진과 왜구의 침입을 물리치는 데 활용되었다.

① ㉠ ② ㉡ ③ ㉢ ④ ㉣ ⑤ ㉤

06 ㉠과 같은 노력으로 편찬된 서적을 〈보기〉에서 고른 것은?

> 성리학을 통치 이념으로 삼은 조선은 ㉠ 유교적 사회 질서를 확립하고자 유교 이념을 보급하는 데 힘썼다.

보기
ㄱ. 고려사 ㄴ. 국조오례의
ㄷ. 삼강행실도 ㄹ. 조선왕조실록

① ㄱ, ㄴ ② ㄱ, ㄷ ③ ㄴ, ㄷ
④ ㄴ, ㄹ ⑤ ㄷ, ㄹ

정답 친해 43쪽

시험에 잘 나와!

07 (가)에 들어갈 내용으로 가장 적절한 것은?

> **역사 조사 보고서**
>
> 1. 탐구 주제: 조선 시대 ______(가)______
> 2. 조사한 사례
>   - 『소학』과 『가례』가 널리 보급되었다.
>   - 『가례』에 따라 관례, 혼례, 상례, 제례를 치렀다.
>   - 양반이 조상의 계보를 확인하고 족보를 편찬하였다.

① 국방력의 강화
② 불교문화의 발전
③ 서민 문화의 발달
④ 성리학적 질서의 확산
⑤ 국가 주도의 서적 편찬

08 조선 전기의 신분 사회에 대한 설명으로 옳지 않은 것은?

① 법제상 양인과 천민으로 구분되었다.
② 양반과 상민의 구분이 점차 엄격해졌다.
③ 각자의 지위에 맞는 역할과 윤리가 강조되었다.
④ 실제로는 양반, 중인, 상민, 천민으로 나뉘었다.
⑤ 천민은 조세·공납·군역 및 요역의 의무가 있었다.

09 다음 내용을 통해 알 수 있는 조선 전기 문화의 특징으로 가장 적절한 것은?

> **조선 전기 문화의 발달**
>
> • 문학: 시조와 가사 문학 발달
> • 그림: 사군자화 유행
> • 공예: 분청사기와 백자 유행

① 불교 예술이 발전하였다.
② 다양한 문화가 융합되었다.
③ 일본의 문화를 수용하였다.
④ 실용적인 문화가 발전하였다.
⑤ 양반 중심의 문화가 발달하였다.

10 조선 전기의 문화유산으로 옳지 않은 것은?

① 금오신화
② 고사관수도
③ 몽유도원도
④ 팔만대장경판
⑤ 분청사기 상감 연꽃 넝쿨무늬 병

서술형 문제

서술형 감잡기

01 다음 문자를 창제한 의의를 두 가지 서술하시오.

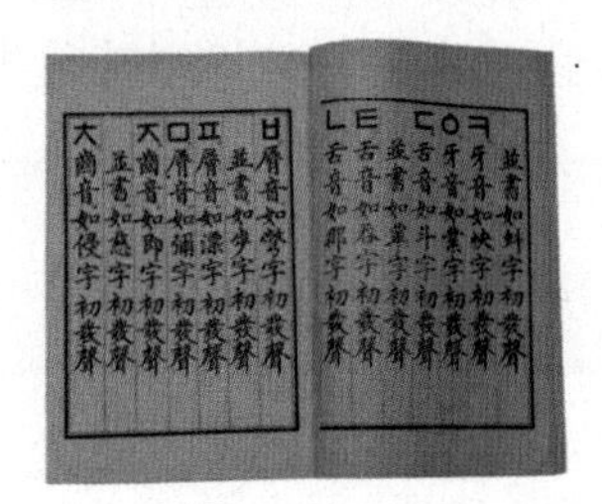

➜ (①   )의 창제로 백성은 자신의 생각과 감정을 쉽게 글로 표현할 수 있었고, 정부는 백성에게 국가 통치 이념을 쉽게 전달할 수 있었다. 또한 이것은 (②   ) 문화 발달에 기여하였다.

실전! 서술형 도전하기

02 다음을 읽고 물음에 답하시오.

> 조선 태조 때에는 별자리를 관측한 천문도인 (㉠) 이/가 제작되었다. 세종 때에는 혼천의와 간의를 만들어 천체를 관측하였고, 그 관측 결과를 토대로 역법서인 (㉡)을/를 편찬하였다. 이렇듯 (가) 왕들은 천문학에 많은 관심을 기울였다.

(1) ㉠, ㉡에 들어갈 내용을 각각 쓰시오.

(2) (가)의 이유를 두 가지 서술하시오.

04 왜란 · 호란의 발발과 영향

A 왜란의 발발

1. 왜란 이전의 대내외 정세

조선	양반 사회의 분열로 정치 혼란, 군역 제도의 문란으로 국방력 약화
명	환관들의 횡포 심각, 몽골과 왜구의 침입으로 사회 불안 심화
일본	도요토미 히데요시가 전국 시대 통일, 혼란 수습 → 내부 불만 세력의 관심을 밖으로 돌리고 대륙으로 진출하기 위해 조선 침략 준비 (전국 시대: 15세기 후반에 일어난 내분으로 100여 년간 다이묘들이 다투던 시대를 말해.)

2. 임진왜란 발발: 일본이 조선 침략(1592) → 부산진과 +동래성이 함락됨, 충주 방어선 붕괴, 한성이 점령당함 → 선조가 광해군을 세자로 책봉하고 의주로 피란, 명에 지원 요청 → 일본군이 평양을 거쳐 함경도 지역까지 진격

(일본이 조선 침략: '명을 정벌하러 가는 데 길을 빌려 달라'라는 구실로 침략하였어.)
(충주 방어선 붕괴: 신립이 이끄는 조선군이 충주 탄금대에서 패배하였어.)

+ 동래성 함락

동래부 순절도

그림은 동래 부사 송상현과 군민의 항전을 묘사하고 있다. 일본군은 조총을 앞세워 조선을 침략하였다.

B 왜란의 전개와 극복

1. +의병과 수군의 활약

(의병: 외적의 침입을 물리치기 위해 백성이 자발적으로 조직한 군대)

의병	곽재우를 비롯한 유생·전직 관리 등이 농민들을 모아 의병을 일으킴, 익숙한 지리를 활용하여 적은 병력으로 일본군에게 큰 타격을 줌(일본군의 보급로 차단)
승병	유정, 휴정 등의 승려들이 승군을 조직하여 일본군에 대항
수군	이순신의 수군이 옥포, 사천, 당포, 부산, 한산도 등지에서 일본군을 무찌름(서남해의 제해권 장악, 곡창 지대인 충청도와 전라도 지방 보호, 일본군의 해상 보급로 차단)

(일본군의 해상 보급로 차단: 바다를 통해 무기와 식량을 운반하려는 일본군의 계획을 무너뜨렸어.)

2. 왜란의 극복: 명이 지원군 파견(→ 전쟁이 동아시아 국제전으로 확대) → 조선과 명의 연합군이 평양성 탈환, 김시민(진주성)과 권율(행주산성)이 일본군에게 크게 승리

(Q&A? 명은 일본의 대륙 진출을 막기 위해 조선에 지원군을 보냈어.)
(행주산성: 행주산성에서 일본군을 무찌르면서 한성을 되찾았어.)

3. 휴전과 정유재란: 일본이 조선과 명에 휴전 요청, 조선의 전쟁 대비(+훈련도감 설치 등 군제 개편, 무기와 성곽 보강) → 3년에 걸친 휴전 협상 결렬, 일본이 다시 조선 침략(정유재란, 1597) → 일본의 침략을 막음(이순신의 명량 대첩)

4. 전쟁의 종결: 도요토미 히데요시 사망, 일본군이 조선에서 철수(1598)

(일본군이 조선에서 철수: 퇴각하는 일본군을 이순신이 노량에서 무찔렀어.)

자료로 이해하기 조선 수군의 활약

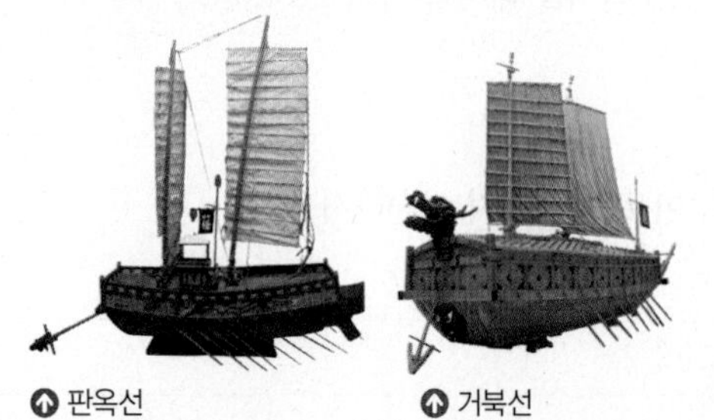

판옥선 / 거북선 (판옥선에 지붕을 덮어 만들었어.)

이순신이 이끄는 수군은 옥포 해전을 시작으로 일본군에 연승하였다. 조선의 전선(전투에 쓰는 배)인 판옥선은 바닥이 평평하고 배의 회전이 쉬워 다양한 전술을 펼 수 있었고, 견고하여 화포를 쏠 때의 충격에 잘 견뎠다. 또한 거북선은 돌격선의 역할을 하였다. 이와 함께 학익진 전법의 전술, 비격진천뢰 등의 포탄, 포탄을 발사하는 화포인 총통 등의 사용으로 수군은 일본군을 물리칠 수 있었다.

+ 의병과 수군의 활약

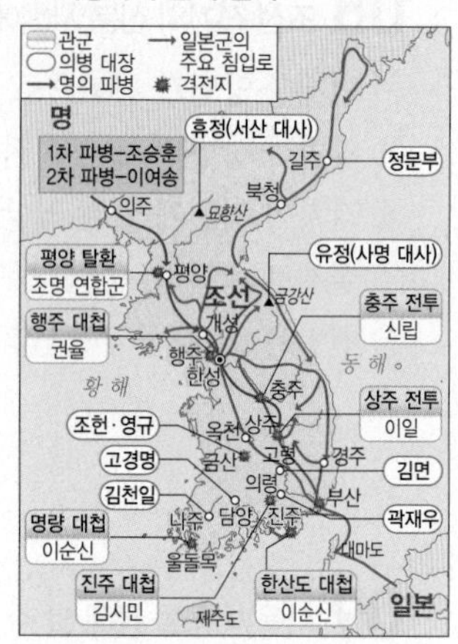

왜란의 전개 과정

조선은 의병, 수군의 활약과 조명 연합군의 반격 등으로 일본군을 물리칠 수 있었다.

+ 훈련도감

조총을 다루는 포수, 창과 칼 등을 다루는 살수, 활을 쏘는 사수를 합하여 삼수병으로 편성되었다.

- 왜란의 발발과 극복
- 광해군의 중립 외교 정책
- 두 차례 호란의 발발
- 북벌 운동과 북학 운동

1 1592년에 일본이 명을 정벌하러 가는 데 필요한 길을 빌려 달라는 구실로 조선을 침략하여 (　　　　)이 발발하였다.

2 다음 괄호 안의 내용 중 알맞은 말에 ○표를 하시오.

(1) 왜란이 일어나자 조선은 (명, 원)에 지원을 요청하였다.

(2) (선조, 인조)는 일본군이 침략해 오자 의주로 피란을 갔다.

(3) 일본에서 전국 시대를 통일한 (도요토미 히데요시, 도쿠가와 이에야스)는 내부 불만 세력의 관심을 돌리기 위해 조선 침략을 준비하였다.

• **왜란의 발발**

배경	• 조선: 정치적 혼란, 국방력 약화 • 일본: 도요토미 히데요시의 전국 시대 통일, 조선 침략 준비
내용	일본의 조선 침략 → 부산진과 동래성 함락, 한성 점령 → 함경도까지 진격

1 다음 빈칸에 들어갈 내용을 쓰시오.

(1) 임진왜란 때 조선과 (　　　　)의 연합군이 평양성을 탈환하였다.

(2) 임진왜란 초기 조선에 불리하던 전세는 향토 지리에 익숙한 (　　　　)의 활약과 수군의 승리로 점차 바뀌었다.

2 다음에서 설명하는 인물을 〈보기〉에서 골라 기호를 쓰시오.

보기

ㄱ. 권율　　ㄴ. 곽재우　　ㄷ. 이순신

(1) 임진왜란 때 농민들을 모아 의병을 일으켰다. (　　)

(2) 행주산성에서 일본군을 무찌르면서 한성을 되찾았다. (　　)

(3) 옥포, 사천, 당포, 한산도 등에서 일본군에게 승리하였다. (　　)

3 ㉠, ㉡에 들어갈 내용을 각각 쓰시오.

임진왜란에 대한 3년에 걸친 휴전 협상이 결렬되자 일본이 다시 조선을 침략하여 (㉠　　　　)이 일어났다. 그러나 휴전 협상이 지속되는 동안 조선은 무기를 정비하고, 포수, 살수, 사수의 삼수병으로 편성된 (㉡　　　　)을 설치하는 등 군사 제도를 가다듬어 일본의 침략을 효과적으로 막을 수 있었다.

• **왜란의 전개와 극복**

일본의 조선 침략(임진왜란)

의병과 수군의 활약

• 의병: 곽재우 등 의병이 익숙한 지리를 활용한 전술로 일본군에게 큰 타격을 줌
• 수군: 이순신이 이끈 수군이 옥포, 사천, 당포, 부산, 한산도 등지에서 일본군을 무찌름

일본의 재침략

3년에 걸친 휴전 협상 결렬, 일본이 다시 조선 침략(정유재란) → 조선이 일본군의 침략을 막아 냄

C 동아시아 국제 정세의 변화

1. 왜란의 영향: 7년간의 전쟁은 동아시아에 큰 영향을 줌

(노비 문서 소실, 전쟁에서 공을 세운 상민과 천민의 신분 상승 등으로 신분 질서가 동요하였어.)

조선	토지 황폐화(→ 백성의 생활과 국가 재정 악화), 인구 감소, 신분 질서의 동요, 불국사·궁궐(경복궁)·+사고 등이 불에 탐, 많은 문화재(도자기, 서적 등)를 일본에 약탈당함, 조선에 투항한 일본인들이 철포와 탄약 제조 기술 등을 전함, 일본에서 고추·담배를 비롯한 작물 전래 (예) 대포, 소총 등
일본	도요토미 정권이 무너지고 +에도 막부 수립, 약탈한 조선의 문화재와 포로로 끌고 간 사람들을 통해 문화 발전의 계기 마련
중국	• 명: 전쟁 때 조선에 지원군을 보내면서 국력 약화 • 여진: 명의 국력이 쇠약해진 틈을 타 만주에서 빠르게 성장

2. 일본과의 국교 회복

(1) 국교 재개: 에도 막부가 조선과의 관계 정상화 요청 → 조선이 승려 유정(사명 대사)을 보내 조선인 포로를 데려온 뒤 일본과 국교 회복

(2) 문화 교류: 일본의 요청으로 조선이 일본에 외교 사절단인 +통신사 파견

+ 사고
국가의 중요한 역사 기록과 『조선왕조실록』을 보관하던 곳이다. 임진왜란 때 전주 사고를 제외하고 모두 불타버리자 이후 『조선왕조실록』을 여러 부 인쇄하여 지방 곳곳의 사고에 나누어 보관하였다.

+ 에도 막부
도쿠가와 이에야스가 정권을 장악하고 에도(도쿄)에 수립한 일본의 무사 정권

+ 통신사
일본 막부의 최고 통치자인 장군(쇼군)이 교체될 때마다 파견된 사절단이다. 조선의 문화를 전달하는 역할을 하였으며, 200여 년간 12회 파견되었다.

자료로 이해하기 왜란의 영향

귀무덤 – 왜란 중 일본군이 조선인의 목 대신 베어 간 귀와 코를 묻은 무덤이야.

아리타 자기

왜란으로 조선은 많은 사람이 죽거나 일본에 끌려가 인구가 줄었다. 전쟁 중에 일본이 조선에서 포로로 끌고 간 성리학자, 도자기 기술자 등은 일본의 문화 발전에 영향을 주었는데, 그 중 도공 이삼평은 17세기 일본 아리타 자기의 형성에 크게 기여하였다.

D 광해군의 중립 외교

1. 광해군의 정치

(선조의 뒤를 이은 광해군은 북인과 함께 전쟁 피해를 복구하는 데 힘을 기울였어.)

(1) 전후 복구 정책: 국가 재정의 확충(토지 개간, 토지 대장과 호적 정비), 국방력 강화(성곽과 무기 수리, 군사 훈련 실시), 민생 안정 노력(허준의 『동의보감』 편찬)

(중국과 우리나라의 의학 서적을 집대성하여 편찬한 책으로 2009년 유네스코 세계 기록 유산으로 등재되었어.)

(2) +중립 외교 정책

배경	명 쇠퇴, 만주에서 여진의 누르하치가 후금 건국
전개	후금의 명 공격 → 명이 조선에 군사 지원 요청 → 강홍립이 이끄는 군대를 명에 파견, 강성해진 후금과 쇠퇴한 명 사이에서 중립 외교 전개 (꼭 광해군은 강홍립에게 상황에 따라 적절하게 대처하도록 지시하였어.)
결과	후금과의 전쟁을 피함

2. 인조반정

(명에 대한 의리와 명분을 중시한 서인의 반발을 불러일으켰어.)
(왜? 영창 대군과 인목 대비가 왕권 안정에 위협이 되었기 때문에 광해군이 취한 조치야.)

배경	광해군의 중립 외교 정책, 영창 대군 살해, 인목 대비 폐위에 따른 서인의 반발
내용	서인이 중심이 되어 정변을 일으킴 → 광해군과 북인 세력을 몰아내고 인조를 왕으로 추대함(인조반정, 1623)

+ 중립 외교
광해군은 명분보다 외교적인 실리를 택하는 중립 외교를 펼쳤다. 「양수투항도」는 조선과 명의 연합군이 후금에 패하자, 강홍립이 후금에 항복하는 모습을 그린 것이다.

양수투항도

1 임진왜란의 영향이 맞으면 ○표, 틀리면 ×표를 하시오.

(1) 조선에 지원군을 보냈던 명의 국력이 강해졌다. ( )

(2) 조선에서 인구가 감소하고 대부분의 국토가 황폐해졌다. ( )

(3) 일본은 조선에서 끌고 간 성리학자, 도자기 기술자 등을 통해 문화가 발전하는 계기를 마련하였다. ( )

2 왜란 이후 국가들의 정세 변화를 옳게 연결하시오.

(1) 일본 • • ㉠ 에도 막부 수립

(2) 조선 • • ㉡ 만주에서 여진 성장

(3) 중국 • • ㉢ 많은 문화재 소실, 신분 질서 동요

3 ㉠, ㉡에 들어갈 내용을 각각 쓰시오.

왜란 이후 일본이 조선에 국교를 재개해 줄 것을 요청하자 조선은 (㉠)을/를 보내 조선인 포로를 데려오게 하고 일본과 국교를 회복하였다. 이후 조선은 일본의 요청으로 외교 사절단인 (㉡)를 여러 차례 파견하였다.

핵심 콕콕

• 왜란 이후 동아시아 국제 정세의 변화

조선	농토 황폐화, 인구 감소, 신분 질서 동요, 궁궐·사고 등 소실, 문화재를 약탈당함
일본	도쿠가와 이에야스가 에도 막부 수립, 문화 발전
중국	명의 국력 약화, 만주에서 여진이 세력 확대

1 광해군의 정책에 해당하는 것만을 〈보기〉에서 있는 대로 골라 기호를 쓰시오.

〈보기〉

ㄱ. 경국대전 완성　　ㄴ. 토지 대장 정비　　ㄷ. 성곽과 무기 수리

2 광해군은 강성해진 후금과 쇠퇴한 명 사이에서 ( ) 외교 정책을 전개하였다.

3 다음은 광해군 시기에 있었던 사실이다. (가)~(다)를 일어난 순서대로 나열하시오.

(가) 강홍립이 이끄는 군대가 후금에 항복하였다.
(나) 후금이 명을 공격하자 명이 조선에 지원군을 요청하였다.
(다) 서인 세력이 인조반정을 일으켜 광해군과 북인 정권을 몰아냈다.

핵심 콕콕

• 광해군의 중립 외교 정책

배경
명 쇠퇴, 여진의 누르하치가 후금 건국 후 명 공격 → 명이 조선에 군사 지원 요청

↓

전개
후금과 명 사이에서 중립 외교 추진

↓

결과
• 후금과의 전쟁을 피함
• 서인의 반발을 불러일으킴 → 인조반정

E 두 차례 호란의 발발

1. 정묘호란(1627)

명을 가까이하고, 후금을 배척하는 외교 정책

인조반정에 참여하였던 이괄이 자신이 2등 공신에 그친 것에 불만을 품고 일으킨 반란

구분	내용
배경	인조와 서인 정권의 친명배금 정책 추진(→ 후금 반발), 이괄의 난으로 조선 사회 혼란
전개	후금이 조선 침략, 후금의 군대가 황해도까지 침입 → 인조가 강화도로 피신, 관군과 의병이 후금에 맞섬
결과	후금이 조선과 형제 관계를 맺고 돌아감

2. 병자호란(1636)

왜? 청군의 빠른 진격으로 강화도로 가는 길이 막혔기 때문이야.

구분	내용
배경	후금이 조선에 군신 관계 요구 → 조선에서 주화론과 척화론(주전론)의 대립 → 척화론에 따라 조선 정부가 후금의 요구 거절
전개	후금이 국호를 '청'으로 바꾸고 침입 → 인조가 +남한산성으로 피신, 구원병이 청군에 패배, 강화도 함락
결과	주화파의 주장에 따라 +삼전도에서 청과 화의 체결(청과 군신 관계를 맺음) → 왕자·신하들·백성이 청에 끌려가 고통을 겪음, 청에 많은 공물을 바침

소현 세자와 봉림 대군 등

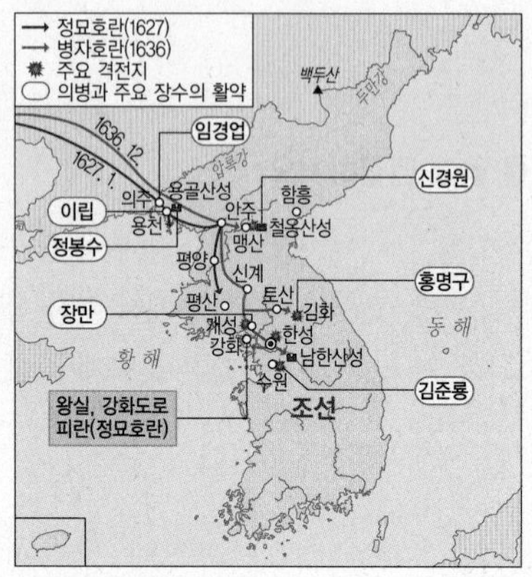

호란의 전개 과정

자료로 이해하기 — 주화론과 척화론의 대립

- 지금은 힘이 부족하니 청의 요구를 받아들여 나라를 보전해야 한다. — 주화론의 입장
- 왜적이 쳐들어왔을 때 명은 조선을 도왔는데, 의리를 저버릴 수 없다.

척화론의 입장으로, 임진왜란 중에 조선에 군대를 파병하였던 명에 의리를 지킬 것을 주장하였어.

후금이 조선에 군신 관계(임금과 신하의 관계)를 맺을 것을 요구하자, 조선에서는 이를 외교적으로 해결하자는 주화론과 후금과 맞서 싸워야 한다는 척화론이 대립하였다.

+ 남한산성

급한 일이 일어날 때 왕이 피란하여 머무는 임시 수도의 역할을 하였다. 봉우리를 연결하여 성벽을 쌓았는데 바깥쪽은 경사가 급해 적의 접근이 어려웠다. 2014년에 유네스코 세계 유산으로 지정되었다.

+ 삼전도비

인조는 삼전도에서 청에 항복하여 굴욕적인 화의를 맺었고, 청 태종은 조선에 자신의 공덕을 적은 비석(삼전도비)을 세우도록 하였다.

F 북벌 운동과 북학 운동

1. 북벌 운동

구분	내용
배경	• 동아시아 정세 변화: 청 중심의 국제 질서 형성(명 멸망, 청이 중국 전역 지배) • 북벌론 대두: 청에 대한 반감이 커짐, 청을 정벌하여 조선의 치욕을 씻고 명에 대한 의리를 지키자는 북벌론 대두
전개	청에 인질로 잡혀갔다 돌아와 왕위에 오른 효종이 송시열 등 서인을 등용하여 북벌 준비(성곽과 무기 정비, 군대 양성)
결과	청의 국력 강성, 흉년과 재해로 백성의 부담 증가, 효종의 죽음 → 북벌 정책이 중단됨

명이 임진왜란 때 조선을 도와준 것에 대한 의리를 지키자고 하였어.

2. 북학 운동(북학론)

구분	내용
배경	청에 사신 파견, +청의 문물과 서학이 조선에 전래, 청과의 교류 증가
전개	청의 발달한 문물을 받아들이자는 움직임 등장

+ 청의 문물 전래

병자호란으로 청에 끌려간 소현 세자는 청에 머무는 동안 청의 문물에 깊은 인상을 받았고, 당시 베이징에 머물던 독일인 신부 아담 샬을 만나 서양 문물을 직접 접할 수 있었다. 그는 귀국할 때 아담 샬로부터 받은 천문학·산학·천주교 서적, 천구의 등을 가지고 들어왔다.

1 다음 괄호 안의 내용 중 알맞은 말에 ○표를 하시오.

(1) 정묘호란이 일어났을 때 후금은 조선과 (군신 관계, 형제 관계)를 맺고 돌아갔다.

(2) 후금은 인조와 서인 정권의 (친명배금 정책, 중립 외교 정책)에 반발하여 조선을 침략하였다.

2 다음 주장과 그 내용을 옳게 연결하시오.

(1) 주화론 • • ㉠ 청에 맞서 싸우자는 주장

(2) 척화론 • • ㉡ 청과 화의하여 충돌을 피하자는 주장

3 다음 설명이 정묘호란에 해당하면 '정', 병자호란에 해당하면 '병'이라고 쓰시오.

(1) 인조가 강화도로 피신하여 항전하였다. ( )

(2) 왕자, 신하, 백성들이 청에 포로로 끌려갔다. ( )

(3) 삼전도에서 청과 굴욕적인 화의를 체결하였다. ( )

4 다음 빈칸에 들어갈 내용을 쓰시오.

(1) 강성해진 후금은 국호를 ( )으로 바꾸고 군신 관계를 요구하며 조선을 침략하였다.

(2) 척화파는 임진왜란 중에 조선에 군대를 파병하였던 ( )에 의리를 지킬 것을 주장하였다.

핵심 콕콕

• **두 차례 호란의 발발**

정묘호란	• 배경: 인조와 서인 정권의 친명배금 정책 추진 • 전개: 후금의 침입 → 인조가 강화도로 피신, 관군과 의병의 항전 • 결과: 조선이 후금과 화의 체결(형제 관계를 맺음)
병자호란	• 배경: 조선이 후금(청)의 군신 관계 요구 거절 • 전개: 청의 침입 → 인조가 남한산성으로 피신, 항전 • 결과: 인조가 삼전도에서 굴욕적인 화의 체결(군신 관계를 맺음)

1 ㉠, ㉡에 들어갈 내용을 각각 쓰시오.

> 두 차례 호란을 겪은 조선에서는 청을 정벌하여 치욕을 씻자는 (㉠) 운동이 일어났다. 청에 인질로 끌려갔다가 돌아온 (㉡)은 송시열 등 서인을 등용하여 군사력을 강화하였다.

2 청이 중국에 대한 지배권을 확고히 하면서 조선에서는 청을 인정하고, 청의 발달한 문물을 받아들이자는 ( ) 운동이 나타났다.

핵심 콕콕

• **북벌 운동과 북학 운동**

북벌 운동	두 차례 호란 이후 청을 정벌하여 조선의 치욕을 씻어야 한다는 북벌론 대두 → 효종의 북벌 정책 추진 및 중단
북학 운동	청과의 교류 증가 → 청의 발달한 문물을 받아들이자는 움직임 등장

01 임진왜란 이전 국내외 정세로 옳지 않은 것은?

① 조선 – 양반 사회의 분열로 정치가 혼란하였다.
② 조선– 군역 제도의 문란으로 국방력이 약해졌다.
③ 명 – 몽골과 왜구의 침입으로 사회 불안이 커졌다.
④ 일본 – 도쿠가와 이에야스의 에도 막부가 수립되었다.
⑤ 일본 – 도요토미 히데요시가 내부 불만 세력의 관심을 밖으로 돌리려고 하였다.

02 (가), (나) 시기 사이에 있었던 사실로 옳은 것은?

> (가) 일본이 '명을 정벌하러 가는 데 길을 빌려 달라.'라는 구실로 조선을 침략하였다.
> (나) 선조가 광해군을 세자로 책봉하고 의주까지 피란을 갔다.

① 노량 해전이 일어났다.
② 부산진과 동래성이 함락되었다.
③ 도요토미 히데요시가 사망하였다.
④ 조선과 명의 연합군이 평양성을 되찾았다.
⑤ 일본에 유정(사명 대사)을 보내 포로를 데려왔다.

03 ㉠ 군대에 대한 설명으로 옳은 것은?

> 사진은 임진왜란 당시 (㉠)을/를 일으켰던 곽재우를 보여 준다. (㉠)은/는 유생, 전직 관리 등이 농민들을 모아 일으킨 것으로, 적은 병력으로 일본군에게 큰 타격을 주었으며 일본군의 보급로를 차단하였다.

① 무신 정권의 군사적 기반이었다.
② 익숙한 지리를 활용한 전술을 썼다.
③ 윤관의 건의로 편성된 특수 부대였다.
④ 여러 신분으로 구성된 청소년 단체였다.
⑤ 포수, 살수, 사수의 삼수병으로 편성되었다.

시험에 잘 나와!

04 ㉠ 인물에 대한 설명으로 옳은 것은?

> **역사 조사 보고서**
> 1. 조사 주제: 왜란 때 수군의 활약
> 2. 조사한 내용: (㉠)이/가 이끄는 수군은 일본군보다 우수한 성능의 배와 무기를 이용하여 일본군을 크게 무찔렀고, 서남해의 제해권을 장악하였다.
>
> 
> (㉠)이/가 전쟁 때 이용한 판옥선과 거북선

① 처인성 전투에서 승리하였다.
② 일본에서 조선인 포로를 데려왔다.
③ 한산도에서 일본군에게 승리하였다.
④ 명군과 연합하여 평양성을 탈환하였다.
⑤ 강동 6주를 확보하여 영토를 확대하였다.

05 ㉠, ㉡에 들어갈 내용을 옳게 연결한 것은?

> 일본의 대륙 진출을 막으려는 (㉠)이 조선에 지원군을 파견하면서 임진왜란은 동아시아 국제전으로 확대되었다. 조선과 (㉠)의 연합군은 평양성을 되찾았고, (㉡)은 행주산성에서 큰 승리를 거두었다.

	㉠	㉡
①	명	권율
②	명	김시민
③	청	권율
④	청	강홍립
⑤	후금	김시민

06 다음은 왜란의 전개 과정을 나타낸 것이다. (가)에 들어갈 내용으로 옳은 것은?

조·명 연합군의 평양성 탈환 → (가) → 명량 대첩 발발

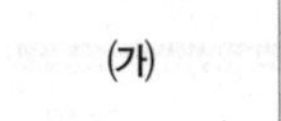

① 위화도 회군 ② 정유재란 발발
③ 귀주 대첩 발발 ④ 살수 대첩 발발
⑤ 처인성 전투 발발

시험에 잘 나와!

07 (가)에 들어갈 내용으로 적절하지 않은 것은?

왜란 편

…… 도요토미 히데요시가 죽자 일본군이 조선에서 철수하였고, 조선의 수군이 퇴각하는 일본군을 노량에서 무찌르면서 7년간의 전쟁은 끝이 났다. 전쟁은 조선을 비롯한 동아시아에 큰 영향을 주었다. 왜란으로 조선은 ____(가)____

① 인구가 감소하였다.
② 국가 재정이 악화되었다.
③ 신분 질서가 강화되었다.
④ 많은 문화재를 일본에 약탈당하였다.
⑤ 토지가 황폐해져 백성의 생활이 어려워졌다.

08 다음 사진들을 활용한 탐구 주제로 가장 적절한 것은?

귀무덤

아리타 자기

① 병자호란의 배경
② 임진왜란의 영향
③ 북벌 운동의 결과
④ 원 간섭기의 문화 교류
⑤ 삼국 시대 고분 문화의 발달

09 왜란 이후 일본과의 관계에 대한 설명으로 옳은 것을 <보기>에서 고른 것은?

보기
ㄱ. 담판을 벌여 강동 6주를 획득하였다.
ㄴ. 외교 사절단인 통신사를 파견하였다.
ㄷ. 이종무를 보내 대마도를 토벌하였다.
ㄹ. 조선인 포로를 데려온 뒤 국교를 회복하였다.

① ㄱ, ㄴ ② ㄱ, ㄷ ③ ㄴ, ㄷ
④ ㄴ, ㄹ ⑤ ㄷ, ㄹ

[10~11] 다음을 읽고 물음에 답하시오.

(㉠)이/가 강홍립에게 명령을 내리기를, "애초 요동으로 건너간 군사 1만 명은 정예병이니 …… ㉡ 명 장수의 말을 그대로 따르지 말고 오직 패하지 않을 방도를 마련하는 데에 힘을 쓰라."라고 하였다.

10 ㉠ 왕의 재위 시기에 있었던 사실로 옳지 않은 것은?

① 동의보감이 간행되었다.
② 성곽과 무기를 수리하였다.
③ 토지 대장과 호적을 정비하였다.
④ 여진의 누르하치가 후금을 세웠다.
⑤ 4군과 6진을 설치하여 국경선을 확정하였다.

11 ㉡과 같은 외교 정책을 추진한 이유로 가장 적절한 것은?

① 일본과 국교를 재개하기 위해
② 명과 후금 사이에서 실리를 얻기 위해
③ 후금의 군신 관계 요구를 거절하기 위해
④ 임진왜란을 일으킨 일본에 복수하기 위해
⑤ 후금과 친선 관계를 맺고 명을 멀리하기 위해

12 다음 사실이 배경이 되어 일어난 사건으로 옳은 것은?

> 광해군은 대외적으로 후금과 명 사이에서 중립 외교를 펼쳤고 내부적으로는 왕권 안정에 위협이 되는 영창 대군을 죽이고 인목 대비를 폐위하였다.

① 무오사화 ② 인조반정
③ 중종반정 ④ 무신 정변
⑤ 이자겸의 난

13 ㉠~㉤ 중 옳지 않은 것은?

> 정묘호란은 인조와 서인 정권이 ㉠ 중립 외교 정책을 전개하고, ㉡ 이괄의 난으로 조선이 혼란스러운 상황에서 일어났다. 후금이 침입하자 인조는 ㉢ 강화도로 피란하였고, ㉣ 정봉수, 이립 등이 의병을 일으켜 싸웠다. 결국 조선은 후금과 ㉤ 형제 관계를 맺었다.

① ㉠ ② ㉡ ③ ㉢ ④ ㉣ ⑤ ㉤

14 다음 상황이 나타나게 된 배경으로 가장 적절한 것은?

명은 우리에게 부모와 같은 나라이고, 후금은 우리의 원수입니다. 차라리 나라가 없어질지라도 명이 임진왜란 때 도와준 의리는 저버릴 수 없습니다.

지금은 힘이 부족하니 우선 후금의 요구를 받아들여 나라를 보전해야 합니다.

① 정부가 몽골과의 강화를 추진하였다.
② 서경 세력이 서경 천도를 주장하였다.
③ 사림 세력과 훈구 세력 간의 갈등이 심해졌다.
④ 도요토미 히데요시가 전국 시대의 혼란을 수습하였다.
⑤ 후금(청)이 조선에 군신 관계를 맺을 것을 요구하였다.

15 밑줄 친 '이 전쟁'에 대한 탐구 활동으로 가장 적절한 것은?

이곳은 이 전쟁 당시 인조가 피신하였던 남한산성입니다. 인조와 신하들은 이곳에 포위되었어요.

① 이순신이 활용한 전술을 확인한다.
② 동북 지방에 9성을 쌓은 이유를 조사한다.
③ 매소성 전투와 기벌포 전투의 결과를 정리한다.
④ 삼전도에서 굴욕적인 화의를 맺은 인물을 확인한다.
⑤ 을지문덕이 우중문에게 보낸 시의 내용을 살펴본다.

시험에 잘 나와!

16 지도에 나타난 전쟁의 영향으로 가장 적절한 것은?

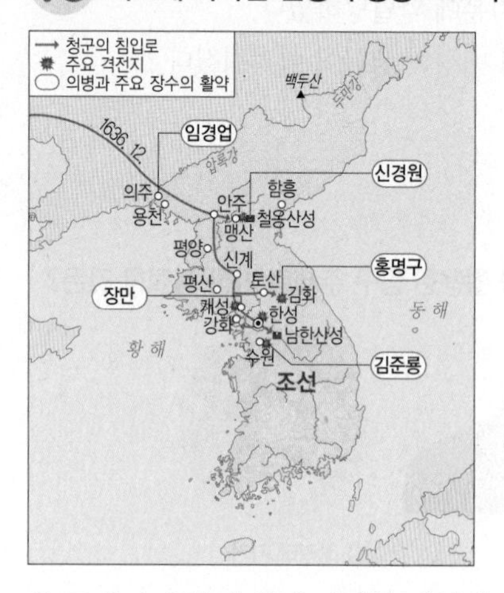

① 조선이 후금과 형제 관계를 맺었다.
② 조선의 왕자와 신하들이 청에 끌려갔다.
③ 지원군을 파병한 명의 군사력이 약화되었다.
④ 몽골이 철령 이북에 쌍성총관부를 설치하였다.
⑤ 조선이 일본에 통신사를 파견하여 문화를 전파하였다.

17 ㉠ 인물의 활동으로 옳은 것은?

> (㉠)이/가 이르기를 "오랑캐(청)의 사정은 내 익히 알고 있소. …… 하늘의 때와 사람의 일에 좋은 기회가 언제 닥쳐올지 모르므로 정예화된 포병 10만을 길러 모두 용감한 병사로 만든 다음에 기회를 봐서 저들이 예기치 못하였을 때 곧장 쳐들어갈 계획이오. 그렇게 한다면 중국의 뜻있는 선비와 호걸 중에 어찌 호응하는 자가 없겠소?"라고 하였다.
>
> – 송시열, 『송서습유』

① 북벌을 추진하였다.
② 경국대전을 완성하였다.
③ 훈민정음을 창제하였다.
④ 임진왜란 때 의주로 피란하였다.
⑤ 북인과 함께 중립 외교 정책을 펼쳤다.

18 북학론이 등장한 배경으로 적절한 것을 〈보기〉에서 고른 것은?

〈보기〉

ㄱ. 청과의 교류가 늘었다.
ㄴ. 청에 대한 반감이 커졌다.
ㄷ. 청의 발달된 문물이 조선에 전해졌다.
ㄹ. 후금이 조선에 군신 관계를 강요하였다.

① ㄱ, ㄴ ② ㄱ, ㄷ ③ ㄴ, ㄷ
④ ㄴ, ㄹ ⑤ ㄷ, ㄹ

19 (가)~(라)를 일어난 순서대로 나열한 것은?

시험에 잘 나와!

(가) 병자호란	(나) 인조반정
(다) 임진왜란	(라) 정묘호란

① (가) – (나) – (라) – (다)
② (나) – (다) – (가) – (라)
③ (다) – (나) – (라) – (가)
④ (다) – (라) – (나) – (가)
⑤ (라) – (가) – (다) – (나)

서술형 문제

서술형 감잡기

01 지도에 나타난 전쟁이 일본과 중국에 끼친 영향을 각각 서술하시오.

➜ 일본은 약탈한 (①)의 문화재와 포로로 끌고 간 사람들을 통해 문화 발전의 계기를 마련하였다. 조선에 지원군을 보냈던 (②)은 전쟁의 영향으로 국력이 약해졌다.

실전! 서술형 도전하기

02 다음을 읽고 물음에 답하시오.

> 조선에서는 청에 대한 굴욕적인 항복으로 집권 세력의 위신이 크게 떨어졌다. 이러한 상황에서 청을 정벌하여 청에 당한 수치를 씻고 복수해야 한다는 (㉠) 운동이 일어났다. 효종은 서인을 등용하여 (㉠)을/를 준비하였다.

(1) ㉠에 들어갈 내용을 쓰시오.

(2) 효종이 ㉠을 추진한 내용과 그 결과를 서술하시오.

한눈에 보는 대단원

☑ 핵심 선택지 다시보기

1 이성계 등 신흥 무인 세력과 급진파 사대부가 조선의 건국을 주도하였다. ( )

2 경국대전은 성종 때 완성된 조선의 기본 법전이다. ( )

3 의정부에서는 3정승이 합의하여 국정을 총괄하였다. ( )

4 조선의 관리 등용 제도 중에서 음서는 고려에 비해 그 범위가 늘어났다. ( )

5 세종은 명을 토벌하고 4군과 6진을 설치하였다. ( )

답 1 ○ 2 ○ 3 ○ 4 × 5 ×

01 통치 체제와 대외 관계

(1) 조선의 건국과 국가 기틀 확립

건국 과정	위화도 회군 → 과전법 실시 → 온건파 사대부 제거 → 조선 건국 → 한양 천도	
국가 기틀 확립	태종	국왕 중심의 정치 지향, 사병 혁파, 호패법 시행
	세종	집현전 설치, 경연 활성화, 의정부의 권한 강화, 훈민정음 창제·반포
	세조	집현전과 경연 폐지, 의정부의 권한 약화, 직전법 실시
	성종	홍문관 설치, 경연 재개, 의정부의 권한 강화, 『경국대전』 완성·반포

(2) 통치 체제의 정비

중앙 정치 제도	의정부(국정 총괄), 6조(나라의 행정을 나누어 맡아 집행), 승정원(왕명 출납), 의금부(중대한 죄인을 다스림), 3사(사간원, 사헌부, 홍문관으로 구성), 한성부(수도의 행정·치안 담당), 춘추관(역사서의 편찬·보관), 성균관(유학 교육)
지방 행정 제도	전국을 8도로 구분, 도 아래 부·목·군·현 설치, 모든 군현에 수령 파견, 향·부곡·소 폐지, 각 도에 관찰사 파견, 유향소 설치
군사·교육·관리 등용 제도	• 군사: 중앙군(5위, 한양과 궁궐 수비), 지방군(병마절도사·수군절도사 파견) • 교육: 서당, 4부 학당(수도)·향교(지방), 성균관(최고 교육 기관) • 관리 등용: 과거(문과, 무과, 잡과), 음서, 천거

(3) 조선 전기의 대외 관계

명	건국 초기 대립 관계 → 태종 이후 사대 관계 확립	
여진과 일본	강경책	여진(4군과 6진 설치), 일본(대마도 토벌)
	회유책	여진(무역소 설치, 귀화한 여진인에게 관직·토지 하사), 일본(3포 개항)

☑ 핵심 선택지 다시보기

1 사림 세력은 왕도 정치와 향촌 자치를 추구하였다. ( )

2 조의제문이 배경이 되어 무오사화가 발생하였다. ( )

3 조광조는 도교 행사를 주관하는 소격서를 폐지하였다. ( )

4 향약은 매향 활동을 하는 대규모 노동 조직이었다. ( )

5 조선 전기의 붕당은 상대 붕당의 입장과 학문적 차이를 인정하지 않았다. ( )

답 1 ○ 2 ○ 3 ○ 4 × 5 ×

02 사림 세력과 정치 변화

(1) 사림의 성장

훈구와 사림	• 훈구: 세조의 즉위를 도운 공신 세력에 해당, 고위 관직 차지, 많은 토지·노비 소유 • 사림: 온건파 사대부의 학통 계승, 향촌 자치·왕도 정치 추구, 주로 3사에 임명됨
사화	무오사화, 갑자사화, 기묘사화, 을사사화 발생 → 사림이 피해를 입음

(2) 사림의 세력 확대와 붕당의 형성

사림의 세력 확대	서원	• 기능: 덕망 높은 유학자를 기림, 성리학 연구 → 향촌의 정치 여론 형성 • 확대: 백운동 서원 건립(→ 최초의 사액 서원이 됨), 서원 수 증가
	향약	• 의미: 향촌의 자치 규약, 상부상조의 전통과 성리학적 유교 윤리 결합 • 확산: 사림의 노력으로 향촌에 널리 보급 → 풍속 교화, 지방민 통제
붕당 형성	선조 때 사림 집권, 사림 내부에서 훈구 세력에 대한 처리 및 이조 전랑의 임명 문제를 두고 갈등 발생 → 사림 세력이 동인과 서인으로 나뉘어 붕당 형성	

03 문화의 발달과 사회 변화

(1) 민족 문화와 과학 기술의 발전

훈민정음 창제	• 창제: 세종이 만들어 반포 → 민족 문화 발달에 기여 • 보급: 왕실 권위 강화와 유교 윤리·실용 지식 보급에 이용(『용비어천가』 간행)
서적 편찬	역사서(『조선왕조실록』, 『고려사』, 『동국통감』), 지도와 지리서(「혼일강리역대국도지도」, 『동국여지승람』), 농서(『농사직설』), 의학서(『향약집성방』), 법전(『경국대전』)
과학 기술 발달	• 천문학과 역법 발달: 「천상열차분야지도」 제작, 혼천의·간의 제작, 『칠정산』 편찬, 자격루·앙부일구·측우기 제작 • 인쇄술 발달: 고려의 금속 활자를 개량하여 계미자(태종)·갑인자(세종) 주조 • 무기 발달: 신기전과 화차 개발

(2) 유교 윤리의 보급과 유교적 양반 문화 발달

유교 윤리 보급	• 내용: 조선이 유교 윤리(성리학)를 국가 통치 이념으로 삼음 → 국가가 『삼강행실도』·『국조오례의』 간행, 사림들이 『소학』·『가례(주자가례)』의 보급 및 실천 • 영향: 『가례』의 보급으로 관혼상제의 의례 변화, 양반들이 족보 편찬, 양반 중심의 신분제 강화 → 성리학적 질서의 확립
양반 문화 발달	• 문학: 양반 중심의 문학 발달, 『동문선』·『금오신화』·「관동별곡」 간행 • 그림: 「고사관수도」(강희안)·「몽유도원도」(안견) 제작, 사군자화 유행 • 공예: 15세기 분청사기 유행 → 16세기 백자 유행

04 왜란·호란의 발발과 영향

(1) 일본의 침략과 극복

왜란의 발발	• 배경: 조선(양반 사회 분열로 정치 혼란, 군역 제도 문란으로 국방력 약화), 일본(도요토미 히데요시의 전국 시대 통일 → 대륙 진출 준비) • 내용: 일본의 조선 침략 → 부산진·동래성과 한성 함락 → 선조의 피란
의병과 수군의 활약	• 의병: 곽재우 등 의병이 익숙한 지리를 활용한 전술로 일본군에게 타격을 줌 • 수군: 이순신이 이끈 수군이 옥포, 한산도 등지에서 일본군을 크게 무찌름
일본의 재침략	조명 연합군이 평양성 탈환 → 휴전 협상 시작, 휴전 협상 결렬 후 정유재란
왜란의 영향	조선(토지 황폐화, 인구 감소, 신분 질서 동요, 많은 문화재 소실 및 유출), 일본(에도 막부 수립, 문화 발전), 중국(명의 국력 약화, 여진의 성장)

(2) 청의 침략과 극복

배경	광해군의 중립 외교 정책 → 인조반정 이후 인조와 서인의 친명배금 정책 추진	
전개	정묘호란	후금의 침입 → 인조의 강화도 피신 → 후금과 형제 관계를 맺음
	병자호란	후금(청)의 군신 관계 요구 거절 → 청의 침입 → 인조가 남한산성으로 피신 → 삼전도에서 청과 화의 체결(군신 관계를 맺음)
영향	• 북벌 운동: 두 차례 호란 이후 효종이 서인을 등용하여 청 정벌 준비 → 중단됨 • 북학 운동: 청의 발달한 문물을 받아들이자는 움직임 등장	

☑ 핵심 선택지 다시보기

1 세종이 훈민정음을 창제하여 반포하였다. ( )

2 조선왕조실록의 내용은 국왕이 수시로 보거나 수정할 수 있었다. ( )

3 자격루와 앙부일구는 농사를 짓는 데 도움이 되었다. ( )

4 소학과 가례가 보급되어 성리학적 질서가 확산되었다. ( )

5 몽유도원도는 조선 전기의 문화유산이다. ( )

답 1 ○ 2 × 3 ○ 4 ○ 5 ○

☑ 핵심 선택지 다시보기

1 왜란 때 의병은 익숙한 지리를 활용한 전술을 썼다. ( )

2 왜란으로 조선은 인구가 감소하였다. ( )

3 광해군은 명과 후금 사이에서 실리를 얻기 위해 중립 외교 정책을 추진하였다. ( )

4 병자호란의 영향으로 조선이 후금과 형제 관계를 맺었다. ( )

5 효종은 북벌을 추진하였다. ( )

답 1 ○ 2 ○ 3 ○ 4 × 5 ○

☑ 핵심 선택지 다시보기의 정답을 맞힌 개수만큼 아래 표에 색칠해 보자. 많이 틀린 단원은 되돌아가 복습해 보자.

01 통치 체제와 대외 관계	152쪽
02 사림 세력과 정치 변화	166쪽
03 문화의 발달과 사회 변화	172쪽
04 왜란·호란의 발발과 영향	180쪽

01 통치 체제와 대외 관계

01 ㉠, ㉡에 들어갈 내용을 옳게 연결한 것은?

> 고려 말 (㉠)으로 권력을 장악한 이성계는 급진파 사대부와 손잡고 개혁에 나섰다. 이들은 (㉡)을/를 실시하여 권문세족을 약화시키고 재정을 확보하였다.

	㉠	㉡
①	무신 정변	과전법
②	무신 정변	관료전제
③	위화도 회군	과전법
④	위화도 회군	직전법
⑤	이자겸의 난	관료전제

02 다음과 같이 주장한 인물로 옳은 것은?

> 재상은 임금의 좋은 점은 따르고 나쁜 점은 바로잡으며, 옳은 일은 받들고 옳지 않은 일은 막아서, 임금으로 하여금 가장 올바른 경지에 들게 해야 한다. -『조선경국전』

① 김부식 ② 정도전 ③ 조광조
④ 최승로 ⑤ 최치원

03 ㉠ 왕에 대한 설명으로 옳은 것은?

> ▶ 지식 Q&A
>
> 조선의 왕인 (㉠)에 대해 알려 주세요.
>
> ▶ 답변하기
>
> └ 갑: 두 차례에 걸친 왕자의 난으로 왕위에 올랐어요.
> └ 을: 공신과 왕자들의 사병을 없애 군사권을 장악하였어요.

① 직전법을 실시하였다.
② 호패법을 시행하였다.
③ 4군 6진을 설치하였다.
④ 경국대전을 완성하였다.
⑤ 한양으로 도읍을 옮겼다.

04 다음 조선의 중앙 정치 기구를 나타낸 것이다. (가), (나)에 대한 설명으로 옳은 것은?

① (가) – 반역 등의 큰 죄를 다스렸다.
② (가) – 왕명 출납 등 국왕의 비서 역할을 하였다.
③ (나) – 3정승이 합의하여 국정을 총괄하였다.
④ (나) – 나라의 행정을 나누어 맡아 집행하였다.
⑤ (나) – 권력의 독점과 부정을 막기 위해 설치되었다.

05 밑줄 친 '이들'로 옳은 것은?

> 고려 시대에 이들이 파견되지 않은 속현은 주현의 행정 지배를 받았고, 조세와 공물 징수 등 실무적인 일은 그 지방의 향리가 맡았다. 조선 시대에는 대부분의 군·현에 이들이 파견되어 행정·재판·군사 업무를 맡으면서 중앙 집권 통치가 강화되었다.

① 수령 ② 관찰사 ③ 안찰사
④ 유향소 ⑤ 병마절도사

06 ㉠~㉤ 중 옳지 않은 것은?

> 조선 시대에 ㉠ 교육은 유교적 지식과 교양을 갖춘 관리를 기르는 데 중점을 두었으며, ㉡ 국자감이 최고 교육 기관의 역할을 하였다. 한편, 조선 시대의 과거는 ㉢ 문과, 무과, 잡과로 나뉘었으며 ㉣ 천민이 아니면 응시할 수 있었다. ㉤ 조선 시대에는 개인의 능력이 중시되면서 음서 출신은 고위 관직에 오르기 어려웠다.

① ㉠ ② ㉡ ③ ㉢ ④ ㉣ ⑤ ㉤

[07~08] 다음을 읽고 물음에 답하시오.

> 조선은 건국 초기에 명과 대립하였으나, 태종 이후에는 (가) 명과 친선을 도모하여 사대 관계를 확립하였다. 여진과 일본 등과는 (나) 회유책과 강경책을 함께 써 교린 관계를 유지하였다.

07 조선이 (가)와 같은 외교 정책을 펼친 이유로 적절한 것을 〈보기〉에서 고른 것은?

〈보기〉
ㄱ. 조선의 문물을 명에 전파하기 위해
ㄴ. 요동을 정벌하여 영토를 확장하기 위해
ㄷ. 명으로부터 선진 문물을 받아들이기 위해
ㄹ. 왕권의 안정과 조선의 국제적 지위를 확보하기 위해

① ㄱ, ㄴ ② ㄱ, ㄷ ③ ㄴ, ㄷ
④ ㄴ, ㄹ ⑤ ㄷ, ㄹ

08 (나)에 해당하는 설명으로 옳지 않은 것은?

① 왜구의 소굴인 대마도를 토벌하였다.
② 여진의 약탈이 계속되자 동북 9성을 쌓았다.
③ 여진과 무역소를 통해 제한적으로 교류하였다.
④ 귀화한 여진의 지배층에게 관직과 토지를 주었다.
⑤ 3포를 개항하여 일본인의 제한된 무역을 허용하였다.

02 사림 세력과 정치 변화

09 다음 정치 세력에 대한 설명으로 옳지 않은 것은?

> 조선 건국에 협력하지 않고 향촌에서 성리학을 연구하던 학자들을 계승한 사람들이다.

① 주로 3사의 언관직에 임명되었다.
② 왕권과 신권의 조화를 강조하였다.
③ 세조의 즉위를 도와 공신이 되었다.
④ 왕도 정치와 향촌 자치를 추구하였다.
⑤ 서원과 향약을 토대로 향촌에서 주도권을 강화하였다.

10 다음 사건들이 일어난 배경으로 가장 적절한 것은?

> • 무오사화 • 갑자사화 • 기묘사화 • 을사사화

① 붕당의 형성
② 서원과 향약의 확산
③ 신진 사대부와 신흥 무인 세력의 성장
④ 훈구 세력과 사림 세력의 정치적 갈등
⑤ 이조 전랑의 임명 문제를 둘러싼 사림 내부의 갈등

11 다음 인물의 활동으로 옳은 것은?

역사 인물 카드

• 이름: ○○○
• 정계 진출: 중종 시기
• 주요 내용
 – 소격서를 폐지함
 – 기묘사화 때 죽임을 당함

① 왕에게 시무 28조를 건의하였다.
② 별무반을 이끌고 여진을 정벌하였다.
③ 소손녕과 담판을 벌여 강동 6주를 확보하였다.
④ 교정도감을 설치하여 반대 세력을 감시하였다.
⑤ 부당하게 공신이 된 사람들의 자격을 박탈할 것을 주장하였다.

12 (가)에 들어갈 내용으로 옳은 것은?

> 선조 때 사림 세력은 훈구 세력에 대한 처리를 둘러싸고 내부에서 갈등이 일어났다. 결국 이조 전랑의 임명 문제를 놓고 갈등이 더욱 심해지면서 ______(가)______

① 네 차례의 사화가 발생하였다.
② 동인이 남인과 북인으로 분열하였다.
③ 사림 세력이 동인과 서인으로 나뉘었다.
④ 조광조를 중심으로 여러 개혁이 추진되었다.
⑤ 훈구 세력이 중앙의 고위 관직을 차지하였다.

03 문화의 발달과 사회 변화

13 밑줄 친 '스물여덟 글자'에 대한 설명으로 적절하지 않은 것은?

> 나라의 말씀이 중국과 달라 문자와 서로 통하지 않는다. …… 내 이를 가엾게 여겨 새로 스물여덟 글자를 만드니 …… 날마다 씀에 편안하게 할 따름이니라.

① 민족 문화 발달에 기여하였다.
② 하급 관리를 뽑을 때 활용되었다.
③ 말을 소리 나는 대로 쓸 수 있었다.
④ 정부가 왕실의 권위를 높이는 데 이용하였다.
⑤ 일반 백성은 배우기가 어려워 쉽게 사용하지 못하였다.

14 다음 지도에 대한 설명으로 가장 적절한 것은?

① 태조 때 제작되었다.
② 유교 윤리를 쉽게 설명하였다.
③ 조선 역대 왕의 통치 기록을 모았다.
④ 고구려의 천문도를 수정하여 만들었다.
⑤ 동양의 현존하는 가장 오래된 세계 지도이다.

15 다음에서 설명하는 서적으로 옳은 것은?

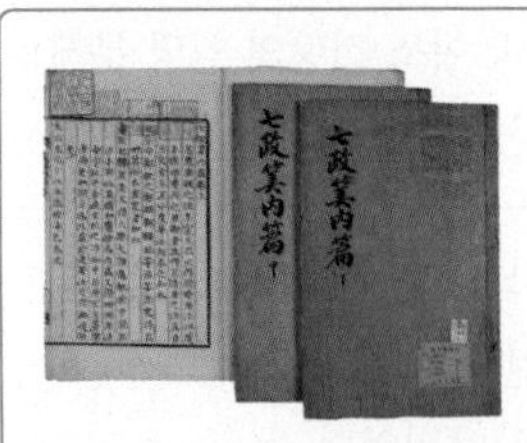

> 실제 천문 관측 기록을 토대로 만든 역법서이다. 일출과 일몰, 일식과 월식의 정확한 때를 한양을 기준으로 계산할 수 있게 하였다.

① 소학 ② 칠정산 ③ 경국대전
④ 농사직설 ⑤ 동국여지승람

16 조선 정부와 사림이 다음 서적들을 편찬한 목적으로 가장 적절한 것은?

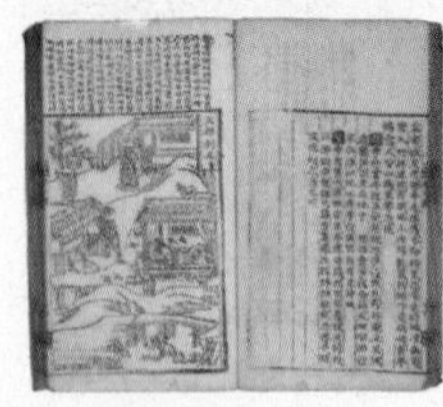
삼강행실도

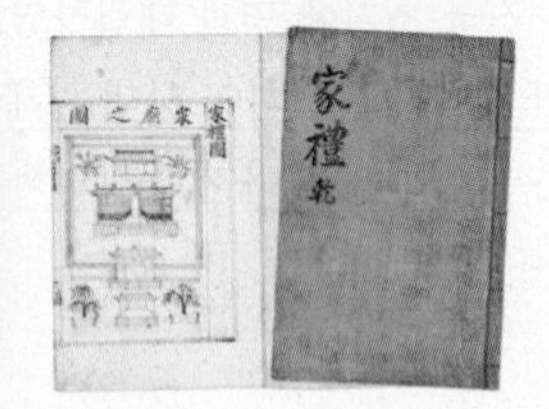
가례(주자가례)

① 불교를 대중화하기 위해서
② 유교 윤리를 보급하기 위해서
③ 발달된 과학 기술을 전파하기 위해서
④ 중국의 농업 기술을 소개하기 위해서
⑤ 중국 중심의 세계관을 극복하기 위해서

17 (가)에 들어갈 사진으로 적절한 것은?

> 〈특별 기획전〉
>
> 조선 전기 작품과의 만남
>
> (가)
>
> 세종의 셋째 아들인 안평 대군이 꿈에서 본 무릉도원의 이야기를 듣고 안견이 만든 작품으로, 현실 세계와 이상 세계를 조화롭게 표현한 것이 특징이다.

①

분청사기

②

백자

③

양류관음도

④

고사관수도

⑤

몽유도원도

04 왜란 · 호란의 발발과 영향

18 다음 왜란의 전개 과정을 순서대로 나열한 것은?

> (가) 정유재란이 발발하였다.
> (나) 일본군이 부산진과 동래성을 함락하였다.
> (다) 조선과 명의 연합군이 평양성을 탈환하였다.

① (가) – (나) – (다) ② (나) – (가) – (다) ③ (나) – (다) – (가)
④ (다) – (가) – (나) ⑤ (다) – (나) – (가)

19 지도에 나타난 전쟁의 영향으로 옳지 않은 것은?

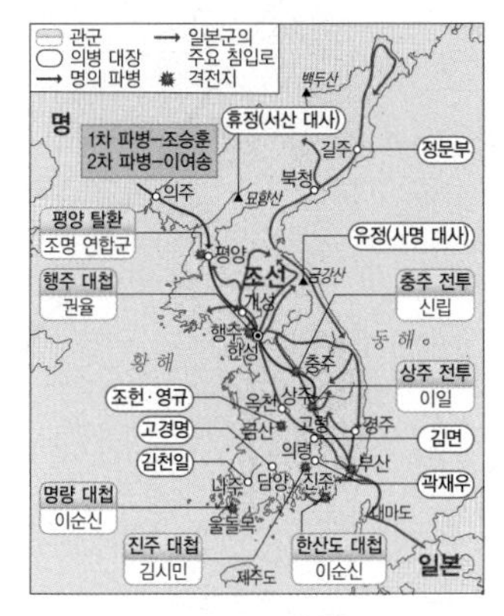

① 조선 – 불국사, 경복궁, 사고 등이 불에 탔다.
② 조선 – 토지가 황폐해지고 인구가 감소하였다.
③ 중국 – 지원군을 파견한 명의 국력이 약화되었다.
④ 중국 – 만주에서 누르하치가 이끈 여진이 성장하였다.
⑤ 일본 – 도요토미 히데요시가 전국 시대를 통일하였다.

20 다음 내용을 활용한 탐구 주제로 가장 적절한 것은?

그림은 『충렬록』에 수록된 것으로, 강홍립을 비롯한 두 장수와 군사들이 후금에 항복하는 모습을 그린 것이다.

① 위화도 회군 ② 삼별초의 항쟁
③ 4군 6진의 개척 ④ 광해군의 중립 외교
⑤ 왜란 때 의병의 활약

21 (가), (나) 시기 사이에 있었던 사실로 옳은 것은?

> (가) 서인이 정변을 일으켜 인조가 왕위에 올랐다.
> (나) 후금이 국호를 '청'으로 바꾸고 조선을 침략하였다.

① 정묘호란이 일어났다.
② 북학 운동이 전개되었다.
③ 윤관이 별무반 편성을 건의하였다.
④ 광해군이 중립 외교 정책을 펼쳤다.
⑤ 도요토미 히데요시가 조선을 침략하였다.

+ 창의·융합

22 다음은 어떤 사건을 소재로 한 영화의 가상 시나리오이다. 이 영화에 들어갈 장면으로 적절하지 않은 것은?

> # 장면 7. 송파 마전포
> – 안개가 짙고 햇볕이 없다.
> – 청의 병사 수만 명이 네모지게 진을 치고 있다.
> – 청 태종이 9층 계단 아래의 평지를 내려다본다.
> – 인조가 항복의 예를 행하러 서문을 향해 걸어간다.

① 청에 볼모로 잡혀가는 소현 세자
② 결사 항전을 주장하는 조선의 신하
③ 외적에 맞서 싸우는 김시민과 권율
④ 남한산성으로 피신하는 왕과 신하들
⑤ 군신 관계 체결을 요구하는 청의 사신

23 다음과 같은 주장이 나타난 시기를 연표에서 옳게 고른 것은?

> 저 오랑캐는 반드시 망하게 될 형편에 처해 있소. …… 정예화된 포병 10만을 길러 …… 용감한 병사로 만든 다음, 기회를 봐서 저들이 예기치 못하였을 때 곧장 …… 쳐들어갈 계획이오.
> – 송시열, 『송서습유』

1592		1608		1623		1627		1636		1659
	(가)		(나)		(다)		(라)		(마)	
임진 왜란		광해군 즉위		인조 반정		정묘 호란		병자 호란		현종 즉위

① (가) ② (나) ③ (다) ④ (라) ⑤ (마)

조선 사회의 변동

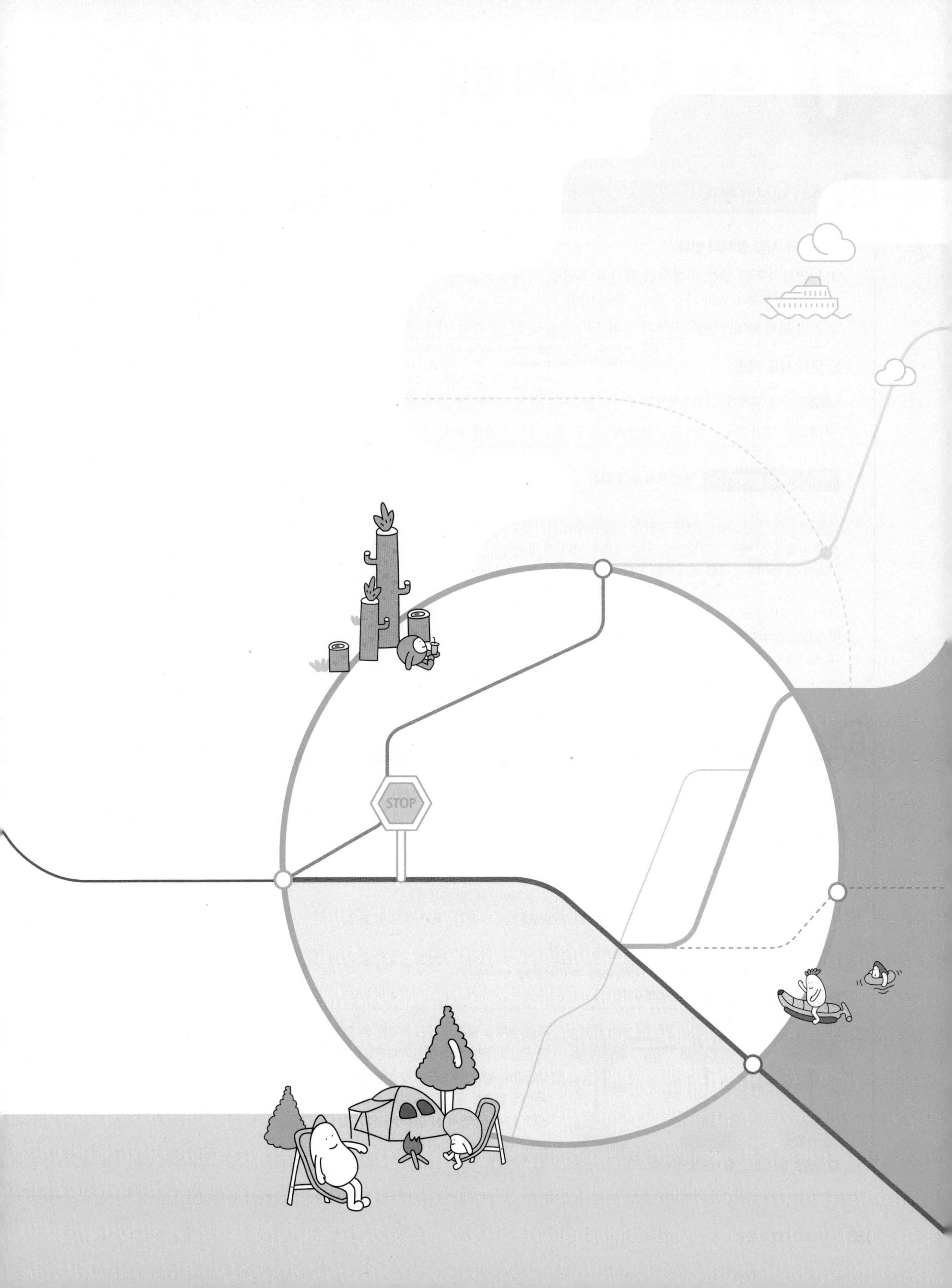
STOP

조선 후기의 정치 변동

A 통치 체제의 정비

1. 중앙과 지방 정치의 변화

(1) 비변사의 기능 강화: 비변사가 왜란과 호란을 거치며 최고 통치 기구가 됨, 국정 총괄
 → 의정부와 6조의 기능 축소, 왕권 약화

└ 군사 문제뿐만 아니라 외교, 재정, 인사 등을 다루었어.

(2) 지방 통치 체제의 변화: 정부가 유향소의 권한 약화, 수령의 권한 강화

└ 왜? 양난 이후 양반이 농민을 억압하고 관리가 조세를 수탈하는 등 지방 통치 체제가 흐트러졌기 때문이야.

2. 군사 제도 개편

중앙군	임진왜란 중 삼수병으로 구성된 훈련도감 설치 → +5군영 체제 마련
지방군	양반부터 노비까지 포함된 속오군 편성(평상시 생업에 종사, 유사시 전투에 참여)

┌ 급료를 받는 직업 군인이었어.

자료로 이해하기 비변사의 위상 강화

오늘에 와서 큰일이건 작은 일이건 비변사에서 처리합니다. 의정부는 이름뿐이고, 6조는 그 할 일을 모두 빼앗기고 말았습니다. 이름은 '변방의 방비를 담당하는 것'이라고 하면서 과거에 대한 판정이나 왕비와 세자빈을 간택하는 일까지도 모두 여기에서 합니다. -『효종실록』

비변사는 16세기 초 중종 때 왜구와 여진의 침입에 대비하기 위해 임시로 설치되었다. 그러다가 명종 때 왜구의 침입을 물리치면서 상설 기구화되었고, 왜란을 계기로 조직이 커졌다. 비변사의 구성원도 각 군영의 대장과 3정승을 비롯한 국가의 고위 관원들로 확대되었다.

+ 5군영 체제
훈련도감 설치 이후 한성과 그 외곽을 방어하는 중앙 군영을 마련하면서 어영청, 총융청, 수어청, 금위영을 설치하였다. 이로써 5군영의 중앙군 체제가 완성되었다.

B 조세 제도의 변화

1. 조세 제도의 개편 목적: 양난 이후 국가 재정 확보, 농민의 부담 감소

2. 조세 제도 개편

영정법(전세)	풍흉에 따라 다르게 걷던 것을 바꾸어 풍흉에 관계없이 토지 1결당 쌀 4두를 거둠
+대동법(공납)	• 실시 배경: 집집마다 토산물 부과 → +방납의 폐단 발생 • 내용: 토지 결수를 기준으로 쌀(1결당 12두), 옷감, 동전 등으로 걷음
균역법(군역)	1년에 2필 내던 군포를 1필로 줄임

└ 직접 군대에 가는 대신 군포를 납부하였어.

자료로 이해하기 대동법의 시행

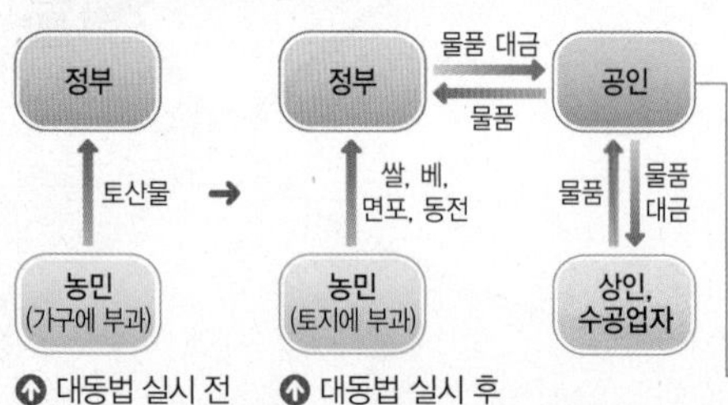

대동법 실시 전 / 대동법 실시 후

조선 정부는 국가의 재정 수입원 중 가장 비중이 큰 공납을 개편하였다. 방납의 폐단을 바로잡기 위해 대동법을 시행하여 농민의 부담을 줄여 주는 한편, 국가에 필요한 물품은 공인을 통해 공급받았다. 공인이 등장하면서 상업과 수공업이 활발해지고 상품 화폐 경제가 발달하였다.

└ 공인은 물품을 시장에서 구입하거나 수공업자에게 주문하였어.

+ 대동법
1608년 광해군 때 처음 실시되었다. 지주들의 반대로 인해 전국적으로 실시되는 데에 100년이 걸렸다.

+ 방납
하급 관리나 상인들이 백성을 대신하여 공물을 납부하고 백성에게서 과도한 대가를 챙기던 일

- 통치 체제의 정비와 조세 제도의 변화
- 붕당 정치의 전개와 변질
- 영조와 정조의 탕평책과 개혁 정치
- 세도 정치의 전개와 폐단

1 다음 설명이 맞으면 ○표, 틀리면 ×표를 하시오.

(1) 왜란과 호란을 거치면서 의정부와 6조의 기능이 강화되었다. ( )

(2) 비변사는 원래 외적의 침입에 대비하기 위해 설치된 임시 기구였다. ( )

(3) 양난 이후 정부는 유향소의 권한을 강화하고 수령의 권한을 약화하였다. ( )

2 정부가 왜란 중에 설치한 ( )은 일정한 급료를 받는 직업 군인으로서 삼수병으로 이루어졌다.

3 조선 후기에 개편된 군사 제도와 그 내용을 옳게 연결하시오.

(1) 5군영 • • ㉠ 평상시 생업에 종사, 유사시 전투에 참여

(2) 속오군 • • ㉡ 훈련도감, 어영청, 총융청, 수어청, 금위영

핵심 콕콕

• 조선 후기 통치 체제의 정비

중앙 정치 변화	• 비변사의 기능 강화: 비변사가 국정 총괄 • 영향: 의정부와 6조의 기능 축소, 왕권 약화
군사 제도 개편	• 중앙군: 5군영 체제 완성 • 지방군: 속오군 편성

1 다음에서 설명하는 조세 제도를 〈보기〉에서 골라 기호를 쓰시오.

보기

ㄱ. 균역법 ㄴ. 대동법 ㄷ. 영정법

(1) 1년에 2필 내던 군포를 1필로 줄였다. ( )

(2) 풍흉에 관계없이 토지 1결당 쌀 4두를 걷었다. ( )

(3) 집집마다 토산물을 부과하던 공납을 토지 결수를 기준으로 쌀, 옷감, 동전 등으로 걷었다. ( )

2 ㉠, ㉡에 들어갈 내용을 각각 쓰시오.

조선 정부는 (㉠)의 폐단을 바로잡기 위해 대동법을 실시하였다. 대동법이 실시되면서 국가에 필요한 물품을 조달하는 (㉡)이 등장하였다.

핵심 콕콕

• 조선 후기 조세 제도의 개편

전세	영정법: 토지 1결당 쌀 4두 징수
공납	대동법: 토산물 대신 토지 결수를 기준으로 쌀, 동전 등 징수
군역	균역법: 1년에 군포 1필 납부

C 붕당 정치의 전개와 변질

1. 붕당 정치의 전개

(1) 내용: 광해군 때 북인이 정권 장악 → 인조반정으로 북인 몰락 → 서인이 정국 주도, 남인 참여(상대 붕당의 존재 인정, 서로의 정책을 비판하고 견제함)

(2) 특징: 각 붕당이 언론 기관인 3사와 서원을 통해 여론을 모으고 공론 형성

2. 붕당 정치의 변화

둘째 아들로서 왕위에 오른 효종의 정통성 문제와 연관되어 치열하게 전개되었어.

예송 (현종 때)	효종과 효종비가 죽은 후 대비의 상복 입는 기간을 둘러싸고 예송 발생, +서인과 남인이 대립 → 붕당 간 갈등 심화
환국 (숙종 때)	집권 붕당을 급격히 교체하는 환국이 여러 차례 발생, 서인과 남인이 집권할 때마다 상대 붕당을 몰아내고 탄압함 → +서인의 분열, 붕당의 대립 더욱 심화

꼭 환국으로 인해 붕당 정치가 크게 변질되었어.

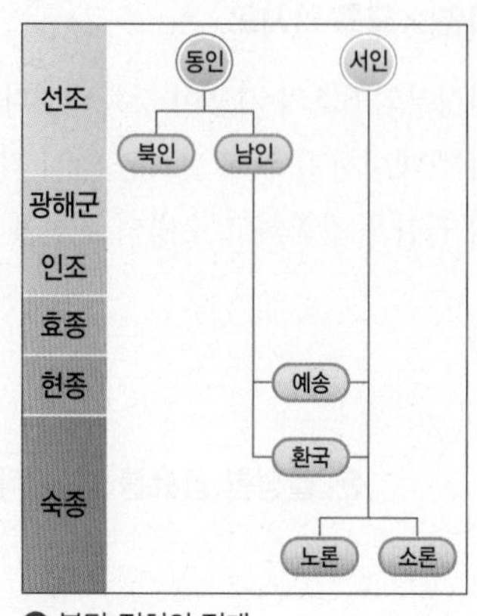

붕당 정치의 전개

3. 탕평책(탕평론) 제기: 숙종이 극심해지는 붕당의 대립을 조정하기 위해 탕평책 제기 → 실현하지 못함

+ 예송 때 서인과 남인의 대립

효종이 사망한 1차 예송에서는 서인의 주장이 받아들여졌지만, 효종비가 사망한 2차 예송에서는 남인의 주장이 받아들여져 정치의 주도권이 남인에게 넘어갔다.

+ 서인의 분열

서인이 남인을 처리하는 문제를 두고 노론과 소론으로 분열하였다.

D 영조의 탕평책과 개혁 정치

1. 영조의 탕평책

임금의 정치가 어느 한쪽에 치우치지 않고 공정한 상태로 이루어지는 것을 말해.

시행 목적	붕당의 대립 완화 및 왕권 강화
내용	노론과 소론의 온건파를 중심으로 인재 등용(탕평파 육성), 서원(붕당의 근거지) 대폭 정리, 이조 전랑의 권한 약화, +탕평비 건립
결과	왕의 정치적 영향력 확대, 붕당 간의 극단적인 대립 완화

2. 영조의 개혁 정치: 강화된 왕권을 바탕으로 여러 개혁 추진

민생 안정	균역법 실시(→ 백성의 군역 부담을 줄임), 가혹한 형벌 금지, 신문고 제도 부활, 청계천 정비 (도성의 홍수를 예방하고자 하였어.)
문물제도 정비	『속대전』, 『동국문헌비고』 등 편찬

자료로 이해하기 영조의 탕평책 실시

붕당의 폐해가 요즈음보다 심한 적이 없었다. 처음에는 학문의 문제에서 분쟁이 일어나더니, 이제는 한쪽 사람을 모두 역적으로 몰아붙이고 있다. …… 근래에 들어 인재를 등용할 때 같은 붕당의 사람들만 등용하고자 한다. …… 이러면 나라가 장차 어떻게 되겠는가? …… 관리 임용을 담당하는 부서로 하여금 탕평으로 거두어 쓰게 하도록 하라. -『영조실록』

왕위에 오르기 전부터 극심한 붕당 간의 대립을 경험하였던 영조는 즉위 후 탕평책을 추진하여 정치를 안정시키고 왕권을 강화하고자 하였다. 영조는 자신의 정책을 지지하는 탕평파를 육성하고, 이들을 중심으로 정국을 운영하였다.

+ 탕평비

영조가 탕평의 의지를 밝히고자 성균관 앞에 세운 비석이다. "두루 사랑하고 편당하지 않는 것은 군자의 공정한 마음이며, 편당하고 두루 사랑하지 않는 것은 소인의 사사로운 생각이다."라고 적혀 있다.

1 다음 빈칸에 들어갈 내용을 쓰시오.

(1) (　　　　　) 때 환국이 발생하면서 붕당 간 대립이 격화되었다.

(2) 현종 때 (　　　　　)이 일어나면서 서인과 남인의 정치적 대립이 극심해졌다.

(3) 광해군의 정치를 도우며 정권을 장악한 (　　　　　)은 인조반정으로 몰락하였다.

2 다음 설명이 맞으면 ○표, 틀리면 ×표를 하시오.

(1) 숙종 시기에는 집권 붕당이 수시로 교체되었다. (　　)

(2) 환국의 과정에서 남인이 노론과 소론으로 분열하였다. (　　)

3 숙종은 붕당 간 대립을 조정하기 위해 (　　　　　)책을 제기하였다.

핵심 콕콕

- **붕당 정치의 전개와 변질**

인조반정 이후
서인의 정국 주도, 남인 참여

↓

현종 때
두 차례의 예송 발생 → 서인과 남인의 붕당 간 갈등 심화

↓

숙종 때
환국이 여러 차례 발생 → 붕당 정치 변질, 서인과 남인의 붕당 간 대립 더욱 심화

1 ㉠, ㉡에 들어갈 내용을 각각 쓰시오.

> (㉠　　　　)는 즉위 후 탕평의 취지에 따르는 노론과 소론의 온건파를 중심으로 인재를 등용하였다. 또한 붕당의 근거지인 (㉡　　　　)을 대폭 정리하고, 이조 전랑의 인사 권한을 약화하였다.

2 영조의 정책과 그 실시 목적을 옳게 연결하시오.

(1) 균역법 실시 •　　　　• ㉠ 문물제도 정비

(2) 탕평책 시행 •　　　　• ㉡ 붕당의 대립 완화

(3) 동국문헌비고 편찬 •　　　　• ㉢ 백성의 군역 부담을 줄임

3 영조의 개혁 정치에 해당하는 내용만을 〈보기〉에서 있는 대로 골라 기호를 쓰시오.

보기

ㄱ. 속대전 편찬　　ㄴ. 집현전 설치

ㄷ. 청계천 정비　　ㄹ. 경국대전 완성

핵심 콕콕

- **영조의 탕평책과 개혁 정치**

정치	탕평책 실시(탕평파 육성, 서원 정리, 이조 전랑의 권한 약화)
경제	균역법 실시
사회	가혹한 형벌 금지, 신문고 제도 부활
편찬 사업	『속대전』, 『동국문헌비고』 편찬

E 정조의 탕평책과 개혁 정치

1. 정조의 탕평책: 노론과 소론뿐만 아니라 남인 세력도 등용 → 적극적으로 탕평책 시행

└ 영조 때 세력을 키운 외척 세력을 제거하였어.

2. 정조의 개혁 정치

왕권 강화	• 규장각 설치: 정책 자문 기구, ⁺초계 문신제 실시, 젊고 유능한 관리 양성, 서얼 출신을 검서관으로 등용 (예 박제가, 유득공, 이덕무 등) • 장용영 설치: 친위 부대, 왕권을 뒷받침하는 군사 기반으로 삼음 • 수원 화성 건설: 수원 화성을 개혁 정치의 중심지로 만들고자 함
민생 안정	시전 상인의 특권 축소(→ 자유로운 상업 활동 보장), 노비의 처지 개선 노력
문물제도 정비	『대전통편』·『탁지지』 편찬, 중국과 서양의 과학 기술 수용(→ 실용 학문 발전에 기여)

+ 초계 문신제

인재 양성을 위해 정조가 주도하여 마련한 제도로, 새로운 인물이나 중·하급 관리 중에서 유능한 인재를 재교육하였다.

3. 탕평책의 의의와 한계

(1) 의의: 왕권 강화 및 정치와 사회 안정에 기여함

(2) 한계: 강력한 왕권으로 붕당 간의 다툼을 일시적으로 억누른 것에 불과함

└ 정조 사후에 세도 정치가 전개되었어.

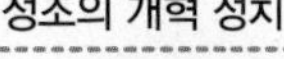

정조의 개혁 정치

└ 공심돈은 적을 살피기 위한 망루이자, 군사들이 공격할 수 있는 군사용 시설이었어.

규장각

수원 화성의 서북 공심돈

수원 화성의 팔달문

규장각은 궁중에 있는 책과 유물을 보관하는 왕실 도서관이자 학문 연구 기관으로, 정조는 규장각을 중심으로 다양한 편찬 사업을 벌였다. 한편, 정조는 아버지인 사도 세자의 묘를 수원으로 옮기고, 이곳에 성곽 도시인 화성을 건설하여 새로운 정치를 펼치는 중심지로 활용하고자 하였다.

F 세도 정치의 전개

1. 세도 정치의 대두

└ 왜? 탕평책 실시로 국왕과 국왕의 신임을 받는 소수의 인물들에게 권력이 집중되면서 세도 정치가 나타나게 되었어.

배경	정조가 죽은 후 나이 어린 순조가 즉위함 → 정치 세력 간의 다툼 발생
전개	왕실과 혼인 관계를 맺은 일부 가문이 정권 장악 → 순조, 헌종, 철종의 3대 60여 년간 안동 김씨, 풍양 조씨 등 세도 가문이 권력 행사 (순조의 장인 김조순을 중심으로 안동 김씨 세력이 권력을 잡았어.)
특징	세도 가문이 국정 최고 기구인 비변사와 주요 관직 차지, 여러 군영의 지휘권 장악 → 붕당 정치 쇠퇴, 왕권이 크게 약화됨

+ 암행어사

국왕의 특명을 받고 지방에 비밀리에 파견된 관리로, 수령의 비리와 백성의 어려움을 탐문하고 돌아와 왕에게 사실대로 보고하였다.

2. 세도 정치의 폐단: 정치 기강 문란으로 세도 가문이 다른 정치 세력을 조정에서 내쫓음, 과거제의 문란 극심, 관직을 사고파는 일(매관매직) 성행, 관리들의 부정부패, 탐관오리들의 백성 수탈 심화

└ 세도 정치 시기에는 정치 기강이 해이해지면서 암행어사가 파견되는 횟수가 점차 줄었어.

3. 정부의 대책: ⁺암행어사 파견 → 큰 효과를 거두지 못함

1 **다음 설명이 맞으면 ○표, 틀리면 ×표를 하시오.**

(1) 규장각에서 서얼 출신을 검서관으로 등용하였다. (　　)

(2) 정조는 노론, 소론뿐만 아니라 남인 세력도 등용하였다. (　　)

(3) 정조의 탕평책 실시 이후 붕당 간의 다툼이 완전히 사라졌다. (　　)

2 **다음에서 설명하는 것을 〈보기〉에서 골라 기호를 쓰시오.**

보기

ㄱ. 규장각　　ㄴ. 장용영　　ㄷ. 수원 화성

(1) 국왕의 친위 부대로서 왕권을 뒷받침하였다. (　　)

(2) 정조의 개혁 정치를 뒷받침하기 위해 만들어진 성곽 도시이다. (　　)

(3) 정조가 정책 자문 기구로 삼고 젊고 유능한 관리들을 길러 냈다. (　　)

3 **정조는 상공업을 진흥하기 위해 (　　　　) 상인의 특권을 축소하여 자유로운 상업 활동을 보장하였다.**

4 **정조가 문물제도 정비를 위해 편찬한 책만을 〈보기〉에서 있는 대로 골라 기호를 쓰시오.**

보기

ㄱ. 속대전　　ㄴ. 탁지지

ㄷ. 대전통편　　ㄹ. 동국문헌비고

핵심 콕콕

• **정조의 탕평책과 개혁 정치**

정치	적극적으로 탕평책 실시, 규장각과 장용영 설치, 수원 화성 건설
경제	시전 상인의 특권 축소
사회	노비에 대한 처우 개선
편찬 사업	『대전통편』, 『탁지지』 편찬

1 **다음 괄호 안의 내용 중 알맞은 말에 ○표를 하시오.**

(1) 세도 가문은 (비변사, 중서문하성)의 주요 관직을 독차지하였다.

(2) 정조 사후 외척을 비롯한 소수 가문이 권력을 장악하는 (세도, 환국) 정치가 시작되었다.

2 **㉠, ㉡에 들어갈 내용을 각각 쓰시오.**

세도 정치는 (㉠　　　　), 헌종, 철종의 3대 60여 년 동안 이어졌다. 이 시기에 정치 기강이 문란해지자 정부는 (㉡　　　　)를 파견하여 수령의 비리와 백성의 어려움을 탐문하고 보고하게 하였으나 큰 효과를 거두지는 못하였다.

• **세도 정치**

전개	순조, 헌종, 철종 시기에 세도 가문이 권력 장악
폐단	정치 기강의 문란(과거제의 문란 극심, 매관매직 성행 등)

01 비변사에 대한 설명으로 옳은 것은?

① 중대한 죄인을 다스렸다.
② 관리의 잘못을 감찰하였다.
③ 수도의 행정과 치안을 담당하였다.
④ 국왕의 정책 자문과 경연을 맡았다.
⑤ 양난을 거치며 최고 통치 기구가 되었다.

[02~03] 다음을 읽고 물음에 답하시오.

> 왜란과 호란을 거치면서 조선은 군사 제도를 개편하였다. 이에 따라 중앙군으로 (㉠)을/를 설치하고, 지방군으로 (㉡)을 편성하였다.

02 ㉠, ㉡에 들어갈 내용을 옳게 연결한 것은?

	㉠	㉡
①	5위	5군영
②	5위	속오군
③	5군영	9서당
④	5군영	속오군
⑤	속오군	5군영

03 ㉠, ㉡에 대한 설명으로 옳지 않은 것은?

① ㉠ – 한성과 그 외곽을 방어하였다.
② ㉠ – 삼수병으로 구성된 훈련도감이 있었다.
③ ㉡ – 급료를 받는 직업 군인이었다.
④ ㉡ – 양반부터 노비까지 포함되었다.
⑤ ㉡ – 평상시 생업에 종사하다가 유사시 전투에 참여하였다.

04 밑줄 친 '새로운 제도'로 옳은 것은?

① 녹읍 ② 관료전 ③ 영정법
④ 전시과 ⑤ 호패법

시험에 잘 나와!

05 ㉠ 제도에 대한 설명으로 옳은 것은?

> 조선 정부는 광해군 때 공납을 개편하여 (㉠)을/를 실시하였다. 이는 지주들의 반대로 인해 전국적으로 실시되는 데 100년이 걸렸다.

① 과전법을 고쳐서 만들었다.
② 왜란 발발 이전부터 실시되었다.
③ 집집마다 토산물을 바치게 하였다.
④ 1년에 2필 내던 군포를 1필로 줄여 주었다.
⑤ 토지 결수를 기준으로 쌀, 옷감, 동전 등을 거두었다.

06 다음은 조선 시대 어떤 정책의 시행 방식을 나타낸 것이다. 이 정책의 영향으로 적절한 것을 〈보기〉에서 고른 것은?

〈보기〉
ㄱ. 방납의 폐단이 심화되었다.
ㄴ. 상업과 수공업이 활발해졌다.
ㄷ. 농민의 부담이 크게 늘어났다.
ㄹ. 상품 화폐 경제가 발달하였다.

① ㄱ, ㄴ ② ㄱ, ㄷ ③ ㄴ, ㄷ
④ ㄴ, ㄹ ⑤ ㄷ, ㄹ

07 (가)에 들어갈 내용으로 가장 적절한 것은?

> **수행 평가 보고서**
> 1. 주제: 조선 후기 군역 제도의 개편
> 2. 조사 내용: 양난 이후 정부의 ______(가)______
> 3. 조사 결과: 조선 정부가 백성들에게 1년에 군포 1필을 걷어 백성들의 군포 부담을 줄여 주었다.

① 균역법 시행　② 별무반 편성
③ 비변사 설치　④ 교정도감 설치
⑤ 도병마사 운영

시험에 잘 나와!

08 다음 자료에 나타난 시기 붕당 정치의 특징으로 적절한 것을 〈보기〉에서 고른 것은?

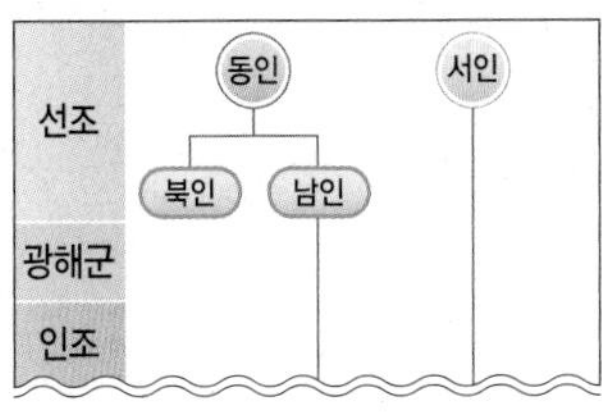

〈보기〉
ㄱ. 사화가 발생하여 혼란을 겪었다.
ㄴ. 중방을 중심으로 국정이 운영되었다.
ㄷ. 3사와 서원을 통해 공론이 형성되었다.
ㄹ. 붕당들이 서로의 정책을 비판하고 견제하였다.

① ㄱ, ㄴ　② ㄱ, ㄷ　③ ㄴ, ㄷ
④ ㄴ, ㄹ　⑤ ㄷ, ㄹ

09 ㉠에 들어갈 사건의 결과로 옳은 것은?

> (㉠)은/는 효종과 효종비가 죽은 후 인조의 계비이자 효종의 어머니(계모)인 자의 대비가 얼마 동안 상복을 입어야 하는가를 둘러싸고 붕당 간에 벌어진 논쟁이다.

① 북벌론이 등장하였다.
② 조광조가 제거되었다.
③ 위화도 회군이 일어났다.
④ 사림이 동인과 서인으로 나뉘었다.
⑤ 서인과 남인의 대립이 심화되었다.

10 ㉠의 배경이 된 사실로 가장 적절한 것은?

> ㉠ 숙종 시기에는 붕당 정치가 크게 변질되었다. 숙종은 붕당의 대립을 조정하기 위해 탕평책을 제기하였지만, 실현하지 못하였다.

① 환국이 여러 차례 발생하였다.
② 묘청의 서경 천도 운동이 일어났다.
③ 동인이 남인과 북인으로 분열하였다.
④ 기묘사화로 사림 세력이 피해를 입었다.
⑤ 정중부와 이의방 등이 정변을 일으켰다.

11 (가)~(라)를 일어난 순서대로 나열한 것은?

> (가) 숙종 즉위　(나) 예송 발생
> (다) 환국 발생　(라) 효종 사망

① (가) – (나) – (라) – (다)
② (나) – (다) – (라) – (가)
③ (다) – (라) – (나) – (가)
④ (라) – (가) – (다) – (나)
⑤ (라) – (나) – (가) – (다)

시험에 잘 나와!

12 다음 자료에 나타난 상황을 해결하기 위해 영조가 실시한 정책으로 옳지 않은 것은?

> 붕당의 폐해가 요즈음보다 심한 적이 없었다. 처음에는 학문의 문제에서 분쟁이 일어나더니, 이제는 한쪽 사람을 모두 역적으로 몰아붙이고 있다. …… 근래에 들어 인재를 등용할 때 같은 붕당의 사람들만 등용하고자 한다. …… 이러면 나라가 장차 어떻게 되겠는가?

① 탕평비를 건립하였다.
② 탕평파를 적극 육성하였다.
③ 이조 전랑의 권한을 약화하였다.
④ 서얼 출신을 검서관으로 등용하였다.
⑤ 붕당의 근거지로 변질된 서원을 대폭 정리하였다.

13 ㉠ 왕이 추진한 정책으로 옳은 것은?

> (㉠)은/는 청계천의 잦은 범람으로 백성이 피해를 입자, 청계천을 정비하였다. 그는 청계천의 다리 위에서, 하천 바닥에 쌓인 흙과 돌을 퍼 올려 바닥을 깊게 만드는 준천 공사를 지휘·감독하였다.

① 균역법 실시 ② 장용영 설치
③ 경국대전 완성 ④ 대전통편 편찬
⑤ 훈민정음 반포

14 다음은 조선 왕위의 변천을 나타낸 것이다. ㉠ 왕의 재위 시기에 있었던 사실로 옳은 것을 〈보기〉에서 고른 것은?

〈보기〉
ㄱ. 가혹한 형벌이 금지되었다.
ㄴ. 대동법이 처음 실시되었다.
ㄷ. 신문고 제도가 부활하였다.
ㄹ. 두 차례에 걸쳐 예송이 일어났다.

① ㄱ, ㄴ ② ㄱ, ㄷ ③ ㄴ, ㄷ
④ ㄴ, ㄹ ⑤ ㄷ, ㄹ

15 (가), (나)에 들어갈 내용으로 옳지 않은 것은?

> • 학습 목표: 정조가 추진한 개혁 정치의 내용을 설명할 수 있다.
> • 학습 내용
> – 민생 안정책 실시: ______(가)______
> – 문물제도 정비: ______(나)______

① (가) – 전민변정도감을 설치하였다.
② (가) – 노비에 대한 처우를 개선하였다.
③ (가) – 시전 상인의 특권을 축소하였다.
④ (나) – 실용적인 학문의 발전에 힘썼다.
⑤ (나) – 통치 법전인 대전통편과 탁지지를 펴냈다.

16 ㉠에 대한 설명으로 적절한 것을 〈보기〉에서 고른 것은?

> ▶ 지식 Q&A
>
> 
>
> 창덕궁 주합루에 있는 (㉠)의 모습이에요. 이곳에 대해 알려 주세요.
>
> ▶ 답변하기
>
> ↳ 역대 국왕의 글과 책을 보관하는 왕실 도서관이었어요.

〈보기〉
ㄱ. 서얼을 검서관으로 임명하였다.
ㄴ. 정조가 정책 자문 기구로 삼았다.
ㄷ. 원의 유학자들과 교류하던 곳이었다.
ㄹ. 향촌에 세워져 덕망 높은 유학자를 제사 지냈다.

① ㄱ, ㄴ ② ㄱ, ㄷ ③ ㄴ, ㄷ
④ ㄴ, ㄹ ⑤ ㄷ, ㄹ

시험에 잘 나와!

17 밑줄 친 '왕'에 대한 설명으로 옳은 것은?

사진은 이 왕 시기에 건설된 것이에요. 이 왕은 사도 세자의 묘를 수원으로 옮기고 이곳을 개혁 정치의 중심지로 육성하였어요.

① 소격서를 폐지하였다.
② 속대전을 편찬하였다.
③ 장용영을 설치하였다.
④ 노비안검법을 실시하였다.
⑤ 호패법을 처음 시행하였다.

18 그래프는 가문별 비변사의 고위 관직 역임자 분포를 나타낸 것이다. 이를 활용한 탐구 활동으로 가장 적절한 것은?

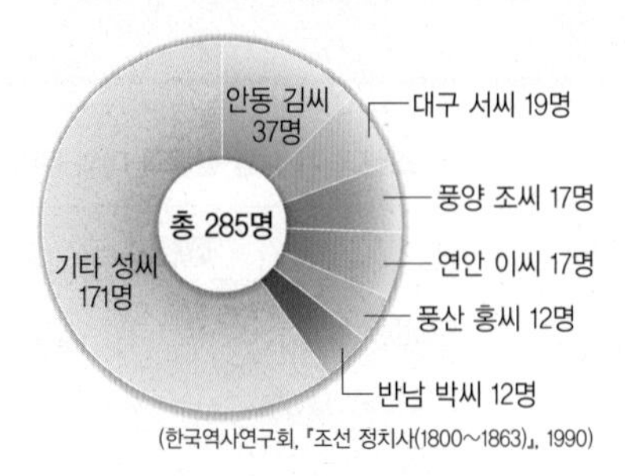

(한국역사연구회, 『조선 정치사(1800~1863)』, 1990)

① 정방의 역할을 확인한다.
② 세도 정치의 특징을 알아본다.
③ 묘청과 정지상이 펼친 주장을 살펴본다.
④ 6두품이 제안한 사회 개혁안을 찾아본다.
⑤ 사심관 제도와 기인 제도의 실시 목적을 조사한다.

시험에 잘 나와!

19 (가) 시기의 사회 모습으로 옳지 않은 것은?

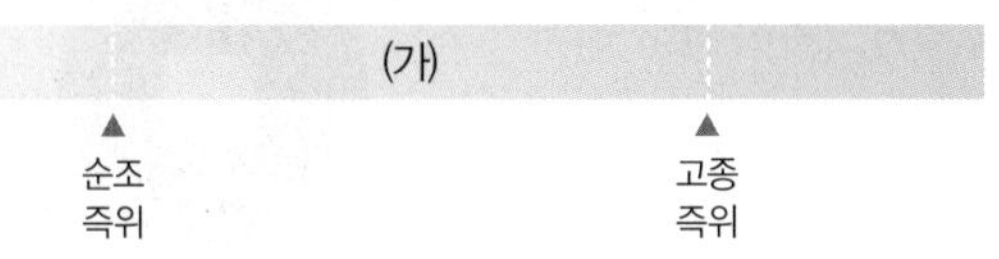

① 과거제의 문란이 극심하였다.
② 관리들의 부정부패가 심하였다.
③ 망이·망소이 형제가 봉기하였다.
④ 관리들이 농민들을 가혹하게 수탈하였다.
⑤ 관직을 사고파는 일이 공공연히 일어났다.

20 ㉠에 들어갈 관직으로 옳은 것은?

> (㉠)는 조선 시대에 국왕의 특명을 받고 지방에 비밀리에 파견된 관리이다. 조선 정부는 수령의 비리를 파악하고 백성의 어려움을 해결하기 위해 (㉠)를 파견하였다.

① 향리 ② 병마사
③ 안찰사 ④ 다루가치
⑤ 암행어사

서술형 문제

서술형 감잡기

01 다음을 읽고 물음에 답하시오.

> 오늘에 와서 큰일이건 작은 일이건 모두 (㉠)에서 처리합니다. 의정부는 한갓 이름뿐이고, 6조는 그 할 일을 모두 빼앗기고 말았습니다. 이름은 '변방의 방비를 담당하는 것'이라고 하면서 과거에 대한 판정이나 왕비와 세자빈을 간택하는 등의 일까지도 모두 여기에서 합니다.
> -『효종실록』

(1) ㉠에 들어갈 기구를 쓰시오.

(2) (1)의 기능이 강화된 배경과 그 영향을 서술하시오.

➜ 원래 국방 문제 처리를 위한 임시 회의 기구였지만, (①) 을 거치며 최고 통치 기구가 되었다. 이에 따라 (②)와 6조의 기능은 축소되고 왕권이 약해졌다.

실전! 서술형 도전하기

02 다음을 읽고 물음에 답하시오.

> 영조는 붕당 간의 대립을 완화하고 왕권을 강화하기 위해 (㉠)을/를 실시하였다. 정조도 (㉠)을/를 시행하여 외척 세력을 제거하고 붕당에 관계없이 능력 있는 사람을 등용하였다.

(1) ㉠에 들어갈 정책을 쓰시오.

(2) (1)의 의의와 한계를 서술하시오.

02 사회 변화와 농민의 봉기

A 상품 화폐 경제의 발달

1. 조선 후기 농업의 발달

(1) 모내기법 확대: 조선 후기에 논농사에서 모내기법이 전국적으로 보급 → 노동력 절감, 벼와 보리의 이모작이 가능해져 농업 생산량 증대

- 모내기법: 볍씨를 모판에 길러서 논에 옮겨 심는 방법

(2) 결과: 모내기법의 보급으로 경작지 확대, 상품 작물 재배 → 농민층의 분화(일부 농민이 부농으로 성장, 토지를 잃고 몰락한 농민 증가)

- 상품 작물 예) 인삼, 담배, 목화, 채소 등
- 소작지마저 얻지 못한 농민들은 머슴이 되거나, 도시나 광산으로 떠나야 했어.

2. ⁺조선 후기 상업의 발달

(1) 배경: 농업의 발달, 도시 인구 증가

(2) 공인의 활동: 대동법 실시로 공인 등장, 왕실과 관청에 필요한 물품을 대량으로 구입

(3) 사상의 성장: 자유로운 상업 활동이 허용되면서 사상(경강상인, 송상, 만상, 내상 등) 성장 → 상업이 더욱 발달

- 사상: 국가의 허락을 받지 않고 상업 활동을 하던 상인

(4) 장시 증가: 물품을 거래하는 장시의 수 증가 → 장시가 상설 시장으로 발전, 보부상의 활동 활발

- 장시: 대체로 5일마다 열렸어.
- 보부상: 봇짐이나 등짐을 지고 전국의 장시를 돌아다니며 물건을 파는 상인

(5) 포구 발달: 물자가 모이는 포구가 상업의 중심지로 발달

(6) 대외 무역 활발: 청, 일본과의 무역이 활기를 띰 → 일부 사상들이 대상인으로 성장

(7) 화폐 유통: 상품의 유통이 활발해지면서 동전인 ⁺상평통보가 전국적으로 유통됨

3. 조선 후기 수공업과 광업의 발달

민영 수공업 발달	장인들이 세금을 내고 자유롭게 물품을 만들어 장시에 내다 팖 → 관청에서 운영하는 수공업(관영 수공업) 쇠퇴
광업의 발달	수공업 발달로 광물의 수요 증가 → 정부가 민간인에게 광산 채굴 허용(민간 위주의 광산 개발 본격화), 은광 개발 촉진

+ 조선 후기 상업 활동과 대외 무역

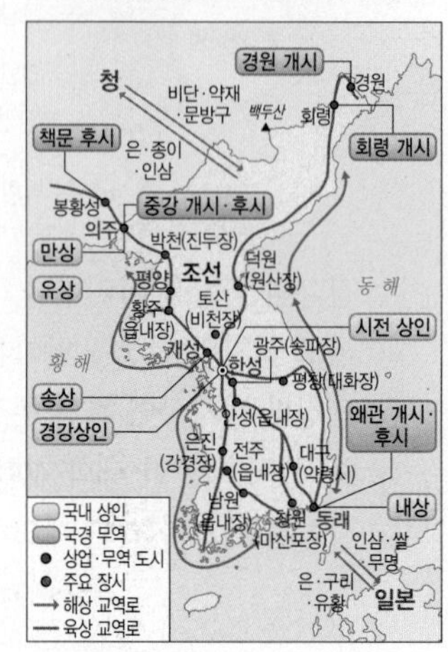

+ 상평통보

B 조선 후기 신분제의 변동

1. 양반 중심의 신분 질서 동요

- 신분 질서: 조선의 신분제는 법제적으로 양천제였으나, 실제로는 양반, 중인, 상민, 천민으로 구분하였어.

양반	붕당 정치의 변질로 양반 계층의 분화(소수 양반만이 권력을 장악하게 됨, 상당수 양반들이 관직을 얻지 못함)
중인	• 서얼: 문과 응시와 주요 관직 진출의 제한 철폐 요구 • 기술직 중인: 전문적인 능력과 경제력으로 신분 상승 추구
상민	부유해진 일부 농민이나 상인들이 ⁺공명첩 구입, 호적이나 족보 위조로 양반 행세
천민	납속을 이용하거나 군공을 세워 신분 상승, 도망으로 노비 신분에서 탈피 → 노비종모법 실시, 순조 때 공노비 중 수만 명을 양인으로 해방

- 상당수 양반들이 관직을 얻지 못함: 향촌에서 겨우 위세를 유지하거나 일반 농민과 다름없는 처지로 몰락하였어.
- 노비종모법: 아버지가 노비라도 어머니가 양인이면 그 자녀는 양인이 되도록 하였어.
- 꼭 납속: 정부가 재정을 보충하기 위해 돈이나 곡식을 받고, 그 대가로 천민 신분에서 벗어나게 하거나 관직을 주는 정책을 가리켜.

2. 결과: 상민과 천민의 수 감소, 양반의 수 크게 증가 → 신분제 동요

+ 공명첩

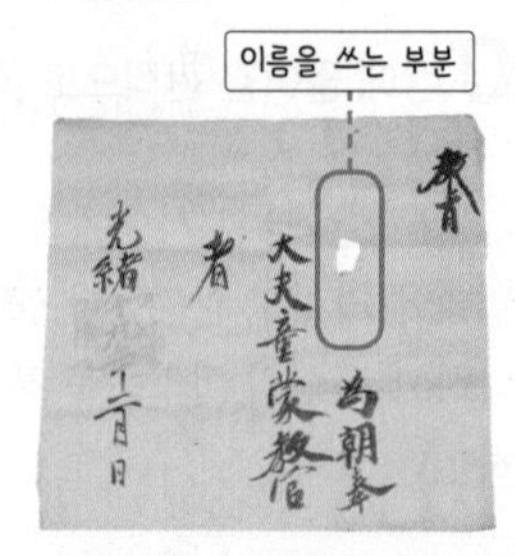

정부가 재정을 보충하기 위해 돈이나 곡식 등을 받고 발행한 관직 임명장이다. 이름을 쓰는 부분이 비어 있다.

- 상품 화폐 경제의 발달
- 조선 후기 신분제의 변동
- 새로운 종교와 사상의 유행
- 홍경래의 난과 임술 농민 봉기

1 다음 빈칸에 들어갈 내용을 쓰시오.

(1) 조선 후기에 일부 농가는 인삼, 담배, 목화 등의 (　　　　)을 재배하여 소득을 늘렸다.

(2) 조선 후기에 볍씨를 모판에 길러서 논에 옮겨 심는 (　　　　)이 보급되어 수확량이 크게 늘었다.

2 다음 괄호 안의 내용 중 알맞은 말에 ○표를 하시오.

(1) 청, 일본과의 무역이 활기를 띠면서 송상, 내상 등의 (사상, 시전 상인)이 대상인으로 성장하였다.

(2) 대동법의 실시로 등장한 (공인, 보부상)이 왕실과 관청에서 쓸 물품을 대량으로 구입하면서 상업이 더욱 발달하였다.

3 조선 후기에는 상품 화폐 경제가 발달하면서 동전인 (　　　　)가 널리 유통되었다.

4 조선 후기 수공업과 광업 발달에 대한 설명이 맞으면 ○표, 틀리면 ×표를 하시오.

(1) 광물의 수요가 늘자 정부가 민간인에게 광산 채굴을 허용하였다. (　　)

(2) 장인들이 국가 기관에 소속되어 물품을 생산하는 관영 수공업이 크게 발달하였다. (　　)

핵심 콕콕

• **상품 화폐 경제의 발달**

구분	내용
농업	• 발달: 모내기법 확대, 상품 작물 재배 • 결과: 농민층의 분화
상업	공인의 활동, 사상의 성장, 장시 증가, 대외 무역 활발, 상평통보 유통
수공업	민간 수공업 발달
광업	광물 수요 증가로 정부가 민간인의 광산 채굴 허용

1 조선 후기 각 신분과 그에 해당하는 내용을 옳게 연결하시오.

(1) 노비 •　　• ㉠ 주요 관직 진출에 대한 제한을 없애 달라고 요구함

(2) 양반 •　　• ㉡ 군공을 세우거나 납속, 도망을 통해 신분에서 벗어남

(3) 중인 •　　• ㉢ 붕당 간의 권력 다툼에서 밀려나 일반 농민과 다름없는 처지가 되기도 함

2 조선 후기에는 (　　　　)의 수가 늘어나고 상민과 노비의 수가 줄어들면서 신분 질서가 동요하였다.

• **조선 후기 신분제의 동요**

신분	내용
양반	양반층의 분화, 양반의 수 증가
중인	서얼, 기술직 중인이 신분 상승 추구
상민	공명첩 구입, 호적·족보 위조 등으로 양반 행세
천민	납속·도망 등을 통해 신분 상승, 순조 때 많은 공노비 해방

C 삼정의 문란

1. 배경: 세도 정치 시기 정치 기강 문란, 자연재해와 전염병 발생에도 농민들이 여러 명목의 세금 납부, 부패한 관리들이 규정 이상의 세금을 거둠
(세도 정치: 세도 가문이 정치권력을 독점하였어.)

2. 삼정의 문란
(전정: 토지의 생산물에 부과하는 세금)

전정의 폐단	여러 가지 이유를 들어 정해진 양 이상의 세금을 거둠
+군정의 폐단	한 사람에게 여러 사람의 군포를 부담시킴, 죽은 사람이나 어린아이에게도 군포를 거둠
+환곡의 폐단	관리들이 필요하지 않은 사람에게 억지로 곡식을 빌려주고 갚게 함, 곡식을 빌리지 않은 사람에게 곡식의 이자를 바치도록 강요

3. 결과: 백성의 생활 악화, 농민들의 고통 심화

자료로 이해하기 군정의 문란

시아버지 상은 이미 마치고, 갓난아기 배냇물은 아직 마르지도 않았는데, 이 집 삼 대 이름은 군적에 모두 올랐네. – 죽은 사람과 어린아이에게도 군포를 거두었음을 알 수 있어.

– 정약용, 「애절양」

제시된 자료는 군정의 문란을 보여 준다. 조선 후기에 군역을 피하여 군포를 내지 않는 농민이 늘어나자 관리들은 남아 있는 농민들에게 모자란 군포를 대신 부담시켰다.

+군정
군역 대신 내는 세금으로, 균역법 실시 이후 농민의 군포 부담이 2필에서 1필로 줄었다.

+환곡
먹을 것이 부족한 시기에 관청에서 곡식을 빌려주고 추수철에 갚게 하는 일종의 빈민 구제 제도이다. 세도 정치 시기에 환곡의 폐해가 가장 심각하였다.

D 새로운 종교와 사상의 유행

1. 예언 사상과 민간 신앙의 유행

배경	세도 정치로 사회 불안, 백성의 고통이 커짐 → 각종 예언 사상이 민간에 널리 퍼짐
내용	『+정감록』이 널리 읽힘, 미륵 신앙 유행, 무속 신앙 번성

(미륵 신앙: 미륵이 나타나 민중을 구제한다고 믿는 신앙)
(무속 신앙: 무당의 굿이나 풀이로 복을 비는 신앙)

2. 새로운 종교의 대두

(1) 천주교(서학)

수용	17세기 중국을 다녀온 사신들을 통해 전해짐
특징	18세기 후반 남인 계열 학자들이 신앙으로 믿음 → 중인, 상민, 부녀자들에게 전파
정부의 탄압	조상의 제사를 거부하고 신분 질서를 부정하여 정부가 천주교 금지
교세 확장	많은 사람들이 평등사상과 내세 사상에 호응하면서 교세가 커짐

(교세 확장: 마테오 리치가 지은 천주교 교리서인 『천주실의』가 전래되어 포교에 활용되었어.)

(2) 동학

창시	+최제우가 창시(1860)
특징	유교·불교·도교를 바탕으로 민간 신앙을 융합함, '사람이 곧 하늘'이라는 인내천(인즉천)을 중심으로 평등사상 강조, 천주교와 서양 세력에 반대함
정부의 탄압	정부가 신분 질서를 위협하고 사회 개혁을 주장하는 동학 금지, 최제우 처형
재정비	2대 교주 최시형이 『동경대전』과 『용담유사』 편찬, 교단 정리 → 교세 확산

+정감록

민간에 널리 퍼진 대표적인 예언서로, 정(鄭)씨 성을 가진 사람이 왕이 된다는 내용과 명당에 대한 내용이 담겨 있다.

+최제우

경주의 몰락 양반으로, 동학을 창시하였으나 세상을 어지럽히고 백성을 속인다는 죄로 정부에 처형당하였다.

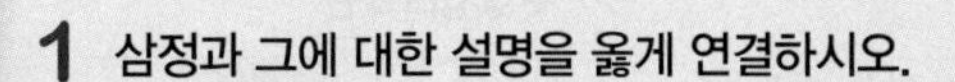

1 **삼정과 그에 대한 설명을 옳게 연결하시오.**

(1) 군정 •   • ㉠ 군역 대신에 내는 세금
(2) 전정 •   • ㉡ 토지의 생산물에 부과하는 세금
(3) 환곡 •   • ㉢ 백성에게 약간의 이자를 받고 곡식을 빌려주는 구호 제도

2 **세도 정치 시기에 농민들이 부담한 삼정 중 (　　　　)의 폐단이 가장 심하였다.**

3 **다음 설명이 맞으면 ○표, 틀리면 ×표를 하시오.**

(1) 조선 후기에는 어린아이나 죽은 사람에게도 군포를 거두었다. (　　)
(2) 세도 정치 시기에 각 지방의 수령과 향리는 부정한 방법으로 정해진 액수보다 많은 세금을 거두었다. (　　)

핵심 콕콕

• **삼정의 문란**

배경	세도 가문의 정치권력 독점으로 정치 기강 문란, 부패한 관리들이 규정 이상의 세금을 거둠
내용	• 전정의 폐단: 정해진 양 이상의 세금 수취 • 군정의 폐단: 한 사람에게 여러 사람의 군포를 부담하게 함 • 환곡의 폐단: 억지로 곡식을 빌려 주고 갚게 함
결과	백성의 고통이 커짐

1 **㉠, ㉡에 들어갈 내용을 각각 쓰시오.**

> 조선 후기에는 정씨 성을 가진 사람이 왕이 된다고 예언한 (㉠　　　　)이 널리 읽혔고, 미륵이 출현하여 민중을 구제한다는 (㉡　　　　) 신앙이 번성하였다.

2 **다음 괄호 안의 내용 중 알맞은 말에 ○표를 하시오.**

(1) (동학, 천주교)은/는 조상의 제사를 거부하여 정부의 탄압을 받았다.
(2) 18세기 후반에 (남인, 서인) 계열의 일부 학자가 천주교를 신앙으로 받아들였다.

3 **다음 빈칸에 들어갈 내용을 쓰시오.**

(1) 동학은 사람이 곧 하늘이라는 (　　　　)을 중심으로 평등사상을 강조하였다.
(2) 최제우는 유교, 불교, 도교를 바탕으로 민간 신앙을 융합하여 (　　　　)을 창시하였다.

핵심 콕콕

• **새로운 종교와 사상의 유행**

예언 사상	『정감록』이 널리 유행, 미륵 신앙 번성
천주교	서양 학문으로 전해져 신앙으로 받아들여짐, 평등사상 강조·제사 부정 → 정부의 탄압을 받음
동학	최제우가 창시, 인내천을 중심으로 평등사상 강조 → 정부가 동학 금지, 최제우 처형

E 홍경래의 난

1. 농민층의 의식 성장

(1) 배경: 지배층의 부패와 수탈, 삼정의 문란으로 고통받던 농민들이 사회 현실을 깨달음

(2) 내용: 사회 체제에 불만이 많은 일부 농민이 부당한 세금 납부 거부, 정부와 탐관오리를 비방하는 벽서(벽보)를 붙임 → 점차 요구 사항을 제시하며 적극적으로 저항

2. ⁺홍경래의 난(1811)

조선 후기 평안도 지역에서는 청과의 무역이 활발하게 이루어졌으나, 세도 정권의 수탈이 매우 심하였어.

배경	서북 지방민(평안도 지역)에 대한 뿌리 깊은 차별, 세도 정권의 가혹한 수탈
전개	평안도 가산에서 홍경래를 비롯한 몰락 양반과 신흥 상공업자 등이 봉기, 봉기군이 한때 청천강 이북 지역 장악 → 정부군의 공격으로 정주성에서 패배, 진압됨
의의	19세기에 처음 일어난 대규모 농민 봉기, 이후 19세기 농민 봉기에 큰 영향을 줌

가난한 농민, 광산 노동자, 품팔이꾼 등도 참여하였어.

자료로 이해하기 홍경래의 난

> 조정에서는 서쪽 땅을 업신여겨 썩은 흙처럼 대했다. 심지어 권세 있는 집의 노비마저도 서쪽 사람들을 보면 반드시 '평안도 놈'이라 일컫는다. - 홍경래의 격문, 「패림」

서북 지방은 성리학의 보급이 늦었다는 이유로 무시를 당하였고, 평안도 출신은 과거에 급제해도 좋은 관직에 진출할 수 없었다. 세도 정권의 수탈로 사람들의 불만이 높아지자 홍경래의 주도로 봉기가 일어났다.

✚ 홍경래의 난

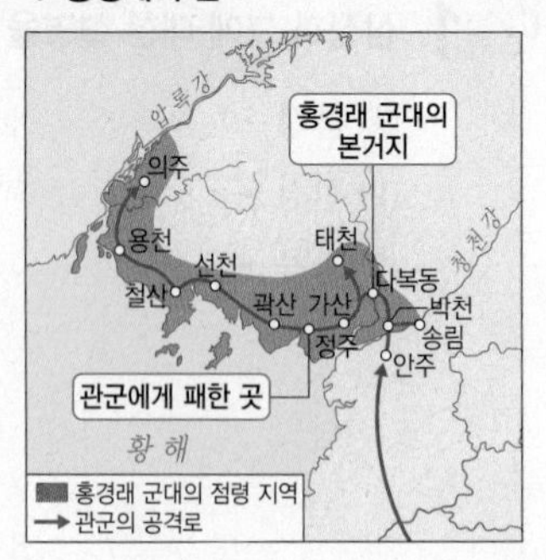

F 임술 농민 봉기

1. ⁺임술 농민 봉기(1862)

배경	홍경래의 난 이후에도 세도 정권의 부정과 수탈 계속, 삼정의 문란 심화
전개	경상 우병사 백낙신의 수탈에 반발한 진주의 농민들이 유계춘을 중심으로 봉기(진주 농민 봉기, 1862), 농민들이 관아 습격·조세 대장을 불태움·아전과 양반 지주 공격 → 삼남 지방을 중심으로 농민 봉기 발생 → 전국적으로 확산(임술 농민 봉기)
결과	정부가 관리를 파견하여 농민 봉기 수습, 삼정의 문란을 바로잡기 위해 삼정이정청 설치 → 큰 성과를 거두지 못함

왜? 정부가 농민의 조세 부담을 완화하는 개혁안을 마련하였으나 일부 세력의 반대로 성과를 거두지 못하였어.

2. 19세기 농민 봉기의 의의와 한계: 농민의 사회의식이 성장하는 계기가 됨, 제도 개혁과 같은 근본적인 문제 해결을 이루지 못함

자료로 이해하기 임술 농민 봉기

> 임술년(1862) 2월 19일, 진주민 수만 명이 머리에 흰 수건을 두르고 손에는 나무 몽둥이를 들고 무리를 지어 진주 읍내에 모여 서리들의 가옥 수십 호를 불태우고 부수었다. …… 병사가 해산하고자 장시에 나가니 백성이 그를 둘러싸고 재물을 횡령한 조목, 아전들이 세금을 강제로 징수한 일들을 문책하였다. - 진주 농민 봉기 -「임술록」

1862년 진주의 농민들이 유계춘을 중심으로 관아와 양반가를 공격하였다(진주 농민 봉기). 이후 봉기는 삼남 지방을 중심으로 퍼져 나갔으며, 전국 70여 곳에 달하는 봉기로 이어졌다(임술 농민 봉기).

✚ 임술 농민 봉기

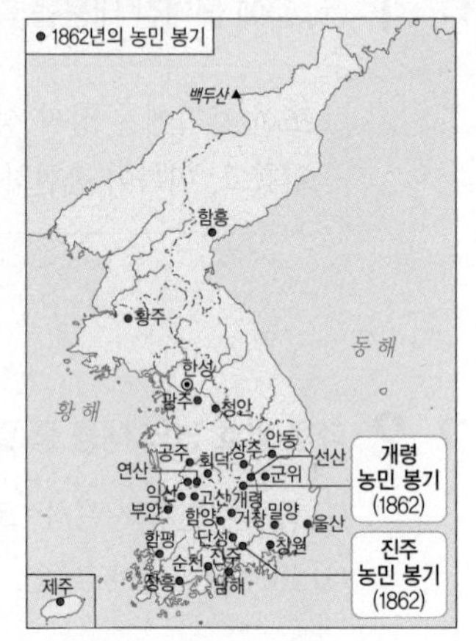

임술 농민 봉기를 일으킨 농민들의 주된 요구는 삼정의 문란을 시정하라는 것이었다.

1 다음 설명이 맞으면 ○표, 틀리면 ×표를 하시오.

(1) 조선 후기에는 평안도 지역에 대한 무신 정권의 수탈이 매우 심하였다. (　　)

(2) 조선 후기에 농민들은 수령과 향리의 비리를 고발하는 벽서를 붙이기도 하였다. (　　)

2 평안도 가산에서 몰락 양반이었던 (　　　　)는 관리들의 수탈과 서북 지방 차별에 반대하여 봉기를 일으켰다.

3 다음은 홍경래의 난을 설명한 것이다. 괄호 안의 내용 중 알맞은 말에 ○표를 하시오.

(1) 몰락 양반과 (세도 정치가, 신흥 상공업자)가 주도하여 일으켰다.

(2) (평안도, 함경도) 지역에 대한 정부의 차별이 원인이 되어 일어났다.

(3) 봉기군이 청천강 이북 지역을 장악하였으나 관군의 탄압으로 (정주성, 진주성)에서 패배하면서 진압되었다.

핵심 콕콕

• 홍경래의 난

원인	평안도 지역에 대한 차별과 세도 정권의 수탈
경과	봉기군이 청천강 이북 지역 장악 → 정부군에게 정주성에서 패배
의의	19세기 농민 봉기에 큰 영향을 줌

1 ㉠, ㉡에 들어갈 내용을 각각 쓰시오.

> 경상도 진주에서 경상 우병사 백낙신의 수탈을 견디지 못한 농민들이 일으킨 (㉠　　　) 농민 봉기는 곧 이웃 마을로 퍼졌으며, 북쪽으로 함흥, 남쪽으로 제주도에 이르며 전국적으로 확산되었는데, 이를 (㉡　　　) 농민 봉기라고 한다.

2 다음 빈칸에 들어갈 내용을 쓰시오.

(1) 1862년 진주 농민들은 몰락 양반인 (　　　　)을 중심으로 봉기하였다.

(2) 19세기에 조선 정부는 삼정의 문란을 바로잡기 위해 (　　　　)을 설치하였다.

3 세도 정치 시기에 일어난 농민 봉기만을 〈보기〉에서 있는 대로 골라 기호를 쓰시오.

> 보기
>
> ㄱ. 만적의 난　　　　ㄴ. 홍경래의 난
>
> ㄷ. 임술 농민 봉기　　ㄹ. 망이·망소이의 난

핵심 콕콕

• 임술 농민 봉기

원인	세도 정권의 부정과 수탈, 삼정의 문란 심화
경과	진주 농민 봉기 → 삼남 지방을 중심으로 전국으로 확산(임술 농민 봉기)
결과	정부가 삼정이정청 설치 → 큰 성과를 거두지 못함
의의	농민의 사회의식이 성장하게 됨

시험에 잘 나와!

01 교사의 질문에 대한 학생의 답변으로 적절하지 않은 것은?

① 농업 생산량이 크게 늘었어요.
② 쌀과 보리의 이모작이 가능해졌어요.
③ 논농사에 필요한 노동력이 절감되었어요.
④ 대다수의 농민이 부농으로 성장하였어요.
⑤ 도시나 광산으로 떠나는 농민이 나타났어요.

02 조선 후기에 상업이 활발해진 배경으로 적절한 것을 <보기>에서 고른 것은?

보기
ㄱ. 방납이 실시되었다.
ㄴ. 도시 인구가 증가하였다.
ㄷ. 농업 생산력이 향상하였다.
ㄹ. 벽란도가 국제 무역항으로 번성하였다.

① ㄱ, ㄴ ② ㄱ, ㄷ ③ ㄴ, ㄷ
④ ㄴ, ㄹ ⑤ ㄷ, ㄹ

03 조선 후기를 배경으로 한 연극의 등장인물로 적절하지 않은 것은?

① 상평통보로 물건을 거래하는 상인
② 장시를 돌면서 물건을 파는 보부상
③ 모판에 심은 모를 논에 옮겨 심는 농민
④ 상업 활동이 제한되어 어려움을 겪는 사상
⑤ 인삼, 담배, 목화 등 상품 작물을 재배하는 농민

04 다음 자료를 활용한 탐구 활동으로 가장 적절한 것은?

상평통보

① 발해관을 설치한 목적을 알아본다.
② 고려 시대 백성의 풍속을 살펴본다.
③ 조선 시대 상업의 발달을 조사한다.
④ 고려와 송이 교류한 물품을 확인한다.
⑤ 무역항인 당항성의 위치를 찾아본다.

05 지도와 같이 상업과 무역이 전개된 시기 조선의 경제 상황에 대한 설명으로 옳지 않은 것은?

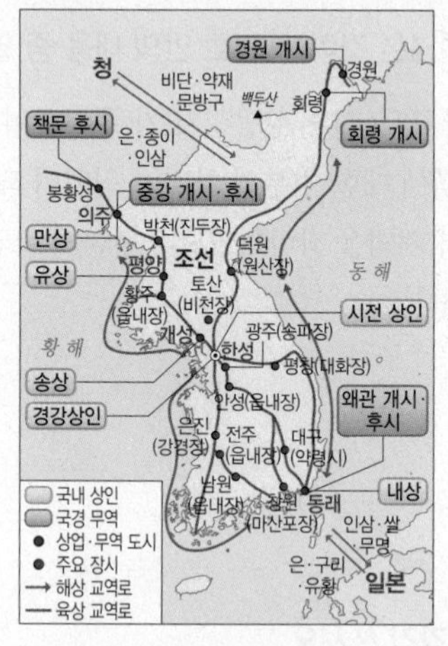

① 청, 일본과의 무역이 활기를 띠었다.
② 대동법의 실시로 공인이 활동하였다.
③ 포구가 상업의 중심지로 발달하였다.
④ 물품을 거래하는 장시의 수가 감소하였다.
⑤ 만상, 내상 등 일부 사상들이 대상인으로 성장하였다.

06 조선 후기 수공업과 광업의 발달에 대한 설명으로 옳은 것을 <보기>에서 고른 것은?

보기
ㄱ. 관영 수공업이 크게 발달하였다.
ㄴ. 정부가 민간인의 광산 채굴을 금지하였다.
ㄷ. 수공업이 발달하여 광물의 수요가 늘어났다.
ㄹ. 장인들이 자유롭게 물건을 만들어 판매하였다.

① ㄱ, ㄴ ② ㄱ, ㄷ ③ ㄴ, ㄷ
④ ㄴ, ㄹ ⑤ ㄷ, ㄹ

정답 친해 52쪽

07 조선 후기 양반층의 변화에 대한 설명으로 적절하지 않은 것은?

① 양반의 수가 점차 증가하였다.
② 붕당 정치의 변질로 양반층이 분화되었다.
③ 일부 양반은 상민에게 족보를 팔기도 하였다.
④ 대다수 양반들의 사회적 지위가 크게 높아졌다.
⑤ 일반 농민과 다름없는 처지로 몰락한 양반이 생겨났다.

08 ㉠에 들어갈 내용으로 옳은 것은?

이 문서는 (㉠)(으)로, 조선 정부가 재정을 보충하기 위해 돈이나 곡식 등을 받고 발행한 관직 임명장이다. 이름을 쓰는 부분이 비어 있다.

① 납속 ② 벽서 ③ 사액
④ 족보 ⑤ 공명첩

시험에 잘 나와!

09 다음 자료의 상황이 나타난 시기의 사실로 적절하지 않은 것은?

> 정선 고을에 한 양반이 …… 몹시 가난하여 환곡을 타 먹은 지 여러 해가 되어 천 섬의 빚을 지게 되어 옥에 갇히게 되었다. …… 그 동네에 부자가 이 소문을 듣고 가족끼리 비밀회의를 열어 말하였다. "…… 이 기회에 내가 양반 신분을 사서 가지는 것이 어떨까?"
>
> – 박지원, 「양반전」

① 노비의 수가 크게 늘었다.
② 양반 중심의 신분 질서가 동요하였다.
③ 상민이 족보를 위조하여 양반으로 행세하였다.
④ 노비가 도망하여 신분에서 벗어나기도 하였다.
⑤ 중인이 전문 지식과 경제력을 바탕으로 신분 상승을 추구하였다.

10 다음 상황을 배경으로 나타난 사실로 가장 적절한 것은?

> 세도 가문이 정치권력을 독점하면서 정치 기강이 무너지고 관리들의 부정부패가 극심해졌다.

① 탕평책이 실시되었다.
② 삼정의 문란이 심화되었다.
③ 전민변정도감이 설치되었다.
④ 지방에서 호족이 성장하였다.
⑤ 망이·망소이의 난이 일어났다.

11 조선 후기 ㉠~㉢에 대한 설명으로 옳지 않은 것은?

> 삼정이란 조선 시대에 백성이 부담한 ㉠ 전정, ㉡ 군정, ㉢ 환곡을 말한다.

① ㉠ – 정해진 액수보다 많은 세금을 거두었다.
② ㉡ – 한 사람이 여러 사람의 군포를 부담하였다.
③ ㉡ – 먹을 것이 부족한 시기에 시행된 일종의 빈민 구제 제도였다.
④ ㉢ – 삼정 중 폐해가 가장 심각하였다.
⑤ ㉢ – 억지로 곡식을 빌려주고 갚게 하였다.

12 다음 자료에 대해 학생들이 나눈 대화 내용으로 가장 적절한 것은?

> 시아버지 상은 이미 마치고, 갓난아기 배냇물은 아직 마르지도 않았는데, 이 집 삼 대 이름은 군적에 모두 올랐네. 급하게 가서 억울함을 호소해도, 관청 문지기는 호랑이 같고, 이정은 으르렁대며 외양간 소마저 끌고 가네.
>
> – 정약용, 「애절양」

① 예송이 발생한 배경을 알 수 있어.
② 군정의 문란 내용을 확인할 수 있어.
③ 만적이 봉기를 계획한 목적을 찾아볼 수 있어.
④ 원 간섭기에 나타난 사회 변화를 확인할 수 있어.
⑤ 6두품이 개혁을 주장하였던 시기의 상황을 알 수 있어.

13 밑줄 친 '이 시기'의 사회 모습으로 옳은 것은?

이 책은 이 시기에 민간에 널리 퍼진 예언서로, 정씨 성을 가진 사람이 왕이 된다는 내용이 담겨 있다.

① 서경 천도 운동이 일어났다.
② 원종과 애노의 난이 발생하였다.
③ 홍건적과 왜구의 침입이 빈번하였다.
④ 미륵 신앙과 무속 신앙이 번성하였다.
⑤ 새로운 불교 종파인 선종이 유행하였다.

14 ㉠ 종교에 대한 설명으로 옳은 것은?

(㉠)은/는 17세기에 중국을 다녀온 사신들을 통해 서양 학문으로 전해졌으나, 18세기 후반 남인 계열 학자들이 신앙으로 받아들였다.

① 안향에 의해 소개되었다.
② 평등사상과 내세 사상을 내세웠다.
③ 신진 사대부가 사상적 기반으로 삼았다.
④ 양반 중심의 신분 질서를 뒷받침하였다.
⑤ 수선사를 중심으로 개혁 운동이 전개되었다.

15 동학에 대한 설명으로 옳지 않은 것은?

① 인내천을 내세웠다.
② 최시형이 창시하였다.
③ 사회 제도의 개혁을 추구하였다.
④ 양반 중심의 신분 질서를 비판하였다.
⑤ 유교, 불교, 도교를 바탕으로 민간 신앙이 융합된 것이다.

시험에 잘 나와!

16 천주교와 동학의 공통점으로 옳은 것을 〈보기〉에서 고른 것은?

보기
ㄱ. 평등사상을 내세웠다.
ㄴ. 정부의 탄압을 받았다.
ㄷ. 서양 세력의 침투를 경계하였다.
ㄹ. 조상에 대한 제사 의식을 거부하였다.

① ㄱ, ㄴ ② ㄱ, ㄷ ③ ㄴ, ㄷ
④ ㄴ, ㄹ ⑤ ㄷ, ㄹ

17 ㉠의 사례로 적절하지 않은 것은?

세도 정치 시기에 지배층의 부패와 수탈로 고통받던 농민들은 사회 현실을 깨닫고 불만을 드러내기 시작하였으며, ㉠ 여러 가지 방법으로 정부에 저항하였다.

① 벽에 벽서를 써 붙였다.
② 대규모 봉기를 일으켰다.
③ 부당한 세금 납부를 거부하였다.
④ 수령과 향리의 비리를 고발하였다.
⑤ 스스로를 성주, 장군이라 부르며 지방을 장악하였다.

18 다음 질문에 대한 옳은 답변을 한 사람을 고른 것은?

▶ 지식 Q&A

조선 후기에 홍경래가 봉기를 일으킨 이유에 대해 알려 주세요.

▶ 답변하기

↳ 갑: 네 차례의 사화가 발생하였기 때문입니다.
↳ 을: 정부가 서북 지방민을 차별하였기 때문입니다.
↳ 병: 신분 상승에 대한 백성의 기대감이 커졌기 때문입니다.
↳ 정: 백성에 대한 세도 정권의 수탈이 매우 심하였기 때문입니다.

① 갑, 을 ② 갑, 병 ③ 을, 병
④ 을, 정 ⑤ 병, 정

시험에 잘 나와!

19 지도의 (가), (나)에 해당하는 봉기에 대한 설명으로 옳지 않은 것은?

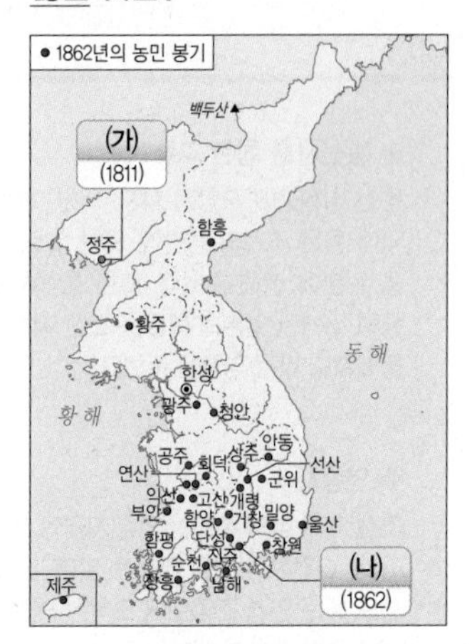

① (가) – 19세기 최초의 대규모 농민 봉기였다.
② (가) – 김사미와 효심이 농민을 이끌고 정부에 저항하였다.
③ (나) – 몰락 양반 유계춘을 중심으로 봉기하였다.
④ (나) – 백낙신의 수탈에 대한 불만이 원인이 되었다.
⑤ (가), (나) – 세도 정치 시기에 일어났다.

20 다음 자료에 해당하는 사건의 영향으로 적절한 것을 〈보기〉에서 고른 것은?

> 임술년 2월 19일, 진주민 수만 명이 머리에 흰 수건을 두르고 손에는 나무 몽둥이를 들고 무리를 지어 진주 읍내에 모여 서리들의 가옥 수십 호를 불태우고 부수었다. …… 병사가 해산하고자 장시에 나가니 백성이 그를 둘러싸고 재물을 횡령한 조목, 아전들이 세금을 강제로 징수한 일들을 문책하였다. -『임술록』

〈보기〉
ㄱ. 최제우가 처형되었다.
ㄴ. 암행어사가 처음으로 파견되었다.
ㄷ. 정부가 삼정이정청을 설치하였다.
ㄹ. 농민의 사회의식이 성장하게 되었다.

① ㄱ, ㄴ ② ㄱ, ㄷ ③ ㄴ, ㄷ
④ ㄴ, ㄹ ⑤ ㄷ, ㄹ

서술형 문제

서술형 감잡기

01 다음 자료를 통해 알 수 있는 조선 후기 신분제의 변동에 대해 서술하시오.

> 옷차림은 신분의 귀천을 나타내는 것이다. 그런데 어찌 된 것인지, 요즘 이것이 문란해져 상민과 천민이 조정의 관리나 선비처럼 갓을 쓰고 도포를 입는다. …… 심지어 시전 상인과 군역을 지는 상민들까지도 서로 양반이라고 부르고 있다. -『일성록』

➜ 조선 후기에 정치적·경제적 변화가 나타나면서 (①) 중심의 신분제가 크게 흔들렸다. 서얼과 기술직 중인이 신분 상승을 추구하였고, 부유해진 (②)이나 천민이 공명첩이나 납속을 통해 양반 신분을 얻었다.

실전! 서술형 도전하기

02 다음을 읽고 물음에 답하시오.

> 조정에서는 어찌 평안도를 더러운 흙과 같이 여기는가? 심지어 권세가의 노비도 우리를 보면 반드시 '평안도 놈'이라고 말하니 서쪽 땅에 사는 자로서 어찌 억울하고 원통하지 않겠는가? …… 지금 나이 어린 임금이 왕위에 있어서 권력 있는 신하들의 간악한 짓이 갈수록 더 심해지고, 세도 가문의 무리들이 권력을 제멋대로 하니 …… 이곳 평안도에서 병사를 일으켜 백성들을 구하고자 한다. -『패림』

(1) 자료의 내용이 배경이 되어 일어난 사건의 이름을 쓰시오.

(2) (1)의 전개 과정을 그 참여 세력과 함께 서술하시오.

학문과 예술의 새로운 경향 ~ 생활과 문화의 새로운 양상

A 통신사와 연행사

1. 통신사 파견

(1) 내용: 국교 회복 이후 조선과 일본이 정기적으로 사절단을 파견함
— 조선은 대규모 사절단인 통신사를 200여 년간 12회 파견하였어.

(2) 통신사의 활동: 에도(도쿄)를 방문하여 쇼군(장군)에게 국서 전달·쇼군의 답서를 받음, 무역 업무 처리, 일본의 정치 상황 탐색
— 통신사는 인삼, 비단 등을 선물로 가져갔고, 일본으로부터 은, 무기 등을 답례로 받아 왔어.

(3) 영향: 통신사가 지나는 지역에서 ⁺다양한 문화적·경제적 교류가 이루어짐

2. ⁺연행사 파견

(1) 내용: 병자호란 이후 조선이 청과 사대 관계 형성 → 조선이 청에 연행사 파견, 청이 조선에 칙사 파견

(2) 연행사의 활동: 공식 외교 업무 수행, 중국의 관료·학자들과 교제, 서양 선교사들과 교류(서양 문물 수용) → 조선 지식인들 사이에 청의 선진 문물을 배우자는 주장 제기
— 연행사의 수행원이었던 박지원은 연행길에서 얻은 경험과 깨달음을 바탕으로 『열하일기』를 저술하였어.

(3) 영향: 연행사의 행로(연행로)를 따라 공무역과 사무역 활발
— 역관이나 상인들은 주로 일본산 은을 가져가 중국산 비단 등을 구입하여 이익을 얻었어.

자료로 이해하기 일본에 파견한 통신사

통신사의 행로

쇼군은 조선 국왕의 외교 문서 전달 과정을 지방 영주와 백성에게 보여 줌으로써 막부의 권위를 과시하고자 하였어.

통신사 행렬도

통신사는 일본에서 쇼군이 바뀔 때마다 일본의 요청으로 파견되었다. 총책임자인 정사가 이끄는 통신사 일행은 대마도에 상륙하여 에도에 이르기까지 환대를 받았다.

+ 통신사를 통한 교류

통신사 일행에 포함된 학자, 의원, 화원, 악대 등은 조선의 성리학, 의학, 그림 등을 일본에 전해 주었다. 또한 통신사를 통해 소개된 일본의 학문은 조선 지식인들에게도 많은 영향을 주었다.

+ 연행사

조선 후기 청의 수도인 연경(지금의 베이징)에 파견한 사신을 부르는 말이다. 「연행도」에는 연경 조양문에 도착한 연행사의 모습이 그려져 있다.

연행도

B 서학의 수용과 세계관의 변화

1. 서학의 수용

— 청과의 교류가 활발해지면서 연행사 등을 통해 조선에 다양한 서양 문물이 소개되었어.

구분	내용
배경	중국을 오가던 사신을 통해 17세기 초부터 서학(천주교, 서양 문물) 수용
내용	사신들이 「⁺곤여만국전도」·화포·천리경·자명종 등을 들여옴, 소현 세자와 벨테브레이·하멜 등 조선에 표류해 온 서양인들을 통해 서양 문물 전래
영향	• 천문학과 역법 발달: 홍대용이 지전설 주장, 김육 등이 청에서 시헌력 도입 • 세계관 확대: 세계 지도의 보급으로 당시 지식인들이 성리학적 세계관에서 벗어남

— 시헌력: 서양 역법
— 지전설: 지구가 돈다는 학설
— 소현 세자: 베이징에서 선교사 아담 샬(탕약망)을 만나 서양 문물을 접하였어.

2. 조선 후기 의학과 농업 발달

— 사상 의학: 사람의 체질을 네 가지로 구분하여 병을 치료하는 의학

구분	내용
의학	허준이 『동의보감』 편찬(전통 한의학 체계화), 이제마가 사상 의학 확립
농업	신속이 『농가집성』 편찬(모내기법 등의 농법 소개), 서유구가 『임원경제지』 저술

+ 곤여만국전도

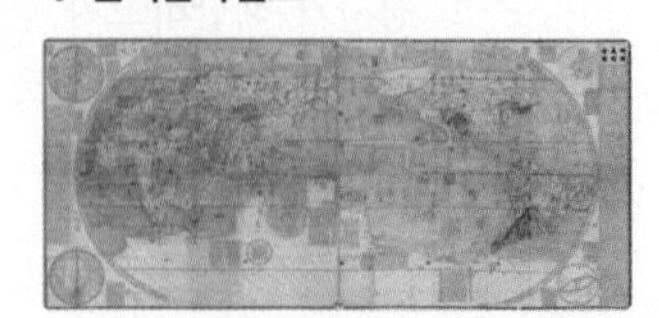

이탈리아 출신의 예수회 선교사 마테오 리치가 제작한 세계 지도이다. 유럽과 아프리카, 아메리카 대륙이 상세하게 그려져 있어 조선인의 세계관 확대에 기여하였다.

- 통신사와 연행사 파견
- 다양한 학문의 발전
- 예술의 새로운 경향
- 조선 후기의 생활 변화와 서민 문화 발달

1 임진왜란 이후 조선이 막부의 요청에 따라 일본에 여러 차례 파견한 대규모 사절단을 (　　　　)라고 한다.

2 다음 설명이 맞으면 ○표, 틀리면 ×표를 하시오.

(1) 통신사 일행은 대마도에 상륙하여 쇼군이 있는 오사카까지 이동하였다. (　　)

(2) 통신사 일행에 포함된 사람들은 조선의 성리학, 의학, 그림 등을 일본에 전해 주었다. (　　)

3 다음에서 설명하는 것을 쓰시오.

> 조선에서 청에 보낸 사신을 가리킨다. 이들은 청의 수도인 연경(지금의 베이징)에 파견되어 청에 조공을 바치고 청으로부터 답례품을 받아 왔다.

4 다음 사절단과 그에 해당하는 내용을 옳게 연결하시오.

(1) 연행사 • 　　　• ㉠ 왜란 이후 200여 년간 일본에 12회 파견됨

(2) 통신사 • 　　　• ㉡ 청에서 서양 선교사들과 교류하며 서양 문물 수용

핵심 콕콕

• **통신사와 연행사의 파견**

통신사	일본에 파견 → 쇼군에게 국서 전달·쇼군의 답서를 받음, 일본과 문화 교류
연행사	청에 파견 → 공식 외교 업무 수행, 청과 서양의 문물 수용

1 다음 빈칸에 들어갈 내용을 쓰시오.

(1) 김육 등은 청에서 사용되던 서양 역법인 (　　　　)을 도입하였다.

(2) 사신들은 중국에서 마테오 리치가 제작한 세계 지도인 (　　　　)를 들여왔다.

(3) 홍대용은 서학의 영향을 받아 지구가 돈다는 학설인 (　　　　)을 주장하였다.

2 다음 괄호 안의 내용 중 알맞은 말에 ○표를 하시오.

(1) 동의보감은 (허준, 이제마)이/가 저술한 의학 서적이다.

(2) 조선 후기에 신속은 (농가집성, 임원경제지)에서 모내기법과 같은 농법을 소개하였다.

핵심 콕콕

• **서학의 수용과 과학 기술의 발달**

서학의 수용
세계 지도(「곤여만국전도」) 등 서양 문물 전래, 시헌력 도입

↓

조선의 과학 기술 발전, 성리학적 세계관에서 탈피

C 실학의 발달

1. 배경: 양난 이후 사회적·경제적 변화가 나타나 여러 문제 발생 → 실증적인 방법으로 학문을 연구하고 그 결과를 실생활에 활용하여 현실 문제를 해결하려는 실학 등장
(여러 문제 발생: 당시 성리학은 사회 변화에 적절하게 대응하지 못하였어.)

2. 농업 중심의 개혁론

(1) 주장: 농민 생활과 농촌 문제에 관심을 두고 토지 제도의 개혁 주장

(2) 대표 학자: 유형원(신분에 따라 차등을 두어 토지 지급 주장), 이익(영업전의 매매 금지 주장), +정약용(마을에서 공동으로 토지 소유 및 경작, 일한 날짜에 따른 생산물 분배 주장)
(영업전의 매매 금지 주장: 농가마다 생계에 필요한 최소한의 토지를 영업전으로 하여 매매를 금지하자고 하였어.)

3. 상공업 중심의 개혁론

(1) 주장: 청의 선진 문물 수용 주장, 상공업의 진흥을 통한 현실 개혁 추구
(꼭 청의 선진 문물을 배우자고 하여 북학파라고 불려.)

(2) 대표 학자: 유수원(직업의 평등 주장), 홍대용(기술 혁신과 문벌제도 폐지를 내세움), 박지원(수레, 선박, 화폐의 사용 강조), 박제가(청과의 교역 확대 주장, 소비를 통해 생산을 늘려야 한다고 주장)

자료로 이해하기 실학자들의 사회 개혁론

- 토지 제도가 바로잡히면 모든 일이 제대로 될 것이다. 백성은 일정한 직업을 갖게 되고, 군사 행정에서는 도망간 사람을 찾는 폐단이 없어질 것이며, 모두 자기 직책을 갖게 될 것이므로 민심이 안정되고 풍속이 도타워질 것이다. – 유형원, 『반계수록』
  (토지 제도의 개혁을 주장하였어.)
- 재물은 비유하자면 샘과 같은 것이다. 우물물은 퍼내면 차고 버려두면 말라 버린다. 그러므로 비단 옷을 입지 않아서 나라에 비단 짜는 사람이 없게 되면 여공이 쇠퇴하며, …… 수공업자가 기술을 익히지 않으면 기예가 사라진다. – 박제가, 『북학의』
  (생산을 자극하기 위해 소비를 늘려야 한다고 주장하였어.)

실학은 농업 중심의 개혁론과 상공업 중심의 개혁론으로 발전하였다. 실학자들의 주장과 학문 연구는 후대의 학문 활동에 영향을 주었으며, 특히 북학파의 주장은 개화사상에 영향을 주었다.

+ 정약용

농업 중심의 개혁론을 내세운 대표적인 실학자로, 유배 중에도 다양한 분야를 연구하여 실학을 집대성하였다는 평가를 받는다.

D 국학의 발달

1. 배경: 중국 중심의 세계관에서 벗어나려는 분위기 조성, 지식인들이 우리의 전통과 현실에 관심을 가지고 역사·지리·언어 등 연구
(서양 문물이 들어오고, 오랑캐라 여겼던 청이 명을 멸망시키면서 이러한 분위기가 나타났어.)

2. 국학 발달

구분	내용
역사	안정복이 『동사강목』 저술(고조선부터 고려까지의 역사를 체계적으로 정리), 유득공이 『+발해고』 편찬(발해사를 우리 역사의 일부로 인식)
지리	• 지리지 편찬: 이중환이 『택리지』 저술(각 지방의 자연환경, 풍속, 물산 등 소개) • 지도 제작: 정상기가 「동국지도」 제작(최초로 백리 척 사용), 김정호가 「대동여지도」 제작(산맥, 하천, 포구, 도로망 등을 정밀하게 표시) (대동여지도: 10리마다 점을 찍어 거리를 나타냈고, 역참, 마을, 도로 등을 기호로 표시하였어.)
언어	신경준의 『훈민정음운해』 저술, 유희의 『언문지』 편찬

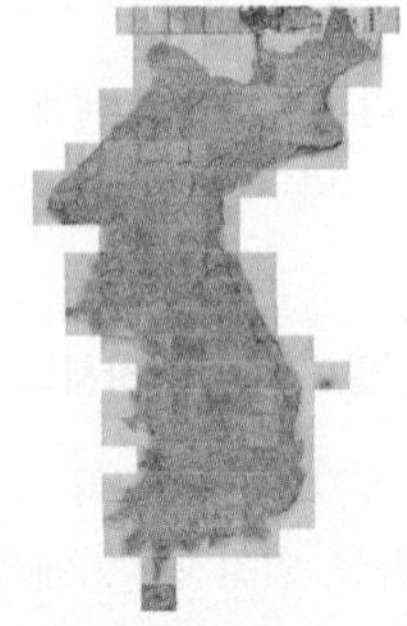

대동여지도

+ 발해고

발해를 세운 대조영은 누구인가. 바로 고구려 사람이다. 그들이 차지했던 땅은 또 어떤 땅인가. 그 역시 고구려 땅이다. – 유득공, 『발해고』

유득공이 저술한 책으로, 발해가 고구려를 계승한 나라임을 밝혀 발해를 우리 역사의 일부로 인식하였다.

1 다음 빈칸에 들어갈 내용을 쓰시오.

(1) 조선 후기에 실증적인 방법으로 학문을 연구하는 (   )이 등장하였다.

(2) 상공업 중심의 개혁론을 펼친 이들은 청의 선진 문물을 배우자고 하여 (   ) 라고 불린다.

2 농업 중심의 개혁론을 전개한 학자와 그의 주장을 옳게 연결하시오.

(1) 이익 •
(2) 유형원 •
(3) 정약용 •

• ㉠ 영업전의 매매 금지 주장
• ㉡ 신분에 따른 토지의 차등 분배 주장
• ㉢ 공동의 토지 소유 및 경작, 노동량에 따른 생산물 분배 주장

3 다음에서 설명하는 인물을 〈보기〉에서 골라 기호를 쓰시오.

보기

ㄱ. 박제가　　ㄴ. 박지원　　ㄷ. 유수원　　ㄹ. 홍대용

(1) 직업의 평등을 주장하였다. (   )

(2) 기술 혁신과 문벌제도 폐지를 내세웠다. (   )

(3) 수레와 선박의 이용, 화폐의 사용을 강조하였다. (   )

(4) 청과의 교역을 확대하고 소비를 통해 생산을 늘려야 한다고 하였다. (   )

• 실학의 발달

구분	농업 중심의 개혁론	상공업 중심의 개혁론
주장	농촌 문제에 관심을 두고 토지 제도의 개혁 주장	청의 문물 수용, 상공업의 진흥 주장
대표 학자	유형원, 이익, 정약용	유수원, 홍대용, 박지원, 박제가

1 다음 설명이 맞으면 ○표, 틀리면 ×표를 하시오.

(1) 중국 중심의 세계관이 확산되면서 국학 연구가 활발해졌다. (   )

(2) 유득공은 동사강목을 써서 발해가 고구려를 계승한 나라임을 밝혔다. (   )

(3) 이중환은 전국을 직접 돌아다닌 뒤 택리지를 써서 각 지방의 자연환경과 생활 모습, 풍속 등을 소개하였다. (   )

2 다음에서 설명하는 지도를 쓰시오.

조선 후기에 국학이 발달하면서 김정호가 제작한 지도로, 산맥, 하천, 포구, 도로망 등을 정밀하게 표시하였다.

• 국학의 발달

역사	『동사강목』(안정복), 『발해고』(유득공) 저술
지리	『택리지』 저술(이중환), 「동국지도」(정상기)·「대동여지도」(김정호) 제작
언어	『훈민정음운해』 저술(신경준)

E 조선 후기 예술의 새로운 경향

1. 등장 배경: 조선 후기 사회적·경제적 변화로 예술의 여러 분야에서 변화가 나타남

2. 예술의 새 경향

한문학	• 특징: 양반층 중심, 사회의 부조리를 비판하는 경향이 나타남 • 내용: 정약용이 한시(삼정의 문란 폭로)·박지원이 한문 소설(『양반전』, 『허생전』) 저술, 중인층(역관, 서리 등)·부를 축적한 상공업자·부농층의 문예 활동 활발
회화	중국 화풍을 모방한 산수화에서 벗어나 조선 산천을 그대로 묘사한 진경 산수화 등장(정선의 「금강전도」, 「+인왕제색도」), 청에서 서양화법 도입(강세황의 「영통동구도」)
글씨	우리의 정서를 담은 글씨체 등장(김정희의 추사체 등)
공예	분청사기 쇠퇴, 백자가 민간에까지 널리 사용, 청화 백자 유행
건축	규모가 큰 불교 건축물 건립(구례 화엄사 각황전, 보은 법주사 팔상전 등), 수원 화성 축조(정약용이 만든 거중기 이용), 경복궁 중건

- 중인층: 시를 짓는 모임을 조직하거나, 역대 시인의 시를 모아 시집을 간행하였어.
- 『양반전』, 『허생전』: 양반 계층의 위선과 무능을 풍자하였어.
- 「영통동구도」: 서양화법을 동양화와 접목하였어.
- 경복궁: 왜란 때 불에 타 19세기에 여러 건물들을 다시 지었어.

+ 인왕제색도

정선이 서울의 인왕산을 그린 것으로, 바위 봉우리와 울창한 수풀이 비 그친 뒤의 안개 속에 실감나게 표현되었다.

F 조선 후기 생활의 변화

1. 가족 제도와 풍속의 변화

(1) 배경: 조선 후기 향촌 사회에 성리학적 생활 규범 정착, 부계 중심의 가족 제도 강화

- 왜? 양반들이 『가례(주자가례)』를 보급하여 향촌 질서를 안정시키고자 하였기 때문이야.

(2) 가족 제도의 변화

조선 중기 이전	혼례 후 남자가 여자 집에서 생활하는 경우가 많음, 아들과 딸이 부모의 재산을 똑같이 상속받음, 남녀 형제가 제사를 돌아가며 지내거나 책임을 분담함
조선 후기	혼례 후 여자가 남자 집에서 생활하는 경우가 많음(부계 친족 집단 형성), 재산 상속에서 큰아들 우대, 제사는 큰아들이 지내야 한다는 인식 확산, 족보 편찬 활발

- 제사는 큰아들이 지내야 한다는 인식 확산: 부계를 중심으로 집안의 대를 이어야 한다는 인식이 퍼지면서 아들이 없는 경우 양자를 들이는 일이 흔해졌어.

(3) 풍속의 변화: 남녀유별을 강조하는 유교 윤리의 확산으로 +여성의 지위 하락, 양반 가옥에 남성의 거주 공간(사랑채)과 여성의 거주 공간(안채) 분리

- 남녀유별: 유교 사상에서 남자와 여자 사이에 분별이 있어야 함을 이르는 말

2. 향촌 사회의 변화

(1) 배경: 조선 후기 정치적·경제적 변화에 따라 신분제가 흔들림

(2) 양반 중심의 향촌 질서 변화: 새롭게 성장한 부농층이 기존의 양반 계층과 향촌의 지배권을 둘러싸고 다툼을 벌임 → 향리와 수령의 권한 강화, 양반의 권위 약화

- 양반의 권위 약화: 이에 양반들은 동족 마을을 형성하고, 문중의 지위를 높이기 위해 각 지역에 사우나 서원을 세웠어.

(3) 공동체 조직 형성: +두레 활성화 → 함께 농사를 지으며 농민의 유대감과 자율성 강화

자료로 이해하기 조선 후기 가족 제도의 변화

> 남매가 재산을 공평하게 나누면 제사도 똑같이 돌아가며 지내야 한다. (그런데) 사대부가의 딸들은 시집간 후 본가의 제사를 마음대로 실행하지 못하니 …… 딸에게 몫을 나눠 주되 약간을 감하고, 본가의 제사를 돌아가며 지내지 말라.
>
> – 오재훈 남매의 상속 문서, 1701

조선 전기에는 자녀가 돌아가며 제사를 지냈으나, 조선 후기에는 적장자가 제사를 주관하는 것이 일반화되었다. 또한 균분 상속 제도가 점차 적장자를 중심으로 한 상속 제도로 바뀌었다.

+ 여성의 지위 하락

조선 후기에 양반 신분의 여성은 바깥출입이 자유롭지 못하였고, 외출할 때에는 장옷 등으로 얼굴을 가려야 하였다. 또한 정부에서는 과부의 재혼을 제한하고 열녀를 표창하는 방법으로 여성의 정절을 강조하였다.

+ 두레

공동으로 농사를 짓는 풍습으로, 한 번에 많은 노동력이 필요한 모내기법이 확산되면서 활성화되었다.

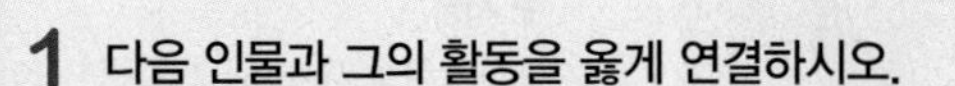

1 다음 인물과 그의 활동을 옳게 연결하시오.

(1) 정선 •   • ㉠ 양반전 저술
(2) 김정희 •   • ㉡ 추사체 확립
(3) 박지원 •   • ㉢ 인왕제색도 제작

2 조선 후기 예술의 변화에 해당하는 것만을 〈보기〉에서 있는 대로 골라 기호를 쓰시오.

보기
ㄱ. 추사체 등장   ㄴ. 분청사기 유행
ㄷ. 청화 백자 유행   ㄹ. 진경 산수화 등장

핵심 콕콕

• **조선 후기 예술의 변화**

한문학	박지원이 『양반전』 저술, 중인층의 문예 활동 활발
회화	우리 자연을 사실적으로 그린 진경 산수화 등장(정선의 「인왕제색도」)
서예	김정희가 추사체 확립
공예	청화 백자 유행
건축	규모가 큰 불교 건축물 건립

1 다음 설명이 맞으면 ○표, 틀리면 ×표를 하시오.

(1) 조선 후기에는 적장자가 제사를 주관하는 것이 일반화되었다. (　　)
(2) 조선 후기에는 혼례 후 곧바로 남자 집에서 생활하는 풍습이 정착되었다. (　　)
(3) 조선 후기에는 아들과 딸이 부모 재산을 똑같이 상속받는 경우가 많았다. (　　)

2 다음 괄호 안의 내용 중 알맞은 말에 ○표를 하시오.

(1) 남녀유별을 강조하는 유교 윤리가 확산되면서 (남성, 여성)의 생활이 이전보다 많은 제약을 받았다.
(2) 조선 후기에는 (모계, 부계)를 중심으로 집안의 대를 이어야 한다는 인식이 퍼지면서 아들이 없는 집에서 양자를 들이는 일이 흔해졌다.

3 다음 빈칸에 들어갈 내용을 쓰시오.

(1) 조선 후기 양반 가문에서는 조상의 계보를 보여 주는 (　　　　)의 편찬이 성행하였다.
(2) 한 번에 많은 노동력이 필요한 모내기법이 확산되면서 공동으로 농사를 짓는 풍습인 (　　　　)가 활성화되었다.

핵심 콕콕

• **조선 후기 생활의 변화**

가족 제도	혼례 후 여자가 남자 집에서 생활, 재산 상속에서 큰아들 우대, 큰아들 중심의 제사 시행, 양자 입양 보편화
향촌 사회	양반의 권위 약화, 공동체 조직(두레)을 통해 농민의 유대감과 자율성 강화

G 서민 문화의 대두

서민 문화의 등장 배경	• 서민의 지위 상승: 조선 후기에 경제적·사회적 변화(상품 화폐 경제 발달, 신분 질서 동요) → 서민의 경제력과 사회적 지위 상승 • 서민 의식 향상: +서당 교육 보급, 한글 사용 증가로 서민 의식의 성장 → 문화의 폭이 서민층까지 확대됨 (양반을 중심으로 이루어지던 문예 활동과 문화의 폭이 서민층까지 확대되었어.)
서민 문화의 특징	서민들의 생각과 감정을 솔직하게 표현하는 경향이 강함, 사회의 문제점과 부조리를 풍자함

김홍도의 「서당」

+ 서당
예전에 글을 사사로이 가르치던 곳이다. 조선 후기에는 서당 교육이 확대되어 글을 읽고 쓸 줄 아는 서민이 늘어나면서 서민들의 의식 수준이 높아졌다.

H 서민 문화의 발달

1. 한글 소설과 사설시조

(신분을 뛰어넘는 남녀 간의 사랑을 다루었어. / 효녀의 이야기를 통해 효의 이념을 전파하였어.)

한글 소설	• 특징: 평범한 인물이 주인공으로 등장하여 사회 모순 비판, 서민들의 감정 표현 • 발달: 『+홍길동전』, 『춘향전』, 『심청전』, 『흥부전』 등 유행 → 도시에 돈을 받고 책을 빌려주는 책방 등장, 책을 읽어 주거나 들려주는 직업이 생겨남
사설시조	형식에 구애받지 않음, 서민들의 솔직하고 소박한 감정 표현, 현실 사회 풍자

2. +판소리와 탈춤

(지방 장시나 포구 등 사람들이 많이 모인 곳에서 행해져 서민 의식이 성장하는 데 영향을 주었어.)

판소리	판소리 다섯 마당(「춘향가」, 「심청가」, 「흥보가」, 「수궁가」, 「적벽가」)이 인기를 끔
탈춤	얼굴에 탈을 쓴 광대들이 등장하여 해학과 풍자로 양반 사회 비판

(19세기경에 신재효가 여러 종류의 판소리를 여섯 마당으로 정리하였는데, 지금은 다섯 마당만 전해져.)

3. 풍속화와 민화

풍속화	• 특징: 당시 사람들의 생활 모습을 생동감 있게 표현함 • 발달: 김홍도가 농촌 서민의 일상생활 표현(「벼타작」, 「씨름」 등), 신윤복이 주로 양반층의 풍류와 부녀자들의 생활 모습 묘사(「단오풍정」 등)
민화	• 특징: 서민들의 미적 감각을 잘 드러냄, 주로 이름이 알려지지 않은 화가들이 동식물·문자 등을 소재로 삼아 그림 • 발달: 복을 바라는 서민의 정서가 담긴 작품이 많음(「까치호랑이」 등), 왕실과 민간에서 생활 공간을 장식하는 데 이용 (까치, 호랑이, 소나무, 학, 잉어, 원앙 등 그 소재가 다양하였어.)

자료로 이해하기 풍속화와 민화

벼타작

씨름

단오풍정

까치호랑이

호랑이는 재앙을 막아 주고, 까치는 좋은 소식을 전해 준다고 생각하였어.

풍속화가인 김홍도의 「벼타작」은 타작하는 모습, 「씨름」은 씨름하는 모습을 그렸고, 신윤복의 「단오풍정」은 단옷날에 머리를 감고 그네를 타는 여성들을 표현하였다. 민화인 「까치호랑이」는 호랑이와 까치를 함께 그렸다.

+ 홍길동전

> "평생 서럽기를 아버지를 아버지라고 부르지 못하고, 형을 형이라고 못하여 모두가 천하게 보고, 친척도 아무개의 천한 소생이라 이르오니 이런 원통한 일이 어디에 있습니까?" …… 이후도 길동은 무리의 호칭을 활빈당이라 하고, 수령이 불의의 재물이 있으면 탈취하고, 가난하고 의지할 데 없는 자를 구제하며, 나라의 것은 손대지 않았다.
> – 허균, 『홍길동전』

허균이 지은 한글 소설로, 서얼에 대한 차별 철폐와 이상 사회의 건설 등을 담아 당시의 사회 현실을 비판하였다.

+ 판소리
소리꾼이 북 장단에 맞추어 노래(창)와 말(사설)로 이야기를 풀어 가는 음악으로, 넓은 계층으로부터 사랑을 받았다.

1 다음 빈칸에 들어갈 내용을 쓰시오.

(1) 조선 후기에 글을 사사로이 가르치던 (　　　　) 교육이 보급되고 한글 사용이 늘어나면서 서민 의식이 성장하였다.

(2) 조선 후기에는 양반을 중심으로 이루어지던 문예 활동과 문화의 폭이 서민층까지 확대되어 (　　　　) 중심의 문화가 발달하였다.

핵심 콕콕

• 조선 후기 서민 문화의 대두

배경	서민의 경제력과 사회적 지위 상승, 서당 교육 확대로 서민 의식의 성장
특징	서민들이 생각과 감정을 솔직하게 표현함

1 조선 후기의 문학 작품과 그 내용을 옳게 연결하시오.

(1) 심청전 •　　　　• ㉠ 서얼에 대한 차별 비판

(2) 춘향전 •　　　　• ㉡ 신분을 뛰어넘는 남녀 간의 사랑을 다룸

(3) 홍길동전 •　　　　• ㉢ 효녀의 이야기를 통해 효의 이념을 전파함

2 다음 설명이 맞으면 ○표, 틀리면 ×표를 하시오.

(1) 홍길동전, 춘향전은 조선 후기에 유행한 대표적인 한문 소설이다. (　　)

(2) 사설시조는 형식에 구애받지 않고 서민의 감정을 자유롭게 표현하였다. (　　)

3 ㉠, ㉡에 들어갈 내용을 각각 쓰시오.

> 조선 후기에 유행한 (㉠　　　)는 소리꾼이 북 장단에 맞추어 노래(창)와 말(사설)로 이야기를 풀어 가는 음악이고, (㉡　　　)은 탈을 쓴 광대들이 등장하는 공연이었다.

4 조선 후기의 그림만을 <보기>에서 있는 대로 골라 기호를 쓰시오.

> 보기
> ㄱ. 벼타작　　ㄴ. 단오풍정　　ㄷ. 고사관수도　　ㄹ. 몽유도원도

5 조선 후기에 주로 이름이 알려지지 않은 화가들이 그린 (　　　　)는 동식물, 문자 등을 소재로 삼았다.

핵심 콕콕

• 조선 후기 서민 문화의 발달

한글 소설	『홍길동전』, 『춘향전』, 『심청전』 등 유행
사설시조	형식에 구애받지 않고 서민들의 소박한 감정 표현
판소리	「춘향가」, 「심청가」, 「흥보가」, 「수궁가」, 「적벽가」 등 인기
탈춤	해학과 풍자로 양반 사회 비판
풍속화	김홍도(「벼타작」), 신윤복(「단오풍정」)이 유명
민화	주로 이름이 알려지지 않은 화가들이 그림

시험에 잘 나와!

01 지도와 같이 이동한 사절단의 활동으로 옳지 않은 것은?

① 무역 업무를 처리하였다.
② 일본의 정치 상황을 탐색하였다.
③ 일본의 요청으로 매년 파견되었다.
④ 조선의 문물을 일본에 전해 주었다.
⑤ 에도 막부의 쇼군에게 국서를 전달하였다.

02 ㉠에 들어갈 내용으로 옳은 것은?

① 별무반　　② 삼별초
③ 연행사　　④ 통신사
⑤ 다루가치

03 ㉠~㉤ 중 옳지 않은 것은?

> 연행사는 ㉠ 공식 외교 업무를 수행하였고, ㉡ 중국의 관료나 학자들과 교제하기도 하였다. 또한 ㉢ 중국에 있는 서양 선교사들과 교류하면서 서양 문물을 접하였다. 연행사의 견문이 쌓이면서 조선의 지식인들 사이에서는 ㉣ 원의 선진 문물을 배우자는 주장이 제기되었다. 한편, ㉤ 연행로를 따라 무역이 활발하게 이루어졌다.

① ㉠　② ㉡　③ ㉢　④ ㉣　⑤ ㉤

04 다음과 같은 상황에서 조선에 들어온 서양 문물로 옳지 않은 것은?

> 조선은 사신을 통해 17세기 초부터 서양 문물을 받아들였다. 청에서 귀국한 소현 세자와 조선에 표류해 온 서양인들도 서양 문물을 전하였다.

① 동학　　② 화포
③ 자명종　　④ 천리경
⑤ 곤여만국전도

05 (가)에 들어갈 내용으로 가장 적절한 것은?

> 1. 탐구 주제: ______(가)______
> 2. 주요 사례
>   - 홍대용이 지구가 자전한다는 사실을 논리적으로 설명함
>   - 김육 등이 청에서 사용되던 서양 역법인 시헌력을 도입함

① 국학의 발달
② 고려와 원의 문화 교류
③ 상품 화폐 경제의 발달
④ 성리학적 사회 질서의 보급
⑤ 서학의 수용과 과학 기술의 발전

정답 친해 55쪽

06 ㉠, ㉡에 들어갈 내용을 옳게 연결한 것은?

조선 후기에는 의학이 발달하였다. 허준이 (㉠)을 펴내 전통 한의학을 체계화하였고, (㉡)이/가 사람의 체질을 네 가지로 구분하여 병을 치료하는 사상 의학을 확립하였다.

	㉠	㉡
①	칠정산	정약용
②	동의보감	이제마
③	동의보감	정약용
④	향약집성방	박지원
⑤	향약집성방	이제마

07 조선 후기에 편찬된 농서를 <보기>에서 고른 것은?

보기

ㄱ. 농사직설　　ㄴ. 농가집성
ㄷ. 여씨 향약　　ㄹ. 임원경제지

① ㄱ, ㄴ　② ㄱ, ㄷ　③ ㄴ, ㄷ
④ ㄴ, ㄹ　⑤ ㄷ, ㄹ

시험에 잘 나와!

08 다음 질문에 대한 옳은 답변을 한 사람을 고른 것은?

▶ 지식 Q&A

조선 후기에 활동한 실학자인 유형원, 이익, 정약용의 공통점에 대해 알려 주세요.

▶ 답변하기

ㄴ 갑: 북학파라고 불리기도 하였어요.
ㄴ 을: 토지 제도의 개혁을 주장하였어요.
ㄴ 병: 농민의 생활을 안정시키려 하였어요.
ㄴ 정: 수레, 선박, 화폐의 사용을 강조하였어요.

① 갑, 을　② 갑, 병　③ 을, 병
④ 을, 정　⑤ 병, 정

09 다음과 같이 주장한 인물로 옳은 것은?

마을을 단위로 공동 농장을 만들어 농민들이 함께 농사를 짓고, 세금을 제한 나머지를 일한 만큼 나눠야 한다.

① 박제가　② 유형원
③ 이중환　④ 정약용
⑤ 홍대용

10 밑줄 친 '그'에 대한 설명으로 옳은 것은?

그는 정조 때 연행사의 수행원으로 청에 들어갔고 청의 문물들에 관심을 보이며 중국의 여러 지역을 살펴보았다. 조선으로 돌아온 그는 연행길에서 얻은 경험과 깨달음을 바탕으로 『열하일기』를 저술하였다.

① 직업의 평등을 주장하였다.
② 농업 중심의 개혁론을 내세웠다.
③ 수레와 선박의 이용을 강조하였다.
④ 영업전의 매매를 금지하자고 하였다.
⑤ 소비를 통해 생산을 늘려야 한다고 주장하였다.

11 조선 후기의 실학에 대한 설명으로 옳지 않은 것은?

① 개화사상에 영향을 주기도 하였다.
② 성리학 연구가 심화되면서 등장하였다.
③ 현실 문제를 해결하는 데 관심을 기울였다.
④ 실용적이고 실증적인 방법으로 학문을 연구하였다.
⑤ 농업 중심의 개혁론과 상공업 중심의 개혁론으로 발전하였다.

12 다음 서적에 대한 설명으로 옳은 것은?

발해를 세운 대조영은 누구인가. 바로 고구려 사람이다. 그들이 차지했던 땅은 또 어떤 땅인가. 그 역시 고구려 땅이다. …… 통일 신라가 망하고 발해가 망한 뒤에 왕건이 이를 통합하여 고려라 하였는데 남쪽은 전부 차지하였지만 발해가 차지했던 북쪽 땅은 여진에 빼앗기기도 하고, 거란에 빼앗기기도 하였다.

① 이승휴가 저술하였다.
② 모내기법과 같은 농법을 소개하였다.
③ 고려가 통일 신라를 계승하였다고 보았다.
④ 발해사를 우리 역사의 일부로 인식하였다.
⑤ 처음으로 단군의 건국 이야기를 기록하였다.

13 ㉠~㉤ 중 옳지 않은 것은?

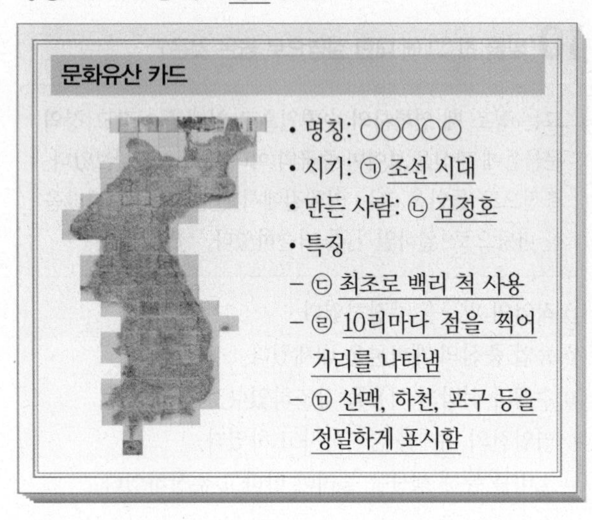

① ㉠ ② ㉡ ③ ㉢ ④ ㉣ ⑤ ㉤

14 다음 서적들의 공통점으로 가장 적절한 것은?

• 택리지 • 동사강목 • 훈민정음운해

① 청의 선진 문물을 소개하였다.
② 한글 연구가 활발해지면서 편찬되었다.
③ 고조선부터 고려까지의 역사를 정리하였다.
④ 각 지방의 자연환경, 풍속, 물산 등을 소개하였다.
⑤ 우리의 전통과 현실에 대한 관심이 반영되어 있다.

15 교사의 질문에 대한 학생의 답변으로 적절한 것을 〈보기〉에서 고른 것은?

〈보기〉
ㄱ. 서민층이 중심이 되었어요.
ㄴ. 형식에 구애받지 않았어요.
ㄷ. 삼정의 문란을 폭로하는 한시가 쓰였어요.
ㄹ. 양반 계층의 위선과 무능을 풍자하는 소설이 쓰였어요.

① ㄱ, ㄴ ② ㄱ, ㄷ ③ ㄴ, ㄷ
④ ㄴ, ㄹ ⑤ ㄷ, ㄹ

시험에 잘 나와!

16 다음 그림에 대한 설명으로 옳은 것은?

① 대표적인 풍속화이다.
② 중국의 화풍을 모방하였다.
③ 그림을 그린 사람을 알 수 없다.
④ 우리나라의 산천을 사실적으로 표현하였다.
⑤ 매화, 난초, 국화, 대나무를 소재로 하여 선비의 지조를 나타냈다.

17 밑줄 친 '이 시기'에 대한 설명으로 옳지 않은 것은?

> 이 시기에는 자기 공예에서 백자가 널리 사용되었다. 특히 흰 바탕에 푸른 색깔로 꽃, 새, 산수 등의 무늬를 넣은 청화 백자가 유행하였는데, 청화 백자는 문방구, 생활용품 등의 용도로 많이 제작되었다.

청화 백자

① 규모가 큰 불교 건축물이 세워졌다.
② 김정희가 독창적인 필체인 추사체를 만들었다.
③ 정약용의 거중기가 수원 화성 축조에 이용되었다.
④ 안견이 무릉도원을 그린 몽유도원도를 제작하였다.
⑤ 강세황이 서양의 원근법을 써서 영통동구도를 그렸다.

시험에 잘 나와!

18 ㉠의 사례로 가장 적절한 것은?

> 양난을 거치며 향촌 질서가 흔들리자, 양반들은『가례』를 보급하여 향촌 질서를 안정시키려 하였다.『가례』의 영향으로 ㉠ 성리학적 생활 규범이 정착되었다.

① 아들이 없으면 딸이 제사를 이어받았다.
② 남녀 형제가 돌아가며 제사를 주관하였다.
③ 사위가 처가의 재산을 상속받기도 하였다.
④ 아들과 딸이 부모의 재산을 똑같이 물려받았다.
⑤ 혼례 후 곧바로 남자 집에서 생활하는 경우가 많아졌다.

19 조선 후기 여성의 생활에 대한 설명으로 적절한 것을 〈보기〉에서 고른 것은?

> 보기
> ㄱ. 과부의 재혼이 자유롭게 허용되었다.
> ㄴ. 고려 시대에 비해 많은 제약을 받았다.
> ㄷ. 양반 가옥의 경우 남녀의 거주 공간이 같았다.
> ㄹ. 열녀를 표창하는 등 여성의 정절이 강조되었다.

① ㄱ, ㄴ ② ㄱ, ㄷ ③ ㄴ, ㄷ
④ ㄴ, ㄹ ⑤ ㄷ, ㄹ

20 다음 자료에 해당하는 시기에 볼 수 있는 모습으로 가장 적절한 것은?

> 남매가 재산을 공평하게 나누면 제사도 똑같이 돌아가며 지내야 한다. (그런데) 사대부가의 딸들은 시집간 후 본가의 제사를 마음대로 실행하지 못하니 …… 딸에게 몫을 나눠 주되 약간을 감하고, 본가의 제사를 돌아가며 지내지 말라.

① 원에 공녀로 끌려가는 여인
② 전민변정도감 설치로 해방된 노비
③ 과전법 실시에 따라 토지를 받은 관리
④ 공명첩을 사서 신분을 상승시키는 농민
⑤ 골품제에 따라 정치 활동에 제한을 받는 6두품 관리

21 조선 후기 생활의 변화에 대해 학생들이 나눈 대화 내용으로 적절하지 않은 것은?

① 균분 상속 제도가 정착되었어.
② 양자를 들이는 일이 흔해졌어.
③ 제사에서 큰아들이 우대를 받았어.
④ 부계 중심의 가족 제도가 형성되었어.
⑤ 남녀유별을 강조하는 유교 윤리가 확산되었어.

22 다음 상황이 나타난 배경으로 가장 적절한 것은?

> 양반들은 같은 성씨끼리 모여 사는 동족 마을을 형성하였고 각 지역에 사우나 서원을 세웠다. 이 시기에 족보 편찬도 성행하였다.

① 붕당이 형성되었다.
② 훈구와 사림이 충돌하였다.
③ 양천제의 신분제가 성립되었다.
④ 향촌에서 양반의 권위가 약해졌다.
⑤ 이자겸의 난이 일어나 정치 질서가 흔들렸다.

시험에 잘 나와!

23 (가)에 들어갈 내용으로 적절하지 않은 것은?

조선 후기 서민 문화의 등장

1. 배경: (가)
2. 결과: 양반을 중심으로 이루어지던 문예 활동과 문화의 폭이 서민층까지 확대되었다.

① 서당 교육이 보급되었다.
② 서민 의식이 성장하였다.
③ 서민의 경제력이 향상되었다.
④ 서민의 사회적 지위가 낮아졌다.
⑤ 글을 읽고 쓸 수 있는 서민이 늘어났다.

24 다음 작품에 대한 설명으로 옳은 것을 〈보기〉에서 고른 것은?

평생 서럽기를 아버지를 아버지라고 부르지 못하고, 형을 형이라고 못하여 모두가 천하게 보고, 친척도 아무개의 천한 소생이라 이르오니 이런 원통한 일이 어디에 있습니까? …… 길동은 무리의 호칭을 활빈당이라 하고, 수령이 불의의 재물이 있으면 탈취하고, 가난하고 의지할 데 없는 자를 구제하며, 나라의 것은 손대지 않았다.

– 「홍길동전」

보기

ㄱ. 신윤복의 작품이다.
ㄴ. 조선 전기에 유행하였다.
ㄷ. 사회의 모순을 비판하였다.
ㄹ. 평범한 인물이 주인공으로 등장하였다.

① ㄱ, ㄴ ② ㄱ, ㄷ ③ ㄴ, ㄷ
④ ㄴ, ㄹ ⑤ ㄷ, ㄹ

25 다음에서 설명하는 분야로 옳은 것은?

조선 후기에 유행한 것으로 서민들이 형식에 구애받지 않고, 자신의 솔직한 감정을 자유롭게 표현하였다.

① 불화 ② 사설시조 ③ 가사 문학
④ 한문 소설 ⑤ 진경 산수화

26 조선 후기의 (가), (나)에 대한 설명으로 옳지 않은 것은?

(가) 얼굴에 탈을 쓴 광대들이 등장하는 공연
(나) 소리꾼이 고수(북치는 사람)의 북장단에 맞추어 창(노래)과 아니리(사설) 등으로 연기하는 공연

① (가) – 양반 중심의 문화를 대표하였다.
② (가) – 해학과 풍자로 사회 모순을 비판하였다.
③ (나) – 넓은 계층으로부터 사랑받았다.
④ (나) – 여섯 마당 중 지금은 다섯 마당만 전해진다.
⑤ (가), (나) – 사람이 많이 모인 곳에서 행해져 서민 의식의 성장에 기여하였다.

27 ㉠에 대한 설명으로 옳은 것을 〈보기〉에서 고른 것은?

그림은 조선 후기에 유행한 (㉠)의 대표적인 작품인 「까치호랑이」이다. 작품에 재앙을 막아 준다는 호랑이와 좋은 소식을 전해 주는 까치를 함께 그렸다.

보기

ㄱ. 복을 바라는 서민의 정서가 담겼다.
ㄴ. 주로 정부에 소속된 화가들이 그렸다.
ㄷ. 왕실과 민간의 생활 공간 장식에 이용되었다.
ㄹ. 당시 사람들의 생활 모습을 생동감 있게 표현하였다.

① ㄱ, ㄴ ② ㄱ, ㄷ ③ ㄴ, ㄷ
④ ㄴ, ㄹ ⑤ ㄷ, ㄹ

28 조선 후기에 유행한 작품으로 적절하지 않은 것은?

① 심청전 ② 춘향전
③ 흥보가 ④ 금오신화
⑤ 봉산 탈춤

서술형 문제

서술형 감잡기

01 다음을 보고 물음에 답하시오.

임진왜란 이후 조선은 일본과 국교를 단절하였으나, 에도 막부의 요청으로 국교를 재개하고 일본에 (㉠)을/를 파견하였다.

(㉠) 행렬도

(1) ㉠에 들어갈 사절단을 쓰시오.

(2) (1)의 역할을 문화 교류의 측면에서 서술하시오.

➜ 양국의 평화를 유지하는 외교 사절로서의 역할뿐만 아니라 성리학, 의학, 그림 등 (①)의 선진 문화를 (②)에 전달하는 역할도 하였다.

실전! 서술형 도전하기

02 다음을 보고 물음에 답하시오.

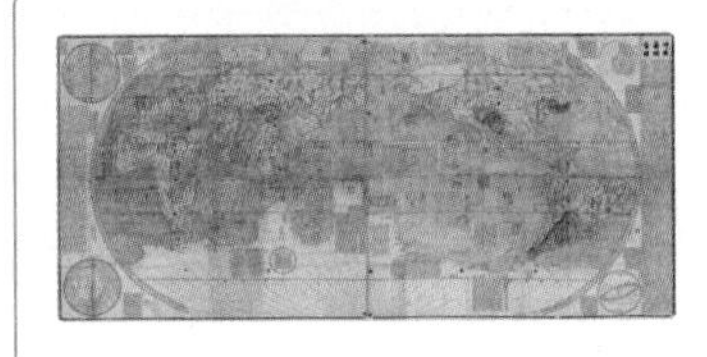

지도는 이탈리아 출신의 예수회 선교사 마테오 리치가 제작한 세계 지도이다.

(1) 위 지도의 이름을 쓰시오.

(2) (1)이 조선 사회에 끼친 영향을 서술하시오.

03 다음을 읽고 물음에 답하시오.

재물은 비유하자면 샘과 같은 것이다. 우물물은 퍼내면 차고 버려두면 말라 버린다. 그러므로 비단 옷을 입지 않아서 나라에 비단 짜는 사람이 없게 되면 여공이 쇠퇴하며, …… 수공업자가 기술을 익히지 않으면 기예가 사라진다.
– 『북학의』

(1) 자료와 같이 주장한 인물의 이름을 쓰시오.

(2) (1)과 같은 입장을 가진 조선 후기 실학자들의 특징을 두 가지 서술하시오.

04 (가), (나)를 보고 물음에 답하시오.

(가)

(나)

(1) (가), (나)를 그린 인물의 이름을 각각 쓰시오.

(2) (가), (나)와 같은 그림을 가리키는 명칭을 쓰고, 그 특징을 서술하시오.

한눈에 보는 대단원

01 조선 후기의 정치 변동

(1) 통치 체제의 정비와 조세 제도의 개편

중앙 정치	비변사가 최고 통치 기구가 됨 → 의정부와 6조의 기능 축소, 왕권 약화
군사 제도	중앙은 5군영 체제 마련, 지방은 속오군 편성
조세 제도	• 영정법(전세): 풍흉에 관계없이 토지 1결당 쌀 4두 징수 • 대동법(공납): 토지 결수를 기준으로 쌀, 옷감, 동전 등으로 징수 • 균역법(군역): 군포의 부담을 1년에 2필에서 1필로 줄여 줌

(2) 붕당 정치의 전개와 변화

전개	• 선조 때: 붕당 정치 시작 → 동인이 북인과 남인으로 나뉨 • 광해군 때: 북인이 정권 장악 → 인조반정(서인 주도)으로 북인 몰락 • 인조 때: 서인이 정국 주도·남인 참여, 서로의 정책 비판 및 견제
변화	• 예송(현종 때): 효종과 효종비 사후에 대비의 상복 입는 기간을 둘러싸고 논쟁 발생 • 환국(숙종 때): 왕이 여러 차례 집권 붕당을 급격히 교체함 → 붕당의 대립 심화

(3) 영조와 정조의 탕평책과 개혁 정치

영조	• 탕평책: 온건파 중심의 인재 등용, 서원 정리, 이조 전랑의 권한 약화, 탕평비 건립 • 개혁 정치: 균역법 실시, 지나친 형벌 금지, 청계천 정비, 『속대전』 편찬 등
정조	• 탕평책: 붕당에 관계없이 인재 등용 • 개혁 정치: 규장각·장용영 설치, 수원 화성 건설, 시전 상인의 특권 축소 등
의의	왕권 강화 및 정치와 사회 안정에 기여, 붕당 간의 다툼을 일시적으로 억제함

(4) 세도 정치의 전개

등장	정조 사후 순조 즉위 → 외척 등 소수 가문이 권력 독점(3대 60여 년간 지속)
폐단	과거제 문란, 매관매직 성행, 관리들의 부정부패, 탐관오리의 수탈 심화

핵심 선택지 다시보기

1 비변사는 양난을 거치면서 최고 통치 기구가 되었다. ( )

2 대동법은 풍흉에 관계없이 토지 1결당 쌀 4두를 걷는 제도이다. ( )

3 숙종 때 환국이 발생하여 붕당 정치가 크게 변질되었다. ( )

4 영조는 규장각을 설치하여 서얼 출신을 검서관으로 등용하였다. ( )

5 세도 정치 시기에는 과거제의 문란이 극심하였다. ( )

답 1 ○ 2 × 3 ○ 4 × 5 ○

02 사회 변화와 농민의 봉기

(1) 조선 후기 사회적·경제적 변화

상품 화폐 경제 발달	• 농업: 모내기법의 전국적 보급 → 상품 작물 재배, 농민층의 분화 • 상업: 농업 생산력 증대, 도시 인구 증가 → 공인과 사상의 활동 활발, 장시 증가, 포구 발달, 대외 무역 활발(→ 대상인 성장), 상평통보의 전국적 유통 • 수공업·광업: 민간 수공업 발달, 민간의 광산 채굴 증가 → 상업 발전에 기여
신분제의 변동	• 양반: 소수 양반만 권력 장악, 상당수 양반들이 몰락함 • 중인: 서얼의 관직 진출 제한 철폐 요구, 기술직 중인의 신분 상승 추구 • 상민: 일부 부유한 농민이 공명첩 구입, 호적·족보 위조 등으로 신분 상승 • 천민: 군공을 세우거나 납속·도망 등을 통해 노비 신분에서 탈피 • 결과: 상민과 천민의 수 감소, 양반의 수 증가 → 신분제 동요

핵심 선택지 다시보기

1 조선 후기에 정부는 민간인의 광산 채굴을 엄격히 금지하였다. ( )

2 조선 후기에는 상민이 족보를 위조하여 양반으로 행세하기도 하였다. ( )

3 세도 정치 시기 삼정의 문란 중 환곡의 폐단이 가장 심하였다. ( )

4 천주교는 양반 중심의 신분 질서를 옹호하였다. ( )

5 서북 지방민에 대한 정부의 차별이 원인이 되어 임술 농민 봉기가 일어났다. ( )

답 1 × 2 ○ 3 ○ 4 × 5 ×

(2) 삼정의 문란과 새로운 사상의 유행

삼정의 문란	• 배경: 세도 정치 시기의 정치 기강 문란, 부패한 관리들의 횡포 • 내용: 전정(정해진 양 이상의 세금을 거둠), 군정(한 사람에게 여러 사람의 군포를 부담시킴), 환곡(관리들이 억지로 곡식을 빌려주고 갚게 함)의 문란
새로운 사상 유행	『정감록』·미륵 신앙·무속 신앙 유행, 천주교의 확산(평등사상 주장, 조상의 제사 거부), 최제우의 동학 창시(인내천을 중심으로 평등사상 강조)

(3) 농민의 봉기

홍경래의 난	서북 지방민에 대한 차별, 세도 정권의 수탈 → 평안도에서 홍경래 등 몰락 양반과 신흥 상공업자 주도로 봉기 → 청천강 이북 지역 장악 → 진압됨
임술 농민 봉기	세도 정권의 수탈 계속, 삼정의 문란 심화 → 백낙신의 수탈에 반발한 진주 농민들이 유계춘을 중심으로 봉기(진주 농민 봉기) → 전국 확산(임술 농민 봉기)

03 학문과 예술의 새로운 경향 ~ 생활과 문화의 새로운 양상

(1) 학문의 새로운 경향

통신사와 연행사	• 통신사: 일본에 파견한 사절단, 일본과 문화적·경제적으로 교류 • 연행사: 청에 파견한 사절단, 청과 서양의 문물 수용, 연행로를 통해 무역
서학의 수용	17세기 이후 천주교와 서양 문물 수용(「곤여만국전도」 유입, 시헌력 도입) → 조선의 과학 기술 발달, 조선인의 성리학적 세계관 탈피에 영향을 줌
실학의 발달	• 농업 중심의 개혁론: 유형원(신분에 따른 토지의 차등 지급 주장), 이익(영업전의 매매 금지 주장), 정약용(공동으로 토지 소유 및 경작, 노동량에 따른 생산물 분배 주장)이 토지 제도의 개혁 주장 • 상공업 중심의 개혁론: 유수원(직업의 평등 주장), 홍대용(문벌제도 폐지 주장), 박지원(수레, 선박, 화폐의 사용 강조), 박제가(소비 강조)가 상공업의 진흥 주장
국학의 발달	중국 중심의 세계관 극복을 위해 우리 역사(유득공의 『발해고』), 지리(이중환의 『택리지』, 김정호의 「대동여지도」), 언어(신경준의 『훈민정음운해』) 등 연구

(2) 조선 후기 생활의 변화

가족 제도 변화	• 배경: 조선 후기에 성리학적 생활 규범 정착, 부계 중심의 가족 제도 강화 • 내용: 큰아들 중심의 제사 시행, 재산 상속에서 큰아들 우대 등
향촌 사회 변화	양반의 권위 약화, 공동체 조직(두레)을 통해 농민의 유대감과 자율성 강화

(3) 예술과 문화의 새로운 양상

예술의 변화	중인층의 문예 활동 활발, 우리 자연을 사실적으로 그린 진경 산수화 등장(정선의 「인왕제색도」), 청화 백자 유행, 규모가 큰 불교 건축물 건립
서민 문화의 발달	• 배경: 서민의 경제력·사회적 지위 향상, 서민 의식 성장(서당 교육 보급) • 특징: 서민의 생각과 감정을 솔직하게 표현, 사회의 문제점과 부조리 풍자 • 내용: 한글 소설(『홍길동전』, 『춘향전』 등)과 사설시조 등장, 판소리와 탈춤 유행, 풍속화(김홍도의 「씨름」, 신윤복의 「단오풍정」)와 민화 유행

☑ 핵심 선택지 다시보기

1 통신사는 일본의 요청으로 매년 파견되었다. ( )

2 허준은 동의보감을 펴내 전통 한의학을 체계화하였다. ( )

3 정약용은 소비를 통한 생산력 증대를 주장하였다. ( )

4 조선 후기에는 제사에서 큰아들이 우대를 받았다. ( )

5 조선 후기에 서민 의식이 성장하면서 서민 문화가 등장하였다. ( )

답 1 × 2 ○ 3 × 4 ○ 5 ○

☑ **핵심 선택지 다시보기**의 정답을 맞힌 개수만큼 아래 표에 색칠해 보자. 많이 틀린 단원은 되돌아가 복습해 보자.

01 조선 후기의 정치 변동 — 198쪽

02 사회 변화와 농민의 봉기 — 208쪽

03 학문과 예술의 새로운 경향 ~ 생활과 문화의 새로운 양상 — 218쪽

01 조선 후기의 정치 변동

01 다음에서 설명하는 기구로 옳은 것은?

> 16세기 초 중종 때 여진과 왜구의 침입에 대비하기 위해 임시로 설치한 회의 기구였다. 명종 때 상설 기구화되었고, 양난을 거치며 최고 통치 기구가 되었다.

① 금위영 ② 별무반
③ 비변사 ④ 삼별초
⑤ 도병마사

02 (가)에 해당하는 군대에 대한 설명으로 옳지 않은 것은?

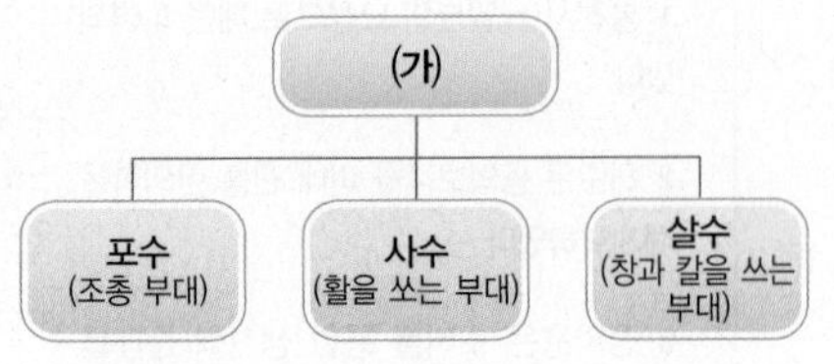

① 5군영 중 하나이다.
② 삼수병으로 구성되었다.
③ 임진왜란 중에 설치되었다.
④ 정조가 설치한 친위 부대이다.
⑤ 급료를 받는 직업 군인으로 구성되었다.

03 조선 후기 조세 제도 개편에 대한 설명으로 옳지 않은 것은?

① 전세는 토지 1결당 쌀 4두를 걷는 영정법으로 바꾸었다.
② 군역은 1년에 군포 1필을 거두는 균역법을 실시하였다.
③ 농민들의 부담을 덜어 주기 위해 방납을 적극 장려하였다.
④ 공납은 토지 결수를 기준으로 쌀, 옷감 등을 걷는 대동법을 시행하였다.
⑤ 양난 이후 부족해진 국가 재정을 확보하기 위해 조세 제도를 개편하였다.

04 다음은 붕당의 형성을 나타낸 것이다. (가), (나) 붕당에 대한 설명으로 옳은 것을 〈보기〉에서 고른 것은?

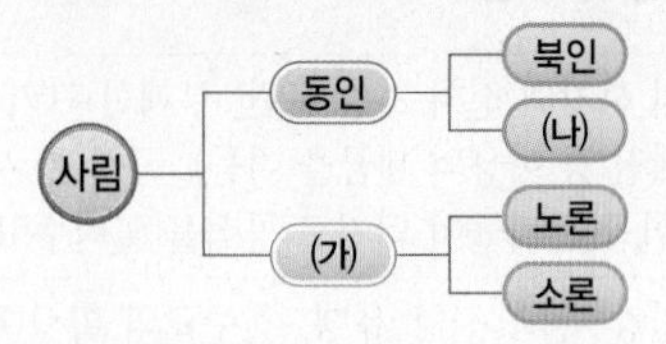

〈보기〉
ㄱ. (가) – 인조반정을 주도하였다.
ㄴ. (나) – 광해군의 정치를 도와 집권하였다.
ㄷ. (가), (나) – 예송이 전개되면서 서로 대립하였다.
ㄹ. (가), (나) – 서로 간의 갈등이 심해져 사화가 일어났다.

① ㄱ, ㄴ ② ㄱ, ㄷ ③ ㄴ, ㄷ
④ ㄴ, ㄹ ⑤ ㄷ, ㄹ

05 다음에서 설명하는 시기를 연표에서 옳게 고른 것은?

> 집권 붕당이 급격히 교체되는 정치 상황이 여러 차례 일어나 붕당 정치가 크게 변질되었다.

(가) (나) (다) (라) (마)
▲ 선조 즉위 ▲ 광해군 즉위 ▲ 인조 즉위 ▲ 현종 즉위 ▲ 숙종 즉위 ▲ 영조 즉위

① (가) ② (나) ③ (다) ④ (라) ⑤ (마)

06 밑줄 친 '왕'의 재위 시기에 있었던 사실로 옳은 것은?

> 사진은 경종의 뒤를 이어 즉위한 왕이 탕평의 의지를 밝히고자 세운 비석이다. 비석에는 "두루 사랑하고 편당하지 않는 것은 군자의 공정한 마음이며, 편당하고 두루 사랑하지 않는 것은 소인의 사사로운 생각이다."라고 적혀 있다.

① 서얼 출신을 검서관으로 등용하였다.
② 훈민정음을 창제하여 민족 문화를 발전시켰다.
③ 쌍성총관부를 공격하여 철령 이북의 땅을 되찾았다.
④ 균역법을 실시하여 백성의 군역 부담을 덜어 주었다.
⑤ 경국대전을 완성하여 국가의 통치 질서를 확립하였다.

07 다음 건축물을 건설한 왕의 정책으로 옳지 않은 것은?

① 규장각 설치
② 장용영 설치
③ 초계 문신제 실시
④ 시전 상인의 특권 축소
⑤ 최승로의 시무 28조 수용

08 다음 글의 제목으로 가장 적절한 것은?

영조는 붕당의 근거지인 서원을 대폭 정리하고, 이조 전랑의 인사 권한을 약화하였다. 영조의 손자로 왕위를 이은 정조는 붕당에 관계없이 능력이 출중한 사람을 등용하고, 집권 세력인 노론 이외에도 소론과 일부 남인 세력까지 관직을 주었다.

① 탕평 정치의 전개
② 사림의 집권과 붕당의 형성
③ 왜란 이후 전쟁의 피해 복구
④ 호란 이후 북벌 운동의 추진
⑤ 세도 정치의 폐단을 해결하기 위한 노력

+ 창의·융합

09 다음 작품에 나타난 시기의 정치 상황으로 옳은 것은?

당당한 수십 가문이 / 대대로 국록을 먹어 왔는데 / 그중에서 패가 서로 갈리어 / 엎치락뒤치락 서로 죽이며 / 약자의 살을 강자가 먹고는 / 대여섯 집 남아 거드름 떠는데 / 재상도 그들이 다 하고 / 지방관도 그들이 다 하네

– 정약용, 「하일대주(여름날 술을 앞에 놓고)」

① 탕평책이 실시되었다.
② 주화론과 척화론이 대립하였다.
③ 두 차례에 걸쳐 예송이 일어났다.
④ 환국 정치로 집권당이 수시로 교체되었다.
⑤ 세도 가문이 비변사와 주요 관직을 차지하였다.

02 사회 변화와 농민의 봉기

10 ㉠~㉤ 중 옳지 않은 것은?

조선 후기에는 모내기법이 널리 보급되어 ㉠ 벼와 보리의 이모작이 가능해지고, ㉡ 쌀 생산량이 증가하였으나 ㉢ 논의 잡초를 제거하는 데에 일손이 많이 필요해졌다. 일부 농민들은 ㉣ 인삼, 담배, 채소, 약재 등 상품 작물을 재배하였다. 이 시기에는 농업이 발달하면서 ㉤ 농민층의 분화가 나타났다.

① ㉠ ② ㉡ ③ ㉢ ④ ㉣ ⑤ ㉤

11 ㉠ 상인이 활동한 시기의 상공업 발달에 대한 설명으로 옳은 것을 〈보기〉에서 고른 것은?

대동법의 실시로 등장한 (㉠)이/가 왕실과 관청에서 쓸 물품을 대량으로 구입하면서 상업이 발달하였다.

보기
ㄱ. 관영 수공업이 크게 발달하였다.
ㄴ. 상평통보가 전국적으로 유통되었다.
ㄷ. 송상, 내상 등이 대상인으로 성장하였다.
ㄹ. 청해진을 중심으로 해상 무역이 활발하였다.

① ㄱ, ㄴ ② ㄱ, ㄷ ③ ㄴ, ㄷ
④ ㄴ, ㄹ ⑤ ㄷ, ㄹ

12 다음 내용을 활용한 탐구 주제로 가장 적절한 것은?

- 경제 활동으로 부유해진 일부 농민이나 상인들은 공명첩을 사들여 양반 신분을 얻었다.
- 붕당 정치가 변질되면서 소수 양반만이 권력을 장악하였다. 이에 향촌에서 겨우 위세를 유지하거나 일반 농민과 다를 바 없는 처지로 몰락한 양반들이 생겨났다.

① 골품제의 특징 ② 양천제의 성립
③ 발해의 주민 구성 ④ 양반 중심의 신분제 동요
⑤ 무신 집권기 신분 질서 동요

13 ㉠~㉢에 들어갈 내용을 옳게 연결한 것은?

> 삼정이란 토지의 생산물에 부과하는 세금인 (㉠), 군역 대신 내는 세금인 (㉡), 관청에서 곡식을 빌려 주고 추수철에 갚게 하는 (㉢)을 말한다.

	㉠	㉡	㉢
①	군정	전정	환곡
②	군정	환곡	전정
③	전정	군정	환곡
④	전정	환곡	군정
⑤	환곡	군정	전정

14 (가), (나)에 대한 설명으로 옳지 않은 것은?

> (가) 동학　　　(나) 천주교

① (가) – 몰락 양반인 최제우가 창시하였다.
② (가) – 제사를 거부하여 정부의 탄압을 받았다.
③ (나) – 내세 신앙과 평등사상을 내세웠다.
④ (나) – 중국에서 서양 학문의 하나로 전해졌다.
⑤ (가), (나) – 신분 질서를 부정하였다.

15 (가)에 해당하는 봉기에 대한 설명으로 옳은 것은?

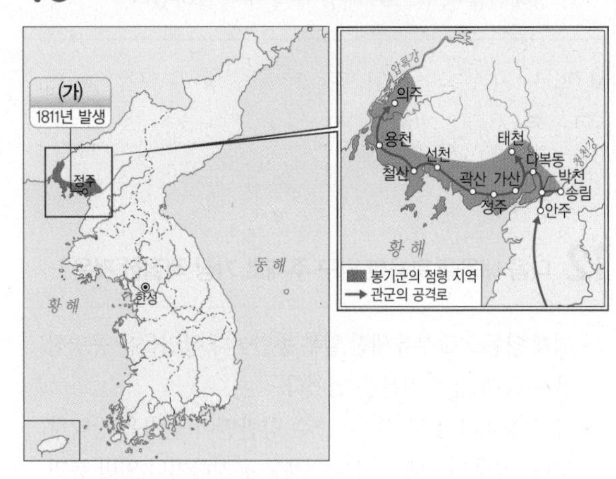

① 김부식에게 진압되었다.
② 서경으로의 천도를 주장하였다.
③ 신분 해방을 목적으로 봉기를 계획하였다.
④ 홍경래 등 몰락 양반과 신흥 상공업자가 주도하였다.
⑤ 특수 행정 구역에 과도한 세금을 부과하여 일어났다.

16 ㉠에 들어갈 기구로 옳은 것은?

> 삼정의 문란과 탐관오리의 수탈이 계속되자 경상도 진주에서 몰락 양반인 유계춘을 중심으로 농민들이 봉기하였고, 봉기는 곧 전국적으로 확산되었다. 이에 정부는 삼정의 문란을 시정하기 위해 (㉠)을/를 설치하고 농민의 조세 부담을 완화하는 개혁안을 마련하였다.

① 규장각　② 비변사　③ 신문고
④ 장용영　⑤ 삼정이정청

03 학문과 예술의 새로운 경향 ~ 생활과 문화의 새로운 양상

17 ㉠ 사절단에 대한 설명으로 옳은 것을 〈보기〉에서 고른 것은?

> 이 책은 (㉠)의 수행원이었던 박지원이 청에 있을 때 얻은 경험을 바탕으로 저술한 『열하일기』이다.

〈보기〉
ㄱ. 병자호란 이후에 파견되었다.
ㄴ. 서양 문물을 조선에 들여와 소개하였다.
ㄷ. 에도에 머무르며 외교 업무를 수행하였다.
ㄹ. 쇼군이 바뀔 때마다 막부가 파견을 요청하였다.

① ㄱ, ㄴ　② ㄱ, ㄷ　③ ㄴ, ㄷ
④ ㄴ, ㄹ　⑤ ㄷ, ㄹ

18 밑줄 친 '그'에 해당하는 인물로 옳은 것은?

> 그는 베이징에서 독일 출신의 선교사 할러슈타인을 만나 자명종, 망원경 등 서양의 문물을 접하였다. 귀국 후 그는 지구가 자전한다는 사실을 논리적으로 설명하였다.

① 허준　② 유득공　③ 이중환
④ 정상기　⑤ 홍대용

19 (가), (나)를 주장한 실학자에 대한 설명으로 옳은 것은?

> (가) 재물은 샘과 같다. 샘물을 퍼내지 않으면 말라 버리듯이 소비를 권장해야 생산이 활발해진다.
> (나) 마을을 단위로 공동 농장을 만들어 농민들이 함께 농사를 짓고, 생산물을 일한 만큼 나눠야 한다.

① (가) – 반계수록을 저술하였다.
② (가) – 곤여만국전도를 만들었다.
③ (나) – 거중기를 제작하였다.
④ (나) – 청에서 시헌력을 도입하였다.
⑤ (가), (나) – 북학파를 형성하였다.

20 다음 내용에 해당하는 사례로 옳지 않은 것은?

> 조선 후기 실학자들이 우리의 전통과 현실에 관심을 가지고 역사, 지리, 언어 등을 연구하면서 국학이 발달하였다.

① 이중환의 택리지 저술
② 김부식의 삼국사기 저술
③ 안정복의 동사강목 저술
④ 김정호의 대동여지도 제작
⑤ 신경준의 훈민정음운해 편찬

21 다음 자료에 나타난 시기에 대한 설명으로 적절하지 않은 것은?

> 김득문이 본처와 첩과의 사이에서 아들을 얻지 못한 채 사망하여, 동성 20촌 형인 김동언의 셋째 아들로 대를 잇고자 양가가 동의하여 청원서를 올리니, …… 윤허한다는 입안을 발급한다.

① 정부에서 과부의 재혼을 제한하였다.
② 족보에서 딸은 아들 뒤에 기재하였다.
③ 아들이 없는 경우 딸이 제사를 지냈다.
④ 재산 상속에서 큰아들이 우대를 받았다.
⑤ 혼인 후 신부가 신랑 집으로 가서 생활하였다.

22 다음 자료와 같은 모습이 나타난 시기에 볼 수 있는 모습으로 가장 적절한 것은?

> 전기수(이야기꾼)는 한글로 된 소설을 잘 읽었는데, 「숙향전」, 「소대성전」, 「설인귀전」 같은 것들이었다. …… 전기수의 책을 읽는 솜씨가 뛰어나서 주위에 많은 사람들이 모였다. 그가 읽다가 아주 긴요하여 꼭 들어야 할 대목에 이르러 갑자기 읽기를 그치면 사람들은 그 다음 대목을 듣고 싶어서 앞다투어 돈을 던져 주었다.

① 청화 백자를 제작하는 장인
② 해적을 소탕하는 청해진 병사
③ 교정도감에서 회의를 하는 관리
④ 노비안검법의 실시로 양인이 된 노비
⑤ 황룡사 9층 목탑에서 불공을 드리는 여인

23 다음 전시회에서 볼 수 있는 그림으로 적절하지 않은 것은?

> **조선 후기 회화 특별전 안내**
> 우리 박물관에서는 '조선 후기의 회화'를 주제로 하여 특별전을 마련하였습니다. 이 시기의 다양한 작품들을 전시하오니 관심 있는 분들의 많은 참여를 부탁드립니다.
> • 날짜: ○○월 ○○일 • 장소: △△ 박물관

①

②

③

④

⑤

근·현대 사회의 전개

STOP

01 국민 국가의 수립(1)

A 개화 정책의 추진

1. 흥선 대원군의 집권과 개항

19세기에는 정치 기강 문란으로 백성의 생활이 어려워지고 서구 열강의 접근이 계속되었어. 이러한 상황에서 고종의 아버지인 흥선 대원군이 실권을 잡았어.

(1) 흥선 대원군의 정책: 통치 체제 정비, 민생 안정 노력, 통상 수교 거부 정책 실시(병인양요, 신미양요 이후 척화비 건립)

병인양요(1866)는 프랑스가, 신미양요(1871)는 미국이 통상을 요구하며 강화도를 침략한 사건으로, 조선군이 물리쳤어.

(2) 조선의 문호 개방: 고종의 통상 수교 거부 정책 완화, 일본이 무력으로 조선에 통상 수교 강요 → 조선이 일본과 강화도 조약 체결(1876), 미국 등 서양 국가들과 수교

2. 개화 정책의 추진과 반발

개화사상을 배운 김옥균, 박영효, 김홍집 등 개화파들이 정부의 개화 정책을 뒷받침하였어.

(1) 정부의 개화 정책 추진: 통리기무아문 설치, +별기군 창설, 외국에 사절단 파견

왜? 선진 문물을 수용하기 위해서였어.

(2) 개화 정책에 대한 반발

① +위정척사 운동: 유생층이 개화를 반대하는 상소 작성

② 임오군란(1882): 구식 군대의 군인과 하층민이 반란을 일으킴

청이 임오군란을 진압하고 군대를 주둔시켜 조선의 내정에 간섭하였어.

+ 별기군

신식 무기를 지급받고 일본인 교관에게 훈련을 받았다. 급료와 복장 등에서 구식 군대의 군인보다 대우가 좋았다.

+ 위정척사 운동

'위정척사'는 바른 것(성리학적 사회 질서)은 지키고, 그릇된 것(서양의 문물과 사상)을 물리친다는 뜻이다. 위정척사 운동을 전개한 이들은 통상과 개항, 개화에 반대하였으며, 이러한 움직임은 이후 항일 의병 투쟁으로 이어졌다.

B 갑신정변과 동학 농민 운동

1. 갑신정변(1884)

자주적인 근대 국가 건설을 목표로 개혁을 추진하였어.

구분	내용
배경	임오군란 이후 청의 간섭 심화(→ 개화 정책 지연), 일본의 재정적·군사적 지원 약속
전개	김옥균·박영효 등 급진 개화파가 정변을 일으킴 → 청의 무력 개입으로 3일 만에 실패
영향	조선과 일본이 한성 조약 체결, 청과 일본이 톈진 조약 체결

일본은 정변 과정에서 일본 공사관이 불에 탄 것을 빌미로 배상금을 얻어 냈어.

조선에 군대 파견 시 상대국에 미리 통보할 것을 약속하였어.

2. 동학 농민 운동

평등사상과 외세 배척을 내세웠어.

구분	내용
배경	많은 세금·탐관오리의 수탈·외국 상인들의 경제 침탈로 백성의 생활 악화, 동학 확산
+전개	고부 농민 봉기 → 농민들이 백산에서 봉기(1차 봉기) → 농민군이 전주성 점령, 정부와 전주 화약 체결, 집강소 설치(폐정 개혁안 실천) → 일본군의 경복궁 점령, 청 공격(청일 전쟁 발발, 1894) → 농민군의 2차 봉기 → 우금치 전투 패배, 지도자 전봉준 체포

전라도 고부에서 군수의 횡포에 맞서 농민들이 봉기하였어.

동학 농민군의 요구는 갑오개혁에 일부 반영되었어.

자료로 이해하기 근대 국가 수립을 위한 노력

[갑신정변 때 발표된 개혁 정강]
- 문벌을 폐지하여 인민 평등의 권리를 제정하고, 능력에 따라 관리를 등용할 것
- 대신과 참찬은 의정부에서 회의하고 정치적 명령을 의결하고 집행할 것

– 김옥균, 『갑신일록』

[동학 농민군이 제시한 폐정 개혁안]
- 탐관오리의 못된 버릇을 징계하고 쫓아낼 것
- 각종 결세액은 돈으로 걷되, 부담을 균등하게 나누고 마구 거두지 말 것
- 간신이 권력을 농간하여 국사가 잘못되니 관직 매매를 처벌할 것

– 정교, 『대한계년사』

갑신정변을 일으킨 급진 개화파는 급진적인 방법으로 정권을 잡아 근대 국가를 수립하려고 하였다. 한편, 동학 농민군은 신분제 폐지, 조세 제도 개혁, 외세 배격과 같은 주장을 펼치며 낡은 체제를 바꾸려 하였다.

+ 동학 농민 운동의 전개

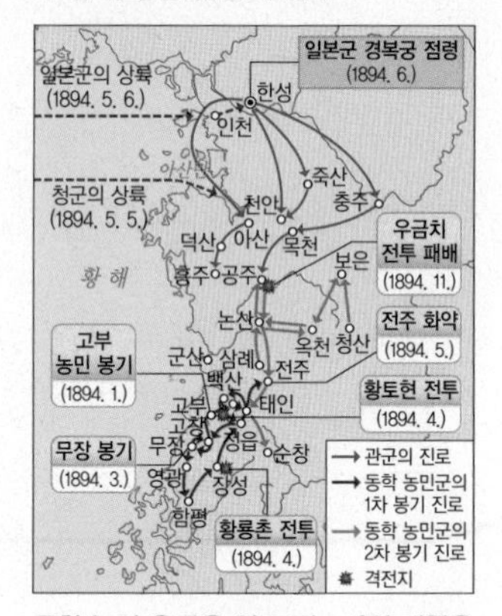

동학 농민 운동은 안으로는 사회 개혁을 추구한 반봉건 운동이자, 밖으로는 외세의 침략을 막아 내려 한 반외세 운동이었다.

- 개화 정책의 추진
- 근대적 개혁의 추진
- 독립 협회와 대한 제국
- 일제의 국권 침탈과 국권 수호 운동

1 다음 빈칸에 들어갈 내용을 쓰시오.

(1) 1876년에 조선은 일본과 (　　　　)을 맺고 문호를 개방하였다.

(2) (　　　　)은 전국에 척화비를 세우고 통상 수교 거부 정책을 확고히 하였다.

2 다음 설명이 맞으면 ○표, 틀리면 ×표를 하시오.

(1) 조선 정부는 개화 정책 추진 기구로 통리기무아문을 설치하였다. (　　)

(2) 개화사상을 배운 김옥균 등 개화파들이 위정척사 운동을 전개하였다. (　　)

(3) 개화 정책 추진 과정에서 피해를 입은 구식 군대의 군인들이 임오군란을 일으켰다. (　　)

• 흥선 대원군의 정책과 개화 정책의 추진

흥선 대원군의 정책	통치 체제 정비, 통상 수교 거부 정책 실시
개항	강화도 조약 체결
개화 정책	• 추진: 통리기무아문 설치, 별기군 창설 • 반발: 위정척사 운동 전개, 임오군란 발생

1 급진 개화파는 1884년에 (　　　　)을 일으켜 근대 국가 건설을 목표로 개혁을 추진하였다.

2 다음 괄호 안의 내용 중 알맞은 말에 ○표를 하시오.

(1) 동학 농민군은 (교정청, 집강소)을/를 설치하여 폐정 개혁안을 실천해 나갔다.

(2) 일본을 물리치기 위해 다시 봉기한 동학 농민군은 (우금치 전투, 황토현 전투)에서 패배하였다.

(3) 갑신정변 이후 청과 일본은 (톈진 조약, 한성 조약)을 체결하여 조선에 군대를 파견할 경우 상대국에게 미리 알리기로 약속하였다.

3 (가)~(라)를 일어난 순서대로 나열하시오.

(가) 갑신정변　(나) 임오군란　(다) 동학 농민 운동　(라) 강화도 조약 체결

4 ㉠, ㉡에 들어갈 내용을 각각 쓰시오.

동학 농민 운동은 안으로는 사회 개혁을 추구한 (㉠　　　　) 운동이자, 밖으로는 외세의 침략을 막아 내려 한 (㉡　　　　) 운동이었다.

• 갑신정변과 동학 농민 운동

갑신정변	급진 개화파 주도, 개혁 정강 발표 → 청의 개입으로 3일 만에 실패
동학 농민 운동	농민 주도, 폐정 개혁안 제시, 집강소 설치, 일본에 저항 → 일본군에 진압됨

C 근대화의 추진과 국민 국가 수립 노력

1. 근대적 개혁의 추진

경복궁을 점령한 일본이 김홍집을 중심으로 새로운 정부를 구성하여 개혁을 강요하였어.

갑오개혁 (1894)	새 정부가 군국기무처를 중심으로 +개혁 추진 → 청일 전쟁에서 우세해진 일본이 조선 내정에 적극 간섭(군국기무처 폐지, 새 내각 구성), 고종의 홍범 14조 반포
을미개혁 (1895)	• 배경: 조선에서 영향력이 축소된 일본이 명성 황후 시해(을미사변), 내각 재구성 • 내용: 단발령 시행, 태양력 사용 등 개혁 추진 • 결과: 을미의병 발생, 아관 파천(1896)으로 김홍집 내각 붕괴·개혁 중단

을미의병: 을미사변과 단발령에 분노한 유생들이 의병을 일으켰어.
아관 파천: 을미사변 후 신변에 위협을 느낀 고종이 러시아 공사관으로 피신한 일을 가리켜.

2. 독립 협회와 대한 제국

(1) 독립 협회

독립신문: 최초의 민간 신문으로, 한글판과 영문판이 제작되었어.
독립 협회: 1899년에 해산되었어.

설립	서재필이 정부의 지원으로 독립신문 창간, 개화파 관료들과 독립 협회 설립(1896)
활동	+독립문 건립, 토론회와 연설회 개최(계몽 활동), 만민 공동회 개최(열강의 이권 침탈 반대, 자유 민권 의식 확산), 관민 공동회 개최(헌의 6조 결의, 의회 설립 추진)

관민 공동회: 정부 대신까지 참여하였어.

(2) 대한 제국과 광무개혁

대내외에 자주독립 국가임을 내세웠어.

① 대한 제국 수립: 고종이 러시아 공사관에서 경운궁(덕수궁)으로 돌아와 연호를 '광무'로 정하고 대한 제국의 수립 선포(1897), 대한국 국제 반포(황제권 강화, 1899)

② 광무개혁 추진: 구본신참의 원칙에 따라 점진적인 개혁 추진, 양전 사업 실시, 지계 발급, 상공업 진흥 정책 전개, 외국에 유학생 파견, 학교 설립(인재 양성)

지계: 근대적 토지 소유 문서
구본신참: '옛 것을 근본으로 삼고, 새 것을 참고한다'라는 뜻

+ 갑오개혁의 내용

정치	궁내부 설치, 과거제 폐지
경제	왕실과 국가 재정 분리, 탁지아문으로 재정의 일원화
사회	신분제 폐지

+ 독립문

독립 협회가 세운 것으로, 독립과 자주의 의지를 드러냈다.

D 일제의 국권 침탈과 국권 수호 운동의 전개

1. 일제의 국권 침탈

전쟁 중에 일본은 대한 제국의 군사적 요충지를 사용하였어.

(1) 러일 전쟁(1904~1905): 일본이 만주와 한반도를 놓고 대립하던 러시아 공격, 전쟁 승리

(2) 일제의 국권 침탈 과정: 일본이 +을사늑약 강제 체결(대한 제국의 외교권 박탈, 통감부 설치, 1905) → +고종이 헤이그에 특사 파견, 일본이 고종 강제 퇴위, 대한 제국의 군대 해산 → 사법권, 경찰권 박탈 → 일본의 대한 제국 강제 병합(1910. 8.)

일본의 대한 제국 강제 병합: 한국 병합 조약을 체결하였어.

2. 국권 수호 운동

의병에 참여: 의병의 전투력과 조직력이 강화되었어.

항일 의병 운동	을사늑약 체결 이후 많은 농민들이 의병에 참여(평민 출신 의병장 등장) → 1907년 이후 다양한 계층의 의병 참여(해산된 군인 합류), 서울 진공 작전 실패 후 일제의 탄압으로 의병 운동 위축 → 일부 의병은 만주·연해주로 이동, 독립군으로 활동
애국 계몽 운동	• 의미: 지식인과 관료들이 국민 교육, 계몽 활동, 산업 진흥을 통한 실력 양성 노력 • 전개: 애국 계몽 단체(+신민회 등)의 활동, 언론(황성신문, 대한매일신보 등)의 대중 계몽 노력, 국채 보상 운동 전개(1907)

국채 보상 운동: 국민의 성금으로 일본에 진 빚을 갚자는 운동

3. 독도

광복 이후 독도는 우리 영토로 반환되었지만, 일본은 주인이 없는 섬을 자국의 영토로 편입한 것이라며 영유권을 주장하고 있어.

독도의 역사	지증왕 때 신라의 영토로 편입, 고종이 대한 제국 칙령 제41호(1900)로 울릉도를 군으로 승격시켜 독도를 관할하게 함, 현재 한국이 영토 주권 행사
일제의 독도 침탈	일본이 러일 전쟁 중 독도를 자국의 영토로 불법 편입

+ 을사늑약에 대한 저항
황성신문은 을사늑약의 부당함을 규탄하는 논설인 「시일야방성대곡」을 실었고, 안중근은 1909년 중국 하얼빈에서 초대 통감 이토 히로부미를 사살하였다.

+ 고종의 헤이그 특사 파견
고종은 만국 평화 회의에 특사를 파견하여 을사늑약의 부당성을 국제 사회에 알리고자 하였으나, 이를 구실로 퇴위당하였다.

+ 신민회
안창호가 양기탁 등과 비밀리에 조직한 단체이다. 대성 학교와 오산 학교를 세워 민족 교육을 실시하고, 자기 회사와 태극 서관을 운영하여 민족 자본 육성에 힘썼으며, 만주에 학교를 세워 독립군을 길렀다.

핵심 콕콕

• 국민 국가 수립 노력

갑오·을미 개혁	• 갑오개혁: 신분제·과거제 폐지 • 을미개혁: 단발령 시행, 태양력 사용
독립 협회	서재필 등이 설립, 독립문 건립, 만민 공동회·관민 공동회 개최
대한 제국	고종이 수립, 대한국 국제 반포, 광무개혁 추진

1 **다음 개혁과 그 주요 내용을 옳게 연결하시오.**

(1) 갑오개혁 •   • ㉠ 과거제 폐지, 신분제 폐지

(2) 을미개혁 •   • ㉡ 태양력 사용, 단발령 실시

2 **㉠~㉢에 들어갈 내용을 각각 쓰시오.**

> 서재필은 정부의 지원을 받아 (㉠   )을 창간하고 개화파 관료들과 함께 (㉡   )를 조직하였다. 이 단체는 (㉢   )를 개최하여 헌의 6조를 결의하고 이를 고종에게 건의하였다.

3 **다음 설명이 맞으면 ○표, 틀리면 ×표를 하시오.**

(1) 대한 제국은 근대적 토지 소유 문서인 지계를 발급하였다. (   )

(2) 대한 제국은 홍범 14조를 반포하여 황제에게 권력을 집중하였다. (   )

(3) 러시아 공사관에서 환궁한 고종은 대한 제국의 수립을 선포하였다. (   )

핵심 콕콕

• 일제의 국권 침탈

을사늑약 체결(1905)
대한 제국의 외교권 박탈, 통감부 설치

↓

고종의 강제 퇴위(1907),
대한 제국의 군대 해산

↓

한국 병합 조약 체결(1910)

1 **다음 빈칸에 들어갈 내용을 쓰시오.**

(1) (   )은 을사늑약 체결을 주도한 이토 히로부미를 사살하였다.

(2) 일제는 (   )을 강제로 체결하여 대한 제국의 외교권을 빼앗았다.

(3) (   )은 을사늑약의 부당성을 국제 사회에 알리기 위해 헤이그에 특사를 파견하였지만, 이를 구실로 퇴위당하였다.

2 **다음 괄호 안의 내용 중 알맞은 말에 ○표를 하시오.**

(1) (신민회, 독립 협회)는 대성 학교와 오산 학교를 세워 민족 교육을 실시하였다.

(2) (애국 계몽 운동, 항일 의병 운동)은 교육과 산업 분야에서 역량을 키우고자 하였다.

(3) 의병 운동은 (갑신정변, 서울 진공 작전)이 실패하고 일본의 탄압이 거세져 위축되었다.

3 **일본은 러일 전쟁 중 (   )를 자국의 영토로 불법 편입하였으나, 이것은 광복 이후 우리 영토로 반환되었다.**

01 ㉠ 인물이 집권한 시기에 있었던 사실로 옳은 것은?

> 정치 기강이 무너지고 서구 열강의 접근이 계속되는 상황에서 고종이 어린 나이로 왕위에 오르자 고종의 아버지인 (㉠)이/가 실권을 장악하였다.

① 장용영이 설치되었다.
② 전국에 척화비를 세웠다.
③ 대한국 국제가 반포되었다.
④ 환국이 여러 차례 실시되었다.
⑤ 조선이 일본과 강화도 조약을 체결하였다.

02 (가), (나)의 주장을 한 세력에 대한 설명으로 옳은 것을 <보기>에서 고른 것은?

> (가) 서양 각국과 친하게 지내며, 안으로 정치를 개혁하여 어리석은 백성을 문명의 도로 교육해야 합니다.
> (나) 저들이 일본인이라고는 하나 실은 서양 도적입니다. 저들과 교류가 이루어지면 사악한 학문이 온 나라 안에 퍼지게 될 것입니다.

보기
ㄱ. (가) – 위정척사파에 해당한다.
ㄴ. (가) – 정부의 개화 정책을 뒷받침하였다.
ㄷ. (나) – 개화를 반대하는 상소를 올렸다.
ㄹ. (나) – 김옥균, 박영효, 김홍집에 해당한다.

① ㄱ, ㄴ ② ㄱ, ㄷ ③ ㄴ, ㄷ
④ ㄴ, ㄹ ⑤ ㄷ, ㄹ

03 다음에서 설명하는 사건의 결과로 옳은 것은?

> 1882년에 정부의 개화 정책에 반대하는 구식 군대의 군인과 경제적 어려움에 처한 민중이 봉기하였다.

① 톈진 조약이 체결되었다.
② 조선이 문호를 개방하였다.
③ 병인양요와 신미양요가 일어났다.
④ 전봉준을 비롯한 지도자가 체포되었다.
⑤ 청이 군대를 주둔시켜 조선의 내정을 간섭하였다.

04 밑줄 친 '이 사건'으로 옳은 것은?

> 이 사건은 김옥균을 중심으로 한 급진 개화파가 일본의 재정적·군사적 지원을 약속받고 일으킨 것으로, 청의 무력 개입으로 3일 만에 실패하였다.

① 갑신정변 ② 병인양요
③ 을미의병 ④ 임오군란
⑤ 아관 파천

시험에 잘 나와!

05 ㉠~㉤ 중 옳지 않은 것은?

> 개항 이후 ㉠ 평등사상과 외세 배척을 내세우는 동학이 널리 퍼졌다. 마침 전라도 고부에서 ㉡ 군수의 횡포에 맞서 농민들이 봉기하였다. 이후에 다시 봉기한 농민군은 ㉢ 전주성을 점령하고 ㉣ 정부와 전주 화약을 체결하였으며, 전라도 각지에 ㉤ 집강소를 설치하여 홍범 14조의 내용을 실천해 나갔다.

① ㉠ ② ㉡ ③ ㉢ ④ ㉣ ⑤ ㉤

06 갑오개혁에 대한 설명으로 옳은 것은?
① 단발령을 시행하였다.
② 별기군을 창설하였다.
③ 신분제를 폐지하였다.
④ 독립 협회의 요구를 일부 반영하였다.
⑤ 통리기무아문을 설치하여 개혁을 추진하였다.

07 (가), (나) 시기 사이에 있었던 사실로 옳지 않은 것은?

> (가) 갑신정변 (나) 아관 파천

① 갑오개혁 ② 을미사변
③ 대한 제국 수립 ④ 동학 농민 운동
⑤ 청일 전쟁 발발

정답 친해 61쪽

08 (가)에 들어갈 내용으로 옳은 것을 〈보기〉에서 고른 것은?

> 러시아 공사관에서 경운궁(덕수궁)으로 돌아온 고종은 실추된 군주권을 회복하고 자주독립 국가로 위상을 높이고자 하였다. 그리하여 ______(가)______

보기
ㄱ. 대한국 국제를 반포하였다.
ㄴ. 광덕이라는 연호를 사용하였다.
ㄷ. 양전 사업을 실시하고 지계를 발급하였다.
ㄹ. 서양 문물의 수용을 거부하는 정책을 펼쳤다.

① ㄱ, ㄴ ② ㄱ, ㄷ ③ ㄴ, ㄷ
④ ㄴ, ㄹ ⑤ ㄷ, ㄹ

09 (가) 시기의 정세에 대한 설명으로 옳지 않은 것은?

(가)	
▲ 러일 전쟁 발발	▲ 한국 병합 조약 체결

① 해산된 군인이 의병에 합류하였다.
② 안중근이 이토 히로부미를 사살하였다.
③ 독립 협회가 열강의 이권 침탈을 비판하였다.
④ 일본이 을사늑약을 강요하여 외교권을 빼앗았다.
⑤ 고종이 헤이그 특사 파견을 구실로 퇴위당하였다.

시험에 잘 나와!

10 ㉠ 단체에 대한 설명으로 옳은 것은?

> 안창호는 1907년에 양기탁을 비롯한 애국지사들과 비밀리에 (㉠)을/를 조직하여 애국 계몽 운동을 전개하였다.

① 헌의 6조를 결의하였다.
② 만민 공동회를 개최하였다.
③ 일본과 황토현 전투를 벌였다.
④ 자기 회사와 태극 서관을 운영하였다.
⑤ 서울로 진공하려는 작전을 펼쳤으나 실패하였다.

11 다음 자료를 활용한 탐구 활동으로 가장 적절한 것은?

> 울릉도를 울도로 개칭하고 도감을 군수로 개정한다. …… 울도군은 울릉 전도와 죽도, 석도를 관할한다.
> – 대한 제국 칙령 제41호

① 을미개혁의 내용을 살펴본다.
② 강화도 조약 체결의 결과를 알아본다.
③ 청일 전쟁이 일어난 배경을 정리한다.
④ 독도가 우리 고유의 영토임을 확인한다.
⑤ 동학 농민 운동이 일어난 지역을 찾아본다.

서술형 문제

서술형 감잡기

01 다음 자료가 발표된 사건의 명칭을 쓰고, 이 사건을 일으킨 세력이 추구한 목표를 서술하시오.

> • 문벌을 폐지하여 인민 평등의 권리를 제정하고, 능력에 따라 관리를 등용할 것
> • 대신과 참찬은 의정부에서 회의하고 정치적 명령을 의결하고 집행할 것
> – 『갑신일록』

➜ 자료가 발표된 사건은 (①)이다. (①)을 일으킨 (②) 개화파는 자주적인 근대 (③) 건설을 목표로 하였다.

실전! 서술형 도전하기

02 사진의 건축물을 건립한 단체를 쓰고, 그들의 활동을 두 가지 서술하시오.

독립문

02 국민 국가의 수립(2)

A 3·1 운동

1. 배경

국내	1910년대 일제의 강압적인 통치: 일제가 조선 총독부 설치, 헌병 경찰제 실시, 조선 태형령 공포, 한국인의 언론·출판·집회·결사의 자유 박탈(모든 정치 활동 금지)
국외	미국 대통령 윌슨의 +민족 자결주의 제창, 도쿄 유학생들의 독립 선언(1919)

- 조선 총독부: 일제 식민 통치의 최고 기구야.
- 헌병 경찰제: 헌병이 경찰 업무를 담당하게 하였고, 교사에게 제복을 입고 칼을 차게 하였어.
- 모든 정치 활동 금지: 이 때문에 국내 민족 운동은 일제의 감시를 피하기 위해 비밀 결사 형태로 전개되었어.

2. 전개

(1) 과정: 민족 대표 33인이 서울 종로에서 독립 선언(1919. 3. 1.), 학생과 시민들이 탑골 공원에서 만세 시위 → 주요 도시, 만주·연해주·일본·미주 지역 등 국외로 확산

(2) 일제의 탄압: 일제가 경찰과 군대를 동원하여 만세 시위를 폭력적으로 진압하면서 많은 희생자 발생 → 만세 시위가 점차 무력 투쟁이 증가하는 양상을 보임

- 경기도 화성의 제암리에서 일제 군경이 주민들을 집단으로 학살한 제암리 학살 사건이 일어나기도 하였어.

3. 의의: +민족 운동의 주체가 확대되는 계기, 한국인의 독립 의지를 전 세계에 알림, 일제의 통치 방식 변화, 대한민국 임시 정부 수립의 계기, 중국의 5·4 운동 등에 영향

- 일제의 통치 방식 변화: 이른바 문화 통치를 시행하였어.
- 중국의 5·4 운동: 1919년에 일어난 중국의 반제국주의, 반봉건주의 혁명 운동이야.

자료로 이해하기 기미 독립 선언서

> 우리는 이에 우리 조선이 독립한 나라임과 조선 사람이 자주적인 민족임을 선언한다. 이로써 세계 만국에 알리어 인류 평등의 큰 도를 분명히 아는 바이며, 이로써 자손만대에 깨우쳐 일러 민족의 독자적 생존의 정당한 권리를 영원히 누려 가지게 하는 바이다.

자료는 제1차 세계 대전이 끝난 후 민족 자결주의가 확산되는 가운데 민족 대표 33인이 작성한 기미 독립 선언서이다.

+ 민족 자결주의

각 민족은 다른 민족의 간섭을 받지 않으며, 정치적 운명 등 자기 민족의 문제를 스스로 결정할 권리가 있다는 주장이다. 식민 지배를 받던 나라들의 독립운동이 활발해지는 계기가 되었다.

+ 3·1 운동의 참여 계층

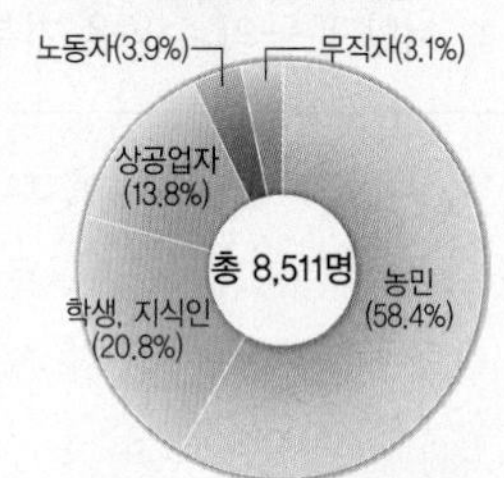

(『독립운동사 연구』, 1980)

⬆ 3·1 운동의 수감자 계층별 분포

3·1 운동에는 농민, 학생, 노동자 등 다양한 계층의 사람들이 참여하였다.

B 대한민국 임시 정부의 수립

1. 배경: 일제에 국권을 빼앗긴 이후 애국지사들이 만주·연해주 등으로 이동(민족 학교 건립, 독립군 양성), 국내외에 임시 정부 수립

2. +대한민국 임시 정부의 수립: 3·1 운동을 계기로 임시 정부의 통합 움직임 → 대한민국 임시 정부가 중국 상하이에서 수립(1919)

- 왜? 상하이가 여러 나라와 외교 활동을 펼치기에 유리하였기 때문이야.

3. 대한민국 임시 정부의 체제: 대통령 중심제 채택, 헌법 제정으로 임시 의정원(입법)·국무원(행정)·법원(사법) 구성, 민주 공화정 체제(우리나라 최초의 민주 공화제 정부)

- 삼권 분립의 원칙에 따랐어.

4. 대한민국 임시 정부의 활동

- 비밀 조직이었어.

(1) 연통제와 교통국 조직: 국내와 연락, 독립운동 지도

(2) 독립신문 간행: 국내외 동포에게 독립운동의 소식 전달

(3) 독립운동 자금 마련: 독립 공채 발행, 의연금 모금

(4) 외교 활동: 미국에 외교 기관 건립

- 미국 워싱턴에 구미 위원부를 설치하였어.

+ 대한민국 임시 정부의 수립

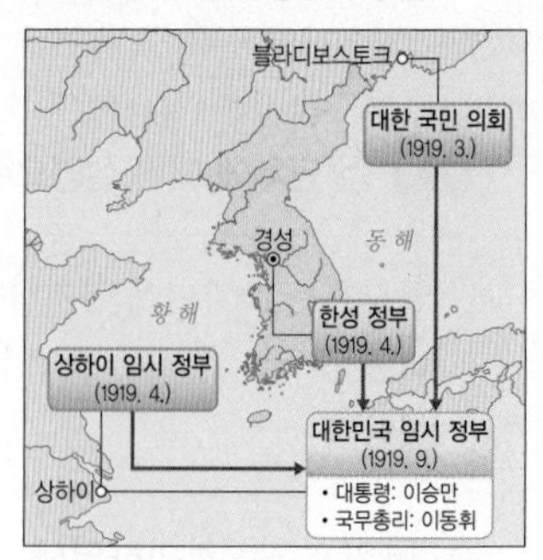

각지의 임시 정부를 통합하여 수립된 대한민국 임시 정부는 국민이 주권을 가진 나라를 세우고자 하였고, 민족 운동의 구심점 역할을 하였다.

- 3·1 운동과 대한민국 임시 정부 수립
- 국내 민족 운동의 전개
- 무장 독립 투쟁의 전개
- 대한민국 정부의 수립

1 다음 빈칸에 들어갈 내용을 쓰시오.

(1) 대한 제국을 병합한 일제는 식민 통치의 최고 기구로 (   )를 설치하였다.

(2) 제1차 세계 대전이 끝나갈 무렵 각 민족은 자기 민족의 문제를 스스로 결정할 권리가 있다는 주장인 (   )가 확산되었다.

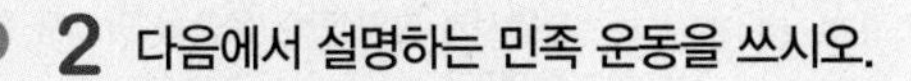

2 다음에서 설명하는 민족 운동을 쓰시오.

> 우리 민족이 1919년에 일으킨 것으로, 우리의 독립 의지를 전 세계에 알렸다. 이때 학생과 시민들은 만세 시위를 벌였고, 이는 주요 도시와 국외로 확산되었다.

3 3·1 운동에 대한 설명이 맞으면 ○표, 틀리면 ×표를 하시오.

(1) 일제의 통치 방식에 변화를 가져왔다. (   )

(2) 중국의 5·4 운동에 영향을 받아 일어났다. (   )

(3) 농민, 학생, 노동자 등 다양한 계층이 참여하였다. (   )

핵심 콕콕

· 3·1 운동

구분	내용
배경	일제의 강압적인 통치, 민족 자결주의 확산, 일본 유학생들의 독립 선언
전개	민족 대표 33인의 독립 선언, 학생과 시민들의 만세 시위 전개 → 일제의 탄압
의의	다양한 계층이 참여함, 대한민국 임시 정부 수립의 계기가 됨

1 다음 괄호 안의 내용 중 알맞은 말에 ○표를 하시오.

(1) 대한민국 임시 정부의 (국무원, 임시 의정원)은 입법을 담당하였다.

(2) 대한민국 임시 정부는 우리나라 최초의 (민주 공화제, 입헌 군주제) 정부이다.

(3) 여러 임시 정부가 통합된 대한민국 임시 정부는 (상하이, 블라디보스토크)에 수립되었다.

2 다음 대한민국 임시 정부의 활동과 그 내용을 옳게 연결하시오.

(1) 독립신문 간행 •   • ㉠ 독립운동 자금 마련

(2) 독립 공채 발행 •   • ㉡ 국내와 연락, 독립운동 지도

(3) 연통제와 교통국 조직 •   • ㉢ 동포에게 독립운동의 소식 전달

· 대한민국 임시 정부

구분	내용
성립	여러 임시 정부를 통합하여 중국 상하이에서 수립
체제	헌법 제정(삼권 분립 명시), 민주 공화정 체제 수립
활동	연통제와 교통국 조직, 독립신문 간행, 독립 공채 발행, 외교 활동

C 국내 민족 운동의 전개

1. 1920년대의 민족 운동

(1) 실력 양성 운동: 3·1 운동 이후 민족주의 계열이 민족의 실력을 키워 독립을 이루고자 함 → 민족 자본 육성, 민립 대학 설립 운동 추진, 농촌에서 한글 보급 활동 전개

- 민족 자본 육성: 물산 장려 운동을 통해 민족 기업을 양성하였어.
- 민립 대학 설립 운동: 민족의 힘으로 대학을 세우자는 운동이야.

(2) 민족 협동 전선 운동

① 6·10 만세 운동(1926): 순종의 국장일에 학생들이 민족주의 계열, 사회주의 계열과 함께 대규모 만세 시위 전개

- 민족주의 계열, 사회주의 계열: 3·1 운동을 전후하여 사회주의 사상이 확산되면서 국내 민족 운동 세력은 민족주의 계열과 사회주의 계열로 나뉘었어.

② +신간회

창립	일제의 이른바 +문화 통치 시행으로 타협적 민족주의자 등장 → 비타협적 민족주의 계열과 사회주의 계열이 힘을 합하여 신간회 창립(1927)
활동	전국에 지회 설립, 강연회와 연설회 개최, 광주 학생 항일 운동 지원

- 타협적 민족주의자: 일제의 식민 지배를 인정하고 민족의 역량을 키우자고 주장하였어.

③ 광주 학생 항일 운동(1929): 한·일 학생 간의 충돌 → 민족 차별에 분노한 광주 학생들의 시위가 전국으로 확대(3·1 운동 이후 최대의 민족 운동으로 발전)

2. 1930년대 이후의 민족 운동

배경	일제가 한국인의 민족의식을 없애고 침략 전쟁에 동원하기 위해 민족 말살 정책 실시
내용	역사·+국어 연구 등에서 민족 문화 수호 운동 전개, 농민·노동자들의 항일 민족 운동 지속

- 민족 말살 정책: 예) 한국어 사용 금지, 성과 이름을 일본식으로 변경, 신사 참배 및 황국 신민 서사 암송 강요 등
- 역사: 역사학자들은 일제의 한국사 왜곡에 맞서 자주적·주체적 입장에서 우리 민족의 역사를 연구하였어.

+ 신간회

민족 운동가들이 이념과 계층을 초월하여 조직한 협동 전선 단체로, 민족 운동의 단결을 도모하였다.

> • 우리는 정치적·경제적 각성을 촉진함
> • 우리는 단결을 공고히 함
> • 우리는 기회주의를 일체 부인함
>
> – 신간회의 3대 강령

+ 문화 통치

3·1 운동 이후 일제가 실시한 통치 방식이다. 우리 민족의 문화와 관습을 존중한다는 구실을 내세웠지만, 우리 민족을 분열시켜 항일 민족 운동을 막고자 한 것이었다.

+ 일제 강점기 국어 연구

국어학자들은 한글 맞춤법 통일안 마련, 표준어 제정 등의 노력을 하였다.

D 무장 독립 투쟁의 전개

1. +1920년대의 무장 독립 투쟁: 만주와 연해주 지역에서 무장 투쟁 활발

(1) 독립군의 활동

봉오동 전투	홍범도의 대한 독립군 등 독립군 연합 부대가 봉오동에서 일본군을 물리침
청산리 대첩	일본군이 대규모 병력을 보내 독립군을 공격하자 김좌진이 이끄는 북로 군정서 등 독립군 연합 부대가 청산리 지역에서 일본군을 크게 물리침

(2) 독립군의 시련: 일제가 간도에 살고 있는 한인 학살(간도 참변) → 독립군이 러시아로 이동, 자유시에서 많은 독립군 희생(자유시 참변)

- 자유시 참변: 1920년 10월부터 1921년 봄까지 이어졌어.

(3) 3부 성립: 독립군이 만주로 돌아와 3부(참의부, 정의부, 신민부) 조직 → 3부 통합

- 3부 통합: 이후 한국 독립군과 조선 혁명군이 조직되었어.

2. 1930년대의 무장 독립 투쟁

(1) 만주: +한국 독립군과 조선 혁명군이 중국군과 연합, 여러 전투에서 일본군에 승리

(2) 중국 본토: 중일 전쟁 발발(1937) → 조선 의용대 조직(1938), 중국군과 항일 투쟁 전개

- 조선 의용대: 일부는 화북 지역으로 이동하여 조선 의용군을 결성하였고, 나머지는 한국 광복군에 합류하였어.

3. 한국 광복군

창설	근거지를 옮겨 다니다가 충칭에 정착한 대한민국 임시 정부가 한국 광복군 창설(1940)
활동	태평양 전쟁 때 임시 정부가 일본에 선전 포고, 한국 광복군을 연합군의 일원으로 참전시킴(일본군 문서 번역과 포로 심문 담당, 인도·미얀마 전선에서 영국군 지원)

- 꼭 특수 훈련을 받은 대원들을 국내에 투입하는 작전(국내 진공 작전)을 준비하였어.

+ 1920년대 무장 독립 투쟁

+ 한국 독립군과 조선 혁명군

1930년대 초 지청천이 이끈 한국 독립군은 쌍성보 전투(1932)와 대전자령 전투(1933)에서 일본군에 승리하였고, 양세봉이 이끈 조선 혁명군은 영릉가 전투(1932)와 흥경성 전투(1933)에서 일본군에 승리하였다.

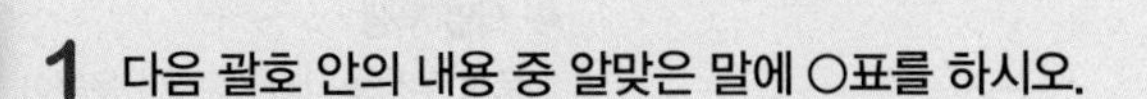

1 다음 괄호 안의 내용 중 알맞은 말에 ○표를 하시오.

(1) 민족의 실력을 키우자는 실력 양성 운동은 (민족주의, 사회주의) 계열이 전개하였다.

(2) (물산 장려 운동, 민립 대학 설립 운동)은 자급자족, 토산품 애용 등을 통해 민족 기업을 양성하고자 하였다.

2 다음 빈칸에 들어갈 내용을 쓰시오.

(1) 1927년 비타협적 민족주의자와 사회주의자가 연합하여 (　　　　　)를 창립하였다.

(2) 6·10 만세 시위는 민족주의 계열과 사회주의 계열이 (　　　　　)의 국장일에 전개하였다.

(3) 1929년 광주 학생들은 민족 차별 철폐, 식민지 교육 반대를 주장하며 3·1 운동 이후 최대 규모의 민족 운동인 (　　　　　)을 벌였다.

3 일제 강점기에 국어학자들은 (　　　　　) 맞춤법 통일안을 마련하고 표준어를 제정하여 민족 문화를 수호하고자 하였다.

핵심 콕콕

• 국내 민족 운동의 전개

실력 양성 운동	물산 장려 운동, 민립 대학 설립 운동, 한글 보급 활동 전개
민족 협동 전선 운동	6·10 만세 운동, 신간회 창립, 광주 학생 항일 운동

1 다음 설명이 맞으면 ○표, 틀리면 ×표를 하시오.

(1) 김좌진이 이끄는 북로 군정서가 봉오동 전투에서 일본군을 물리쳤다. (　　)

(2) 청산리 대첩에서 패배한 일본군은 간도에 살고 있는 한인을 학살하는 간도 참변을 일으켰다. (　　)

2 ㉠, ㉡에 들어갈 내용을 각각 쓰시오.

> 지청천이 이끄는 (㉠　　　　)과 양세봉이 이끄는 (㉡　　　　)은 1930년대 초에 중국군과 연합하여 여러 전투에서 일본군에 승리를 거두었다.

3 한국 광복군의 활동만을 〈보기〉에서 있는 대로 골라 기호를 쓰시오.

〈보기〉
ㄱ. 러일 전쟁 참전　　ㄴ. 영릉가 전투 승리
ㄷ. 일본군 문서 번역　　ㄹ. 태평양 전쟁의 포로 심문

핵심 콕콕

• 무장 독립 투쟁의 전개

1920년대
봉오동 전투 → 청산리 대첩 → 간도 참변, 자유시 참변 → 3부의 성립과 통합

1930년대 이후
한국 독립군, 조선 혁명군, 조선 의용대, 한국 광복군의 활동

E 의열 투쟁의 전개

1. +의열단

조직	만주에서 김원봉을 중심으로 조직(1919)
활동	일본 요인 암살, 식민 통치 기관에 폭탄 투척 등의 의거 활동 전개(김익상이 조선 총독부에 폭탄 투척, 김상옥이 종로 경찰서에 폭탄 투척, 나석주가 동양 척식 주식회사에 폭탄 투척)
의의	일제에 큰 타격을 줌, 민족의 항일 의식을 높임

2. 한인 애국단

조직	중국 상하이에서 김구가 조직(1931)
활동	이봉창이 도쿄에서 일본 국왕 폭살 시도, 윤봉길이 상하이 훙커우 공원에서 열린 일본군 상하이 점령 기념식장에 폭탄을 던짐
의의	윤봉길의 의거로 대한민국 임시 정부가 중국 정부의 지원을 받게 됨

일본 국왕 폭살 시도: 일본 국왕을 향해 폭탄을 던져 암살을 시도하였으나 실패하였어.

+ 의열 투쟁
비폭력 투쟁을 내세웠던 3·1 운동이 일제에 의해 진압되자, 일부 독립 운동가들은 의열 투쟁이 필요하다고 생각하였다.

F 대한민국 정부의 수립

1. 광복과 분단

(1) 민족의 광복: 일본이 연합국에 항복하면서 광복(1945. 8. 15.)

① 배경

대외적	연합국이 카이로 선언과 포츠담 선언에서 우리 민족의 독립 약속
대내적	우리 민족의 끊임없는 독립운동 전개

카이로 선언: 꼭 1943년 미국, 영국, 중국의 정상들이 카이로에 모여 우리 민족의 독립을 처음으로 약속하였어.

② 건국 준비 활동: 국내외 독립운동 단체들이 새롭게 만들 민족 국가의 모습 구상

국외	대한민국 임시 정부가 +건국 강령을 발표(1941)하여 정부 수립 준비
국내	조선 건국 동맹 조직 → 광복과 동시에 조선 건국 준비 위원회로 발전하여 건국 준비

조선 건국 동맹: 광복을 대비하여 여운형이 조직하였어.

(2) 38도선 분할 점령: 미국과 소련이 북위 38도선을 경계로 한반도를 남북으로 분할, 남북에 각각 군대를 주둔시킴 → 우리 민족의 자주 정부 수립이 어려워짐

(3) 정부 수립을 둘러싼 갈등: 모스크바 3국 외상 회의 개최(한반도의 +신탁 통치 결정, 1945) 이후 정치 세력 간의 갈등 심화, 제주 4·3 사건 등 발생

미국과 소련이 자신들에게 협조하는 정권을 세우려고 하였어.

제주 4·3 사건: 많은 민간인이 희생되었어.

2. 대한민국 정부의 수립

(1) 대한민국 정부 수립

① 대한민국 정부 수립 과정: 남한에서 5·10 총선거 실시(1948. 5. 10.) → 국회 의원 선출, 제헌 국회 구성(국호를 대한민국으로 정함, +제헌 헌법 제정) → 대통령으로 이승만 선출 → 이승만의 대한민국 정부 수립 선포(1948. 8. 15.)

② 유엔(UN)의 승인: 유엔이 대한민국을 선거가 가능하였던 한반도 내에서 유일한 합법 정부임을 승인함

(2) 북한 정권의 수립: 38도선 이북에서 김일성을 수상으로 북한 정권이 수립됨

+ 대한민국 건국 강령
민주 공화정 수립, 보통 선거 실시 등의 내용이 담겨 있다.

+ 신탁 통치
유엔(UN)의 위임을 받은 나라가 독립 국가로서 자치 능력이 부족하여 혼란이 예상되는 지역을 통치하는 방식

+ 제헌 헌법
대한민국 임시 정부의 독립 정신을 계승한 민주 공화제의 헌법

1 ㉠, ㉡에 들어갈 내용을 각각 쓰시오.

> 1919년에 김원봉이 조직한 (㉠ 　　　)과 1931년에 김구가 조직한 (㉡ 　　　) 의 단원들은 일제의 주요 기관을 폭파하고, 고위 관리와 친일파를 처단하였다.

2 다음 인물과 그의 의열 투쟁을 옳게 연결하시오.

(1) 김상옥 • 　　　　• ㉠ 조선 총독부에 폭탄 투척
(2) 김익상 • 　　　　• ㉡ 종로 경찰서에 폭탄 투척
(3) 윤봉길 • 　　　　• ㉢ 도쿄에서 일본 국왕 폭살 시도
(4) 이봉창 • 　　　　• ㉣ 일본군 상하이 점령 기념식장에 폭탄 투척

핵심 콕콕

• 의열 투쟁의 전개

의열단	김원봉이 조직, 김익상·김상옥·나석주의 의거
한인 애국단	김구가 조직, 이봉창·윤봉길의 의거

1 다음 빈칸에 들어갈 내용을 쓰시오.

(1) 연합국은 1943년 (　　　) 선언에서 우리 민족의 독립을 최초로 약속하였다.
(2) 국내에서 여운형이 만든 조선 건국 동맹은 광복과 함께 (　　　)로 발전하여 건국을 준비하였다.
(3) 대한민국 임시 정부는 1941년에 보통 선거를 통한 민주 공화국 수립을 규정한 대한민국 (　　　)을 발표하였다.

2 다음 설명이 맞으면 ○표, 틀리면 ×표를 하시오.

(1) 정부 수립을 둘러싼 갈등이 심해지는 과정에서 1948년 제주도에서 제주 4·3 사건이 일어났다. (　)
(2) 광복 이후 북위 38도선을 경계로 남쪽에 소련이, 북쪽에 미국이 군대를 주둔시켜 한반도를 분할하여 점령하였다. (　)

3 다음 괄호 안의 내용 중 알맞은 말에 ○표를 하시오.

(1) 5·10 총선거에서 (대통령, 국회 의원)을 선출하고 제헌 국회를 구성하였다.
(2) 제헌 헌법은 우리나라의 정치 체제를 (민주 공화제, 입헌 군주제)로 규정하였다.
(3) 유엔은 (북한 정권, 대한민국 정부)을/를 한반도 내에서 유일한 합법 정부로 승인하였다.

핵심 콕콕

• 광복과 대한민국 정부의 수립

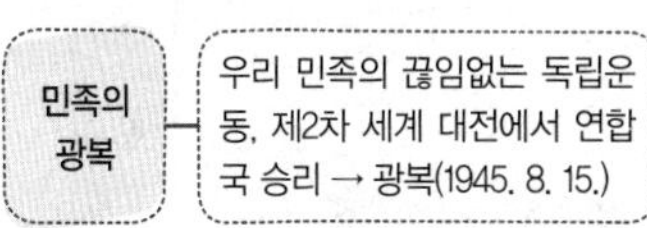

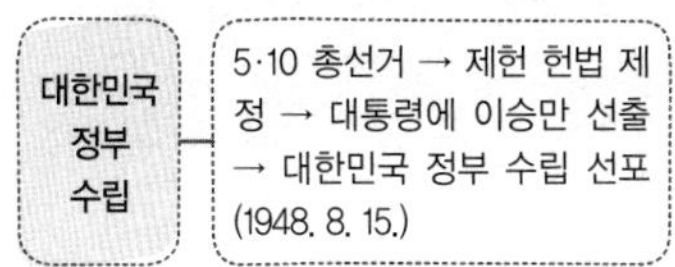

시험에 잘 나와!

01 다음 자료가 발표된 민족 운동에 대한 설명으로 옳지 않은 것은?

> 우리는 이에 우리 조선이 독립한 나라임과 조선 사람이 자주적인 민족임을 선언한다. 이로써 세계 만국에 알리어 …… 민족의 독자적 생존의 정당한 권리를 영원히 누려 가지게 하는 바이다. – 기미 독립 선언서

① 일제가 폭력적으로 진압하였다.
② 민족 대표 33인이 독립을 선언하였다.
③ 만주, 연해주, 일본, 미주 등 국외로 확산되었다.
④ 서울에서 시작되어 주요 도시에서도 전개되었다.
⑤ 대한민국 임시 정부를 중심으로 한 체계적인 민족 운동이었다.

[02~03] 지도를 보고 물음에 답하시오.

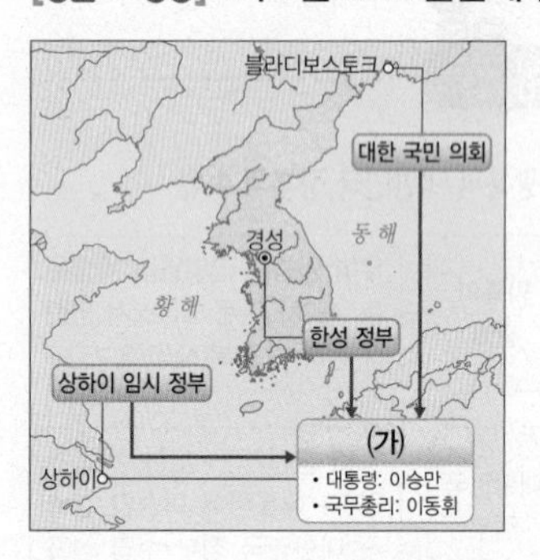

02 (가) 정부에 대한 설명으로 옳은 것은?

① 입헌 군주제 정부였다.
② 의원 내각제를 채택하였다.
③ 입법 기관으로 국무원을 두었다.
④ 대한 제국의 정치 체제를 계승하였다.
⑤ 삼권 분립을 명시한 헌법을 제정하였다.

시험에 잘 나와!

03 (가)의 활동으로 옳지 않은 것은?

① 미국에 외교 기관을 세워 외교 활동을 하였다.
② 독립 공채를 발행하여 독립운동 자금을 모았다.
③ 연통제와 교통국을 조직하여 국내와 연락하였다.
④ 의열단을 산하에 두고 일제의 주요 기관을 폭파하였다.
⑤ 독립신문을 펴내 동포에게 독립운동의 소식을 알렸다.

04 다음 민족 운동의 공통점으로 가장 적절한 것은?

> • 물산 장려 운동 • 민립 대학 설립 운동

① 국외에서 전개되었다.
② 무장 독립 투쟁에 해당한다.
③ 사회주의 계열이 주도하였다.
④ 민족의 실력 양성을 꾀하였다.
⑤ 1910년대에 활발하게 추진되었다.

05 다음 강령을 채택한 단체에 대한 설명으로 옳은 것은?

> • 우리는 정치적·경제적 각성을 촉진함
> • 우리는 단결을 공고히 함
> • 우리는 기회주의를 일체 부인함

① 만민 공동회를 개최하였다.
② 6·10 만세 운동을 지원하였다.
③ 연통제와 교통국을 운영하였다.
④ 오산 학교와 대성 학교를 세웠다.
⑤ 비타협적 민족주의자와 사회주의자가 연합하였다.

06 밑줄 친 '이 운동'에 대한 설명으로 옳은 것을 〈보기〉에서 고른 것은?

> 이 운동은 1929년에 광주에서 한·일 학생 간의 충돌을 계기로 일어나 전국적인 반일 운동으로 확산되었다.

보기
ㄱ. 3·1 운동 이후 일어난 최대의 민족 운동이었다.
ㄴ. 대한민국 임시 정부가 수립되는 계기가 되었다.
ㄷ. 민족 차별 철폐와 식민지 교육 반대를 주장하였다.
ㄹ. 순종의 국장일에 학생들이 만세 시위를 준비하였다.

① ㄱ, ㄴ ② ㄱ, ㄷ ③ ㄴ, ㄷ
④ ㄴ, ㄹ ⑤ ㄷ, ㄹ

정답 친해 62쪽

07 1930년대 이후 일제가 실시한 민족 말살 정책의 내용으로 옳지 않은 것은?

① 신사 참배 강요 ② 한국어 사용 금지
③ 헌병 경찰제 실시 ④ 일본식 성명 사용 강요
⑤ 황국 신민 서사 암송 강요

08 (가) 시기에 있었던 사실로 옳은 것은?

① 참의부, 정의부, 신민부가 성립하였다.
② 자유시에서 많은 독립군이 희생되었다.
③ 봉오동 전투와 청산리 대첩이 일어났다.
④ 조선 의용대가 한국 광복군에 합류하였다.
⑤ 한국 독립군과 조선 혁명군이 중국군과 연합하였다.

09 한인 애국단에 대한 설명으로 옳은 것은?

① 대한 국민 의회가 창설하였다.
② 청산리 지역에서 일본군을 크게 물리쳤다.
③ 김익상, 김상옥, 나석주가 단원으로 활동하였다.
④ 윤봉길이 상하이 훙커우 공원 의거를 단행하였다.
⑤ 영릉가 전투와 흥경성 전투에서 일본군에 승리하였다.

10 우리 민족이 광복을 맞이할 수 있었던 배경으로 적절한 것을 <보기>에서 고른 것은?

보기

ㄱ. 제2차 세계 대전에서 연합국이 승리하였다.
ㄴ. 우리 민족이 끊임없이 독립운동을 전개하였다.
ㄷ. 여운형이 조선 건국 준비 위원회를 조직하였다.
ㄹ. 미국과 소련이 북위 38도선을 경계로 남북에 각각 군대를 주둔시켰다.

① ㄱ, ㄴ ② ㄱ, ㄷ ③ ㄴ, ㄷ
④ ㄴ, ㄹ ⑤ ㄷ, ㄹ

11 (가)~(마)는 대한민국 정부의 수립 과정이다. 이를 일어난 순서대로 나열한 것은?

(가) 제헌 국회 구성 (나) 제헌 헌법 제정
(다) 초대 대통령 선출 (라) 5·10 총선거 실시
(마) 대한민국 정부 수립 선포

① (가) – (나) – (다) – (라) – (마)
② (가) – (다) – (마) – (나) – (라)
③ (라) – (가) – (나) – (다) – (마)
④ (라) – (마) – (다) – (나) – (가)
⑤ (마) – (나) – (가) – (라) – (다)

서술형 문제

서술형 감잡기

01 ㉠에 해당하는 민족 운동의 의의를 세 가지 서술하시오.

일제가 헌병 경찰제를 실시하는 가운데 민족 자결주의가 확산되고 도쿄 유학생들이 독립 선언을 하였다. 이에 ㉠ 1919년 3월 1일, 민족 지도자들이 독립을 선언하였고 학생과 시민이 만세 시위를 전개하였다.

→ (①)은 독립을 향한 한국인의 의지를 전 세계에 알렸고 일제의 통치 방식을 바꾸게 하였으며, (②)가 수립되는 계기가 되었다. 또한 중국의 (③)에도 영향을 주었다.

실전! 서술형 도전하기

02 대한민국 임시 정부가 1940년에 창립한 군사 조직을 쓰고, 그들의 활동을 세 가지 서술하시오.

03 자본주의와 사회 변화

A 개항과 외세의 경제 침탈

1. 조선의 개항

(1) 내용: 1876년 조선이 일본과 +강화도 조약을 체결하여 개항 → 미국, 영국, 독일, 러시아, 프랑스 등과 수교하여 +문호 확대 → 세계 자본주의 질서에 편입

- 강화도 조약에 따라 부산, 원산, 인천에 개항장이 설치되었어.
- 미국과 조미 수호 통상 조약을 체결하였어.

(2) 영향: 조선에 일본 상인 진출(면제품 수출, 곡물 수입) → 일본 상인이 많은 양의 쌀을 수입하여 국내 쌀값 폭등

2. 외세의 경제 침탈

제국주의 열강이 철도, 광산, 삼림 등 조선의 이권을 침탈해 갔어.

임오군란(1882) 이후	청 상인이 조선에서 활동 → 국내 상인들이 큰 타격을 입음, 일본 상인과 청 상인의 상권 다툼 심화
아관 파천(1896) 이후	러시아에 주었던 이권이 +최혜국 대우 규정에 따라 다른 나라에도 넘어감 → 열강의 이권 침탈 본격화
러일 전쟁 (1904~1905) 이후	일본이 대한 제국의 화폐 발행권을 차지함 → 대한 제국 정부의 재정을 예속화함

화폐 정리 사업을 실시하여 일본의 제일 은행에서 발행한 화폐를 사용하게 하였어.

⊙ 열강의 이권 침탈

+ 강화도 조약(조일 수호 조규)

> 제4관 조선은 부산 이외에 두 곳의 항구를 개항하고 일본인이 와서 통상하도록 허가한다.
> 제7관 일본국 항해자가 조선국 연해를 자유롭게 측량하도록 허가한다.

+ 문호 개방 이후의 변화

서양의 과학 기술과 외국 문물이 들어와 사람들의 생활 방식과 가치관에 변화가 나타나기 시작하였다.

+ 최혜국 대우

어떤 나라와 조약을 맺을 때 그 나라에 가장 유리한 조항이 이미 조약을 체결한 나라에도 부여되는 규정

B 경제적 구국 운동의 전개

1. 목적: 우리 민족이 외세의 경제 침탈에 맞서 경제적 자주권을 지키고자 함

2. 경제적 구국 운동

우리 민족의 노력에도 불구하고 열강의 침략과 간섭으로 한국의 자주적인 근대 경제 체제 수립은 어려워졌어.

(1) 방곡령: 일부 지방에서 지방관이 곡물의 유출을 막는 조치인 방곡령을 내림

(2) 시전 상인의 활동: 외국 상점의 퇴거를 요구하며 가게 문을 닫는 투쟁을 벌임 (철시 투쟁이라고 해.)

(3) +독립 협회의 활동: 러시아의 절영도 +조차 요구를 저지함

(4) 보안회의 활동: 일본의 황무지 개간권 요구에 반대하는 운동 전개 - 일본의 요구를 철회시켰어.

(5) 국채 보상 운동(1907): 러일 전쟁 이후 일본의 차관 강요로 대한 제국이 막대한 빚을 지게 됨 → 일본에 진 빚을 갚기 위한 국채 보상 운동이 대구에서 시작(→ 전국 확산)

- 차관: 자금을 빌려 오는 것

자료로 이해하기 국채 보상 운동의 전개

> 국채 1천3백만 원은 우리나라가 존재하고 망하는 것과 직결된 일입니다. 지금 국고로는 갚을 형편이 못되니 …… 2천만 민중이 3개월 동안 담배를 피우지 말고 그 대금으로 1인당 매달 20전씩 거둔다면 1천3백만 원을 모을 수 있습니다.
>
> – 대한매일신보

제시된 자료는 국채 보상 운동 기성회 취지서(1907)이다. 농민, 학생, 상인 등은 일본에 진 빚을 갚기 위해 금주와 금연으로 돈을 모으고, 금·은의 패물을 성금으로 냈다.

+ 독립 협회의 활동

> 현재 러시아가 우리 대한을 향하여 절영도를 요구하고 있습니다. …… 신하된 자가 만약 조그마한 땅이라도 타국인에게 주면 이는 황제 폐하의 역신이며 역대 임금의 죄인이며 우리 대한 2천만 동포 형제의 원수입니다.
>
> – 정교, 『대한계년사』

독립 협회는 러시아의 절영도 조차 요구에 맞서 저항하였고, 결국 러시아는 절영도 조차 요구를 철회하였다.

+ 조차

특별한 합의에 따라 한 나라가 다른 나라 영토의 일부를 빌려 일정한 기간 동안 통치하는 일을 말한다.

- 열강의 경제 침탈과 경제적 구국 운동
- 일제의 경제 수탈과 경제적·사회적 변화
- 국가 주도의 경제 성장과 사회 변화
- 대중문화의 발달

1 다음 괄호 안의 내용 중 알맞은 말에 ○표를 하시오.

(1) 개항 이후 일본 상인들이 조선에서 많은 양의 쌀을 수입해 가면서 국내의 쌀값이 (폭등, 폭락)하였다.

(2) 조선은 일본과 (을사늑약, 강화도 조약)을 맺어 개항하였고, 문호를 확대함으로써 세계 자본주의 질서에 편입되었다.

2 다음 설명이 맞으면 ○표, 틀리면 ×표를 하시오.

(1) 아관 파천 이후 조선에 대한 열강의 이권 침탈이 본격화되었다. (　　)

(2) 임오군란 이후 청 상인이 조선에 진출하면서 일본 상인과 청 상인의 경쟁이 완화되었다. (　　)

3 어떤 나라와 조약을 맺을 때 그 나라에 가장 유리한 조항이 이미 조약을 체결한 나라에도 부여되는 규정을 (　　　　)라고 한다.

• **개항과 외세의 경제 침탈**

조선의 개항	강화도 조약, 서양 각국과 수교 → 세계 자본주의 질서에 편입
외세의 경제 침탈	• 임오군란 이후: 청 상인이 조선에 진출, 일본 상인과 상권 다툼을 벌임 • 아관 파천 이후: 열강의 이권 침탈 본격화 • 러일 전쟁 이후: 대한 제국의 재정이 일본에 예속됨

1 다음 빈칸에 들어갈 내용을 쓰시오.

(1) 개항 이후 (　　　　)은 외국 상점의 퇴거를 요구하며 철시 투쟁을 벌였다.

(2) 외세의 경제 침탈에 맞서 경제적 자주권을 지키기 위해 일부 지방에서는 지방관이 곡물의 유출을 막는 조치인 (　　　　)을 내렸다.

2 다음 단체와 그들의 활동을 옳게 연결하시오.

(1) 보안회 •　　　　• ㉠ 러시아의 절영도 조차 요구를 저지함

(2) 독립 협회 •　　　　• ㉡ 일본의 황무지 개간권 요구를 철회시킴

3 ㉠, ㉡에 들어갈 내용을 각각 쓰시오.

> 대한 제국이 (㉠　　　　)에 큰 빚을 지게 되자 1907년에 농민, 학생, 상인 등은 이를 갚기 위해 금주와 금연으로 돈을 모으고, 금·은의 패물을 성금으로 내는 (㉡　　　　) 운동을 전개하였다.

• **경제적 구국 운동의 전개**

목적	외세의 경제 침탈에 맞서 우리 민족의 경제적 자주권을 지키고자 함
내용	• 지방관들이 방곡령을 내림 • 시전 상인들이 철시 투쟁 전개 • 독립 협회가 러시아의 절영도 조차 요구 저지 • 보안회가 일본의 황무지 개간권 요구 반대 운동 전개 • 국채 보상 운동 전개

C 일제의 경제 수탈

1. 1910년대의 경제 침탈

(1) +토지 조사 사업(1910~1918): 일제가 대한 제국의 국권 강탈 후 통치의 경제 기반 마련을 위해 실시, 토지 소유자가 직접 신고한 토지만 소유지로 인정 → 조선 총독부의 지세 수입 증가, 많은 농민들이 토지를 잃고 소작농이 됨
└ 농민들이 조상 대대로 인정받던 경작권은 인정하지 않았어.

(2) 기타: 회사령 공포(한국인의 기업 설립 억제), 철도·도로·항만 건설(수탈 기반 마련)

2. 1920년대의 경제 침탈

(1) +산미 증식 계획: 일제가 자국의 식량 부족 문제 해결을 위해 추진 → 한국인의 식량 사정 악화, 농민들의 생활 악화
└ 왜? 쌀 증산에 필요한 여러 비용을 농민들이 부담하였기 때문이야.

(2) 기타: 회사령 폐지, 일본 상품에 대한 관세 폐지 → 일본 기업의 한국 진출 본격화
└ 회사 설립 조건을 허가제에서 신고제로 바꾸었어.

3. 1930년대 이후의 경제 침탈

예) 한반도 남쪽에 면화 재배, 북쪽에 양 사육을 강요하여 산업 물자를 충당하는 남면북양 정책을 실시하였어.

(1) 병참 기지화 정책: 만주 사변, 중일 전쟁 후 일제가 침략 전쟁을 위해 한반도를 군수 물자를 보급하는 기지로 만들고자 함(금속·화학 공장 건설, 지하자원의 생산을 늘림)

(2) 인적·물적 자원 수탈: 국가 총동원법(1938) 제정

인적 수탈	병력 동원(지원병제와 징병제 실시), 노동력 동원, 여성 동원(여자 정신 근로령 제정, 여성들을 일본군 '위안부'로 끌고 감)
물적 수탈	군량미 마련을 위해 공출제 실시, 무기 제작을 위해 농기구와 제사 도구를 빼앗음

└ 청년들을 전쟁터로 끌고 갔어. (지원병제와 징병제 실시)
└ 사람들을 탄광, 군수 공장 등으로 끌고 가 강제로 노동을 시켰어. (노동력 동원)
└ 일본이 일정한 양의 농산물을 강제로 바치게 하였어. (공출제)

+ 토지 조사 사업
일제는 전국적인 토지 조사를 통해 국유지 등 많은 토지를 조선 총독부의 소유로 만들었다.

+ 산미 증식 계획

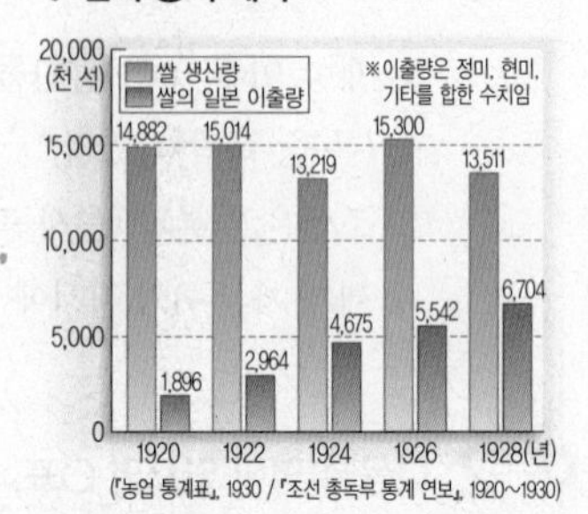

⊙ 쌀 생산량과 일본으로의 이출량
산미 증식 계획으로 쌀 생산량은 그다지 늘지 않았으나 일본으로 이출되는 쌀의 양은 해마다 증가하였다.

D 일제 강점기 경제·사회·일상생활의 변화

1. 일제 강점기 경제적·사회적 변화

└ 예) 높은 소작료, 불안정한 소작 기간 등

(1) 배경: 일제의 농업 정책과 수탈로 농민의 삶이 어려워짐 → 농촌의 농민들이 화전민이 되거나 도시로 가 노동자·광부가 됨, 국외로 이주

(2) 내용
└ 민족주의 계열은 물산 장려 운동을 전개하였고, 사회주의 계열은 학생과 청년, 농민과 노동자를 중심으로 다양한 사회 운동을 펼쳐 나갔어.

① +물산 장려 운동: 1920년대 이후 일본 자본과 상품이 본격적으로 진출하여 민족 기업이 위기를 맞자 민족의 산업을 발전시켜 경제적 자립을 이루고자 함

② +농민 운동과 노동 운동
전라남도 신안군 암태도의 농민들이 1여 년간 지주와 일제 경찰에 맞서 싸워 소작료를 인하하는 성과를 거두었어.

농민 운동	지주에 대한 농민의 저항 의식이 높아져 소작 쟁의(암태도 소작 쟁의 등) 발생
노동 운동	일제의 공업화 정책 지속, 노동자들이 열악한 작업 환경에서 낮은 임금·장시간 노동에 시달림 → 임금 인상 등을 요구하며 노동 쟁의(+원산 총파업 등)를 일으킴

③ 형평 운동: 사회적 편견과 차별을 받던 백정들이 평등한 대우를 요구함

④ 여성 운동: 근대 교육을 받은 일부 여성들이 여성의 지위 향상에 노력

⑤ 소년 운동: 어린이를 인격적으로 대우하자는 주장 제기

일제가 들여온 문물은 대부분 일본인을 위한 것이었으며, 많은 한국인은 빈민층으로 도시 변두리나 하천변의 토막집에서 어렵게 살았어.

2. 일제 강점기 일상생활의 변화: 도시를 중심으로 근대 시설 도입, 교통·통신 발달, 양복과 양장 등 서양식 복장 보편화, 커피 등 기호 식품 보급, 서양식 문화 주택 등장, 일제의 의복 생활 통제

└ 흰옷 대신 색깔이 있는 옷을 입도록 강요받았고, 중일 전쟁 이후 남성은 국민복을, 여성은 '몸뻬'라는 통 넓은 바지를 입어야 했어.

+ 물산 장려 운동
'내 살림 내 것으로', '조선 사람 조선 것' 등의 구호를 내세웠다.

⊙ 경성 방직 주식회사의 토산품 애용 선전 광고

+ 농민 운동과 노동 운동
일제 강점기 농민 운동과 노동 운동은 생존권 투쟁이면서 항일 민족 운동의 성격을 지니고 있었다.

+ 원산 총파업
원산 인근 석유 회사에서 일본인 공장 관리자의 한국인 노동자 폭행 사건에 항의하여 노동자들이 4개월 동안 벌인 대규모의 파업 투쟁

1 1910년대 일제의 경제 침탈에 해당하는 내용만을 〈보기〉에서 있는 대로 골라 기호를 쓰시오.

〈보기〉
ㄱ. 회사령 공포
ㄴ. 국가 총동원법 제정
ㄷ. 산미 증식 계획 추진
ㄹ. 토지 조사 사업 시행

2 다음 빈칸에 들어갈 내용을 쓰시오.

(1) 일제는 1920년에 ( )을 폐지하여 회사 설립 조건을 신고제로 바꾸었다.
(2) 일제는 일본의 쌀 부족 문제를 해결하고자 1920년부터 ( )을 추진하였다.

3 ㉠, ㉡에 들어갈 내용을 각각 쓰시오.

1930년대 초에 침략 전쟁을 일으킨 일제는 한반도를 군수 물자를 보급하는 (㉠) 기지로 만들고자 하였고, 1938년에는 (㉡)을 제정하여 인력과 물자를 수탈하였다.

핵심 콕콕

• **일제의 경제 수탈**

1910년대
토지 조사 사업 시행, 회사령 공포

↓

1920년대
산미 증식 계획 추진, 회사령 폐지

↓

1930년대 이후
병참 기지화 정책 실시, 국가 총동원법 제정

1 다음 설명이 맞으면 ○표, 틀리면 ×표를 하시오.

(1) 백정들은 내 살림 내 것으로, 조선 사람 조선 것을 구호로 형평 운동을 벌였다. ( )
(2) 일제 강점기에는 농민들이 일제의 농업 정책과 수탈로 대부분 어려운 삶을 살았다. ( )

2 다음에서 설명하는 것을 〈보기〉에서 골라 기호를 쓰시오.

〈보기〉
ㄱ. 노동 쟁의
ㄴ. 소년 운동
ㄷ. 소작 쟁의
ㄹ. 여성 운동
ㅁ. 형평 운동

(1) 어린이를 인격적으로 대우하자고 주장하였다. ( )
(2) 지주에 대한 농민의 저항 의식이 높아지면서 발생하였다. ( )
(3) 근대 교육을 받은 여성들이 여성의 지위 향상에 노력하였다. ( )
(4) 장시간 노동에 시달리던 노동자들이 임금 인상 등을 요구하였다. ( )
(5) 사회적 편견과 차별을 받아 오던 백정들이 평등한 대우를 요구하였다. ( )

핵심 콕콕

• **일제 강점기의 경제적·사회적 변화**

구분	내용
물산 장려 운동	민족 산업 발전을 통한 경제적 자립 추구
농민 운동	농민들이 암태도 소작 쟁의 등을 일으킴
노동 운동	노동자들이 원산 총파업 등 노동 쟁의를 일으킴
형평 운동	백정들이 평등한 대우 요구
여성 운동	여성의 지위 향상에 노력
소년 운동	어린이를 인격적으로 대우하자고 주장

E 국가 주도의 경제 성장

1. 광복 이후의 경제

(1) 광복 직후의 남한: 산업 기반 취약, 인구 증가·생필품 부족 등으로 혼란

(2) 6·25 전쟁 이후: 전쟁으로 산업 시설 파괴 → 정부가 미국의 원조를 받아 식량난 해소, 경제 재건 노력 → +삼백 산업과 같은 소비재 산업 발달, 미국에 대한 의존도 증가

이로 인해 국민은 식량난과 물자 부족, 실업 등으로 큰 고통을 겪었어.

2. 국가 주도의 경제 성장

1962～1971년에 실시되었어.

1960년대	• 제1·2차 경제 개발 5개년 계획 추진: 해외 자본 유치, 풍부한 노동력을 바탕으로 경공업 육성(의류, 신발, 가발, 합판 등), 수출 증대 노력 • 산업 발전의 기반 마련: 여러 지역에 산업 단지 조성, 경부 고속 국도 건설 (1970년에 개통되었어.)
1970년대	• 제3·4차 경제 개발 5개년 계획 추진: 중화학 공업 육성(철강, 화학, 조선, 자동차 등), 수출 주도형 정책 지속 → +수출액 100억 달러 돌파, 고도의 경제 성장 이룩('한강의 기적'), 국민 소득 증가 • 경제 위기: 두 차례의 석유 파동으로 위기를 겪음 (1973년과 1979년에 석유 수출국 기구(OPEC)에 의해 석유 가격이 인상되어 세계 경제가 큰 어려움을 겪었어.)
1980년대	3저 호황을 계기로 경제 회복, 기술 집약적인 산업 발달(반도체, 자동차 등), 외국으로 나간 노동자들이 송금한 외화가 경제 발전에 도움이 됨

저유가, 저금리, 저달러 상황을 배경으로 한국 경제가 호황을 누렸어.

+ 삼백 산업
미국에서 무상 원조해 주었던 설탕, 면화, 밀가루 등 흰색의 농산물을 가공하여 판매하는 산업

+ 수출액 100억 달러 돌파

수출 100억 달러 기념 아치
1977년 수출액이 100억 달러를 돌파하자 정부는 이날을 수출의 날로 제정하고 기념 아치를 세웠다.

F 외환 위기의 극복과 한국 경제

1. +신자유주의 정책과 외환 위기

(1) 신자유주의 정책 실시: 1990년대 세계화 추세에 따른 시장 개방 압력 강화로 정부가 공기업 민영화, 경제 협력 개발 기구(OECD) 가입(1996) 등 신자유주의 정책 전개

국가 간의 경제적·사회적 장벽이 낮아졌어.

(2) 외환 위기의 발생과 극복

왜? 동남아시아에서 시작된 외환 위기로 외국인 투자자들이 자금을 회수하였기 때문이야.

발생	한국의 외환 보유고 부족, 무분별하게 돈을 빌려 사업을 확장한 일부 대기업 도산 → 국제 통화 기금(IMF)으로부터 구제 금융을 지원받음(1997)
극복	정부가 부실기업과 금융 기관을 구조 조정함, 민간에서 금 모으기 운동 전개 → 국제 통화 기금의 지원금을 모두 갚음(2001)

꼭 외환 위기 극복 과정에서 실업자와 비정규직 노동자가 증가하고 빈부 격차가 심화되었어.

2. 오늘날의 한국 경제:
첨단 산업(반도체·휴대 전화 등)에서 세계적인 경쟁력을 갖춤, 여러 나라와 자유 무역 협정(FTA) 체결, 무역 규모 1조 달러 돌파(2011), 문화 콘텐츠 사업('+한류' 기반)·관광 사업 등 발전

한국은 2000년대 들어와서 세계 여러 나라와 자유 무역 협정을 체결하여 개방 경제 체제로 나아가고 있어.

자료로 이해하기 외환 위기의 발생과 극복

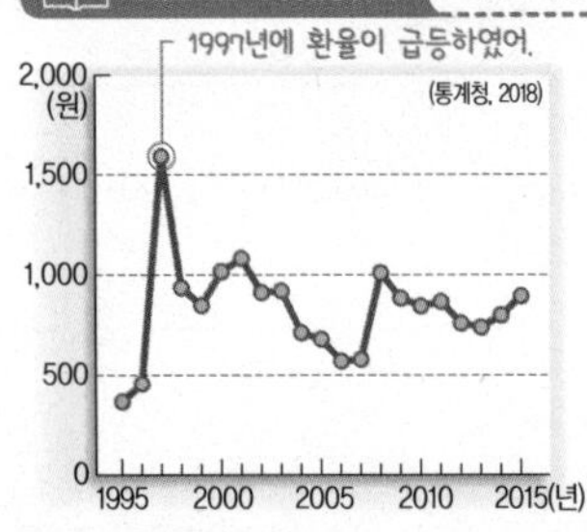

원·달러 환율 추이

금 모으기 운동

1997년에 발생한 외환 위기로 인해 원화 가치가 폭락하고 환율이 급등하였다. 외환 위기를 극복하기 위해 국민들은 자신이 소유한 금을 성금으로 내는 금 모으기 운동을 전개하였다.

+ 신자유주의
1970년대에 등장한 사상으로, 정부의 역할을 줄이고 시장의 자율성을 중시하였다. 무역 규제를 완화하여 자유 무역을 확대하였다.

+ 한류
우리나라의 영화, 텔레비전의 드라마와 예능 프로그램, 대중가요, 한식 등이 전 세계에 유행하는 현상

1 다음 설명이 맞으면 ○표, 틀리면 ×표를 하시오.

(1) 6·25 전쟁으로 많은 산업 시설이 파괴되었다. (　　)

(2) 광복 직후 남한은 산업 기반이 취약하였고 경제적으로 혼란하였다. (　　)

(3) 1950년대에는 미국의 무상 원조로 생산재 산업이 크게 발달하였다. (　　)

2 1960년대에 들어와 정부가 (　　　　) 5개년 계획을 추진하면서 국가 주도의 경제 성장이 이루어졌다.

3 다음 각 시기와 한국의 경제 성장 내용을 옳게 연결하시오.

(1) 1950년대 • 　　• ㉠ 중화학 공업 육성, 고도성장

(2) 1960년대 • 　　• ㉡ 미국의 원조로 삼백 산업 발달

(3) 1970년대 • 　　• ㉢ 경공업 육성, 노동 집약적인 산업 발달

• 광복 이후의 경제 성장

1950년대
미국의 원조 물자를 이용한 삼백 산업 발달

1960～1970년대
경제 개발 5개년 계획 추진, 경공업 육성(1960년대), 중화학 공업 육성(1970년대)

1980년대
3저 호황으로 경제 회복, 기술 집약적인 산업 발달

1 1990년대 이후 세계화가 빠르게 진행되는 상황에서 자유 시장과 규제 완화를 추구하는 (　　　　)가 강조되었다.

2 외환 위기를 극복하기 위한 노력만을 〈보기〉에서 있는 대로 골라 기호를 쓰시오.

보기
ㄱ. 국채 보상 운동　　ㄴ. 금 모으기 운동
ㄷ. 강도 높은 구조 조정 실시　　ㄹ. 경제 개발 5개년 계획 추진

3 다음 빈칸에 들어갈 내용을 〈보기〉에서 골라 기호를 쓰시오.

보기
ㄱ. 국제 통화 기금　　ㄴ. 자유 무역 협정　　ㄷ. 경제 협력 개발 기구

(1) 한국은 1997년에 외환 위기를 맞이하여 (　　　　)(으)로부터 구제 금융을 지원받았다.

(2) 세계화 추세에 따라 정부는 공기업 민영화, 1996년에 (　　　　) 가입 등 신자유주의 정책을 폈다.

(3) 2000년대에 들어와서 한국은 세계 여러 나라와 (　　　　)을/를 체결하여 개방 경제 체제로 나아가고 있다.

• 외환 위기의 극복과 한국 경제

구분	내용
신자유주의 정책	세계화 확산 → 공기업 민영화, 경제 협력 개발 기구(OECD) 가입
외환 위기	국제 통화 기금(IMF)으로부터 구제 금융을 지원받음 → 비정규직 노동자 증가, 빈부 격차 심화 등 사회 문제 발생
오늘날 한국 경제	외국과 자유 무역 협정(FTA) 체결, '한류' 기반의 문화 콘텐츠 사업 발전

G 경제 성장이 가져온 사회 변화

1. 산업화와 도시화

일자리를 찾아 도시로 몰려든 사람들은 산기슭이나 하천 근처에 판잣집을 짓고 거주하였어.

(1) 산업 구조의 변화: 농업의 비중 감소, 제조업·서비스 산업의 비중 증가 → 도시의 일자리 증가, ✚도시 인구 증가 → 주택 부족, 공해, 빈곤과 실업 등 사회 문제 발생

(2) 일상생활의 변화: 도로와 철도 교통의 발달(전국이 하나의 생활권으로 연결됨), 통신 기술 발전, 국민의 교육 수준 향상, 과학 기술과 생활 수준 향상

휴대 전화와 인터넷 사용이 보편화되었어.

2. 농촌의 변화와 농민 운동

농촌의 변화	노동력 부족 문제와 인구 고령화 현상 심화, 농촌과 도시의 소득 격차 증가 → 정부가 ✚새마을 운동 전개
농민 운동	1980년대 이후 외국 농산물의 수입과 인구 감소 등으로 농촌 경제 악화 → 농민들이 농축산물 수입 개방 반대 운동 등 전개

3. 노동 문제와 노동 운동

꼭 최근에는 비정규직 노동자, 청년 실업, 외국인 노동자, 사회 양극화로 인한 계층 갈등 등의 문제가 해결해야 할 과제로 떠오르고 있어.

노동 문제	급속한 경제 성장 과정에서 노동자들이 적은 임금을 받으며 장시간 노동에 시달림
노동 운동	노동자 전태일이 노동 환경의 개선을 요구하며 분신 → 1980년대 후반부터 노동자들이 노동조합 조직, 대규모 노동 운동 전개(노동 환경 개선, 임금 인상 등 요구)

자료로 이해하기 노동 운동의 성장

> 1일 14시간의 작업 시간을 1일 10~12시간으로 단축해 주십시오. 일요일마다 휴일로 쉬기를 원합니다. …… 인간으로서의 최소한의 요구입니다. – 대통령에게 드리는 글

전태일이 대통령에게 보내려 했던 탄원서야.

서울 평화 시장의 노동자였던 전태일은 1970년 근로 기준법 준수를 요구하며 자신의 몸을 불살라 노동 현실을 고발하였다. 이를 계기로 노동 문제에 대한 사회적 관심이 높아졌다.

✚ 도시 인구 증가

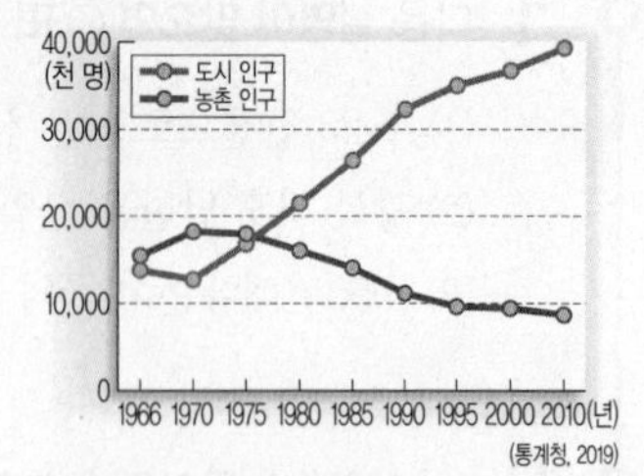

⬆ 도시와 농촌 인구의 변화

1960년대부터 농촌 인구가 일자리를 찾아 도시로 이동하면서 도시에 인구가 집중하였다.

✚ 새마을 운동

1970년에 시작된 운동으로, 농촌의 생활 환경 개선과 소득 증대를 통해 도시와 농촌의 균형 있는 발전을 꾀하였다. 정부의 체제 유지에 이용되었다는 지적을 받기도 한다.

H 대중문화의 발달

1. 대중문화 발달

예 잡지, 신문, 라디오, 텔레비전 등

배경	경제 발전으로 생활 수준 향상(여가 시간 증가), 대중 매체의 발달
내용	• 1960년대: 텔레비전 방송 시작 • 1970년대: ✚청년층을 중심으로 한 문화 확산 → 정부의 검열과 통제를 받음 • 1980년대: 컬러텔레비전 보급(대중문화가 빠르게 발전), 대학가를 중심으로 전통문화에 대한 관심 증대, 가요 시장 성장 • 1990년대: 영화 산업 발전, 음반 시장 확대 • 2000년대 이후: 대중문화가 '한류'라는 이름으로 전 세계에 확산

미니스커트를 입거나 장발을 한 사람은 경찰의 단속 대상이 되었어.

인터넷과 소셜 네트워크(SNS)의 발전은 대중문화의 발달과 확산에 기여하였어.

우리의 대중음악이 '케이팝(K-POP)'으로 인기를 얻었어.

2. 스포츠의 발전

(1) 프로 스포츠 발달: 1980년대 야구, 축구, 씨름 등 프로 스포츠 출범

텔레비전으로 스포츠 경기가 방영되어 인기를 얻었어.

(2) 국제 스포츠 행사 개최: 1986년 아시안 게임, 1988년 서울 올림픽 대회, 2002년 한일 공동 월드컵 대회, 2018년 평창 동계 올림픽 대회 등 개최 → 한국의 위상 증대

✚ 청년층을 중심으로 한 문화

⬆ 청바지를 입고 통기타를 치는 청년들

청바지와 통기타는 1970년대 청년 문화의 상징이었다.

1 경제 발전으로 인한 사회 변화에 해당하는 것만을 〈보기〉에서 있는 대로 골라 기호를 쓰시오.

보기	
ㄱ. 생활 수준의 향상	ㄴ. 산업화와 도시화 진행
ㄷ. 국민의 교육 수준 향상	ㄹ. 농업의 비중 크게 확대

2 농촌 문제를 해결하기 위해 정부는 1970년부터 (　　　　) 운동을 전개하여 도시와 농촌의 균형 있는 발전을 꾀하였다.

3 ㉠, ㉡에 들어갈 내용을 각각 쓰시오.

> 1970년 노동자였던 (㉠　　　　)이 근로 기준법 준수를 요구하며 분신하는 사건이 일어났다. 이를 계기로 (㉡　　　　) 문제에 대한 사회적 관심이 높아졌다.

4 다음 사회 문제와 그 내용을 옳게 연결하시오.

(1) 노동 문제 •　　　　• ㉠ 노동력 부족, 인구 고령화 현상

(2) 농촌 문제 •　　　　• ㉡ 적은 임금, 장시간 노동, 열악한 노동 환경

핵심 콕콕

• 경제 성장으로 인한 사회 변화

구분	내용
산업화와 도시화	산업화와 도시화(도시 인구 증가) 진행 → 다양한 사회 문제 발생
농촌의 변화와 농민 운동	노동력 부족 문제, 농촌과 도시의 소득 격차 증가 → 농민들이 농축산물 수입 개방 반대 운동 등 전개
노동 문제와 노동 운동	노동자들이 저임금·장시간 노동에 시달림 → 전태일 분신 사건 발생, 노동조합 조직

1 다음 빈칸에 들어갈 내용을 쓰시오.

(1) 외국으로 퍼져 나간 우리의 대중문화를 (　　　　)라고 한다.

(2) 1960년대 (　　　　) 방송이 시작되면서 대중문화가 더욱 다양해졌다.

2 다음 설명이 맞으면 ○표, 틀리면 ×표를 하시오.

(1) 1970년대에 대중문화는 정부의 검열과 통제를 받았다. (　　)

(2) 1950년대에는 청바지와 통기타 등 청년 문화가 확산되었다. (　　)

(3) 2000년대 이후 우리 대중음악이 케이팝이라는 이름으로 인기를 얻었다. (　　)

3 경제 성장에 따라 1980년대 이후에 야구, 축구 등에서 (　　　　)가 출범하였다.

핵심 콕콕

• 대중문화의 발달

시기	내용
1960년대	텔레비전 방송 시작
1970년대	청년 문화 확산 → 정부의 통제를 받음
1980년대	프로 야구를 비롯한 프로 스포츠 출범, 서울 올림픽 대회 개최
1990년대	영화 산업 발전, 음반 시장 확대
2000년대 이후	전 세계에 '한류' 확산(케이팝 유행 등)

시험에 잘 나와!

01 다음 조약 체결의 영향으로 적절하지 않은 것은?

> 제4관 조선은 부산 이외에 두 곳의 항구를 개항하고 일본인이 와서 통상하도록 허가한다.
> 제7관 일본국 항해자가 조선국 연해를 자유롭게 측량하도록 허가한다.
> 제10관 일본국 국민이 조선국 항구에서 저지른 범죄 행위는 일본국 관원이 심판한다.

① 조선이 개항하였다.
② 일본 상인이 조선에 진출하였다.
③ 조선이 세계 자본주의 질서에 편입되었다.
④ 조선이 서양 각국과 수교하여 문호를 확대하였다.
⑤ 일본으로부터 곡물이 들어와 국내 곡물 가격이 폭락하였다.

02 지도에 해당하는 시기의 조선의 상황으로 적절한 것을 〈보기〉에서 고른 것은?

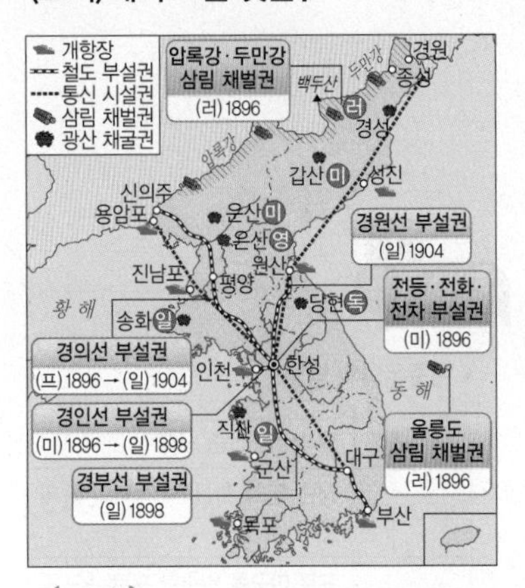

〈보기〉
ㄱ. 열강의 이권 침탈이 본격화되었다.
ㄴ. 상평통보가 전국적으로 유통되었다.
ㄷ. 일본이 대한 제국 정부의 재정을 예속화하였다.
ㄹ. 흥선 대원군의 통상 수교 거부 정책이 강화되었다.

① ㄱ, ㄴ　② ㄱ, ㄷ　③ ㄴ, ㄷ
④ ㄴ, ㄹ　⑤ ㄷ, ㄹ

03 다음 자료에 나타난 주장을 한 단체로 옳은 것은?

> 현재 러시아가 우리 대한을 향하여 절영도를 요구하고 있습니다. …… 신하된 자가 만약 조그마한 땅이라도 타국인에게 주면 이는 황제 폐하의 역신이며 역대 임금의 죄인이며 우리 대한 2천만 동포 형제의 원수입니다.
>
> – 정교, 『대한계년사』

① 보안회　② 신간회
③ 신민회　④ 독립 협회
⑤ 한인 애국단

04 (가)에 들어갈 내용으로 가장 적절한 것은?

> **수행 평가 보고서**
>
> 1. 탐구 주제: ______(가)______
> 2. 조사한 사례
> – 국채 보상 운동
> – 지방관들의 방곡령 실시
> – 시전 상인들이 철시 투쟁
> – 일본의 황무지 개간권 요구에 대한 반대 운동

① 개화 정책의 추진
② 위정척사 운동의 전개
③ 무장 독립 투쟁의 내용
④ 실력 양성 운동의 추진
⑤ 경제적 구국 운동의 전개

05 (가), (나) 시기 사이에 있었던 일제의 경제 수탈에 대한 설명으로 옳은 것은?

> (가) 일본이 한국을 병합하였다.
> (나) 이른바 문화 통치가 시작되었다.

① 국가 총동원법을 제정하였다.
② 토지 조사 사업을 시행하였다.
③ 화폐 정리 사업을 시작하였다.
④ 한국을 병참 기지로 만들고자 하였다.
⑤ 한반도에서 면화 재배와 양 사육을 강요하였다.

[06~07] 그래프는 쌀 생산량과 일본으로의 이출량을 나타낸 것이다. 이를 보고 물음에 답하시오.

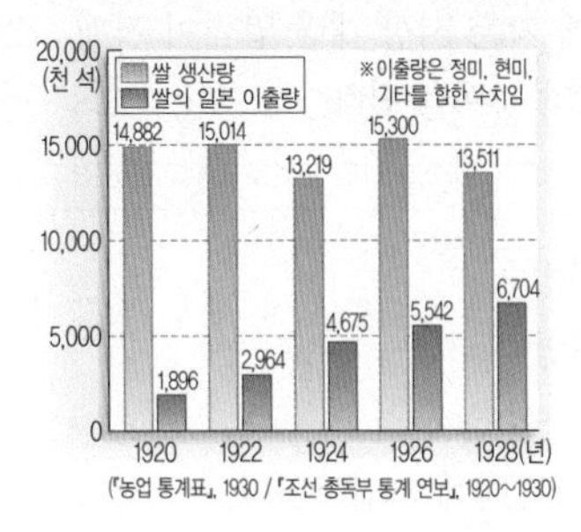

「농업 통계표」, 1930 / 「조선 총독부 통계 연보」, 1920~1930

06 그래프와 같은 변화가 나타난 배경으로 가장 적절한 것은?

① 회사령이 공포되었다.
② 국가 총동원법이 제정되었다.
③ 산미 증식 계획이 추진되었다.
④ 토지 조사 사업이 실시되었다.
⑤ 미국에서 원조 물자가 들어왔다.

시험에 잘 나와!

07 그래프에 나타난 시기에 있었던 사실로 적절한 것을 〈보기〉에서 고른 것은?

보기
ㄱ. 경제 개발 5개년 계획이 시행되었다.
ㄴ. 일본 상품에 대한 관세가 폐지되었다.
ㄷ. 회사 설립 조건이 신고제로 바뀌었다.
ㄹ. 많은 여성들이 일본군 '위안부'로 끌려가 고통을 겪었다.

① ㄱ, ㄴ ② ㄱ, ㄷ ③ ㄴ, ㄷ
④ ㄴ, ㄹ ⑤ ㄷ, ㄹ

08 다음 내용에 해당하는 시기를 연표에서 옳게 고른 것은?

일제는 국가 총동원법을 제정하여 한국의 인력과 물자를 수탈하였다.

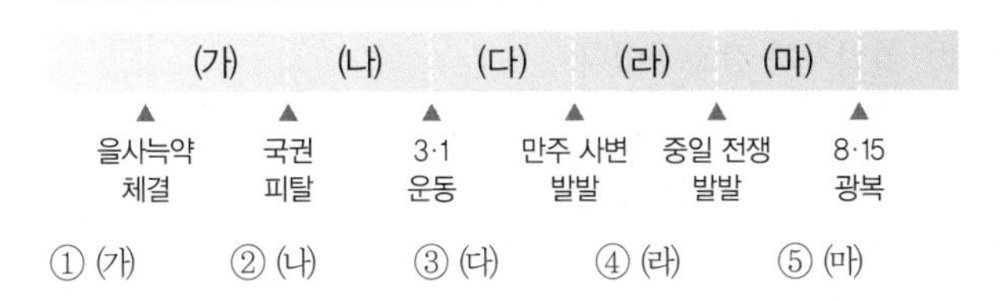

① (가) ② (나) ③ (다) ④ (라) ⑤ (마)

09 다음 자료에 나타난 민족 운동에 대한 설명으로 옳지 않은 것은?

① 1920년대에 전개되었다.
② 국채 보상 운동에 영향을 주었다.
③ 민족의 산업을 발전시켜 경제적 자립을 이루고자 하였다.
④ 내 살림 내 것으로, 조선 사람 조선 것 등의 구호를 내세웠다.
⑤ 일본 자본과 상품이 한국에 본격적으로 진출하는 상황에서 전개되었다.

10 다음 사건을 활용한 탐구 활동으로 가장 적절한 것은?

1929년 원산 인근 석유 회사에서 일본인 공장 관리자의 한국인 노동자 폭행 사건에 항의하여 4개월 동안 대규모의 파업 투쟁이 벌어졌다.

① 소년 운동의 주장 내용을 확인한다.
② 여성 운동이 전개된 배경을 살펴본다.
③ 형평 운동을 주도한 세력을 찾아본다.
④ 노동 쟁의 때 노동자들이 요구한 사항을 알아본다.
⑤ 소작 쟁의가 일어난 당시 농민들의 상황을 조사한다.

11 ㉠~㉤ 중 옳지 않은 것은?

일제 강점기에는 ㉠ 도시를 중심으로 근대 시설이 갖추어졌다. ㉡ 구두와 양복 등 서양식 복장이 보편화되었고 ㉢ 커피와 캐러멜 등 기호 식품이 보급되었으며, ㉣ 서양식 문화 주택이 생겼다. ㉤ 일제가 들여온 문물은 대부분 한국인을 위한 것이었다.

① ㉠ ② ㉡ ③ ㉢ ④ ㉣ ⑤ ㉤

12 1950년대 우리나라의 경제 상황으로 옳은 것을 〈보기〉에서 고른 것은?

보기
ㄱ. 경부 고속 국도가 개통되었다.
ㄴ. 제1차 경제 개발 5개년 계획이 시작되었다.
ㄷ. 삼백 산업과 같은 소비재 산업이 발달하였다.
ㄹ. 6·25 전쟁으로 많은 산업 시설이 파괴되었다.

① ㄱ, ㄴ ② ㄱ, ㄷ ③ ㄴ, ㄷ
④ ㄴ, ㄹ ⑤ ㄷ, ㄹ

시험에 잘 나와!

13 ㉠, ㉡에 들어갈 내용을 옳게 연결한 것은?

정부는 1960년대에 풍부한 노동력을 바탕으로 의류, 신발, 합판 등 (㉠)을 육성하고 수출을 늘리는 데 힘썼다. 1970년대에는 철강, 화학, 조선과 같은 (㉡)을 육성하며 수출 주도형 정책을 지속하였다.

	㉠	㉡
①	경공업	첨단 산업
②	경공업	중화학 공업
③	첨단 산업	경공업
④	첨단 산업	중화학 공업
⑤	중화학 공업	경공업

14 (가), (나) 시기 우리나라의 경제 성장에 대한 설명으로 옳지 않은 것은?

1970		1980		1990
	(가)		(나)	

① (가) – 수출액이 100억 달러를 넘어섰다.
② (가) – 한강의 기적이라 불릴 만큼 경제가 고도성장하였다.
③ (나) – 3저 호황이 일어났다.
④ (나) – 두 차례의 석유 파동으로 위기를 겪었다.
⑤ (나) – 반도체, 자동차 등 기술 집약적인 산업이 발달하였다.

15 ㉠에 해당하는 내용으로 옳은 것을 〈보기〉에서 고른 것은?

1990년대에 세계화 추세에 따른 시장 개방 압력이 거세지자, 정부는 ㉠ 신자유주의 정책을 폈다.

보기
ㄱ. 새마을 운동을 전개하였다.
ㄴ. 미국의 무상 원조를 받았다.
ㄷ. 공기업의 민영화를 추진하였다.
ㄹ. 경제 협력 개발 기구(OECD)에 가입하였다.

① ㄱ, ㄴ ② ㄱ, ㄷ ③ ㄴ, ㄷ
④ ㄴ, ㄹ ⑤ ㄷ, ㄹ

16 (가)~(다)를 일어난 순서대로 나열한 것은?

(가) 자유 무역 협정(FTA) 처음 체결
(나) 경제 협력 개발 기구(OECD) 가입
(다) 외환 위기 발생과 금 모으기 운동 전개

① (가) – (나) – (다) ② (가) – (다) – (나)
③ (나) – (가) – (다) ④ (나) – (다) – (가)
⑤ (다) – (나) – (가)

17 ㉠에 들어갈 사건의 영향으로 가장 적절한 것은?

사진은 (㉠)(으)로 인해 국제 통화 기금(IMF)으로부터 구제 금융을 지원받자, 민간에서 금 모으기 운동을 벌이는 모습을 보여 준다.

① 환율이 급락하였다.
② 실업자가 감소하였다.
③ 빈부 격차가 완화되었다.
④ 원화 가치가 상승하였다.
⑤ 비정규직 노동자가 증가하였다.

서술형 문제

18 (가) 시기의 사회 모습으로 옳지 않은 것은?

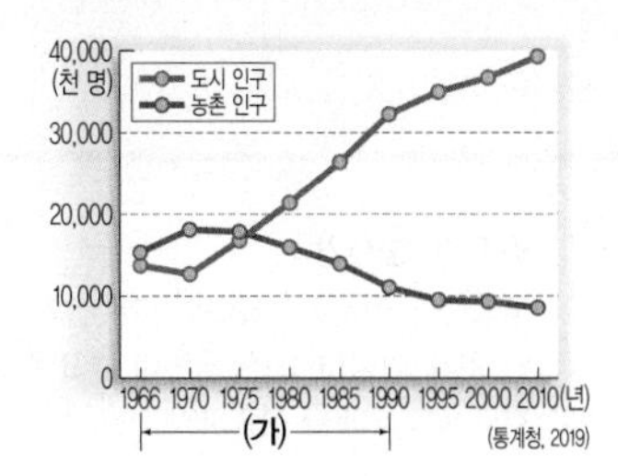

① 도시의 일자리가 증가하였다.
② 농촌과 도시의 소득 격차가 감소하였다.
③ 농촌에서 노동력 부족 문제가 나타났다.
④ 농촌에서 인구 고령화 현상이 심화되었다.
⑤ 도시에 주택 부족, 환경 오염 문제가 발생하였다.

시험에 잘 나와!

19 다음 글이 작성된 배경으로 적절한 것을 〈보기〉에서 고른 것은?

> 1일 14시간의 작업 시간을 1일 10~12시간으로 단축해 주십시오. 1개월 휴일 2일을 늘려서 일요일마다 휴일로 쉬기를 원합니다. …… 인간으로서의 최소한의 요구입니다.

보기
ㄱ. 노동자들이 노동조합을 조직하였다.
ㄴ. 산업화와 도시화가 급속하게 진행되었다.
ㄷ. 외국 농산물 수입으로 농촌 경제가 악화되었다.
ㄹ. 노동자들이 적은 임금을 받으며 장시간 노동하였다.

① ㄱ, ㄴ ② ㄱ, ㄷ ③ ㄴ, ㄷ
④ ㄴ, ㄹ ⑤ ㄷ, ㄹ

20 (가)에 들어갈 내용으로 옳은 것은?

> 경제 발전으로 여가 시간이 늘어나고 라디오, 텔레비전 등 대중 매체가 발달하면서 대중문화가 성장하였다. 특히 1990년대 이후에는 ______(가)______

① 텔레비전 방송이 시작되었다.
② 프로 스포츠가 처음 출범하였다.
③ 대중문화가 한류라는 이름으로 전 세계에 확산되었다.
④ 청바지와 통기타로 대표되는 청년 문화가 발달하였다.
⑤ 서울 올림픽 대회 등의 국제 스포츠 행사를 개최하였다.

서술형 감잡기

01 다음 자료에 나타난 운동을 쓰고, 이 운동이 추진된 배경을 서술하시오.

> 국채 1천3백만 원은 우리나라가 존재하고 망하는 것과 직결된 일입니다. 지금 국고로는 갚을 형편이 못되니 …… 2천만 민중이 3개월 동안 담배를 피우지 말고 그 대금으로 1인당 매달 20전씩 거둔다면 1천3백만 원을 모을 수 있습니다.
> – 대한매일신보

➜ (①)이 차관을 강요하여 대한 제국이 막대한 빚을 지게 되자, (①)에 진 빚을 갚기 위해 (②) 운동이 전개되었다.

실전! 서술형 도전하기

02 다음 자료가 발표되면서 실시된 사업의 시행 방식과 그 결과를 서술하시오.

> 토지 소유자는 조선 총독이 정하는 기간 내에 주소, 씨명, 명칭 및 소유지의 소재, 지목 등을 임시 토지 조사 국장에게 신고해야 한다.
> – 토지 조사령

03 그래프는 원·달러 환율의 추이를 나타낸 것이다. (가) 시기 한국의 경제 상황과 그 영향을 서술하시오.

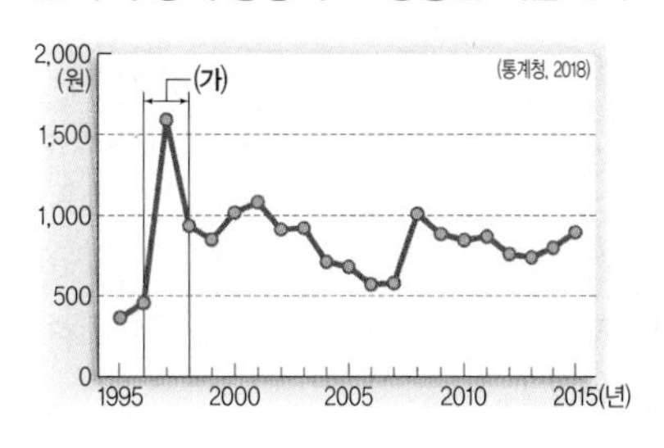

04 민주주의의 발전

A 제헌 헌법의 공포

1. 대한민국 임시 정부의 헌법 제정(1919): 민주 공화제 원칙(주권 재민, 삼권 분립 채택)

2. 제헌 국회의 구성과 활동

제헌 헌법에 따라 국회 의원들의 간접 선거로 이승만이 초대 대통령에 선출되었어.

구성	+5·10 총선거를 통해 구성 → 제헌 헌법 제정(민주 공화정·주권 재민·삼권 분립 규정, 1948), 초대 대통령에 이승만 선출, 대한민국 정부 수립(1948. 8. 15.)
활동	• 친일파 청산 시도: 반민족 행위 처벌법 제정(1948) → 반민족 행위 특별 조사 위원회(+반민 특위) 구성(일제 식민 지배에 협력하였던 인사들을 소환·조사함) • 농지 개혁법 제정: 농지 개혁 실시 → 많은 농민이 자신의 토지를 농사 짓게 됨

자료로 이해하기 대한민국 임시 헌법과 제헌 헌법

• 제2조 대한민국의 주권은 대한 인민 전체에 있다.
제5조 대한민국의 입법권은 의정원이, 행정권은 국무원이, 사법권은 법원이 행사한다.
– 대한민국 임시 정부의 대한민국 임시 헌법

• 제1조 대한민국은 민주 공화국이다.
제2조 대한민국의 주권은 국민에게 있고, 모든 권력은 국민으로부터 나온다. – 제헌 헌법

제헌 헌법은 3·1 운동의 독립 정신을 계승함을 밝히고 대한민국 임시 정부의 헌법에서 규정한 민주 공화정, 모든 주권이 국민에게 있다는 주권 재민, 국민의 자유와 평등 보장 등의 내용을 담았다.

+ 5·10 총선거
우리나라 역사상 최초의 민주 선거로, 만 21세 이상의 모든 국민이 투표권을 갖고 국회 의원을 선출하였다.

+ 반민 특위의 활동
반민 특위는 총 682건을 조사하여 그 중 221건을 기소하였다. 14명이 사형과 징역 등을 선고받았으나 이승만 정부의 소극적 태도와 친일파의 방해로 반민 특위 활동이 정지되면서 모두 풀려났다.

B 4·19 혁명과 이승만 정부의 붕괴

1. 이승만 정부의 장기 집권 시도

왜? 제2대 국회 의원 선거 결과 간접 선거로는 이승만이 대통령에 재선될 확률이 희박해졌기 때문이야.

발췌 개헌(1952)	대통령 직선제를 주요 내용으로 하는 개헌안을 강압적으로 통과시킴
+사사오입 개헌(1954)	당시 대통령에 한해 대통령 출마 횟수의 제한을 철폐하도록 헌법 개정

2. 4·19 혁명

예) 유권자 수 조작, 투표함 교체, 3인조·5인조 공개 투표 등

4월 11일 시위 과정에서 실종되었던 김주열 학생의 시신이 마산 앞바다에서 떠오르자 시위가 전국적으로 확대되었어.

배경	정부통령 선거에서 3·15 부정 선거 발생(1960)
전개	마산 등에서 부정 선거 규탄 시위 전개 → 김주열 학생의 시신 발견으로 격화 → 서울에서 대규모 시위 전개(4. 19.) → 경찰의 무차별 총격으로 사상자 발생 → 대학교수들의 시위 동참(시국 선언 발표) → 이승만의 하야 성명 발표(4. 26.)
의의	학생과 시민의 힘으로 장기 독재 정권을 무너뜨리고 민주주의를 되찾음

이승만의 하야를 요구하였어.

3. 장면 정부(장면 내각)

총선거에서 민주당이 크게 승리하여 장면을 국무총리로 하는 정부가 출범하였어.

(1) 구성: 내각 책임제로 헌법 개정 → 총선거에서 국무총리 장면, 대통령 윤보선 선출
(2) 활동: 부정 선거 관련자 처벌을 위한 법 제정, 경제 개발 계획 마련 등 – 큰 성과를 거두지 못하였어.

+ 사사오입 개헌
당시 개헌안 통과를 위해서는 국회 재적 의원 203명 중 3분의 2 이상의 찬성표가 필요하였다. 하지만 실제 투표에서 찬성이 1표가 부족한 135명으로 나와 부결되었으나, 여당은 사사오입(반올림) 논리를 내세우며 개헌안을 통과시켰다.

- 제헌 국회의 구성과 활동
- 민주주의의 시련
- 민주화 운동
- 직선제 개헌 이후 정부의 정책

1 **다음 설명이 맞으면 ○표, 틀리면 ×표를 하시오.**

(1) 5·10 총선거를 통해 제헌 국회가 구성되었다. ( )

(2) 대한민국 임시 헌법은 주권이 군주에게 있다고 규정하였다. ( )

(3) 제헌 헌법은 삼권 분립을 채택하고 주권이 국민에게 있음을 밝혔다. ( )

2 **다음 빈칸에 들어갈 기관을 쓰시오.**

> 제헌 국회는 ( )를 구성하고 일제 식민 지배에 협력하였던 인사들을 소환하여 조사하였으나 정부의 소극적 태도와 친일파의 방해로 활동이 정지되었다.

3 **다음 괄호 안의 내용 중 알맞은 말에 ○표를 하시오.**

(1) 제헌 헌법은 (민주 공화정, 입헌 군주정)을 채택하였다.

(2) (농지 개혁법, 반민족 행위 처벌법)에 따라 개혁이 이루어져 많은 농민이 자신의 토지를 농사 짓게 되었다.

핵심 콕콕

• 제헌 국회의 구성과 활동

제헌 국회의 구성
5·10 총선거를 통해 구성

↓

제헌 국회의 활동
• 제헌 헌법 제정: 민주 공화정, 주권 재민과 삼권 분립 등 규정 • 친일파 청산 시도: 반민족 행위 처벌법 제정 → 반민족 행위 특별 조사 위원회 구성 • 농지 개혁법 제정: 농지 개혁 실시 → 많은 농민이 자신의 토지를 농사 짓게 됨

1 **다음에서 설명하는 이승만 정부의 개헌을 쓰시오.**

(1) 대통령 직선제를 주요 내용으로 하는 개헌안을 통과시켰다. ( )

(2) 1954년 당시 대통령에 한해 대통령 출마 횟수의 제한을 철폐하는 내용의 개헌안을 반올림의 논리로 통과시켰다. ( )

2 **다음에서 설명하는 사건을 쓰시오.**

> • 3·15 부정 선거를 배경으로 일어났다.
> • 이승만 대통령의 하야 성명을 이끌어 냈다.

3 **4·19 혁명 이후 개정된 헌법에 따라 실시된 총선거에서 ( )을 국무총리로 하는 정부가 출범하였다.**

핵심 콕콕

• 4·19 혁명

구분	내용
배경	이승만 정부의 장기 집권 시도, 3·15 부정 선거 발생
전개	부정 선거 규탄 시위 → 김주열 학생의 시신 발견 → 서울에서 대규모 시위 전개 → 대학교수들의 시국 선언 발표
결과	이승만의 하야 성명 발표

C 박정희 정부와 유신 체제

1. 박정희 정부

꼭 장면 내각의 무능과 사회 혼란을 이유로 박정희 중심의 일부 군부 세력이 정변을 일으켜 정권을 장악하였어.

(1) 성립: 5·16 군사 정변(1961) → 국가 재건 최고 회의 구성(군정 실시, 대통령 중심제로 헌법 개정) → 박정희 대통령 당선(1963)

(2) 정책: 경제 개발 5개년 계획 추진, 미국의 요청으로 베트남 파병 결정, 경제 개발 자금 마련을 위해 일본과 국교 정상화(한일 협정, 1965)

베트남 전쟁에 국군을 파견하여 경제적 이익을 얻었지만, 많은 장병들이 희생되었어.

국민들은 식민 지배에 대한 일본의 사죄와 배상이 미흡하다며 굴욕적인 한일 외교에 반대하였어.

2. 유신 체제의 성립과 저항

(1) 박정희의 장기 집권: 박정희 재선(1967) → 3선 개헌(1969) 이후 박정희 대통령 당선

꼭 대통령직을 3회까지 할 수 있도록 헌법을 개정하였어.

(2) 유신 체제

박정희는 국내외 정세가 자신에게 불리해지자 유신 헌법을 제정하였어.

구분	내용
성립	10월 유신 단행: 비상계엄령 선포, +유신 헌법 제정(대통령에게 막강한 권한 부여)
저항	재야인사·종교인·학생들이 민주 헌정의 회복과 개헌 요구 → 정부의 민주화 운동 탄압(긴급 조치 발동) → 구국 선언 발표(1976) → +부마 민주 항쟁 전개(1979)
붕괴	박정희 피살(10·26사태, 1979)로 유신 체제 붕괴

자료로 이해하기 긴급 조치

유신 헌법을 가리켜.

- 대한민국 헌법을 부정, 반대, 왜곡 또는 비방하는 행위를 금한다.
- 이 조치를 위반한 자와 비방한 자는 법관의 영장 없이 체포·구속·압수 수색하며 15년 이하의 징역에 처한다.

– 대통령 긴급 조치 1호, 1974

유신 체제가 성립하자 재야인사, 종교인, 학생들은 민주 헌정의 회복과 개헌을 요구하였다. 그러나 정부는 긴급 조치를 잇달아 발동하여 민주화 운동을 탄압하였다.

+ 유신 헌법(1972)
대통령의 중임 제한을 없애 영구 집권이 가능하도록 고친 헌법이다. 통일 주체 국민 회의에서 대통령을 선출하고, 대통령에게 국회 의원의 3분의 1에 대한 임명권, 국회 해산권, 긴급 조치권(국민의 자유나 권리, 입법부와 사법부의 활동을 제한할 수 있는 조치) 등을 부여하여 대통령에게 모든 권한을 집중시켰다.

+ 부마 민주 항쟁
부산과 마산에서 유신 철폐를 요구하며 일어난 대규모 시위이다. 유신 체제에 대한 국민의 불만이 쌓여 가던 중 야당인 신민당의 대표였던 김영삼이 국회에서 제명된 일을 계기로 시작되었다.

D 신군부의 등장과 5·18 민주화 운동

1. 신군부의 등장과 반발: 전두환 중심의 신군부 세력이 군대를 동원하여 정권 장악(12·12 사태, 1979) → +시민들의 시위 전개(1980. 5.) → 신군부의 계엄 전국 확대

신군부 퇴진과 민주화를 요구하였어. / 모든 정치 활동을 금지하였어.

2. 5·18 민주화 운동(1980)

구분	내용
전개	광주에서 계엄 철회와 민주주의의 회복을 요구하는 대규모 시위 발발(5. 18.) → 신군부는 계엄군을 투입하여 진압 → 시민군의 항쟁 → 계엄군의 무력 진압
의의	1980년대 민주화 운동의 원동력이 됨, 아시아 여러 나라의 민주화 운동에 영향을 줌

계엄군은 시민군을 향해 집단 발포하여 광주 일대를 포위하고 언론을 통제하였어.

자료로 이해하기 5·18 민주화 운동

우리는 왜 총을 들 수밖에 없었는가? …… 무자비한 만행을 더 이상 보고 있을 수만 없어서 너도 나도 총을 들고 …… 계엄 당국은 18일 오후부터 공수 부대를 대량 투입하여 시내 곳곳에서 학생, 젊은이들에게 무차별 살상을 자행하였으니!

– 광주 시민의 궐기문, 1980. 5. 25.

1980년 광주에서 학생과 시민들이 신군부의 퇴진과 민주화를 요구하며 시위를 벌였다. 신군부는 이를 저지하기 위해 공수 부대를 투입하였고, 시민들은 시민군을 조직하여 계엄군에 맞섰다.

+ 시민들의 시위 전개
시민들은 계엄 해제를 요구하며 대규모 시위를 벌였다.

서울역의 학생 시위(1980. 5. 15.)

1 다음 빈칸에 들어갈 내용을 쓰시오.

(1) 1979년 부산과 마산에서 유신 철폐를 요구하는 (　　　　　)이 일어났다.

(2) 1961년 박정희를 중심으로 한 일부 군부 세력은 (　　　　　)을 일으켜 정권을 장악하였다.

(3) 박정희는 3선 개헌 이후 국내외 정세가 자신에게 불리해지자 (　　　　　)을 제정하여 대통령에게 모든 권한을 집중시켰다.

2 박정희 정부 시기에 있었던 사실만을 〈보기〉에서 있는 대로 골라 기호를 쓰시오.

보기

ㄱ. 베트남 파병　　　　ㄴ. 유신 헌법 제정
ㄷ. 한일 국교 정상화　　ㄹ. 반민족 행위 처벌법 제정

3 ㉠, ㉡에 들어갈 내용을 각각 쓰시오.

유신 헌법에 따라 대통령은 (㉠　　　　)에서 선출하였으며, 대통령이 국민의 자유나 권리, 입법부나 사법부의 활동을 제한할 수 있는 (㉡　　　　)을 행사할 수 있었다.

핵심 콕콕

• **박정희 정부와 유신 체제**

5·16 군사 정변
↓
박정희 정부의 성립
경제 개발 5개년 계획 추진, 베트남 파병 결정, 일본과 국교 정상화
↓
유신 체제의 성립과 저항 운동
유신 헌법 공포 → 민주 헌정의 회복과 개헌 요구 시위 → 정부의 긴급 조치 발동 → 구국 선언 발표 → 부마 민주 항쟁 → 10·26 사태로 유신 체제 붕괴

1 다음 괄호 안의 내용 중 알맞은 말을 골라 순서대로 쓰시오.

1979년 전두환을 중심으로 한 신군부 세력은 (10·26 사태, 12·12 사태)를 통해 정권을 장악하였다. 이에 맞서 시민들이 신군부 퇴진과 민주화를 요구하며 시위를 전개하자, 신군부 세력은 (계엄, 긴급 조치)을/를 전국으로 확대하였다.

2 다음 설명이 맞으면 ○표, 틀리면 ×표를 하시오.

(1) 전두환 중심의 신군부 세력은 1979년 평화적인 정권 교체를 하였다. (　　)

(2) 신군부의 계엄군 투입에 맞서 광주 시민들은 시민군을 결성하여 항쟁하였다. (　　)

3 1980년 5월 전라남도 광주에서 (　　　　　)이 일어나 계엄 철회와 민주주의 회복을 요구하는 대규모 시위를 벌였다.

핵심 콕콕

• **5·18 민주화 운동**

배경	전두환 중심의 신군부 세력이 군대를 동원하여 정권 장악 → 신군부의 계엄 확대
전개	광주에서 시위 발생(계엄 철회, 민주주의 회복 요구) → 신군부의 계엄군 투입 → 시민군의 항쟁 → 계엄군의 무력 진압

E 전두환 정부의 수립과 6월 민주 항쟁

1. 전두환 정부의 수립과 정책

꼭 7년 단임의 대통령 간선제로 헌법을 고쳤어.

수립	통일 주체 국민 회의에서 전두환 대통령 선출 → 헌법 개정 후 대통령에 재취임
정책	• 독재 정치: 언론사 통폐합, 민주화 운동 탄압, 뉴스 사전 검열, +삼청 교육대 운영 등 • 유화 정책: 국민의 반발 무마 목적 → 야간 통행금지 해제, 교복 자율화 등

2. 6월 민주 항쟁

대학생 박종철이 경찰의 고문으로 사망한 사건이야. 많은 시민들이 이 사건의 진상 규명을 요구하는 시위를 전개하였어.

배경	전두환 정부의 독재 정치, 박종철 고문치사 사건 발생(1987)
전개	박종철 사망의 진상 규명·정권 퇴진과 대통령 직선제 개헌 요구 → 정부의 개헌 거부(+4·13 호헌 조치)·시위 탄압 → 시위의 전국적 확산(6월 민주 항쟁, 1987)
결과	6·29 민주화 선언 발표 → 5년 단임의 대통령 직선제를 주요 내용으로 하는 개헌 단행 → 대통령 선거에서 노태우 후보 당선

자료로 이해하기 6월 민주 항쟁

전두환 정부는 박종철 고문치사 사건을 은폐하려고 하였어.

• 우리는 희망찬 민주 국가를 건설하기 위한 거보를 전 국민과 함께 내딛는다. …… 꽃다운 젊은이를 야만적인 고문으로 죽여 놓고, 그것도 모자라서 뻔뻔스럽게 국민을 속이려 했던 현 정권에게 국민의 분노가 무엇인지 분명히 보여 주고, 국민적 여망인 개헌을 일방적으로 파기한 4·13 폭거를 철회시키기 위한 민주 장정을 시작한다. – 6·10 국민 대회 선언문, 1987

• 첫째, 여야 합의하에 조속히 대통령 직선제 개헌을 하고 새 헌법에 의한 대통령 선거로 88년 2월 평화적 정부 이양을 실현하겠습니다. – 6·29 민주화 선언, 1987

전두환 정부가 대통령 직선제 개헌을 받아들이지 않자 시민들은 전두환 정권 퇴진과 대통령 직선제 개헌을 요구하며 6월 민주 항쟁을 벌였다. 그 결과 1987년 6월 29일, 당시 여당의 대통령 후보였던 노태우가 대통령 직선제 수용을 주요 내용으로 하는 6·29 민주화 선언을 발표하였고, 이후 대통령 직선제 개헌이 이루어졌다.

+ 삼청 교육대
1980년부터 1981년까지 정부가 사회 정화 정책의 일환으로 설치하였다. 영장 발부 없이 무고한 사람까지 체포되는 등 수많은 인권 침해가 발생하였다.

+ 4·13 호헌 조치
전두환 정부가 일체의 개헌 논의를 중단시키고 현행 헌법을 유지한다고 선언한 것으로, 대통령 직선제로의 개헌을 거부한 조치이다.

F 민주주의의 발전

1. 직선제 개헌 이후의 정부

예 노동·농민·교육 운동 등

노태우 정부	북방 외교를 추진하여 사회주의 국가들과 수교, 지방 자치제를 부분적으로 실시, 부정부패 만연(막대한 정치 자금 조성), 다양한 분야의 사회 운동 성장
김영삼 정부	고위 공직자의 재산 등록제·+금융 실명제 시행, 지방 자치제의 전면적 실시, '+역사 바로 세우기' 추진, 외환 위기 초래(국제 통화 기금(IMF)의 지원을 받음)
김대중 정부	최초의 여야 간 평화적 정권 교체로 성립, 외환 위기 극복, 남북 정상 회담 개최
노무현 정부	권위주의 청산, 과거사 정리 사업 추진, 호주제 폐지 결정, 남북 정상 회담 성사
이명박 정부	창조적 실용주의 표방, 선진 20개국(G20) 정상 회의 개최
박근혜 정부	일자리 중심의 창조 경제·안전과 통합의 사회 등 표방, 국정 농단 사태로 탄핵됨

국제 통화 기금(IMF)으로부터 지원받은 차입금을 전액 상환하였어.

2. 민주주의의 확산: 노동·환경·여성·인권·국가 권력 문제 등을 해결하기 위한 시민 단체의 활동 전개, 민주주의 수호를 위한 자발적인 촛불 집회 등 전개

+ 금융 실명제
금융 거래를 할 때 실제 이름을 쓰도록 하는 제도이다. 금융 거래를 정상화하고 세금을 합리적으로 부과하는 데 목적이 있었다.

+ 역사 바로 세우기
'역사 바로 세우기'를 통해 전두환, 노태우 전직 대통령은 반란 및 내란죄로 구속·기소되어 각각 무기 징역과 징역 17년을 선고받았다. 그러나 이들은 이후 특별 사면 조치에 따라 석방되었다.

1 전두환 정부의 정책만을 〈보기〉에서 있는 대로 골라 기호를 쓰시오.

보기

ㄱ. 언론사 통폐합
ㄴ. 뉴스 사전 검열
ㄷ. 10월 유신 단행
ㄹ. 삼청 교육대 운영
ㅁ. 국가 재건 최고 회의 구성
ㅂ. 반민족 행위 특별 조사 위원회 구성

2 다음 설명이 맞으면 ○표, 틀리면 ×표를 하시오.

(1) 박종철 고문치사 사건을 계기로 유신 체제 반대 시위가 일어났다. ( )
(2) 전두환 정부는 야간 통행금지 해제, 교복 자율화 등 유화 정책을 실시하였다. ( )
(3) 전두환 정부가 대통령 직선제 개헌 요구를 받아들이지 않자, 6월 민주 항쟁이 일어났다. ( )
(4) 6월 민주 항쟁의 결과 대통령이 국회를 해산할 수 있고, 긴급 조치권을 행사할 수 있는 개헌이 단행되었다. ( )

3 ㉠, ㉡에 들어갈 내용을 각각 쓰시오.

6월 민주 항쟁의 결과 여당 대통령 후보였던 노태우는 (㉠)을 발표하였다. 이후 5년 단임의 대통령 (㉡)를 주요 내용으로 하는 개헌이 이루어졌다.

핵심 콕콕

• 6월 민주 항쟁

배경	전두환 정부의 독재 정치, 박종철 고문치사 사건 발생
전개	박종철 사망의 진상 규명·정권 퇴진과 대통령 직선제 개헌 요구 → 정부의 개헌 거부·시위 탄압 → 시위의 전국적 확산
결과	6·29 민주화 선언 발표 → 5년 단임의 대통령 직선제 개헌 단행

1 다음 괄호 안의 내용 중 알맞은 말에 ○표를 하시오.

(1) 노무현 정부는 (호주제 폐지, 지방 자치제 실시)를 결정하였다.
(2) (김대중 정부, 노태우 정부)는 북방 외교를 추진하여 사회주의 국가들과 수교를 맺었다.

2 다음 빈칸에 들어갈 대통령을 쓰시오.

(1) ( ) 정부는 금융 실명제를 시행하고 지방 자치제를 전면적으로 실시하였으며, 역사 바로 세우기를 추진하였다.
(2) 최초의 여야 간 평화적 정권 교체로 성립한 ( ) 정부는 국제 통화 기금(IMF)으로부터 지원받은 차입금을 전액 상환하였다.

핵심 콕콕

• 직선제 개헌 이후의 정부

노태우 정부	사회주의 국가들과 수교, 지방 자치제를 부분적으로 실시
김영삼 정부	금융 실명제 시행, 지방 자치제 전면 실시, '역사 바로 세우기' 추진
김대중 정부	외환 위기 극복, 남북 정상 회담 개최
노무현 정부	호주제 폐지 결정, 남북 정상 회담 성사

01 다음 헌법에 대한 설명으로 옳은 것은?

> 제2조 대한민국의 주권은 대한 인민 전체에 있다.
> 제5조 대한민국의 입법권은 의정원이, 행정권은 국무원이, 사법권은 법원이 행사한다.

① 삼권 분립을 채택하였다.
② 대한민국 정부의 헌법이다.
③ 제헌 국회에서 제정하였다.
④ 내각 책임제를 규정하고 있다.
⑤ 반민족 행위의 처벌을 규정하였다.

시험에 잘 나와!

02 밑줄 친 '이 헌법'에 대한 설명으로 옳은 것을 〈보기〉에서 고른 것은?

> 유구한 역사와 전통에 빛나는 우리들 대한 국민은 기미 3·1 운동으로 대한민국을 건립하여 세계에 선포한 위대한 독립 정신을 계승하여 …… 자유로이 선거된 대표로써 구성된 국회에서 단기 4281년(1948년) 7월 12일 <u>이 헌법</u>을 제정한다.

보기

ㄱ. 민주 공화정을 채택하였다.
ㄴ. 대한민국 임시 정부에서 제정하였다.
ㄷ. 모든 주권이 국민에게 있음을 밝혔다.
ㄹ. 사사오입(반올림)의 논리로 통과시켰다.

① ㄱ, ㄴ ② ㄱ, ㄷ ③ ㄴ, ㄷ
④ ㄴ, ㄹ ⑤ ㄷ, ㄹ

03 밑줄 친 '국회'의 활동으로 옳은 것은?

> 1948년 5·10 총선거를 통해 구성된 <u>국회</u>에서는 헌법을 만들고 이승만을 초대 대통령으로 선출하였다.

① 3선 개헌 단행
② 10월 유신 선포
③ 베트남 파병 결의
④ 내각 책임제로 헌법 개정
⑤ 반민족 행위 처벌법 제정

04 (가)에 들어갈 내용으로 옳은 것은?

> 이승만 정부는 제2대 국회 의원 선거의 결과 대통령에 재선될 확률이 희박해지자, 1952년 ___(가)___을/를 주요 내용으로 하는 개헌안을 강압적으로 통과시켰다.

① 대통령 직선제
② 대통령직 3회까지 허용
③ 대통령의 중임 제한 철폐
④ 7년 단임의 대통령 간선제
⑤ 통일 주체 국민 회의에서의 대통령 선출

05 다음과 같이 통과된 개헌에 대한 설명으로 옳은 것은?

> 당시 개헌안 통과를 위해서는 국회 재적 의원 203명 중 3분의 2 이상의 찬성표가 필요하였다. 하지만 실제 투표에서 찬성이 1표가 부족한 135명으로 나와 부결되었으나, 여당은 사사오입(반올림) 논리를 내세우며 개헌안을 통과시켰다.

① 6월 민주 항쟁의 결과 이루어졌다.
② 대통령에게 국회 해산권을 주었다.
③ 대통령에게 긴급 조치권을 부여하였다.
④ 당시 대통령의 출마 횟수 제한을 철폐하였다.
⑤ 대통령 중심제를 폐지하고 내각 책임제를 채택하였다.

시험에 잘 나와!

06 (가)~(라)를 일어난 순서대로 나열한 것은?

> (가) 3·15 부정 선거가 일어났다.
> (나) 이승만이 하야 성명을 발표하였다.
> (다) 대학교수들이 시국 선언을 발표하였다.
> (라) 김주열 학생의 시신이 마산 앞바다에서 발견되었다.

① (가) – (나) – (다) – (라)
② (가) – (라) – (다) – (나)
③ (나) – (가) – (다) – (라)
④ (라) – (가) – (나) – (다)
⑤ (라) – (나) – (가) – (다)

07 ㉠, ㉡에 들어갈 내용을 옳게 연결한 것은?

4·19 혁명 이후 헌법은 (㉠)로 개정되었다. 이 헌법에 따라 실시된 총선거에서 민주당이 승리하여 (㉡)을/를 국무총리로 하는 정부가 출범하였다.

	㉠	㉡
①	내각 책임제	장면
②	내각 책임제	윤보선
③	대통령 간선제	박정희
④	대통령 간선제	윤보선
⑤	대통령 직선제	장면

08 (가) 시기의 정치 상황에 대한 설명으로 옳은 것은?

1961 (가) 1963

5·16 군사 정변 / 박정희 대통령 당선

① 유신 헌법이 공포되었다.
② 일본과 국교가 정상화되었다.
③ 국가 재건 최고 회의가 군정을 실시하였다.
④ 미국의 요청에 따라 베트남 파병이 결정되었다.
⑤ 통일 주체 국민 회의에서 대통령을 선출하였다.

09 박정희 정부에 대한 설명으로 옳은 것을 〈보기〉에서 고른 것은?

보기
ㄱ. 호주제를 폐지하였다.
ㄴ. 베트남 전쟁에 국군을 파견하였다.
ㄷ. 경제 개발 5개년 계획을 추진하였다.
ㄹ. 사회주의 국가들과 외교 관계를 맺었다.

① ㄱ, ㄴ　② ㄱ, ㄷ　③ ㄴ, ㄷ
④ ㄴ, ㄹ　⑤ ㄷ, ㄹ

시험에 잘 나와!

10 교사의 질문에 대한 학생의 답변으로 가장 적절한 것은?

① 유신 헌법을 공포하였어요.
② 금융 실명제를 시행하였어요.
③ 삼청 교육대를 설치하였어요.
④ 3·15 부정 선거를 자행하였어요.
⑤ 박종철 고문치사 사건을 은폐하려 하였어요.

11 밑줄 친 '헌법'에 대한 설명으로 옳지 않은 것은?

- 대한민국 헌법을 부정, 반대, 왜곡 또는 비방하는 행위를 금한다.
- 유언비어를 날조, 유포하는 행위를 금한다.
- 이 조치를 위반한 자와 비방한 자는 법관의 영장 없이 체포·구속·압수 수색하며 15년 이하의 징역에 처한다.

– 대통령 긴급 조치 1호, 1974

① 대통령에게 긴급 조치권을 부여하였다.
② 대통령의 영구 집권이 가능하도록 하였다.
③ 6·29 민주화 선언의 발표에 따라 개정되었다.
④ 통일 주체 국민 회의에서 대통령을 선출하도록 하였다.
⑤ 대통령에게 국회 의원의 3분의 1에 대한 임명권을 부여하였다.

12 (가), (나) 시기 사이에 일어난 사실로 옳은 것은?

> (가) 10·26 사태가 일어났다.
> (나) 5·18 민주화 운동이 일어났다.

① 금융 실명제가 시행되었다.
② 부마 민주 항쟁이 일어났다.
③ 일본과의 국교가 정상화되었다.
④ 경제 개발 5개년 계획이 처음 추진되었다.
⑤ 전두환 중심의 신군부 세력이 정권을 장악하였다.

시험에 잘 나와!

13 다음 자료에 나타난 사건에 대한 설명으로 옳은 것은?

> 우리는 왜 총을 들 수밖에 없었는가? …… 무자비한 만행을 더 이상 보고 있을 수만 없어서 너도 나도 총을 들고 …… 계엄 당국은 18일 오후부터 공수 부대를 대량 투입하여 시내 곳곳에서 학생, 젊은이들에게 무차별 살상을 자행하였으니!
> – 광주 시민의 궐기문, 1980. 5. 25.

① 10·26 사태로 실패하였다.
② 12·12 사태의 배경이 되었다.
③ 6·29 민주화 선언의 발표로 종결되었다.
④ 계엄 철회와 민주주의의 회복을 요구하였다.
⑤ 박종철 고문치사 사건의 진상 규명을 요구하였다.

14 ㉠ 정부의 정책으로 옳지 않은 것은?

> 삼청 교육대는 1980년부터 1981년까지 (㉠)이/가 사회 정화 정책의 일환으로 설치하였다. 영장 발부 없이 무고한 사람까지 체포되는 등 수많은 인권 침해가 발생하였다.

① 교복을 자율화하였다.
② 언론사를 통폐합하였다.
③ 민주화 운동을 탄압하였다.
④ 야간 통행금지를 해제하였다.
⑤ 지방 자치제를 부분적으로 실시하였다.

15 밑줄 친 '민주 장정'에 대한 설명으로 옳은 것은?

> 우리는 희망찬 민주 국가를 건설하기 위한 거보를 전 국민과 함께 내딛는다. …… 꽃다운 젊은이를 야만적인 고문으로 죽여 놓고, 그것도 모자라서 뻔뻔스럽게 국민을 속이려 했던 현 정권에게 국민의 분노가 무엇인지 분명히 보여 주고, 국민적 여망인 개헌을 일방적으로 파기한 4·13 폭거를 철회시키기 위한 민주 장정을 시작한다.
> – 6·10 국민 대회 선언문

① 사사오입 개헌에 반대하였다.
② 3·15 부정 선거를 규탄하였다.
③ 대통령 직선제 개헌을 요구하였다.
④ 이승만 대통령의 하야를 요구하였다.
⑤ 김주열 학생의 시신이 발견되면서 격화되었다.

시험에 잘 나와!

16 6월 민주 항쟁의 결과 개정된 헌법의 내용으로 옳은 것은?

① 대통령 간선제 유지
② 대통령의 중임 제한 철폐
③ 대통령에게 긴급 조치권 부여
④ 5년 단임의 대통령 직선제 실시
⑤ 7년 단임의 대통령 간선제 실시

17 다음을 주요 내용으로 하는 선언이 이루어진 직후 수립된 정부 시기의 사실로 옳은 것은?

> 1. 1988년 2월, 대통령 직선제 개헌을 통한 평화적 정권 이양
> 2. 대통령 선거법 개정을 통한 공정한 경쟁 보장
> 3. 시국 관련 사범들의 석방
> 6. 지방 자치 및 교육 자치 실시

① 10월 유신이 단행되었다.
② 사회주의 국가들과 수교하였다.
③ 최초로 남북 정상 회담이 개최되었다.
④ 고위 공직자의 재산 등록제를 시행하였다.
⑤ 외환 위기로 국제 통화 기금(IMF)의 지원을 받았다.

시험에 잘 나와!

18 ㉠ 정부 시기의 정치 상황에 대한 설명으로 옳은 것을 <보기>에서 고른 것은?

보기
ㄱ. 외환 위기를 극복하였다.
ㄴ. 금융 실명제를 시행하였다.
ㄷ. 호주제 폐지를 결정하였다.
ㄹ. 지방 자치제를 전면적으로 실시하였다.

① ㄱ, ㄴ ② ㄱ, ㄷ ③ ㄴ, ㄷ
④ ㄴ, ㄹ ⑤ ㄷ, ㄹ

19 다음은 정부의 변천을 나타낸 것이다. (가) 정부에 대한 설명으로 옳은 것은?

김영삼 정부 ➜ (가) ➜ 노무현 정부

① 발췌 개헌을 단행하였다.
② 12·12 사태로 수립되었다.
③ 농지 개혁법을 제정하였다.
④ 6월 민주 항쟁으로 붕괴되었다.
⑤ 여야 간 평화적 정권 교체로 출범하였다.

20 노무현 정부에 대한 탐구 활동으로 가장 적절한 것은?

① 남북 정상 회담의 내용을 조사한다.
② 경제 개발 5개년 계획의 과정을 정리한다.
③ 반민 특위의 활동이 실패한 이유를 찾아본다.
④ 5·18 민주화 운동이 일어난 배경을 검색한다.
⑤ 국제 통화 기금(IMF)의 지원을 받게 된 배경을 알아본다.

서술형 문제

서술형 감잡기

01 다음을 읽고 물음에 답하시오.

여야 합의하에 조속히 대통령 직선제 개헌을 하고 새 헌법에 의한 대통령 선거로 88년 2월 평화적 정부 이양을 실현하겠습니다.

(1) 자료의 선언을 이끌어 낸 민주화 운동을 쓰시오.

(2) (1) 운동 세력의 요구 사항을 서술하시오.

➜ 박종철 사망의 진상 규명과 (①) 정권의 퇴진, 대통령 (②)로의 개헌을 요구하였다.

실전! 서술형 도전하기

02 다음과 같이 전개된 사건의 의의를 두 가지 서술하시오.

3·15 부정 선거를 규탄하는 시위가 전개되던 중에 김주열 학생의 시신이 발견되면서 서울에서 대규모 시위가 전개되었다. 경찰의 무차별 발포로 사상자가 발생하자, 대학교수들이 시국 선언을 하였다.

03 다음 주장의 근거를 유신 헌법의 내용을 통해 서술하시오.

유신 헌법은 대통령에게 권한을 집중한 권위주의 통치 체제를 성립시켰다.

평화 통일을 위한 노력

A 남북의 분단

1. 광복 이후 한반도 분할

(1) 배경: 제2차 세계 대전 이후 냉전의 본격화 (미국 중심의 자본주의 국가와 소련 중심의 공산주의 국가가 대립하였어.)

(2) 전개: 미국과 소련이 38도선을 경계로 한반도를 분할 점령

2. 남북한의 정부와 정권 수립

(미국, 영국, 소련의 대표가 논의하여 한반도에 임시 민주 정부를 세우고 최대 5년간 신탁 통치를 하기로 결정하였어.)

과정	• 남북한 갈등: 미국·영국·소련이 한반도 신탁 통치 결정 → 국내에서 신탁 통치를 둘러싼 갈등 심화 → ⁺좌우 합작 운동 추진 → 미국이 유엔(UN)에 한반도 문제 상정 → 유엔은 인구 비례에 따른 총선거 실시 결정(→ 소련과 북한의 거부) → 유엔 소총회에서 선거 가능 지역의 총선거 실시 결정 → ⁺남북 협상 전개 • 단독 정부 수립 반대 움직임: ⁺제주 4·3 사건, 여수·순천 10·19 사건(1948) 발생
남북 분단	• 남한: 대한민국 정부 수립 선포(1948. 8. 15.) • 북한: 조선 민주주의 인민 공화국 수립 선포(1948. 9. 9.)

(국군 제14연대가 제주 4·3 사건 진압 명령을 거부하고 여수, 순천 일대를 점령한 사건)

(김일성을 비롯한 사회주의 세력 간의 연합으로 정권이 수립되었어.)

+ 좌우 합작 운동
김규식, 여운형 등이 통일 정부를 수립하기 위해 벌인 운동

+ 남북 협상(1948. 4.)
김구와 김규식이 북측 지도자와 만나 통일 정부 수립 문제를 논의하였지만 큰 성과를 거두지 못하였다.

+ 제주 4·3 사건(1948. 4.)
남한만의 단독 선거 반대를 주장하는 좌익 세력과 이를 진압하려는 군경, 반공 단체 등이 제주도에서 무력 충돌한 사건

B 6·25 전쟁과 분단의 고착화

1. 6·25 전쟁의 배경: 한반도에서 미군과 소련군 철수, 38도선 부근에서 남북한 군사의 충돌, 미국의 ⁺애치슨 선언 발표, 소련과 북한의 비밀 군사 협정 체결 (소련이 북한에 군사적 지원을 약속하였어.)

2. ⁺6·25 전쟁의 전개

(1) 전쟁 과정: 북한군의 남침(1950. 6. 25.) → 3일 만에 서울이 함락됨 → 국군은 낙동강 유역까지 후퇴 → 유엔군 파병 → 국군과 유엔군이 인천 상륙 작전에 성공하여 서울 수복·압록강 유역까지 진격 → 중국군 참전으로 서울 상실 → 서울 재탈환 (북한은 선전 포고도 없이 남한을 기습 침공하였어.)

(2) 정전 협정: 38도선 일대에서 공방전 지속 → 2년여 동안의 협상 끝에 정전 협정 체결(1953. 7. 27.)

(북한의 요청으로 중국군이 참전하였어.)

(이승만 정부가 북진 통일을 주장하여 정전에 반대하였고, 포로 교환 방법, 휴전선의 위치 선정 등을 둘러싸고 대립하여 협상이 길어졌어.)

3. 6·25 전쟁의 영향: 남북한에 막대한 인적·물적 피해를 남김, 남북한 간에 적대감과 불신이 높아져 분단 고착화·문화적 이질감 증대

자료로 이해하기 6·25 전쟁의 피해

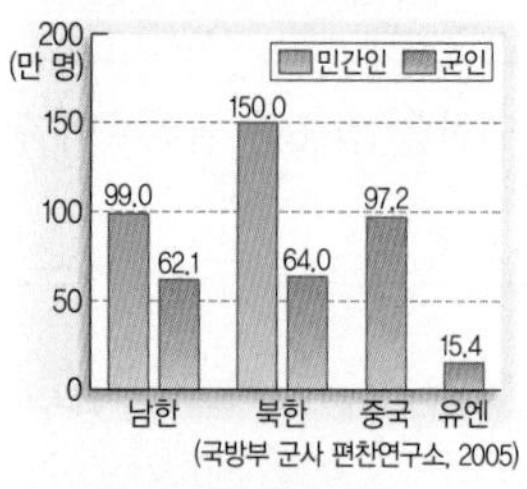

6·25 전쟁의 인명 피해

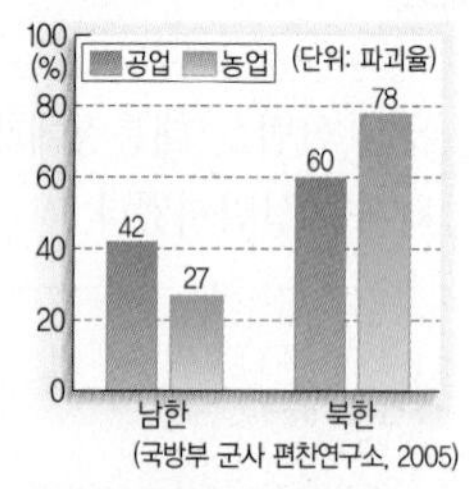

6·25 전쟁의 산업 피해

6·25 전쟁은 남북한에 큰 피해를 남겼다. 이 전쟁으로 당시 남북한 인구의 6분의 1에 해당하는 약 500만 명이 죽거나 다쳤고, 약 10만 명의 전쟁고아와 1천만 명에 이르는 이산가족이 생겼다. 또한 남북한 대부분의 건물과 산업 시설이 파괴되면서 전 국토가 황폐해졌다.

+ 애치슨 선언
미국의 국무 장관 애치슨이 한반도와 타이완을 미국의 태평양 방위선에서 제외한다고 발표한 선언

+ 6·25 전쟁의 전개

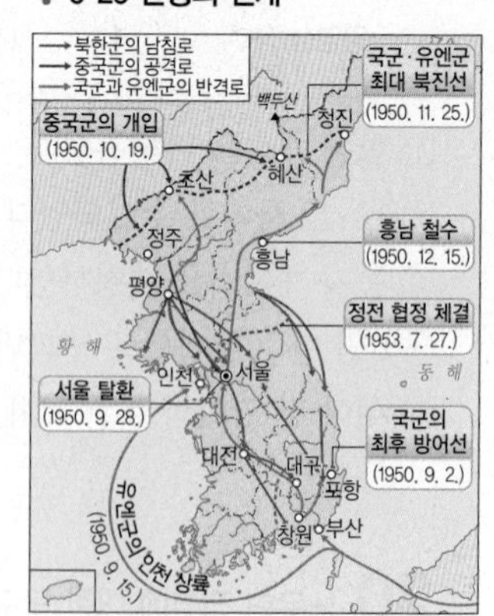

- 남한 정부와 북한 정권의 수립 과정
- 6·25 전쟁의 전개와 결과

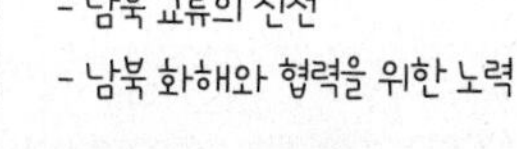

1 다음 괄호 안의 내용 중 알맞은 말에 ○표를 하시오.

(1) 김구, 김규식은 (남북 협상, 정전 협정)을 통해 통일 정부 수립 문제를 논의하였다.

(2) 국내에서 신탁 통치를 둘러싼 갈등이 심해지자 (여운형, 이승만) 등은 좌우 합작 운동을 벌여 통일 정부를 수립하고자 하였다.

2 다음에서 설명하는 사건을 쓰시오.

> 1948년 4월 제주도에서 남한만의 단독 선거 반대를 주장하는 좌익 세력과 이를 진압하려는 군경, 반공 단체 등이 무력 충돌하였다.

핵심 콕콕

• 남북의 분단

구분	내용
배경	냉전 본격화, 미국과 소련의 한반도 분할 점령
과정	미·영·소가 한반도 신탁 통치 결정 → 좌우 합작 운동 → 유엔이 한반도에서 인구 비례에 따른 총선거 실시 결정 → 유엔 소총회에서 선거 가능 지역의 총선거 실시 결정 → 남북 협상 전개
결과	남북한에 각각 정부와 정권 수립

1 ㉠, ㉡에 들어갈 내용을 각각 쓰시오.

> 6·25 전쟁은 미국의 국무 장관이 한반도와 타이완을 미국의 태평양 방위선에서 제외한다고 발표한 (㉠　　　　), 북한과 (㉡　　　　)의 비밀 군사 협정 체결 등을 배경으로 일어났다.

2 다음은 6·25 전쟁 중에 일어난 사실이다. (가)~(라)를 일어난 순서대로 나열하시오.

> (가) 정전 협정이 체결되었다.
> (나) 북한의 요청으로 중국군이 전쟁에 참여하였다.
> (다) 북한군이 남침하여 3일 만에 서울을 함락하였다.
> (라) 유엔군이 파견되어 국군과 함께 인천 상륙 작전을 성공시켰다.

3 다음 설명이 맞으면 ○표, 틀리면 ×표를 하시오.

(1) 6·25 전쟁의 결과 남북한 간에 문화적 동질감이 증대하였다. (　　)

(2) 6·25 전쟁으로 남북한에서는 막대한 인적·물적 피해가 발생하였다. (　　)

• 6·25 전쟁

구분	내용
배경	미군과 소련군의 한반도 철수, 애치슨 선언, 소련과 북한의 비밀 군사 협정
전개	북한군이 남침하여 서울 함락 → 국군은 낙동강 유역까지 후퇴 → 국군과 유엔군이 인천 상륙 작전에 성공하여 서울 수복·압록강 유역까지 진격 → 중국군 참전으로 서울 상실 → 서울 재탈환
결과	정전 협정 체결
영향	남북한에서 막대한 인적·물적 피해 발생, 분단 고착화, 문화적 이질감 증대

C 남북 대화의 시작과 교류의 진전

1. 남북 간 대화의 시작: 1970년대 박정희 정부 때 남북한 교류 시작

배경	냉전 체제 완화, 평화와 공존을 지향하는 국제 분위기 형성
내용	• 남북 적십자 회담(1971): 이산가족 문제 협의 • 7·4 남북 공동 성명 발표(1972): 자주, 평화, 민족 대단결의 통일 3대 원칙에 합의

└ 남북한 사이에 비밀 특사가 오간 끝에 이루어졌어.

2. 남북 교류의 진전: 1980년대 후반 냉전 체제가 종식되면서 남북 관계 진전

전두환 정부	남북한 이산가족 상봉, 예술 공연단 교환 방문
노태우 정부	남북 고위급 회담 개최, 남북 국제 연합(UN) 동시 가입, ✚남북 기본 합의서 채택(화해와 불가침·교류와 협력에 합의), 한반도 비핵화 공동 선언에 합의(1991)
김영삼 정부	화해·협력, 남북 연합, 통일 국가에 이르는 통일 방안 제시

└ 식량난을 겪는 북한에 쌀과 비료를 지원하기도 하였어.

자료로 이해하기 7·4 남북 공동 성명

첫째, 통일은 외세의 의존과 간섭 없이 자주적으로 해결한다.
둘째, 통일은 상대방을 반대하는 무력 행사에 의하지 않고 평화적 방법으로 실현한다.
셋째, 사상과 이념, 제도의 차이를 넘어 하나의 민족으로서 민족적 대단결을 도모한다.

1972년 7월 4일 남북한 당국은 7·4 남북 공동 성명을 발표하였다. 이 성명은 분단 이후 최초로 통일을 위한 합의를 이끌어 냈다는 의의가 있다. 이때 제시된 통일 원칙은 남북한 간 교류 협력의 기본 원칙이 되었다.

✚ 남북 기본 합의서(1991)

> 남과 북은 7·4 남북 공동 성명의 원칙을 재확인하고 ……
> 제1조 남과 북은 서로 상대방의 체제를 인정하고 존중한다.
> 제9조 남과 북은 상대방에 대하여 무력을 사용하지 않으며 상대방을 무력으로 침략하지 아니한다.

정식 명칭은 '남북 사이의 화해와 불가침 및 교류·협력에 관한 합의서'이다. 이 합의서에서 남과 북은 서로 상대방의 체제를 인정하고 존중하기로 하였다.

D 남북 화해와 협력을 위한 노력

1. 통일을 위한 남북 정상 회담

김대중 정부	대북 화해 협력 정책('햇볕 정책') 추진 → 금강산 관광 시작(1998), 남북 정상 회담을 개최하여 6·15 남북 공동 선언 발표(2000) → 6·15 남북 공동 선언에 따라 개성 공단 건설·경의선 복구·이산가족 상봉 등 추진
노무현 정부	남북 정상 회담 개최(2007): 남북 관계 발전과 평화 번영을 위한 선언(10·4 남북 공동 선언) 발표

2. 통일 노력의 지속: 문재인 정부 때 평창 동계 올림픽 대회에 북한 선수단 참가, 남북 정상 회담 개최(한반도의 평화와 번영, 통일을 위한 ✚판문점 선언 발표)

└ 한때 북한의 핵실험 강행, 연평도 포격 사건 등으로 남북 관계가 경색되었으나, 남북은 한반도 평화 체제 구축을 위해 노력하고 있어.

자료로 이해하기 6·15 남북 공동 선언

1. 남과 북은 나라의 통일 문제를 …… 자주적으로 해결해 나가기로 하였다.
2. 남과 북은 나라의 통일을 위한 남측의 연합제안과 북측의 낮은 단계의 연방제안이 서로 공통성이 있다고 인정하고, 이 방향에서 통일을 지향하기로 하였다.

2000년 김대중 대통령은 평양을 방문하여 최초의 남북 정상 회담을 개최하고 6·15 남북 공동 선언을 발표하였다. 이후 여러 차례 이산가족 상봉이 이루어졌고, 남북 협력 사업이 활성화되었다.

✚ 판문점 선언(2018. 4.)

> 1. 남과 북은 남북 관계의 전면적이며 획기적인 개선과 발전을 이룩함으로써 끊어진 민족의 혈맥을 잇고 공동 번영과 자주 통일의 미래를 앞당겨 나갈 것이다.
> 2. 남과 북은 한반도에서 첨예한 군사적 긴장 상태를 완화하고 전쟁 위험을 실질적으로 해소하기 위하여 공동으로 노력해 나갈 것이다.

남북한은 판문점 선언에서 남북한이 채택한 합의와 선언을 이행하며, 항구적인 평화 체제를 구축하기 위해 협력하기로 하였다.

핵심 콕콕

1 다음 통일 정책을 추진한 정부를 〈보기〉에서 골라 기호를 쓰시오.

보기		
ㄱ. 전두환 정부	ㄴ. 노태우 정부	ㄷ. 김영삼 정부

(1) 남북한이 국제 연합(UN)에 동시 가입하였다. ( )
(2) 남북한 이산가족 상봉, 예술 공연단 교환 방문이 이루어졌다. ( )
(3) 화해·협력, 남북 연합, 통일 국가에 이르는 통일 방안을 제시하였다. ( )

2 (가)~(다)를 일어난 순서대로 나열하시오.

(가) 남북 적십자 회담 (나) 남북 기본 합의서 채택 (다) 7·4 남북 공동 성명 발표

3 다음 빈칸에 들어갈 내용을 쓰시오.

(1) 7·4 남북 공동 성명은 자주, 평화, ( )의 통일 3대 원칙에 합의한 것이다.
(2) 1991년에 채택된 ( )에서 남과 북은 서로 상대방의 체제를 인정하고 존중하기로 하였다.

• **남북 대화의 시작과 교류의 진전**

1970년대 남북 대화의 시작
남북 적십자 회담에서 이산가족 문제 협의, 7·4 남북 공동 성명 발표(통일 3대 원칙 합의)

↓

1980년대 이후 남북 교류의 진전
• 전두환 정부: 남북한 이산가족 상봉 • 노태우 정부: 남북 국제 연합 동시 가입, 남북 기본 합의서 채택 • 김영삼 정부: 화해·협력, 남북 연합, 통일 국가에 이르는 통일 방안 제시

1 다음 괄호 안의 내용 중 알맞은 말에 ○표를 하시오.

(1) (김영삼, 노무현) 정부는 10·4 남북 공동 선언을 발표하였다.
(2) 김대중 정부는 최초로 (이산가족 상봉, 남북 정상 회담)을 성사하였다.

2 다음 선언을 발표한 정부를 쓰시오.

> 2. 남과 북은 나라의 통일을 위한 남측의 연합제안과 북측의 낮은 단계의 연방제안이 서로 공통성이 있다고 인정하고, 이 방향에서 통일을 지향하기로 하였다.
>
> – 6·15 남북 공동 선언

3 다음 설명이 맞으면 ○표, 틀리면 ×표를 하시오.

(1) 김대중 정부 때 금강산 관광이 시작되었다. ( )
(2) 판문점 선언에 따라 개성 공단 건설, 경의선 복구 등이 추진되었다. ( )

• **통일을 위한 노력**

김대중 정부	'햇볕 정책' 추진, 금강산 관광 시작, 남북 정상 회담 개최(6·15 남북 공동 선언 발표)
노무현 정부	남북 정상 회담 개최(10·4 남북 공동 선언 발표)
문재인 정부	평창 동계 올림픽 대회에 북한 선수단 참가, 남북 정상 회담 개최(판문점 선언 발표)

01 ㉠에 들어갈 내용으로 옳은 것은?

> 1945년 미국, 영국, 소련의 대표가 한반도에서 최대 5년간 신탁 통치를 하기로 결정하자, 국내에서 이를 둘러싼 갈등이 심해졌다. 이에 김규식과 여운형 등은 통일 정부를 수립하기 위해 (㉠)을 전개하였다.

① 남북 협상 ② 정전 협정
③ 남북 정상 회담 ④ 좌우 합작 운동
⑤ 남북 적십자 회담

02 (가)~(라)를 일어난 순서대로 나열한 것은?

> (가) 대한민국 정부 수립이 선포되었다.
> (나) 통일 정부 수립을 위한 남북 협상이 전개되었다.
> (다) 유엔 소총회에서 선거 가능 지역의 총선거 실시를 결정하였다.
> (라) 유엔이 한반도에서 인구 비례에 따른 총선거 실시를 결정하였다.

① (가) - (나) - (다) - (라)
② (나) - (가) - (다) - (라)
③ (나) - (라) - (다) - (가)
④ (라) - (가) - (나) - (다)
⑤ (라) - (다) - (나) - (가)

03 6·25 전쟁의 배경으로 적절한 것을 〈보기〉에서 고른 것은?

> 보기
> ㄱ. 7·4 남북 공동 성명이 발표되었다.
> ㄴ. 미국에서 애치슨 선언을 발표하였다.
> ㄷ. 한반도에 미군과 소련군이 들어왔다.
> ㄹ. 소련과 북한이 비밀 군사 협정을 맺었다.

① ㄱ, ㄴ ② ㄱ, ㄷ ③ ㄴ, ㄷ
④ ㄴ, ㄹ ⑤ ㄷ, ㄹ

04 다음은 6·25 전쟁이 일어난 순서대로 정리한 책이다. 찢어진 부분에 들어갈 내용으로 가장 적절한 것은?

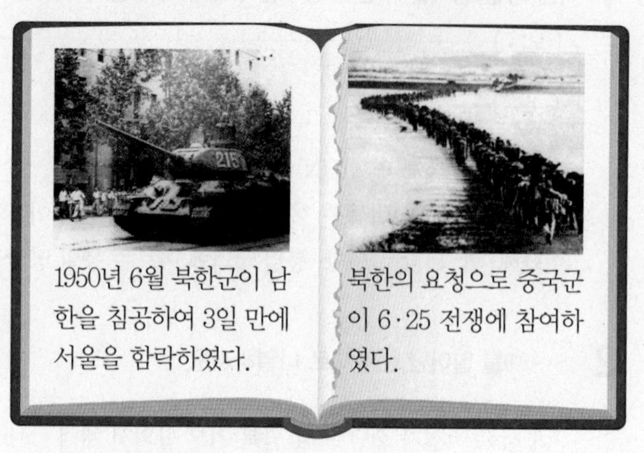

① 정전 협정이 조인되었다.
② 대한민국 정부가 수립되었다.
③ 인천 상륙 작전이 전개되었다.
④ 미국의 애치슨 선언이 발표되었다.
⑤ 남북한에서 미군과 소련군이 철수하였다.

시험에 잘 나와!

05 지도와 같이 전개된 전쟁이 끼친 영향으로 적절하지 않은 것은?

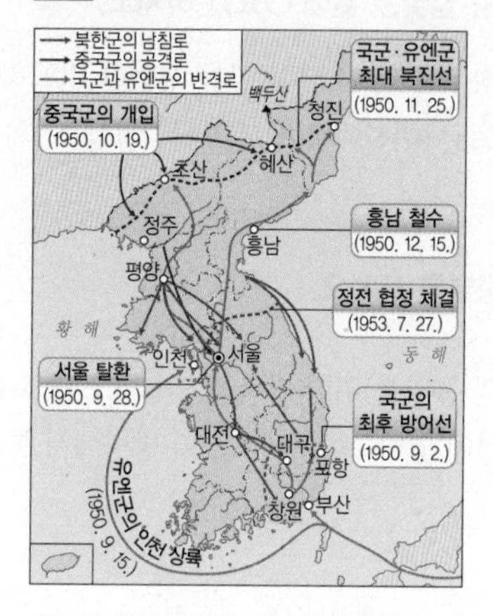

① 냉전 체제를 완화시켰다.
② 남북 분단을 고착화하였다.
③ 남북 간 문화적 이질감이 커졌다.
④ 남북한 사이의 불신이 증가하였다.
⑤ 남북한에서 막대한 인적·물적 피해가 발생하였다.

시험에 잘 나와!

06 다음 자료에 대한 설명으로 옳은 것을 〈보기〉에서 고른 것은?

> 제1조 남과 북은 서로 상대방의 체제를 인정하고 존중한다.
> 제3조 남과 북은 상대방에 대한 비방·중상을 하지 아니한다.
> 제9조 남과 북은 상대방에 대하여 무력을 사용하지 않으며 상대방을 무력으로 침략하지 아니한다.

보기

ㄱ. 김영삼 정부 시기에 채택되었다.
ㄴ. 7·4 남북 공동 성명에 영향을 주었다.
ㄷ. 남북 사이의 화해와 불가침에 협의하였다.
ㄹ. 냉전이 종식되는 국제 정세 속에서 작성되었다.

① ㄱ, ㄴ ② ㄱ, ㄷ ③ ㄴ, ㄷ
④ ㄴ, ㄹ ⑤ ㄷ, ㄹ

07 김영삼 정부 시기에 있었던 사실로 옳은 것은?

① 남북 적십자 회담을 열었다.
② 최초로 남북 정상 회담을 개최하였다.
③ 남북한이 국제 연합에 동시 가입하였다.
④ 한반도 비핵화 공동 선언에 합의하였다.
⑤ 화해·협력, 남북 연합, 통일 국가에 이르는 통일 방안을 제시하였다.

08 다음 선언을 발표한 정부에 대한 설명으로 옳은 것은?

> 1. 남과 북은 나라의 통일 문제를 그 주인인 우리 민족끼리 서로 힘을 합쳐 자주적으로 해결해 나가기로 하였다.
> 2. 남과 북은 나라의 통일을 위한 남측의 연합제안과 북측의 낮은 단계의 연방제안이 서로 공통성이 있다고 인정하고, 이 방향에서 통일을 지향하기로 하였다.

① 유신 헌법을 공포하였다.
② 금강산 관광을 시작하였다.
③ 판문점 선언을 발표하였다.
④ 남북 기본 합의서를 채택하였다.
⑤ 10·4 남북 공동 선언을 발표하였다.

09 다음 선언을 발표한 정부로 옳은 것은?

> 2. 남과 북은 한반도에서 첨예한 군사적 긴장 상태를 완화하고 전쟁 위험을 실질적으로 해소하기 위하여 공동으로 노력해 나갈 것이다.
> – 판문점 선언

① 박정희 정부 ② 노태우 정부 ③ 김대중 정부
④ 노무현 정부 ⑤ 문재인 정부

서술형 문제

서술형 감잡기

01 다음 성명이 합의한 통일 원칙을 서술하시오.

> 첫째, 통일은 외세의 의존과 간섭 없이 자주적으로 해결한다.
> 둘째, 통일은 상대방을 반대하는 무력 행사에 의하지 않고 평화적 방법으로 실현한다.
> 셋째, 사상과 이념, 제도의 차이를 넘어 하나의 민족으로서 민족적 대단결을 도모한다.

➜ (①)은 (②), 평화, 민족 대단결의 통일 3대 원칙에 합의하였다.

실전! 서술형 도전하기

02 다음 자료를 토대로 6·25 전쟁이 끼친 영향을 서술하시오.

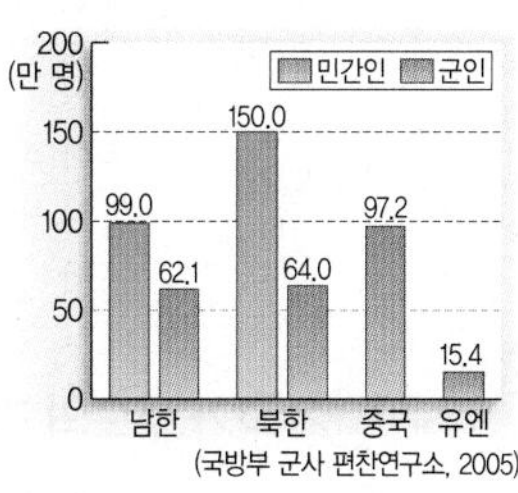

6·25 전쟁의 인명 피해

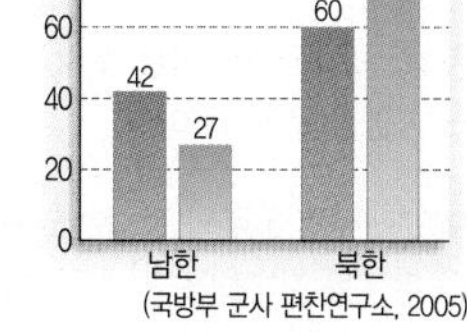

6·25 전쟁의 산업 피해

한눈에 보는 대단원

☑ 핵심 선택지 다시보기

1 갑오개혁으로 별기군을 창설하였다. ( )

2 신민회는 만민 공동회를 개최하였다. ( )

3 대한민국 임시 정부는 입헌 군주제 정부였다. ( )

4 신간회는 비타협적 민족주의자와 사회주의자들이 연합하였다. ( )

5 한인 애국단의 윤봉길은 상하이 훙커우 공원 의거를 단행하였다. ( )

답 1 × 2 × 3 × 4 ○ 5 ○

01~02 국민 국가의 수립

(1) 문호 개방과 근대적 개혁의 추진

구분	내용
문호 개방	강화도 조약으로 개항(1876) → 개화 정책 추진(통리기무아문 설치, 별기군 창설 → 위정척사 운동·임오군란으로 반발)
갑신정변	급진 개화파 주도, 자주적인 근대 국가 건설을 목표로 개혁 추진 → 실패
동학 농민 운동	반봉건·반외세의 민족 운동, 집강소 설치(폐정 개혁안 실시)
갑오·을미개혁	홍범 14조 반포, 신분제 폐지, 단발령 시행, 태양력 사용
독립 협회	서재필 등이 설립, 독립문 건립, 만민 공동회 개최, 관민 공동회 개최
대한 제국	고종이 수립 선포, 대한국 국제 반포(황제권 강화), 광무개혁 추진

(2) 국권 수호 운동과 항일 민족 운동

구분	내용
국권 수호 운동	항일 의병 운동, 애국 계몽 운동 전개(신민회 등 조직)
항일 민족 운동	3·1 운동 전개, 대한민국 임시 정부 수립(민주 공화정 체제), 실력 양성 운동과 민족 협동 전선 운동(신간회 창립 등) 전개, 무장 독립 투쟁(봉오동 전투·청산리 대첩 승리, 조선 의용대·한국 광복군의 활동) 및 의열 투쟁(의열단, 한인 애국단의 활동) 전개

(3) 광복과 대한민국 정부의 수립

구분	내용
광복	일본이 연합국에 항복하면서 광복(1945. 8. 15.)
정부 수립	5·10 총선거 → 제헌 헌법 제정·이승만 대통령 선출 → 대한민국 정부 수립

☑ 핵심 선택지 다시보기

1 강화도 조약 체결 이후 일본 상인이 조선에 진출하였다. ( )

2 1920년대에 회사 설립 조건이 신고제로 바뀌었다. ( )

3 1950년대에 제1차 경제 개발 5개년 계획이 시작되었다. ( )

4 정부는 1970년대에 철강, 화학, 조선과 같은 경공업을 육성하였다. ( )

5 1990년대 신자유주의 정책의 일환으로 새마을 운동을 전개하였다. ( )

답 1 ○ 2 ○ 3 × 4 × 5 ×

03 자본주의와 사회 변화

(1) 외세의 경제 침탈과 경제적 구국 운동

구분	외세의 경제 침탈	경제적 구국 운동
일제 강점기 이전	개항 이후 조선에 일본 상인 진출, 아관 파천 이후 열강의 이권 침탈, 러일 전쟁 이후 일본이 대한 제국의 재정 예속화	방곡령 발표, 시전 상인의 철시 투쟁, 독립 협회가 러시아의 절영도 조차 요구 저지, 국채 보상 운동 전개
일제 강점기	토지 조사 사업, 산미 증식 계획, 회사령 실시 및 신고제 전환, 병참 기지화 정책, 인적·물적 자원 수탈	물산 장려 운동, 농민 운동(암태도 소작 쟁의), 노동 운동(원산 총파업)

(2) 국가 주도의 경제 성장

시기	내용
1950년대	6·25 전쟁 이후 삼백 산업과 같은 소비재 산업 발달
1960~1970년대	경제 개발 5개년 계획 추진(경공업 육성 → 중화학 공업 육성)
1980년대	3저 호황을 계기로 경제 호황, 기술 집약적 산업 성장
1990년대 이후	외환 위기 발생과 극복, 오늘날 여러 나라와 자유 무역 협정(FTA) 체결

(3) 사회 변화와 대중문화의 발달

사회 변화	제조업·서비스 산업의 비중 증가, 농촌 문제 발생(새마을 운동 등 전개), 노동 문제의 발생과 노동 운동 전개(전태일 등)
대중문화 발달	경제 발전과 대중 매체의 발달로 대중문화 발달, 스포츠의 발전

04 민주주의의 발전

(1) 민주주의의 시련과 성장

이승만 정부	장기 집권 시도(발췌 개헌, 사사오입 개헌) → 4·19 혁명 → 이승만 하야, 내각 책임제로 개헌 → 장면 정부(장면 내각) 구성
박정희 정부	5·16 군사 정변 이후 박정희 대통령 당선 → 유신 체제 성립 → 민주 헌정의 회복과 개헌을 요구하는 민주화 운동 전개 → 10·26 사태로 붕괴
전두환 정부	12·12 사태로 신군부의 정권 장악 → 5·18 민주화 운동 전개 → 전두환 대통령 당선·독재 정치 → 6월 민주 항쟁 → 6·29 민주화 선언

(2) 민주주의의 발전과 확산

직선제 개헌 이후의 정부	노태우 정부(북방 외교) → 김영삼 정부(금융 실명제, 지방 자치제 전면 실시) → 김대중 정부(외환 위기 극복) → 노무현 정부(권위주의 청산) → 이명박 정부(창조적 실용주의 표방) → 박근혜 정부
민주주의의 확산	노동·환경·여성·인권 문제 등을 해결하기 위한 시민 단체의 활동 전개

05 평화 통일을 위한 노력

(1) 6·25 전쟁

배경	냉전의 본격화, 애치슨 선언, 소련과 북한의 비밀 군사 협정 체결
전개	북한군의 남침 → 3일 만에 서울 함락 → 유엔군 파병 → 국군과 유엔군의 인천 상륙 작전 성공 → 중국군 참전 → 38도선 일대에서 공방전 → 정전 협정 체결
영향	남북한에 막대한 인적·물적 피해, 남북한 분단 고착화, 문화적 이질감 증대

(2) 남북 교류의 진전

박정희 정부	남북 적십자 회담, 7·4 남북 공동 성명 발표(통일 3대 원칙에 합의)
전두환 정부	남북한 이산가족 상봉, 예술 공연단 교환 방문
노태우 정부	남북 국제 연합(UN) 동시 가입, 남북 기본 합의서 채택
김대중 정부	'햇볕 정책' → 남북 정상 회담 개최(6·15 남북 공동 선언 발표)
노무현 정부	남북 정상 회담 개최(10·4 남북 공동 선언 발표)
문재인 정부	남북 정상 회담 개최(판문점 선언 발표)

☑ 핵심 선택지 다시보기

1 이승만 정부는 7년 단임의 대통령 간선제를 주요 내용으로 하는 개헌안을 통과시켰다. ( )

2 4·19 혁명 이후 헌법은 내각 책임제로 개정되었다. ( )

3 박정희 정부는 유신 헌법을 공포하였다. ( )

4 5·18 민주화 운동은 계엄 철회와 민주주의의 회복을 요구하였다. ( )

5 김영삼 정부는 호주제 폐지를 결정하였다. ( )

답 1 × 2 ○ 3 ○ 4 ○ 5 ×

☑ 핵심 선택지 다시보기

1 6·25 전쟁은 남북 분단을 고착화하였다. ( )

2 남북 기본 합의서는 김영삼 정부 시기에 채택되었다. ( )

3 김대중 정부는 금강산 관광 사업을 시작하였다. ( )

답 1 ○ 2 × 3 ○

☑ **핵심 선택지 다시보기**의 정답을 맞힌 개수만큼 아래 표에 색칠해 보자. 많이 틀린 단원은 되돌아가 복습해 보자.

01~02 국민 국가의 수립	240쪽
03 자본주의와 사회 변화	254쪽
04 민주주의의 발전	266쪽
05 평화 통일을 위한 노력	276쪽

시험 적중 마무리 문제

01 국민 국가의 수립 (1)

01 (가), (나)와 같은 주장을 한 민족 운동에 대한 설명으로 옳은 것은?

> (가) • 문벌을 폐지하여 인민 평등의 권리를 제정하고, 능력에 따라 관리를 등용할 것
> • 대신과 참찬은 의정부에서 회의하고 정치적 명령을 의결하고 집행할 것
> (나) • 탐관오리의 못된 버릇을 징계하고 쫓아낼 것
> • 각종 결세액은 돈으로 걷되, 부담을 균등하게 나누고 마구 거두지 말 것
> • 간신이 권력을 농간하여 국사가 잘못되니 관직 매매를 처벌할 것

① (가)는 위정척사파의 지지를 받았다.
② (가)는 우금치 전투 패배로 실패하였다.
③ (나)는 임오군란에 영향을 주었다.
④ (나)는 사회 개혁을 추구한 반봉건 운동이었다.
⑤ (가)는 농민들이 전개하였고, (나)는 급진 개화파가 주도하였다.

02 ㉠ 개혁에 대한 설명으로 옳은 것은?

① 지계를 발급하였다.
② 독립문을 건설하였다.
③ 신분제를 폐지하였다.
④ 흥선 대원군이 주도하였다.
⑤ 광무라는 연호를 사용하였다.

03 다음 자료에 나타난 민족 운동을 전개한 단체에 대한 설명으로 옳은 것은?

> 현재 러시아가 우리 대한을 향하여 절영도를 요구하고 있습니다. …… 신하된 자가 만약 조그마한 땅이라도 타국인에게 주면 이는 황제 폐하의 역신이며 역대 임금의 죄인이며 우리 대한 2천만 동포 형제의 원수입니다.

① 방곡령을 선포하였다.
② 대한국 국제를 반포하였다.
③ 만민 공동회를 개최하였다.
④ 별기군 설치를 추진하였다.
⑤ 국채 보상 운동을 전개하였다.

04 다음 사건에 맞서 일어난 민족 운동으로 옳은 것은?

> 일본은 1905년 을사늑약을 강제로 체결하여 대한 제국의 외교권을 빼앗고 통감부를 설치하여 내정 전반을 간섭하였다.

① 김구가 한인 애국단을 조직하였다.
② 구식 군대의 군인들이 반란을 일으켰다.
③ 김익상이 조선 총독부에 폭탄을 던졌다.
④ 학생들이 6·10 만세 운동을 주도하였다.
⑤ 고종이 헤이그 만국 평화 회의에 특사를 파견하였다.

02 국민 국가의 수립 (2)

05 다음 사건이 일어난 시기를 연표에서 옳게 고른 것은?

> 국내외에 수립되었던 대한 국민 의회, 상하이 임시 정부, 한성 정부가 통합하여 중국 상하이에서 대한민국 임시 정부가 수립되었다.

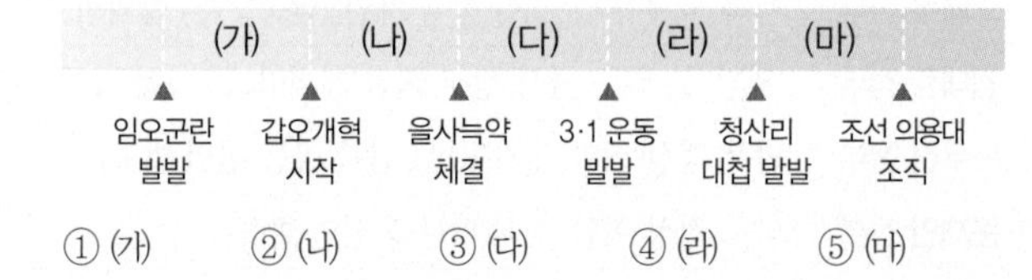

① (가) ② (나) ③ (다) ④ (라) ⑤ (마)

정답 친해 70쪽

06 다음 민족 운동에 해당하는 사례로 옳은 것은?

> 일제가 이른바 문화 통치를 시행하면서 타협적 민족주의자가 등장하자, 비타협적 민족주의 계열과 사회주의 계열이 힘을 합하여 민족 운동을 벌였다.

① 신간회가 창립되었다.
② 만민 공동회가 개최되었다.
③ 동학 농민 운동이 일어났다.
④ 민립 대학 설립 운동이 전개되었다.
⑤ 경제적 자립을 위한 물산 장려 운동이 벌어졌다.

07 다음에서 설명하는 단체로 옳은 것은?

> 김구가 조직한 단체이다. 이봉창은 도쿄에서 일본 국왕의 폭살을 시도하였고, 윤봉길은 상하이 훙커우 공원에서 열린 일본군 상하이 점령 기념식장에 폭탄을 던지는 등의 의거 활동을 하였다.

① 신민회　　② 의열단
③ 한국 광복군　　④ 한인 애국단
⑤ 조선 건국 동맹

03 자본주의와 사회 변화

08 그래프는 쌀 생산량과 일본으로의 이출량을 나타낸 것이다. 이 시기 일제의 정책으로 옳은 것은?

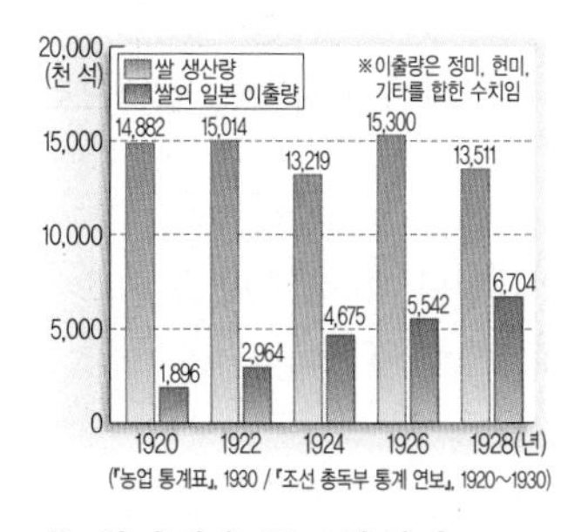

① 회사령을 공포하였다.
② 산미 증식 계획을 펼쳤다.
③ 토지 조사 사업을 실시하였다.
④ 민족 말살 정책을 실시하였다.
⑤ 대한 제국의 황무지 개간권을 요구하였다.

09 밑줄 친 '이 시기'의 한반도 정세로 옳은 것은?

> <u>이 시기</u> 일제는 한국을 병참 기지로 만들기 위해 금속·화학 공장을 건설하고, 지하자원의 생산을 늘렸다.

① 방곡령이 반포되었다.
② 명성 황후가 시해되었다.
③ 3·1 운동이 전국으로 확산되었다.
④ 대구에서 국채 보상 운동이 일어났다.
⑤ 한국인들이 징병제로 전쟁터에 끌려갔다.

10 다음에서 설명하는 민족 운동으로 옳은 것은?

> 1920년대 들어 일본 자본과 상품이 본격적으로 진출하여 민족 기업이 위기를 맞자, '내 살림 내 것으로', '조선 사람 조선 것' 등의 구호를 내걸고 민족 산업을 발전시켜 경제적 자립을 이루자는 민족 운동이 전개되었다.

① 형평 운동　　② 원산 총파업
③ 국채 보상 운동　　④ 물산 장려 운동
⑤ 암태도 소작 쟁의

11 다음 기념 아치가 제작된 시기의 경제 상황으로 옳은 것을 〈보기〉에서 고른 것은?

수출액 100억 달러 기념 아치

> 보기
> ㄱ. 삼백 산업이 크게 발달하였다.
> ㄴ. 3저 호황으로 수출이 증가하였다.
> ㄷ. 수출 주도형 경제 정책이 실시되었다.
> ㄹ. 중화학 공업이 집중적으로 육성되었다.

① ㄱ, ㄴ　　② ㄱ, ㄷ　　③ ㄴ, ㄷ
④ ㄴ, ㄹ　　⑤ ㄷ, ㄹ

12 그래프는 원·달러 환율 추이를 나타낸 것이다. (가) 시기의 경제 상황에 대한 설명으로 옳은 것은?

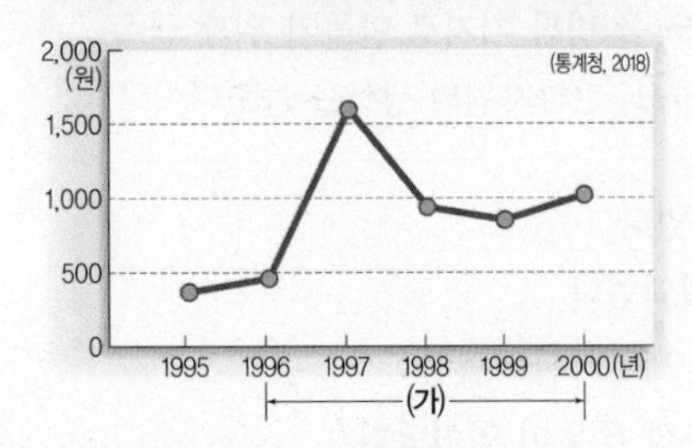

① 빈부 격차가 완화되었다.
② 신자유주의가 쇠퇴하였다.
③ 경부 고속 국도가 개통되었다.
④ 금 모으기 운동이 전개되었다.
⑤ 농지 개혁이 실시되어 소작농이 소멸되었다.

04 민주주의의 발전

13 이승만 정부 때 개정된 헌법의 내용으로 옳은 것을 〈보기〉에서 고른 것은?

보기
ㄱ. 대통령직을 3회까지 허용하였다.
ㄴ. 대통령 5년 단임제로 개헌하였다.
ㄷ. 대통령 직선제로 발췌 개헌을 하였다.
ㄹ. 초대 대통령의 중임 제한을 철폐하였다.

① ㄱ, ㄴ ② ㄱ, ㄷ ③ ㄴ, ㄷ
④ ㄴ, ㄹ ⑤ ㄷ, ㄹ

14 (가) 시기에 일어난 사실로 옳은 것은?

3·15 부정 선거 → (가) → 장면 내각 출범

① 한일 협정이 체결되었다.
② 국가 재건 최고 회의가 구성되었다.
③ 4·19 혁명으로 이승만이 하야하였다.
④ 7년 단임의 대통령제 헌법안이 마련되었다.
⑤ 전두환을 비롯한 신군부가 12·12 사태를 일으켰다.

15 다음 헌법이 발표된 정부 시기에 일어난 사실로 옳은 것은?

제39조 ① 대통령은 통일 주체 국민 회의에서 토론 없이 무기명 투표로 선거한다.
제53조 ② 대통령은 …… 국민의 자유와 권리를 잠정적으로 정지하는 긴급 조치를 할 수 있다.
제59조 ① 대통령은 국회를 해산할 수 있다.

① 부마 민주 항쟁이 일어났다.
② 5·18 민주화 운동이 일어났다.
③ 6·29 민주화 선언이 발표되었다.
④ 내각 책임제로 헌법을 개정하였다.
⑤ 반민족 행위 처벌법을 제정하였다.

16 박정희 정부에 대한 탐구 활동으로 적절하지 않은 것은?
① 3선 개헌의 목적을 검색한다.
② 긴급 조치의 내용을 찾아본다.
③ 베트남 파병의 영향을 조사한다.
④ 일본과 국교를 정상화한 이유를 알아본다.
⑤ 북방 외교로 수교를 맺은 국가들을 정리한다.

17 다음 선언을 이끌어 낸 민주화 운동에 대한 설명으로 옳은 것은?

첫째, 여야 합의하에 조속히 대통령 직선제 개헌을 하고 새 헌법에 의한 대통령 선거로 88년 2월 평화적 정부 이양을 실현하겠습니다.

① 유신 철폐를 주장하였다.
② 이승만 정부 시기에 일어났다.
③ 3·15 부정 선거를 계기로 일어났다.
④ 정부의 4·13 호헌 조치에 반발하였다.
⑤ 김주열 학생의 시신이 발견되면서 격화되었다.

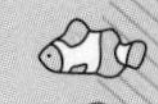

18 (가), (나) 시기 사이에 일어난 사실로 옳은 것은?

> (가) 금융 실명제가 시행되고 지방 자치제가 전면적으로 실시되었다.
> (나) 과거사 정리 사업이 추진되었고 호주제가 폐지되었다.

① 5·16 군사 정변이 일어났다.
② 언론사가 강제로 통폐합되었다.
③ 7·4 남북 공동 성명이 발표되었다.
④ 경제 개발 5개년 계획이 처음 추진되었다.
⑤ 최초로 여야 간 평화적 정권 교체가 일어났다.

05 평화 통일을 위한 노력

19 ㉠에 해당하는 활동으로 가장 적절한 것은?

> 유엔 소총회에서 선거가 가능한 지역에서 총선거를 실시하기로 확정하자, ㉠ 통일 정부를 수립하기 위한 노력이 전개되었다.

① 5·10 총선거가 실시되었다.
② 남북 기본 합의서를 채택하였다.
③ 이른바 햇볕 정책을 추진하였다.
④ 김구와 김규식이 남북 협상을 벌였다.
⑤ 신군부 세력이 12·12 사태를 일으켰다.

20 ㉠~㉤ 중 적절하지 않은 것은?

> **6·25 전쟁**
> 1. 배경: 애치슨 선언, ㉠ 소련과 북한의 비밀 군사 협정 체결
> 2. 과정: ㉡ 북한군의 남침 → 국군은 낙동강 유역까지 후퇴 → 유엔군 파병 → ㉢ 인천 상륙 작전으로 서울 수복 → 중국군 참전 → 38도선 일대의 공방전 → 정전 협정 체결
> 3. 영향: ㉣ 막대한 인적·물적 피해, ㉤ 남북한 간 문화적 이질감 감소

① ㉠　② ㉡　③ ㉢　④ ㉣　⑤ ㉤

21 다음 성명서에 대한 설명으로 옳은 것을 〈보기〉에서 고른 것은?

> 첫째, 통일은 외세의 의존과 간섭 없이 자주적으로 해결한다.
> 둘째, 통일은 상대방을 반대하는 무력 행사에 의하지 않고 평화적 방법으로 실현한다.
> 셋째, 사상과 이념, 제도의 차이를 넘어 하나의 민족으로서 민족적 대단결을 도모한다.

〈보기〉
ㄱ. 남북 정상 회담에서 발표되었다.
ㄴ. 노태우 정부의 북방 정책에 힘입어 작성되었다.
ㄷ. 남북한 사이에 비밀 특사가 오간 끝에 합의되었다.
ㄹ. 자주, 평화, 민족 대단결의 통일 3대 원칙에 합의하였다.

① ㄱ, ㄴ　② ㄱ, ㄷ　③ ㄴ, ㄷ
④ ㄴ, ㄹ　⑤ ㄷ, ㄹ

＋ 창의·융합

22 다음 누리 소통망(SNS)의 (가)에 들어갈 내용으로 가장 적절한 것은?

① 남북 적십자 회담의 모습이군요.
② 6·15 남북 공동 선언이 발표된 회담이네요.
③ 남북이 국제 연합에 동시 가입한 해에 이루어졌어요.
④ 남북 분단 이후 최초로 통일을 위한 합의를 이끌어 냈죠.
⑤ 화해·협력, 남북 연합, 통일 국가에 이르는 통일 방안이 제시되었죠.

Memo

15개정 교육과정

· 완벽한 자율학습서 ·

Wi 완자

완자네 새주소

자율학습시 비상구 정답친해로 53

정확한 답과 친절한 해설

중등 역사 2

책 속의 가접 별책 (특허 제 0557442호)
'정답친해'는 본책에서 쉽게 분리할 수 있도록 제작되었으므로
유통 과정에서 분리될 수 있으나 파본이 아닌 정상제품입니다.

visang

ABOVE IMAGINATION

우리는 남다른 상상과 혁신으로
교육 문화의 새로운 전형을 만들어
모든 이의 행복한 경험과 성장에 기여한다

· 완벽한 자율학습서 ·

자율학습시 비상구 정답친해로 53

중등 역사 2

Ⅰ. 선사 문화와 고대 국가의 형성

01 선사 문화와 고조선

11, 13, 15쪽

A 1 (1) × (2) × (3) ○ (4) ○ 2 구석기

B 1 (1) 움집 (2) 농경 (3) 간석기 2 (1) ㄱ (2) ㄴ (3) ㄷ
3 ㉠ 토테미즘 ㉡ 애니미즘

C 1 (1) × (2) × 2 (1) ㄷ (2) ㄴ (3) ㄱ

D 1 ㉠ 계급 ㉡ 군장(족장) 2 (1) 청동기 (2) 민무늬 토기
3 고인돌(탁자식 고인돌)

E 1 (1) 청동기 (2) 단군왕검 (3) 비파형 동검 2 위만 3 (나) – (가) – (다)

F 1 (1) ○ (2) × 2 ㄱ, ㄹ

실력 탄탄 핵심 문제

16~19쪽

01 ① 02 ③ 03 ① 04 ② 05 ④ 06 ① 07 ③ 08 ⑤
09 ② 10 ① 11 ③ 12 ③ 13 ④ 14 ⑤ 15 ③ 16 ⑤
17 ① 18 ② 19 ②

01 구석기 시대의 생활 모습

제시된 도구는 구석기 시대의 주먹도끼로, ㉠은 구석기이다. 구석기 시대 사람들은 주로 동굴이나 바위 그늘에 살았으며, 강가에 막집을 짓고 살기도 하였다.

바로알기 ≫ ② 군장은 청동기 시대에 등장하였다. ③ 신석기 시대부터 토기를 만들었다. ④는 청동기 시대에 대한 설명이다. ⑤ 청동기 시대에 청동으로 무기를 만들고 반달 돌칼과 같은 간석기를 만들었다.

02 구석기 시대의 유적과 생활

자료로 이해하기 ≫

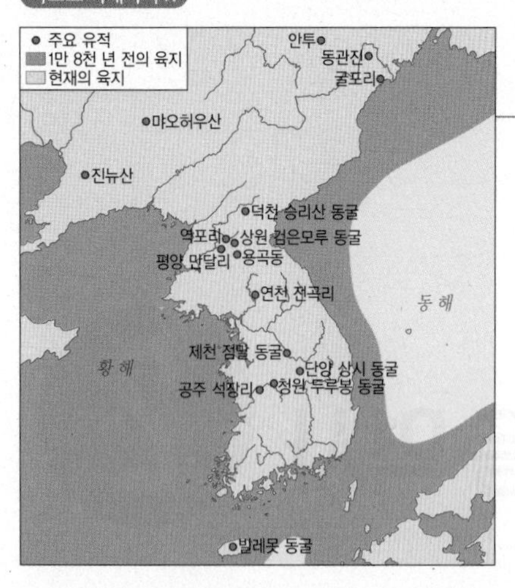

구석기 시대 사람들은 큰 짐승을 사냥하기 위해 무리 지어 다녔으며, 먹을 것을 찾아 이동 생활을 하였다.

바로알기 ≫ ① 신석기 시대에 농사가 시작되었다. ② 움집은 신석기 시대부터 지어졌다. ④는 청동기 시대에 대한 설명이다. ⑤ 구석기 시대는 평등 사회였다.

03 뗀석기의 사용

제시된 글은 구석기 시대의 도구인 뗀석기의 제작 방법을 설명한 것이다. 구석기 시대 사람들은 짐승의 뼈로 만든 도구와 돌을 깨뜨려 만든 뗀석기를 사용하였는데, 뗀석기는 주먹도끼와 슴베찌르개 등이 대표적이다.

바로알기 ≫ ②, ④는 신석기 시대와 청동기 시대, ③은 신석기 시대, ⑤는 청동기 시대의 도구이다.

04 신석기 시대의 사회 모습

신석기 시대 사람들은 빗살무늬 토기 등을 만들어 음식을 조리하고, 식량을 저장하였다.

바로알기 ≫ ① 「8조법」은 고조선의 법률이다. 고조선은 청동기 시대에 성립하였다. ③ 청동기 시대에 일부 지역에서 벼농사가 시작되었다. ④는 청동기 시대에 볼 수 있는 제사장의 모습이다. ⑤ 고인돌은 청동기 시대에 만들어졌다.

05 신석기 시대의 특징

나무 열매나 곡물의 껍질을 벗기고 가루로 만드는 데 사용되었어.

제시된 유물은 신석기 시대에 사용된 갈돌과 갈판이다. 신석기 시대 사람들은 농경과 목축을 시작하면서 강가와 바닷가의 움집에 거주하였다. 돌낫, 돌보습과 같은 간석기를 사용하였고, 빗살무늬 토기, 덧무늬 토기 등을 만들어 음식을 조리하고 식량을 저장하는 데 이용하였다. 당시에는 특정 동식물을 숭배하는 신앙인 토테미즘이 발생하였다.

바로알기 ≫ ④는 구석기 시대에 대한 설명이다. 신석기 시대는 한반도에서 약 1만 년 전부터 시작되었다.

06 신석기 시대의 생활 모습

제시된 가락바퀴는 신석기 시대에 처음 사용하였다. 신석기 시대에 농경과 목축이 시작되면서 사람들은 정착 생활을 하였고, 움집을 만들어 살았다.

바로알기 ≫ ②, ④는 청동기 시대, ③, ⑤는 구석기 시대의 생활 모습이다.

07 신석기 시대의 주거지와 도구

제시된 자료는 신석기 시대의 움집을 복원한 것이다. 신석기 시대 사람들은 작고 날쌘 동물들을 잡기 위해 돌을 갈아 만든 간석기를 사용하였다. 또한 빗살무늬 토기 등을 제작하였다.

바로알기 ≫ ① 청동기 시대에 계급이 발생하였다. ② 고조선은 청동기 문화를 기반으로 성립되었다. ④ 주먹도끼와 찍개는 구석기 시대에 사용된 뗀석기이다. ⑤는 청동기 시대와 관련이 있다.

08 청동기 시대의 사회 모습

청동기 시대에 농경의 발달로 생산력이 늘어나자 사유 재산의 개념이 등장하고 빈부 차이가 생겼다. 당시에는 청동기가 제작되었으나, 일상생활 도구는 돌이나 나무 등으로 만들어 사용하였다.

바로알기 ≫ ㄱ. 신석기 시대에 농경이 시작되었다. ㄴ. 청동기 시대에는 계급이 발생하였다.

09 청동기 시대의 특징

제시된 유물은 반달 돌칼로, 청동기 시대에 곡식의 이삭을 자르는 데 사용된 간석기이다. 따라서 ㉠ 시대는 청동기 시대이다. 청동기 시대에는 농경이 발달하여 다양한 잡곡이 재배되었고, 한반도 남부 지역에는 벼농사도 보급되었다.

바로알기 ≫ ① 신석기 시대에 목축이 시작되었다. ③ 뗀석기는 구석기 시대의 도구이다. ④ 신석기 시대에 빗살무늬 토기를 만들기 시작하였다. ⑤ 신석기 시대에 자연물에 영혼이 있다고 믿는 신앙인 애니미즘이 등장하였다.

10 군장(족장)의 역할

청동기 시대에 권력이 있고 재산이 많은 사람은 군장(족장)이 되어 부족을 통솔하며 제사를 이끌었다. 이러한 사회를 제정일치 사회라고 한다.

바로알기 ≫ ㄷ. 구석기 시대 사람들은 큰 짐승을 사냥하기 위해 무리 지어 다녔다. ㄹ. 구석기 시대 사람들은 추위를 피하기 위해 동굴이나 막집에 거주하였다.

11 계급의 발생

제시된 유적은 고인돌이다. 고인돌은 청동기 시대에 만들어진 지배자(족장, 군장)의 무덤으로 알려져 있다. 이렇게 큰 고인돌을 만들기 위해서는 많은 노동력이 필요하였으므로 당시 많은 사람을 모을 수 있는 강한 권력을 가진 지배자가 있었다는 것을 짐작할 수 있다.

바로알기 ≫ ① 뗀석기는 구석기 시대의 도구이다. ② 신석기 시대에 정착 생활이 시작되었다. ④ 신석기 시대에 애니미즘과 토테미즘이 발생하였다. ⑤ 비파형 동검 등이 한반도에서 독자적 청동기 문화가 발달하였음을 보여 준다.

12 토기의 사용

빗살무늬 토기는 신석기 시대, 민무늬 토기는 청동기 시대에 주로 사용하였다. 신석기 시대와 청동기 시대 사람들은 토기를 만들어 음식을 조리하고 곡식을 저장하는 데 사용하였다.

바로알기 ≫ ① 군장은 청동기 시대에 등장하였으며, 청동 방울, 팔주령 등을 제사에 활용하였다. ②는 빗살무늬 토기에만 해당하는 설명이다. ④는 돌낫, 반달 돌칼 등이 해당한다. ⑤ 고인돌은 청동기 시대에 만들어졌다.

13 청동기 시대의 사회 모습

제시된 유물은 농경문 청동기로, ㉠ 시대는 청동기 시대이다. 청동기 시대에는 농업 생산력이 향상되어 여분의 생산물이 발생하면서 사유 재산의 개념이 등장하고 빈부 차이가 발생하였으며, 계급이 생겨났다. 당시 사람들은 나지막한 언덕에 마을을 형성하고, 울타리, 도랑 등의 방어 시설을 구축하였다. (식량을 둘러싼 집단 간의 싸움이 자주 일어났기 때문이야.)

바로알기 ≫ ④는 구석기 시대에 대한 설명이다.

14 고조선의 특징

고조선은 기원전 2333년 단군왕검이 건국한 것으로 알려져 있다. 단군의 건국 이야기를 통해 고조선이 집단 간의 연맹으로 성립되었으며, 농업 사회를 형성하였음을 알 수 있다. 고조선은 기원전 5세기경에 철기 문화를 수용하면서 발전하였고, 기원전 4세기경에는 '왕'의 칭호를 사용하고 연과 맞설 정도로 성장하였다.

바로알기 ≫ ⑤ 고조선은 청동기 문화를 기반으로 세워졌다.

15 고조선의 문화 범위

첫 번째 자료는 탁자식 고인돌, 두 번째 자료는 비파형 동검이다. 이는 모두 고조선의 문화권을 보여 준다. 탁자식 고인돌과 비파형 동검이 만주와 한반도 서북부 지역에서 집중적으로 발굴되고 있어 고조선과 관련된 문화 범위를 추측해 볼 수 있다.

바로알기 ≫ ①은 신석기 시대의 농경 시작, ②는 구석기 시대의 생활, ④는 신석기 시대의 간석기와 토기, ⑤는 구석기 시대의 동굴, 막집 등과 관련이 있는 내용이다.

16 고조선의 정치적 특징

제시된 글에서 단군왕검의 단군은 제사장, 왕검은 정치적 우두머리를 의미한다는 내용을 통해 당시 단군왕검은 제정일치 사회의 지배자였음을 알 수 있다.

바로알기 ≫ ①은 단군왕검의 명칭을 통해 알 수 없는 내용이다. ② 주먹도끼는 구석기 시대의 뗀석기이다. ③은 고조선 건국 이후의 내용이다. ④ 단군왕검은 청동기 시대의 지배자였다.

17 위만의 집권

제시된 글에서 고조선이 철기 문화를 바탕으로 세력을 확장하고, 중계 무역으로 경제적 이익을 얻었다는 내용을 통해 당시 상황이 위만이 왕이 된 이후임을 알 수 있다. 기원전 2세기경 고조선에 들어와 준왕을 몰아내고 고조선의 왕이 된 위만은 한반도 남쪽의 나라들과 중국의 한 사이에서 중계 무역을 벌여 경제적으로 크게 발전하였다.

바로알기 ≫ ② 간석기는 신석기 시대의 도구이다. ③ 고조선이 멸망한 이후에 한은 고조선의 옛 땅에 군현을 두고 통치하고자 하였다. ④ 빗살무늬 토기는 신석기 시대에 만들기 시작하였다. ⑤ 고조선에서는 기원전 4세기경 '왕'의 호칭을 사용하기 시작하였다.

18 고조선의 발전과 멸망

지도의 표시된 부분이 비파형 동검과 탁자식 고인돌의 분포 범위와 유사한 것을 통해 (가)는 고조선임을 알 수 있다. 고조선은 왕권이 강화되면서 왕 밑에 상, 대부, 장군과 같은 관직을 두어 관료제를 정비하는 등 정치 기틀을 다져 나갔다. 고조선은 한 무제의 침입에 맞서 1년여 동안 저항하였지만 결국 지배층의 분열로 왕검성이 함락되어 멸망하였다.

바로알기 ≫ ㄴ. 고조선은 청동기 문화를 바탕으로 등장하였다. ㄹ. 뗀석기는 구석기 시대의 도구이다.

19 단군의 건국 이야기

제시된 단군의 건국 이야기에는 고조선 사회의 특징이 담겨 있다. 이 자료를 통해 고조선은 홍익인간을 이념으로 건국되었음을 알 수 있다. 단군왕검의 명칭을 통해 고조선이 제정일치 사회였음을 알 수 있고, 환웅이 웅녀와 혼인한 내용을 통해 고조선이 집단 간의 연맹으로 성립되었으며, 당시 사람들이 동물을 숭상한 사실을 짐작할 수 있다.

바로알기 ≫ ② 환웅이 바람, 비, 구름을 다스리는 신을 거느린 것을 통해 고조선 사회가 농업을 기반으로 발전하였음을 알 수 있다.

서술형 문제

19쪽

01 고조선 사회의 특징

① 생명(노동력), ② 사유 재산

02 신석기 시대의 생활 모습

예시답안 신석기 시대 사람들을 돌보습 등을 이용하여 농사를 짓고, 갈돌과 갈판으로 곡식을 갈았으며, 빗살무늬 토기에 음식을 조리하거나 식량을 저장하였다.

채점 기준	점수
돌보습, 갈돌과 갈판, 빗살무늬 토기를 통해 알 수 있는 생활 모습을 세 가지 서술한 경우	상
돌보습, 갈돌과 갈판, 빗살무늬 토기를 통해 알 수 있는 생활 모습을 두 가지 서술한 경우	중
돌보습, 갈돌과 갈판, 빗살무늬 토기를 통해 알 수 있는 생활 모습을 한 가지만 서술한 경우	하

03 청동기 시대의 도구

예시답안 청동은 재료가 귀하고 다루기 어려워 주로 지배층의 장신구, 제사용 도구, 무기 등을 만드는 데 쓰였고, 일상생활 도구는 돌이나 나무로 만들었다.

채점 기준	점수
청동의 특징을 바탕으로 청동기의 주요 쓰임새를 쓰고, 일상생활 도구는 돌이나 나무로 만들었음을 서술한 경우	상
청동기의 주요 쓰임새를 쓰고, 일상생활 도구는 돌이나 나무로 만들었음만 서술한 경우	하

02 여러 나라의 성장

21쪽

A 1 (1) × (2) × (3) ○ 2 중국

B 1 (1) 옥저 (2) 군장 (3) 동맹 (4) 부여 2 ㉠ 서옥제 ㉡ 민며느리제 3 책화 4 (1) - ㉡ (2) - ㉠ (3) - ㉢

실력 탄탄 핵심 문제

22~23쪽

01 ④ 02 ④ 03 ② 04 ③ 05 ⑤ 06 ① 07 ③ 08 ⑤ 09 ② 10 ④

01 철기 시대의 사회 변화

철기가 보급되면서 농기구와 무기를 철로 만들기 시작하였다. 철제 농기구는 단단하고 날카로워 땅을 깊게 갈 수 있었다. 이에 농업 생산량이 증가하였다. 또한 예리하고 튼튼한 철제 무기를 만들어 사용하면서 정복 전쟁이 활발해졌다.

바로알기 ≫ ㄱ. 철기 시대에는 계급이 존재하였다. ㄷ. 신석기 시대에 농경과 목축을 하면서 정착 생활을 하기 시작하였다.

02 부여의 특징

지도의 (가)는 만주 쑹화강 일대에서 성립한 부여이다. 부여에는 왕이나 귀족이 죽으면 사람들을 함께 묻는 순장의 풍습이 있었다. 부여는 왕 아래 가(加)들이 별도로 각자의 영역을 다스리는 연맹 왕국을 이루었으며, 엄격한 법을 시행하였다. 부여에서는 12월에 영고라는 제천 행사를 지냈다.

바로알기 ≫ ④는 삼한에 대한 설명이다.

03 동예의 풍습

지도의 (나)는 한반도 동해안 지역에서 성립한 동예이다. 동예에는 다른 부족의 경계를 침범하면 노비나 소, 말로 배상하는 책화라는 풍습이 있었다.

바로알기 ≫ ① 동맹은 고구려의 제천 행사이다. ③ 서옥제는 고구려의 혼인 풍습이다. ④ 민며느리제는 옥저의 혼인 풍습이다. ⑤ 가족 공동 무덤은 옥저의 장례 풍습이다.

04 부여와 고구려의 공통점

자료로 이해하기 ≫

고구려가 위치한 졸본 지역은 산과 계곡이 많아 농사를 지을 땅이 부족하였기 때문에 고구려는 적극적으로 전쟁을 벌여 세력을 넓혀 갔어.

- (㉠)은/는 …… 제천 행사에서 날마다 노래하고 춤을 추는데, 그 이름을 '영고'라고 한다. 이때는 형벌을 중단하고 죄수를 풀어 주었다. (부여의 제천 행사) - 『삼국지』
- (㉡)에는 좋은 논과 밭이 없으므로 부지런히 농사를 지어도 식량이 충분하지 못하다. 10월에 지내는 제천 행사를 '동맹'이라고 한다. 사람들은 힘이 세고 전투에 익숙하여 옥저와 동예를 모두 복속시켰다. (고구려의 제천 행사) - 『삼국지』

㉠은 부여, ㉡은 고구려이다. 부여와 고구려는 모두 연맹 왕국을 형성하였다.

바로알기 ≫ ① 삼한 지역에서 벼농사를 지었다. ②는 신석기 시대에 대한 설명이다. ④ 부여와 고구려는 철기 문화를 바탕으로 등장하였다. ⑤는 옥저와 동예에 대한 설명이다.

05 고구려의 정치적 특징

5부는 고구려의 초기에 있던 5개의 정치 집단이다. 고구려에서는 왕과 5부의 대표들이 제가 회의에서 국가의 중대사를 결정하였다. 동맹은 고구려의 제천 행사, 서옥제는 고구려의 혼인 풍습이다. 따라서 제시된 내용은 모두 고구려와 관련이 있다. 고구려에는 왕 아래 상가, 패자, 고추가 등의 관직이 있었다.

바로알기 ≫ ①은 고조선, ②, ③은 동예, ④는 부여에 대한 설명이다.

06 옥저와 동예의 풍속

첫 번째 자료에 언급된 무천이라는 제천 행사는 동예에서 거행되었다. 동예는 매해 10월에 무천이라는 제천 행사를 개최하였다. 두 번째 자료는 옥저의 민며느리제와 관련이 있다. 따라서 ㉠은 동예, ㉡은 옥저에 해당한다.

07 옥저의 사회 모습

자료로 이해하기 ≫

옥저에서는 가족이 죽으면 시신을 임시로 묻어 두었다가 나중에 온 집 식구들의 뼈를 모아 하나의 곽 속에 넣어서 가족 공동 무덤을 만들었어.

> 사람이 죽으면 뼈만 추려 곽 속에 넣는데, 집 식구를 하나의 곽 속에 넣어 둔다. －『삼국지』

제시된 자료는 옥저의 가족 공동 무덤과 관련이 있다. 옥저는 농사가 발달하였고, 소금과 해산물이 풍부하였다. 혼인 풍습으로는 신랑이 될 집안이 혼인을 약속한 여자아이를 데려와 키우다 아이가 자라면 남자가 여자의 집에 예물을 주고 혼인을 청하는 민며느리제의 풍습이 있었다.

바로알기 ≫ ㄱ. 책화는 동예의 풍습이다. ㄹ. 고구려는 부여에서 이주한 주몽 집단과 압록강 유역의 토착 세력이 건국하였다.

08 동예의 경제

제시된 글은 족외혼과 책화의 풍습이 있었던 동예에 대한 설명이다. 동예는 단궁이라는 작은 활과 과하마라는 말, 반어피라 불린 바다표범의 가죽이 특산물로 유명하였다.

바로알기 ≫ ①은 옥저, ②는 삼한, ③, ④는 고조선과 관련이 있다.

09 삼한의 특징

제시된 자료에서 철이 풍부하여 덩이쇠를 화폐처럼 사용하였다는 내용을 통해 밑줄 친 '이 나라'는 삼한 중 변한임을 알 수 있다. 삼한은 농사에 적합한 기후와 토양을 지닌 곳에 위치하여 벼농사가 발달하였다.

바로알기 ≫ ①은 고구려, ③은 옥저, ④는 고조선, ⑤는 옥저와 동예에 대한 설명이다.

10 삼한의 정치적 특징

자료로 이해하기 ≫

마한, 진한, 변한이 삼한이라는 연맹체로 발전하였어.

> 한은 세 나라가 있으니 마한, 진한, 변한이다. 5월이면 씨뿌리기를 마치고 제사를 지낸다. 10월에 농사일을 마치고 나서도 이렇게 한다. －『삼국지』

삼한은 5월과 10월에 제천 행사를 지냈어.

제시된 자료는 삼한과 관련이 있다. 삼한은 신지, 읍차라고 불린 군장이 각 소국을 지배하였다.

바로알기 ≫ ① 순장은 부여의 장례 풍습이다. ② 영고는 부여의 제천 행사이다. ③ 제가 회의는 고구려에서 열렸다. ⑤ 빗살무늬 토기는 신석기 시대에 만들어졌다.

서술형 문제

23쪽

01 삼한의 정치적 특징

① 천군, ② 소도, ③ 제정 분리

02 고구려와 옥저의 생활 모습

예시답안 ▶ (가) 고구려, (나) 옥저. 서옥제와 민며느리제가 시행된 것을 통해 고구려와 옥저에서 노동력을 중시하였음을 알 수 있다.

채점 기준	점수
(가), (나)가 시행된 나라를 모두 쓰고, 노동력을 중시한 사회적 특징을 서술한 경우	상
(가), (나)가 시행된 나라를 일부만 쓰고, 노동력을 중시한 사회적 특징을 서술한 경우	중
(가), (나)가 시행된 나라만 쓴 경우	하

03 삼국의 성립과 발전

25, 27, 29, 31쪽

A 1 (1) – ㉡ (2) – ㉠ (3) – ㉢ 2 진대법 3 소수림왕

B 1 (1) × (2) × (3) ○ (4) ○ 2 ㄱ, ㄷ, ㄹ

C 1 (1) 백제 (2) 진한 (3) 내물왕 2 마립간 3 ㉠ 고구려 ㉡ 광개토 대왕

D 1 (1) × (2) ○ (3) ○ 2 ㉠ 대대로 ㉡ 16 ㉢ 상대등
3 (1) 부자 (2) 불교

E 1 (1) 사비 (2) 근초고왕 2 무령왕 3 (1) ○ (2) × (3) ○

F 1 (1) – ㉠ (2) – ㉡ 2 영락 3 ㉠ 평양 ㉡ 남진 4 (1) × (2) ○

G 1 (1) ㄴ (2) ㄷ (3) ㄱ 2 화랑도
3 (1) 건원 (2) 왕 (3) 지증왕 (4) 서울 북한산 신라 진흥왕 순수비

H 1 (1) ○ (2) ○ (3) × 2 ㉠ 금관가야 ㉡ 대가야
3 (1) – ㉡ (2) – ㉠

실력 탄탄 핵심 문제

32~36쪽

01 ① 02 ④ 03 ① 04 ⑤ 05 ① 06 ④ 07 ⑤ 08 ①
09 ③ 10 ③ 11 ① 12 ② 13 ② 14 ③ 15 ⑤ 16 ⑤
17 ② 18 ③ 19 ④ 20 ⑤ 21 ④ 22 ⑤ 23 ⑤ 24 ④
25 ② 26 ③ 27 ⑤

01 태조왕의 업적

(가)는 1세기 초 고구려의 국내성 천도, (나)는 고구려 미천왕의 업적을 설명한 것으로, 이 시기 사이에는 태조왕, 고국천왕 등이 집권하였다. 태조왕은 동해안으로 나아가 옥저를 정복하였고, 요동 지방으로의 진출을 꾀하였다.

바로알기 ≫ ②는 소수림왕, ③, ④는 장수왕, ⑤는 광개토 대왕의 집권 시기에 있었던 사실로 모두 (나) 이후에 일어났다.

02 고국천왕의 정책

제시된 자료는 고구려의 고국천왕이 실시한 진대법과 관련이 있다. 2세기경 고국천왕은 수도와 지방을 각각 5부로 나누었고, 지방에 관리를 파견하여 행정과 군사 업무를 처리하게 하였다.

바로알기 ≫ ①은 1세기 초의 일이다. ②는 소수림왕, ③은 광개토 대왕, ⑤는 장수왕에 대한 설명이다.

03 소수림왕의 업적

제시된 자료는 고구려가 불교를 수용하였음을 보여 준다. 고구려는 소수림왕 때 불교를 수용하였으므로 ㉠ 왕은 소수림왕이다. 4세기경 고구려를 지배한 소수림왕은 중국의 전진에서 불교를 받아들였고, 율령을 반포하여 통치 조직을 정비하였다.

바로알기 ≫ ②는 고구려 장수왕, ③은 백제 고이왕, ④는 신라 내물왕, ⑤는 고구려 광개토 대왕의 업적과 관련이 있다.

04 백제의 건국 세력

제시된 자료의 서울 석촌동 고분은 백제 초기의 고분이다. 따라서 ㉠은 백제이다. 백제는 비류, 온조 등 부여와 고구려에서 내려온 세력이 한강 유역의 토착 세력과 연합하여 건국하였다.

바로알기 ≫ ① 책화는 동예의 풍습이다. ② 옥저에서 가족 공동 무덤을 만들었다. ③ 진대법은 고구려의 제도이다. ④는 고조선에 대한 설명이다.

05 고이왕의 체제 정비

백제는 3세기 중반 고이왕 때 관등제를 정비하여 6좌평을 비롯한 관리의 등급을 마련하고, 관리의 등급에 따라 관복의 색을 달리하여 서열을 구분하였다.

바로알기 ≫ ② 대대로는 고구려의 수상이다. ③ 이사금은 신라에서 사용된 왕호이다. ④는 신라 내물왕의 정책이다. ⑤ 태학은 고구려의 교육 기관이다.

06 신라의 건국

진한의 소국 중 하나인 사로국에서 출발한 신라는 박혁거세로 대표되는 유이민 세력과 경주·울산 지역의 토착 세력이 결합하여 세운 나라이다. 한반도 동남쪽 끝에 위치했던 신라는 중국의 선진 문화를 받아들이기 어려운 지리적 조건으로 고구려와 백제보다 국가 발전이 늦었다.

바로알기 ≫ ㄱ, ㄷ은 백제에 대한 설명이다.

07 신라 초기의 모습

제시된 자료의 왼쪽 글은 신라의 건국을 보여 주고, 오른쪽 글은 4세기경 내물왕 집권 시기를 보여 준다. 이 시기 사이에는 박씨, 석씨, 김씨가 돌아가며 왕위에 올랐다. 그리고 왕권이 점차 성장하여 4세기 내물왕 때 김씨의 왕위 세습이 확립되었고, 대군장을 뜻하는 '마립간'을 왕호로 사용하였다.

바로알기 ≫ ①, ②는 6세기 법흥왕 집권 시기의 일이다. ③은 6세기 진흥왕 집권 시기의 일이다. ④는 고조선의 멸망과 관련이 있다.

08 5세기경 국제 정세

제시된 자료의 유물은 경주 호우총 출토 청동 '광개토 대왕'명 호우이다. 이 청동 그릇의 바닥에는 '국강상광개토지호태왕'이라는 글자가 새겨져 있어 5세기 광개토 대왕 시기 고구려와 신라의 관계가 긴밀하였음을 짐작하게 한다. 고구려 광개토 대왕은 신라에 침입한 왜를 격퇴하는 데 도움을 주었으며, 이후 신라는 고구려의 정치적 간섭을 받았다.

바로알기 ≫ ②는 삼한과 관련이 있는 내용이다. ③은 고조선이 멸망한 배경에 해당한다. ④, ⑤는 6세기 진흥왕 시기의 사실이다.

09 내물왕의 활동

㉠에 들어갈 왕호는 '마립간'으로, 내물왕이 처음 사용하였다. 4세기 후반 내물왕 때에는 왕권이 더욱 성장하여 김씨의 왕위 세습이 확립되어 대군장을 뜻하는 '마립간'을 왕호로 사용하였다.

바로알기 ≫ ①은 지증왕의 업적이다. ②는 대가야에 대한 설명이다. ④는 법흥왕의 업적이다. ⑤는 고구려에 대한 설명이다.

10 중앙 집권 체제의 형성

자료로 이해하기 »

- 소수림왕 3년, 율령을 처음으로 반포하였다. — 율령 반포
- 눌지마립간이 왕위에 올랐다. 내물왕의 아들이다. — 왕위 부자 상속
- 광개토왕 20년, 무릇 쳐부순 성이 64개, 촌이 1,400개이다. — 영토 확장
- 침류왕 1년, 승려 마라난타가 진에서 왔다. …… 불교가 이로부터 시작되었다. — 불교 수용

삼국은 율령 반포, 왕위의 부자 상속 확립, 영토 확장, 불교 수용, 관등제 정비 등의 과정을 거치면서 중앙 집권 체제를 형성하였다.

바로알기 » ① 신석기 시대에 정착 생활이 시작되었다. ②는 삼한 사회와 관련이 있다. ④ 우리나라 최초의 국가는 고조선이다. ⑤ 삼국은 철기 시대 이후에 성립되었다.

11 고구려의 체제 정비

고구려는 제가 회의에서 국가의 중요한 일을 의논하였다. 행정 구역은 수도와 지방을 각각 5부로 나누고 지방관을 파견하여 행정과 군사 업무를 맡겼다. 관등제도 정비하였는데, 수상인 대대로를 중심으로 10여 관등을 두었다.

바로알기 » ① 상대등은 신라의 수상이었다.

12 4세기경 삼국의 정세

지도에서 백제가 한강 유역을 차지하였고, 해외로 진출하는 것을 통해 지도는 4세기경 삼국의 정세를 나타낸 것임을 알 수 있다. 4세기 백제의 근초고왕은 강성해진 국력을 바탕으로 고구려를 공격하여 황해도 일부를 장악하고 고구려의 고국원왕을 전사시켰다.

바로알기 » ① 마한은 철기 시대에 성립되었다. ③ 신라는 6세기 법흥왕 때 율령을 반포하였다. ④는 6세기 백제 무령왕 때의 일이다. ⑤ 백제는 6세기 성왕 때 수도를 웅진에서 사비(부여)로 옮겼다.

13 백제와 왜의 관계

제시된 글의 근초고왕은 백제의 전성기를 이끈 왕이다. 따라서 ㉠은 백제이다. 백제는 왜와 교류를 하였는데, 일본에서 발견된 칠지도라는 칼에 백제의 왕세자가 왜왕에게 전한다는 기록이 있어 백제와 왜의 교류를 짐작하게 한다.

바로알기 » ① 명도전은 철기 시대 한반도와 중국의 교류를 보여 준다. ③, ④는 신라와 관련이 있다. ⑤ 비파형 동검은 고조선의 문화 범위를 보여 준다.

14 무령왕의 중흥 노력

(가)에는 6세기경 백제의 중흥 노력이 들어갈 수 있다. 백제는 한강 유역을 상실한 후 수도를 웅진(공주)으로 옮겼다. (고구려 장수왕의 남진 정책으로 수도 한성이 함락되어 개로왕이 살해당하고 한강 유역을 상실하였어.) 이후 백제의 무역 활동이 침체되었고, 귀족들이 권력을 다투어 왕권이 약해졌다. 이러한 상황에서 6세기 초 집권한 무령왕은 지방에 22담로를 설치하여 지방 통제를 강화하였다.

바로알기 » ①은 고조선에 대한 설명이다. ② 백제는 4세기 침류왕 때 불교를 수용하였다. ④ 백제는 5세기에 수도를 웅진(공주)으로 옮겼다. ⑤는 4세기 근초고왕 때의 일이다.

15 성왕의 활동

지도와 같이 웅진(공주)에서 사비(부여)로 수도를 옮긴 왕은 백제의 성왕이다. 성왕은 부여 계승 의식을 내세우며 나라 이름을 일시적으로 '남부여'로 바꾸었다. 중앙에 실무를 담당하는 22부의 관청을 설치하고, 수도는 5부, 지방은 5방으로 나누어 다스리는 등 국가 체제를 재정비하였다. 대외적으로는 왜에 불교를 비롯한 선진 문물을 전해 주었다.

바로알기 » ⑤ 백제의 성왕은 관산성 전투에서 신라에 패배하였다.

16 광개토 대왕의 업적

제시된 자료는 광개토 대왕이 신라에 침입한 왜군을 격퇴한 사실을 담고 있다. 따라서 밑줄 친 '왕'은 광개토 대왕이다. 광개토 대왕은 후연과 거란을 격파하여 만주와 요동 지역 대부분을 차지하였다.

바로알기 » ①은 고구려 소수림왕, ②, ④는 고구려 장수왕, ③은 신라 법흥왕의 업적이다.

17 백제의 웅진 천도 배경

백제가 5세기 수도를 웅진(공주)으로 옮긴 사건은 고구려의 남진 정책과 관련이 있다. 고구려 장수왕은 수도를 평양으로 옮긴 이후 적극적으로 남진 정책을 펼쳐 백제의 수도인 한성을 함락하고 한강 유역 전체를 차지하였다. 한강 유역을 상실한 백제는 금강 유역의 웅진(공주)으로 수도를 옮겼다.

바로알기 » ①은 삼한과 관련이 있다. ③, ⑤는 신라 내물왕 시기의 일이다. ④는 백제의 웅진 천도 이후에 일어난 일이다.

18 5세기 고구려의 발전

지도는 고구려가 한강 유역을 차지하고 영토를 크게 확장한 5세기에 해당한다. 5세기 고구려는 광개토 대왕이 만주와 요동 지역 대부분을 확보하였다. 뒤를 이은 장수왕은 수도를 평양으로 옮기고 남진 정책을 추진하여 남쪽으로 영토를 확장하였다.

바로알기 » ①은 1세기 후반 고구려 태조왕 시기의 일이다. ②는 백제 근초고왕의 정복 활동과 관련이 있다. ④ 백제의 성왕이 나라 이름을 일시적으로 '남부여'로 바꾸었다. ⑤는 4세기 고구려 미천왕 시기의 일이다.

19 고조선의 건국 이야기

자료로 이해하기 »

- 왕의 은택은 하늘에 미쳤고 위엄은 사해에 떨쳤다. (고구려 왕의 은택이 하늘에 미쳤고, 위엄이 사해(사방의 바다)에 떨쳤다고 하며 고구려가 세계의 중심이라는 독자적인 천하관을 내세우고 있어.) 나쁜 무리를 쓸어 없애니 백성이 각기 생업에 힘쓰고 편안히 살게 되었다. 나라는 부강해지고 백성은 풍족해졌으며, 오곡이 풍성하게 익었다. -「광개토 대왕릉비」
- 하백의 손자이며 해와 달의 아들인 추모성왕(주몽)이 북부여에서 태어나셨으니 천하 사방은 이 나라 이 고을이 가장 성스러움을 알지니 ……. (고구려 건국 시조가 하늘의 자손이라는 자부심을 보여 줘.) - 모두루 무덤 묘지문

제시된 두 자료를 통해 고구려인들이 고구려의 왕이 신성한 '하늘의 자손'이라는 자부심을 바탕으로 독자적인 천하관을 표방하였음을 알 수 있다.

바로알기 ≫ ①은 백제 무령왕, 성왕의 정책 등과 관련이 있다. ②는 고구려가 대대로와 10여 등급으로 관등을 정비한 것과 관련이 있다. ③ 가야 연맹은 변한 지역의 작은 나라들이 연합하여 형성하였으며, 제시된 자료와는 관련이 없다. ⑤ 신라는 6세기 한강 유역을 차지하였다. 제시된 자료는 5세기경의 한반도 정세와 관련이 있다.

20 5세기 동아시아의 정세

제시된 자료에는 백제와 신라가 고구려에 맞서 동맹을 맺었고, 고구려, 유연, 북위, 남조가 서로 견제하고 공존하는 다원적인 국제 질서를 형성한 사실이 나타나 있다. 따라서 자료는 5세기 장수왕이 고구려를 지배하던 시기에 해당함을 알 수 있다. 장수왕은 백제의 수도 한성을 함락하고 한강 유역 전체를 차지하였다.

바로알기 ≫ ① 6세기 신라 진흥왕이 대가야를 복속시켰다. ② 백제는 6세기 성왕 때 수도를 사비로 옮겼다. ③ 6세기 신라 진흥왕은 황룡사를 세웠다. ④ 관산성 전투는 6세기에 일어났다.

21 지증왕의 정책

제시된 자료의 내용은 모두 신라 지증왕의 정책과 관련이 있다. 따라서 (가)에는 지증왕의 정책이 들어가면 된다. 지증왕은 순장을 금지하고 우경을 보급하여 농업 생산 기반을 확충하였으며, 수도에 시장을 개설하여 물자 유통이 활발히 이루어지도록 하였다. 이를 토대로 국호를 '신라'로 확정하고, 왕호를 '마립간'에서 중국식 호칭인 '왕'으로 개편하였다.

바로알기 ≫ ①, ⑤는 신라 법흥왕, ②는 고구려 소수림왕, ③은 신라 진흥왕의 활동과 관련이 있다.

22 법흥왕의 업적

신라 법흥왕은 통치 질서를 확립하였다. 율령을 반포하였으며, 관리를 17등급으로 나누고 관복의 색을 구분하였다. 또한 상대등을 설치하여 귀족 회의인 화백 회의를 이끌게 하였고, 병부를 설치하여 군권을 장악하였다.

바로알기 ≫ ㄱ은 신라 지증왕, ㄴ은 신라 내물왕의 업적이다.

23 진흥왕 통치 시기의 신라

제시된 비석은 서울 북한산 신라 진흥왕 순수비로, 신라 진흥왕이 한강 유역을 차지한 후 업적을 과시하기 위해 세웠다. 따라서 ㉠ 왕은 진흥왕이다. 진흥왕은 화랑도를 국가적인 조직으로 재편하여 인재를 양성하였다.

바로알기 ≫ ①, ④는 신라 지증왕, ②는 신라 법흥왕 통치 시기에 있었던 일들이다. ③ 고구려가 1세기 초에 수도를 국내성으로 옮겼다.

24 신라의 발전

지도에서 (가)는 6세기경 한강 유역을 차지하고, 함경도 남부에 진출하였다. 따라서 (가) 나라는 신라임을 알 수 있다. 신라는 진한의 소국인 사로국에서 시작되었다. 왕권이 강화되면서 왕의 호칭이 변화하여 지증왕 때는 '왕' 호칭을 사용하기 시작하였다. 상대등이 수상을 맡고 관리는 17관등으로 정비되었으며, 행정 구역은 중앙 6부, 지방 5주로 정비되었다.

바로알기 ≫ ④ 신라는 건국 초기 한반도 동남쪽 끝에 위치하여 중국 문물 수용이 어려웠다. 한강 유역을 차지한 이후 황해를 통해 중국과 직접 교역하게 되었다.

25 금관가야의 성장

지도에서 (가)는 김해를 근거지로 하였고, 전기 가야 연맹을 이끌었다는 내용을 통해 금관가야임을 알 수 있다. 금관가야는 풍부한 철광과 제철 기술을 바탕으로 철제 무기를 비롯한 우수한 철기를 제작하였다.

바로알기 ≫ ①은 대가야, ③은 신라 ④, ⑤는 백제에 대한 설명이다.

26 금관가야의 쇠퇴

지도의 (나)는 가야 연맹의 중심지가 김해의 금관가야에서 고령의 대가야로 이동하는 것을 보여 준다. 5세기 초 고구려 광개토 대왕이 신라에 침입한 왜를 격퇴하는 과정에서 낙동강을 넘어 김해 지역까지 공격하였다. 이에 타격을 받은 금관가야는 가야 소국의 하나로 전락하였고, 이후 중심지가 고령의 대가야로 이동하였다.

바로알기 ≫ ① 22담로는 백제 무령왕이 지방 통제를 강화하기 위해 설치하였다. ② 고구려의 남진 정책에 대항하여 신라와 백제가 나제 동맹을 결성하였다. ④ 고조선 멸망 이후 고조선의 옛 지역에 한 군현이 설치되었다. ⑤는 4세기 백제의 전성기와 관련이 있다.

27 대가야의 발전

가야 연맹의 맹주는 금관가야에서 대가야로 바뀌었다. 따라서 ㉠은 대가야이다. 대가야는 합천 지역을 복속시키고 소백산맥을 넘어 섬진강 일대로 세력을 확장하였다. 이후 섬진강을 통해 새로이 바닷길을 개척하고 중국 남조, 왜 등과 교역을 시도하는 등 국제적 고립에서 벗어나고자 하였다.

바로알기 ≫ ① 칠지도는 백제에서 제작하였다. ② 대가야는 신라에 멸망당하였다. ③ 웅진은 백제의 수도였다. ④ '마립간'은 신라에서 사용한 왕호이다.

서술형 문제

37쪽

01 고구려의 천하관

(1) 광개토 대왕

(2) ① 하늘, ② 고구려

02 백제 건국 세력의 특징

(1) (가) 고구려, (나) 백제

예시답안 ▶ 백제 초기 무덤인 석촌동 고분의 양식이 고구려 돌무지 무덤의 양식과 유사한 것을 통해 백제 건국의 중심 세력이 고구려와 같은 집단이라는 점을 짐작할 수 있다.

채점 기준	점수
백제 건국의 중심 세력이 고구려와 같은 집단이라는 점과 그 근거를 서술한 경우	상
근거 없이 백제 건국의 중심 세력이 고구려와 같은 집단이라고만 서술한 경우	하

03 중앙 집권 체제의 형성

예시답안 삼국은 영토 확장, 왕위의 부자 상속 확립, 불교 수용, 관등제 정비, 율령 반포 등을 통해 중앙 집권 체제를 형성하였다.

채점 기준	점수
중앙 집권 체제를 형성하는 과정에서 실시한 정책을 세 가지 서술한 경우	상
중앙 집권 체제를 형성하는 과정에서 실시한 정책을 두 가지 서술한 경우	중
중앙 집권 체제를 형성하는 과정에서 실시한 정책을 한 가지만 서술한 경우	하

04 진흥왕의 영토 확장

예시답안 진흥왕. 남한강 유역의 적성 지방과 북한산에 세운 비석을 통해 진흥왕 때 신라의 영토가 한강 유역으로 확장되었음을 알 수 있다.

채점 기준	점수
진흥왕을 쓰고, 한강 유역으로 영토가 확장되었음을 서술한 경우	상
한강 유역으로 영토가 확장되었음만 서술한 경우	중
진흥왕만 쓴 경우	하

05 가야가 중앙 집권 국가로 성장하지 못한 배경

예시답안 가야는 각 소국이 독자적인 권력을 유지하였고, 백제와 신라 사이에 위치하여 불안한 상황이 지속되어 중앙 집권 국가로 성장하지 못하였다.

채점 기준	점수
각 소국의 독자적인 권력 유지, 가야의 위치적 특징을 모두 서술한 경우	상
각 소국의 독자적인 권력 유지, 가야의 위치적 특징 중 한 가지만 서술한 경우	하

04 삼국의 문화와 대외 교류

39, 41, 43쪽

A 1 불교 2 (1) ㄴ (2) ㄱ (3) ㄷ

B 1 ㉠ 도교 ㉡ 신선 2 오경박사 3 (1) 태학 (2) 유교

C 1 귀족 2 골품제 3 (1) × (2) × (3) ○

D 1 ㉠ 벽돌무덤 ㉡ 중국 2 (1) 돌무지무덤 (2) 굴식 돌방무덤 (3) 돌무지덧널무덤 3 (1) – ㉠ (2) – ㉢ (3) – ㉡

E 1 (1) × (2) ○ 2 ㉠ 초원길 ㉡ 고구려 3 ㄱ, ㄷ

F 1 (1) ㄱ (2) ㄹ (3) ㄷ (4) ㄴ 2 (1) 담징 (2) 왕인 (3) 가야 3 아스카

실력 탄탄 핵심 문제

44~47쪽

01 ① 02 ③ 03 ④ 04 ② 05 ⑤ 06 ① 07 ① 08 ⑤ 09 ② 10 ⑤ 11 ④ 12 ⑤ 13 ① 14 ① 15 ② 16 ⑤ 17 ④ 18 ①

01 불교의 수용

금동 연가 7년명 여래 입상과 익산 미륵사지 석탑은 모두 불교와 관련이 있다. 삼국은 중앙 집권 체제를 확립하면서 불교를 수용하였다. 이에 따라 사찰, 탑, 불상 등 불교 예술도 함께 발달하였다.

바로알기 ≫ ② 금동 연가 7년명 여래 입상은 고구려의 불상이고, 익산 미륵사지 석탑은 백제의 탑이다. ③ 제천 행사는 부여의 영고, 고구려의 동맹 등이 대표적이다. ④ 천군은 삼한의 제사장이다. ⑤ 골품제는 신라의 신분제이다.

02 불교의 발전

자료로 이해하기 ≫

- 소수림왕 2년, 진왕 부견이 사신과 승려 순도를 파견하여 불상과 경문을 보내왔다. – 고구려는 소수림왕 때 전진에서 불교를 수용하였어.
- 법흥왕 15년, 공인하였다. ……… (이차돈의) 목을 베자 피가 솟구쳤는데, 그 색이 우윳빛처럼 희었다. –『삼국사기』
  신라는 법흥왕 때 이차돈의 순교를 계기로 불교를 공인하였어.

두 자료는 불교와 관련이 있다. 삼국의 왕실은 불교의 '왕은 곧 부처'라는 사상이 왕의 권위를 뒷받침해 주었기 때문에 불교를 적극 수용하여 발전시켰다.

바로알기 ≫ ①은 도교에 대한 설명이다. ② 삼국은 중국으로부터 불교를 받아들였다. ④ 소도는 삼한에서 천군이 다스린 지역이다. ⑤ 사신은 도교에서 믿는 방위신이다.

03 불교식 왕명 사용

제시된 글은 신라에서 불교식 왕명을 사용하였음을 보여 준다. 불교는 왕의 권위를 뒷받침하는 역할을 하였기에 삼국 왕실의 보호를 받으며 국가적인 종교로 발전하였다. 신라의 불교식 왕명 사용은 이러한 사실을 보여 준다.

바로알기 ≫ ①은 신라의 첨성대 등과 관련이 있다. ② 제시된 자료는 불교의 발전과 관련이 있다. ③ 태학 설립, 오경박사의 활동, 임신서기석의 기록 등이 유학의 발달과 관련이 있다. ⑤ 사신도, 백제 금동 대향로, 산수무늬 벽돌 등이 도교의 발달과 관련이 있다.

04 백제의 불교 예술

제시된 자료의 서산 용현리 마애 여래 삼존상은 백제의 불상이다. 이 불상은 바위에 조각한 것으로 얼굴에 온화한 미소를 띠고 있어 '백제의 미소'라고도 불린다.

바로알기 ≫ ①은 고분 벽화나 고분의 껴묻거리 등에 해당한다. ③은 고구려의 사신도 등과 관련이 있다. ④는 진흥왕 순수비 등과 관련이 있다. ⑤ 동맹은 고구려의 제천 행사이다.

05 도교 문화유산

제시된 문화유산은 백제의 산수무늬 벽돌로, 여기에는 산과 나무, 계곡의 모습이 조화롭게 새겨져 있어 자연과 더불어 살고자 하는 도교의 이상향이 담겨 있다. 따라서 ㉠은 도교이다. 고구려 강서대묘의 사신도는 도교에서 동서남북을 지킨다고 믿는 상상 속의 동물을 그린 것이다.

바로알기 ≫ ①, ③은 불교, ②는 유학의 발달과 관련이 있다. ④는 신라 진흥왕이 적성 지역을 점령한 후 세운 비석이다.

06 삼국의 도교 발달

삼국은 중국으로부터 도교를 수용하였다. 삼국의 도교는 산천 숭배와 불로장생을 추구하는 신선 사상과 결합하여 귀족 사회를 중심으로 유행하였다.

바로알기 ≫ ㄷ, ㄹ은 불교와 관련이 있다.

07 유학의 발달

제시된 자료의 태학, 오경박사, 임신서기석은 모두 유학(유교)의 발달과 관련이 있다. 고구려는 수도에 태학을 세워 유교 경전과 역사를 가르쳤고, 백제에서는 오경박사가 유교 경전을 가르쳤다. 신라의 임신서기석에는 신라 젊은이들이 유교 경전을 공부하기로 다짐하는 내용이 기록되어 있다.

바로알기 ≫ ②는 고구려 고분 속 별자리 그림, 신라의 첨성대 제작 등과 관련이 있다. ③ 삼국의 도교가 신선 사상과 결합하여 발전하였다. ④ 부여, 초기 고구려 등이 연맹 왕국을 형성하였다. ⑤ 철기 시대에는 부여, 고구려, 옥저, 동예, 삼한 등이 등장하였다.

08 신라의 문화 발달

경주 분황사 모전 석탑, 경주 배동 석조 여래 삼존 입상은 모두 신라에서 만들어진 불교문화이다. 신라에서는 불교가 발달하면서 법흥왕, 진흥왕, 진지왕, 선덕 여왕, 진덕 여왕 등이 불교식 왕명을 사용하였다. 신라 진흥왕은 불교를 장려하여 황룡사를 건축하였고, 중앙 집권 체제를 강화하기 위해 역사서 『국사』를 편찬하기도 하였다. 신라는 7세기경 첨성대를 제작하였는데, 이는 천문 관측기구로 추정한다.

바로알기 ≫ ⑤ 혜자는 고구려의 승려이다.

09 신라의 유학 발달

자료로 이해하기 ≫

> 유교 경전을 공부하여 나라에 충성할 것을 맹세한다. …… 시, 상서, 예기, 춘추전을 차례로 공부하기를 맹세하며 기간은 3년으로 한다. └ 유교 경전이야.
> – 임신서기석

임신서기석에는 신라 젊은이들이 유교 경전을 공부하겠다는 다짐이 담겨 있다. 이를 통해 신라에서 유학(유교)이 발달하였음을 짐작할 수 있다.

바로알기 ≫ ① 신라에서 불교를 수용하면서 불교식 왕명을 사용하고, 사찰, 탑, 불상 등을 건립하였다. ③ 화백 회의는 신라의 귀족 회의이다. ④ 신라는 진흥왕 때 『국사』를 편찬하였다. ⑤ 임신서기석에는 도교와 관련된 내용이 없다.

10 삼국의 주거 모습

첫 번째 그림은 고구려 안악 3호분의 고분 벽화로, 부엌, 고깃간 등이 있는 귀족 저택의 모습을 보여 준다. 두 번째 초가집 모양의 토기는 삼국 시대 평민들의 거주지를 보여 준다. 삼국 시대 신분은 왕족을 비롯한 귀족, 평민, 천민으로 구분되었는데, 신분에 따라 거주지에 차이가 있었다.

바로알기 ≫ ① 움집은 신석기 시대에 처음 지어졌다. ② 신석기 시대에 정착 생활이 시작되었다. ③ 삼한은 소도와 천군을 통해 제정 분리 사회였음을 짐작할 수 있다. ④ 삼국 시대 사람들은 죽은 뒤의 세계를 믿었기 때문에 고분에 벽화를 그려 넣었다.

11 삼국 시대 평민의 생활 모습

삼국 시대에는 귀족과 평민의 의식주에 차이가 있었다. 평민들은 거친 베나 동물 가죽으로 만든 옷을 입었으며, 조, 기장, 보리, 콩 등의 잡곡을 주로 먹고 도토리 가루를 섭취하였다. 이들은 움집, 귀틀집, 초가집에 살았다.

바로알기 ≫ ④ 삼국 시대의 귀족들은 기와집에 거주하고, 집 안에 부엌, 고깃간, 곡식 창고 등을 두었다.

12 고구려의 고분 벽화

제시된 자료는 고구려의 굴식 돌방무덤인 무용총에 그려진 벽화이다. 시종이 주인과 손님을 접대하는 모습을 그린 것으로, 당시에 신분이 구분되었음을 알 수 있다.

바로알기 ≫ ㄱ. 고인돌에는 벽화가 없다. ㄴ. 무용총 벽화는 고구려의 고분 벽화이다.

13 무령왕릉의 특징

제시된 자료는 백제 웅진 시기에 만들어진 무령왕릉과 관련이 있다. 무령왕릉은 백제 무령왕과 왕비의 무덤으로, 중국 남조의 영향을 받아 벽돌무덤으로 만들어졌다. 무덤에서는 백제의 문화와 대외 교류의 모습을 알 수 있는 수천 점의 유물이 발견되었다.

바로알기 ≫ ② 무령왕릉은 벽돌무덤이다. ③ 고구려는 초기에 돌무지무덤을 만들었다. ④ 백제의 돌무지무덤이 백제 건국 세력의 특징을 보여 준다. ⑤는 굴식 돌방무덤에 대한 설명이다.

14 돌무지덧널무덤과 굴식 돌방무덤

(가)는 돌무지덧널무덤, (나)는 굴식 돌방무덤의 구조를 나타낸 것이다. 돌무지덧널무덤은 신라 초기에 많이 만들어졌다. 나무 덧널 위에 돌을 쌓은 뒤 흙으로 봉분을 쌓았는데, 도굴하기 어려운 구조여서 껴묻거리가 많이 남아 있다.

바로알기 ② 돌무지덧널무덤에는 벽화가 없다. ③ 백제는 중국 남조의 영향을 받아 벽돌무덤을 만들었다. ④는 고인돌, ⑤는 돌무지무덤과 관련이 있는 설명이다.

15 삼국과 서역의 교류

삼국은 초원길과 비단길(사막길) 등을 이용하여 서역과 교류하였고, 이를 보여 주는 흔적이 여러 곳에서 발견되었다. 신라의 고분에서는 그리스, 로마, 서아시아 등에서 유행한 보검과 비슷한 경주 계림로 보검이 발견되었다. 서역에서 발견된 아프라시아브 궁전 벽화에는 고구려식 관모와 칼을 착용하여 고구려 사신으로 추정되는 사람이 그려져 있다. 이러한 사실들은 삼국과 서역이 교류하였음을 짐작하게 한다.

바로알기 ㄴ. 스에키는 가야의 영향을 받은 일본의 토기이다. ㄹ. 경주 분황사 모전 석탑은 신라의 석탑으로, 서역과는 관련이 없다.

16 삼국 문화의 일본 전파

왼쪽 불상은 삼국에서 만들어진 금동 미륵보살 반가 사유상이고, 오른쪽 불상은 일본에서 만들어진 고류사 목조 미륵보살 반가 사유상이며, 삼국의 불상이 먼저 만들어졌다. 금동 미륵보살 반가 사유상과 고류사 목조 미륵보살 반가 사유상이 재질만 다르고 불상의 자세, 형태 등이 유사한 것을 통해 삼국의 문화가 일본의 문화에 영향을 주었음을 알 수 있다.

바로알기 ① 비파형 동검, 탁자식 고인돌의 분포 범위가 고조선의 문화 범위와 유사하다. ② 나제 동맹은 고구려의 남진 정책에 대항하여 체결되었다. ③ 백제 금동 대향로, 사신도, 산수무늬 벽돌 등에 도교가 반영되었다. ④ 제시된 불상들은 돌무지덧널무덤에서 발굴된 것이 아니다.

17 아스카 문화의 발전

제시된 글은 삼국이 일본에 문화를 전파하였음을 설명하고 있다. 당시 일본에 전해진 삼국의 문화는 일본 아스카 문화의 성립과 발전에 기여하였다.

바로알기 ① 한반도의 삼국은 중국으로부터 유학을 수용하였다. ② 삼국은 초원길과 비단길을 통해 서역과 교류하였다. ③ 한 군현은 고조선이 멸망한 이후 그 땅에 설치되었다. ⑤ 경주 계림로 보검은 신라와 서역의 교류를 보여 준다.

18 신라의 문화 전파

지도에서 화살표는 신라에서 일본으로 이동하고 있으므로, (가)에는 신라에서 일본으로 전파된 문화가 들어가면 된다. 신라는 일본에 배 만드는 기술과 둑 쌓는 기술을 전해 주었다.

바로알기 ② 가야 토기는 일본 토기인 스에키의 바탕이 되었다. ③ 백제의 아직기와 왕인은 한문, 논어, 천자문을 일본에 전해 주었다. ④ 고구려의 담징은 종이와 먹의 제조 방법을 일본에 전파하였다. ⑤ 백제의 오경박사, 화가, 공예 기술자 등이 일본에 건너가 활약하였다.

서술형 문제

47쪽

01 도교의 발달

(1) 도교

(2) ① 신선 사상, ② 귀족

02 불교 수용과 보호의 목적

예시답안 삼국의 왕실은 중앙 집권 체제를 강화하는 과정에서 지방 세력을 포용하고 백성의 사상을 통합하기 위해 불교를 수용하였으며, 불교가 왕의 권위를 뒷받침해 주었기 때문에 불교를 보호하였다.

채점 기준	점수
삼국이 불교를 수용하고 보호한 목적을 모두 서술한 경우	상
삼국이 불교를 수용하고 보호한 목적 중 한 가지만 서술한 경우	하

03 고구려의 문화 전파

예시답안 두 고분 벽화에 묘사된 여성들의 의상과 벽화의 내용 및 화풍 등이 비슷한 점을 통해 일본 다카마쓰 고분 벽화가 고구려 수산리 고분 벽화의 영향을 받았음을 알 수 있다.

채점 기준	점수
일본 벽화가 고구려 벽화의 영향을 받았음을 근거를 들어 서술한 경우	상
일본 벽화가 고구려 벽화의 영향을 받았다고만 서술한 경우	하

시험 적중 마무리 문제 50~53쪽

01 ④ 02 ② 03 ② 04 ⑤ 05 ① 06 ② 07 ④ 08 ①
09 ⑤ 10 ① 11 ④ 12 ⑤ 13 ③ 14 ④ 15 ④ 16 ⑤
17 ② 18 ② 19 ⑤ 20 ③ 21 ①

01 구석기 시대의 생활 모습

제시된 주먹도끼와 슴베찌르개는 구석기 시대의 뗀석기이다. 구석기 시대에는 사냥과 채집으로 식량을 얻었기 때문에 무리 지어 이동하는 생활을 하였다.

바로알기 ≫ ① 청동기 시대에 계급이 생겨났다. ② 신석기 시대에 농경과 목축이 시작되었다. ③ 청동기 시대에 미송리식 토기가 만들어졌다. ⑤ 신석기 시대에 애니미즘과 토테미즘이 발생하였다.

02 신석기 시대의 생활 모습

신석기 시대 사람들은 식량을 얻기 위해 사냥, 채집을 하고 작물을 재배하였으며, 가축을 길렀다. 농경과 목축이 시작되면서 사람들은 정착 생활을 하였고, 움집을 만들어 살았다. 또한 낚시 도구로 물고기를 잡거나 조개 등을 잡아먹었다. 당시에는 빗살무늬 토기를 만들어 음식을 조리하거나 곡식을 저장하는 데 이용하였다.

바로알기 ≫ ② 벼농사는 청동기 시대에 일부 지역에서 시작되었다.

03 청동기 시대의 사회 모습

제시된 문화유산은 청동기 시대에 만들어진 고인돌이다. 청동기 시대 사람들은 농사와 전쟁에 유리한 나지막한 언덕에 마을을 형성하고, 울타리, 도랑 등의 방어 시설을 만들었다. 청동기 시대의 군장(족장)은 부족을 통솔하면서 제사를 주관하였다. 청동기 시대에는 거푸집에 녹인 청동을 부어 청동 검 등을 제작하였다. 한편, 일상생활 도구는 돌이나 나무로 만들어 반달 돌칼과 같은 석기가 만들어졌다. 반달 돌칼은 곡식의 이삭을 자르는 데 주로 사용되었다.

바로알기 ≫ ② 주먹도끼는 구석기 시대의 도구이다.

04 고조선의 발전

(가)는 위만이 고조선의 왕이 된 사실과 관련이 있고, (나)는 고조선의 멸망과 관련이 있다. 위만이 집권한 이후 고조선은 철기를 본격적으로 수용하여 농업이 발전하고 세력을 확대하였다. 그리고 중국 한과 한반도 남쪽 나라들 사이에서 중계 무역을 벌였다.

바로알기 ≫ ㄱ은 (나) 이후, ㄴ은 (가) 이전의 사실이다.

05 고조선의 사회 모습

제시된 자료는 고조선에 있었던 「8조법」의 내용이다. 이를 통해 고조선이 계급 사회였고 노비가 존재하였음을 알 수 있다. 또한 농경 사회였으며 개인의 생명(노동력)과 재산을 중시하였고, 사유 재산이 인정되었음을 유추할 수 있다.

바로알기 ≫ ②, ③ 「8조법」을 통해 고조선은 계급이 존재하였고, 사유 재산을 인정하였음을 알 수 있다. ④ 불교는 삼국 시대에 전래되었다. ⑤ 삼국 시대 왕들이 관등제를 정비하여 중앙 집권 체제를 형성하였다.

06 부여의 발전

자료로 이해하기 ≫

부여에는 마가, 우가, 저가, 구가 등의 가(加)들이 각자의 영역을 다스렸어.

> 가축의 이름으로 관명을 정한 마가, 우가, 저가, 구가 등이 있다. 제가들이 사출도를 다스리는데, 큰 곳은 수천 가호이며 작은 곳은 수백 가호이다. -「삼국지」

제시된 자료는 부여와 관련이 있다. 부여에서는 12월에 영고라는 제천 행사를 열었다.

바로알기 ≫ ① 제가 회의는 고구려에서 열렸다. ③은 삼한에 대한 설명이다. ④ 민며느리제는 옥저의 혼인 풍습이다. ⑤ 부여에는 왕이 있었다.

07 고구려의 사회 모습

제시된 자료는 고구려에 서옥제의 혼인 풍습이 있었음을 보여 준다. 고구려는 연맹 왕국으로, 계루부, 순노부, 절노부, 관노부, 순노부인 5부의 대가가 나라를 운영하였다.

바로알기 ≫ ① 책화는 동예의 풍습이다. ② 옥저에서 가족 공동 무덤을 만들었다. ③, ⑤는 삼한에 대한 설명이다.

08 부여와 고구려의 공통적 특징

부여와 고구려는 모두 연맹 왕국을 이루었다. 그리고 두 나라에는 모두 제천 행사가 있었는데, 부여는 영고, 고구려는 동맹이라는 제천 행사를 개최하였다.

바로알기 ≫ ㄷ. 한반도 동해안 지역에서 성립한 옥저와 동예에는 소금과 해산물이 풍부하였다. ㄹ. 옥저와 동예는 읍군이나 삼로로 불린 군장이 각 지역을 지배하였다.

09 옥저의 풍습

제시된 자료는 옥저에서 가족 공동 무덤을 만들었음을 보여 준다. 옥저는 비옥한 지역에서 성립하여 농경이 발달하였다. 왕이 없고 읍군·삼로라고 불리는 군장이 각 지역을 지배하였으며, 고구려의 간섭을 받아 강력한 나라로 성장하지 못하였다. 혼인 풍습으로는 민며느리제가 시행되었다.

바로알기 ≫ ⑤ 무천은 동예에서 열린 제천 행사이다.

10 삼한의 정치적 특징

자료로 이해하기 ≫

> 하늘의 신의 제사를 주관하는 사람을 천군이라고 부른다. 여러 나라에는 각각 별도의 지역이 있는데, 이를 소도라고 한다. …… (소도로) 도망 온 사람은 누구든 돌려보내지 아니하였다. -「삼국지」

소도는 정치적으로 독립된 지역으로, 죄를 짓고 도망친 사람이 숨어도 잡을 수 없었어.

제시된 자료는 삼한에서 천군이라는 제사장이 소도에서 제사 의식을 주관하였고, 소도는 정치적으로 독립된 지역이었음을 보여 준다. 이를 통해 삼한이 제정 분리 사회였음을 알 수 있다.

바로알기 ≫ ② 삼한은 연맹 왕국으로 발전하지 못하였다. ③ 족외혼은 동예의 혼인 풍습이다. ④는 고구려, ⑤는 동예에 대한 설명이다.

11 소수림왕의 업적

고구려에서 불교를 수용하고 태학을 세웠으며, 율령을 반포한 왕은 소수림왕이다. 소수림왕은 전연이 고구려의 수도를 함락하고 고국원왕이 전사한 상황에서 즉위하여 위기 극복과 사회 안정을 위한 정책을 추진하였다.

바로알기 » ① 미천왕은 낙랑군을 점령하였다. ② 장수왕은 한강 유역 전체 차지 등의 업적을 이루었다. ③ 고국천왕은 수도와 지방을 각각 5부로 나누고 진대법을 시행하는 등의 정책을 펼쳤다. ⑤ 광개토 대왕은 한강 이북을 차지하고 만주와 요동 지역 대부분을 차지하는 등 영토를 확장하였다.

12 백제 건국 세력의 특징

제시된 글은 백제의 건국에 부여와 고구려 유이민이 참여하였음을 보여 준다. 고구려의 돌무지무덤인 장군총과 백제의 돌무지무덤인 석촌동 3호분의 모양이 비슷한 점을 통해 백제의 건국 세력이 고구려의 영향을 받았음을 짐작할 수 있다.

바로알기 » ① 임신서기석에는 신라의 젊은이들이 유교 경전을 공부하겠다는 다짐 등이 새겨져 있다. ② 충주 고구려비는 고구려가 한강 유역을 차지한 사실과 관련이 있다. ③ 무령왕릉은 백제의 고분이 중국 남조의 영향을 받았음을 보여 준다. ④ 산수무늬 벽돌에는 도교의 이상향이 새겨져 있다.

13 내물왕의 업적

제시된 자료는 신라 내물왕 시기에 고구려 광개토 대왕이 신라에 침입한 왜군을 격퇴한 사실을 보여 준다. 내물왕은 김씨의 왕위 세습을 확립하고 왕호로 '마립간'을 사용하는 등 왕권을 강화하였다.

바로알기 » ①, ⑤는 신라 법흥왕, ②는 신라 진흥왕, ④는 신라 지증왕의 업적이다.

14 중앙 집권 체제의 형성

삼국은 여러 정책을 펼쳐 중앙 집권 체제를 형성하였다. 불교를 수용하여 백성의 사상을 통합하고 왕실의 권위를 증대하였으며, 정복 전쟁으로 영토를 확장하면서 왕권을 강화하였다. 지역 세력을 중앙 귀족으로 흡수하고 서열화하여 관등제도 정비하였다. 또한 각 지역에 행정 구역을 설치하고 지방관을 파견하였으며, 율령을 반포하여 왕 중심의 통치 제도와 법령을 정비하였다.

바로알기 » ④ 삼국은 중앙 집권 체제를 형성하는 과정에서 왕위의 부자 상속을 확립하였다.

15 근초고왕의 활동

지도는 4세기경 삼국의 정세를 나타낸 것으로, 백제는 근초고왕이 집권한 시기이다. 근초고왕은 고구려의 평양성을 공격하여 황해도 일부를 차지하고 고국원왕을 전사시켰다.

바로알기 » ①, ②, ③은 백제 성왕, ⑤는 백제 무령왕에 대한 설명이다.

16 광개토 대왕의 업적

고구려의 광개토 대왕은 '영락'이라는 연호를 사용하였다. 따라서 밑줄 친 '영락 대왕'은 광개토 대왕을 가리킨다. 광개토 대왕은 후연과 거란을 격파하여 만주와 요동 지역 대부분을 차지하였다.

바로알기 » ①은 미천왕, ②, ③은 장수왕, ④는 소수림왕의 업적이다.

17 단양 신라 적성비의 건립

단양 신라 적성비는 신라의 진흥왕이 세운 비석이다. 6세기 중반 진흥왕은 안정된 통치 체제를 기반으로 영토를 확장하고, 점령한 지역에 비석을 세워 영토 확장을 기념하였다. 단양 신라 적성비는 진흥왕이 고구려성이 있던 남한강 유역의 적성 지역을 점령한 후에 세운 비석이다.

바로알기 » ① 나제 동맹은 5세기에 체결되었다. ③ 백제 석촌동 고분을 통해 백제 건국 세력에 고구려 유이민이 있었다는 사실을 알 수 있다. ④는 광개토 대왕릉비와 관련이 있다. ⑤ 법흥왕은 병부 설치, 율령 반포, 관등제 정비, 불교 공인 등을 통해 중앙 집권 체제를 강화하였다.

18 도교의 발달

제시된 자료의 중국에서 전래, 사신 신봉, 백제 금동 대향로, 산수무늬 벽돌 등의 내용을 통해 해당 자료가 삼국 시대 도교의 발달과 관련이 있음을 알 수 있다. 삼국 시대에 도교는 신선 사상과 결합하여 발전하였다.

바로알기 » ① 삼국 시대에 도교는 귀족 사회를 중심으로 유행하였다. ③은 유학(유교), ④, ⑤는 불교와 관련이 있다.

19 불교의 발달

제시된 자료는 불상과 석탑으로, 모두 불교와 관련이 있다. 삼국은 영토를 확장하고 왕권을 강화하는 과정에서 불교를 받아들였다. 이로써 지방 세력을 포용하고 백성의 사상을 통합하고자 하였다. 불교는 왕의 권위를 높여 주어 왕실의 보호를 받으며 국가적인 종교로 발전하였다.

바로알기 » ① 고구려 태학에서는 유학(유교)을 주로 가르쳤다. ② 불교는 백성들의 사상을 통합하는 데 기여하였다. ③은 도교와 관련이 있다. ④ 불교는 삼국 시대에 전래되었다.

20 돌무지덧널무덤의 특징

제시된 자료는 나무 덧널 위에 돌을 쌓은 뒤 흙으로 봉분을 쌓아 만든 돌무지덧널무덤의 구조를 나타낸 것이다. 신라 초기에 만들어진 돌무지덧널무덤은 도굴이 어려운 구조여서 많은 껴묻거리가 보존되었다.

바로알기 » ①, ②는 굴식 돌방무덤과 관련이 있는 설명이다. ④ 장군총은 돌무지무덤, 무용총은 굴식 돌방무덤으로 만들어졌다. ⑤는 벽돌무덤과 관련이 있는 설명이다.

21 고구려 문화의 일본 전파

삼국은 일본과 교류하며 문화를 전파하였다. 고구려의 승려 혜자는 쇼토쿠 태자의 스승이 되었고, 담징은 종이와 먹의 제조 방법을 전하였다. 고구려의 미술도 일본에 영향을 주었는데, 일본의 다카마쓰 고분 벽화는 고구려 수산리 고분 벽화와 비슷하여 고구려의 영향을 받은 것으로 보인다.

바로알기 » ② 오경박사는 백제의 학자로, 일본에 건너가 활약하였다. ③ 스에키는 가야 토기의 영향을 받았다. ④ 아직기와 왕인은 백제의 학자로, 일본에 한문, 논어, 천자문 등을 전해 주었다. ⑤ 신라는 일본에 배 만드는 기술과 둑 쌓는 기술을 전해 주었다.

II. 남북국 시대의 전개

01 신라의 삼국 통일과 발해의 건국

57, 59, 61쪽

A 1 돌궐 2 (1) ○ (2) × 3 살수 대첩 4 (1) 수 (2) 양제

B 1 (1) ○ (2) × (3) × 2 (가) – (나) – (다)

C 1 (1) ○ (2) × 2 (1) 김춘추 (2) 계백 3 (다) – (나) – (가)

D 1 (1) – ㉡ (2) – ㉠ (3) – ㉢ 2 백강 전투 3 ㄱ, ㄴ, ㄷ

E 1 (1) – ㉠ (2) – ㉢ (3) – ㉡ 2 (다) – (가) – (나) 3 당

F 1 (1) × (2) ○ 2 대조영 3 (1) 고구려 (2) 고구려 유민

4 남북국

실력 탄탄 핵심 문제

62~65쪽

01 ④ 02 ③ 03 ③ 04 ① 05 ⑤ 06 ⑤ 07 ① 08 ⑤
09 ④ 10 ⑤ 11 ③ 12 ① 13 ① 14 ④ 15 ① 16 ②
17 ④ 18 ②

01 6세기 후반~7세기 초 동아시아 정세

6세기 중반 신라는 고구려와 백제의 공격을 받아 어려움을 겪었다. 이 무렵 중국에서는 수가 중국을 통일하여 동아시아의 국제 정세가 크게 바뀌었다. 수의 등장에 위협을 느낀 고구려는 북쪽의 돌궐과 손을 잡았고, 남쪽의 백제, 왜와 연결을 꾀하였다. 신라는 고구려와 백제의 잦은 공격에 맞서기 위해 수에 도움을 요청하였다.

바로알기 ≫ ④는 5세기경의 일이다.

02 을지문덕의 활동

제시된 자료는 을지문덕이 수의 장군 우중문에게 보낸 시이다. 우중문이 30만 명의 별동대를 이끌고 고구려를 침략하였을 때, 을지문덕이 이끄는 고구려군은 살수에서 수의 군대를 크게 무찔렀는데, 이를 살수 대첩이라고 한다.

바로알기 ≫ ①은 안승에 대한 설명이다. ② 검모잠, 고연무 등이 고구려 부흥 운동을 주도하였다. ④는 백제의 계백, ⑤는 고구려의 연개소문에 대한 설명이다.

03 수의 고구려 침입

수 양제는 우중문에게 30만 명의 별동대를 이끌고 평양성을 공격하도록 하였다. 이때 을지문덕은 수의 군대가 지친 것을 알고, 도망치는 척하면서 수의 군대를 평양성 쪽으로 유인하여 적의 힘을 뺐다. 그리고 을지문덕은 수의 장군 우중문에게 철수를 요구하는 시를 보냈다. 고구려군은 후퇴하는 수의 군대가 살수를 반쯤 건넜을 때 총공격하여 수군을 거의 전멸시켰다(살수 대첩).

바로알기 ≫ ① 나당 동맹, ② 고구려 부흥 운동, ④ 안동도호부 설치는 모두 살수 대첩 이후에 일어난 일이다. ⑤는 백제 부흥 운동에서 있었던 일로 살수 대첩 이후에 일어난 일이다.

04 수의 고구려 침입과 격퇴

수 문제가 고구려를 침입한 이후 수는 여러 차례 고구려를 침입하였으나 모두 패배하였다. 결국 잦은 해외 정벌과 토목 공사로 민심을 잃은 수는 각지에서 반란이 일어나 멸망하였다.

바로알기 ≫ ② 안시성 싸움은 수 멸망 이후 중국을 지배한 당과 고구려 사이에 일어났다. ③ 계백의 결사대는 황산벌 전투에서 신라군에 맞서 싸웠다. ④ 안동도호부는 고구려가 멸망한 이후에 설치되었다. ⑤ 고구려는 수의 침입을 모두 막아 냈다.

05 당과 고구려의 관계

수의 뒤를 이은 당은 건국 초기에 고구려와 친선 관계를 맺었다. 그러나 당 태종이 즉위한 뒤에는 돌궐 등 주변 세력을 정복하면서 고구려를 압박하였다. 이에 고구려는 국경 지역에 천리장성을 쌓고 군사력을 기르며 당의 침입에 대비하였다.

바로알기 ≫ ① 살수 대첩은 고구려와 수 사이에 일어난 전쟁이다. ②는 5세기 장수왕 때의 일로, 당이 중국을 지배하기 이전의 일이다. ③ 고구려는 수의 복속 요구를 거절하고 요서 지방을 선제공격하였다. ④ 5세기 광개토 대왕은 '영락'이라는 연호를 사용하였다.

06 수·당과 고구려의 관계

(라) 수 문제가 30만 명의 군대를 이끌고 고구려를 침략하였으나 별다른 성과 없이 돌아갔다. (나) 이후 수 양제 시기 우중문이 고구려를 침입하였을 때 고구려 을지문덕이 살수 대첩에서 수군을 격퇴하였다. (가) 수 멸망 이후 당이 중국을 지배하고 태종이 즉위한 무렵 고구려의 연개소문은 정변을 일으켜 보장왕을 세우고 대막리지가 되었다. (다) 당 태종은 연개소문의 정변을 구실로 고구려를 침입하였으나, 고구려가 안시성 싸움에서 당군을 격퇴하였다. 따라서 일어난 순서대로 나열하면 '(라) – (나) – (가) – (다)'이다.

07 고구려가 수·당의 침입을 막아 낸 원동력

고구려는 산성을 이용한 방어 체제를 갖추었으며, 요동 지방의 철광 지대를 확보하고 뛰어난 제련 기술을 보유하여 강력한 철제 무기와 갑옷을 만들었다. 또한 병사는 갑옷과 투구로 무장하였으며, 기병과 보병이 각각 다른 활을 사용하여 전투력을 높였다. 이러한 사실들이 원동력이 되어 고구려는 수와 당의 침입을 막아 낼 수 있었다.

바로알기 ≫ ① 고구려는 수·당과 전쟁을 벌이는 과정에서 백제, 신라의 도움을 받지 않았다.

08 나당 동맹의 체결

자료로 이해하기 》

신라는 나당 동맹을 통해 당의 고구려 공격에 협조하고 대동강 이북 지역을 당에 양보하기로 약속하였어.

제시된 자료는 나당 동맹의 체결과 관련이 있다. 백제와 대립하던 신라는 의자왕의 공격을 받아 군사 요충지인 대야성을 비롯한 40여 개의 성을 빼앗겼다. 위기에 처한 신라는 김춘추를 고구려에 보내 도움을 요청하였으나 거절당하였다. 이에 김춘추는 당으로 가서 동맹을 제안하였다. 고구려 침략에 거듭 실패한 당은 신라의 제안을 받아들여 나당 동맹을 맺었다.

바로알기 》 ㄱ, ㄴ은 모두 나당 동맹 체결 이후의 사실이다.

09 백제의 멸망 과정

㈎는 나당 동맹의 체결(648), ㈏는 백제 멸망(660)에 해당한다. 이 시기 사이에 황산벌 전투가 일어났다. 나당 연합군은 지배층의 분열로 정치가 혼란해진 백제를 공격하였다. 이때 김유신이 지휘하는 신라군은 황산벌에서 계백의 결사대를 물리치고 당군과 연합하였다. 결국 나당 연합군은 사비성을 함락하였다(660).

바로알기 》 ①, ③은 ㈏ 이후, ②, ⑤는 ㈎ 이전에 일어난 사실이다.

10 고구려의 멸망 배경

백제를 멸망시킨 뒤 나당 연합군은 고구려를 공격하였다. 고구려는 연개소문을 중심으로 신라와 당의 공격을 막아 냈다. 그러나 고구려는 수, 당과의 긴 전쟁으로 국력이 약해져 있었고, 연개소문이 죽은 뒤 아들들이 권력을 다투어 정치가 혼란하였다. 나당 연합군은 이를 틈타 고구려의 수도 평양성을 함락하였다.

바로알기 》 ① 백강 전투는 백제 부흥 운동 과정에서 일어났다. ② 백제 의자왕은 신라를 공격하였다. ③은 고구려 부흥 운동이 실패한 배경이다. ④ 안동도호부는 고구려 멸망 이후 고구려의 옛 중심지에 당이 세운 기구이다.

11 백강 전투의 발발

제시된 자료는 백강 전투가 일어났음을 보여 준다. 백제 멸망 후 여러 지역에서 백제 부흥 운동이 일어났다. 그러나 부흥 운동을 주도하던 지도층이 분열하고 백제를 도우러 온 왜군이 백강 전투에서 나당 연합군에 패하면서 백제의 부흥 운동은 실패하였다(663). 백제 멸망 이후 나당 연합군은 고구려를 멸망시켰다. 따라서 백강 전투가 일어난 시기는 연표에서 ㈐에 해당한다.

12 고구려 부흥 운동의 전개

지도의 검모잠, 고연무, 안승은 고구려 부흥 운동을 전개한 인물들이다. 당이 고구려의 옛 땅을 차지하고 다스리자, 고연무가 요동 지방에서 당군에 맞서 싸웠으며, 검모잠 등이 보장왕의 아들인 안승을 왕으로 받들고 고구려 부흥 운동을 전개하였다. 그러나 지도층의 분열로 안승이 신라에 항복하면서 고구려 부흥 운동은 실패하였다(ㄴ). 한편, 당의 한반도 지배 야심에 불만을 품은 신라는 고구려 부흥 운동을 지원하기도 하였다(ㄱ).

바로알기 》 ㄷ, ㄹ은 백제 부흥 운동과 관련이 있는 설명이다.

13 백제와 고구려의 멸망

㈎는 백제의 멸망(660), ㈏는 고구려의 멸망(668)을 보여 주는 지도이다. 백제가 멸망한 후 당은 백제의 옛 땅에 웅진도독부를 설치하였고, 백제 유민들은 각지에서 백제 부흥 운동을 일으켰다.

바로알기 》 ㄷ은 고구려 부흥 운동의 일환으로, ㈏ 고구려 멸망 이후에 일어났다. ㄹ. 매소성 전투는 675년, 기벌포 전투는 676년에 일어났다.

14 당의 한반도 지배 야심

제시된 자료는 당이 한반도에 웅진도독부, 안동도호부, 계림도독부를 설치한 사실을 보여 준다. 백제와 고구려가 멸망한 뒤 당은 백제와 고구려의 옛 땅에 각각 웅진도독부와 안동도호부를 두어 다스리고자 하였고, 신라 금성에도 계림도독부를 두어 한반도 전체를 지배하려 하였다.

바로알기 》 ① 안동도호부는 고구려 멸망 이후에 설치되었다. ② 당은 백제의 부흥 운동을 지원하지 않았다. ③ 안시성 싸움은 고구려 멸망 이전에 일어났다. ⑤ 연개소문이 대당 강경책을 펼친 것은 고구려 멸망 이전의 일이다.

15 신라의 삼국 통일

지도는 신라가 삼국 통일을 완성하는 과정에서 전개한 나당 전쟁을 나타낸 것이다. 신라는 당군에게 매소성·기벌포 전투에서 결정적인 승리를 거두고 삼국 통일을 완성하였다. 삼국 통일은 고구려·백제 유민과 함께 당을 대동강 이남에서 몰아낸 점에서 자주적이라고 평가된다. 또한 삼국 문화가 융합되어 새로운 민족 문화가 발전할 수 있는 기반이 마련되었다.

바로알기 》 ①은 고구려 멸망 이전 수와 고구려 사이에 일어난 일이다.

16 삼국 통일의 한계

자료로 이해하기 》

신라가 당의 도움을 받아 백제와 고구려를 멸망시킨 일을 비판하고 있어.

> 다른 민족을 불러들여 같은 민족을 멸망시키는 것은 도적을 끌어들여 형제를 죽이는 것과 다를 바 없다. 고구려가 멸망하여 발해가 되고, 백제가 망하여 신라에 병합되었으니 이는 반쪽짜리 통일이지 전체적인 통일은 아니다.
>
> – 신채호, 『독사신론』

신라의 삼국 통일은 그 과정에서 외세인 당을 끌어들였다는 점이 한계로 지적된다.

바로알기 》 ①, ③, ④, ⑤는 신라의 삼국 통일이 갖는 의의에 해당한다.

17 발해의 건국

고구려가 멸망한 뒤 당은 고구려 유민을 당의 여러 지역으로 이주시켰다. 그러던 중 당의 통치에 불만을 품은 거란인이 반란을 일으켜 이 지역에 대한 당의 통제력이 일시적으로 무너졌다. 이 틈을 타 옛 고구려 장수 출신인 대조영은 고구려 유민과 말갈인 일부를 이끌고 이동하여 지린성 동모산 근처에 도읍을 정하고 발해를 건국하였다.

바로알기 ≫ ㄱ은 고구려에서 일어난 일이다. ㄷ. 발해는 지린성 동모산 근처에 도읍을 정하였다.

18 발해의 성립과 발전

자료로 이해하기 ≫

> 부여 씨가 망하고 고 씨가 망하자 김 씨는 남쪽을 차지했고, 대 씨는 그 북쪽을 차지하고 이름을 (㉠)(이)라고 하였는데, 이것이 남북국이다. - 유득공

(김 씨는 남쪽을: 대동강 이남 지역을 차지한 신라를 가리켜. / ㉠: 발해 / 대 씨: 발해를 건국한 대조영을 가리켜.)

대조영이 건국한 발해는 고구려 유민이 지배층의 다수를 차지하였고, 고구려 유민과 말갈인이 주민을 구성하였다. 발해가 건국되면서 남쪽의 신라와 북쪽의 발해가 남북국의 형세를 갖추었다.

바로알기 ≫ ② 발해는 고구려 계승 의식을 내세웠다.

서술형 문제

65쪽

01 발해의 고구려 계승 근거

① 고구려 유민, ② 고려(고구려)

02 신라 삼국 통일의 의의

예시답안 ▸ 신라의 삼국 통일은 고구려·백제 유민과 힘을 합쳐 당군을 격퇴한 자주적 통일이었다. 또한 우리 민족 최초의 통일로 삼국의 문화가 융합되어 새로운 민족 문화가 발전할 수 있는 기반을 마련하였다.

채점 기준	점수
자주적 통일, 새로운 민족 문화 발전의 기반 마련 등 삼국 통일의 의의를 두 가지 서술한 경우	상
자주적 통일, 새로운 민족 문화 발전의 기반 마련 중 한 가지만 서술한 경우	하

03 남북국 시대의 형성

예시답안 ▸ 신라(통일 신라)와 발해. 남북국 시대라는 명칭이 사용되면서 신라와 발해가 모두 우리 민족의 역사라는 점이 강조되었다.

채점 기준	점수
신라(통일 신라)와 발해를 쓰고, 남북국 시대라는 명칭이 지닌 의미를 서술한 경우	상
남북국 시대라는 명칭이 지닌 의미만 서술한 경우	중
신라(통일 신라)와 발해만 쓴 경우	하

02 남북국의 발전과 변화

67, 69, 71쪽

A 1 (1) ㄱ (2) ㄷ (3) ㄴ 2 국학

B 1 (1) ○ (2) × (3) ○ 2 (1) 관료전 (2) 정전 (3) 9주 3 5소경
4 ㉠ 9서당 ㉡ 10정

C 1 (1) - ㉠ (2) - ㉡ 2 문왕 3 해동성국
4 (1) 10위 (2) 5경 15부 62주

D 1 (1) × (2) ○ (3) ○ 2 (1) 장보고 (2) 김헌창
3 ㉠ 진성 여왕 ㉡ 원종과 애노

E 1 (1) × (2) ○ (3) ○ 2 6두품 3 풍수지리설 4 (1) 선종 (2) 호족

F 1 (1) - ㉠ (2) - ㉡ 2 (1) 견훤 (2) 궁예 3 태봉

실력 탄탄 핵심 문제

72~75쪽

01 ① 02 ⑤ 03 ② 04 ② 05 ③ 06 ③ 07 ④ 08 ⑤
09 ④ 10 ③ 11 ③ 12 ⑤ 13 ① 14 ② 15 ③ 16 ②
17 ③ 18 ④ 19 ① 20 ② 21 ⑤

01 무열왕의 즉위

삼국 간의 항쟁이 한창이던 7세기 중반 김춘추(무열왕)가 김유신의 도움을 받아 진골 출신으로는 처음으로 왕위에 올랐다. 이후 무열왕의 직계 자손들이 왕위를 이으며 왕권의 기반을 다졌다.

바로알기 ≫ ②, ③, ④, ⑤는 무열왕 이후에 집권한 왕들이다.

02 문무왕의 업적

제시된 자료에서 밑줄 친 '이 왕'은 나당 전쟁을 승리로 이끈 왕이므로 문무왕에 해당한다. 문무왕은 옛 백제인과 고구려인에게 관직을 하사하여 삼국의 백성을 통합하고자 하였다.

바로알기 ≫ ① 진흥왕은 불교를 장려하여 황룡사를 세웠다. ② 성덕왕은 백성에게 정전을 지급하여 세금을 걷었다. ③ 법흥왕은 '건원'이라는 연호를 사용하였다. ④ 진흥왕은 화랑도를 국가적인 조직으로 재편하였다.

03 신문왕의 왕권 강화

신문왕은 장인이자 진골 귀족의 대표인 김흠돌이 꾀한 반란을 진압하면서 진골 귀족 세력을 대거 숙청하였다. 따라서 밑줄 친 '진골 귀족의 난'은 김흠돌의 난에 해당한다.

바로알기 ≫ ① 김헌창의 난, ③ 장보고의 난은 신라 말 왕위 쟁탈전이 전개되는 과정에서 일어났다. ④ 적고적의 난, ⑤ 원종과 애노의 난은 농민 봉기이다.

04 신문왕의 업적

신문왕은 국학을 설치하여 유학을 보급하고 이곳에서 왕권을 뒷받침할 인재를 양성하였다. 그리고 지방 행정을 정비하여 전국을 9주로 나누고 그 아래에 군과 현을 두어 지방관을 보내 다스렸다.

바로알기 ≫ ㄴ은 진흥왕, ㄹ은 성덕왕의 업적이다.

05 통일 신라의 중앙 정치 제도

삼국 통일 후 신라의 중앙 정치는 왕명을 수행하는 집사부를 중심으로 운영되었고, 그 장관인 시중(중시)의 권한이 강화되었다.

바로알기 ≫ 정당성은 발해의 정책 집행 기관이다. 집사부와 시중(중시)의 기능이 강화되면서 화백 회의의 기능과 상대등의 권한은 약화되었다. 6두품은 왕의 정치적 조언자 역할을 하였다.

06 신라 촌락 문서의 작성

제시된 자료는 일본 쇼소인에서 발견된 신라 촌락 문서이다. 신라의 촌락 문서는 촌주가 작성하였다. 촌락 문서에는 인구 수, 말과 소의 수, 토지의 넓이, 유실수가 몇 그루인지까지 기록되어 있는데, 이를 통해 촌락 문서가 세금 수취를 위하여 작성되었음을 알 수 있다. 신라 정부는 촌락 문서를 통해 지방 농민을 효과적으로 지배하고자 하였다.

바로알기 ≫ ③ 관료전은 관리들에게 직무의 대가로 준 토지이다.

07 통일 신라의 지방 행정 조직

지도는 전국을 9주로 나눈 것을 통해 통일 신라의 지방 행정 조직을 나타낸 것임을 알 수 있다. 통일 신라는 전국을 9주로 나누고 그 아래 군·현을 설치하였다. 중앙군인 9서당에는 고구려와 백제 유민, 말갈인을 포함하여 민족 통합을 도모하였다. 지방군인 10정은 9주에 1정씩 설치하였는데, 국경 지역인 한주에는 2정을 배치하였다.

바로알기 ≫ ④ 발해는 지방 행정 중심지에 15부를 두었다.

08 5소경의 설치 목적

지도의 (가)는 5소경을 표시한 것이다. 통일 신라는 지방의 주요 거점에 5소경을 설치하여 수도 금성(경주)이 국토의 동남쪽에 치우친 점을 보완하였다.

바로알기 ≫ ① 신라는 발해와 교통로를 통해 교류하였다. ② 6두품은 왕의 정치적 조언자 역할을 한 관리이다. ③ 통일 신라는 외적의 침입을 방어하기 위해 국경 지역인 한주에 지방군을 2정 배치하는 등의 정책을 시행하였다. ④는 김흠돌의 난 진압 등과 관련이 있다.

09 관료전과 녹읍

관료전은 해당 토지를 경작하는 농민에게 조세만 거둘 수 있었던 반면, 녹읍은 해당 지역 농민에게 조세를 걷고 노동력도 징발할 수 있었다. 신문왕은 관리들에게 관료전을 지급하고 녹읍을 폐지함으로써 국가 재정을 확충하고 귀족의 경제 기반을 약화하였다.

바로알기 ≫ 정전은 성덕왕이 백성에게 지급한 토지이다.

10 문왕의 업적

지도는 발해의 수도가 중경(중경 현덕부)에서 상경(상경 용천부)으로 이동하였음을 보여 준다. 발해의 수도를 상경으로 옮긴 왕은 문왕이다. 문왕은 당과 친선 관계를 맺어 당의 문물제도를 수용하였다.

바로알기 ≫ ①, ④, ⑤ 무왕은 북만주 일대를 장악하였고, 장문휴를 보내 당의 산둥 지방을 공격하였다. 그리고 '인안'이라는 독자적인 연호를 사용하였다. ② 선왕은 최대 영토를 확보하였다.

11 발해의 발전 과정

(가) 교통로를 개설하여 신라와 교류한 왕은 8세기 후반에 재위한 문왕이다. (나) 무왕은 732년 장문휴를 보내 당의 산둥 지방을 공격하게 하였다. (다) 9세기 전반 선왕은 연해주와 요동 지방까지 영토를 넓혀 옛 고구려 영토의 대부분을 차지하였다. 따라서 일어난 순서대로 나열하면 '(나) – (가) – (다)'이다.

12 발해의 발전

제시된 자료에서 ㉠ 나라는 대 씨(대조영)가 건국한 발해를 가리킨다. 발해는 선왕 때 최대 영토를 확보하고 크게 성장하였다. 이후 발해는 중국으로부터 '바다 동쪽의 융성한 나라'라는 의미의 해동성국이라 불렸다.

바로알기 ≫ ① 국학은 통일 신라의 교육 기관이다. ② 통일 신라는 전국을 9주로 나누었다. ③ 신라 문무왕은 나당 전쟁을 승리로 이끌어 삼국 통일을 완성하였다. ④ 통일 신라의 신문왕은 관료전을 지급하고 녹읍을 폐지하였다.

13 발해의 통치 제도

제시된 자료는 발해의 중앙 정치 조직이다. 발해는 지방 행정을 5경 15부 62주로 조직하였다. 넓은 영토를 다스리기 위해 정치적·군사적으로 중요한 지역에 5경을 두고 여러 교통망을 정비하였다. 지방 행정의 중심지에는 15부를 두었고, 그 아래 주·현에 지방관을 파견하였다. 가장 작은 행정 구역은 대부분 말갈인 촌락으로 이루어졌다. 발해는 촌락을 토착 세력인 말갈 족장이 다스리게 하여 고구려인과 말갈인의 조화를 꾀하였다.

바로알기 ≫ ① 9서당은 통일 신라의 중앙군이다.

14 발해의 중앙 정치 제도

발해의 중앙 정치 조직은 당의 제도를 본떠 3성 6부로 조직하였는데, 발해의 실정에 맞게 바꾸어 운영하였다. 발해는 당과 달리 정책을 집행하는 정당성을 중심으로 3성을 운영하였고, 6부의 명칭에 유교 덕목을 사용하는 등 독자성을 보였다.

바로알기 ≫ ① 선조성은 당의 문하성에 해당하는 기구이다. ③ 주자감은 최고 교육 기관이었다. ④ 중정대는 관리의 비리를 감찰하였다. ⑤ 집사부는 통일 신라의 중앙 정치를 주도하였다.

15 신라 말 정치적 동요

자료로 이해하기 ≫

> 혜공왕 16년 2월, 이찬 김지정이 반란을 일으켜 무리를 모아 궁궐을 에워싸고 공격하였다. 4월에 상대등 김양상과 이찬 김경신이 병력을 일으켜 김지정 등을 죽였으나, 왕과 왕비는 난병에게 해를 입었다. (혜공왕이 피살되었음을 알 수 있어.) –『삼국사기』

신라 말 귀족 간 권력 다툼으로 혜공왕이 피살되면서 왕위 쟁탈전이 심화되어 150여 년 동안 20명의 왕이 교체되었다.

바로알기 ≫ ① 녹읍은 신문왕 때 폐지되었다. ② 김흠돌의 난은 신문왕 때 일어났다. ④ 혜공왕이 피살되면서 무열왕계의 왕위 세습이 단절되었다. ⑤ 삼국 통일 전후 집사부가 중앙 정치를 주도하였다.

16 신라 말 사회 모습

제시된 자료는 신라 말 농민 봉기가 일어났음을 보여 주는 것으로 밑줄 친 '왕'은 진성 여왕이다. 신라 말에는 진골 귀족 간의 왕위 쟁탈전이 심화되었으며, 귀족의 대토지 소유 확대와 농민 수탈이 심화되어 곳곳에서 농민 봉기가 일어났다. 지방에서는 호족이 성장하였고, 골품제의 모순으로 관직 진출에 제한이 있었던 6두품은 사회 개혁안을 제시하기도 하였다.

바로알기 ≫ ②는 백제와 고구려가 멸망한 뒤의 일이다.

17 신라 말의 사회 혼란

자료로 이해하기 ≫

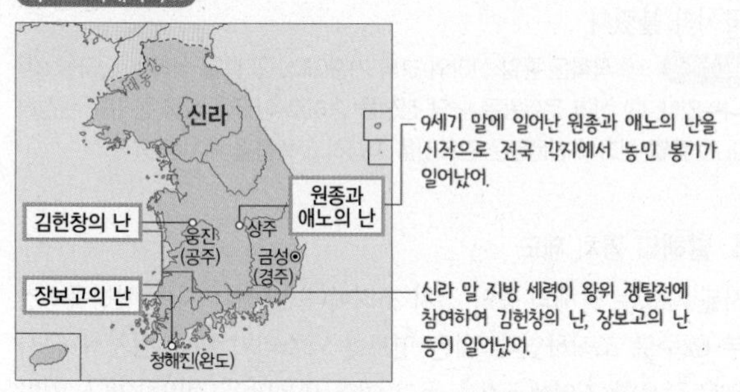

지도는 신라 말에 왕위 쟁탈전과 농민 봉기가 일어났음을 보여 준다. 이 시기에는 왕위 쟁탈전이 심화되었고, 진골 귀족의 농민 수탈로 원종과 애노의 난, 적고적의 봉기 등 농민 봉기가 일어났다. 이로 인해 중앙 정부의 지방에 대한 통제력이 약화되었다. 불교에서는 인간의 마음에 내재된 깨달음을 얻는다는 실천적인 경향이 강한 선종이 유행하였다.

바로알기 ≫ ③ 신라 말 혜공왕이 피살되면서 무열왕계 자손의 왕위 세습이 단절되었다.

18 호족의 등장과 성장

신라 말 중앙 정부의 통치력이 약해지자 지방에서는 호족이 성장하였다. 이들은 대부분 촌주 출신이었으며, 해상 세력, 군진 세력이 성장한 경우도 있었다. 호족은 자신의 근거지에 성을 쌓고 스스로를 성주나 장군이라고 칭하였으며, 독자적인 통치 기구를 두고 지방을 실질적으로 지배하면서 세력을 확대하였다.

바로알기 ≫ ㄱ. 최고 관직은 진골 귀족이 독점하였다. ㄷ은 6두품 세력에 대한 설명이다.

19 선종의 유행

신라 말 선종이 유행하면서 승려의 사리를 모시는 승탑을 만들었는데, 화순 쌍봉사 철감 선사 탑이 대표적이다. 따라서 밑줄 친 '이 불교 종파'는 선종을 가리킨다. 선종은 인간의 마음에 내재된 깨달음을 얻는다는 실천적인 경향이 강하였으며, 교종의 전통적 권위에 도전하여 호족의 큰 호응을 얻었다.

바로알기 ≫ ② 국학에서는 유학을 교육하였다. ③ 신라 말 선종 승려인 도선은 풍수지리설을 보급하였다. ④ 선종은 경전의 이론에 얽매이지 않고 누구나 일상생활 속에서 내면의 진리를 발견할 수 있다고 가르쳤다. ⑤ 선종은 교종의 전통적인 권위에 도전하였다.

20 궁예의 활동

제시된 글에서 송악에 도읍을 정하고 후고구려를 건국하였다는 내용을 통해 ㉠에 들어갈 인물은 궁예임을 알 수 있다. 궁예는 후고구려를 세운 후 국호를 마진, 태봉 등으로 변경하였다.

바로알기 ≫ ① 신라의 문무왕이 삼국 통일을 완성하였다. ③은 후백제를 건국한 견훤과 관련이 있다. ④는 장보고에 대한 설명이다. ⑤ 후백제는 오늘날 전라도, 충청도, 경상도 서부 지역까지 영토를 넓혔다.

21 후백제의 발전

지도의 (가)는 후백제이다. 견훤은 남서부 지역에서 세력을 키워 후백제를 세우고(900) 완산주에 도읍하였다. 후백제는 오늘날 전라도와 충청도, 경상도의 일부를 지배하였으며, 최승우 등 6두품 세력을 등용하여 통치 체제를 정비하였다.

바로알기 ≫ ①, ②는 후고구려에 대한 설명이다. ③, ④는 통일 신라에 대한 설명이다.

서술형 문제

75쪽

01 풍수지리설의 유행

(1) 풍수지리설
(2) ① 금성(경주), ② 호족

02 통일 신라의 토지 제도 개혁

예시답안 신문왕은 관료전을 지급하고 녹읍을 폐지함으로써 귀족의 경제 기반을 약화하여 국가 재정을 강화하고자 하였다.

채점 기준	점수
귀족의 경제 기반 약화, 국가 재정 강화 등 두 가지 목적을 서술한 경우	상
귀족의 경제 기반 약화, 국가 재정 강화 중 한 가지 목적만 서술한 경우	하

03 문왕의 대외 정책

예시답안 발해 무왕은 당과 신라를 견제하였으나, 문왕은 당과 친선 관계를 맺어 당의 문물제도를 수용하였고, 교통로를 개설하여 신라와 교류하였다.

채점 기준	점수
문왕 시기에 당과 친선 관계 형성, 신라와 교통로를 통해 교류한 내용을 모두 서술한 경우	상
문왕 시기에 당과 친선 관계 형성, 신라와 교통로를 통해 교류한 내용 중 한 가지만 서술한 경우	하

03 남북국의 문화와 대외 관계

77, 79, 81쪽

A 1 독서삼품과 2 (1) – ㉣ (2) – ㉢ (3) – ㉠ (4) – ㉡

B 1 (1) ○ (2) × (3) ○ 2 (1) ㄴ (2) ㄱ (3) ㄷ 3 원효

C 1 (1) 경주 불국사 (2) 석굴암 2 (1) 선종 (2) 상원사 동종
3 경주 불국사 3층 석탑

D 1 (1) ○ (2) × (3) ○ 2 ㉠ 벽돌무덤 ㉡ 고구려
3 ㉠ 모줄임 ㉡ 상경성 ㉢ 벽돌

E 1 (1) × (2) ○ (3) ○ 2 (1) 당 (2) 울산항 3 장보고

F 1 (1) × (2) ○ (3) ○ 2 동경(동경 용원부)
3 (1) (가) 일본도 (나) 신라도 (2) 당, 신라 (3) 발해관

실력탄탄 핵심 문제 82~85쪽

01 ① 02 ⑤ 03 ② 04 ① 05 ② 06 ② 07 ③ 08 ③
09 ① 10 ④ 11 ⑤ 12 ② 13 ④ 14 ⑤ 15 ④ 16 ③
17 ⑤ 18 ③

01 신문왕과 원성왕의 유학 진흥책

삼국 통일 이후 신라는 왕권 강화와 체제의 안정을 위해 유학을 정치 이념으로 삼았다. 신문왕은 국학을 세워 유학을 가르치고 인재를 양성하였다. 원성왕은 독서삼품과를 통해 국학 학생의 유교 경전 이해 수준을 시험하여 상·중·하로 등급을 매기고, 이 성적을 관리 등용에 참고하였다.

바로알기 » 진흥왕은 삼국 통일 이전 신라의 전성기를 이끈 왕이다. 진성 여왕은 9세기 말에 신라를 통치하였다.

02 통일 신라 유학의 발달

통일 신라에서 유학에 대한 이해가 깊어지면서 뛰어난 학자들이 배출되었는데, 이들은 주로 6두품 출신이었다. 대표적 인물인 설총은 이두를 정리하여 유교 경전을 우리말로 쉽게 풀이하였다.

바로알기 » ① 『신집』 5권은 고구려에서 편찬된 역사서이다. ② 고구려 소수림왕이 태학을 세워 유학을 교육하였다. ③ 사신도는 고구려 고분 벽화가 대표적이며, 도교 사상이 반영된 것이다. ④ 진대법은 고구려 고국천왕이 빈민 구제를 위해 시행하였다.

03 유학자의 활동

통일 신라에서 배출된 유학자들은 대체로 6두품 출신이었는데, 김대문처럼 진골 출신도 있었다. 김대문은 화랑의 전기를 모은 『화랑세기』를 저술하였다.

바로알기 » ① 설총은 이두를 정리하여 유교 경전을 우리말로 풀이하였다. ③ 김헌창은 신라 말 반란을 일으켰다. ④ 최승우는 신라 말에 활동한 6두품으로, 견훤의 참모가 되기도 하였다. ⑤ 최치원은 신라 말 사회 개혁안을 올렸으나 수용되지 않았다.

04 의상의 활동

제시된 자료에서 화엄 사상 주장, 신라 화엄종 개창 등의 내용을 통해 제시된 자료가 의상과 관련이 있음을 알 수 있다. 의상은 부석사를 비롯한 여러 사원을 세웠으며, 관세음보살이 중생의 고난을 듣고 구제해 준다는 관음 신앙을 전파하였다.

바로알기 » ㄷ, ㄹ은 원효에 대한 설명이다.

05 원효의 활동

제시된 자료는 원효와 관련이 있다. 원효는 백성에게 불교 교리를 모르더라도 누구나 '나무아미타불'만 외우면 극락정토에 갈 수 있다고 가르쳐 불교의 대중화에 기여하였다. 또한 그는 화쟁 사상을 주장하여 종파 간 사상적 대립의 조화를 추구하였다.

바로알기 » ①은 김대문, ③은 의상, ④는 혜초에 대한 설명이다. ⑤ 화순 쌍봉사 철감 선사 탑은 신라 말에 건립된 승탑이다.
(승탑: 선종이 유행하면서 많이 세워졌어.)

06 통일 신라의 석탑

통일 신라의 탑은 주로 이중 기단 위에 3층으로 쌓는 석탑이 유행하였다. 경주 감은사지 동서 3층 석탑, 경주 불국사 3층 석탑 등이 대표적이다.

바로알기 » ①은 백제, ③은 발해의 탑이다. ④는 층수를 알기 어려운 구조이다. ⑤는 삼국 통일 이전 신라의 탑이다.

07 통일 신라의 문화

자료로 이해하기 »

통일 신라의 석굴암 중앙에 위치한 본존상이야. 주변의 여러 조각과 조화를 이루고 있어.

▲ 석굴암 본존상

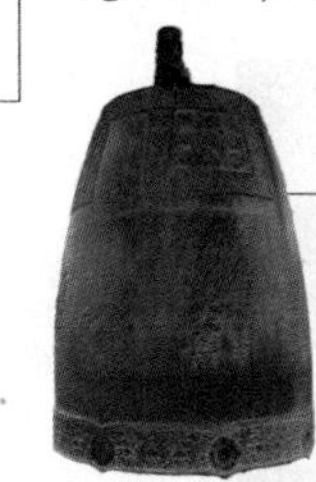

통일 신라에서 만들어진 성덕 대왕 신종으로, 우리나라에서 가장 큰 범종이야. 종의 표면에 화려하고 우아한 비천상을 새겼어.

▲ 성덕 대왕 신종

제시된 유물은 모두 통일 신라에서 만들었다. 통일 신라는 유학을 정치 이념으로 채택하여 국학을 세우는 등 유학 진흥책을 펼쳤다. 불교도 발달하였는데, 불교의 이상 세계를 표현한 경주 불국사 등의 사원을 건축하였고, 불경의 목판 인쇄본인 『무구정광대다라니경』을 제작하기도 하였다. 신라 말에는 선종이 지방 사회를 중심으로 유행하였다.

바로알기 » ③은 발해에 대한 설명이다. 발해는 당의 장안성을 모방하여 내성과 외성, 주작대로를 갖춘 상경성을 건설하였다.

08 발해의 유학 발달

발해는 유학을 중시하여 통치 이념에 반영하였다. 정혜 공주와 정효 공주의 묘지석에는 유교 경전의 내용이 인용되어 있어 발해의 유학 수준이 높았음을 보여 준다.

바로알기 » ①은 신라와 서역의 교류를 보여 준다. ② 무용총은 고구려의 고분이다. ④는 고구려의 불상, ⑤는 백제의 불상이다.

09 발해의 불교 발달

발해의 불교는 왕실과 귀족의 후원을 받으며 융성하였다. 특히, 문왕은 스스로를 불교적 성왕이라 칭하며 불교를 적극 후원하였고, 금륜, 성법 등 불교식 왕명을 사용하였다.

바로알기 ≫ ② 원효, ③ 의상은 통일 신라의 승려이다. ④, ⑤는 통일 신라의 불교 예술과 관련이 있다.

10 정혜 공주 묘와 정효 공주 묘의 특징

정혜 공주 묘는 고구려 고분 양식을 계승하여 모줄임천장 구조를 갖춘 굴식 돌방무덤 양식으로 만들었다. 정혜 공주 묘보다 늦게 만든 정효 공주 묘는 당의 영향을 받아 벽돌무덤으로 만들었지만, 내부의 천장은 고구려의 양식을 계승하였다.

바로알기 ≫ 돌무지무덤은 고구려와 백제 초기에 만들어진 고분 양식이고, 돌무지덧널무덤은 신라 초기에 만들어진 고분 양식이다.

11 발해의 당 문화 수용

발해는 당의 문화를 수용하여 발전시켰는데, 이러한 사실은 발해의 삼채와 정효 공주 묘의 구조를 통해 짐작할 수 있다. 발해의 삼채는 당의 삼채 기법을 받아들여 만들었고, 정효 공주 묘는 당의 영향을 받아 벽돌무덤으로 만들었다.

바로알기 ≫ ㄱ, ㄴ. 발해 기와와 온돌 유적은 고구려의 기와, 온돌 유적과 유사하여 발해가 고구려 문화의 영향을 받았음을 보여 준다.

12 발해 문화의 특징

자료로 이해하기 ≫

영광탑 이불병좌상

제시된 유물들은 발해 문화가 당, 고구려 문화의 영향을 받았음을 보여 준다. 발해 문화는 고구려 문화를 기반으로 당의 문화를 받아들이고 말갈의 토착 문화를 흡수하여 융합적인 성격을 띠었다.

바로알기 ≫ ①은 통일 신라의 승려인 원효의 활동 등과 관련이 있다. ③ 제시된 자료는 유학과 관련이 없다. ④ 통일 신라에서 선종이 유행하면서 승탑과 탑비가 만들어졌다. ⑤ 제시된 유물들은 고구려, 당의 문화에서 영향을 받았다.

13 통일 신라와 당의 교류

통일 신라의 상인은 당에 금·은 세공품 등을 수출하고 당에서 귀족의 사치품을 수입하였다. 교류가 활발해지자 산둥반도 일대에는 신라인 거주지(신라방), 감독관청(신라소), 절(신라원), 숙박 시설(신라관) 등이 생겨났다.

바로알기 ≫ ㄱ. 신라는 일본에 배 만드는 기술을 전해 주었다. ㄷ. 가야는 일본에 질 좋은 철과 철로 만든 갑옷을 전하였다.

14 통일 신라와 서역의 교류

제시된 자료는 통일 신라의 원성왕릉에 세워져 있는 무인석이다. 이 무인석은 머리에 쓴 터번, 곱슬머리, 오뚝한 콧날 등이 서역인의 모습을 하고 있어 당시 신라와 서역의 교류를 짐작하게 한다.

바로알기 ≫ ① 원성왕릉 무인석은 통일 신라에 세워졌다. ② 신라도는 발해와 신라의 교역로이다. ③ 아스카 문화는 일본의 고대 문화로, 삼국 문화의 영향을 받아 발전하였다. ④ 장보고는 청해진을 거점으로 해상 활동을 하였다.

15 장보고의 활동

제시된 글은 장보고와 관련이 있다. 지방의 호족이었던 장보고는 완도에 청해진을 설치하여 해적을 소탕하고, 이곳을 중심으로 당과 신라, 일본을 연결하는 해상 무역을 장악하였다.

바로알기 ≫ ① 강수는 외교 문서를 작성하여 삼국 통일에 기여한 유학자이다. ② 김헌창은 신라 말 웅주 도독으로, 반란을 일으켰다. ③ 김흠돌은 신문왕의 장인이자 진골 귀족으로 반란을 꾀하다 실패하였다. ⑤ 최치원은 유학자로, 당의 빈공과에 합격하고 뛰어난 문장가로 활약하였다.

16 발해의 대외 교류

발해는 영주도, 일본도, 신라도 등 여러 교통로를 정비하여 당, 일본, 신라 등과 교역하였다. 또 초원길을 따라 거란 등 유목 민족과 담비 등의 모피를 교역하였다.

바로알기 ≫ ㄱ은 통일 신라의 대외 교류에 해당하는 설명이다. ㄹ. 발해는 건국 초기에 신라와 대립하다가 교통로를 개설하면서 교류하였다.

17 발해와 일본의 교류

지도의 (가)는 일본도로, 발해와 일본의 교류가 이루어진 교역로이다. 발해는 당과 신라를 견제하기 위해 일본과 친선 관계를 맺고 활발하게 교류하였다.

바로알기 ≫ ① 아라비아 상인은 통일 신라의 울산항을 오고 갔다. ② 발해관은 발해와 당의 교류가 활발해지면서 당의 산둥반도에 설치되었다. ③ 발해는 일본에 모피, 인삼 등을 수출하고 일본에서 삼베, 황금 등을 수입하였다. ④ 『왕오천축국전』은 혜초가 인도와 중앙아시아 등을 순례하고 쓴 책이다.

18 통일 신라의 대외 교류

지도의 (나)는 통일 신라이다. 통일 신라 시대에는 서해안의 당항성과 수도 금성 인근의 울산항이 무역항으로 번성하였는데, 울산항에는 아라비아 상인도 왕래하여 신라의 이름이 이슬람 세계에 알려지게 되었다.

바로알기 ≫ ① 일본도는 발해와 일본의 교역로이다. ② 백제는 일본에 논어와 천자문을 전해 주었다. ④ 고구려의 왕산악은 중국 문화를 수용하여 거문고를 만들었다. ⑤ 발해는 당의 장안성을 모방하여 상경성을 건설하였다.

서술형 문제

85쪽

01 불교의 대중화

(1) 원효

(2) ① 나무아미타불, ② 대중화

02 의상의 사상

예시답안 ▶ 의상은 "하나가 전체요, 전체가 하나다."라는 화엄 사상을 통해 모든 존재의 연관성을 주장하여 삼국 통일 직후 신라 사회를 통합하는 데 기여하였다.

채점 기준	점수
의상의 화엄 사상을 설명하고, 이 사상이 신라 사회의 통합에 기여하였다고 서술한 경우	상
의상의 화엄 사상이 신라 사회의 통합에 기여하였다고만 서술한 경우	하

03 발해 문화의 특징

예시답안 ▶ 발해는 고구려 문화를 기반으로 당 문화를 수용하여 융합적(국제적)인 문화를 발전시켰다.

채점 기준	점수
발해가 고구려, 당 문화를 받아들여 융합적(국제적)인 문화를 발전시켰다고 서술한 경우	상
발해가 융합적(국제적)인 문화를 발전시켰다고만 서술한 경우	하

시험 적중 마무리 문제

88~91쪽

01 ⑤ 02 ② 03 ③ 04 ③ 05 ④ 06 ③ 07 ③ 08 ②
09 ② 10 ① 11 ⑤ 12 ④ 13 ① 14 ③ 15 ④ 16 ③
17 ① 18 ③ 19 ④ 20 ① 21 ⑤ 22 ②

01 6세기 후반~7세기 초 동아시아 정세

자료로 이해하기 »

6세기 후반에서 7세기 초 동아시아에서는 돌궐, 고구려, 백제, 왜를 연결하는 남북 세력과 신라, 수·당을 연결하는 동서 세력이 대립하였어.

6세기 중반 신라는 한강 유역을 차지하여 삼국의 경쟁에서 주도권을 잡았지만, 고구려와 백제의 공격을 받아 어려움을 겪었다.

바로알기 » ① 5세기 고구려의 성장에 맞서 신라와 백제가 동맹을 맺었다. ② 백제는 한강 유역에서 건국되었으나 5세기경 고구려에 한강 유역을 빼앗겼다. ③ 고구려는 5세기 장수왕 때 수도를 평양으로 옮겼다. ④ 금관가야는 전기 가야 연맹을 이끌었으나, 5세기 고구려가 신라에 침입한 왜를 물리치는 과정에서 큰 타격을 입어 맹주로서의 지위를 잃었다.

02 고구려와 수의 전쟁

제시된 자료는 수의 우중문이 고구려를 침입하였을 때 을지문덕이 수군의 철수를 요구하며 쓴 시이다. 이때 을지문덕은 수군을 유인하여 살수(청천강)에서 크게 무찔렀는데, 이를 살수 대첩이라고 한다.

바로알기 » ①은 백제 멸망 과정에서 있었던 일이다. ③은 고구려 멸망과 관련이 있다. ④는 백제 부흥 운동과 관련이 있다. ⑤는 나당 전쟁과 관련이 있다.

03 안시성 싸움

당 태종은 연개소문이 일으킨 정변을 구실로 고구려를 침입하여 요동성과 백암성을 차례로 함락하고 안시성을 공격하였다. 그러나 안시성의 성주와 백성이 힘을 합쳐 당군을 몰아냈다. 이후에도 고구려 공격에 실패한 당은 신라와 나당 동맹을 체결하여 고구려를 공략하고자 하였다. 따라서 제시된 사건이 일어난 시기는 (다)이다.

04 백제의 멸망 과정

(가)는 백제의 신라 공격, (나)는 백제의 멸망과 관련이 있다. 백제와 대립하던 신라는 의자왕의 공격을 받아 군사 요충지인 대야성을 비롯한 40여 개의 성을 빼앗겼다(642). 위기에 처한 신라는 고구려에 김춘추를 보내 도움을 요청하였으나 거절당하였다. 이에 김춘추는 당으로 건너가 나당 동맹을 맺었다(648). 나당 연합군은 먼저 지배층의 분열로 정치가 혼란해진 백제를 공격하여 사비성을 함락하고 백제를 멸망시켰다(660).

바로알기 » ①, ②는 (나) 이후, ④, ⑤는 (가) 이전의 사실이다.

05 백제 부흥 운동

백제 멸망 후 여러 지역에서 백제를 다시 일으키려는 움직임이 나타났다. 복신과 도침은 왜에 있던 왕자 (부여)풍을 왕으로 맞이하여 주류성에서 백제 부흥을 꾀하였고, 흑치상지는 임존성에서 군사를 일으켰다.

바로알기 ≫ ㄱ, ㄷ은 고구려 부흥 운동 과정에서 있었던 일들이다.

06 삼국 통일의 과정

나당 연합군이 백제를 멸망시키자 백제 유민들은 부흥 운동을 일으켰다. (다) 그러나 백제를 도우러 온 왜군이 백강 전투에서 나당 연합군에 패하면서 백제의 부흥 운동은 실패하였다. 이후 (가) 나당 연합군은 고구려의 평양성을 함락하여 고구려를 멸망시켰다. 고구려 유민들도 부흥 운동을 전개하였으나, (나) 안승이 검모잠을 살해하고 신라에 망명하면서 실패로 끝났다. 한편, 당은 고구려의 옛 땅에 안동도호부를 설치하는 등 한반도 전체를 다스리려고 하였다. 이에 맞서 신라는 당과 전쟁을 벌였는데, (라) 매소성·기벌포 전투에서 당군을 크게 격파하여 승리를 거두었다. 따라서 일어난 순서대로 나열하면 '(다) – (가) – (나) – (라)'이다.

07 삼국 통일의 한계와 의의

신라는 삼국 통일 과정에서 당의 세력을 끌어들였고, 대동강 이남 지역만 차지하였다. 그러나 당이 한반도 전체를 지배하려 하자 신라는 고구려 유민, 백제 유민과 힘을 합쳐 당의 침략을 물리침으로써 자주적 통일을 이루었다. 또한 신라의 삼국 통일은 우리 민족 최초의 통일로, 삼국의 문화가 융합하여 새로운 민족 문화가 발전하는 토대가 되었다.

바로알기 ≫ ③ 신라는 고구려 유민, 백제 유민과 힘을 합쳐 당의 침략을 물리쳤다.

08 발해의 성립

㉠은 발해이다. 발해는 고구려 계승 의식을 분명히 하여 일본에 보낸 외교 문서에 스스로 '고려(고구려)' 또는 '고려(고구려) 국왕'이라고 표현하였다. 신라의 최치원은 「여예부배상서찬장」에서 지난날의 고구려가 오늘의 발해라고 언급하였다. 발해는 고구려 장수 출신인 대조영이 지린성 동모산 근처에 도읍하고 건국하였다. 이로써 통일 신라와 남북국의 형세를 이루었다. 발해의 주민은 고구려 유민과 말갈인으로 구성되었다.

바로알기 ≫ ② 발해는 고구려 유민이 지배층의 다수를 차지하였다.

09 문무왕의 업적

문무왕은 고구려를 멸망시키고 나당 전쟁을 승리로 이끌어 삼국 통일을 완성하였다. 그리고 옛 백제인, 옛 고구려인에게 관직을 내리는 등 삼국의 백성을 통합하며 왕권을 강화하였다.

바로알기 ≫ ① 무열왕은 신라에서 진골 출신으로 처음 왕위에 올랐다. ③ 신문왕은 진골 귀족 세력을 숙청하고 통치 제도를 정비하여 전제 왕권을 확립하였다. ④ 진흥왕은 한강 유역을 차지하는 등 신라의 전성기를 누렸다. ⑤ 혜공왕은 신라 말 어린 나이에 즉위한 왕으로, 이 시기 왕위 쟁탈전이 심화되었다.

10 신문왕의 업적

신문왕은 김흠돌의 난을 진압하는 과정에서 진골 귀족 세력을 대거 숙청하였어.

제시된 글은 신문왕이 김흠돌의 난을 진압한 사건을 설명하고 있다. 따라서 밑줄 친 '이 왕'은 신문왕이다. 신문왕은 국학을 설치하여 유학을 보급하고 인재를 양성하였다.

바로알기 ≫ ② 신문왕은 관료전을 지급하고 녹읍을 폐지하였다. ③, ⑤는 법흥왕, ④는 문무왕에 대한 설명이다.

11 통일 신라의 통치 제도

지도는 전국을 9주로 나누고 5소경을 설치한 것을 통해 통일 신라의 지방 행정 조직을 나타낸 것임을 알 수 있다. 삼국 통일 후 신라의 중앙 정치는 왕명을 수행하는 집사부를 중심으로 운영되었고, 그 장관인 시중(중시)의 권한이 강화되었다.

바로알기 ≫ ①, ②, ③, ④는 발해의 통치 제도에 대한 설명이다.

12 무왕의 활동

발해의 무왕은 당이 신라와 흑수 말갈을 이용하여 발해를 견제하자, 돌궐, 일본 등과 친선 관계를 맺어 당과 신라를 견제하였으며, 장문휴를 앞세워 당의 산둥 지방을 공격하였다.

바로알기 ≫ ① 5소경은 통일 신라에 설치된 5개의 소경이다. ② 발해는 선왕 때 최대 영토를 확보하였다. ③ 발해는 문왕 때 상경으로 수도를 옮겼다. ⑤ 발해는 문왕 때 교통로를 개설하여 신라와 교류하였다.

13 발해의 중앙 정치 조직

제시된 자료에서 6부를 관할하는 것을 통해 (가)는 정당성임을 알 수 있다. 발해는 정책을 집행하는 정당성을 중심으로 중앙 정치를 운영하였다.

바로알기 ≫ ②는 주자감, ③은 중정대에 대한 설명이다. ④ 시중(중시)은 통일 신라의 장관이다. ⑤ 발해는 6부의 명칭에 유교 덕목을 사용하였다.

14 발해의 지방 행정 조직

발해는 지방 행정을 5경 15부 62주로 조직하였다. 5경은 정치적·군사적 요충지에 설치하였으며 여러 개의 교통망으로 연결되었다. 지방 행정의 중심지에는 15부를 두었고, 그 아래 주·현을 설치하여 지방관을 파견하였다.

바로알기 ≫ ㄱ, ㄹ은 통일 신라의 지방 행정 조직과 관련이 있다.

15 신라 말의 상황

제시된 글은 신라 말에 일어난 김헌창의 난을 설명한 것이다. 신라 말에는 어린 나이에 즉위한 혜공왕이 진골 귀족들의 반란으로 피살되어 무열왕계 왕위 세습이 끊어졌다. 이후 왕위 쟁탈전이 심화되어 약 150년 동안 20명의 왕이 바뀌는 혼란이 이어졌다. 귀족의 대토지 소유 확대와 농민 수탈이 심화되어 농민의 생활이 악화된 상황에서 정부가 세금을 독촉하자 원종과 애노의 난을 시작으로 곳곳에서 농민 봉기가 일어났다. 한편, 신문왕 때 폐지되었던 녹읍이 귀족들의 반발로 부활하기도 하였다.

바로알기 ≫ ④ 신라 말 왕위 쟁탈전이 심화되고 농민 봉기가 일어나는 등 혼란한 상황에서 지방에 대한 중앙 정부의 통제력은 약화되었다.

16 호족의 성장

㉠에 들어갈 세력은 호족이다. 중앙 정부의 통치력이 약해지자 지방에서는 호족이 성장하였다. 호족은 자신의 근거지에 성을 쌓고 스스로를 성주 또는 장군이라 불렀다. 또한 독자적인 통치 기구를 두어 지방을 다스리며 세력을 확대하였다. 호족은 대부분 토착 세력인 촌주 출신이었으며, 중앙에서 내려온 귀족, 해상 세력, 군진 세력이 성장한 경우도 있었다. 호족들은 풍수지리설과 함께 교종의 전통적 권위에 도전하였던 선종을 사상적 기반으로 삼아 새로운 사회 건설을 도모하였다.

바로알기 ≫ ③ 삼국 통일 이후 6두품 세력이 왕의 정치적 조언자 역할을 하였다.

17 풍수지리설의 유행

밑줄 친 '이 사상'은 풍수지리설이다. 신라 말 선종 승려 도선은 산과 땅의 모양이나 물의 흐름 등이 인간의 길흉화복에 영향을 미친다고 믿는 풍수지리설을 보급하였다. 풍수지리설은 금성(경주) 중심의 지리 개념에서 벗어나 지방의 중요성을 강조하여 지방 호족 세력의 환영을 받았다.

└ 선종과 함께 지방 호족의 사상적 기반이 되었어.

바로알기 ≫ ② 국학은 유학 교육을 담당하였다. ③ 풍수지리설은 금성(경주) 중심의 지리 개념에서 탈피하고 지방의 중요성을 강조하였다. ④ 풍수지리설은 신라 말에 보급되었다. ⑤는 선종과 관련이 있는 설명이다.

18 후고구려의 발전

지도의 (가)는 철원을 수도로 하였고, 오늘날 황해도, 경기도, 강원도 일대의 영토를 확보한 사실을 통해 후고구려임을 알 수 있다. 신라의 왕족 출신으로 알려진 궁예는 경기도와 황해도 일대의 호족들을 규합하여 송악(개성)에 수도를 정하고 후고구려를 건국하였다. 이후 철원으로 수도를 옮겼으며, 나라 이름을 마진, 태봉 등으로 변경하였다.

바로알기 ≫ ①, ④는 후백제, ②, ⑤는 통일 신라에 대한 설명이다.

19 원효의 활동

제시된 자료에서 통일 신라의 승려이고, '나무아미타불'만 외우면 극락정토에 갈 수 있다고 가르쳤다는 내용을 통해 ㉠ 승려가 원효임을 알 수 있다. 원효는 일심 사상을 바탕으로 한 화쟁 사상을 주장하여 종파 간 사상적 대립의 조화를 추구하였고, 아미타 신앙을 전파하여 불교의 대중화에 기여하였다.

바로알기 ≫ ㄱ, ㄷ은 의상과 관련이 있다. 의상은 화엄 사상을 공부하고 돌아와 신라 화엄종을 개창하였고, 부석사 등의 사원을 건립하였다.

20 통일 신라의 문화

경주 불국사 3층 석탑, 경주 불국사 다보탑은 모두 통일 신라의 석탑이다. 삼국 통일 이후 신라는 왕권 강화와 체제의 안정을 위해 유학을 정치 이념으로 삼았다. 신문왕은 국학을 설치하여 유학을 가르쳤고, 원성왕은 독서삼품과를 시행하여 국학 학생의 유교 경전 이해 수준을 평가하였다.

바로알기 ≫ ② 주자감은 발해의 교육 기관이다. ③ 상경성은 발해의 수도이다. ④는 고구려와 백제, ⑤는 발해와 관련이 있다.

21 고구려 문화의 영향을 받은 발해의 문화유산

발해는 고구려 문화를 기반으로 당의 문화를 받아들이고 말갈의 토착 문화를 흡수하였다. 그리하여 발해에서는 고구려 문화의 전통을 이어받은 온돌 시설과 불상, 기와 등을 만들었고, 정혜 공주 묘는 고구려 고분 양식을 계승하여 모줄임천장 구조를 갖춘 굴식 돌방무덤 양식으로 만들었다.

바로알기 ≫ ①, ②는 통일 신라, ③은 백제의 문화유산이다. ④ 발해의 삼채는 당의 영향을 받아 만들어졌다.

22 발해의 대외 교류

(가)는 발해와 일본의 교통로인 일본도이다. 발해는 일본에 모피, 인삼 등을 수출하였다. (다) 울산에는 통일 신라의 국제 무역항인 울산항이 있었다. 이 항구에 아라비아 상인이 왕래하여 신라가 이슬람 세계에 알려졌다. (라) 장보고는 완도에 청해진을 설치하고, 이곳을 중심으로 당과 신라, 일본을 연결하는 해상 무역을 장악하였다. (마) 당과 발해의 교류가 활발해지면서 산둥반도의 등주에 발해관이 설치되어 발해인의 숙소로 이용되었다.

바로알기 ≫ ② 발해는 무왕 때 신라를 견제하였으나, 문왕 때 교통로를 개설하여 신라와 교류하였다.

Ⅲ. 고려의 성립과 변천

01 고려의 건국과 정치 변화(1)

95, 97, 99쪽

A 1 고구려 2 (가) – (다) – (나) – (라)

B 1 (1) ㄱ (2) ㄷ (3) ㄴ 2 (1) – ㉡ (2) – ㉢ (3) – ㉠ 3 노비안검법

C 1 (1) × (2) × (3) ○ (4) × 2 (1) 중서문하성 (2) 중추원
3 ㉠ 도병마사 ㉡ 식목도감

D 1 (1) 2군 (2) 안찰사 (3) 주현, 속현 2 (1) ㄴ (2) ㄷ (3) ㄱ

E 1 (1) × (2) ○ (3) ○ 2 전시과(전시과 제도)

F 1 문벌 2 이자겸 3 (1) 서경 (2) 묘청 4 ㄴ, ㄷ

실력 탄탄 핵심 문제 100~103쪽

01 ① 02 ④ 03 ① 04 ③ 05 ④ 06 ⑤ 07 ⑤ 08 ④
09 ⑤ 10 ② 11 ③ 12 ② 13 ④ 14 ② 15 ④ 16 ②
17 ① 18 ④ 19 ⑤

01 후삼국의 통일 과정

(가)에는 왕건의 고려 건국(918) 이후, 신라 경순왕의 항복(935) 이전의 일이 들어가야 한다. 고려는 고창 전투에서 후백제에 승리한 뒤 후삼국의 주도권을 장악하였다. 그러던 중 후백제에서 내분이 일어나 견훤이 고려에 투항해 왔다. 신라의 경순왕도 나라를 유지하기 어렵다고 판단하여 고려에 나라를 넘겨주었다. 이후 고려는 후백제군을 격파하여 후삼국을 통일하였다.

바로알기 ≫ ②는 900년, ③은 901년의 일이다. ④는 고려의 후삼국 통일 이후의 일이다. ⑤는 신라 경순왕의 항복 이후의 일이다.

02 후삼국 통일의 의의

고려는 신라와 후백제뿐만 아니라 발해 유민까지 받아들여 민족의 재통합을 이루었다. 또한 고려의 건국과 후삼국 통일 과정에서 호족, 6두품 세력이 정치에 참여하게 되어 신라에 비해 정치 참여 세력의 폭이 넓어졌다.

바로알기 ≫ ㄱ, ㄷ은 신라의 삼국 통일이 갖는 의의이다.

03 태조의 정책

㉠에 들어갈 왕은 태조이다. 태조는 훈요 10조를 남겨 후대 왕들이 통치의 규범으로 삼도록 하였다. 훈요 10조에는 중국 문화의 주체적 수용, 북진 정책 등 태조가 중시한 사상과 정책이 담겨 있다. 태조는 고구려의 옛 땅을 되찾기 위해 북진 정책을 추진하였고, 서경을 북진 정책의 전진 기지로 삼았다. 그 결과 태조 말 고려의 영토는 청천강에서 영흥만에 이르는 지역까지 넓어졌다. 한편 태조는 호족을 포섭하기 위해 호족에게 토지, 왕씨 성 등을 내려 주었다.

바로알기 ≫ ①은 광종에 대한 설명이다.

04 사심관 제도와 기인 제도

태조는 지방 통치를 보완하고 호족을 견제하기 위하여 사심관 제도와 기인 제도를 실시하였다.

바로알기 ≫ ① 사심관 제도와 기인 제도는 태조 때 처음 실시되었다. ② 사심관 제도와 기인 제도는 호족을 대상으로 하였다. ④ 광종은 공복 색깔을 정하여 관리의 위계질서를 세웠다. ⑤ 광종은 과거제를 실시하여 유교적 지식과 능력을 지닌 인재를 선발하였다.

05 광종의 왕권 강화 정책

왕권이 불안정한 상황에서 즉위한 광종은 왕권을 강화하기 위한 정책을 추진하였다. 그는 노비안검법을 실시하여 호족이 불법으로 차지한 노비를 양인으로 해방하였다. 또한 공복 색깔을 정하여 관리의 위계질서를 세우고 황제 칭호 및 '광덕', '준풍' 등의 독자적인 연호를 사용하였다.

바로알기 ≫ ㄱ, ㄷ은 성종 때 있었던 사실이다.

06 성종의 정책

자료로 이해하기 ≫

제13조 연등회와 팔관회를 줄여 백성이 힘을 펴게 하십시오.
제20조 불교를 믿는 것은 자신을 수양하는 근본이며, 유교를 행하는 것은 나라를 다스리는 근원입니다. 자신을 수양하는 것은 내세에 복을 구하는 일이며, 나라를 다스리는 것은 오늘의 급한 일입니다. – 유교 정치사상 제시 – 『고려사』

제시된 자료는 최승로가 성종에게 올린 시무 28조이다. 성종은 이를 받아들여 유교 정치사상을 통치의 근본이념으로 삼았다.

바로알기 ≫ ①은 고구려 소수림왕, ②는 신라 진흥왕, ③은 고려 광종, ④는 고려 인종에 대한 설명이다.

07 고려의 중앙 정치 기구

(가) 중서문하성의 낭사와 (나) 어사대의 관리는 대간이라 불리며 관리의 비리를 감찰하고 국왕의 잘못된 정치 행위를 비판·견제하여 정치권력의 균형을 잡는 역할을 하였다.

바로알기 ≫ ①은 중추원, ②는 식목도감, ③은 통일 신라의 집사부, ④는 삼사에 대한 설명이다.

08 고려의 지방 행정 제도

지도는 고려의 지방 행정 제도를 보여 준다. 고려는 전국을 5도와 양계, 경기로 나누어 다스렸다. 일반 행정 구역인 5도에는 안찰사를 파견하였고, 국경 지역에는 양계(북계, 동계)를 두고 병마사를 파견하였다. 5도와 양계의 아래에는 주·군·현을 두었다. 군, 현은 지방관이 파견된 주현과 지방관이 파견되지 않은 속현으로 구분되었는데, 속현의 수가 주현보다 더 많았다. 한편 현의 행정 실무는 해당 지역의 향리가 담당하였다. 이 밖에 향·부곡·소라는 특수 행정 구역이 있었다.

바로알기 ≫ ④ 백제의 무령왕은 22담로를 설치하여 지방을 통제하였다.

09 고려의 특수 행정 구역

고려는 일반 군·현 외에도 향·부곡·소 등의 특수 행정 구역을 운영하였다. 향·부곡·소 거주민은 일반 군·현 지역의 주민에 비해 더 많은 세금을 부담하고 거주지 이동에 제한을 받는 등 차별 대우를 받았다.

바로알기 ≫ ① 고려는 개경, 서경, 동경(후에 남경)을 3경이라 하며 중시하였다. ② 발해는 정치적·군사적으로 중요한 지역에 5경을 두었다. ③ 고려의 수도 개경과 주변 지역을 경기라고 하였다. ④ 삼국 통일 이후 신라는 주요 지방에 5소경을 설치하였다.

10 고려의 군사 제도

고려는 중앙군으로 궁궐과 왕실의 호위를 담당하는 2군, 개경과 국경 지방의 방어를 맡은 6위를 두었다. 지방군은 5도의 군사 방어와 치안을 담당하는 주현군과 양계에 주둔하며 국경 경비를 담당한 주진군으로 이루어졌다.

바로알기 ≫ ② 삼국 통일 후 신라는 지방군으로 10정을 두었다.

11 고려의 과거제

(가)는 과거제에 해당한다. 고려 시대에 시험으로 인재를 선발하는 과거제에는 문관을 뽑는 제술과와 명경과, 기술관을 뽑는 잡과, 승려를 대상으로 하는 승과가 있었다. 과거는 원칙적으로 양인 이상이면 응시할 수 있었다.

바로알기 ≫ ㄱ. 고려에서 무과는 거의 시행되지 않았고, 무예가 뛰어난 사람을 따로 뽑아 무관으로 임명하였다. ㄹ은 통일 신라의 독서삼품과에 대한 설명이다.

12 고려의 교육 제도

밑줄 친 '교육 기관'은 국자감이다. 고려는 성종 때 개경에 국자감을 설치하였으며, 중요한 지방에는 향교를 설치하였다.

바로알기 ≫ ①은 고구려의 소수림왕이 세운 교육 기관이다. ③은 당이 산둥반도에 설치한 발해인의 숙소이다. ④는 발해의 유학 교육 기관이다. ⑤는 발해의 관리 감찰 기구이다.

13 고려의 토지 제도

제시된 자료는 고려에서 실시한 전시과 제도에 대한 설명이다. 고려는 관리를 18등급으로 나누어 전지(농토)와 시지(임야)를 지급하는 전시과 제도를 실시하였다. 전시과 제도에 따라 관리가 사망하면 그가 받은 토지는 국가에 반납해야 했다.

바로알기 ≫ ①, ③ 삼국 통일 후 신라의 신문왕은 관리에게 관료전을 지급하고 녹읍을 폐지하였다. ② 고구려의 고국천왕은 빈민을 구제하기 위해 진대법을 추진하였다. ⑤ 전시과 제도에 따라 받은 토지는 세습이 불가능하였다.

14 고려 전기의 문벌

밑줄 친 '이 세력'은 문벌이다. 고려 전기에는 지방 호족과 신라 6두품 출신의 유학자가 중앙 정계에 진출하고 고위 관직을 차지하면서 문벌을 형성하였다. 문벌은 과거와 음서로 주요 관직을 독점하고, 왕실 및 유력 가문과 혼인하며 세력을 확대하였다.

바로알기 ≫ ①, ④는 6두품, ③, ⑤는 호족에 대한 설명이다.

15 이자겸의 활동

㉠은 이자겸이다. 경원 이씨 가문을 대표하는 인물이었던 이자겸은 딸들을 예종, 인종과 혼인시키며 막강한 권력을 행사하였다. 이에 위협을 느낀 인종이 이자겸을 제거하려 하자, 이자겸은 척준경과 함께 반란을 일으켰다.

바로알기 ≫ ①은 고려의 최승로, ②는 신라의 혜초에 대한 설명이다. ③ 독서삼품과는 삼국 통일 이후 신라의 원성왕이 시행하였다. ⑤ 쌍기가 과거제를 건의하였다.

16 이자겸의 난

밑줄 친 '반란'은 이자겸의 난이다. 이자겸은 딸들을 예종, 인종과 혼인시키며 막강한 권력을 행사하였다. 이에 위협을 느낀 인종이 이자겸을 제거하려 하였으나 이자겸은 반란을 일으켜 궁궐을 불태우는 등 왕권을 위협하였다. 인종은 이자겸의 반란을 진압하였지만, 이 사건을 계기로 왕실의 권위가 떨어졌다.

바로알기 ≫ ㄴ, ㄹ은 묘청의 난과 관련이 있다.

17 이자겸의 난의 전개 과정

이자겸의 권력 독점에 위협을 느낀 인종이 이자겸을 제거하려 하자, 이자겸은 왕이 되기 위해 반란을 일으켰다. 인종은 척준경을 설득하여 이자겸을 제거함으로써 반란을 진압하였지만, 이 사건을 계기로 왕실의 권위가 떨어졌다. 이에 인종은 왕권을 회복하기 위해 윤언이, 정지상 등 소수의 개혁 세력을 등용하였다.

바로알기 ≫ ②는 광종 시기, ③, ④는 통일 신라 시기, ⑤는 태조(왕건) 시기의 사실로 모두 (가) 이전에 일어났다.

18 서경 천도 운동의 배경

이자겸의 난 이후 인종은 왕권을 회복하기 위해 윤언이, 정지상 등의 개혁 세력을 등용하였다. 한편, 이자겸의 몰락 후 금을 배격하는 여론이 강해지자 인종은 서경 출신의 승려 묘청을 등용하여 개혁을 추진하였다. 묘청 등의 서경 세력은 서경으로 수도를 옮기자고 주장하였다. 그러나 김부식 등 개경 세력은 서경 천도에 반대하였다. 이에 묘청 등은 서경에서 난을 일으켰다.

바로알기 ≫ ㄱ, ㄷ은 이자겸의 난의 발생 배경에 해당한다.

19 묘청의 주장

자료로 이해하기 ≫

묘청 등 서경 세력은 풍수지리설을 내세워 서경 천도를 추진하였어.

서경 지역은 풍수지리설에 의하면 대화세(크게 기운이 꽃피우는 형세)이니 만약 이곳에 궁궐을 세우고 수도를 옮기면 국가의 혼란을 막을 수 있습니다. 또한 금이 조공을 바치고 스스로 항복할 것이며 주변의 여러 나라가 모두 고개를 숙일 것입니다.

－「고려사」

묘청은 고려가 여진이 세운 금과 사대 관계를 맺은 사실을 비판하며 금 정벌을 주장하였어.

제시된 자료는 묘청의 주장이다. 묘청은 황제 칭호와 연호 사용, 서경 천도, 금 정벌 등을 주장하였다. 그러나 김부식 등 개경 세력은 서경 천도에 반대하였다. 이에 묘청 등 서경 세력은 국호를 '대위', 연호를 '천개'라고 하면서 서경에서 반란을 일으켰다.

바로알기 ≫ ⑤는 경원 이씨 가문의 이자겸이 대표적이다.

서술형 문제 103쪽

01 태조의 정책

① 불교, ② 북진 정책

02 광종의 개혁 정책

(1) 광종

(2) 예시답안 광종은 노비안검법을 실시하여 호족이 불법으로 차지한 노비를 양인으로 해방하였다. 이어 과거제를 실시하여 유교적 지식과 능력을 지닌 인재를 선발하였고, 공복 색깔을 정하여 관리의 위계질서를 세웠다. 또한 광종은 자신의 개혁 정책에 반대하는 공신과 호족을 숙청하였으며, 스스로를 황제로 칭하고 '광덕', '준풍' 등의 연호를 사용하여 국가의 위상을 높였다.

채점 기준	점수
노비안검법과 과거제 실시, 공복 제정, 공신과 호족 숙청, 황제 호칭과 연호 사용 중 세 가지를 서술한 경우	상
위 내용 중 두 가지를 서술한 경우	중
위 내용 중 한 가지만 서술한 경우	하

02 고려의 건국과 정치 변화(2)

105, 107쪽

A 1 ㄱ, ㄹ 2 (1) × (2) ○ (3) ○

B 1 (1) ○ (2) × (3) ○ 2 (1) ㄴ (2) ㄱ (3) ㄷ 3 최우

C 1 ㄷ, ㄹ

D 1 (1) ○ (2) ○ (3) × 2 망이, 망소이 3 (1) ㄴ (2) ㄷ (3) ㄱ

실력 탄탄 핵심 문제 108~109쪽

01 ⑤ 02 ③ 03 ① 04 ① 05 ③ 06 ④ 07 ③ 08 ⑤ 09 ⑤ 10 ③

01 무신 정변의 발생 배경

제시된 글은 무신 정변에 대한 설명이다. 고려 전기는 문신이 정치를 주도하는 사회였다. 무신은 관직 승진에 제한이 있었고, 과거에서 무과를 시행하지 않는 등의 차별 대우를 받았다. 또한 하급 군인들은 군인전을 제대로 지급받지 못하고 각종 공사에 동원되어 불만이 커졌다. 결국 무신들은 의종의 보현원 행차를 기회로 오랫동안 받아 온 차별 대우와 문신 위주의 정치에 반발하여 무신 정변을 일으켰다.

바로알기 》 ㄱ. 망이·망소이 형제는 무신 정권이 성립한 이후에 봉기하였다. ㄴ은 묘청의 서경 천도 운동의 배경에 해당한다.

02 무신 정변 이후의 상황

자료로 이해하기 》

> 왕(의종)이 보현원으로 행차하던 길에 신하들과 술을 마시던 중, …… 무신들을 위로하기 위해 오병수박희를 열었다. 대장군 이소응이 수박희에서 패하자, 한뢰가 갑자기 앞으로 나서며 이소응의 뺨을 때리니 계단 아래로 떨어졌다. 왕과 여러 신하가 손뼉을 치면서 크게 웃었다. – 『고려사』
>
> └ 문신 한뢰가 무신 이소응을 때리는 모습을 통해 당시 무신에 대한 차별이 심하였음을 짐작할 수 있어.

제시된 자료는 고려 사회에서 일부 문신이 노골적으로 무신들을 무시하는 모습을 보여 준다. 고려에서 무신은 관직 승진에 제한이 있었고, 군대의 최고 지휘관도 문신이 맡았다. 문신이 정치적 주도권을 장악하고 왕권이 약해지자 무신에 대한 차별은 더욱 심해졌다. 이러한 상황에서 정중부, 이의방 등의 무신들은 정변을 일으켜 의종을 폐위하고 명종을 국왕으로 세웠다. 정권을 장악한 무신들은 회의 기구인 중방을 통해 권력을 행사하였다. 그러나 무신 정권 초기에는 무신들의 권력 다툼으로 집권자가 자주 바뀌고 사회가 혼란하여 각지에서 농민과 천민이 봉기하였다. 한편, 무신 집권자 중에는 이의민과 같은 천민 출신도 있어 신분 상승에 대한 백성의 기대감이 커져 갔다.

바로알기 》 ③ 장보고의 반란은 신라 말에 일어났다. 신라 말 청해진을 중심으로 해상 무역을 장악하며 세력을 키운 장보고는 중앙의 왕위 쟁탈전에 가담하여 반란을 일으켰다.

03 무신 정권 초기의 상황

1170년 이의방, 정중부를 비롯한 무신들이 정변을 일으켜 문신을 제거하고 정권을 장악하였다. 이후 여러 차례 권력 다툼이 벌어지며 집권자가 자주 바뀌었다.

바로알기 ≫ ② 무신 정권 초기에는 잦은 집권자 교체로 정권이 불안정하였다. ③ 이자겸의 난, ④ 묘청의 서경 천도 운동은 무신 정변 이전에 일어났다. ⑤ 원종과 애노의 난은 신라 말에 일어났다.

04 최충헌의 활동

밑줄 친 '그'는 최충헌이다. 이의민을 제거하고 권력을 잡은 최충헌은 교정도감을 설치하여 국가의 중요한 정책을 결정하고 집행하였다. 또한 사병 집단인 도방을 확대하여 호위를 강화하였다.

바로알기 ≫ ②, ⑤는 이자겸, ③은 척준경, ④는 김부식에 대한 설명이다.

05 서방의 설치

㈎는 초기 무신 정권 시기, ㈏는 최씨 정권이 성립된 이후의 시기에 해당한다. ㈏ 시기에 최우는 자신의 집에 서방을 설치하여 능력 있는 문인들에게 정책을 자문하였다. 이 과정에서 이규보와 같은 문신이 등용되었다.

바로알기 ≫ ①, ② 정방과 야별초는 최씨 정권이 성립된 이후에 설치되었다. ④ 의종은 무신 정변으로 폐위되었다. ⑤는 ㈎ 시기에만 해당하는 사실이다.

06 야별초의 특징

야별초는 도적을 잡기 위해 설치한 군대로 최씨 정권의 군사적 기반이었다. 야별초는 이후에 좌별초와 우별초로 분리되었고, 대몽 항쟁기에 몽골의 포로가 되었다가 탈출한 군사로 신의군을 조직하여 삼별초를 이루었다.

바로알기 ≫ ㄱ. 야별초는 최우가 조직하였다. ㄷ은 중방에 대한 설명이다.

07 농민·천민 봉기의 배경

무신 정권이 성립한 후 무신들의 권력 다툼으로 정치가 혼란하여 지방에 대한 정부의 통제력이 약화되었다. 또한 무신 집권자와 무신 출신 지방관들은 백성의 토지를 강제로 빼앗아 농장을 넓히고 세금을 과도하게 거두는 등 백성을 수탈하였다. 한편, 특수 행정 구역인 공주 부근의 명학소에서는 망이·망소이 형제가 과도한 세금 부담을 견디지 못하여 봉기하였다.

바로알기 ≫ ③ 무신 정권기에는 천민 출신의 무신 집권자가 등장하면서 신분 질서가 동요하고 신분 상승에 대한 기대감이 확대되었다.

08 망이·망소이의 난의 배경

제시된 자료는 망이·망소이의 난과 관련이 있다. 무신 정변 이후 지방에 대한 통제력이 약해지면서 특수 행정 구역인 '소'에 대한 수탈이 심화되었다. 그러자 공주 명학소 주민들은 망이·망소이 형제를 중심으로 봉기를 일으켰다.

바로알기 ≫ ①은 고구려 부흥 운동에 대한 설명이다. ②, ③은 묘청의 서경 천도 운동에 대한 설명이다. ④ 전주 관청에 소속되어 있던 공노비들은 지방관의 횡포에 불만을 품고 봉기하였다.

09 농민과 천민의 봉기

자료로 이해하기 ≫

망이·망소이 형제가 충청도 일대를 점령하자, 정부는 명학소를 충순현으로 승격하며 주민들을 달랬어. 명학소의 주민들은 정부를 믿고 해산하였는데, 이후 정부는 관군을 보내 이들을 토벌하였어.

김사미와 효심은 농민을 이끌고 일어나 경주 세력과 합세하여 중앙에 저항하였어.

망이·망소이의 난과 김사미와 효심의 반란은 모두 가혹한 수탈에 맞서 백성이 일으킨 봉기이다. 망이·망소이 형제는 특수 행정 구역에 대한 차별과 과도한 세금 부담에 반발하였고, 김사미와 효심은 지방관의 수탈에 저항하였다.

바로알기 ≫ ① 제시된 봉기는 무신 정권기에 일어났다. ②는 삼국 부흥 운동에 대한 설명이다. ③ 무신 정변이 일어난 이후에 망이·망소이의 난, 김사미와 효심의 반란이 일어났다. ④ 진골 귀족은 신라의 지배층이었다.

10 만적의 난

사노비였던 만적은 신분 해방을 목적으로 봉기를 계획하였으나, 사전에 발각되어 실패하였다.

바로알기 ≫ ㄱ. 경주, 서경, 담양에서는 고려 왕조를 부정하고 신라, 고구려, 백제의 부흥을 내세운 봉기가 일어났다. ㄹ은 망이·망소이의 난에 대한 설명이다.

서술형 문제

109쪽

01 최씨 정권의 권력 기구

① 교정도감, ② 정방, ③ 서방

02 만적의 난

예시답안 ▶ 만적, 만적은 신분 해방을 목적으로 봉기하였다는 점에서 당시 하층민의 사회의식이 성장하고 있었음을 보여 준다.

채점 기준	점수
만적을 쓰고, 만적의 난이 신분 해방을 꾀한 것으로, 하층민의 사회의식 성장을 보여 준다고 서술한 경우	상
만적의 언급 없이, 하층민의 사회의식 성장을 보여 준다고 서술한 경우	중
만적만 쓴 경우	하

03 고려의 대외 관계

111, 113쪽

A 1 (1) 거란 (2) 고려 2 ㉠ 송(북송) ㉡ 발해

B 1 (1) × (2) ○ 2 (1) – ㉢ (2) – ㉠ (3) – ㉡

3 (1) 강감찬 (2) 천리장성

C 1 (1) ○ (2) × (3) ○ 2 별무반

D 1 (1) ㄱ (2) ㄴ (3) ㄷ 2 송 3 벽란도

4 ㉠ 아라비아(이슬람) ㉡ 코리아

실력 탄탄 핵심 문제

114~115쪽

01 ① 02 ① 03 ④ 04 ② 05 ⑤ 06 ② 07 ② 08 ③ 09 ③

01 10세기 동아시아의 정세

고려가 성립한 10세기에는 동아시아의 정세가 크게 변하였다. 만주 일대에서는 거란이 발해를 멸망시키고 강대국으로 성장하였다. 중국에서는 5대 10국의 혼란기를 거쳐 송이 중국을 다시 통일하였지만, 거란은 송을 군사력으로 압도하였다.

바로알기 >> ㄷ은 1126년, ㄹ은 12세기 경의 사실이다.

02 거란의 침입과 격퇴

고려가 송과 가깝게 지내자, 송에 대한 공격을 준비하던 거란은 먼저 고려를 침략하였다. 이때 서희는 거란 장수 소손녕과 담판을 벌여 거란과 교류할 것을 약속하는 대신 강동 6주를 고려 영토로 인정받았다. 이후 거란은 강조의 정변을 구실로 다시 고려를 침략하였다. 고려는 개경 등이 함락되는 어려움을 겪었으나, 양규 등의 활약으로 거란군을 물리쳤다. 그러나 거란은 강동 6주의 반환을 요구하며 세 번째로 고려를 침략하였다. 3차 침입 때에는 강감찬이 이끄는 고려군이 귀주 대첩에서 거란군을 거의 전멸시켰다.

바로알기 >> ㄷ. 별무반은 윤관이 기병에 강한 여진을 정벌하기 위해 편성하였다. ㄹ. 금은 여진이 세운 나라이다.

03 서희의 외교 담판과 강동 6주

자료로 이해하기 >>

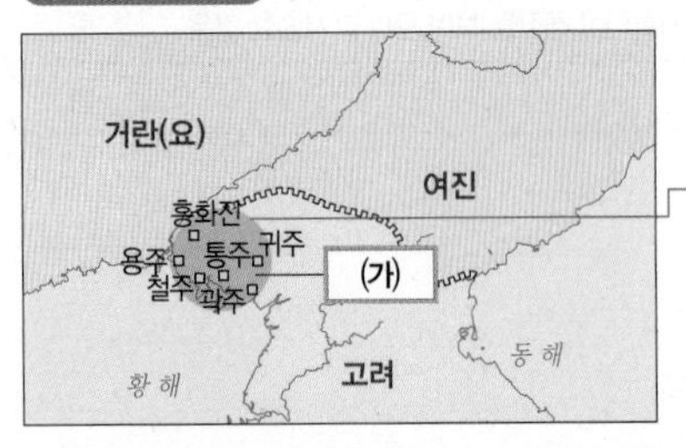

(가) 지역은 강동 6주이다. 거란이 고려를 침입하였을 때 서희가 거란 장수 소손녕과 외교 담판을 지어 강동 6주를 획득하였다.

바로알기 >> ① 고려는 거란의 세 차례 침입을 모두 물리친 이후 개경에 나성을 쌓았다. ② 고려 초기 태조가 북진 정책을 펼친 결과 태조 말 고려의 영토는 청천강에서 영흥만에 이르는 지역까지 넓어졌다. ③ 벽란도는 개경 근처 예성강에 위치하였다. ⑤ 윤관은 별무반을 이끌고 여진을 정벌한 뒤 동북 지방에 9성을 쌓고 고려의 영토로 삼았다.

04 별무반의 조직

㉠은 별무반에 해당한다. 12세기 이후 여진은 세력을 키워 나가면서 고려와 자주 충돌하였다. 이에 윤관은 여진을 정벌하기 위하여 별무반 편성을 건의하였다. 별무반은 기병 부대인 신기군, 보병 부대인 신보군, 승려들로 이루어진 항마군으로 구성되었다.

바로알기 >> ①은 주진군, ③은 강감찬이 이끄는 고려군, ④는 6위, ⑤는 2군에 해당한다.

05 고려와 여진의 관계

밑줄 친 '이 민족'은 여진에 해당한다. 12세기 이후 여진의 세력이 강성해지면서 고려와 자주 충돌하자, 예종 때 윤관은 별무반을 이끌고 여진을 정벌하여 동북 지방에 9성을 쌓고 고려의 영토로 삼았다. 한편, 여진은 고려에 말과 화살 등을 바치고 식량과 농기구 등 생활필수품을 받아 갔다.

바로알기 >> ㄱ은 거란, ㄴ은 호족에 대한 설명이다.

06 여진의 성장과 금 건국

동아시아의 패자가 된 금은 서하, 남송, 고려와 차례로 군신 관계를 맺었어.

여진은 세력을 키워 금을 세우고 고려에 형제 관계를 제의하였다. 이후 금은 더욱 강성해져 거란(요)을 멸망시키고 고려에 사대 관계를 요구하였다. 고려 조정에서는 이에 반대하는 여론이 높았으나, 당시 집권하고 있던 이자겸 등은 금의 사대 요구를 받아들였다.

바로알기 >> ① 거란의 3차 침입 이후 고려는 국경 지역에 천리장성을 쌓았다. ③은 최충헌, ④는 최우에 대한 설명이다. ⑤ 이자겸의 난 이후 인종은 왕권을 회복하기 위해 윤언이, 정지상 등 개혁 세력을 등용하였다.

07 고려 전기의 대외 교류

지도의 (가)는 거란, (나)는 여진이다. 고려는 거란, 여진 등 북방 민족의 침입을 경계하면서도 이들과 꾸준히 교류하였다. 거란의 침입을 물리친 뒤에는 거란에 정기적으로 사신을 파견하였고, 거란도 고려 국왕의 즉위식이나 생일에 사신을 보내왔다. 거란에서 들여온 대장경은 고려의 대장경 편찬에 도움을 주었다.

바로알기 >> ① 고려는 송과 가장 활발하게 교류하였다. ③ 고려는 거란의 세 차례 침입을 물리친 이후 거란과 외교 관계를 맺었다. ④ 고려는 당과 송의 제도를 참고하여 중앙 정치 제도를 정비하였다. ⑤ 고려에 아라비아 상인들이 드나들면서 고려가 코리아라는 이름으로 서방 세계에 알려졌다.

08 고려와 송, 아라비아 상인과의 교류

㉠은 송, ㉡은 아라비아에 해당한다. 고려는 송과 가장 활발하게 교류하여 송에 사신, 학자, 승려 등을 보냈다. 한편, 아라비아(이슬람) 상인은 벽란도를 통해 개경에 들어와 수은, 향료 등을 팔고 금, 비단 등을 사 갔다. 이때 고려는 코리아라는 이름으로 서방 세계에 알려졌다.

09 고려 시대 국제 무역항

제시된 자료에서 설명하는 국제 무역항은 벽란도이다. 수도 개경과 가까운 벽란도에는 송 상인들뿐만 아니라 아라비아 상인들까지 찾아와 교역하였는데, 100여 명의 아라비아 상인들이 한꺼번에 고려에 찾아왔다는 기록도 남아 있다.

바로알기 ≫ ①, ④는 통일 신라 시기의 무역항이다. ②는 장보고가 산둥반도에 지은 절로, 신라 사람들이 교류의 근거지로 삼았다. ⑤는 장보고의 건의로 완도에 설치한 진이다.

서술형 문제

115쪽

01 10~12세기 동아시아의 정세

① 거란, ② 송, ③ 여진

02 거란의 침입과 서희의 외교 담판

예시답안 거란의 1차 침입 때에 서희는 거란의 장수 소손녕과 외교 담판을 벌여 강동 6주를 고려의 영토로 인정받았다. 그 결과 고려의 영토가 압록강까지 확대되었다.

채점 기준	점수
강동 6주를 고려 영토로 인정받았고, 그 결과 고려의 영토가 압록강까지 확대되었다는 내용을 모두 서술한 경우	상
강동 6주를 고려 영토로 인정받았고, 그 결과 고려의 영토가 압록강까지 확대되었다는 내용 중 일부만 서술한 경우	하

04 몽골의 간섭과 고려의 개혁

117, 119, 121, 123쪽

A 1 몽골 2 (1) 다루가치 (2) 박서

B 1 (1) × (2) ○ (3) ○ 2 김윤후 3 (1) 팔만대장경 (2) 강화도

C 1 (1) ○ (2) × (3) ○ 2 개경, 제주도

D 1 (1) × (2) ○ (3) ○ 2 정동행성 3 ㉠ 몽골풍 ㉡ 고려양

E 1 권문세족 2 ㄱ, ㄹ

F 1 (1) 쌍성총관부 (2) 정동행성이문소 2 (1) ○ (2) × (3) × (4) ○ 3 ㉠ 신돈 ㉡ 전민변정도감

G (1) × (2) × (3) ○ (4) ○ 2 ㄱ, ㄴ 3 신흥 무인 세력

H 1 (1) 이성계 (2) 과전법 2 ㉠ 온건파 ㉡ 급진파

실력 탄탄 핵심 문제

124~128쪽

01 ⑤ 02 ③ 03 ③ 04 ④ 05 ② 06 ① 07 ⑤ 08 ③
09 ③ 10 ⑤ 11 ① 12 ② 13 ④ 14 ③ 15 ② 16 ②
17 ③ 18 ① 19 ④ 20 ④ 21 ⑤ 22 ④ 23 ② 24 ⑤
25 ⑤ 26 ③ 27 ④ 28 ②

01 고려와 몽골의 접촉

몽골고원에서 유목 생활을 하던 몽골족은 13세기 칭기즈 칸에 의해 통일되었다. 몽골군은 막강한 군사력을 바탕으로 정복 활동에 나서 동서양에 이르는 대제국을 건설하였다. 세력을 확장한 몽골이 금을 공격하자 금의 지배를 받던 거란인이 반란을 일으켰다가 몽골군에 쫓겨 고려에 침입하였다. 고려는 몽골군과 연합하여 거란인이 있던 강동성을 함락하였고, 이 사건을 계기로 고려는 몽골과 국교를 맺었다.

바로알기 ≫ ① 몽골의 1차 침입 이후 최씨 정권은 수도를 강화도로 옮겨 항전하였다. ② 고려와 송이 친선 관계를 맺고 가깝게 지내자, 송에 대한 공격을 준비하던 거란은 먼저 고려를 침략하였다. ③은 거란의 2차 침입, ④는 거란의 1차 침입과 관련이 있다.

02 몽골의 1차 침입

고려는 몽골과 함께 거란족을 물리친 뒤, 몽골과 외교 관계를 수립하였다. 그러나 몽골이 고려에 많은 공물을 요구하면서 양국 간의 갈등이 심화되었다. 이 무렵 고려에 온 몽골 사신이 귀국하는 길에 살해되자 몽골은 이를 구실로 고려를 침략하였다. 몽골의 침입에 고려군과 백성은 삶의 터전을 지키기 위해 맞서 싸웠다. 귀주성을 비롯한 북방의 여러 성에서는 백성과 관군이 필사적으로 저항하여 성을 지켰다. 그러나 많은 성이 함락되고 고려의 방어군이 패배하자 최씨 정권은 몽골과 강화를 맺었다.

바로알기 ≫ ① 윤관은 여진을 정벌하고 동북 9성을 쌓았다. ②, ⑤는 거란의 침입과 격퇴와 관련이 있다. ④ 고려 말 명이 옛 쌍성총관부의 영토를 직접 다스리겠다고 하자, 우왕과 최영은 이에 반발하여 요동 정벌을 추진하였다.

03 몽골의 침입과 고려의 항쟁

고려는 약 40년에 걸쳐 몽골과 전쟁을 벌였다. 특히 사회적으로 차별받던 특수 행정 구역의 주민들과 노비들이 크게 활약하였는데, 김윤후는 1253년 충주성에서 노비 문서를 불태워 노비들의 사기를 올려 몽골군을 격퇴하였다. 몽골에 맞서 최씨 정권은 수도를 개경에서 강화도로 옮기고 장기 항전을 준비하였다. 한편, 몽골과의 전쟁으로 대구 부인사의 대장경 판목과 황룡사 9층 목탑 등 문화유산이 소실되었다.

바로알기 ≫ ③ 윤관은 여진을 정벌하기 위해 별무반을 조직하였다.

04 몽골의 침입 과정

(가)는 몽골이 1차 침입 이후 고려에 다루가치를 파견한 사실을 보여 주고, (나)는 고려 정부가 개경으로 환도한 사실을 보여 준다. 몽골의 1차 침입에 맞서 귀주성을 비롯한 여러 성에서는 백성이 저항하여 성을 지켰다. 이후 고려가 강경한 태도를 보이자 몽골은 다시 고려를 침략하였지만 처인성에서 김윤후가 부곡민을 이끌고 몽골군 대장 살리타를 사살하였다. 한편, 고려 태자는 쿠빌라이를 만나 고려의 독립과 풍속을 유지하는 조건으로 강화를 맺었다. 그러나 고려는 몽골의 내정 간섭을 피할 수 없었다. 이에 무신 정권은 다시 몽골에 저항하려 하였으나 내분으로 무너졌고, 고려 정부는 다시 개경으로 돌아왔다.

바로알기 ≫ ①은 1009년, ②는 1010년, ③은 통일 신라 말의 일로 모두 (가) 이전에 있었던 사실이다. ⑤는 (나) 이후의 사실이다.

05 팔만대장경의 제작

㉠에 들어갈 문화유산은 팔만대장경이다. 고려의 최씨 정권은 강화도로 수도를 옮긴 이후 민심을 모으고, 불교의 힘으로 몽골을 물리치고자 팔만대장경을 제작하였다. 그러나 최씨 정권은 사치를 일삼고 과도한 세금을 거두며 민심을 잃었고, 결국 내분으로 무신 정권이 붕괴되었다.

바로알기 ≫ ①, ③, ④, ⑤는 통일 신라의 문화유산이다.

06 몽골과의 강화

제시된 자료는 고려 태자와 쿠빌라이의 강화 내용을 보여 준다. 몽골과의 전쟁이 장기화되자 당시 태자였던 원종은 쿠빌라이를 만나 고려의 독립과 풍속을 유지하는 조건으로 강화를 맺었다.

바로알기 ≫ ② 원은 고려에 쌍성총관부, 동녕부, 탐라총관부를 두어 고려의 영토 일부를 직접 지배하였다. ③ 몽골은 고려의 내정을 감시하기 위해 다루가치를 파견하였다. ④ 원 간섭기에 고려에서는 몽골식 복장, 용어 등 몽골풍이 유행하였고, 원에는 고려의 복식과 음식 등 고려양이 전해졌다. ⑤ 몽골의 침략에 맞서 특수 행정 구역의 주민과 노비 등 하층민이 저항하였다.

07 삼별초

㉠에 들어갈 군사 조직은 삼별초이다. 삼별초는 강화도에서 봉기하여 진도, 제주도로 근거지를 옮겨 가며 대몽 항쟁을 전개하였다.

바로알기 ≫ ①, ②는 고려의 중앙군이다. ③은 무신 집권자들의 신변 보호를 목적으로 조직된 사병 집단이다. ④는 윤관이 여진을 정벌하기 위해 조직하였다.

08 삼별초의 항쟁

무신 정권의 군사적 기반이었던 삼별초는 고려 정부의 개경 환도에 반대하며 봉기하였다. 이들은 진도를 근거지로 삼아 한때 남해안 일대를 장악하였다. 그러나 고려와 몽골 연합군의 공격으로 결국 진압되었다.

바로알기 ≫ ㄱ은 주현군, ㄹ은 별무반에 대한 설명이다.

09 정동행성

원은 일본 원정을 위해 고려에서 함선과 물자, 병사를 제공받았으며, 일본 원정이 끝난 뒤에도 정동행성을 폐지하지 않고 그대로 두어 고려의 내정을 간섭하였다.

바로알기 ≫ ①은 고려에서 원에 바칠 매를 잡고 기르기 위해 설치한 기구이다. ②, ④, ⑤는 원이 고려의 영토를 직접 지배하기 위해 설치한 기관이다.

10 원 간섭기의 고려 사회

원 간섭기에 원은 쌍성총관부, 동녕부, 탐라총관부를 두어 고려의 영토 일부를 직접 지배하였다. 고려 국왕은 원의 공주와 혼인하여 원 황실의 사위가 되었고, 왕자들은 원에서 성장하며 교육을 받았다. 또한 원은 고려에 조공이라는 이름으로 각종 공물을 요구하였다.

바로알기 ≫ ⑤는 무신 정권기에 있었던 사실이다.

11 고려와 원의 문화 교류

제시된 자료는 원 간섭기에 유행하던 몽골풍의 모습을 보여 준다. 원 간섭기에 원은 고려에서 환관과 공녀 등 많은 사람을 끌고 갔다.

바로알기 ≫ ②는 1107년, ③은 1170년, ④는 1126년, ⑤는 1033~1044년의 일로 모두 원 간섭기 이전의 사실이다.

12 원의 내정 간섭

제시된 자료에서 공녀 등이 원으로 끌려가고, '폐하'를 '전하'로, '태자'를 '세자'로 고친 점을 통해 해당 주제가 원의 내정 간섭과 관련이 있음을 알 수 있다. 원 간섭기에 원은 고려에서 금, 은 등의 특산물을 거두어 갔으며 환관과 공녀 등 많은 사람들을 끌고 갔다. 한편, 원 간섭기에는 고려의 관제와 왕실 용어가 제후국 수준으로 격이 낮아졌다.

(관제: 중서문하성과 상서성이 첨의부로, 중추원이 밀직사로 개편되었어.)

바로알기 ≫ ① 여진이 세력을 키워 금을 세우고 고려에 사대 관계를 요구하자 당시 집권하고 있던 이자겸이 금의 사대 요구를 받아들였다. ③ 만적의 난은 당시 하층민의 사회의식이 성장하는 데 영향을 미쳤다. ④ 서희의 외교 담판으로 고려는 강동 6주를 획득하였다. ⑤는 만적의 난, 망이·망소이의 난, 김사미와 효심의 난 등과 관련이 있다.

13 원의 고려 영토 지배

몽골과의 전쟁이 끝난 뒤 고려는 정치적인 독립을 유지하였으나, 몽골(원)의 내정 간섭을 받았다. 몽골(원)은 쌍성총관부, 동녕부, 탐라총관부를 두어 고려의 영토 일부를 직접 지배하였다.

바로알기 ≫ ①, ②는 고려양, 몽골풍과 관련이 있다. ③ 공민왕은 권문세족의 경제적 기반을 약화하기 위해 전민변정도감을 설치하였다. ⑤는 정동행성 설치와 관련이 있다.

14 권문세족의 등장

밑줄 친 ㉠은 권문세족을 가리킨다. 권문세족은 다른 사람의 노비와 토지를 빼앗아 대농장을 경영하였다.

바로알기 » ①은 고려 전기, ②는 신라 말, ④, ⑤는 고려 말에 등장한 정치 세력이다.

15 권문세족의 특징

원에 기대어 권력을 누렸던 권문세족은 높은 관직을 독점하고 음서를 이용하여 세력을 확대하였으며, 다른 사람의 토지와 노비를 빼앗아 대규모 농장을 경영하였다.

바로알기 » ㄴ은 최충헌, ㄹ은 신라 말 호족에 대한 설명이다.

16 권문세족의 성장

제시된 글에서 몽골어 통역관, 응방의 관리로 성장한 사람들이었다는 내용을 통해 '이들'은 권문세족임을 알 수 있다. 권문세족은 원에 기대어 권력을 누리며 새로운 지배 세력을 형성하였다.

바로알기 » ① 신진 사대부는 공민왕의 개혁 과정에서 성장하였다. ③ 무신 정권은 몽골의 침입을 받는 과정에서 내분으로 무너졌다. ④는 이성계, 최영 등, ⑤는 이자겸 등에 대한 설명이다.

17 공민왕의 영토 회복

제시된 지도는 공민왕 때 되찾은 지역을 보여 준다. 공민왕은 쌍성총관부를 공격하여 철령 이북의 땅을 점령하였다.

바로알기 » ① 광종은 과거제와 노비안검법을 실시하였다. ② 예종 때 윤관이 별무반을 이끌고 여진을 정벌하였다. ④, ⑤ 충목왕과 충선왕은 공민왕 이전에 개혁을 시도하였으나, 권문세족과 원의 반대로 실패하였다.

18 공민왕의 정동행성이문소 폐지

공민왕은 원의 세력이 약화되던 14세기 중엽에 즉위하였다. 공민왕은 고려의 내정을 간섭하는 핵심 기구인 정동행성이문소를 폐지하여 원의 간섭에서 벗어나 자주성을 회복하려 하였다.

바로알기 » ②는 인종에 대한 설명이다. ③, ⑤는 광종에 대한 설명이다. ④ 예종 때 윤관은 여진 정벌에 나서 동북 지방에 9성을 쌓았다.

19 공민왕의 개혁 정치

제시된 대화에서 14세기 중엽에 즉위하였고, 친원 세력을 제거하였다는 내용을 통해 공민왕에 대한 대화임을 알 수 있다. 공민왕은 원의 간섭에서 벗어나 자주성을 회복하기 위한 개혁을 실시하였다. 고려 왕실의 호칭과 관청의 옛 제도를 복구하고 몽골식 복장과 변발 등 원의 풍습을 금지하였다.

바로알기 » ㄱ은 태조, ㄷ은 성종에 대한 설명이다.

20 전민변정도감의 설치 목적

제시된 자료는 공민왕 시기에 반포한 전민변정도감 포고문이다. 공민왕은 신돈을 등용하고 전민변정도감을 설치하여 권문세족이 빼앗은 토지와 노비를 원래 주인에게 돌려주고 강제로 노비가 된 사람들을 해방하여 권문세족의 세력 기반을 약화하고자 하였다.

바로알기 » ① 공민왕은 변발 등 원의 풍습을 금지하였다. ②는 고려 초 태조가 실시한 기인 제도, 사심관 제도와 관련이 있다. ③ 공민왕은 원의 간섭에서 벗어나기 위해 정동행성이문소 폐지 등의 개혁 정치를 시행하였다. ⑤는 정도전, 조준 등에 해당하는 설명이다.

21 공민왕이 실시한 개혁 정치의 결과

공민왕의 개혁으로 고려는 자주성을 되찾았고, 새로운 정치 세력인 신진 사대부가 성장하는 기반을 마련하였다. 그러나 공민왕이 신돈을 제거하고 공민왕도 시해당하면서 개혁은 중단되었다.

바로알기 » ㄱ. 공민왕의 개혁은 권문세족의 강력한 반발에 부딪혔다. ㄴ은 공민왕의 개혁과 관련이 없다.

22 성균관 정비

㉠에 들어갈 교육 기관은 성균관이다. 성균관은 고려 시대 최고 국립 교육 기관이었던 국자감의 명칭이 고려 후기에 바뀐 것이다. 공민왕은 개혁을 뒷받침할 세력을 양성하기 위해 성균관을 새로 정비하고 이색, 정몽주, 정도전 등을 성균관 책임자로 임명하여 유학 교육을 강화하였다.

바로알기 » ①은 고려 시대에 지방에 설치된 교육 기관이다. ② 삼국 통일 이후 신라의 신문왕은 국학을 설치하였다. ③은 고구려 소수림왕이 설립하였다. ⑤ 발해는 주자감을 설치하여 유학을 가르쳤다.

23 신진 사대부의 특징

이색, 정도전, 정몽주는 대표적인 신진 사대부이다. 신진 사대부는 대부분 하급 관리나 지방 향리의 자제로, 성리학을 수용하고 과거에 급제하여 관직에 진출하였다. 이들은 공민왕의 개혁 과정에서 성장하였으며, 권문세족의 횡포를 비판하였다.

바로알기 » ②는 권문세족에 해당하는 설명이다.

24 홍건적과 왜구의 침입

자료로 이해하기 »

홍건적의 침입으로 개경까지 함락되어 공민왕이 복주까지 피란하였으나, 이방실, 이성계 등이 이들을 격퇴하였어.

몽골(원) / (가)의 침입로 / 길주 / 북청 / 위화도 / 이승경·이방실의 (가) 격퇴 / 서경 / 고려 / 정세운·이성계의 (가) 격퇴 / 양양 / 명주(강릉) / 개경 / 최영의 (나) 격퇴 / 황해 / 동해 / 홍산 / 진포 / 복주(안동) / 황산(운봉) / (나)의 침입로 / 관음포 / 이성계의 (나) 격퇴 / 제주 / 일본

최영은 홍산 대첩에서 왜구를 격퇴하였어.

왜구는 규모와 활동 범위를 점차 확대하여 개경까지 위협하였어. 왜구로 인해 조세 운송이 어려워지고 국가 재정이 궁핍해졌지.

(가)는 홍건적, (나)는 왜구이다. 14세기 홍건적과 왜구가 고려에 자주 침입하자, 이들을 격퇴하는 과정에서 신흥 무인 세력이 성장하였다. 이 시기 박위는 왜구의 근거지인 쓰시마섬을 토벌하였다.

바로알기 » ㄱ. 최무선은 진포에서 화포로 왜구의 선박을 격퇴하였다. ㄴ은 여진족에 대한 설명이다.

25 이성계의 활동

제시된 자료에서 황산 대첩에서 왜구를 격퇴하고, 우왕의 명령으로 요동 정벌에 나섰다는 내용을 통해 밑줄 친 '그'는 이성계임을 알 수 있다. 이성계는 위화도 회군으로 개경을 장악하고, 우왕과 최영을 몰아낸 후 정치·군사의 실권을 장악하였다.

바로알기 » ①은 최우, ②, ④는 공민왕, ③은 최충헌에 대한 설명이다.

26 신진 사대부의 분열

신진 사대부는 위화도 회군 이후 고려 사회의 개혁 방법을 둘러싸고 분열하였다. 이색, 정몽주 등 온건파 사대부는 고려 전기의 제도를 회복하는 방식으로 사회 문제를 해결하자고 주장한 반면, 정도전, 조준 등 급진파 사대부는 새 왕조를 세워야 한다고 주장하였다.

바로알기 » ③ 이성계는 급진파 사대부와 연계하여 개혁을 추진하였다.

27 고려의 멸망 과정

명이 고려에 옛 쌍성총관부 영토를 요구하자 우왕과 최영은 이에 반대하며 요동 정벌을 추진하였다. 이성계는 요동 정벌에 반대하였지만 우왕의 명령으로 출정한 후 위화도에서 회군하여 정권을 장악하였다. 정권을 장악한 이성계는 급진파 사대부와 연계하여 조세 제도와 토지 제도의 개혁을 추진하고 왕조 교체에 반대한 정몽주 등을 제거하였다. 이후 공양왕이 이성계에게 왕위를 내어 주어 고려가 멸망하고 조선이 건국되었다.

바로알기 » ㄱ, ㄷ은 요동 정벌 추진 이전에 있었던 사실이다.

28 과전법 실시

위화도 회군으로 정권을 장악한 이성계와 급진파 사대부는 문란해진 토지 제도를 바로잡기 위해 과전법을 실시하였다.

바로알기 » ①, ③은 삼국 통일 이후 신라 신문왕 시기의 일이다. ④ 진대법은 고구려의 고국천왕이 실시하였다. ⑤ 전시과 제도의 실시는 권문세족의 경제적 기반 약화와 관련이 없다.

서술형 문제

129쪽

01 공민왕의 개혁 정책

① 권문세족, ② 전민변정도감

02 대몽 항쟁의 전개

예시답안 고려는 관군과 백성들이 합심하여 몽골에 항쟁하였는데, 사회적으로 차별받던 특수 행정 구역의 주민과 노비도 단결하여 대몽 항쟁을 전개하였다.

채점 기준	점수
관군과 백성들이 합심하여 항쟁하였고, 특수 행정 구역 주민과 노비가 대몽 항쟁에 참여하였음을 서술한 경우	상
관군과 백성들이 합심하여 항쟁하였고, 특수 행정 구역 주민과 노비가 대몽 항쟁에 참여한 사실 중 일부만 서술한 경우	하

03 원 간섭기 고려의 변화

예시답안 원 간섭기에 고려는 원이 설치한 정동행성을 통해 내정 간섭을 받았다. 또한 고려의 영토 일부는 원이 설치한 동녕부, 쌍성총관부, 탐라총관부의 지배를 받았다. 고려의 환관과 공녀가 원에 끌려갔고, 고려는 원에 금, 인삼, 매 등 특산물을 바쳤다.

채점 기준	점수
원 간섭기 고려의 사회 변화를 세 가지 서술한 경우	상
원 간섭기 고려의 사회 변화를 두 가지 서술한 경우	중
원 간섭기 고려의 사회 변화를 한 가지만 서술한 경우	하

04 신진 사대부의 특징

(1) 신진 사대부

(2) 예시답안 신진 사대부는 성리학을 수용하여 개혁의 사상적 기반으로 삼고 도덕과 명분을 중시하였으며, 주로 과거를 통해 관직에 진출하였다. 이들은 공민왕의 개혁 과정에서 크게 성장하여 권문세족의 비리를 비판하였고, 원명 교체기에 명과 화친할 것을 주장하였다.

채점 기준	점수
신진 사대부의 특징을 세 가지 서술한 경우	상
신진 사대부의 특징을 두 가지 서술한 경우	중
신진 사대부의 특징을 한 가지만 서술한 경우	하

05 위화도 회군의 결과

(1) 위화도 회군

(2) 예시답안 위화도 회군 이후 이성계는 우왕과 최영을 몰아내고 정치·군사의 실권을 장악하였다. 정권을 장악한 이성계는 급진파 사대부와 연계하여 과전법 실시 등의 개혁을 추진하였으며, 왕조 교체에 반대한 정몽주 등을 제거하고 조선을 건국하였다.

채점 기준	점수
우왕과 최영을 몰아내 정치·군사의 실권을 장악하였고, 급진파 사대부와 연계하여 과전법 등의 개혁을 추진하였으며, 왕조 교체에 반대한 정몽주 등을 제거하고 조선을 건국하였다고 서술한 경우	상
위 내용 중 두 가지를 서술한 경우	중
위 내용 중 한 가지만 서술한 경우	하

05 고려의 생활과 문화

131, 133, 135, 137쪽

A 1 (1) ○ (2) × (3) ○ (4) ○ (5) ○ 2 (1) 일부일처제 (2) 신부 집
3 ㄴ, ㄷ
B 1 향도 2 (1) ○ (2) ○
C 1 (1) 불교 (2) 광종 2 (1) 선종 (2) 연등회 3 (1) ㄴ (2) ㄱ
4 ㉠ 원 ㉡ 권문세족
D 1 (1) × (2) ○ (3) ○ 2 풍수지리설
E 1 (1) 국자감 (2) 과거제 2 성리학 3 (1) – ㉠ (2) – ㉢ (3) – ㉡
F 1 (1) ○ (2) × (3) ○ 2 (1) ㄴ (2) ㄷ (3) ㄱ 3 제왕운기
G 1 (1) ㄱ (2) ㄴ (3) ㄷ 2 (1) – ㉡ (2) – ㉠
3 ㉠ 순청자 ㉡ 상감 청자 ㉢ 분청사기 4 (1) 속악 (2) 천산대렵도
H 1 (1) 초조대장경 목판 (2) 팔만대장경 (3) 직지(직지심체요절)

실력 탄탄 핵심 문제

138~142쪽

01 ④ 02 ⑤ 03 ② 04 ⑤ 05 ③ 06 ④ 07 ① 08 ①
09 ⑤ 10 ③ 11 ⑤ 12 ③ 13 ④ 14 ⑤ 15 ③ 16 ⑤
17 ③ 18 ③ 19 ② 20 ② 21 ③ 22 ⑤ 23 ④ 24 ②
25 ②

01 고려 시대의 재산 상속

제시된 자료를 통해 고려 시대에 부부는 각각 자신의 재산을 소유하고 아들과 딸에게 균등하게 나눠 주었음을 알 수 있다.

바로알기 » ①, ② 남녀 모두 이혼과 재혼에 제약이 거의 없었다. ③ 대체로 혼례 후 신랑이 신부의 집에 살면서 자녀를 낳아 길렀다. ⑤ 제사는 남녀 형제가 돌아가며 지내거나 책임을 분담하였다.

02 고려의 가족 제도

고려에서 가족과 친족은 성별이나 혼인 여부와 관계없이 각자의 혈연이 중심이었다. 고려에서는 친가와 외가의 상을 애도하는 기간에 차등을 두지 않았고, 친족 용어도 부계와 모계를 구분하지 않았다.

바로알기 » ㄱ. 고려 시대에는 족보에 친손과 외손을 모두 기록하였다. ㄴ. 고려의 혼인 제도는 일부일처제가 일반적이었다.

03 고려 시대 여성의 지위

고려의 여성은 가정생활이나 경제 활동 등의 일상생활에서 남성과 거의 대등한 위치에 있었다. 여성은 결혼 후에도 자신의 재산을 가지고 사회 활동을 할 수 있었고, 이를 자식에게 상속할 수 있었다. 남성과 여성은 모두 이혼을 요구할 수 있었고, 부부 중 한쪽이 사망할 경우 재혼하는 것을 당연하게 여겼다. 또한 호적에는 태어난 순서대로 적어 남녀 간의 차별을 두지 않았다.

바로알기 » ② 고려 시대에 여성은 호주가 될 수 있었다.

04 향도의 활동

제시된 자료는 고려 시대에 매향 활동을 하였던 향도에 대한 것이다. 향도는 불교 신앙을 바탕으로 조직된 대규모 노동 조직으로, 향리를 중심으로 운영되었다.

바로알기 » ① 성리학은 충렬왕 때 고려에 소개되었다. ②, ④ 풍수지리설은 신라 말에 널리 퍼졌고, 고려 시대에 묘청 등은 개경의 기운이 약해졌으므로 도읍을 서경으로 옮겨야 한다는 서경 길지설을 주장하기도 하였다. ③ 과거제는 광종 때 유교적 지식과 능력을 지닌 인재를 선발하기 위해 실시되었다.

05 광종의 제도 정비

고려 시대에 불교는 국가의 지원을 받아 크게 발전하였다. 광종은 국사와 왕사 제도를 정비하고, 과거제에 승과를 설치하였다.

바로알기 » ㄱ. 태조는 훈요 10조에서 불교를 장려하였다. ㄹ. 성종은 최승로의 시무 28조를 받아들여 유교 정치사상을 통치의 근본이념으로 삼았다.

06 의천의 활동

고려 중기에 의천은 교단 통합 운동을 벌여 화엄종을 중심으로 교종을 통합하려 하였고, 천태종(해동 천태종)을 창시하여 교종의 입장에서 선종을 통합하려 하였다.

바로알기 » ①은 원효, ②, ③은 의상, ⑤는 혜초에 대한 설명이다.

07 고려 시대 불교의 발달

고려 시대에 불교는 건국 초부터 국가의 지원을 받으며 발전하였으며, 태조는 연등회를 비롯한 불교 행사를 성대하게 열 것을 당부하였다. 고려 초기 불교는 신라 말부터 유행한 선종 중심이었으나, 이후 국가의 지원을 받은 교종의 세력도 강해졌다. 무신 집권기에는 지눌이 불교의 세속화를 비판하며 수선사를 중심으로 불교 개혁 운동을 펼쳤고, 원 간섭기에는 불교계가 권문세족과 연결되어 고리대를 통해 재산을 축적하는 등 여러 폐단을 드러냈다.

바로알기 » ① 원효는 통일 신라 시대에 활동하였다.

08 도교의 유행

(가)는 도교이다. 삼국 시대에 전래된 도교는 고려 시대에 왕실을 비롯한 지배층에서 유행하였다.

09 풍수지리설의 유행

고려 시대에는 풍수지리설에 따라 개경과 서경이 가장 좋은 명당으로 여겨졌다. 또한 묘청 등은 개경의 기운이 약해졌으므로 도읍을 서경으로 옮겨야 한다고 주장하기도 하였다.

바로알기 » ㄱ. 노비안검법은 광종이 실시한 것으로 풍수지리설과 관련이 없다. ㄴ은 고려 시대의 유학(유교)과 관련이 있다.
└ 호족이 불법으로 차지한 노비를 양인으로 해방하였어.

10 국자감 설치

㉠은 국자감이다. 고려는 유교 경전과 역사서를 가르치기 위해 개경에 최고 교육 기관인 국자감을 설치하였다.

바로알기 » ① 고구려 소수림왕은 태학을 세워 인재를 양성하였다. ② 고려는 지방의 주요 지역에 향교를 설치하였다. ④는 충선왕이 원의 수도에 있던 자신의 집에 설치한 서재이다. ⑤는 발해의 교육 기관이다.

11 고려 시대 유학의 발달

고려는 정치와 교육 등에서 대부분 유학 사상을 따랐다. 과거제를 실시하였으며, 개경에는 국자감, 지방의 주요 지역에는 향교를 두어 유교 경전과 역사서를 가르쳤다. 고려 초에는 유교 경전에 대한 이해를 중시하였으나 체제가 안정되자 시나 문장을 짓는 능력이 더욱 중시되었다. 유학 교육과 연구는 성리학을 수용하면서 활발해졌고, 신진 사대부는 성리학을 개혁 사상으로 받아들였다.

바로알기 ≫ ⑤ 신라 말 지방 호족의 사상적 기반은 풍수지리설, 선종 등이다.

12 고려 시대 사학의 발달

무신 정권 시기에는 관학이 쇠퇴하고 명성 높은 유학자들이 세운 사립 학교가 번성하였다. 이때 최충이 학당을 세웠는데, 그의 시호인 문헌을 따 '문헌공도'라고 불렀다. (문헌공도를 비롯한 사학이 발달하자 정부는 관학을 진흥하기 위해 노력하였어.)

바로알기 ≫ ① 향교는 관립 학교이다. ② 국학은 고려 시대에 최고 국립 교육 기관인 국자감으로 바뀌었다. ④ 신라 말 최치원은 당의 빈공과에 합격하였다. ⑤ 원에 있던 만권당에서 고려와 원의 학자가 교류하였다.

13 성리학

밑줄 친 '이 학문'은 성리학이다. 남송의 주희가 집대성한 성리학은 충렬왕 때 안향에 의해 고려에 소개되었다. 이후 이제현 등은 만권당에서 원의 유학자들과 교류하며 성리학에 대한 이해를 높였다.

14 성리학의 특징

신진 사대부는 성리학을 고려 사회의 문제점을 해결하기 위한 개혁 사상으로 받아들였다. 성리학을 수용한 신진 사대부는 불교의 사회적·경제적 폐단을 비판하였으며, 이에 따라 정계에서는 불교의 위상이 낮아지고 성리학이 지도 이념으로 자리 잡았다.

바로알기 ≫ ㄱ, ㄴ은 풍수지리설과 관련이 있다.

15 『삼국사기』의 특징

자료로 이해하기 ≫

이달의 책 소개

- 책 이름: (㉠)
- 책의 일부 내용

신라의 박씨와 석씨는 모두 알에서 태어났으며, 김씨는 금궤에 들어 있다가 하늘로부터 내려왔다거나 혹은 금 수레를 타고 왔다고 하니, 이는 더욱 괴이하여 믿을 수 없다.

- 특징: 유교의 합리주의 사관에 따라 서술하였고, 고려가 통일 신라를 계승하였다고 봄

(김부식은 유교적 합리주의 사관에 따라 전설이나 설화와 같이 믿지 못할 이야기는 자세히 기록하지 않았어.)

㉠은 김부식이 편찬한 『삼국사기』이다. 『삼국사기』는 현존하는 가장 오래된 역사서로, 유교의 합리주의 사관에 따라 설화나 신화 등 옛 기록의 신비한 내용은 대폭 축소하였다.

바로알기 ≫ ①, ⑤는 「동명왕편」, ②는 『삼국유사』, 『제왕운기』 등과 관련이 있다. ④ 『삼국유사』는 고대의 설화와 전설을 수록하였다.

16 고려 후기의 역사서

고려 후기에는 몽골의 침입과 원 간섭기를 겪으면서 자주 의식을 높이기 위한 역사서들이 편찬되었다. 대표적으로 일연의 『삼국유사』, 이승휴의 『제왕운기』 등이 있다.

바로알기 ≫ ㄱ은 고려 후기에 성리학을 수용하면서 정통 의식과 대의명분을 강조하는 사관이 반영된 역사서이다. ㄴ은 거란의 침략으로 이전 국왕들의 기록이 불타자 현종이 편찬한 역사서이다.

17 『제왕운기』의 특징

이승휴가 편찬한 『제왕운기』는 단군 조선을 우리 역사상 최초의 국가로 기록하였다.

바로알기 ≫ ①은 『삼국유사』, ②는 『7대 실록』 등, ④는 『사략』, ⑤는 『삼국사기』에 대한 설명이다.

18 『삼국유사』의 특징

제시된 자료는 충렬왕 때 일연이 편찬한 『삼국유사』의 내용이다. 일연은 『삼국유사』에 처음으로 단군의 건국 이야기를 기록하였으며, 민간에 전해지는 전설, 신화 등 『삼국사기』에 빠진 내용까지 정리하여 수록하였다.

바로알기 ≫ ①은 『7대 실록』 등, ②, ⑤는 김부식의 『삼국사기』, ④는 각훈의 『해동고승전』과 관련이 있다.

19 논산 관촉사 석조 미륵보살 입상

제시된 사진과 설명은 논산 관촉사 석조 미륵보살 입상에 해당한다. 고려 초기에는 지방 문화가 발달하여 거대한 석불이 많이 만들어졌다. 논산 관촉사 석조 미륵보살 입상은 광종 때 만들어진 우리나라에서 가장 큰 불상으로 인체 표현이 과장된 거대한 석불이다.

바로알기 ≫ ㄴ. 대형 철제 불상으로는 하남 하사창동 철조 석가여래 좌상 등이 있다. ㄹ은 영주 부석사 소조 아미타여래 좌상 등에 대한 설명이다.

20 고려 시대 석탑의 특징

밑줄 친 '이것'에 해당하는 문화유산은 개성 경천사지 10층 석탑이다. 고려 시대에는 불교가 문화의 중심을 이루어 불교 예술이 발달하였는데, 특히 고려 후기에는 개성 경천사지 10층 석탑처럼 원의 영향을 받은 석탑도 제작되었다.

바로알기 ≫ ①은 평창 월정사 8각 9층 석탑, ③은 원주 법천사지 지광 국사 탑, ④는 경주 불국사 3층 석탑, ⑤는 경주 불국사 다보탑이다.

21 주심포 양식과 다포 양식의 특징

고려 시대에는 공포 장치가 기둥 위에만 있는 주심포 양식이 유행하였는데, 고려 후기에는 기둥과 기둥 사이에도 공포를 얹은 다포 양식이 원으로부터 전래되었다. 주심포 양식의 대표적인 건물로는 안동 봉정사 극락전, 영주 부석사 무량수전, 예산 수덕사 대웅전 등이 있으며, 다포 양식을 대표하는 건물로는 황해도 황주 성불사 응진전이 있다.

바로알기 ≫ ③은 다포 양식에 대한 설명이다.

22 상감 청자의 특징

제시된 사진은 고려 상감 청자를 대표하는 청자 상감 운학문 매병이다. 고려는 초기에 당과 송의 기술을 받아들여 청자를 제작하였으나, 점차 독자적인 기법을 만들어 냈다. 11세기까지는 비색의 순청자를 주로 만들었고, 12세기 이후에는 그릇 표면을 파내고 다른 색의 흙을 메우는 상감법을 사용하여 화려한 무늬를 넣은 상감 청자를 만들었다.

바로알기 》 ㄱ. 상감 청자는 12세기 이후에 제작되었다. ㄴ은 불화와 관련이 있는 내용이다.

23 고려 시대의 예술

고려 시대에는 다양한 예술이 발달하였다. 글씨는 굳세고 힘찬 느낌의 구양순체가 유행하였으며, 탄연의 글씨가 뛰어났다. 고려 전기의 그림은 전하지 않으며, 「천산대렵도」와 같은 작품에서 원 화풍의 영향을 확인할 수 있다. 또한 고려 후기에는 왕실과 권문세족의 후원을 받아 지배층의 평안과 극락왕생을 기원하는 불화가 많이 제작되었다. 한편, 음악은 송에서 대성악이 전래되어 궁중 음악인 아악으로 발전하였다. 우리 고유의 음악인 속악(향악)은 신라 시대에 전래된 당악의 영향을 받으며 발달하였다. 금속 공예는 통일 신라의 전통을 이은 입사 기법이 더욱 발달하여 청동 바탕에 은실을 박아 장식한 정교한 작품들을 제작하였다.

바로알기 》 ④는 아악에 대한 설명이다.

24 팔만대장경 제작

제시된 내용은 팔만대장경에 대한 설명으로, 이는 최씨 무신 정권이 부처의 힘으로 몽골의 침입을 물리치기 위해 제작되었다. 현재 합천 해인사에 보관되어 있으며 보존 상태가 뛰어나 고려 목판 인쇄술의 높은 수준을 보여 준다.

바로알기 》 ①은 세계에서 가장 오래된 금속 활자 인쇄본이다. ③은 1234년에 금속 활자로 인쇄했다는 기록이 있으나 오늘날 전하지 않는다. ④는 거란의 침입을 물리치기 위해 제작되었다. ⑤는 경주 불국사 3층 석탑 2층에서 발견된 두루마리 형식의 불경이다.

25 『직지(직지심체요절)』 간행

제시된 사진과 세계에서 가장 오래된 금속 활자 인쇄본이라는 내용을 통해 제시된 문화유산이 『직지』임을 알 수 있다. 1377년 청주 흥덕사에서 간행한 『직지』는 대한 제국 시기에 프랑스로 반출되었고, 현재는 프랑스 국립 도서관에 보관되어 있다.

바로알기 》 ㄴ은 초조대장경 목판, ㄹ은 『무구정광대다라니경』에 해당한다.

서술형 문제

143쪽

01 지눌의 활동

(1) 지눌

(2) ① 수선사(송광사), ② 선교 일치

02 고려 시대의 혼인 관계

예시답안 고려의 혼인 제도는 일부일처제가 일반적이었고, 대체로 신랑이 신부 집에서 혼인식을 치르고 자녀를 낳아 길렀다. 또한 남성과 여성 모두 이혼과 재혼에 제약이 거의 없었다.

채점 기준	점수
고려 시대 혼인 관계의 특징을 세 가지 서술한 경우	상
고려 시대 혼인 관계의 특징을 두 가지 서술한 경우	중
고려 시대 혼인 관계의 특징을 한 가지만 서술한 경우	하

03 고려 시대 향도의 활동

예시답안 향도. 고려 시대의 향도는 향리를 중심으로 운영되었으며, 매향 활동을 하고 절이나 불상, 석탑 등을 만들 때 주도적인 역할을 하였다. 고려 후기에는 이웃의 상장례를 함께 치르고 연회를 베풀어 친목을 다지는 소규모 농민 조직으로 변하였다.

채점 기준	점수
향도를 쓰고, 매향 활동, 절·불상·석탑을 만들 때에 주도적인 역할 수행 등 향도의 활동을 서술한 경우	상
향도만 쓴 경우	하

04 도교의 특징

(1) 도교

(2) 예시답안 도교는 불로장생과 현세의 복을 구하는 종교로 삼국 시대에 전래되었다. 고려 시대에는 왕실을 비롯한 지배층에서 유행하였다.

채점 기준	점수
도교의 특징을 두 가지 서술한 경우	상
도교의 특징을 한 가지만 서술한 경우	하

05 영주 부석사 무량수전의 건축 양식

예시답안 영주 부석사 무량수전은 공포 장치를 기둥 위에만 두는 주심포 양식으로 지어졌고, 배흘림기둥을 갖추었다.

채점 기준	점수
주심포 양식, 배흘림기둥 등 영주 부석사 무량수전에 반영된 건축 양식을 서술한 경우	상
주심포 양식, 배흘림기둥 중 한 가지만 서술한 경우	하

시험 적중 마무리 문제 146~149쪽

01 ① 02 ① 03 ② 04 ⑤ 05 ② 06 ② 07 ③ 08 ⑤
09 ② 10 ⑤ 11 ① 12 ② 13 ⑤ 14 ⑤ 15 ② 16 ④
17 ④ 18 ⑤ 19 ① 20 ① 21 ④ 22 ① 23 ⑤

01 고려 태조의 정책

자료로 이해하기 >> 태조는 발해를 멸망시킨 거란을 배척하였고, 후대에도 경계하도록 하였어.

> 제1조 불교의 힘으로 나라를 세웠으므로, 사찰을 세우고 주지를 파견하여 불도를 닦도록 할 것
> 제4조 중국의 풍습을 억지로 따르지 말고, 거란의 언어와 풍습은 다르므로 의관 제도를 본받지 말 것
> 제5조 서경을 중요시할 것 -『고려사』

제시된 자료는 태조가 남긴 훈요 10조이다. 고려 건국 직후부터 태조는 고구려 계승을 내세우며 고구려의 옛 땅을 되찾기 위해 북진 정책을 추진하였다. 그 결과 태조 말 고려의 영토는 청천강에서 영흥만에 이르는 지역까지 넓어졌다. 한편, 태조는 옛 신라와 후백제 세력을 지배층으로 받아들이고 발해 유민도 포용하였다.

바로알기 >> ①은 광종에 대한 설명이다.

02 광종의 왕권 강화 정책

왕권이 매우 불안정한 상황에서 즉위한 광종은 왕권을 강화하기 위한 정책을 추진하였다. 광종은 노비안검법을 실시하여 호족이 불법으로 차지한 노비를 양인으로 해방하였다. 또한 관리의 공복을 새롭게 정하여 관복 색깔에 따른 상하 질서를 확립하였다. 광종은 이러한 정책에 반대하는 호족과 공신을 숙청하여 왕권을 강화하였다.

바로알기 >> ㄷ. 통일 신라의 원성왕은 독서삼품과를 시행하여 경전의 이해 수준을 평가하였다. ㄹ. 통일 신라의 신문왕은 김흠돌의 난을 진압하면서 진골 귀족 세력을 대거 숙청하였다.

03 고려 성종의 정책

㉠에 들어갈 왕은 성종이다. 성종은 최승로가 건의한 시무 28조를 받아들여 유교 정치사상을 통치의 근본이념으로 삼았다. 또한 유학 교육을 강화하기 위해 국자감을 설치하였다.

바로알기 >> ①, ③, ④는 태조, ⑤는 광종에 대한 설명이다.

04 고려의 중앙 정치 기구

고려는 당의 3성 6부제를 받아들여 고려의 실정에 맞게 운영하였다. 최고 관청인 중서문하성은 국가의 정책을 논의하여 결정하였고, 상서성은 아래에 6부를 두고 정책을 집행하였다. 어사대는 관리의 비리를 살피고 정치의 잘잘못을 논하였으며, 삼사는 국가 재정의 출납과 회계를 담당하였다. 한편, 고려는 독자적인 회의 기구로 도병마사와 식목도감을 두었다.

바로알기 >> ⑤ 국왕의 비서 기관으로 왕의 명령을 전달한 기구는 중추원이다.

05 고려의 관리 등용 제도

(과거제: 시험으로 인재를 선발하였어.)

고려의 관리 등용 제도는 과거제와 음서가 대표적이었다. 광종 때 처음으로 실시된 과거제에는 문관을 뽑는 문과, 기술관을 뽑는 잡과, 승려를 대상으로 하는 승과가 있었다. 무과는 거의 시행하지 않았고, 무예가 뛰어난 사람을 무관으로 임명하였다. 한편, 왕족과 공신의 후손, 5품 이상 고위 관리의 자손은 과거를 거치지 않고 음서로 관리가 될 수 있었는데, 고위 관리는 음서를 이용하여 지위를 세습하기도 하였다.

바로알기 >> ② 제술과와 명경과는 문관을 뽑는 문과에 해당한다.

06 이자겸의 난과 서경 천도 운동

문벌 출신의 대표적 인물인 이자겸은 딸들을 예종, 인종과 혼인시키며 막강한 권세를 누렸다. 이에 위협을 느낀 인종이 측근 세력과 함께 이자겸을 제거하려 하였으나 이자겸의 반격으로 실패하였다(이자겸의 난). 이자겸의 몰락 후 금을 배격하는 여론이 강해졌다. 한편, 정지상, 묘청 등 서경 세력은 풍수지리설을 근거로 하여 서경으로 수도를 옮기자고 주장하였다. 그러나 김부식 등의 개경 세력은 서경 천도에 반대하였다. 이에 묘청 등이 서경에서 난을 일으켰다.

바로알기 >> ㄴ은 서경 천도 운동에 대한 설명이다. ㄹ. 이자겸의 난과 서경 천도 운동은 인종 때 일어났다.

07 무신 정변의 발생 배경

이자겸의 난과 서경 천도 운동 이후 정치 질서가 흔들리고 왕권이 약화되었다. 한편, 문벌의 권력 독점과 부패가 계속되자 무신에 대한 차별이 심해졌다. 하급 군인은 토지를 제대로 지급받지 못하고 각종 공사에 동원되어 불만이 커졌다. 또한 일부 문신이 노골적으로 무신을 무시하자 무신들의 불만이 더욱 커졌다. 이러한 상황에서 정중부, 이의방 등의 무신은 의종의 보현원 행차 때 정변을 일으켜 문신을 제거하고 의종을 폐위하였다(무신 정변).

바로알기 >> ③은 무신 정변 이후의 일이다.

08 초기 무신 정권의 모습

무신 정변 이후 정권을 장악한 무신들은 회의 기구인 중방을 통해 권력을 행사하였다. 그러나 초기에는 무신들 간의 권력 다툼으로 집권자가 자주 바뀌었으며, 이의민처럼 천민 출신의 최고 권력자가 출현하기도 하였다.

바로알기 >> ㄱ은 신라 말, ㄴ은 무신 정변 이전의 사실에 해당한다.

09 최씨 무신 정권의 특징

초기 무신 정권의 혼란은 최충헌이 이의민을 제거하고 권력을 잡은 뒤 수습되었다. 최충헌은 교정도감을 설치하여 국가의 중요한 정책을 결정하고 집행하였다. 또한 사병 집단인 도방을 확대하여 호위를 강화하였다. 이후 최우는 자신의 집에 정방을 설치하여 인사 행정을 담당하게 하였다. 최씨 정권은 4대 60여 년간 정권을 유지하며 국방력을 강화하였다.

바로알기 >> ② 인종은 이자겸의 몰락 후 금을 배격하는 여론이 강해지자 서경 출신의 승려 묘청을 등용하여 개혁을 추진하였다.

10 무신 집권기 농민과 천민의 봉기

무신 정권이 성립한 후 무신들의 권력 다툼으로 정치가 혼란하였고, 신분 질서가 크게 흔들렸다. 이러한 상황에서 전국 각지에서 농민과 천민이 봉기하였다. 특수 행정 구역인 공주 부근의 명학소에서는 망이·망소이 형제가 과도한 세금 부담을 견디지 못하여 봉기하였다. 경상도의 운문과 초전에서는 김사미와 효심이 농민을 이끌고 일어나 경주 세력과 합세하여 중앙에 저항하였다.

바로알기 》 ㄱ, ㄴ은 신라 말과 관련이 있다.

11 거란의 침입과 격퇴

고려가 송과 가깝게 지내자, 송에 대한 공격을 준비하던 거란은 먼저 고려를 침략하였다(993). 이에 (가) 서희는 거란 장수 소손녕과 담판을 벌여 압록강 동쪽의 강동 6주를 고려의 영토로 인정받았다. 이후 (나) 거란은 강조의 정변을 구실로 다시 고려를 침략하였다(1010). 이때 고려는 개경이 함락되는 어려움을 겪었으나 양규 등의 활약으로 거란군을 물리쳤다. (다) 거란의 3차 침입 때에는 강감찬이 이끄는 고려군이 귀주에서 거란군을 격퇴하였다(귀주 대첩, 1019). (라) 거란의 세 차례 침입 이후 고려는 개경에 나성을 쌓고 국경 지역에 천리장성을 쌓아 북방 민족의 침입에 대비하였다. 따라서 일어난 순서대로 나열하면 '(가) – (나) – (다) – (라)'이다.

12 고려와 여진의 관계

고려 초부터 대부분의 여진인은 고려에 특산품을 바치며 고려를 부모의 나라로 섬겼다. 그러나 12세기 이후에 여진이 부족 중 하나인 완옌부를 중심으로 통합하면서 점차 세력을 키워 나갔고, 여진은 국경 지역을 자주 침략하였다. 예종 때 윤관은 별무반을 이끌고 여진 정벌에 나서 동북 지방에 9성을 쌓고 고려의 영토로 삼았다. 이후 여진은 세력을 키워 금을 세우고 고려에 형제 관계를 제의하였고, 금은 더욱 강성해져 고려에 사대 관계를 요구하였다.

바로알기 》 ② 수 양제가 군사를 이끌고 고구려를 침략하자 을지문덕이 이끄는 고구려군이 수의 군대를 살수에서 크게 무찔렀다(살수 대첩).

13 고려와 송의 교류

고려는 송과 가장 활발하게 교류하면서 문화적·경제적인 실리를 추구하였다. 고려 초에는 송의 제도를 참고하여 제도를 정비하였고, 청자 제작 등도 송의 영향을 받아 이루어졌다. 송의 상인들은 비단, 서적 등 왕실과 귀족의 수요품을 고려에 가져왔고, 고려에서는 나전 칠기, 종이 등을 송에 수출하였다.

바로알기 》 ⑤ 고려는 아라비아 상인과의 교류를 통해 코리아라는 이름으로 서방 세계에 알려졌다.

14 고려 전기의 대외 교류

고려는 건국 초기부터 주변 국가와 활발하게 교류하였다. 거란, 여진 등 북방 민족의 침입을 경계하면서도 이들과 꾸준히 교류하였으며, 일본과 멀리 아라비아 상인과도 교류하였다. 고려는 거란에 농기구, 곡식 등을 보내고, 은, 모피 등을 들여왔다. 일본 상인들은 수은과 향료를 가져와 식량, 인삼, 책 등과 바꾸어 갔다.

바로알기 》 ㄱ. 고려 시대에는 개경에서 가까운 예성강 입구의 벽란도가 국제 무역항으로 번성하였다. ㄴ. 여진은 고려에 말과 화살 등을 바치고, 식량과 농기구 등 생활필수품을 받아 갔다.

15 몽골의 1차 침입

고려는 몽골군과 연합하여 거란인이 있던 강동성을 함락하였고, 이 사건을 계기로 고려는 몽골과 국교를 맺었다. 그러나 몽골은 고려를 복속국으로 취급하며 많은 공물을 요구하여 고려와 갈등을 빚었다. 이러한 상황에서 고려에 온 몽골 사신이 귀국하는 길에 살해되자, 몽골은 국교를 끊고 고려를 침략하였다.

바로알기 》 ①, ③, ④, ⑤는 모두 몽골 사신 저고여가 살해되기 이전에 있었던 사실이다.

16 몽골의 침입과 고려의 항쟁

몽골의 1차 침입 이후 최씨 정권은 수도를 개경에서 강화도로 옮기고, 백성을 산성과 섬으로 들어가게 하여 항전을 준비하였다. 고려가 강경한 태도를 보이자 몽골은 고려를 다시 침략하였지만 처인성 전투에서 패배하여 돌아갔고, 이후에도 몽골의 침략이 계속되었다. 이러한 상황에서 몽골이 강화를 제안하였고, 당시 태자였던 원종은 쿠빌라이를 만나 고려의 독립과 풍속을 유지하는 조건으로 강화를 맺었다.

바로알기 》 ①, ②, ③은 (나) 이후, ⑤는 (가) 이전에 있었던 사실이다.

17 권문세족과 신진 사대부의 특징

㉠은 권문세족, ㉡은 신진 사대부이다. 원에 기대어 권력을 누린 권문세족은 높은 관직을 독점하고 음서를 이용하여 권력을 세습하였으며, 대규모 농장을 운영하였다. 한편, 원 간섭기에 새로운 정치 세력으로 등장한 신진 사대부는 성리학을 공부하고 과거에 급제하여 관직에 진출하였다. 이들은 공민왕의 개혁 과정에서 크게 성장하였고, 권문세족의 비리를 비판하였으며, 원과 명이 교체되던 시기에 명과 화친할 것을 주장하였다.

바로알기 》 ④ 신진 사대부는 성리학을 개혁의 사상적 기반으로 삼았다.

18 위화도 회군 이후의 상황

자료로 이해하기 》

요동 정벌에 반대하였던 이성계는 여러 구실을 내세워 위화도에서 군대를 돌렸어.

> 이성계가 압록강의 위화도에서 군대를 돌려 개경을 장악하고 정치, 군사의 실권을 잡았다.

이색, 정몽주 등의 온건파와 정도전, 조준 등의 급진파로 나뉘었어.

제시된 내용은 위화도 회군에 해당한다. 신진 사대부는 위화도 회군 이후에 고려 사회의 개혁 방법을 둘러싸고 분열하였다. 정권을 잡은 이성계는 급진파 사대부와 연계하여 개혁을 추진하였다. 이들은 문란해진 조세 제도와 토지 제도를 바로잡았으며, 왕조 교체에 반대한 정몽주 등을 제거하였다. 마침내 공양왕이 이성계에게 왕위를 내어 주어 고려가 멸망하고 조선이 건국되었다.

바로알기 》 ⑤는 위화도 회군 이전에 있었던 사실이다.

19 고려 시대 가족 제도의 특징

고려 시대에는 상복 제도에서 친가와 외가의 차이가 크지 않았고, 친가와 외가의 상의 애도하는 기간을 동등하게 하였다. 또한 음서제에서는 고위 관리의 사위나 조카, 친손자와 외손자도 음서의 대상이 되었다. 고려 시대에 남성과 여성은 모두 이혼을 요구할 수 있었고, 부부 중 한쪽이 사망할 경우 재혼하는 것을 당연하게 여겼다. 한편, 고려의 여성은 호주가 될 수 있었다.

바로알기 ≫ ① 고려 시대에는 족보에 친손과 외손을 모두 기록하였다.

20 고려 시대 불교의 발전

고려 시대에는 왕실에서 일반 백성에 이르기까지 불교를 널리 믿었다. 태조는 연등회를 비롯한 불교 행사를 성대하게 열 것을 당부하였으며, 광종은 과거제에 승과를 설치하고 국사와 왕사 제도를 정비하였다. 고려 중기에 의천은 교단 통합 운동을 벌여 화엄종을 중심으로 교종을 통합하려 하였고, 천태종(해동 천태종)을 창시하여 교종의 입장에서 선종을 통합하려 하였다.

바로알기 ≫ ㄷ. 통일 신라 시대에 의상은 신라 화엄종을 열고, 부석사를 비롯한 여러 사원을 세웠다. ㄹ. 삼국 통일 이후 신라에서는 불교문화가 번성하여 불국사와 석굴암 등이 만들어졌다.

21 성리학의 수용

자료로 이해하기 ≫ 성리학은 원에서 국학이 되어 크게 유행하였고, 고려에는 충렬왕 때 본격적으로 수용되었어.

검색 | 고려 시대의 ○○○

- 충렬왕 때 안향에 의해 고려에 소개되었다.
- 이색이 성균관을 정비하고 정몽주, 정도전 등의 후학을 양성하였다. └ 원의 대도에서 치르는 과거에 합격할 만큼 성리학에 대한 이해가 깊었어.
- (가)

제시된 검색 결과는 고려 시대의 성리학에 대한 것이다. 남송의 주희가 집대성한 성리학은 충렬왕 때 안향에 의해 고려에 소개되었으며, 원에서 유학을 마치고 돌아온 이색은 성균관을 정비하고 정몽주, 정도전 등의 후학을 양성하는 등 성리학의 보급과 발달에 크게 기여하였다. 고려 말 신진 사대부는 성리학을 사상적 기반으로 삼아 권문세족과 불교의 사회적·경제적 폐단을 비판하며 개혁을 주장하였다.

바로알기 ≫ ①, ②는 풍수지리설, ③은 도교, ⑤는 불교와 관련이 있다.

22 『삼국사기』의 특징

김부식이 편찬한 『삼국사기』는 오늘날까지 남아 있는 역사서 중 가장 오래된 역사서이다. 김부식은 『삼국사기』를 유교의 합리주의 사관에 따라 서술하였으며, 고려가 통일 신라를 계승하였다고 보았다.

바로알기 ≫ ②는 일연이 편찬한 역사서로, 처음으로 단군의 건국 이야기를 기록하였다. ③은 이승휴가 편찬하였고, 단군 조선을 우리 역사상 최초의 국가로 기록하였다. ④는 각훈이 편찬하였고, 삼국 시대 이래 여러 승려의 전기를 기록하였다. ⑤는 혜초가 고대 인도의 다섯 나라를 순례한 4년 동안 보고 들은 내용을 기록한 책이다.

23 고려 시대의 문화유산

고려 시대에는 다양한 문화유산이 발달하였다. 무신 집권자 최우는 몽골의 침입을 부처의 힘으로 물리치기 위해 팔만대장경을 제작하였다. 고려 시대에 지은 영주 부석사 무량수전은 배흘림기둥과 주심포 양식을 갖춘 대표적인 건축이다. 한편, 청자 상감 운학문 매병은 고려 상감 청자를 대표하는 작품으로, 상감 청자에는 그릇 표면을 파내고 다른 색의 흙을 메우는 상감법이 사용되었다. 우리나라에서 가장 큰 불상인 논산 관촉사 석조 미륵보살 입상은 인체 표현이 과장되었다는 특징을 갖는다.

바로알기 ≫ ⑤ 『무구정광대다라니경』은 통일 신라 때 만든 경주 불국사 3층 석탑 2층에서 발견된 두루마리 형식의 불경이다.

Ⅳ. 조선의 성립과 발전

01 통치 체제와 대외 관계

153, 155, 157, 159쪽

A 1 (1) 신진 사대부 (2) 위화도 회군 2 (1) × (2) ○
B 1 조선 2 ㉠ 한양 ㉡ 한강 3 (1) 이방원 (2) 왕도 정치 (3) 성리학
C 1 (1) 집현전 (2) 태종 2 직전법 3 경국대전
D 1 (1) × (2) ○ 2 ㉠ 사간원 ㉡ 사헌부 ㉢ 홍문관
3 (1) - ㉣ (2) - ㉠ (3) - ㉢ (4) - ㉡
E 1 (1) × (2) ○ (3) ○ (4) ○ 2 (1) 5위 (2) 병마절도사 (3) 봉수
F 1 (1) 4부 학당 (2) 성균관 2 ㉠ 과거 ㉡ 천거 3 ㄱ, ㄷ
G 1 교린 2 (1) ○ (2) ○
H 1 ㉠ 4군 ㉡ 6진 2 (1) 일본 (2) 이종무 (3) 무역소 3 ㄴ, ㄷ, ㄹ

실력 탄탄 핵심 문제 160~164쪽

01 ⑤ 02 ③ 03 ② 04 ⑤ 05 ③ 06 ② 07 ④ 08 ③
09 ⑤ 10 ② 11 ④ 12 ③ 13 ② 14 ⑤ 15 ④ 16 ③
17 ④ 18 ⑤ 19 ③ 20 ③ 21 ② 22 ④ 23 ④ 24 ①
25 ④ 26 ②

01 조선의 건국 과정

위화도 회군(1388)으로 권력을 장악한 이성계와 급진파 사대부들은 과전법을 실시(1391)하여 국가 재정을 확보하고 자신들의 경제적 기반을 마련하였다. 이어 고려 왕조를 유지하려는 정몽주 등의 온건파 사대부를 제거한 후, 조선을 건국하였다(1392).

바로알기 ≫ ①, ②는 조선 건국 이후, ③, ④는 위화도 회군 이전에 있었던 사실이다.

02 조선의 건국 세력

고려 말 위화도 회군으로 권력을 장악한 이성계는 정도전을 비롯한 급진파 사대부와 손을 잡고 개혁에 나섰다. 이들은 왕조 교체를 반대하던 정몽주 등을 제거하고, 이성계를 왕으로 추대하여 조선을 건국하였다.

바로알기 ≫ ①은 고려의 정중부, 이의방 등 무신, ②는 고려 권문세족, ④는 온건파 사대부, ⑤는 신라 6두품과 관련이 있다.

03 정도전의 활동

자료로 이해하기 ≫

정도전은 현명한 재상이 정치를 이끌어야 한다고 강조하였어.

재상은 임금의 좋은 점은 따르고 나쁜 점은 바로잡으며, 옳은 일은 받들고 옳지 않은 일은 막아서, 임금으로 하여금 가장 올바른 경지에 들게 해야 한다.

제시된 자료는 정도전이 저술한 『조선경국전』의 내용이다. 정도전은 조선이 개국한 뒤에 태조의 신임을 받아 정치를 주도하였다. 그는 재상 중심의 정치를 강조하였고, 백성을 근본으로 여기고 인과 덕으로써 백성을 다스리는 왕도 정치를 추구하였다. 한편, 정도전은 『조선경국전』, 『불씨잡변』 등 여러 책을 저술하였고, 새 수도 한양에 세운 경복궁과 궁궐 건물의 이름을 정하였다.

바로알기 ≫ ②는 고려의 최승로에 대한 설명이다. 최승로는 성종에게 시무 28조를 건의하였다.

04 태종의 활동

왕자의 난으로 왕위에 오른 ㉠ 인물은 태종(이방원)이다. 태종은 국왕 중심의 정치를 지향하여 6조에서 나랏일을 국왕에게 직접 보고하게 하였다. 또한 호적 조사, 호패법 실시 등을 통해 인구를 파악하고 세금 징수와 군역 부과의 기초 자료를 마련하였다.

바로알기 ≫ ㄱ은 태조(이성계), ㄴ은 고려 광종과 관련이 있다.

05 세종의 정책

제시된 내용에서 집현전 설치, 의정부의 권한 강화 등을 통해 세종에 대한 역사 탐구 보고서임을 알 수 있다. 세종은 태종 때 이룬 안정된 왕권을 바탕으로 유교적 이상 정치를 실현하고자 하였다. 이에 집현전을 설치하여 젊고 유능한 학자들이 학문 연구와 정책 자문에 힘쓰도록 하였고, 태종이 축소한 의정부의 권한을 강화하였다. 또한 세종은 소리글자인 훈민정음을 만들어 반포하였다.

바로알기 ≫ ① 세종은 경연을 열어 신하들과 정책을 토론하였다. ②는 고려 말 이성계와 신진 사대부, ④는 고려 공민왕, ⑤는 태조(이성계)와 관련이 있다.

06 직전법의 실시

세조는 국가 재정을 확보하기 위해 직전법을 실시하였다. 직전법은 전·현직 관리에게 수조권을 주었던 과전법을 개혁하여, 현직 관리에게만 수조권을 준 제도이다.

바로알기 ≫ ①은 직전법 실시 이전에 시행되었다. ③은 태종, ④는 고려, ⑤는 신라와 관련이 있다.

07 성종의 정책

성종은 집현전을 계승한 홍문관을 설치하고 경연에 힘썼으며, 의정부의 권한을 강화하였다.

바로알기 ≫ ①은 고려 태조, ②는 고려 광종에 대한 설명이다. ③ 성종은 의정부의 권한을 강화하였다. ⑤는 고려 공민왕에 대한 설명이다.

08 『경국대전』의 완성

㉠ 서적은 『경국대전』이다. 『경국대전』은 세조 때 편찬하기 시작하여 성종 때 완성된 조선의 기본 법전으로, 그 내용을 통해 조선 사람들의 생활 모습을 짐작할 수 있다. 조선은 『경국대전』을 완성하여 반포함으로써 유교 중심의 국가 통치 질서를 확립하였다.

바로알기 ≫ ①은 『삼국사기』 등, ②는 일연의 『삼국유사』, ④는 정도전의 『불씨잡변』, ⑤는 이승휴의 『제왕운기』와 관련이 있다.

09 조선의 중앙 정치 기구

㈎는 의정부이다. 조선의 중앙 정치는 의정부와 6조를 중심으로 하였으며, 의정부에서는 영의정을 비롯한 3정승이 합의하여 국정을 총괄하였다.

바로알기 >> ①은 성균관, ②는 승정원, ③은 의금부, ④는 한성부에 대한 설명이다.

10 3사의 기능

제시된 내용은 조선 시대 3사의 역할로, ㉠은 사간원, ㉡은 홍문관, ㉢은 사헌부에 해당한다. 사간원은 국왕이 올바른 정치를 하도록 일깨웠고, 홍문관은 국왕의 정책 자문과 경연을 담당하였으며 사헌부는 관리의 잘못을 감찰하였다.

11 3사의 특징

조선은 언론 기관으로서 사간원, 사헌부, 홍문관의 3사를 두어 권력의 독점과 관리의 부정을 막고 왕권과 신권의 조화와 균형을 꾀하였다.

바로알기 >> ㄱ은 의정부, ㄷ은 고려의 중앙 정치 기구인 도병마사와 관련이 있다.

12 춘추관

제시된 내용은 조선의 중앙 정치 기구 중 하나로 역사서의 편찬과 보관을 담당한 춘추관에 대한 설명이다.

13 승정원과 의금부의 역할

승정원은 국왕의 비서 역할을 하였고, 의금부는 중대한 죄인을 다스렸다. 두 기구는 왕권을 뒷받침하는 역할을 하였다.

바로알기 >> ①은 승정원에만 해당하는 설명이다. ③은 홍문관에 대한 설명이다. ④ 고려는 당과 송의 제도를 참고하여 중앙 정치 제도를 조직하였다. ⑤는 고려의 삼사에 대한 설명이다.

14 조선의 지방 행정 제도

제시된 지도는 조선의 지방 행정 구역을 나타낸 것이다. 조선은 전국을 8도로 나누고, 도 아래에 부·목·군·현을 두었다. 모든 군현에 수령을 파견하였고, 각 도에는 관찰사를 파견하였다.

바로알기 >> ⑤ 조선 시대에는 고려의 특수 행정 구역인 향·부곡·소가 일반 군현에 통합되었다.

15 유향소의 역할

조선 시대 각 지방의 양반들은 유향소를 만들어 수령을 돕고 향리의 비리를 감시하였다.
(유향소: 백성을 유교 질서 속에서 교화하는 역할도 하였어.)

바로알기 >> ㄱ, ㄷ은 고려의 향도에 대한 설명이다.

16 조선 시대 향리의 역할

향리는 고려에서 지방의 행정 실무를 담당하였지만, 조선에서는 하급 관리의 처지가 되어 이전보다 지위가 낮아졌다.

바로알기 >> ① 고려 시대 주현의 지방관은 주변의 속현을 관리하였다. ② 고려는 국경 지역에 양계를 두고 병마사를 파견하였다. ④는 고려 시대의 향리, ⑤는 조선 시대의 수령에 대한 설명이다.

17 조선의 군사 제도

조선 시대에 중앙에는 5위를 설치하여 궁궐과 한양을 수비하였고, 지방의 각 도에서는 병마절도사와 수군절도사가 각각 육군과 수군을 지휘하였다. 조선은 군역 제도를 정비하여 16세에서 60세의 양인 남자가 직접 군인으로 복무하거나 군인의 비용을 부담하는 방식으로 군역을 지도록 하였다.

바로알기 >> ④ 16세에서 60세의 양인 남자만 군역을 부담하였다.

18 봉수제 실시

제시된 사진은 조선 시대에 연기와 불을 피워 위급한 상황을 알리는 데 사용하였던 봉수대이다. 조선은 지방의 주요 산마다 봉수대를 설치하여 낮에는 연기, 밤에는 불을 피워 올려 국경 지대의 위급한 상황을 수도로 전하였다.

바로알기 >> ㄱ은 고구려의 천리장성과 관련이 있다. ㄴ. 조선은 물자 수송과 통신을 위해 전국 각지에 역참과 원을 설치하였다.

19 조선의 교육 제도

조선의 교육은 유교적 지식과 교양을 갖춘 관리를 기르는 데 중점을 두었다. 서당에서는 기초적인 유학 지식을 가르쳤고, 수도의 4부 학당과 지방의 향교에서는 유교 경전을 가르쳤다. 한편 의학, 법학, 외국어 등 기술 교육은 해당 관청에서 담당하였다.

바로알기 >> ③ 고려 초 관학이 쇠퇴하고 유학자들이 세운 사립 학교가 번성하였는데, 문헌공도는 최충이 설립한 고려 시대의 사립 학교이다.

20 성균관

제시된 내용은 성균관에 대한 설명이다. 조선의 최고 교육 기관인 성균관에는 4부 학당 출신 또는 소과 합격자가 입학할 수 있었다.

바로알기 >> ① 고구려의 소수림왕은 태학을 세워 인재를 양성하였다. ②는 지방에 설치된 교육 기관이다. ④ 발해는 교육 기관인 주자감을 설치하여 유학을 가르쳤다. ⑤는 수도에 설치된 교육 기관이다.

21 조선의 과거제

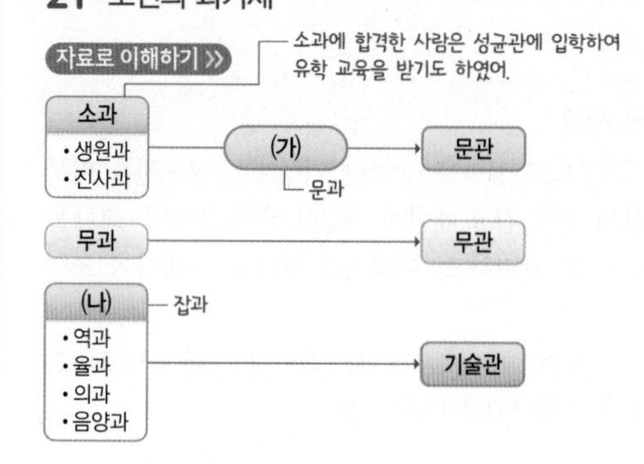

조선 시대에 과거는 문과, 무과, 잡과로 나뉘어 실시되었고, 천민이 아니면 누구나 응시할 수 있었다. 문과에는 주로 양반이 응시하였으며 무과에는 양반을 비롯하여 향리나 상민이, 잡과에는 주로 중인이 응시하였다.

바로알기 >> ① 문관 인사는 이조에서 담당하였다. ③ 고려 시대의 과거제에는 승려들을 대상으로 하는 승과가 있었다. ④ 잡과는 고려 시대에도 실시되었다. ⑤는 음서에 대한 설명이다.

22 조선의 관리 등용 제도

조선은 주로 과거를 통해 관리를 선발하였는데, 과거 시험은 대체로 3년마다 시행하였고, 고려와 달리 무관을 뽑는 무과를 시행하였다. 기술관을 선발하는 잡과는 주로 중인이 응시하였다. 이밖에 조선의 관리 등용 제도에는 관리들의 추천을 받아, 개인의 능력을 기준으로 관리를 선발하는 천거가 있었다.

바로알기 ≫ ④ 음서는 고려에 비해 그 범위가 줄고, 음서로 관직에 나간 사람은 과거에 합격하지 못할 경우 낮은 관직에 머물렀다.

23 조선과 명의 관계

건국 초기에 조선은 태조가 요동 정벌을 추진하여 명과 대립하였으나, 태종 이후 요동 정벌을 중단하고 명과 친선을 도모하여 사대 관계를 확립하였다. 조선은 해마다 명에 사신을 보내 말, 인삼 등의 토산품을 조공품으로 보내고 명으로부터 약재, 서적 등의 답례품을 받았다.

바로알기 ≫ ㄱ, ㄷ은 조선과 일본의 관계에 대한 설명이다.

24 주변국과의 교린 관계

조선의 외교 정책은 큰 나라를 섬기는 사대와 이웃 나라와 가깝게 지내는 교린에 바탕을 두었다. 조선 시대의 교린 관계는 중국을 제외한 주변국과의 교류를 의미한다.

바로알기 ≫ ① 조선은 태종 이후 명과 사대 관계를 확립하였다.

25 4군 6진의 특징

㉠은 4군, ㉡은 6진이다. 여진의 약탈이 계속되자, 세종은 압록강 지역에 최윤덕을 파견하여 4군을 설치하고 두만강 지역에 김종서를 파견하여 6진을 설치하였다. 이로써 오늘날과 같은 국경선이 확정되었다.

바로알기 ≫ ④ 4군과 6진은 여진을 토벌하고 설치한 것이다.

26 조선과 여진의 관계

㈎는 여진이다. 조선은 북방의 여진에게는 국경 지역에 무역소를 설치하여 제한적인 교류를 허용하였고, 귀화한 여진의 지배층에게 관직과 토지를 주어 귀화를 장려하는 등 교린 관계를 유지하였다.

바로알기 ≫ ㄴ. 조선과 일본의 교역은 왜관을 중심으로 이루어졌고, 두 나라는 사신을 보내 교류하였다. ㄹ. 왜구가 서남해안을 계속 침략하자 세종은 이종무를 보내 대마도를 토벌하였다.

서술형 문제

165쪽

01 『경국대전』 편찬의 의의

① 『경국대전』, ② 유교

02 한양의 지리적 이점

(1) 한양

(2) 예시답안 ▸ 한양은 한반도의 중앙에 있고 남쪽으로 한강이 흘러 육로와 수로 교통이 편리하였으며, 산으로 둘러싸여 외적을 막기에 유리하였다.

채점 기준	점수
태조가 한양으로 도읍을 정한 이유를 세 가지 서술한 경우	상
태조가 한양으로 도읍을 정한 이유를 두 가지 서술한 경우	중
태조가 한양으로 도읍을 정한 이유를 한 가지만 서술한 경우	하

03 호패법 실시

(1) 태종

(2) 예시답안 ▸ 태종은 인구를 파악하고 세금 징수와 군역 부과의 기초 자료를 마련하기 위해 호패법을 시행하였다.

채점 기준	점수
인구를 파악하고 세금 징수와 군역 부과의 기초 자료를 마련하고자 하였다는 호패법의 시행 목적을 모두 서술한 경우	상
호패법의 시행 목적을 한 가지만 서술한 경우	하

04 3사의 설치 목적

예시답안 ▸ 조선은 언론 기관으로 사헌부, 사간원, 홍문관을 두어 권력 독점과 관리의 부정을 막고 왕권과 신권의 조화와 균형을 추구하였다.

채점 기준	점수
권력 독점과 관리의 부정을 막고 왕권과 신권의 조화와 균형을 추구하였다는 3사의 설치 목적을 서술한 경우	상
3사의 설치 목적을 서술하였으나 미흡한 경우	하

05 여진과의 교린 관계

예시답안 ▸ 조선은 북방의 여진에게는 국경 지역에 무역소를 설치하여 제한적인 교류를 허용하였고, 귀화한 여진의 지배층에게 관직과 토지를 주어 귀화를 장려하는 등 회유책을 펼쳤다. 그러나 여진의 약탈이 계속되자 세종은 여진을 토벌하고 압록강 지역에 4군, 두만강 지역에 6진을 설치하는 등 강경책을 펼쳤다.

채점 기준	점수
회유책(무역소 설치, 귀화 장려)과 강경책(4군과 6진 설치)의 사례를 각각 서술한 경우	상
회유책과 강경책의 사례 중 한 가지만 서술한 경우	하

02 사림 세력과 정치 변화

167, 169쪽

A 1 (1) 사 (2) 사 (3) 훈 2 ㉠ 사림 ㉡ 3사

B 1 (1) 중종반정 (2) 사화 2 ㄱ, ㄴ, ㄹ

3 (1) – ㉢ (2) – ㉠ (3) – ㉡ (4) – ㉣

C 1 (1) ○ (2) ○ (3) × 2 (1) – ㉡ (2) – ㉢ (3) – ㉠

D 1 (1) 공론 (2) 사림 (3) 이조 전랑 2 붕당 3 ㉠ 동인 ㉡ 서인

4 (1) ㄴ, ㄷ (2) ㄱ, ㄹ

실력 탄탄 핵심 문제 170~171쪽

01 ④ 02 ⑤ 03 ② 04 ④ 05 ① 06 ⑤ 07 ⑤ 08 ③ 09 ② 10 ⑤

01 훈구 세력의 특징

대표적인 훈구 세력으로, 수양대군(세조)이 단종을 몰아내고 왕위에 오르는 데 큰 역할을 하였어.

세조가 왕위에 오르는 데 공을 세운 세력, 한명회 등의 내용을 통해 제시문에서 설명하는 정치 세력이 훈구임을 알 수 있다. 훈구 세력은 중앙의 고위 관직을 차지하고 국가로부터 많은 토지와 노비를 받았다.

바로알기 ≫ ① 사림은 성종 때 훈구 세력을 견제하기 위해 대거 등용되어 훈구와 대립하였다. ② 서인은 사림 내부의 갈등으로 형성된 붕당에 해당한다. ③ 호족은 통일 신라 말에서 고려 초기, ⑤ 권문세족은 고려의 정치 세력이다.

02 사림 세력의 특징

제시된 자료는 사림의 계보도이다. 사림은 고려 말 온건파 사대부인 정몽주, 길재의 학통을 계승하였고, 도덕과 의리를 바탕으로 하는 왕도 정치와 향촌 자치를 추구하였다. 성종 때에는 훈구 세력을 견제하기 위해 김종직을 비롯한 영남 지역 출신의 사림이 많이 등용되었다.

바로알기 ≫ ㄱ, ㄴ은 훈구 세력에 대한 설명이다.

03 무오사화의 배경

김종직의 제자였던 김일손이 『성종실록』을 편찬할 때 이것을 사초에 실었어.

보고서에서 조사한 내용인 연산군, 김종직의 「조의제문」 등은 무오사화와 관련이 있다. 연산군과 훈구 세력은 「조의제문」의 내용이 단종을 몰아낸 세조를 의제를 몰아낸 항우에 빗대어 비판한 것이라고 주장하며, 이를 문제 삼아 사림을 제거하였다(무오사화).

바로알기 ≫ ①, ⑤ 선조 때 사림들은 이조 전랑의 자리를 두고 다투면서 동인과 서인으로 나뉘어 붕당을 형성하였다. ③ 조선 전기에는 태종 이후 명과 사대 관계를 확립하였다. ④ 고려 후기에는 신진 사대부가 온건파와 급진파로 분열하여 대립하였다.

04 조광조의 현량과 실시

㉠은 조광조, ㉡은 현량과에 해당한다. 조광조가 실시한 현량과는 추천으로 관리를 등용하는 제도로, 이를 통해 많은 사림이 정계에 진출하였다.

바로알기 ≫ 김종직은 성종 때 등용된 사림으로 「조의제문」을 썼다. 한명회는 세조가 왕위에 오르는 데 공을 세운 훈구 세력에 해당한다. 한편, 전시과는 고려 시대에 관리에게 등급에 따라 전지(농토)와 시지(임야)의 수조권을 지급한 제도이다. 독서삼품과는 통일 신라 시대에 시행된 것으로 이를 통해 국학 학생의 유교 경전 이해 수준을 평가하였다.

05 조광조의 개혁

㉠은 조광조에 해당한다. 중종 때 훈구 세력을 견제하기 위해 조광조를 비롯한 사림이 등용되었다. 조광조는 왕도 정치의 실현을 내세우며 여러 개혁을 추진하였는데, 왕실의 도교 행사를 주관하던 예조 소속 관청인 소격서를 폐지하였고, 중종이 왕위에 오를 때 부당하게 공신이 된 사람들의 자격을 박탈해야 한다고 주장하였다.

바로알기 ≫ ① 백운동 서원을 건립한 인물은 주세붕이다.

06 사화의 발생

(가)는 중종반정, (나)는 기묘사화, (다)는 갑자사화, (라)는 무오사화로, '(라) – (다) – (가) – (나)'의 순서로 일어났다. 연산군과 훈구 세력은 김종직의 「조의제문」을 문제 삼아 사림을 제거하였다(무오사화). 뒤이어 연산군이 친어머니의 폐위와 관련된 사람들을 제거하면서 훈구 세력과 사림 세력이 피해를 입었다(갑자사화). 이에 반발하여 훈구 세력은 연산군을 몰아내고 중종을 왕으로 세웠다(중종반정). 이후 사림 세력의 급진적인 개혁 정치에 부담을 느낀 중종은 조광조를 비롯한 사림 세력을 제거하였다(기묘사화).

07 백운동 서원

제시된 사진은 백운동 서원(소수 서원)의 강학당으로, 밑줄 친 '이것'은 백운동 서원에 해당한다. 사림은 지방 곳곳에 서원을 세워 덕망 높은 유학자를 제사 지내고, 성리학을 연구하며 지방 양반의 자제를 교육하였다. 중종 때 주세붕이 세운 백운동 서원은 명종 때 최초의 사액 서원이 되었으며, 국가는 사액 서원에 토지, 노비, 서적을 지급하고 세금을 면제하였다.

바로알기 ≫ ⑤는 성균관에 해당하는 내용이다.

08 향약의 보급

자료로 이해하기 ≫

(㉠)의 네 가지 덕목

- 덕업상권: 좋은 일은 서로 권한다.
- 과실상규: 잘못된 것은 서로 규제한다.
- 예속상교: 예의 바른 풍속으로 서로 교제한다.
- 환난상휼: 어려운 일은 서로 돕는다.

11세기 송에서 만든 『여씨 향약』의 네 가지 중요한 덕목이야.

사림은 향촌 사회를 교화하기 위해 향약을 만들었어.

㉠은 사림이 만든 향촌의 자치 규약인 향약에 해당한다. 향약은 중종 때 사림 세력이 중국의 『여씨 향약』을 번역하며 보급되기 시작하였고, 이후 이황과 이이 등이 국내 실정에 맞는 향약을 만들어 군현이나 마을 단위로 시행하였다. 사림은 이를 바탕으로 향촌에서 영향력을 넓혀 나갔다.

바로알기 ①은 홍문관에 대한 설명이다. ②는 고려 시대에 불교 신앙을 바탕으로 조직된 향도에 대한 설명이다. ④는 서원, ⑤는 유향소와 관련이 있다.

09 사림의 세력 확대 기반

사림이 향촌에서 세력을 키운 기반이 된 것은 서원과 향약이다. 네 차례의 사화로 사림 세력은 큰 피해를 입었지만 서원과 향약을 바탕으로 학문적 입지와 영향력을 넓힐 수 있었고, 16세기 후반 선조 때에 다시 중앙 정계에 진출하여 정치의 주도권을 잡았다.

바로알기 ㄴ. 향교는 고려와 조선 시대에 지방에 세워진 유교 교육 기관이다. ㄹ. 소격서는 왕실의 도교 행사를 주관하던 예조 소속 관청이다.

10 조선 전기 붕당의 특징

선조 때 사림 세력은 정치 개혁을 추진하는 과정에서 외척의 정치 참여 문제와 이조 전랑의 임명 문제를 둘러싸고 내부 갈등을 빚었다. 결국 사림들은 동인과 서인으로 나뉘어 붕당을 형성하였다. 붕당은 정치적·학문적으로 비슷한 성향을 가진 사림끼리 모여 만들었으며, 동인은 주로 이황과 조식의 학문을 따르는 영남 지역의 사림이 많았고, 서인은 주로 이이와 성혼의 학문을 따르는 경기·충청 지역의 사림이 중심을 이루었다.

바로알기 ⑤ 조선 전기의 붕당은 상대 붕당의 입장을 존중하고 학문적 차이를 인정하면서 상호 비판과 견제로 정치를 이끌어 나갔다.

서술형 문제

171쪽

01 사림의 정계 진출 배경과 사림의 활동

① 사림, ② 3사

02 이조 전랑의 권한

예시답안 이조 전랑, 이조 전랑은 하급 관리와 3사의 관리를 심사하고 추천할 수 있었으며, 자신의 후임자를 추천할 수 있었다.

채점 기준	점수
이조 전랑을 쓰고, 이조 전랑의 권한인 하급 관리와 3사의 관리 추천권, 자기 후임자 추천권 두 가지를 서술한 경우	상
이조 전랑을 쓰고, 이조 전랑의 권한을 한 가지만 서술한 경우	중
이조 전랑만 쓴 경우	하

03 문화의 발달과 사회 변화

173, 175, 177쪽

A 1 훈민정음 2 (1) 세종 (2) 용비어천가 3 (1) ○ (2) ○

B 1 (1) 조선왕조실록 (2) 동국통감 2 혼일강리역대국도
3 (1) - ㉠ (2) - ㉢ (3) - ㉡ (4) - ㉣

C 1 천상열차분야지도 2 (1) ㄹ (2) ㄴ (3) ㄱ (4) ㄷ
3 (1) 갑인자 (2) 신기전

D 1 ㉠ 삼강행실도 ㉡ 성종 2 (1) - ㉡ (2) - ㉢ (3) - ㉠ 3 사림

E 1 족보 2 (1) × (2) ○ 3 (1) - ㉢ (2) - ㉡ (3) - ㉠ (4) - ㉣

F 1 (1) 양반 (2) 동문선 (3) 사군자화 2 ㄱ, ㄴ 3 서원

실력 탄탄 핵심 문제

178~179쪽

01 ④ 02 ③ 03 ③ 04 ⑤ 05 ③ 06 ③ 07 ④ 08 ⑤
09 ⑤ 10 ④

01 훈민정음의 창제

'백성을 가르치는 바른 소리'라는 의미를 가진 말은 훈민정음이고, 훈민정음은 세종이 만들어 반포하였다. 따라서 ㉠은 훈민정음, ㉡은 세종이다.

바로알기 이두는 통일 신라 때 만들어진 우리말 표기법으로, 한자의 음과 뜻을 빌려 우리말을 적었으나 우리말을 제대로 표현하는 데 어려움이 있었다.

02 『조선왕조실록』의 편찬

역대 왕들의 통치 기록을 모은 『조선왕조실록』은 조선 태조부터 철종까지 25대 왕 472년간의 역사를 연월일에 따라 기록한 역사책으로, 새 왕이 즉위하면 이전 왕의 통치 기록을 정리하여 만들었다. 『조선왕조실록』은 그 가치를 인정받아 1997년에 유네스코 세계 기록 유산으로 등재되었다.

바로알기 ㄱ. 국가의 주도로 편찬되었다. ㄹ. 실록의 내용은 국왕이라고 할지라도 함부로 보거나 수정할 수 없었기 때문에 사관들은 공정하고 객관적으로 실록의 내용을 기록할 수 있었다.

03 국가 주도의 서적 편찬

조선은 『농사직설』을 편찬하여 우리나라의 풍토에 맞는 농사 방법을 정리하였고, 『향약집성방』을 편찬하여 우리나라에서 자라는 약재와 이를 이용한 치료법을 소개하였다. 또한 고조선부터 고려 말까지의 역사를 정리한 『동국통감』을 간행하였으며, 국방을 강화하고 나라를 다스리는 데 필요한 지리 정보를 얻기 위해 지방의 연혁, 인물, 풍속 등을 정리한 지리서인 『동국여지승람』을 편찬하였고, 동양의 현존하는 가장 오래된 세계 지도인 「혼일강리역대국도지도」를 제작하였다.

바로알기 ③ 조선 전기에 서거정이 삼국 시대부터 조선 초기까지의 시와 산문을 모아 『동문선』을 펴냈다.

04 과학 기술의 발달

자료로 이해하기 »

자격루가 알려 주는 시각에 따라 관리들의 업무와 한성 백성의 생활이 통제되었어.

(가)는 자격루, (나)는 앙부일구이다. 조선 시대에는 국왕이 직접 농사를 짓는 모습을 시범으로 보일 만큼 농업을 중시하였다. 농사를 지을 때 강수량과 일조량이 그 해의 생산량을 결정하는 중요한 요인이었으므로, 별자리를 보고 날씨를 예측하는 천문학이 매우 중시되었으며, 자격루, 앙부일구, 혼천의, 간의 등이 만들어졌다.

바로알기 » ①은 측우기에 대한 설명이다. ② 자격루는 세종 때 장영실 등이 만들었다. ③ 앙부일구는 세종 때 제작되었다. ④는 자격루에 대한 설명이다.

05 인쇄술과 무기의 발달

조선 시대에는 고려 시대에 발명한 금속 활자를 더욱 발전시키면서 전보다 뛰어난 금속 활자가 만들어지고 많은 책을 찍어 낼 수 있었다. 한편, 조선 전기에는 화약이 달린 화살인 신기전과 여러 발의 신기전을 연속해서 발사할 수 있는 화차를 개발하는 등 국방력을 키웠다.

바로알기 » ③ 태종 때 계미자, 세종 때 갑인자의 금속 활자를 주조하였다.

06 조선 정부의 유교 윤리 보급 노력

조선은 유교 질서를 확립하기 위해 국가 행사에 필요한 절차를 정리하여 『국조오례의』와 같은 의례서를 편찬하였으며, 유교 윤리를 백성에게 보급하기 위해 유교 윤리를 쉽게 설명한 『삼강행실도』 등의 윤리서를 편찬하였다.

바로알기 » ㄱ. 『고려사』는 이전 왕조인 고려의 역사를 정리한 역사서이고, ㄹ. 『조선왕조실록』은 조선 역대 왕의 통치 기록을 모은 역사서이다.

07 성리학적 질서의 확립

『소학』과 『가례』의 보급, 관혼상제의 의례 변화, 양반들의 족보 편찬은 조선 시대의 성리학적 질서 확산의 사례에 해당한다. 조선 시대에는 정부와 사림들의 노력으로 성리학적 사회 질서가 확산되었다.

바로알기 » ①, ②, ③, ⑤는 보고서의 사례들과 직접적인 관련이 없다.

08 조선 전기의 신분 사회

조선은 법제상 양인(양반, 중인, 상민)과 천민으로 구분되는 사회였으나 점차 양인 중에 양반과 상민의 구분이 엄격해졌다. 한편, 성리학적 질서가 사회에 보급되면서 각자의 지위에 맞는 역할과 윤리가 강조되었으며, 자신이 처한 위치에 충실해야 한다는 명분론은 사회 질서인 신분제를 강화하는 데에도 영향을 끼쳤다.

바로알기 » ⑤ 조세·공납·군역 및 요역의 의무가 있었던 것은 상민이다. 천민은 대부분 노비로 국가나 주인에게 예속되어 재산처럼 상속·매매되기도 하였다.

09 양반 중심의 문화 발달

제시문을 통해 조선 전기에 유교 윤리를 바탕으로 하여 양반 중심의 문화가 발달하였음을 알 수 있다. 이 시기에 문학에서는 서거정이 『동문선』, 정철이 「관동별곡」을 펴냈다. 또한 양반 사대부의 정신세계를 표현한 사군자화가 유행하였다. 조선 시대에는 양반 취향에 걸맞은 도자기가 제작되어 초기에는 회색 계열의 바탕흙 위에 백토 가루를 칠한 분청사기가 유행하였고, 16세기 이후에는 깨끗함을 강조한 백자가 발달하였다.

바로알기 » ①, ②, ③, ④는 제시된 문학, 그림, 공예의 발달 내용과 직접적인 관련이 없다.

10 조선 전기의 문화유산

①, ②, ③, ⑤는 모두 조선 전기에 만들어진 작품이다. 『금오신화』는 김시습이 지은 최초의 한문 소설이다. 「고사관수도」는 강희안이 바위에 기대어 물을 바라보는 선비의 여유로운 모습을 표현한 그림이고, 「몽유도원도」는 안견이 현실 세계와 이상 세계를 조화롭게 표현한 그림이다. 분청사기는 고려 말부터 조선 초까지 유행한 도자기로 소박하고 자연스러운 멋을 보여 준다.

바로알기 » ④ 팔만대장경판은 고려 시대에 만들어진 것으로 합천 해인사에 보관되어 있다.

서술형 문제

179쪽

01 훈민정음의 창제 의의

① 훈민정음, ② 민족

02 조선 전기 천문학의 발달

(1) ㉠ 천상열차분야지도, ㉡ 칠정산

(2) 예시답안 ▶ 천문학이 왕의 권위를 높이고, 농사에 도움을 주었기 때문이다.

채점 기준	점수
왕의 권위 강화, 농사에 도움 등 조선의 왕들이 천문학에 관심을 기울인 이유를 두 가지 서술한 경우	상
조선의 왕들이 천문학에 관심을 기울인 이유를 한 가지만 서술한 경우	하

04 왜란·호란의 발발과 영향

181, 183, 185쪽

A 1 임진왜란 2 (1) 명 (2) 선조 (3) 도요토미 히데요시

B 1 (1) 명 (2) 의병 2 (1) ㄴ (2) ㄱ (3) ㄷ

3 ㉠ 정유재란 ㉡ 훈련도감

C 1 (1) × (2) ○ (3) ○ 2 (1) – ㉠ (2) – ㉢ (3) – ㉡

3 ㉠ 유정(사명 대사) ㉡ 통신사

D 1 ㄴ, ㄷ 2 중립 3 (나) – (가) – (다)

E 1 (1) 형제 관계 (2) 친명배금 정책 2 (1) – ㉡ (2) – ㉠

3 (1) 정 (2) 병 (3) 병 4 (1) 청 (2) 명

F 1 ㉠ 북벌 ㉡ 효종 2 북학

실력 탄탄 핵심 문제

186~189쪽

01 ④ 02 ② 03 ② 04 ③ 05 ① 06 ② 07 ③ 08 ②
09 ④ 10 ⑤ 11 ② 12 ② 13 ① 14 ⑤ 15 ④ 16 ②
17 ① 18 ② 19 ③

01 임진왜란의 배경

16세기 중반 이후 명에서는 몽골과 왜구의 침입으로 사회 불안이 커졌다. 일본에서는 도요토미 히데요시가 전국 시대의 혼란을 수습하였으며, 다이묘들의 불만을 밖으로 돌리고 대륙으로 진출하기 위해 조선 침략을 준비하였다. 조선은 정치가 혼란하고 국방력이 크게 약해져 있었다. 이러한 가운데 일본이 조선을 침략하여 임진왜란이 발발하였다(1592).

바로알기 ≫ ④는 왜란의 영향에 해당한다. 임진왜란 이후 일본에서는 도요토미 정권이 무너지고 도쿠가와 이에야스가 에도 막부를 열었다.

02 임진왜란의 발발

(가)는 일본의 조선 침략(임진왜란 발발), (나)는 선조의 의주 피란에 해당한다. 일본이 대륙 침략을 구실로 내세워 조선을 침략하면서 조선은 순식간에 부산진과 동래성을 빼앗겼다. 전쟁이 시작된 지 얼마 안 되어 수도 한성이 점령당하였고 선조가 의주로 피란하였다.

바로알기 ≫ ① 노량 해전, ③ 도요토미 히데요시 사망, ④ 조명 연합군의 평양성 탈환, ⑤ 유정(사명 대사)의 일본 파견은 모두 (나) 선조의 의주 피란 이후에 있었던 사실이다.

03 의병의 활약

㉠에 들어갈 군대는 의병이다. 임진왜란 때 조선의 관군이 연이어 패하자 곽재우와 같은 유생들이 농민들을 모아 의병을 일으켰다. 의병은 익숙한 지리를 활용한 전술로 일본군의 보급로를 차단하며 큰 활약을 펼쳤다.

바로알기 ≫ ①은 고려의 삼별초 등, ③은 고려의 별무반, ④는 신라의 화랑도, ⑤는 조선의 훈련도감과 관련이 있다.

04 이순신의 활동

임진왜란 때 수군을 이끌고 판옥선과 거북선을 이용하여 일본군을 크게 무찌른 인물인 ㉠은 이순신에 해당한다. 이순신이 이끈 수군은 옥포를 시작으로 사천, 당포, 한산도에서 연이어 승리하였다.

바로알기 ≫ ①은 고려의 김윤후, ②는 조선의 유정(사명 대사), ④는 왜란 때 명군과 연합한 조선군, ⑤는 고려의 서희와 관련이 있다.

05 왜란의 극복

㉠은 명, ㉡은 권율에 해당한다. 피란길에 오른 선조가 명에 지원군을 요청하였고, 수군과 의병이 활약하는 가운데 명의 지원군이 도착하면서 전세가 역전되었다. 조명 연합군이 평양성을 탈환하였고, 권율이 행주산성에서 일본군을 크게 무찔렀다.

바로알기 ≫ 임진왜란 이후 명의 국력이 약해진 틈을 타 여진이 성장하였고, 여진의 누르하치가 후금(청)을 세웠다. 한편, 김시민은 진주성에서 승리를 거두었으며, 후금이 명을 공격하자 광해군은 강홍립이 이끄는 군대를 명에 파견하였다.

06 왜란의 전개 과정

왜란 때 조·명 연합군의 평양성 탈환과 명량 대첩 발발 사이에 있었던 사실인 (가)는 정유재란 발발이다. 조선과 명의 연합군이 일본에 반격하여 평양성을 되찾았고, 이후 전세가 불리해진 일본이 조선과 명에 휴전을 요청하였으나 협상이 결렬되자 다시 조선을 침략하였다(정유재란). 이때 이순신이 이끈 수군이 명량에서 일본군을 대파하였다.

조선은 휴전 협상이 진행되는 동안 군제를 개편하고, 무기와 성곽을 보강하여 일본의 침략을 효과적으로 막을 수 있었어.

바로알기 ≫ ① 위화도 회군은 고려 말 이성계가 압록강의 위화도에서 군대를 돌려 개경을 장악한 사건이다. ③ 귀주 대첩은 고려 시대 거란의 3차 침입 때에 강감찬이 이끄는 고려군이 귀주에서 거란군을 거의 전멸시킨 사건이다. ④ 살수 대첩은 을지문덕이 이끄는 고구려군이 수의 군대를 살수에서 무찌른 사건이다. ⑤ 처인성 전투는 고려 시대 몽골의 침입 때 김윤후와 처인 부곡의 백성이 처인성에서 몽골군을 물리친 사건이다.

07 왜란 이후 조선의 변화

왜란 이후에 조선은 전국의 토지가 황폐해져 백성의 생활과 국가 재정이 어려워졌으며, 많은 사람이 죽거나 일본에 끌려가 인구가 줄었다. 또한 도자기, 서적 등 많은 문화재를 일본에 약탈당하였다.

바로알기 ≫ ③ 왜란 중에 노비 문서가 불타 없어지고, 전쟁에서 공을 세운 상민이나 노비의 신분이 상승하면서 신분 질서에 변화가 나타났다.

08 왜란의 영향

자료로 이해하기 ≫

⬆ 귀무덤

왜란 중 일본군이 조선인의 목 대신 베어 간 귀와 코를 묻은 귀무덤이야.

⬆ 아리타 자기

왜란 때 포로로 끌려간 도공 이삼평은 일본 아리타 자기의 형성에 크게 기여하였어.

귀무덤과 아리타 자기는 왜란의 영향과 관련이 있다. 왜란으로 많은 사람이 죽었으며, 일본은 약탈한 조선의 문화재와 포로로 끌고 간 도자기 기술자 등을 통해 문화 발전의 계기를 마련하였다.

바로알기 ≫ ① 후금(청)의 군신 관계 요구를 조선이 거부하자 세력을 키운 후금은 조선에 침략하였다(병자호란). ③ 청을 정벌하여 치욕을 씻기 위해 추진된 북벌 정책은 효종이 죽자 중단되었다. ④ 고려 시대 원 간섭기에는 고려와 원의 문화 교류가 활발하게 이루어져 고려에서는 몽골풍이 유행하였고, 원에는 고려의 풍습(고려양)이 전해졌다. ⑤ 삼국 시대에는 돌무지무덤, 굴식 돌방무덤, 돌무지덧널무덤 등을 만들었다.

09 왜란 이후 일본과의 국교 회복

왜란 이후 조선이 일본과 외교를 중단하자, 에도 막부는 조선에 국교를 재개해 줄 것을 요청하였다. 이에 조선은 유정(사명 대사)을 파견하여 조선인 포로를 데려오게 하고 일본과 국교를 회복하였다. 이후 조선은 외교 사절단인 통신사를 파견하였다.

바로알기 ≫ ㄱ은 고려 시대 거란과의 관계, ㄷ은 왜란 이전인 세종 때 일본과의 관계에 대한 설명이다.

10 광해군의 전후 복구 정책

강홍립에게 상황에 따라 대처하도록 지시한 것을 통해 ㉠은 광해군임을 알 수 있다. 광해군은 왜란의 피해를 복구하고자 하였다. 토지 대장과 호적을 정비하여 국가 재정 수입을 늘렸고, 성곽과 무기를 수리하여 국방력 강화에도 힘을 기울였다. 또한 전쟁으로 피폐해진 백성을 위해 『동의보감』을 편찬하여 보급하였다. 한편, 광해군의 재위 시기에 만주에서는 여진의 누르하치가 후금을 세웠다.

바로알기 ≫ ⑤는 세종의 재위 시기에 있었던 사실이다. 여진의 약탈이 계속되자, 세종이 압록강 지역에 최윤덕을 파견하여 4군을 설치하고 두만강 지역에 김종서를 파견하여 6진을 설치함으로써 오늘날과 같은 국경선이 확정되었다.

11 광해군의 중립 외교 정책

㉡은 광해군이 군대를 명에 보내면서 강홍립에게 상황에 따라 적절하게 대처하도록 지시하는 내용이다. 조선과 명의 연합군이 후금에 패하자, 강홍립은 광해군의 밀명에 따라 후금에 항복하였다. 광해군이 이러한 중립 외교 정책을 추진한 이유는 강성해진 후금과 쇠퇴하고 있던 명 사이에서 실리를 얻기 위해서였다.

바로알기 ≫ ① 일본과 국교 재개, ④ 임진왜란은 조선과 일본의 관계에 대한 것으로 ㉡과 관련이 없다. ③ 후금의 군신 관계 요구 거절은 병자호란의 배경과 관련이 있다. ⑤ 광해군의 중립 외교 정책은 후금과의 충돌을 피하기 위해 추진되었다.

12 인조반정의 배경

중립 외교, 영창 대군 살해, 인목 대비 폐위가 배경이 되어 일어난 사건은 인조반정이다. 광해군의 중립 외교 정책은 서인의 반발을 샀으며, 광해군이 왕권 안정을 내세워 영창 대군을 죽이고 인목 대비를 폐위하자 유교 윤리를 어겼다는 비판이 일어났다. 결국 정변이 일어나 광해군이 쫓겨나고 인조가 왕위에 올랐다(인조반정).

바로알기 ≫ ① 무오사화는 연산군과 훈구 세력이 사초에 실린 김종직의 「조의제문」을 문제 삼아 사림을 제거한 사건이다. ③ 중종반정은 갑자사화에 반발하여 훈구 세력이 연산군을 몰아내고 중종을 왕으로 세운 사건이다. ④ 무신 정변은 고려 시대 무신에 대한 차별이 심해지자 정중부, 이의방 등이 정변을 일으켜 문신을 제거하고 의종을 폐위한 사건이다. ⑤ 이자겸의 난은 고려 인종이 이자겸을 제거하려 하자 이자겸과 척준경이 난을 일으킨 사건이다.

13 정묘호란의 발발

정묘호란은 인조 즉위 후 이괄의 난에 가담한 일부 무리가 후금으로 도망가 인조반정의 부당성을 주장하자, 침략의 기회를 엿보던 후금이 광해군을 위해 보복한다는 구실로 조선을 침략한 사건이다. 후금군이 황해도까지 들어오자 인조는 강화도로 피신하였고, 조선군은 의병과 함께 후금에 맞섰다. 후금은 명과의 전쟁에 집중하기 위해 조선에 형제 관계를 맺을 것을 제의하였다. 조선도 오랜 전쟁과 정권 교체로 전쟁을 치를 힘이 없었기 때문에 후금의 제의를 받아들였다.

바로알기 ≫ ① 인조와 서인 정권은 후금을 배척하고 명을 가까이하는 친명배금 정책을 펼쳤다. 중립 외교 정책은 광해군이 실시하였다.

14 척화론과 주화론의 대립 배경

자료로 이해하기 ≫

후금(청)과 맞서 싸워야 한다는 척화론(주전론)에 해당해.

외교적으로 해결하자는 주화론에 해당해.

척화론과 주화론이 대립하게 된 배경은 후금(청)의 군신 관계 체결 요구에 해당한다. 정묘호란 때 조선과 형제 관계를 맺고 돌아갔던 후금은 조선에 임금과 신하의 관계(군신 관계)를 맺고 전보다 많은 물자와 군사를 보낼 것을 요구하였다. 그러자 조선에서는 주화론과 척화론이 대립하였고, 점차 척화론이 힘을 얻었다. 이후 세력이 강성해진 후금은 나라 이름을 '청'으로 바꾸고 조선에 쳐들어왔다(병자호란).

바로알기 ≫ ① 고려 원종이 몽골과 강화를 맺자 삼별초가 개경 환도에 반대하며 봉기하였다. ② 고려 인종 때 서경 천도 운동이 일어났으나, 김부식이 이끄는 관군에게 진압되었다. ③은 사화의 발생 배경, ④는 임진왜란의 발발 배경과 관련이 있다.

15 병자호란의 결과

인조가 남한산성으로 피신하였다는 내용을 통해 밑줄 친 '이 전쟁'이 병자호란임을 알 수 있다. 청군이 남한산성을 포위한 가운데, 구원병이 청군에 패배하고 강화도가 함락되자 결국 인조는 삼전도에서 청과 굴욕적인 화의를 맺었다.

바로알기 ≫ ① 임진왜란 때 이순신은 학익진 전법 등의 전술을 활용하였다. ② 고려 예종 때 윤관이 별무반을 이끌고 여진 정벌에 나서 동북 지방에 9성을 쌓았다. ③ 신라는 당과의 전쟁에 나서 매소성 전투와 기벌포 전투에서 당의 군대를 물리치고 삼국 통일을 이룩하였다. ⑤ 수 양제가 고구려를 침략하였을 때 을지문덕은 수의 장군 우중문에게 철수를 요구하는 시를 보냈다.

16 병자호란의 영향

제시된 지도는 병자호란의 전개 과정을 보여 준다. 병자호란 이후 조선의 두 왕자와 신하들, 많은 백성이 청에 끌려가 고통을 겪었고 조선은 청에 많은 공물을 바쳐야 했다.

바로알기 ≫ ①은 정묘호란, ③, ⑤는 임진왜란, ④는 고려 시대 몽골과의 전쟁의 영향에 해당한다.

17 효종의 활동

오랑캐(청), 정예화된 포병을 길러 기회를 봐서 쳐들어갈 계획, 송시열 등의 내용을 통해 ㉠은 북벌을 추진한 효종임을 알 수 있다. 조선은 오랑캐라고 여겼던 청에 패배하자 충격에 빠졌고, 효종은 성곽과 무기를 정비하고 군대를 키워 북벌을 추진하였다.

바로알기 ≫ ②는 성종, ③은 세종, ④는 선조, ⑤는 광해군에 해당한다.

청에서 돌아와 인조에 이어 왕이 되었어.

18 북학론(북학 운동)의 등장 배경

효종이 죽자 북벌 정책은 중단되었고, 청과의 교류가 늘면서 청의 발달된 문물이 조선에 전해졌다. 이에 청을 무조건 배척하지 말고 청의 문물을 받아들여 부국강병을 이루자는 북학론이 등장하였다.

바로알기 ≫ ㄴ은 북벌 운동의 배경, ㄹ은 병자호란의 배경과 관련이 있다.

19 조선의 정치 변동

'(다) 임진왜란 발발(1592) – (나) 인조반정(1623) – (라) 정묘호란(1627) – (가) 병자호란(1636)'의 순서로 일어났다.

서술형 문제

189쪽

01 임진왜란의 영향

① 조선, ② 명

02 북벌 운동의 추진

(1) 북벌

(2) 예시답안 ▶ 효종은 성곽과 무기를 정비하고 군대를 키워 북벌을 추진하였다. 그러나 이미 강성해진 청을 정벌하는 것이 쉽지 않아 효종이 죽은 뒤 북벌 운동은 중단되었다.

채점 기준	점수
효종이 북벌을 추진한 내용과 결과를 모두 서술한 경우	상
효종이 북벌을 추진한 내용과 결과 중 한 가지만 서술한 경우	하

시험 적중 마무리 문제

192~195쪽

01 ③ 02 ② 03 ② 04 ⑤ 05 ① 06 ② 07 ⑤ 08 ②
09 ③ 10 ④ 11 ⑤ 12 ③ 13 ⑤ 14 ⑤ 15 ② 16 ②
17 ⑤ 18 ③ 19 ⑤ 20 ④ 21 ① 22 ③ 23 ⑤

01 조선의 건국 과정

전·현직 관료에게 경기 지역의 토지에 한하여 수조권(세금을 걷을 수 있는 권리)을 나누어 준 제도야.

㉠은 위화도 회군, ㉡은 과전법이다. 고려 말 요동 정벌에 반대하던 이성계는 압록강의 위화도에서 군대를 돌려 우왕과 최영을 몰아내고 국정을 장악하였다(위화도 회군). 위화도 회군 이후 이성계와 급진파 신진 사대부는 토지 제도를 개혁하고 과전법을 실시하였는데, 이는 권문세족에게 토지와 노비가 집중되면서 어려워진 민생을 바로잡고 국가 재정을 확충하기 위해서였다.

바로알기 ≫ 무신 정변과 이자겸의 난은 위화도 회군 이전에 일어났다. 관료전은 통일 신라 시대에 지급되었고, 직전법은 조선 세조 때부터 실시되었다.

현직 관리에게만 수조권을 준 제도야.

02 정도전의 정치사상

제시된 자료는 정도전이 저술한 『조선경국전』으로, 여기에는 조선의 통치 기준과 운영 원칙이 제시되어 있다. 정도전은 현명한 재상이 정치를 이끌어야 한다고 강조하였고, 백성을 근본으로 여기고 인과 덕으로써 백성을 다스리는 왕도 정치를 추구하였다. 정도전을 비롯한 급진파 사대부들은 성리학을 통치 이념으로 삼아 조선의 문물과 제도를 정비하였다.

바로알기 ≫ ① 김부식, ④ 최승로는 고려 시대의 인물이다. ③ 조광조는 중종 때 여러 개혁을 추진하였다. ⑤ 최치원은 통일 신라 시대의 인물이다.

03 태종의 정책

왕자의 난, 사병 혁파 등의 내용을 통해 ㉠이 태종임을 알 수 있다. 이방원(태종)은 태조가 정도전 등 소수의 공신들과 정치를 주도한 것에 불만을 품어 왕자의 난으로 정도전 등을 제거하고 왕위에 올랐다. 태종은 공신들의 사병을 없애고 호패법을 실시하였다.

바로알기 ≫ ① 직전법 실시는 세조, ③ 4군 6진의 설치는 세종, ④ 『경국대전』 완성은 성종, ⑤ 한양 천도는 태조와 관련이 있다.

04 의정부와 3사

(가)는 의정부, (나)는 3사에 해당한다. 의정부에서는 3정승이 합의하여 나라의 정책을 결정하거나 왕에게 보고하였다. 3사는 언론 기능을 담당한 사간원, 사헌부, 홍문관을 말하며, 이를 통해 권력 독점과 관리의 부정을 막고, 왕권과 신권의 조화 및 균형을 꾀하였다.

바로알기 ≫ ①은 의금부, ②는 승정원, ③은 의정부, ④는 6조에 대한 설명이다.

05 조선 시대의 수령

밑줄 친 '이들'은 고려 시대와 달리, 조선 시대에 대부분의 군·현에 파견되었던 수령에 해당한다. 수령은 지방에 파견된 지방관으로, 행정 업무뿐만 아니라 재판과 군사 업무도 담당하였다. 한편, 향리는 고려 시대에 지방의 세력가였지만, 조선 시대에는 수령의 실무를 보좌하는 하급 관리의 처지가 되어 지위가 낮아졌다.

바로알기 》 ② 관찰사는 8도에 파견되어 수령을 지휘·감독하였다. ③ 안찰사는 고려 시대에 일반 행정 구역인 5도에 파견되었다. ④ 유향소는 각 지방의 양반들이 만든 향촌 자치 기구로 수령을 보좌하였다. ⑤ 병마절도사는 지방의 각 도에서 육군을 지휘하였다.

06 조선 시대의 교육과 관리 등용 제도

조선의 교육은 유교 이념을 확산시키고 유교적 소양을 갖춘 관리를 길러 내는 데 중점을 두었으며, 최고 교육 기관인 성균관에서는 높은 수준의 유학 교육을 실시하였다. 조선은 주로 과거를 통해 관리를 선발하였고, 과거에는 문과, 무과, 잡과가 있었다. 과거제 외에도 천거나 음서를 통해 관리를 선발하기도 하였지만, 음서로 임용된 사람은 고위 관직으로 승진하는 데 한계가 있었다.

└ 조선이 고려보다 개인의 능력을 중시한 사회였음을 보여 줘.

바로알기 》 ② 국자감은 고려의 최고 교육 기관이다.

07 명과의 사대 관계

조선은 명에 대한 사대 외교를 표방하였으며, 사대 외교는 조공과 책봉의 형식으로 이루어졌다. 큰 나라에 예물을 바치는 조공은 경제적·문화적 교류의 통로가 되었고, 왕의 지위를 국제적으로 인정받는 책봉은 국내 정치 안정에 도움이 되었다.

바로알기 》 ㄱ, ㄴ은 조선 전기에 명과 사대 관계를 맺은 이유와 거리가 멀다.

08 여진·일본과의 교린 관계

조선은 여진과 관계가 평화로울 때에는 국경 지역에 무역소를 설치하여 교역을 허락하였고, 조선에 협조적인 여진인에게 토지와 관직을 하사하였다. 그러나 여진이 국경을 침범하자 세종은 여진을 토벌하고 4군과 6진을 설치하였다. 한편, 왜구의 침략이 계속되자 세종은 이종무에게 대마도(쓰시마섬)를 토벌하도록 하였다. 이후 조선은 3포를 개항하여 일본인의 거류와 제한된 무역을 허용하였다.

바로알기 》 ② 고려 예종 때 윤관이 별무반을 이끌고 여진 정벌에 나서 동북 지방에 9성을 쌓고 고려의 영토로 삼았다.

09 사림의 성장

조선 건국에 협력하지 않고 향촌에서 성리학을 연구하던 학자들을 계승하였다는 내용을 통해 제시문의 정치 세력이 사림임을 알 수 있다. 사림은 왕권과 신권의 조화를 강조하고 왕도 정치와 향촌 자치를 추구하였던 세력이다. 이들은 성종 때 훈구 세력을 견제하기 위해 대거 등용되었으며 주로 3사의 언관직에 배치되었다. 사화로 피해를 입은 사림은 서원과 향약을 바탕으로 향촌에서 세력을 키워 나갔고, 선조 때 다시 정치의 주도권을 잡았다.

바로알기 》 ③ 세조가 왕위에 오르는 데 공을 세워 공신이 된 세력은 훈구에 해당한다.

10 사화의 발생 배경

제시된 내용은 네 차례의 사화로, '사화'는 사림이 큰 피해를 입은 사건을 말한다. 성종 때 사림 세력이 중앙 정치에 진출하면서 훈구 세력의 부정한 행위와 권력 독점을 비판하자 사림 세력과 훈구 세력 간의 정치적 대립과 갈등이 심해졌다. 이후 연산군(무오사화, 갑자사화), 중종(기묘사화), 명종(을사사화) 때에 사화가 발생하였다.

바로알기 》 ①, ⑤ 선조 때 사림들은 이조 전랑의 자리를 두고 다투었고, 동인과 서인으로 나뉘어 붕당을 형성하였다. ② 사림은 서원과 향약을 바탕으로 향촌에서 세력을 키워 나갔고, 선조 때 정치의 주도권을 잡았다. ③ 고려 시대에 신진 사대부와 이성계를 비롯한 신흥 무인 세력이 성장하였으며, 이성계는 급진파 사대부와 함께 조선을 건국하였다.

11 조광조의 활동

중종 때 정계에 진출하여 소격서 폐지 등 여러 개혁을 추진하였으나, 기묘사화로 제거된 인물은 조광조에 해당한다. 조광조는 거짓으로 공을 만들어 공신이 된 사람들의 공신 자격을 취소(위훈 삭제)해야 한다고 주장하였다.

바로알기 》 ①은 고려 성종 때 최승로, ②는 고려 예종 때 윤관, ③은 고려 성종 때 서희, ④는 고려 무신 정권기의 최충헌과 관련이 있다.

12 붕당의 형성 과정

자료로 이해하기 》

┌ 훈구 인물을 철저히 배척해야 한다는 세력과 사림에 호의적인 훈구 인물은 포용해야 한다는 세력으로 나뉘었어.

선조 때 사림 세력은 훈구 세력에 대한 처리를 둘러싸고 내부에서 갈등이 일어났다. 결국 이조 전랑의 임명 문제를 놓고 갈등이 더욱 심해지면서 (가)

3사의 관리 추천권과 자신의 후임자 추천권을 가지고 있었어. ┘

사림 세력이 16세기 후반 선조 때 정치의 주도권을 잡아 중앙 정치의 주인공으로 등장하면서 사림 내부에서 정치적 의견 대립이 일어났다. 사림 세력 간의 대립은 이조 전랑의 임명 문제를 둘러싸고 더욱 심화되었고, 결국 사림 세력은 동인과 서인으로 나뉘어 붕당을 형성하였다.

바로알기 》 ①, ④, ⑤는 제시된 내용의 이전에 있었던 사실이다. ② 선조 때 동인과 서인으로 갈라지면서 붕당 정치가 시작된 이후에 동인은 이황의 학문을 따르는 남인과 조식의 학문을 따르는 북인으로 나뉘었다.

13 훈민정음의 창제

밑줄 친 '스물여덟 글자'는 훈민정음에 해당한다. 28자로 된 훈민정음은 글자의 원리가 독창적이고 과학적이어서 누구나 쉽게 우리말을 소리 나는 대로 적을 수 있었다. 조선 정부는 왕실의 업적을 노래한 『용비어천가』를 훈민정음으로 간행하여 훈민정음을 왕실의 권위를 높이는 데 이용하였다. 또한 하급 관리를 뽑을 때 훈민정음으로 시험을 보기도 하였다. 훈민정음의 창제는 민족 문화 발달에 크게 기여하였다.

바로알기 》 ⑤ 훈민정음 창제 이전까지 사용한 한자나 이두는 일반 백성이 배우기가 어려워 쉽게 사용하지 못하였다. 이를 안타깝게 여긴 세종이 훈민정음을 만들어 반포하였다.

14 「혼일강리역대국도지도」 제작

제시된 자료는 「혼일강리역대국도지도」로, 태종 때 제작된 현존하는 동양에서 가장 오래된 세계 지도이다. 이 지도에는 아프리카, 아라비아, 유럽 지역이 나타나 있으며, 조선이 상대적으로 크게 강조되어 있다.

바로알기 》 ①, ④는 「천상열차분야지도」, ②는 『삼강행실도』, ③은 『조선왕조실록』과 관련이 있다.

15 『칠정산』의 특징

제시된 내용에서 설명하는 서적은 『칠정산』이다. 세종 때에는 천문 관측 기술의 발달로 한양을 기준으로 한 역법서인 『칠정산』이 만들어졌다. 『칠정산』은 내편과 외편으로 구성되어 있으며, 원의 수시력을 참고하여 편찬되었다.

바로알기≫ ① 『소학』은 아동에게 유교 윤리를 가르치기 위해 보급된 윤리서이다. ③ 『경국대전』은 통치의 기본 규범을 담은 법전이다. ④ 『농사직설』은 우리나라 실정에 맞는 농법을 소개한 농서이다. ⑤ 『동국여지승람』은 지방의 연혁, 인물, 풍속 등을 정리한 지리서이다.

16 유교 윤리 보급 노력

제시된 『삼강행실도』, 『가례(주자가례)』를 통해 조선의 유교 윤리 보급 노력을 알 수 있다. 성리학을 통치 이념으로 삼은 조선은 유교적 사회 질서를 확립하고자 유교 이념을 보급하는 데 힘썼으며, 세종 때 『삼강행실도』를 간행하여 백성에게 유교 윤리를 쉽게 가르치고자 하였다. 사림들도 가정에서 실천해야 할 예절을 정리한 『가례』를 보급하여 가정에서도 유교 윤리를 따르게 하였다.

17 조선 전기의 그림

안평 대군이 꿈에서 본 무릉도원, 안견, 현실 세계와 이상 세계를 조화롭게 표현 등의 내용을 통해 (가)에 들어갈 사진이 「몽유도원도」임을 알 수 있다.

현실 세계인 산과 강, 무릉도원으로 가는 입구, 이상 세계인 무릉도원이 나타나 있어.

바로알기≫ ①은 분청사기 상감 연꽃 넝쿨무늬 병, ②는 백자 달 항아리, ③은 고려 시대의 불화인 혜허의 「양류관음도」, ④는 강희안의 「고사관수도」이다.

18 왜란의 전개 과정

(나) 일본군의 대규모 침략에 조선은 순식간에 부산진과 동래성을 빼앗겼고 선조는 의주로 피란하였다. 이후 조선은 수군과 의병의 활약으로 전세를 뒤집기 시작하였고, (다) 조명 연합군이 평양성을 탈환하였다. 이후 (가) 3년에 걸친 휴전 회담이 결렬되자 일본군이 조선을 다시 침략하였다(정유재란).

19 왜란의 영향

지도는 왜란의 전개 과정을 보여 준다. 7년간의 전쟁으로 조선은 많은 사람이 목숨을 잃었고, 토지가 황폐해졌다. 또한 불국사와 사고 등이 불타고, 많은 문화유산을 일본에 약탈당하였다. 한편, 중국에서는 조선에 지원군을 보냈던 명의 국력이 약해지고, 이러한 틈을 타 만주에서 여진이 빠르게 성장하였다.

바로알기≫ ⑤는 임진왜란 발발 이전의 사실이다. 왜란 이후 일본에서는 도요토미 정권이 무너지고 도쿠가와 이에야스가 에도 막부를 세웠다.

20 광해군의 중립 외교 정책

제시된 그림은 「양수투항도」로 광해군의 중립 외교 정책과 관련이 있다. 명의 군사 지원 요청에 조선은 명에 군대를 파견하였으나, 조선과 명의 연합군이 후금에 패하자 강홍립은 후금에 항복하였다. 이는 명분보다 실리를 택한 광해군의 중립 외교 정책을 보여 준다.

바로알기≫ ①, ②는 고려 시대, ③은 세종 때, ⑤는 선조 때와 관련이 있다.

21 정묘호란의 발발

(가)는 인조반정(1623), (나)는 병자호란(1636)에 해당한다. 이 사이 시기에는 후금이 조선을 침략한 정묘호란(1627)이 일어났다. 정묘호란의 결과 조선이 후금과 형제 관계를 맺었다.

바로알기≫ ② 북학 운동 전개는 (나) 이후에 있었던 사실이다. ③ 고려 때 별무반 편성, ④ 광해군의 중립 외교 정책 전개, ⑤ 도요토미 히데요시의 조선 침략은 (가) 이전에 있었던 사실이다.

22 병자호란의 전개

청 태종, 인조가 항복의 예를 행한다는 내용 등을 통해 제시문은 병자호란을 소재로 한 영화의 가상 시나리오임을 알 수 있다. 청은 조선이 군신 관계 체결 요구를 거부하자 조선을 침략하였다. 이에 인조와 신하들은 남한산성으로 들어갔고, 성 안에서는 척화와 주화를 두고 논란이 벌어졌다. 결국 인조는 삼전도에서 굴욕적인 화의를 맺었고, 소현 세자 등이 청에 인질로 끌려갔다.

바로알기≫ ③ 임진왜란 때 김시민은 진주성에서, 권율은 행주산성에서 큰 승리를 거두었다.

23 북벌 운동의 등장

오랑캐, 정예화된 포병을 길러 기회를 봐서 쳐들어갈 계획, 송시열 등의 내용을 통해 제시된 주장은 북벌 운동(북벌론)과 관련이 있음을 알 수 있다. 두 차례의 호란 이후 청에 대한 반감이 커진 가운데 조선에서는 청을 정벌하여 치욕을 씻어야 한다는 북벌론이 일어났다. 효종이 북벌을 준비하였으나, 그가 죽자 북벌 정책은 중단되었다.

V. 조선 사회의 변동

01 조선 후기의 정치 변동

199, 201, 203쪽

A 1 (1) × (2) ○ (3) × 2 훈련도감 3 (1) - ㉡ (2) - ㉠

B 1 (1) ㄱ (2) ㄷ (3) ㄴ 2 ㉠ 방납 ㉡ 공인

C 1 (1) 숙종 (2) 예송 (3) 북인 2 (1) ○ (2) × 3 탕평

D 1 ㉠ 영조 ㉡ 서원 2 (1) - ㉢ (2) - ㉡ (3) - ㉠ 3 ㄱ, ㄷ

E 1 (1) ○ (2) ○ (3) × 2 (1) ㄴ (2) ㄷ (3) ㄱ 3 시전 4 ㄴ, ㄷ

F 1 (1) 비변사 (2) 세도 2 ㉠ 순조 ㉡ 암행어사

실력 탄탄 **핵심 문제** 204~207쪽

01 ⑤ 02 ④ 03 ③ 04 ③ 05 ⑤ 06 ④ 07 ① 08 ⑤
09 ⑤ 10 ① 11 ⑤ 12 ④ 13 ① 14 ② 15 ① 16 ①
17 ③ 18 ② 19 ③ 20 ⑤

01 비변사의 위상 강화

비변사는 원래 국방의 문제를 처리하기 위한 임시 회의 기구로 설치되었다. 그러나 비변사는 양난을 거치며 최고 통치 기구가 되었으며, 비변사의 구성원도 각 군영의 대장과 3정승을 비롯한 국가의 고위 관원들로 확대되었다. 비변사는 군사 문제뿐만 아니라 외교, 재정, 인사 등을 다루는 최고 정치 기구의 역할을 하였으며, 전란이 끝난 뒤에도 의정부를 대신하여 국정을 총괄하였다.

바로알기 ≫ ① 중대한 죄인을 다스린 것은 의금부, ② 관리의 잘못을 감찰한 것은 사헌부, ③ 수도의 행정과 치안을 담당한 것은 한성부, ④ 국왕의 정책 자문과 경연을 맡았던 것은 홍문관에 해당한다.

02 조선 후기 군사 제도의 개편

조선은 왜란 때 훈련도감을 설치한 후 국내외의 정세 변화 속에서 군영을 새로 추가하였다. 그리하여 조선의 중앙군은 훈련도감, 어영청, 총융청, 수어청, 금위영의 5군영 체제를 이루었다. 한편, 조선은 지방에 양반부터 노비까지 포함된 속오군을 편성하여 적이 침입해 올 때 전투에 동원하였다.

바로알기 ≫ 5위는 조선 전기에 한성과 궁궐을 수비하였던 중앙군이다. 9서당은 통일 신라의 중앙군이다.

03 5군영 체제와 속오군

임진왜란 중 중앙군이 제 기능을 발휘하지 못하자 조선은 삼수병으로 구성된 훈련도감을 설치하였고, 이후 한성과 그 외곽을 방어하는 중앙 군영을 마련하면서 5군영 체제를 갖추었다. 또한 지방에서는 양반부터 노비까지 포함된 속오군을 편성하였는데, 이들은 평상시 생업에 종사하다가 유사시 전투에 참여하였다.

바로알기 ≫ ③은 5군영인 훈련도감에 대한 설명이다.

04 영정법의 시행

제시된 자료에서 전세를 거둔다고 한 점, 풍흉에 관계없이 토지 1결당 쌀 4두를 내면 된다고 한 점 등을 통해 밑줄 친 '새로운 제도'가 영정법임을 알 수 있다. 영정법은 양난 이전까지 풍흉에 따라 다르게 걷던 전세를 개편한 것이다.

바로알기 ≫ ① 녹읍은 신라 시대에서 고려 시대 초까지 관리들에게 직무의 대가로 일정 지역의 수조권을 주던 것이다. ② 관료전은 통일 신라 시대에 관리에게 녹봉 대신에 주던 토지이다. ④ 전시과는 고려 시대에 관리를 18등급으로 나누어 전지와 시지의 수조권을 지급한 것이다. ⑤ 호패법은 태종이 신분을 나타내기 위해 16세 이상의 모든 남자에게 신분증을 지니고 다니게 한 제도이다.

05 대동법의 내용

조선 정부, 공납의 개편, 지주들의 반대 때문에 전국적으로 실시되기까지 오랜 시간이 걸렸다는 내용을 통해 ㉠ 제도가 대동법임을 알 수 있다. 조선 후기에 조세 제도의 개편으로 실시된 대동법은 공납을 토지 결수를 기준으로 쌀이나 옷감, 동전 등으로 거두게 한 제도이다. 소유하고 있는 토지를 기준으로 세금을 걷었기 때문에 대동법의 실시 결과 땅이 없는 농민들의 부담이 줄어들었다.

바로알기 ≫ ①은 직전법에 대한 설명이다. ② 대동법은 왜란의 발발(1592) 이후인 1608년 광해군 때 처음 실시되었다. ③은 대동법 실시 이전의 공납(특산물 납부) 방식이다. ④는 균역법에 대한 설명이다.

06 대동법 실시의 영향

자료로 이해하기 ≫

정부 — 정부는 필요한 물품을 공인으로부터 조달받았어.

↑ 쌀, 베, 면포, 동전 — 정부는 토지를 기준으로 쌀, 동전 등을 걷었어.

농민 (토지에 부과)

자료는 대동법의 시행 방식을 보여 준다. 조선은 양난 이후 대동법을 시행하여 집집마다 토산물을 부과하던 공납을 토지 결수를 기준으로 쌀이나 옷감, 동전 등으로 걷었다. 대동법 실시로 공인이 국가에 물품을 조달하면서 상업과 수공업이 활발해지고 상품 화폐 경제가 발달하였다.

바로알기 ≫ ㄱ. 방납의 폐단을 바로잡기 위해 대동법을 실시하였다. ㄷ. 대동법의 시행으로 농민의 부담이 줄어들었다.

07 균역법의 시행

조선 후기 군역 제도의 개편, 양난 이후, 1년에 군포 1필을 걷는다는 내용 등을 통해 제시된 보고서가 균역법에 대한 것임을 알 수 있다. 영조는 군역의 폐단을 해결하기 위해 군포를 2필에서 1필로 줄이는 균역법을 시행하여 백성의 군역 부담을 줄여 주었다.

바로알기 ≫ ② 고려 숙종 때 윤관은 여진을 정벌하기 위해 특수 부대인 별무반 편성을 건의하였다. ③ 중종 때 국방 문제를 처리하기 위한 임시 회의 기구로 비변사가 설치되었다. ④ 고려 무신 정권기에 최충헌이 교정도감을 설치하여 국가의 중요한 정책을 결정하고 집행하였다. ⑤ 고려의 중앙 정치 기구인 도병마사에서는 주로 국방과 군사 문제를 논의하였다.

08 붕당 정치의 전개

자료는 선조, 광해군, 인조 시기의 붕당 정치의 전개를 보여 준다. 선조 때 사림이 동인과 서인으로 갈라지면서 붕당 정치가 시작되었다. 광해군 때 동인에서 나뉜 북인이 정권을 장악하였지만, 북인은 서인이 주도한 인조반정으로 몰락하였다. 이후에는 서인과 남인이 서로의 정책을 비판하고 견제하며 정치를 펴 나갔고, 각 붕당은 3사와 서원을 통해 공론을 형성하였다.

바로알기 》 ㄱ. 사화는 사림 세력과 훈구 세력 간의 정치적 갈등이 심해지면서 발생하였다. ㄴ. 고려 시대에 정권을 장악한 초기 무신들은 회의 기구인 중방을 통해 권력을 행사하였다.

09 예송의 결과

제시된 내용에서 효종과 효종비가 죽은 후 자의 대비가 상복을 입는 기간을 둘러싸고 논쟁이 벌어졌다는 내용을 통해 ㉠에 들어갈 사건이 예송임을 알 수 있다. 예송은 현종 때 두 차례 일어났는데, 이로 인해 서인과 남인의 대립이 치열해졌다.

바로알기 》 ①은 호란 이후, ②는 중종 때, ③은 고려 말, ④는 선조 때와 관련이 있다.

10 붕당 정치의 변질

붕당 정치는 숙종이 집권 붕당을 급격히 교체하는 환국을 여러 차례 실시하면서 크게 변질되었다. 서인과 남인은 번갈아 집권할 때마다 상대 붕당을 몰아내고 보복을 가하였다.

바로알기 》 ② 고려 인종 때 서경 천도 운동이 일어났다. ③은 선조 때, ④는 연산군 때의 사실이다. ⑤ 고려 의종 때 정중부, 이의방 등이 무신 정변을 일으켰다.

11 조선 후기의 정치 상황 변화

효종이 사망하고 뒤를 이어 현종이 즉위하면서 서인과 남인이 주장하는 예법의 차이로 두 차례에 걸쳐 예송이 발생하였다. 숙종이 즉위한 후에는 집권 붕당이 급격히 교체되는 환국이 여러 차례 일어났다. 따라서 일어난 순서대로 나열하면 '(라) – (나) – (가) – (다)'이다.

12 영조의 탕평 정치

자료로 이해하기 》

각 붕당이 상대 당을 인정하지 않고 같은 붕당의 사람만 등용하였어.

> 붕당의 폐해가 요즈음보다 심한 적이 없었다. 처음에는 학문의 문제에서 분쟁이 일어나더니, 이제는 한쪽 사람을 모두 역적으로 몰아붙이고 있다. …… 근래에 들어 인재를 등용할 때 같은 붕당의 사람들만 등용하고자 한다. …… 이러면 나라가 장차 어떻게 되겠는가?

동인은 주로 이황과 조식의 학문을 계승하였고, 서인은 이이와 성혼의 학문을 계승하였어. 이후 동인은 남인과 북인, 서인은 노론과 소론으로 분열하였지.

자료에는 붕당 정치의 폐단이 나타나 있다. 붕당 정치의 폐단을 직접 겪은 영조는 붕당의 대립을 줄이고 왕권을 강화하기 위해 탕평책을 실시하였다. 영조는 탕평파를 적극 육성하여 정국을 운영하였고 이조 전랑의 권한을 약화하였으며, 서원을 과감하게 정리하였다. 또한 탕평 의지를 내세우기 위해 성균관 앞에 탕평비를 세웠다.

바로알기 》 ④ 정조는 규장각을 설치하여 그동안 관직 진출에 제한이 있었던 서얼을 검서관으로 등용하였다.

13 영조의 정책

청계천을 정비하여 도성의 홍수를 예방하고자 하였다는 내용을 통해 ㉠에 들어갈 왕이 영조임을 알 수 있다. 영조는 상민이 내는 군포를 2필에서 1필로 줄이는 균역법을 시행하여 백성의 군역 부담을 줄여 주었다.

바로알기 》 ② 장용영 설치, ④ 『대전통편』 편찬은 정조, ③ 『경국대전』 완성은 성종, ⑤ 훈민정음 반포는 세종이 추진한 정책이다.

14 영조 재위 시기의 사실

㉠에 해당하는 왕은 영조이다. 영조는 지나치게 가혹한 형벌을 금지하였고, 태종 때 설치되었다가 폐지된 신문고를 다시 설치하여 백성의 억울함을 풀어 주고자 하였다.

바로알기 》 ㄴ. 광해군 때 대동법이 처음 실시되었다. ㄹ. 현종 때 두 차례에 걸쳐 예송이 일어났다.

15 정조의 개혁 정치

정조는 민생 안정을 위해 시전 상인의 특권을 축소하여 자유로운 상업 활동을 보장하였고, 노비의 처지를 개선하려 하였다. 『대전통편』과 『탁지지』 등을 펴내는 한편, 중국과 서양의 과학 기술을 받아들여 실용적인 학문의 발전에도 힘썼다.

바로알기 》 ① 전민변정도감 설치는 고려 공민왕과 관련이 있다.

16 규장각의 설치

제시된 사진과 창덕궁 주합루, 역대 국왕의 글과 책을 보관하는 왕실 도서관이라는 내용을 통해 ㉠이 규장각임을 알 수 있다. 정조는 규장각을 설치하여 정책 자문 기구로 삼았으며, 서얼 출신을 검서관으로 등용하였다.

바로알기 》 ㄷ은 고려 시대의 만권당, ㄹ은 서원과 관련이 있다.

└ 고려 충선왕이 원의 수도에 있던 자신의 집에 설치한 서재였어.

17 정조의 장용영 설치

제시된 사진은 수원 화성의 팔달문으로, 밑줄 친 '왕'은 정조에 해당한다. 정조는 수원에 화성을 건설하여 새로운 정치를 펼치는 중심지로 활용하고자 하였다. 또한 친위 부대인 장용영을 설치하여 왕권을 뒷받침하는 군사 기반으로 삼았다.

바로알기 》 ①은 중종 때 조광조, ②는 영조, ④는 고려 광종, ⑤는 태종과 관련이 있다.

18 세도 정치의 전개

자료로 이해하기 》

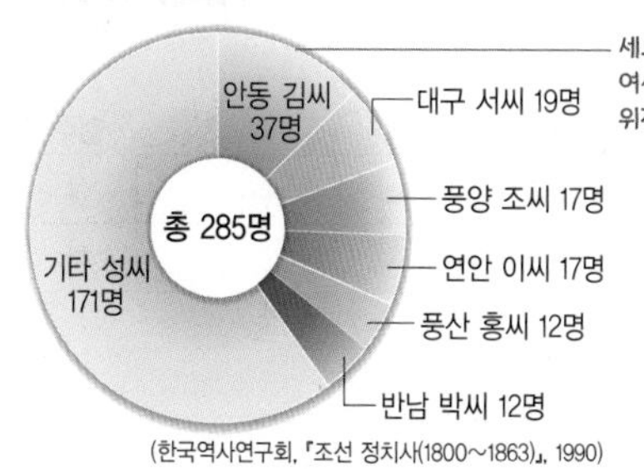

세도 정치 시기에는 안동 김씨 등 여섯 개의 세도 가문이 비변사 고위직의 약 40%를 차지하였어.

(한국역사연구회, 『조선 정치사(1800~1863)』, 1990)

가문별 비변사의 고위 관직 역임자, 안동 김씨, 풍양 조씨 등을 통해 제시된 자료가 세도 정치와 관련이 있음을 알 수 있다. 세도 정치는 순조, 헌종, 철종에 이르기까지 60여 년 동안 안동 김씨, 풍양 조씨 등 몇몇 유력 가문이 권력을 독점한 것을 말한다. 세도 가문들은 비변사와 주요 관직을 차지하여 국정을 좌지우지하였고, 그 결과 붕당 정치가 사라지고 왕권이 약화되었다.

바로알기 » ① 정방은 고려 무신 정권기에 최우가 설치한 것으로 인사 행정을 담당하였다. ③ 고려 인종 때 정지상, 묘청 등 서경 세력이 풍수지리설을 근거로 하여 서경으로 수도를 옮기자고 주장하였다. ④ 신라 말에 일부 6두품 세력은 사회 개혁안을 제시하였다. ⑤ 고려 태조는 지방 통치를 보완하고 호족을 견제하기 위해 사심관 제도와 기인 제도를 실시하였다.

19 세도 정치 시기의 사회 모습

순조 즉위(1800)와 고종 즉위(1863) 사이 시기인 (가)는 순조, 헌종, 철종의 3대 60여 년 동안의 세도 정치 시기에 해당한다. 세도 정치 시기에는 과거제의 문란이 극심해졌으며, 매관매직이 성행하였고 관리들의 부정부패와 농민 수탈이 심화되었다.

바로알기 » ③ 고려 무신 정권기에 망이·망소이 형제가 과도한 세금 부담을 견디지 못하여 봉기하였다.

20 암행어사의 파견

조선 시대에 국왕의 특명을 받고 지방에 비밀리에 파견된 관리는 암행어사이다. 세도 정치 시기에 정부는 암행어사를 파견하였으나 이는 큰 효과를 거두지 못하였다.

바로알기 » ① 조선 시대의 향리는 각 고을에 파견되어 행정 실무를 맡았다. ② 고려 시대에는 양계에 병마사를 파견하였다. ③ 고려 시대에는 일반 행정 구역인 5도에 안찰사를 파견하였다. ④ 고려 시대에 몽골은 고려의 내정을 감시하고 감독하기 위해 북방의 점령지와 개경에 다루가치를 두었다.

서술형 문제

207쪽

01 비변사의 기능 강화

(1) 비변사

(2) ① 양난(왜란과 호란), ② 의정부

02 영조와 정조의 탕평 정치

(1) 탕평책(탕평 정치)

(2) 예시답안 탕평책은 왕권 강화, 정치와 사회의 안정에 기여하였으나, 이는 국왕이 강력한 왕권으로 붕당 간의 다툼을 일시적으로 억제한 것에 불과하였다.

채점 기준	점수
탕평책의 의의와 한계를 모두 서술한 경우	상
탕평책의 의의와 한계 중 한 가지만 서술한 경우	하

02 사회 변화와 농민의 봉기

209, 211, 213쪽

A 1 (1) 상품 작물 (2) 모내기법 2 (1) 사상 (2) 공인 3 상평통보 4 (1) ○ (2) ×

B 1 (1) – ㉡ (2) – ㉢ (3) – ㉠ 2 양반

C 1 (1) – ㉠ (2) – ㉡ (3) – ㉢ 2 환곡 3 (1) ○ (2) ○

D 1 ㉠ 정감록 ㉡ 미륵 2 (1) 천주교 (2) 남인 3 (1) 인내천(인즉천) (2) 동학

E 1 (1) × (2) ○ 2 홍경래 3 (1) 신흥 상공업자 (2) 평안도 (3) 정주성

F 1 ㉠ 진주 ㉡ 임술 2 (1) 유계춘 (2) 삼정이정청 3 ㄴ, ㄷ

실력 탄탄 핵심 문제

214~217쪽

01 ④ 02 ③ 03 ④ 04 ③ 05 ④ 06 ⑤ 07 ④ 08 ⑤
09 ① 10 ② 11 ③ 12 ② 13 ④ 14 ② 15 ② 16 ①
17 ⑤ 18 ④ 19 ② 20 ⑤

01 조선 후기 농업의 발달

제시된 그림은 「경직도」로, 모내기법이 전국적으로 보급된 시기는 조선 후기에 해당한다. 조선 후기에 모내기법의 보급으로 잡초를 제거하는 일손을 덜게 되고, 쌀과 보리의 이모작이 가능해져 농업 생산량이 크게 늘었다. 이에 따라 일부 농민은 부농으로 성장하였지만, 소작지마저 얻지 못한 농민들은 머슴이 되거나 도시 광산으로 떠나야 했다.

이모작: 같은 땅에서 1년에 종류가 다른 농작물을 두 번 심어 거두는 것을 말해.

바로알기 » ④ 조선 후기에 모내기법이 보급되면서 농민 중 일부는 부농으로 성장하였지만, 토지를 잃고 몰락하는 농민도 늘어났다.

02 조선 후기 상업 발달의 배경

조선 후기에는 농업이 발달하여 농업 생산력이 증대되고, 도시 인구가 증가하면서 상업이 활발해졌다. 이때 대동법이 실시되면서 등장한 공인들이 왕실과 관청에서 쓸 물품을 대량으로 구입하면서 상업이 더욱 발달하였다.

바로알기 » ㄱ. 조선 후기에는 방납의 폐단을 바로잡기 위해 대동법을 실시하였다. ㄹ은 고려 시대와 관련이 있다.

03 조선 후기의 경제적 변화

조선 후기에는 볍씨를 모판에 길러서 논에 옮겨 심는 모내기법이 널리 보급되었고, 농민들이 인삼, 담배, 목화 등 상품 작물을 재배하여 부농으로 성장하기도 하였다. 전국 곳곳에 장시가 들어섰고 장시를 돌며 물건을 파는 보부상의 활동이 활발해졌다. 그런 가운데 동전인 상평통보가 전국적으로 유통되었다.

바로알기 » ④ 조선 후기에는 사상의 자유로운 상업 활동이 허용되었고, 대외 무역이 활기를 띠면서 송상, 내상 등이 대상인으로 성장하였다.

04 조선 시대 상업의 발달

조선 후기에는 물건을 사고파는 일이 늘어나면서 상평통보가 전국적으로 유통되었다.

바로알기 » ① 발해관은 당이 산둥반도에 설치한 것으로 발해인이 숙소로 이용하였다. ② 고려 시대의 농민들은 향도를 조직하여 공동체 의식을 다졌다. ④ 송의 상인들은 비단, 서적, 약재 등 왕실과 귀족의 수요품을 고려에 가져왔고, 고려에서는 나전 칠기, 화문석, 종이, 인삼 등을 송에 수출하였다. ⑤ 통일 신라 시대에는 서해안의 당항성이 무역항으로 번성하였다.

05 조선 후기 상업 활동과 대외 무역

자료로 이해하기 »

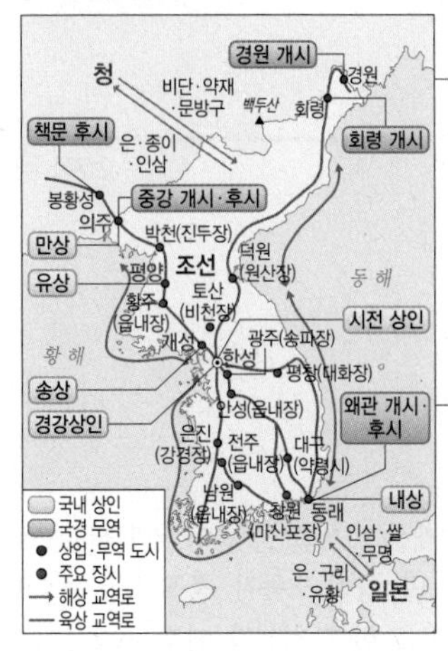

경강상인은 조선 후기 한강을 중심으로 활동한 상인이야. 경강상인, 송상, 유상, 만상, 내상은 국가의 허락 없이 상업 활동을 하던 대표적인 사상이었어.

개시는 중국, 일본과 이루어진 공식적인 무역을 가리키고, 후시는 개시와 달리 비공식적인 상업 거래를 가리켜.

지도는 조선 후기의 상업 활동과 대외 무역을 보여 준다. 이 시기 조선에서는 대동법의 실시로 왕실과 관청에서 쓸 물품을 구입하는 공인이 활동하였고, 청, 일본과의 무역이 활기를 띠면서 일부 사상들이 대상인으로 성장하였다. 물자가 모이는 포구도 상업의 중심지로 발달하였다.

포구: 배가 드나드는 강의 어귀

바로알기 » ④ 조선 후기에는 농업 생산력이 증대되고 상업이 발달하면서 물품을 거래하는 장시가 크게 늘어났다.

06 조선 후기 수공업과 광업의 발달

조선 후기에는 장인들이 세금을 내는 대신 자유롭게 물품을 만들어서 판매하는 민영 수공업이 발달하였다. 수공업이 발달하면서 은, 구리 등 광물의 수요가 늘어났다.

바로알기 » ㄱ. 조선 후기에는 관청에서 운영하는 관영 수공업이 쇠퇴하였다. ㄴ. 광물 수요가 늘자 정부가 민간인에게 광산 채굴을 허용하였다.

07 조선 후기 양반층의 변화

조선 후기에 붕당 정치가 변질되면서 상당수의 양반들은 관직을 얻지 못하였다. 이에 향촌에서 겨우 위세를 유지하거나 일반 농민과 다를 바 없는 처지로 몰락한 양반들이 생겨났고, 몰락한 양반 중에는 상민에게 족보를 파는 사람도 있었다. 이렇듯 양반 중심의 신분제가 흔들리면서 상민과 천민의 수가 줄고 양반의 수가 증가하였다.

바로알기 » ④ 조선 후기 붕당 정치가 변질하면서 양반들 사이에 정치적 갈등이 심화하였다. 이 때문에 일부 양반들을 제외하고 대다수 양반이 정치권력에서 소외되면서 기존의 지위를 유지하기가 어려웠다.

08 공명첩의 발행

㉠은 조선 후기에 발행된 공명첩이다. 경제 활동으로 부유해진 일부 농민이나 상인들은 공명첩을 사들여 양반 신분을 얻었다.

바로알기 » ① 납속은 정부가 재정을 보충하기 위해 돈이나 곡식을 받고, 그 대가로 성이나 관직을 주는 정책이다. ② 벽서는 벽에 글을 쓰거나 써 붙이는 것을 말한다. ③ 사액은 왕이 사당, 서원 등에 이름을 지어서 새긴 편액을 내리던 일을 말한다. ④ 족보는 한 가문의 계통과 혈통 관계를 적어 기록한 책이다.

편액: 종이, 비단 등에 그림을 그리거나 글씨를 써서 방 안이나 문 위에 걸어 놓는 액자를 말해.

09 조선 후기 신분제의 변동

양반이 빚을 지게 되어 옥에 갇히게 되었다는 소문을 들은 부자가 양반으로부터 양반 신분을 사려고 하는 것을 통해 조선 후기 양반 중심 신분제의 동요를 보여 주는 자료임을 알 수 있다. 조선 후기에는 양반 중심의 신분 질서가 크게 흔들리는 가운데, 중인, 상민, 노비가 신분 상승을 위해 노력하였다.

바로알기 » ① 조선 후기에 정부가 왕실과 중앙 관서에 소속되어 있던 공노비를 해방하고 양인을 늘려 재정을 확충하고자 하면서 노비의 수가 줄어들었다.

10 세도 정치 시기의 사실

세도 정치 시기: 순조, 헌종, 철종 시기

제시된 내용은 세도 정치 시기의 상황을 보여 준다. 세도 정치로 인해 정치 기강이 무너지고 부정부패가 심해지자 전정, 군정, 환곡의 삼정도 크게 문란해졌다.

바로알기 » ①은 영조, 정조 시기와 관련이 있다. ③ 고려 공민왕이 전민변정도감을 설치하였다. ④는 신라 말, ⑤는 고려 무신 정권기의 사실이다.

11 삼정의 문란

세도 정치 시기 전정에서는 여러 가지 이유를 들어 정해진 양 이상의 세금을 거두는 폐단이 있었다. 군정에서는 한 사람이 여러 사람의 군포 부담을 지거나 죽은 사람이나 어린아이에게도 군포를 거두는 폐단이 있었다. 환곡은 삼정 중에서 가장 폐해가 심각하였는데, 필요하지 않은 사람에게 억지로 곡식을 빌려주고 갚게 하였다.

바로알기 » ③은 환곡에 대한 설명이다. 군정은 군역 대신 내는 세금을 말한다.

12 군정의 문란

죽은 시아버지와 갓난아기까지도 군적(군인의 소속과 신원을 적어 놓은 명부)에 올랐다고 한 것을 통해 제시된 자료는 조선 후기 군정의 문란과 관련이 있음을 알 수 있다. 세도 정치 시기에 전정, 군정, 환곡의 삼정이 문란해져 백성의 고통이 커졌다.

바로알기 » ① 현종 때 서인과 남인이 대립하여 예송이 발생하였다. ③ 고려 무신 정권 시기 만적 등이 신분 해방을 목적으로 봉기를 계획하였다. ④ 원 간섭기에 고려에서는 몽골풍이 유행하였다. ⑤ 신라 시대에 일부 6두품 세력은 골품제를 비판하며 개혁을 주장하였다.

13 조선 후기 예언 사상과 민간 신앙의 유행

서적은 『정감록』으로, 밑줄 친 '이 시기'는 조선 후기에 해당한다. 세도 정치 시기에는 사회 불안이 계속되면서 예언 사상과 민간 신앙이 유행하였는데, 미륵이 출현하여 민중을 구제한다는 미륵 신앙과 무당의 굿이나 풀이로 복을 비는 무속 신앙이 번성하였다.

바로알기 » ①, ③은 고려, ②, ⑤는 신라와 관련이 있다.

14 천주교의 확산

중국으로부터 서양 학문의 하나로 소개되었다고 한 점, 이후 남인 계열 학자들이 신앙으로 받아들였다는 점을 통해 ㉠이 천주교임을 알 수 있다. 천주교는 평등사상과 내세 사상을 내세우면서 많은 사람들의 호응을 얻어 확산되었다.

바로알기 ①, ③, ④는 성리학, ⑤는 고려 무신 집권기의 불교에 대한 설명이다.

15 동학의 성립

동학은 유교, 불교, 도교를 바탕으로 민간 신앙을 융합하여 창시된 것으로, '사람이 곧 하늘'이라는 인내천을 중심으로 평등사상을 강조하였다. 조선 정부는 신분 질서를 위협하고 사회 개혁을 주장하는 동학을 금지하였다.

바로알기 ② 동학은 경주 지방의 몰락 양반인 최제우가 창시하였다. 2대 교주인 최시형은 교단을 정리하였다.

16 천주교와 동학의 공통점

천주교와 동학은 모두 평등사상을 내세웠다. 천주교는 조상의 제사를 거부하고 신분 질서를 부정하여 정부의 탄압을 받았다. 동학은 인내천 사상을 내세워 양반 중심의 신분 질서를 비판하였는데, 정부는 세상을 어지럽힌다는 이유로 동학을 탄압하였다.

바로알기 ㄷ은 동학, ㄹ은 천주교에만 해당한다.

17 세도 정치 시기 농민의 저항

19세기 세도 정치가 전개되는 상황에서 지배층과 대지주들의 수탈이 심해졌고, 농촌 사회가 피폐해져 갔다. 이에 대한 농민들의 항거는 비리를 고발하는 벽서를 붙이거나 부당한 세금 납부를 거부하는 등 소극적인 저항의 모습을 보이다가 점차 적극적인 농민 봉기(홍경래의 난, 임술 농민 봉기 등)로 변하여 갔다.

바로알기 ⑤는 신라 말 호족과 관련이 있다. 호족은 자신의 근거지에 성을 쌓고 스스로를 성주 또는 장군이라 부르며 지방의 군사와 행정을 장악하였다.

18 홍경래의 난의 배경

조선 초기부터 평안도 사람들은 중앙으로부터 오랫동안 차별을 받아 왔고, 관직 진출에도 어려움을 겪었다. 조선 후기에는 평안도 지역에서 세도 정권의 가혹한 세금 수탈로 사람들의 불만이 높아졌다. 이에 몰락 양반인 홍경래가 중소 상공인, 광산 노동자, 빈농과 함께 봉기를 일으켰다(1811).

바로알기 갑. 네 차례의 사화로 사림이 큰 피해를 입었다. 병. 고려 무신 집권기에 무신 집권자 중에는 천민 출신도 있어 신분 상승에 대한 백성의 기대감이 커졌다. 이러한 상황에서 전국 각지에서 농민과 천민이 봉기하였다.

19 19세기의 농민 봉기

지도의 (가)는 서북 지방민에 대한 차별에 반대하며 홍경래가 일으킨 홍경래의 난, (나)는 백낙신의 수탈을 견디지 못한 진주의 농민들이 유계춘을 중심으로 일으킨 진주 농민 봉기에 해당한다. 이러한 봉기는 19세기 세도 정치가 전개되던 시기에 일어났으며, 홍경래의 난은 19세기에 처음으로 일어난 대규모 농민 봉기였다.

바로알기 ② 고려 무신 집권기에 경상도의 운문과 초전에서 김사미와 효심이 농민을 이끌고 일어나 경주 세력과 합세하여 중앙에 저항하였다.

20 진주 농민 봉기의 영향

임술년(1862), 진주민이 서리들의 가옥을 불태웠다는 내용 등을 통해 제시된 자료에 해당하는 사건이 진주 농민 봉기임을 알 수 있다. 진주 농민 봉기 이후 봉기는 전국적으로 확산되었고(임술 농민 봉기), 정부는 삼정이정청을 설치하였다. 이러한 농민 봉기는 농민의 사회의식이 성장하는 계기가 되었다.

└ 삼정의 문란을 바로잡기 위해 설치하였으나, 큰 성과를 거두지 못하였어.

바로알기 ㄱ. 정부는 동학을 금지하고 동학의 창시자인 최제우를 처형하였다. ㄴ. 암행어사는 조선 중종 때부터 고종 때까지 파견되었다.

서술형 문제

217쪽

01 조선 후기 신분제의 변동

① 양반, ② 상민

02 홍경래의 난의 전개

(1) 홍경래의 난

(2) 예시답안 홍경래의 난은 홍경래를 비롯한 몰락 양반과 신흥 상공업자 등이 주도하였고 가난한 농민, 광산 노동자, 품팔이꾼 등 다양한 사람들이 참여하였다. 봉기군은 한때 청천강 이북 지역을 장악하였으나 정부군의 공격에 밀려 정주성에 들어가 항전하다가 진압되었다.

채점 기준	점수
홍경래의 난에 참여한 세력과 봉기의 전개 과정을 모두 서술한 경우	상
홍경래의 난에 참여한 세력과 봉기의 전개 과정 중 일부만 서술한 경우	하

03 학문과 예술의 새로운 경향 ~ 생활과 문화의 새로운 양상

219, 221, 223, 225쪽

A 1 통신사 2 (1) × (2) ○ 3 연행사 4 (1) - ㉢ (2) - ㉠

B 1 (1) 시헌력 (2) 곤여만국전도 (3) 지전설

2 (1) 허준 (2) 농가집성

C 1 (1) 실학 (2) 북학파 2 (1) - ㉠ (2) - ㉡ (3) - ㉢

3 (1) ㄷ (2) ㄹ (3) ㄴ (4) ㄱ

D 1 (1) × (2) × (3) ○ 2 대동여지도

E 1 (1) - ㉢ (2) - ㉡ (3) - ㉠ 2 ㄱ, ㄷ, ㄹ

F 1 (1) ○ (2) ○ (3) × 2 (1) 여성 (2) 부계 3 (1) 족보 (2) 두레

G 1 (1) 서당 (2) 서민

H 1 (1) - ㉢ (2) - ㉡ (3) - ㉠ 2 (1) × (2) ○ 3 ㉠ 판소리 ㉡ 탈춤

4 ㄱ, ㄴ 5 민화

실력 탄탄 핵심 문제

226~230쪽

01 ③ 02 ③ 03 ④ 04 ① 05 ⑤ 06 ② 07 ④ 08 ③
09 ④ 10 ③ 11 ② 12 ④ 13 ③ 14 ⑤ 15 ⑤ 16 ④
17 ④ 18 ⑤ 19 ④ 20 ④ 21 ① 22 ④ 23 ④ 24 ⑤
25 ② 26 ① 27 ② 28 ④

01 통신사의 활동

자료로 이해하기 »

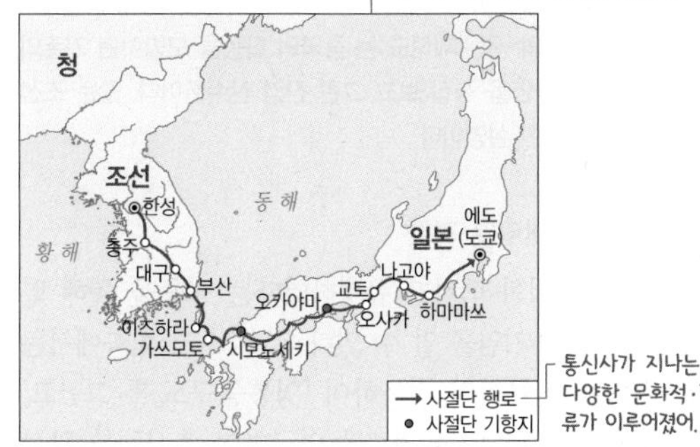

제시된 지도의 행로로 이동한 사절단은 통신사에 해당한다. 국교 회복 이후 조선과 일본은 정기적으로 사절단을 파견하였다. 통신사 행렬의 규모는 400~500명 정도였고 체류 기간은 6~12개월로 연행사의 규모를 능가하였다. 에도(도쿄)에 도착한 통신사는 막부의 실권자인 쇼군(장군)에게 국서를 전달하고 쇼군의 답서를 받았다. 이들은 무역 업무를 처리하였으며, 일본의 정치 상황을 탐색하기도 하였다. 통신사 일행에 포함된 학자, 의원, 화원, 악대 등은 조선의 성리학, 의학, 그림 등을 일본에 전해 주었다.

바로알기 » ③ 통신사는 일본에서 쇼군이 바뀔 때마다 일본의 요청으로 파견되었는데, 200여 년간 12회 파견되었다.

02 청에 파견한 연행사

제시된 자료는 「연행도」이고, 연경(베이징), 병자호란이 끝난 뒤 청에 파견된 사절단 등의 내용을 통해 ㉠에 들어갈 내용이 연행사임을 알 수 있다. 조선은 청에 연행사로 불리는 사절을 파견하였으며, 당시 연경은 여러 국가의 사신들이 청에 조공을 바치고 외교를 위해 왕래하던 곳이었다.

바로알기 » ① 별무반은 고려 숙종 때 편성된 특수 부대, ② 삼별초는 고려 무신 정권의 군사적 기반, ④ 통신사는 조선이 일본에 파견한 대규모 사절단, ⑤ 다루가치는 고려 시대에 몽골군이 고려의 내정을 감시하기 위해 두었던 벼슬이다.

03 연행사의 활동

연행사는 공식 외교 업무 수행 외에도 중국 측 관료나 학자들과 교제하였으며, 천주당을 방문하여 서양 선교사들과 교류하였다. 한편, 연행사는 청에 조공을 바치고 청으로부터 답례품을 받아 왔는데 이 과정에서 조선과 청 사이에 많은 물자가 오가며 무역이 활발해졌다.

바로알기 » ④ 연행사는 조선이 청의 수도인 연경(베이징)에 파견한 사신으로, 청의 과학 기술과 청에 들어온 서양 문물을 조선에 전하는 역할을 하였다.

04 서양 문물의 전래

17세기 무렵 중국을 오가던 사신들을 통해 서양의 과학 서적, 「곤여만국전도」를 비롯한 세계 지도, 화포, 천리경, 자명종 등이 들어왔고, 천주교가 전래되었다.

바로알기 » ① 동학은 경주의 몰락 양반인 최제우가 창시하였다.

05 서학의 수용과 과학 기술의 발달

홍대용의 지전설 주장, 김육 등의 시헌력 도입은 서학 수용에 따른 과학 기술의 발달과 관련이 있다. 천문학과 역법의 발달은 조선 지식인들의 세계관 확대에 기여하였다.

바로알기 » ① 실학자들이 우리의 역사, 지리, 언어 등을 연구하면서 국학이 발달하였다. ② 원 간섭기에 고려와 원의 문화 교류가 이루어졌다. ③ 조선 후기에 경제적으로 큰 변화가 나타나 상품 화폐 경제가 발달하였다. ④ 성리학을 통치 이념으로 삼은 조선은 성리학적 사회 질서를 보급하고자 노력하였다.

06 조선 후기 의학의 발달

허준은 광해군 때 의학 서적인 『동의보감』을 완성하였고, 이제마는 사상 의학을 확립하였다.

바로알기 » 『칠정산』은 천체 관측 결과를 토대로 편찬한 역법서, 『향약집성방』은 국산 약재와 이를 이용한 치료법을 소개한 의학서이다. 정약용은 농업 중심의 개혁론을 내세운 실학자, 박지원은 상공업 중심의 개혁론을 내세운 실학자이다.

07 조선 후기 농서의 편찬

신속의 『농가집성』은 모내기법과 같은 농법을 소개한 농서이고, 서유구의 『임원경제지』는 백과사전적 농서로, 이들은 모두 조선 후기에 편찬되었다.

바로알기 » ㄱ. 『농사직설』은 조선 전기인 세종 때 편찬된 농서이다. ㄷ. 『여씨향약』은 송에서 향촌 사회를 교화하기 위해 만든 규약으로 중종 때 조선에 보급되었다.

08 농업 중심의 개혁론

유형원, 이익, 정약용은 농업 중심의 개혁론을 내세웠다. 이들은 농민 생활과 농촌 문제에 관심을 두고 토지 제도를 개혁하여 농촌 사회를 안정시키고자 하였다.

바로알기 》 갑, 정. 상공업 중심의 개혁론을 내세운 홍대용, 박지원, 박제가 등은 북학파라고 불렸으며, 그중 박지원은 수레와 선박, 화폐의 사용을 강조하였다.

09 정약용의 주장

제시된 사진은 정약용에 해당하고, 공동 농장에서 함께 농사를 짓고 일한 만큼 나눠야 한다는 내용을 통해 정약용의 주장임을 알 수 있다. 농업 중심의 개혁론을 내세운 정약용은 실학을 집대성하였다는 평가를 받는다.

바로알기 》 ① 박제가는 소비를 통해 생산을 늘려야 한다고 주장하였다. ② 유형원은 모든 사람에게 토지를 분배하되, 신분에 따라 차등을 두어 지급하자고 하였다. ③ 이중환은 『택리지』를 저술하였다. ⑤ 홍대용은 기술 혁신과 문벌제도 폐지를 내세웠다.

10 박지원의 주장

제시된 내용에서 연행사의 수행원으로 청에 들어가 청의 문물에 관심을 가졌고, 『열하일기』를 저술하였다는 것을 통해 밑줄 친 '그'가 박지원임을 알 수 있다. 박지원은 수레와 선박의 이용, 화폐의 사용 등을 강조하였다.

바로알기 》 ①은 유수원에 대한 설명이다. ② 박지원은 상공업 중심의 개혁론을 펼쳤다. ④는 이익, ⑤는 박제가에 대한 설명이다.

11 조선 후기 실학의 발달

조선 후기에 등장한 실학은 실증적인 방법으로 학문을 연구하고 그 결과를 실생활에 활용하여 현실 문제를 해결하려고 하였으며, 농업 중심의 개혁론과 상공업 중심의 개혁론으로 발전하였다. 특히 북학파의 주장은 19세기에 개화사상으로 계승되었다.

바로알기 》 ② 조선 후기에는 사회적·경제적 변화가 나타나면서 여러 문제가 발생하였는데, 당시 성리학이 이러한 사회 변화에 적절하게 대응하지 못하였다. 이를 반성하는 분위기에서 현실 사회의 문제를 해결하려는 실학이 등장하였다.

12 유득공의 『발해고』

자료로 이해하기 》

발해가 고구려를 계승한 나라임을 밝혔어.

> 발해를 세운 대조영은 누구인가. 바로 고구려 사람이다. 그들이 차지했던 땅은 또 어떤 땅인가. 그 역시 고구려 땅이다. …… 통일 신라가 망하고 발해가 망한 뒤에 왕건이 이를 통합하여 고려라 하였는데 남쪽은 전부 차지하였지만 발해가 차지했던 북쪽 땅은 여진에 빼앗기기도 하고, 거란에 빼앗기기도 하였다.

제시된 자료는 유득공의 『발해고』이다. 『발해고』는 발해의 역사를 우리 역사로 다루었다.

바로알기 》 ① 고려 시대에 이승휴는 『제왕운기』를 저술하였다. ②는 신속의 『농가집성』, ③은 고려 시대 김부식의 『삼국사기』, ⑤는 고려 시대 일연의 『삼국유사』와 관련이 있다.

13 김정호의 「대동여지도」

22개의 분첩으로 구성되어 각 첩을 접으면 책 한 권 크기로 줄어들어 휴대하고 다닐 수 있었어.

제시된 문화유산은 「대동여지도」이다. 조선 시대에는 국토에 대한 관심이 높아지면서 정부와 민간에서 지도를 만들었다. 김정호의 「대동여지도」는 산맥, 하천, 포구, 도로망 등의 표시가 정밀하게 기록되어 있고, 10리마다 점을 찍어 거리를 나타냈다.

바로알기 》 ③ 최초로 백리 척을 사용한 것은 정상기의 「동국지도」이다.

14 국학의 발달

제시된 서적들은 우리의 전통과 현실에 관심을 가지고 역사, 지리, 언어 등을 연구한 국학과 관련이 있다. 17세기 초 오랑캐라 여겼던 청이 명을 멸망시키자, 조선에서 중국 중심의 세계관에서 벗어나려는 움직임이 나타나면서 국학이 발달하였다.

바로알기 》 ① 제시된 서적들은 우리의 역사, 지리, 언어를 연구하여 편찬된 것이다. ②는 『훈민정음운해』, ③은 『동사강목』, ④는 『택리지』에만 해당하는 내용이다.

15 조선 후기의 한문학

제시된 그림은 「수계도권」으로, 조선 후기에는 경제적으로 성장한 중인들이 시사(詩社)를 조직하여 문학 창작 활동을 하는 모습을 그린 것이다. 조선 후기에 정약용은 삼정의 문란을 폭로하는 한시를 썼고, 박지원은 『양반전』, 『허생전』 등의 한문 소설에서 양반 계층의 위선과 무능을 풍자하였다.

바로알기 》 ㄱ. 조선 후기의 한문학은 양반층이 중심이 되었다. ㄴ은 서민 문화인 사설시조와 관련이 있다.

16 조선 후기 진경 산수화의 등장

제시된 그림은 「인왕제색도」이다. 조선 후기에는 우리의 자연을 사실적으로 묘사한 진경 산수화가 등장하였는데, 정선의 「인왕제색도」, 「금강전도」가 대표적인 작품이다.

바로알기 》 ①, ②, ③ 정선의 「인왕제색도」는 중국의 화풍을 모방하던 기존의 산수화에서 벗어나 우리의 자연을 직접 보고 그린 진경 산수화이다. ⑤는 조선 전기에 유행한 사군자화에 대한 설명이다.

17 조선 후기 예술의 새로운 경향

백자가 널리 사용되고 청화 백자가 유행하였다는 내용을 통해 밑줄 친 '이 시기'가 조선 후기임을 알 수 있다. 조선 후기 회화에서는 강세황이 서양화법을 동양화와 접목하여 「영통동구도」를 그렸고, 서예에서는 김정희가 명필들의 글씨체를 연구하여 추사체를 완성하였다. 건축에서는 규모가 큰 불교 건축물이 세워졌으며, 수원 화성과 같은 대규모 건축물이 만들어졌다.

바로알기 》 ④ 안견의 「몽유도원도」는 조선 전기에 제작된 그림이다.

18 조선 후기 가족 제도와 풍속의 변화

조선 후기 『가례(주자가례)』의 보급 등으로 향촌 사회에 성리학적 생활 규범이 정착되었다. 이에 따라 혼인 풍습에도 변화가 나타나 혼례 후 곧바로 남자 집에서 생활하는 경우가 많아졌다.

바로알기 》 ①, ②, ③, ④는 조선 중기까지의 제사 풍속과 상속 제도와 관련이 있다.

19 조선 후기 여성의 지위 변화

조선 후기에는 남녀유별을 강조하는 유교 윤리가 확산되면서 여성의 생활은 이전보다 많은 제약을 받았다. 양반 신분의 여성은 바깥 출입이 자유롭지 못하였고 외출할 때에는 장옷 등으로 얼굴을 가려야 했다. 한편, 정부에서는 열녀를 표창하는 방법으로 여성의 정절을 강조하였다.

바로알기》 ㄱ. 조선 후기에는 과부의 재혼을 엄격히 금지하였다. ㄷ. 조선 후기에 가옥의 구조에도 성리학의 원리가 반영되어 양반 가옥의 경우 남성이 거주하는 사랑채와 여성이 거주하는 안채로 공간이 나누어졌다.

20 조선 후기의 제사 풍속

조선 후기에 제사는 큰아들이 지내야 한다는 인식이 확산되었어.

딸들은 시집간 후 본가의 제사를 실행하지 못하니 딸에게 나눠 주는 몫을 감하고, 본가의 제사를 돌아가며 지내지 말라라는 내용을 통해 남자 중심, 장자 중심의 성리학적 질서가 정착된 조선 후기에 해당하는 자료임을 알 수 있다. 조선 후기에는 부유해진 일부 농민이 공명첩을 사들여 양반 신분을 얻었다.

바로알기》 ①, ②는 고려 시대에 볼 수 있는 모습이다. ③ 과전법은 조선 건국 직전에 제정되어 조선 전기에 실시되었다. ⑤는 신라와 관련이 있다.

21 조선 후기 생활의 변화

조선 후기에 부계 중심의 가족 제도가 강화되어 점차 큰아들이 제사를 주관하는 것이 일반화되었고, 아들이 없는 경우 양자를 들이는 일이 흔해졌다. 남녀유별을 강조하는 유교 윤리가 확산되면서 여성의 생활도 이전보다 제약을 받았다.

바로알기》 ① 자녀에게 재산을 균등하게 나눠 주는 균분 상속 제도는 조선 후기에 적장자를 중심으로 한 상속 제도로 바뀌었다.

22 조선 후기 향촌 사회의 변화

제시된 상황은 향촌 사회에서 양반의 권위 약화를 배경으로 나타난 것이다. 조선 후기에 새롭게 성장한 부농층이 기존의 양반 계층과 향촌의 지배권을 둘러싸고 다툼을 벌였는데 그 과정에서 양반의 지배력과 권위가 점차 약해졌다. 이에 양반들은 동족 마을 형성, 사우나 서원 건립, 족보 간행 등을 통해 문중의 결속을 다지고 지위를 높이고자 하였다.

선조 또는 가문의 훌륭한 인물의 영정이나 신주를 모셔 두고 제사를 지내는 곳

바로알기》 ①, ②, ③은 조선 전기, ⑤는 고려 시대와 관련이 있다.

23 서민 문화의 발달 배경

조선 후기에는 일부 서민들의 경제력이 커졌으며, 서당 교육이 보급되고 글을 읽고 쓸 줄 아는 사람이 늘어나면서 서민들의 의식 수준도 높아졌다. 이를 배경으로 하여 서민 문화가 등장하였다.

바로알기》 ④ 조선 후기에는 서민의 사회적 지위가 높아졌다.

24 한글 소설의 유행

제시된 작품은 조선 후기에 유행한 대표적인 한글 소설인 허균의 『홍길동전』이다. 한글 소설은 평범한 인물이 주인공으로 등장하여 사회 모순을 비판하거나 서민들의 감정을 표현하였다.

바로알기》 ㄱ, ㄴ. 『홍길동전』은 허균의 작품으로, 조선 후기에 유행하였다.

25 사설시조의 유행

제시된 내용에서 설명하는 분야는 사설시조에 해당한다. 조선 후기에는 형식에 얽매이지 않고, 현실 사회를 풍자한 사설시조가 유행하였다.

바로알기》 ① 불화는 불교의 내용을 그린 종교화이다. ③ 가사 문학은 조선 전기에 나타난 것으로 제시된 내용과 관련이 없다. ④ 한문 소설은 양반층이 중심이 되었다. ⑤ 진경 산수화는 우리의 자연을 사실적으로 그린 그림이다.

26 판소리와 탈춤

(가)는 탈춤, (나)는 판소리이고, 이들은 모두 조선 후기에 유행하였다. 탈춤은 양반의 위선과 사회 모순을 풍자하였고, 판소리는 서민층은 물론 양반에게도 인기를 끌었는데 현재 다섯 마당만 전해진다. 이러한 공연은 장시나 포구와 같이 많은 사람들이 모이는 곳에서 이루어져 서민 의식의 성장에 기여하였다.

바로알기》 ① 탈춤은 조선 후기에 유행한 대표적인 서민 문화이다.

27 조선 후기 민화의 유행

㉠은 민화이다. 서민들의 미적 감각을 드러낸 민화는 복을 바라는 서민의 정서가 담긴 작품이 많았으며, 왕실에서 민간에 이르기까지 생활 공간을 장식하는 데 이용되었다.

바로알기》 ㄴ. 민화는 주로 이름이 알려지지 않은 화가들이 그렸다. ㄹ은 풍속화에 대한 설명이다.

28 조선 후기의 문화

한글 소설인 『심청전』, 『춘향전』, 판소리인 「흥보가」, 봉산 탈춤은 모두 조선 후기에 유행한 작품이다. 조선 후기에는 한글 소설, 판소리와 탈춤 등 서민 문화가 발달하였다.

바로알기》 ④ 『금오신화』는 조선 전기인 세조 때 김시습이 지은 최초의 한문 소설이다.

서술형 문제

231쪽

01 통신사의 역할

(1) 통신사

(2) ① 조선, ② 일본

02 서학의 수용과 영향

(1) 곤여만국전도

(2) 예시답안 「곤여만국전도」와 같은 세계 지도의 보급은 당시 조선 지식인들의 세계관을 확대하여 이들이 성리학적 세계관에서 벗어나는 데 크게 기여하였다.

채점 기준	점수
「곤여만국전도」가 조선 지식인들의 세계관 확대, 성리학적 세계관 탈피에 영향을 주었음을 서술한 경우	상
「곤여만국전도」가 조선 사회에 끼친 영향을 일부만 서술한 경우	하

03 상공업 중심의 개혁론

(1) 박제가

(2) 예시답안 상공업 중심의 개혁론을 펼친 실학자들은 청의 선진 문물을 배우자고 하여 북학파라고 불린다. 이들은 상공업의 진흥을 통해 현실을 개혁하고자 하였으며, 이들의 주장은 개화사상에 영향을 주었다.

채점 기준	점수
상공업 중심의 개혁론을 펼친 실학자들의 특징을 두 가지 서술한 경우	상
상공업 중심의 개혁론을 펼친 실학자들의 특징을 한 가지만 서술한 경우	하

04 조선 후기 풍속화의 유행

(1) ㈎ 김홍도, ㈏ 신윤복

(2) 예시답안 풍속화. 조선 후기 사람들의 생활 모습을 생동감 있게 표현하였다.

채점 기준	점수
풍속화를 쓰고, 그 특징을 서술한 경우	상
풍속화만 쓴 경우	하

시험 적중 마무리 문제

234~237쪽

01 ③ 02 ④ 03 ③ 04 ② 05 ⑤ 06 ④ 07 ⑤ 08 ①
09 ⑤ 10 ③ 11 ③ 12 ④ 13 ③ 14 ② 15 ④ 16 ⑤
17 ① 18 ⑤ 19 ③ 20 ② 21 ③ 22 ① 23 ⑤

01 비변사의 위상 강화

제시된 내용은 비변사에 대한 설명이다. 비변사는 원래 국방 문제를 처리하기 위한 임시 회의 기구였지만, 양난을 거치며 최고 통치 기구가 되었다. 이에 따라 의정부와 6조의 기능이 축소되고, 왕권이 약해졌다.

바로알기 ≫ ① 금위영은 중앙의 5군영 중 하나이다. ② 별무반은 고려 시대에 편성된 특수 부대이다. ④ 삼별초는 고려 무신 정권의 군사적 기반이었다. ⑤ 도병마사는 고려 시대에 주로 국방과 군사 문제를 논의하였던 중앙 정치 기구이다.

02 훈련도감

포수, 사수, 살수의 삼수병으로 구성된 것을 통해 ㈎가 훈련도감임을 알 수 있다. 임진왜란 중에 일정한 급료를 받는 직업 군인인 훈련도감이 설치되었고, 이후 어영청, 총융청, 수어청, 금위영을 설치하여 5군영이 완성되었다.

바로알기 ≫ ④는 장용영에 대한 설명이다.

03 조선 후기 조세 제도의 개편

조선은 양난 이후 국가 재정을 확보하고 농민의 부담을 덜어 주기 위해 조세 제도를 개편하여 영정법, 대동법, 균역법을 실시하였다.

바로알기 ≫ ③ 정부는 방납의 폐단을 바로잡기 위해 토지 결수를 기준으로 쌀, 베, 면포, 동전을 거두는 대동법을 시행하였다.

└ 하급 관리나 상인들이 공납을 대신 납부하고 과도한 대가를 챙기는 것을 말해.

04 붕당 정치의 전개

㈎는 서인, ㈏는 남인이다. 인조반정 이후 반정을 주도한 서인이 우세한 가운데 남인이 참여하는 형태로 정국이 운영되었다. 이후 현종 때 효종과 효종비가 죽은 후 대비의 상복 입는 기간을 둘러싸고 예송이 일어나 서인과 남인의 대립이 치열해졌다.

바로알기 ≫ ㄴ은 북인에 대한 설명이다. ㄹ. 사림 세력과 훈구 세력 간의 정치적 대립과 갈등이 심화되면서 사화가 발생하였다.

05 환국의 발생

집권 붕당이 급격히 교체되는 정치 상황은 숙종 때에 일어난 환국에 해당한다. 서인과 남인은 번갈아 집권할 때마다 상대 붕당을 몰아내고 보복을 가하였으며, 그 과정에서 붕당 정치가 변질되었다.

06 영조 재위 시기의 사실

제시된 사진은 탕평비이고, 경종의 뒤를 이어 즉위한 점, 비석에 적혀 있는 내용 등을 통해 밑줄 친 '왕'이 영조임을 알 수 있다. 영조는 균역법을 시행하여 백성들에게 큰 부담이 되었던 군역의 부담을 줄여 주었다.

바로알기 ≫ ①은 정조, ②는 세종, ③은 고려 공민왕, ⑤는 성종과 관련이 있다.

07 정조의 정책

제시된 건축물은 수원 화성의 서북 공심돈과 팔달문으로, 수원 화성을 건설한 왕은 정조이다. 정조는 자신의 정책을 뒷받침하기 위해 규장각을 정비하고 초계 문신제를 실시하였으며, 장용영을 설치하여 왕권을 뒷받침할 수 있는 군사적 기반을 마련하였다. 또한 시전 상인의 특권을 축소하여 자유로운 상업 활동을 보장하였다.

바로알기 ⑤는 고려 성종의 정책과 관련이 있다.

08 영조와 정조의 탕평 정치

제시된 글은 영조와 정조가 추진한 탕평책에 대한 것이다. 붕당 정치의 폐단을 직접 겪은 영조는 붕당의 대립을 줄이고 왕권을 강화하기 위해 탕평책을 시행하였고, 정조는 영조의 탕평책을 계승하여 더욱 적극적으로 개혁을 실시하였다.

바로알기 ②는 선조, ③은 광해군, ④는 효종, ⑤는 순조~철종 시기와 관련이 있다.

09 세도 정치 시기의 정치 상황

자료로 이해하기

세도 정치기에 권력을 잡은 안동 김씨, 대구 서씨, 풍양 조씨, 연안 이씨, 풍산 홍씨, 반남 박씨 가문을 가리켜.

> 당당한 수십 가문이 / 대대로 국록을 먹어 왔는데 / 그중에서 패가 서로 갈리어 / 엎치락뒤치락 서로 죽이며 / 약자의 살을 강자가 먹고는 / 대여섯 집 남아 거드름 떠는데 / 재상도 그들이 다 하고 / 지방관도 그들이 다 하네
>
> – 정약용, 「하일대주(여름날 술을 앞에 놓고)」

제시된 자료에서 수십 가문이 국록을 먹어 왔는데, 대여섯 집이 남아 재상과 지방관을 다 한다는 내용을 통해 세도 정치 시기와 관련이 있음을 알 수 있다. 세도 정치 시기에는 안동 김씨, 풍양 조씨 등 세력이 큰 여섯 개의 세도 가문이 비변사 고위직의 약 40%를 차지하여 국정을 좌지우지하였다.

순조, 헌종, 철종의 3대 60여 년 동안 이어졌어.

바로알기 ①은 영조와 정조, ②는 인조, ③은 현종, ④는 숙종 시기와 관련이 있다.

10 조선 후기 농업의 발달

조선 후기에 모내기법의 보급으로 쌀과 보리의 이모작이 가능해져 쌀 생산량이 크게 늘었다. 이에 따라 일부 농민은 상품 작물을 재배하여 부농으로 성장한 반면, 소작지마저 얻지 못한 농민들은 머슴이 되거나, 도시나 광산으로 떠나야 했다.

바로알기 ③ 모내기법의 보급으로 잡초를 제거하는 일손을 덜게 되어 농업 생산량이 증가하였다.

11 조선 후기 상공업의 발달

대동법의 실시로 등장하였고, 왕실과 관청에서 쓸 물품을 대량으로 구입한다는 내용을 통해 ㉠이 공인임을 알 수 있다. 공인이 활동한 시기는 조선 후기에 해당한다. 조선 후기에는 대외 무역이 활기를 띠면서 송상, 내상 등의 사상이 대상인으로 성장하였고, 동전인 상평통보가 전국적으로 유통되었다.

바로알기 ㄱ은 조선 전기에 해당한다. 조선 후기에는 민영 수공업이 발달하였다. ㄹ은 통일 신라의 대외 교류와 관련이 있다.

12 조선 후기 신분제의 변동

첫 번째 글은 농민이나 상인이 공명첩으로 양반 신분을 얻었다는 내용이고, 두 번째 글은 양반 계층의 분화를 보여 주는 내용이다. 따라서 이를 활용한 탐구 주제로 적절한 것은 양반 중심의 신분제 동요이다. 조선 후기에는 양반 중심의 신분 질서가 크게 흔들렸다.

바로알기 ① 신라에서는 골품제로 정치, 사회 활동과 일상생활을 제한하였다. ② 조선의 신분제는 법제적으로 양천제였으나 실제로는 양반, 중인, 상민, 천민으로 나뉘었다. ③ 발해 주민은 고구려 유민과 말갈인으로 구성되었다. ⑤ 고려 무신 정권이 성립한 후에 무신들의 권력 다툼으로 정치가 혼란하였고, 신분 질서가 크게 흔들렸다.

모든 백성을 양인과 천민으로 구분한 거야.

13 조선 후기 삼정의 문란

토지의 생산물에 부과하는 세금은 전정, 군역 대신 내는 세금은 군정, 관청에서 곡식을 빌려주고 추수철에 갚게 하는 빈민 구제 제도는 환곡이므로, ㉠은 전정, ㉡은 군정, ㉢은 환곡에 해당한다.

14 동학과 천주교

몰락 양반인 최제우가 창시한 동학은 인내천을 중심으로 평등사상을 강조하였다. 천주교는 서양 학문의 하나로 연구되다가 신앙으로 믿게 되었고, 많은 사람들이 평등사상과 내세 사상에 호응하면서 교세가 커졌다.

바로알기 ② 제사를 거부하여 정부의 탄압을 받은 것은 천주교에 해당한다.

15 홍경래의 난

제시된 지도의 ㈎는 홍경래의 난에 해당한다. 몰락 양반과 신흥 상공업자 등이 주도하여 일어난 홍경래의 난은 한때 봉기군이 청천강 이북 지역을 장악하였으나 정부군의 공격에 밀려 정주성에 들어가 항쟁하다가 진압되었다.

바로알기 ①, ②는 묘청의 서경 천도 운동, ③은 만적의 난, ⑤는 망이·망소이의 난 등과 관련이 있다.

16 삼정이정청의 설치

자료로 이해하기

진주 농민 봉기를 가리켜.

> 삼정의 문란과 탐관오리의 수탈이 계속되자 경상도 진주에서 몰락 양반인 유계춘을 중심으로 농민들이 봉기하였고, 봉기는 곧 전국적으로 확산되었다. 이에 정부는 삼정의 문란을 시정하기 위해 (㉠)을/를 설치하고 농민의 조세 부담을 완화하는 개혁안을 마련하였다.

개혁은 실패로 돌아갔어.

1862년에 진주 농민 봉기가 전국으로 확산되었는데, 이를 임술 농민 봉기라고 해.

19세기 세도 정치 시기에 조선 정부가 삼정의 문란을 바로잡기 위해 설치한 기구인 ㉠은 삼정이정청이다. 삼정이정청 설치 등 정부의 정책은 큰 성과를 거두지 못하였다.

바로알기 ① 규장각, ④ 장용영은 정조 때 설치되었다. ② 비변사는 중종 때 설치되었다. ③ 신문고 설치는 태종 시기와 관련이 있다.

17 연행사의 파견

박지원, 청, 『열하일기』 등을 통해 ㉠이 연행사임을 알 수 있다. 병자호란 이후 조선은 청에 연행사를 파견하여 청과 교류하였다. 연행사는 청에서 서양 문물을 접하고 이를 조선에 들여와 소개하였다.

바로알기 ≫ ㄷ, ㄹ은 통신사에 대한 설명이다. 통신사는 일본에서 쇼군(장군)이 바뀔 때마다 일본의 요청으로 파견되었고, 에도(도쿄)에 도착하여 쇼군에게 국서를 전달하고 쇼군의 답서를 받았다.

18 홍대용의 활동

밑줄 친 '그'는 홍대용에 해당한다. 홍대용은 연행사의 일원으로 베이징(연경)에 갔다. 그곳에서 서양 선교사들을 찾아가 서양 문물을 구경하고 필담을 나누었는데, 이러한 지식을 바탕으로 지구가 24시간에 한 바퀴씩 스스로 돈다는 지전설을 주장하였다.

바로알기 ≫ ① 허준은 『동의보감』, ② 유득공은 『발해고』, ③ 이중환은 『택리지』를 저술하였다. ④ 정상기는 「동국지도」를 제작하였다.

19 조선 후기 실학의 발달

자료로 이해하기 ≫

박제가는 소비를 통해 생산을 늘려야 한다고 주장하였어.

(가) 재물은 샘과 같다. 샘물을 퍼내지 않으면 말라 버리듯이 소비를 권장해야 생산이 활발해진다.
(나) 마을을 단위로 공동 농장을 만들어 농민들이 함께 농사를 짓고, 생산물을 일한 만큼 나눠야 한다.

정약용은 마을에서 공동으로 토지 소유 및 경작, 노동량에 따른 분배를 주장하였어.

(가)는 상공업 중심의 개혁론을 펼친 박제가, (나)는 농업 중심의 개혁론을 펼친 정약용의 주장이다. 정약용은 『기기도설』을 참고하여 거중기를 제작하였는데, 이는 수원 화성 건설에 이용되었다.

중국 명대에 기계를 그림으로 그려 풀이한 책

바로알기 ≫ ①은 유형원, ②는 마테오 리치, ④는 김육 등에 대한 설명이다. ⑤는 박제가에만 해당하는 설명이다.

20 조선 후기 국학의 발달

오랑캐라 여겼던 청이 명을 멸망시켰기 때문이야.

17세기 초 조선에서는 중국 중심의 세계관에서 벗어나려는 움직임이 나타나 국학이 발달하였다. 조선 후기 국학의 발달 사례로는 역사에서 안정복의 『동사강목』과 유득공의 『발해고』 저술, 지리에서 이중환의 『택리지』 저술과 김정호의 「대동여지도」 제작, 언어에서 신경준의 『훈민정음운해』 편찬 등이 있다.

바로알기 ≫ ② 고려 시대에 김부식은 지금까지 전하는 가장 오래된 역사서인 『삼국사기』를 편찬하였다.

21 조선 후기의 가족 제도 변화

자료는 김득문이라는 사람이 아들이 없어 같은 성을 쓰는 친족 중에서 양자를 들이고자 하는 것을 윤허한다는 내용의 예조 입안 문서이다. 조선 후기에는 향촌 사회에 성리학적 생활 규범이 정착되었고, 부계의 대를 이어야 한다는 의식이 강해지면서 아들이 없는 집에서 양자를 들이는 것이 일반화되었다. 이 시기에는 혼례 후 여자가 곧바로 남자 집에서 생활하는 풍습이 정착되었고, 재산 상속에서 큰아들이 우대를 받았다. 또한 과부는 재혼이 제한되고, 족보에 딸은 아들 뒤에 기재하는 등 여성의 지위가 이전보다 낮아졌다.

바로알기 ≫ ③ 조선 후기에 제사는 큰아들이 지내야 한다는 인식이 확산되어 아들이 없는 경우 양자를 들였고, 양자가 제사를 지냈다.

22 조선 후기의 문화와 예술

자료로 이해하기 ≫

소설을 읽어 주고 돈을 받는 낭독가

조선 후기에는 서민 문화가 발달하면서 한글 소설이 유행하였어.

전기수(이야기꾼)는 한글로 된 소설을 잘 읽었는데, 「숙향전」, 「소대성전」, 「설인귀전」 같은 것들이었다. …… 전기수의 책을 읽는 솜씨가 뛰어나서 주위에 많은 사람들이 모였다. 그가 읽다가 아주 긴요하여 꼭 들어야 할 대목에 이르러 갑자기 읽기를 그치면 사람들은 그 다음 대목을 듣고 싶어서 앞다투어 돈을 던져 주었다.

상품 화폐 경제가 발달하였음을 알 수 있어.

한글 소설을 읽어 주는 전기수가 등장한 시기는 조선 후기에 해당한다. 조선 후기로 갈수록 자기 공예에서는 분청사기가 사라지고 흰 바탕에 푸른 색깔로 꽃, 새, 산수 등의 무늬를 넣은 청화 백자가 유행하였다.

바로알기 ≫ ②는 통일 신라, ③, ④는 고려 시대에 볼 수 있는 모습이다. ⑤ 신라 선덕 여왕 때 만들어진 황룡사 9층 목탑은 고려 시대 몽골과의 전쟁 때 불타서 사라졌다.

23 조선 후기의 회화

제시된 내용은 조선 후기의 회화에 대한 것으로, 이 시기의 그림으로는 ① 풍속화인 김홍도의 「벼타작」, ② 민화인 「까치호랑이」, ③ 풍속화인 신윤복의 「단오풍정」, ④ 진경 산수화인 정선의 「인왕제색도」 등이 있다.

바로알기 ≫ ⑤는 안견의 「몽유도원도」로, 조선 전기의 그림에 해당한다.

VI. 근·현대 사회의 전개

01 국민 국가의 수립(1)

241, 243쪽

A 1 (1) 강화도 조약 (2) 흥선 대원군 2 (1) ○ (2) × (3) ○

B 1 갑신정변 2 (1) 집강소 (2) 우금치 전투 (3) 톈진 조약
3 (라) – (나) – (가) – (다) 4 ㉠ 반봉건 ㉡ 반외세

C 1 (1) – ㉠ (2) – ㉡ 2 ㉠ 독립신문 ㉡ 독립 협회 ㉢ 관민 공동회
3 (1) ○ (2) × (3) ○

D 1 (1) 안중근 (2) 을사늑약 (3) 고종
2 (1) 신민회 (2) 애국 계몽 운동 (3) 서울 진공 작전 3 독도

실력 탄탄 핵심 문제 244~245쪽

01 ② 02 ③ 03 ⑤ 04 ① 05 ⑤ 06 ③ 07 ③ 08 ②
09 ③ 10 ④ 11 ④

01 흥선 대원군의 정책

㉠은 흥선 대원군에 해당한다. 흥선 대원군은 정치 기강이 무너지고 서구 열강의 접근이 계속되는 상황에서 고종의 즉위로 권력을 장악하여, 통치 체제를 정비하고 민생 안정을 꾀하였다. 또한 프랑스(병인양요)와 미국(신미양요)의 침입으로 두 차례의 양요를 겪으며 전국에 척화비를 세우고 서양과의 통상 수교 거부 의지를 널리 알렸다.

└ '서양 오랑캐가 침범하였을 때 싸우지 않으면 곧 화의하자는 것이요, 화의를 주장함은 나라를 파는 것이다'라고 새겨져 있어.

바로알기 ≫ ①은 정조 시기에 있었던 사실이다. ③ 고종은 대한 제국 수립 후 대한국 국제를 반포하였다. ④는 숙종 시기에 있었던 사실이다. ⑤ 고종은 직접 나라를 다스리게 되자 통상 수교 거부 정책을 완화하였고, 이 무렵 일본의 강요로 강화도 조약을 맺었다.

02 개화파와 위정척사파의 주장

자료로 이해하기 ≫ 김옥균의 주장이야. 서양과 친하게 지내며 백성을 문명의 도로 교육해야 한다는 내용을 통해 개화파의 주장임을 알 수 있어.

> (가) 서양 각국과 친하게 지내며, 안으로 정치를 개혁하여 어리석은 백성을 문명의 도로 교육해야 합니다. (서양의 문물과 제도)
> (나) 저들이 일본인이라고는 하나 실은 서양 도적입니다. 저들과 교류가 이루어지면 사악한 학문이 온 나라 안에 퍼지게 될 것입니다. — 최익현의 주장이야. 일본인을 서양 도적이라고 한 내용을 통해 위정척사파의 주장임을 알 수 있어.

(가)는 개화파, (나)는 위정척사파의 주장이다. 개항을 전후한 시기에 개화사상을 배운 개화파는 정부의 개화 정책을 뒷받침하였다. 한편, 통상과 개항을 반대하던 유생층이 위정척사 운동을 전개하였고, 이들은 개항과 개화를 반대하는 상소를 올려 정부의 정책에 반발하였다.

바로알기 ≫ ㄱ. (가) 주장을 한 세력은 개화파에 해당한다. ㄹ은 개화파에 대한 설명이다. 위정척사파는 최익현를 비롯한 유생층에 해당한다.

03 임오군란의 결과

1882년, 개화 정책 반대, 구식 군대의 군인 등을 통해 제시된 내용의 사건이 임오군란임을 알 수 있다. 임오군란은 별기군 창설 등 정부의 개화 정책에 반발하여 구식 군대의 군인들이 일으켰다. 임오군란을 진압한 청은 군대를 주둔시켜 조선의 내정을 간섭하였다.

바로알기 ≫ ①은 갑신정변, ②는 강화도 조약 체결의 결과와 관련이 있다. ③ 병인양요와 신미양요는 임오군란 이전에 일어났다. ④는 동학 농민 운동과 관련이 있다.

04 갑신정변

김옥균, 급진 개화파, 일본의 지원 약속, 3일 만에 실패 등의 내용을 통해 밑줄 친 '이 사건'이 갑신정변임을 알 수 있다. 급진 개화파는 자주적인 근대 국가 건설을 목표로 개혁을 추진하고자 하였다.

바로알기 ≫ ② 병인양요는 1866년에 프랑스가 통상을 요구하며 강화도를 침략한 사건이다. ③ 을미의병은 1895년에 을미사변과 단발령에 분노한 유생들이 일으켰다. ④ 임오군란은 1882년에 구식 군대의 군인들이 개화 정책에 반발하여 일으킨 사건이다. ⑤ 아관 파천은 고종이 러시아 공사관으로 처소를 옮긴 사건이다.

05 동학 농민 운동의 전개

동학이 확산되어 가는 상황에서 농민들이 전라도에서 봉기하였다(동학 농민 운동). 이들은 전주성을 점령하고 정부와 전주 화약을 체결하기도 하였으나, 결국 우금치 전투에서 패배하여 일본군에게 진압되었다.

바로알기 ≫ ⑤ 동학 농민군은 집강소를 설치하고 폐정 개혁안을 바탕으로 개혁을 실시하였다. 홍범 14조는 고종이 개혁의 방침을 담아 반포한 것이다.

06 갑오개혁의 내용

┌ 동학 농민 운동이 일어나자 청과 일본이 조선에 군대를 파견하였고, 이때 일본군이 경복궁을 점령하였어.

갑오개혁(1894)은 일본이 경복궁을 점령한 후 김홍집을 중심으로 새로운 정부를 구성하여 개혁을 강요하면서 추진되었다. 갑오개혁의 내용으로는 궁내부 설치, 과거제와 신분제 폐지, 왕실과 국가 재정 분리 등이 있다.

바로알기 ≫ ① 단발령 시행은 을미개혁의 내용이다. ② 별기군 창설, ⑤ 통리기무아문 설치는 개항 이후 정부의 개화 정책 추진과 관련이 있다. 갑오개혁은 군국기무처를 중심으로 추진되었다. ④ 갑오개혁은 동학 농민군의 요구를 일부 반영하였다. 독립 협회는 갑오개혁 이후인 1896년에 설립되었다.

07 근대적 개혁 추진 과정에서 있었던 사실

(가) 갑신정변은 1884년, (나) 아관 파천은 1896년에 일어났다. 동학 농민 운동(1894~1895), 청일 전쟁(1894~1895), 갑오개혁(1894), 을미사변(1895)은 모두 갑신정변과 아관 파천 사이에 있었던 일이다.

바로알기 ≫ ③ 대한 제국 수립은 아관 파천 이후인 1897년의 사실이다.

08 대한 제국의 수립

고종은 환궁하여 1897년에 대한 제국의 수립을 선포하였다. 그리고 대한국 국제를 반포(1899)하여 황제에게 권력을 집중하였고, 양전 사업 실시, 지계 발급, 학교 설립 등의 개혁을 추진하였다.

바로알기 ≫ ㄴ은 고려 광종과 관련이 있다. 고종은 연호를 '광무'로 정하였다. ㄹ. 대한 제국은 구본신참의 원칙에 따라 개혁을 추진하였다.

09 일제의 국권 침탈

러일 전쟁 발발은 1904년, 한국 병합 조약 체결은 1910년에 해당한다. ㈎ 시기에는 을사늑약 체결(1905), 고종의 헤이그 특사 파견과 퇴위(1907), 1907년 일본에 의해 해산된 군인의 의병 합류, 안중근의 이토 히로부미 사살(1909) 등의 사실이 있었다.

바로알기 ≫ ③ 독립 협회는 1896년에 서재필 등이 만든 단체로, 1899년에 해산되었다.

10 신민회의 활동

안창호, 1907년 비밀리에 조직, 애국 계몽 운동 등의 내용을 통해 ㉠이 신민회임을 알 수 있다. 신민회는 자기 회사와 태극 서관을 운영하며 민족 자본 육성에 힘썼다.

바로알기 ≫ ①, ②는 독립 협회, ③은 동학 농민군, ⑤는 항일 의병과 관련이 있다.

11 독도

자료로 이해하기 ≫

대한 제국은 1900년 10월 27일 자 관보에 독도를 울릉도의 관할 구역으로 한다는 '칙령 제41호'를 실었어.

> 울릉도를 울도로 개칭하고 도감을 군수로 개정한다. …… 울도군은 울릉 전도와 죽도, 석도를 관할한다. - 대한 제국 칙령 제41호

당시 독도를 가리키는 말이야.

일본은 러일 전쟁(1904~1905) 중 독도를 자국의 영토로 불법 편입하였으나, 이것은 광복 이후 우리 영토로 반환되었다. 독도는 옛 문헌이나 지도 속에서 우리나라의 영토로 기록되어 있으며, 역사적으로나 국제법적으로 우리 고유의 영토이다.

바로알기 ≫ ① 을미개혁의 내용은 단발령 시행, 태양력 사용 등이 있다. ② 강화도 조약 체결로 조선이 문호를 개방하였다. ③ 청일 전쟁은 1894~1895년에 청과 일본 사이에 일어난 전쟁이다. ⑤ 동학 농민 운동은 전라도 지역에서 일어났다.

서술형 문제 245쪽

01 근대 국가 수립을 위한 노력

① 갑신정변, ② 급진, ③ 국가

02 독립 협회의 활동

예시답안 ▶ 독립 협회. 독립 협회는 독립문을 세워 자주 의식을 드러냈고, 토론회와 연설회를 개최하였다. 만민 공동회를 열어 열강의 이권 침탈에 반대하였고, 관민 공동회에서 헌의 6조를 결의하였다.

채점 기준	점수
독립 협회를 쓰고, 그들의 활동을 두 가지 서술한 경우	상
독립 협회를 쓰고, 그들의 활동을 한 가지만 서술한 경우	중
독립 협회만 쓴 경우	하

02 국민 국가의 수립(2)

247, 249, 251쪽

A 1 (1) 조선 총독부 (2) 민족 자결주의 2 3·1 운동
3 (1) ○ (2) × (3) ○

B 1 (1) 임시 의정원 (2) 민주 공화제 (3) 상하이
2 (1) – ㉢ (2) – ㉠ (3) – ㉡

C 1 (1) 민족주의 (2) 물산 장려 운동
2 (1) 신간회 (2) 순종 (3) 광주 학생 항일 운동 3 한글

D 1 (1) × (2) ○ 2 ㉠ 한국 독립군 ㉡ 조선 혁명군 3 ㄷ, ㄹ

E 1 ㉠ 의열단 ㉡ 한인 애국단 2 (1) – ㉡ (2) – ㉠ (3) – ㉣ (4) – ㉢

F 1 (1) 카이로 (2) 조선 건국 준비 위원회 (3) 건국 강령
2 (1) ○ (2) × 3 (1) 국회 의원 (2) 민주 공화제 (3) 대한민국 정부

실력 탄탄 핵심 문제 252~253쪽

01 ⑤ 02 ⑤ 03 ④ 04 ④ 05 ⑤ 06 ② 07 ③ 08 ⑤
09 ④ 10 ① 11 ③

01 3·1 운동의 전개

기미 독립 선언서가 발표된 민족 운동은 3·1 운동에 해당한다. 1919년 3월 1일, 민족 대표 33인은 서울 종로에서 독립을 선언하였고, 학생과 시민들은 탑골 공원에서 만세 시위를 시작하였다. 이날 평양 등 주요 도시에서도 만세 시위가 벌어졌으며, 시위는 곧 국외로 확산되었다. 일제는 경찰과 군대를 동원하여 만세 시위를 폭력적으로 진압하였다.

바로알기 ≫ ⑤ 3·1 운동을 계기로 대한민국 임시 정부가 수립되었다.

02 대한민국 임시 정부의 체제

지도의 ㈎는 대한민국 임시 정부에 해당한다. 3·1 운동 이후 수립된 여러 임시 정부를 통합하여 1919년 9월에 중국 상하이에서 대한민국 임시 정부가 수립되었다. 대한민국 임시 정부는 헌법을 제정하였고, 우리나라 최초로 삼권 분립의 원칙에 따른 민주 공화정 체제를 갖추었다.

바로알기 ≫ ① 민주 공화제 정부였다. ② 대통령을 중심으로 국정이 운영되는 대통령 중심제를 채택하였다. ③ 입법 기관으로 임시 의정원을 두었다. ④ 대한 제국의 정치 체제는 황제에게 권력을 집중한 전제 군주제에 해당한다.

03 대한민국 임시 정부의 활동

㈎에 해당하는 대한민국 임시 정부는 비밀 조직인 연통제와 교통국 운영, 독립신문 간행, 독립 공채 발행, 미국에 외교 기관 설립 등의 활동을 통해 민족 운동의 구심점 역할을 하였다.

바로알기 ≫ ④ 의열단은 1919년에 김원봉이 조직한 단체이다. 대한민국 임시 정부는 1940년에 충칭에 정착한 후 군사 조직으로 한국 광복군을 창설하였다.

04 실력 양성 운동의 전개

물산 장려 운동과 민립 대학 설립 운동은 3·1 운동(1919) 이후에 전개된 실력 양성 운동에 해당한다. 실력 양성 운동은 민족의 실력을 키워 독립을 이루고자 전개된 운동이다.

바로알기 ① 국내에서 전개된 민족 운동이다. ② 실력 양성 운동에 해당한다. ③ 민족주의 계열이 주도하였다. 사회주의 계열은 학생과 청년, 농민, 노동자를 중심으로 다양한 사회 운동을 전개하였다. ⑤ 1920년대에 전개되었다.

05 신간회의 창립

자료로 이해하기

1927년에 창립된 신간회의 강령이야.

- 우리는 정치적·경제적 각성을 촉진함
- 우리는 단결을 공고히 함
- 우리는 기회주의를 일체 부인함

자치론을 주장한 타협적 민족주의자들을 가리켜.

3·1 운동 이후 일제가 이른바 문화 통치를 시행하자 일부 민족주의 세력이 일제의 식민 지배를 인정하고 민족의 역량을 키우자고 주장하였다. 여기에 비타협적 민족주의 계열과 사회주의 계열이 힘을 합하여 신간회를 창립하였다.

자치론에 해당해.

바로알기 ①은 독립 협회에 대한 설명이다. ② 신간회는 광주 학생 항일 운동(1929)을 지원하였다. 6·10 만세 운동(1926)은 신간회 창립 이전에 일어났다. ③은 대한민국 임시 정부, ④는 신민회에 대한 설명이다.

06 광주 학생 항일 운동의 전개

밑줄 친 '이 운동'은 1929년에 일어난 광주 학생 항일 운동이다. 광주 학생 항일 운동은 학생들이 민족 차별 철폐와 식민지 교육 반대를 주장하였던 대규모 시위였으며, 3·1 운동 이후 최대의 민족 운동으로 발전하였다.

바로알기 ㄴ은 3·1 운동, ㄹ은 6·10 만세 운동에 대한 설명이다.

07 1930년대 이후 일제의 민족 말살 정책

1930년대 침략 전쟁을 시작한 일제는 한국인의 민족의식을 없애고 한국인을 침략 전쟁에 동원하기 위해 민족 말살 정책을 실시하였다. 민족 말살 정책에는 신사 참배 강요, 한국어 사용 금지, 일본식 성명 사용 강요, 일본 국왕에게 충성을 맹세하는 황국 신민 서사의 암송 강요 등이 있었다.

일제가 우리 종교와 사상의 자유를 억압하기 위해 신사에 절하도록 강요하던 일

바로알기 ③은 1910년대 일제의 통치 방식에 해당한다. 헌병 경찰제는 1920년부터 일제가 이른바 문화 통치를 실시하면서 폐지되었다.

08 1930년대 무장 독립 투쟁의 전개

일제가 만주를 침략(만주 사변)하자 독립군은 중국군과 연합하여 일제에 대항하였다. 한국 독립군은 쌍성보 전투(1932)와 대전자령 전투(1933)에서, 조선 혁명군은 영릉가 전투(1932)와 흥경성 전투(1933)에서 중국군과 연합하여 일본군에 승리를 거두었다.

바로알기 ① 참의부, 정의부, 신민부의 3부 조직은 1920년대 중반, ② 자유시 참변은 1921년, ③ 봉오동 전투와 청산리 대첩은 1920년에 있었던 사실이다. ④ 조선 의용대는 1938년에 김원봉을 중심으로 조직되었고, 이후 김원봉을 비롯한 일부 병력이 대한민국 임시 정부의 한국 광복군에 합류하였다.

09 한인 애국단

한인 애국단의 윤봉길은 상하이 훙커우 공원에서 열린 일본군 상하이 점령 기념식장에 폭탄을 던졌고, 이 의거는 대한민국 임시 정부가 중국 정부의 지원을 받는 계기가 되었다.

바로알기 ① 한인 애국단은 김구가 조직하였다. ②는 북로 군정서 등 독립군 연합 부대, ③은 의열단, ⑤는 조선 혁명군에 대한 설명이다.

10 광복의 배경

1945년 8월 15일에 일본이 제2차 세계 대전에서 연합국에 항복하면서 우리 민족이 광복을 맞이하였다. 광복은 우리 민족이 끊임없이 독립운동을 벌인 결과이기도 하였다.

바로알기 ㄷ, ㄹ은 광복 이후의 사실이다.

11 대한민국 정부의 수립 과정

1948년 5월 10일에 남한에서 총선거(5·10 총선거)가 실시되었고, 이 선거를 통해 구성된 제헌 국회가 제헌 헌법을 제정하였다. 이후 대통령으로 선출된 이승만이 1948년 8월 15일에 대한민국 정부 수립을 선포하였다. 따라서 일어난 순서대로 나열하면 '(라) – (가) – (나) – (다) – (마)'이다.

서술형 문제

253쪽

01 3·1 운동의 의의

① 3·1 운동, ② 대한민국 임시 정부, ③ 5·4 운동

02 한국 광복군의 활동

예시답안 한국 광복군. 한국 광복군은 태평양 전쟁이 발발하자 연합국의 일원으로 참전하여 일본군 문서 번역과 포로 심문 등을 담당하였고, 인도·미얀마 전선에서 영국군을 지원하였다. 또한 국내 진공 작전을 준비하였다.

채점 기준	점수
한국 광복군을 쓰고, 한국 광복군의 활동을 세 가지 서술한 경우	상
한국 광복군을 쓰고, 한국 광복군의 활동을 두 가지 서술한 경우	중
한국 광복군만 쓰거나 한국 광복군의 활동을 한 가지만 서술한 경우	하

03 자본주의와 사회 변화

255, 257, 259, 261쪽

A 1 (1) 폭등 (2) 강화도 조약 2 (1) ○ (2) × 3 최혜국 대우

B 1 (1) 시전 상인 (2) 방곡령 2 (1) - ㉡ (2) - ㉠
3 ㉠ 일본(일제) ㉡ 국채 보상

C 1 ㄱ, ㄹ 2 (1) 회사령 (2) 산미 증식 계획
3 ㉠ 병참 ㉡ 국가 총동원법

D 1 (1) × (2) ○ 2 (1) ㄴ (2) ㄷ (3) ㄹ (4) ㄱ (5) ㅁ

E 1 (1) ○ (2) ○ (3) × 2 경제 개발 3 (1) - ㉡ (2) - ㉢ (3) - ㉠

F 1 신자유주의 2 ㄴ, ㄷ 3 (1) ㄱ (2) ㄷ (3) ㄴ

G 1 ㄱ, ㄴ, ㄷ 2 새마을 3 ㉠ 전태일 ㉡ 노동 4 (1) - ㉡ (2) - ㉠

H 1 (1) 한류 (2) 텔레비전 2 (1) ○ (2) × (3) ○ 3 프로 스포츠

실력 탄탄 핵심 문제 262~265쪽

01 ⑤ 02 ② 03 ④ 04 ⑤ 05 ② 06 ③ 07 ③ 08 ⑤
09 ② 10 ④ 11 ⑤ 12 ⑤ 13 ② 14 ④ 15 ⑤ 16 ④
17 ⑤ 18 ② 19 ④ 20 ③

01 강화도 조약(조일 수호 조규) 체결의 영향

자료로 이해하기 »

일본의 강요로 1876년에 체결된 강화도 조약의 내용이야.

제4관 조선은 부산 이외에 두 곳의 항구를 개항하고 일본인이 와서 통상하도록 허가한다. - 부산, 원산, 인천에 개항장이 설치되었어.
제7관 일본국 항해자가 조선국 연해를 자유롭게 측량하도록 허가한다.
제10관 일본국 국민이 조선국 항구에서 저지른 범죄 행위는 일본국 관원이 심판한다.

제7관(해안 측량권 인정), 제10관(치외 법권 규정) 등 조선에 불리한 조항들이 포함되었어.

조선은 일본과 강화도 조약을 맺어 개항하였고, 뒤이어 미국, 영국 등 서양 각국과 수교하여 문호를 확대함으로써 세계 자본주의 질서에 편입되었다. 조선에 진출한 일본 상인들은 면제품을 수출하고 곡물을 수입해 갔다. (일본에서 면직물이 유입되어 국내 수공업이 큰 타격을 받았어.)

바로알기 » ⑤ 일본 상인들이 일본으로 많은 양의 쌀을 수입해 가면서 국내의 쌀값이 폭등하였다.

02 개항 이후 열강의 경제 침탈

지도는 개항 이후 열강의 이권 침탈을 보여 준다. 아관 파천(1896) 이후 러시아에게 주었던 이권이 최혜국 대우 규정을 앞세운 다른 나라에도 넘어가면서 열강의 이권 침탈이 본격화되었다. 일본은 러일 전쟁 발발(1904) 이후 화폐 발행권을 차지하고 대한 제국 정부의 재정을 예속화하였다.

바로알기 » ㄴ은 조선 후기, ㄹ은 흥선 대원군이 실권을 장악한 시기로 개항 이전에 해당한다.

03 독립 협회의 이권 수호 운동

제시된 자료에서 러시아가 절영도를 요구하고 있고 조그마한 땅이라도 타국인에게 주면 안 된다는 내용을 통해 러시아의 절영도 조차 요구 저지를 주장하는 것임을 알 수 있다. 아관 파천(1896) 이후 열강의 이권 침탈이 심해지자 독립 협회는 러시아의 영토 침탈에 저항하는 이권 수호 운동을 전개하였고, 러시아의 절영도 조차 요구를 저지하였다.

바로알기 » ① 보안회는 일본의 황무지 개간권 요구에 반대하는 운동을 전개하였다. ② 신간회는 1927년, ③ 신민회는 1907년, ⑤ 한인 애국단은 1931년에 조직되었다.

04 경제적 구국 운동의 전개

제시된 수행 평가 보고서에서 조사한 사례는 개항 이후 외세의 경제 침탈에 맞서 우리 민족이 경제적 자주권을 지키고자 노력한 경제적 구국 운동에 해당한다. 우리 민족은 열강의 경제적 침탈에 맞서 많은 노력을 하였지만 결국 좌절되었고, 일본에 의해 식민지 경제 체제가 구축되었다.

바로알기 » ① 개화 정책 추진, ② 위정척사 운동 전개는 개항을 전후한 시기, ③ 무장 독립 투쟁 전개, ④ 실력 양성 운동 추진은 일제 강점기에 해당하는 내용으로 제시된 사례와는 거리가 멀다.

05 1910년대 일제의 경제 수탈

(가)는 1910년, (나)는 1920년에 해당한다. 일제는 1910년에 대한 제국의 국권을 강탈한 후 통치의 경제 기반을 마련하기 위해 토지 조사 사업(1910~1918)을 실시하였다.

바로알기 » ① 일제는 1938년에 국가 총동원법을 제정하였다. ③ 일제는 1904년에 화폐 정리 사업을 시작하였다. ④ 1930년대 초 침략 전쟁을 일으킨 일제는 한국을 병참 기지로 만들고자 하였다. ⑤ 1930년대에 일제는 공산품 원료를 확보하기 위해 한반도에서 면화 재배와 양 사육을 강요하였다(남면북양 정책).

06 산미 증식 계획의 실시

그래프는 산미 증식 계획을 추진하였던 시기의 쌀 생산량과 일본으로의 이출량을 보여 준다. 1920년부터 일제는 자국의 식량 부족 문제를 해결하기 위해 산미 증식 계획을 추진하였다. 산미 증식 계획으로 쌀 생산량은 그다지 늘지 않았으나, 일본으로 이출되는 쌀의 양은 해마다 증가하면서 한국인의 식량 사정이 더욱 나빠졌다.

바로알기 » ① 일제는 1910년 회사령을 공포하여 한국인의 기업 설립을 억제하였다. ② 일제는 1938년 국가 총동원법을 제정하여 한국의 인력과 물자를 수탈하였다. ④ 일제가 1910~1918년에 토지 조사 사업을 실시한 결과 조선 총독부의 지세 수입이 늘어났다. ⑤ 6·25 전쟁 이후 미국의 원조를 받으면서 삼백 산업이 발달하였다.

07 1920년대 경제 상황

제시된 그래프에 해당하는 시기는 1920년대이다. 이 시기에 일제는 회사 설립 조건을 허가제에서 신고제로 바꾸고, 일본 상품에 대한 관세를 없앴다. 그 결과 일본 기업의 한국 진출이 본격화되었다.

바로알기 » ㄱ. 1960년대에 들어와 정부는 경제 개발 5개년 계획을 추진하였다. ㄹ. 중일 전쟁(1937)과 태평양 전쟁(1941)을 일으킨 일제는 많은 여성들을 일본군 '위안부'로 끌고 가 큰 고통을 겪게 하였다.

08 1930년대 이후 일제의 경제 정책

국가 총동원법 제정은 1938년의 일이다. 1937년에 중일 전쟁을 일으킨 일제는 전쟁 수행에 필요한 식량, 무기 재료 등을 빼앗았으며, 노동력과 병력을 확보하기 위해 한국인을 동원하였다. 을사늑약 체결은 1905년, 국권 피탈은 1910년, 3·1 운동은 1919년, 만주 사변 발발은 1931년, 중일 전쟁 발발은 1937년, 8·15 광복은 1945년에 해당한다.

09 물산 장려 운동의 전개

자료로 이해하기 »

'우리가 만든 것 우리가 쓰자.'라고 쓰여 있어. 민족 산업을 발전시켜 경제적 자립을 이루자는 물산 장려 운동과 관련된 자료임을 알 수 있지.

사진은 경성 방직 주식회사의 토산품 애용 선전 광고로 1920년대에 전개된 물산 장려 운동과 관련이 있다. 1920년대 들어 일본 자본과 상품이 본격적으로 진출하여 민족 기업이 위기를 맞은 상황에서 시작된 물산 장려 운동은 '내 살림 내 것으로, 조선 사람 조선 것' 등의 구호를 내세웠다.

바로알기 » ② 국채 보상 운동은 1907년에 전개되었다.

10 1920년대의 사회 변화

사진은 원산 총파업의 광경이고, 제시된 내용은 일제 강점기의 대표적인 노동 쟁의인 원산 총파업에 대한 설명이다. 일제의 공업화 정책이 지속되는 상황에서 한국인 노동자들은 열악한 작업 환경에서 장시간 노동에 시달리면서도 일본인 노동자 임금의 절반도 받지 못하였다. 이에 노동자들은 임금 인상 등을 요구하며 노동 쟁의를 일으켰다.

바로알기 » ① 소년 운동은 어린이를 인격적으로 대우하자고 주장하였다. ② 근대 교육을 받은 일부 여성들이 여성의 지위 향상에 노력하며 여성 운동을 벌였다. ③ 사회적 편견과 차별을 받아 오던 백정들이 형평 운동을 주도하였다. ⑤ 일제의 농업 정책과 수탈로 농민들이 대부분 어려운 삶을 살았으며, 그러한 가운데 지주에 대한 농민의 저항 의식이 높아져 소작 쟁의가 발생하였다.

11 일제 강점기 일상생활의 변화

일제 강점기에는 근대 시설이 들어오고 교통과 통신이 발달하였다. 또한 서양식 복장이 보편화되었고, 커피 등 기호 식품이 보급되었으며, 서양식 문화 주택이 생기는 등 의식주에서 변화가 나타났다.

바로알기 » ⑤ 일제 강점기에 일제가 들여온 문물은 대부분 일본인을 위한 것이었고, 일본의 우월함을 보여 주려는 목적이 강하였다.

12 1950년대의 경제 상황

개인의 욕망을 직접적으로 충족하기 위해 소비되는 물건(소비재)을 생산하는 산업을 말해.

6·25 전쟁(1950~1953)으로 많은 산업 시설이 파괴되자, 정부는 미국의 경제 지원에 의존하여 전후 복구 사업을 전개하였다. 이 과정에서 삼백 산업과 같은 소비재 산업이 발달하였다.

바로알기 » ㄱ은 1970년, ㄴ은 1960년대의 경제 상황에 해당한다.

13 국가 주도의 경제 성장

1960년대 들어와 정부는 국가가 주도하는 경제 성장 정책을 추진하였다. 1960년대에 정부는 외국 자본을 유치하여 경공업을 중심으로 수출에 힘썼고, 1970년대에는 중화학 공업 육성으로 고도성장과 수출 증대를 이룩하였다.

바로알기 » 첨단 산업(정보 기술, 전자 산업 등)은 2000년대 이후에 크게 발달하였다.

14 1970~1980년대의 경제 성장

1970년대에는 수출액이 100억 달러를 넘어섰고, 연평균 10%에 가까운 경제 성장을 이루었다. 1980년대 중반에는 3저 호황이 나타났으며, 이 시기에는 기술 집약적인 산업이 발달하였다.

바로알기 » ④ 석유 파동은 1973년과 1979년에 두 차례 일어났다.

15 신자유주의 정책 추진

1990년대 정부가 추진한 신자유주의 정책에는 국가나 지방 자치 단체가 경영하던 기업을 민간인이 경영하게 하는 공기업 민영화 추진, 국제 경제 협력을 위해 창설된 경제 협력 개발 기구(OECD) 가입(1996) 등이 있다.

바로알기 » ㄱ은 1970년대, ㄴ은 1950년대의 사실로 신자유주의 정책과 관련이 없다.

16 외환 위기의 극복과 한국 경제의 현재

(가)는 2000년대 이후, (나)는 1996년, (다)는 1997~1998년에 일어났다. 따라서 '(나) – (다) – (가)'의 순서로 일어났다.

17 외환 위기의 영향

㉠에 들어갈 사건은 1997년에 발생한 외환 위기이다. 정부는 외환 위기를 극복하기 위해 부실 기업과 금융 기관을 구조 조정하였는데, 이 과정에서 많은 실업자가 발생하고 비정규직 노동자가 늘었다.

바로알기 » ① 환율이 급등하였다. ② 실업자가 증가하였다. ③ 빈부 격차가 심화되었다. ④ 원화 가치가 하락하였다.

18 경제 성장이 가져온 사회 변화

자료로 이해하기 »

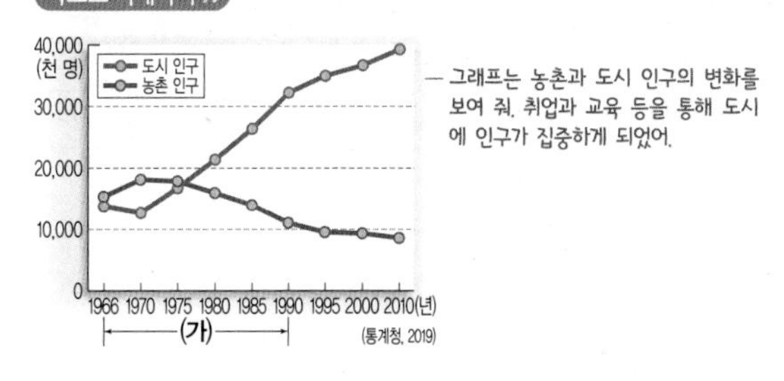

그래프는 농촌과 도시 인구의 변화를 보여 줘. 취업과 교육 등을 통해 도시에 인구가 집중하게 되었어.

(가) 시기에는 경제가 발전하면서 산업화와 도시화가 진행되었고, 도시에 일자리가 늘어나 도시 인구가 증가하였다. 도시에서는 주택 부족, 공해, 빈곤과 실업 등 사회 문제가 발생하였고, 농촌에서는 노동력 부족 문제와 인구 고령화 현상이 나타났다.

바로알기 » ② 경제 성장 과정에서 농촌과 도시의 소득 격차가 커졌다.

19 노동 문제의 발생

제시된 자료는 전태일이 대통령에게 보내려 했던 탄원서이다. 당시에 급속한 경제 성장 과정에서 노동자들은 적은 임금을 받으며 장시간 노동에 시달렸다. 이에 노동자 전태일은 1970년에 노동 환경의 개선을 요구하며 분신하였다.

바로알기 ≫ ㄱ. 1980년대 후반부터 노동조합이 조직되었다. ㄷ은 농촌 문제와 관련이 있다. 1980년대 이후 외국 농산물 수입 등으로 농촌 경제가 악화되자 농민들이 농축산물 수입 개방 반대 운동 등을 전개하였다.

20 대중문화의 발달

1990년대 이후 다양하게 발전한 우리의 대중문화는 '한류'라는 이름으로 세계에 알려지고 있다.

바로알기 ≫ ①은 1960년대, ②, ⑤는 1980년대, ④는 1970년대 대중문화의 발달과 관련이 있다.

서술형 문제

265쪽

01 국채 보상 운동의 배경

① 일본(일제), ② 국채 보상

02 토지 조사 사업의 내용과 결과

예시답안 ▶ 일제는 토지 소유자가 직접 신고한 토지만 소유지로 인정하였다. 그 결과 총독부의 지세 수입이 늘어났으나, 많은 농민들은 토지를 잃고 소작농이 되었다.

채점 기준	점수
토지 조사 사업의 시행 방식과 결과를 모두 서술한 경우	상
토지 조사 사업의 시행 방식과 결과 중 한 가지만 서술한 경우	하

03 외환 위기의 발생과 영향

예시답안 ▶ 한국은 외환 위기를 겪으며 국제 통화 기금(IMF)으로부터 구제 금융을 지원받았다. 외환 위기를 극복하는 과정에서 실업자와 비정규직 노동자가 증가하고 빈부 격차가 심화되었다.

채점 기준	점수
외환 위기의 발생과 영향을 모두 서술한 경우	상
외환 위기의 발생과 영향 중 한 가지만 서술한 경우	하

04 민주주의의 발전

267, 269, 271쪽

A 1 (1) ○ (2) × (3) ○ 2 반민족 행위 특별 조사 위원회(반민 특위)
3 (1) 민주 공화정 (2) 농지 개혁법
B 1 (1) 발췌 개헌 (2) 사사오입 개헌 2 4·19 혁명 3 장면
C 1 (1) 부마 민주 항쟁 (2) 5·16 군사 정변 (3) 유신 헌법
2 ㄱ, ㄴ, ㄷ 3 ㉠ 통일 주체 국민 회의 ㉡ 긴급 조치권
D 1 12·12 사태, 계엄 2 (1) × (2) ○ 3 5·18 민주화 운동
E 1 ㄱ, ㄴ, ㄹ 2 (1) × (2) ○ (3) ○ (4) ×
3 (1) 6·29 민주화 선언 (2) 직선제
F 1 (1) 호주제 폐지 (2) 노태우 정부 2 (1) 김영삼 (2) 김대중

실력 탄탄 핵심 문제

272~275쪽

01 ① 02 ② 03 ⑤ 04 ① 05 ④ 06 ② 07 ① 08 ③
09 ③ 10 ① 11 ③ 12 ⑤ 13 ④ 14 ⑤ 15 ③ 16 ④
17 ② 18 ④ 19 ⑤ 20 ①

01 대한민국 임시 정부의 헌법

제시된 자료는 대한민국 임시 정부에서 제정한 대한민국 임시 헌법이다. 이 헌법은 주권 재민과 삼권 분립을 채택하였다.

바로알기 ≫ ② 제시된 헌법은 대한민국 임시 정부에서 제정하였다. ③은 제헌 헌법에 대한 설명이다. ④ 4·19 혁명 이후 내각 책임제로 헌법을 개정하였다. ⑤는 제헌 국회에서 제정한 반민족 행위 처벌법과 관련이 있다.

02 제헌 헌법의 특징

자료로 이해하기 ≫

제헌 헌법은 3·1 운동의 독립 정신을 계승함을 밝혔어.

유구한 역사와 전통에 빛나는 우리들 대한 국민은 기미 3·1 운동으로 대한민국을 건립하여 세계에 선포한 위대한 독립 정신을 계승하여 …… 자유로이 선거된 대표로써 구성된 국회에서 단기 4281년(1948년) 7월 12일 이 헌법을 제정한다. (제헌 국회)

제시된 자료에서 1948년에 제정되었고, 3·1 운동의 독립 정신을 계승한다는 내용을 통해 밑줄 친 '이 헌법'은 제헌 헌법임을 알 수 있다. 제헌 헌법은 민주 공화정을 채택하였고, 모든 주권이 국민에게 있음을 밝혔다.

바로알기 ≫ ㄴ. 제헌 헌법은 제헌 국회에서 제정하였다. ㄹ은 이승만 정부에서 단행된 사사오입 개헌에 대한 설명이다.

03 제헌 국회의 활동

제시된 글의 밑줄 친 '국회'는 5·10 총선거를 통해 구성된 제헌 국회이다. 제헌 국회는 반민족 행위 처벌법을 제정하고 반민족 행위 특별 조사 위원회(반민 특위)를 구성하여 친일파 청산을 시도하였다.

바로알기 ≫ ①, ②, ③은 박정희 정부에서 있었던 일들이다. ④ 4·19 혁명 이후 내각 책임제로의 개헌이 이루어졌다.

04 발췌 개헌

이승만 정부는 장기 집권을 위해 여러 차례 헌법을 개정하였다. 1952년에는 경찰과 군대를 동원하여 대통령 직선제로 헌법을 개정함으로써 재집권에 성공하였다.

바로알기 ≫ ②는 박정희 정부의 3선 개헌, ③, ⑤는 박정희 정부의 유신 헌법, ④는 전두환 정부의 개헌과 관련이 있다.

05 사사오입 개헌

제시된 글은 사사오입 개헌에 대한 설명이다. 이승만 정부는 당시 대통령에 한해 대통령 출마 횟수의 제한을 철폐하는 개헌안을 사사오입(반올림)의 논리를 내세우며 통과시켰다.

바로알기 ≫ ① 6월 민주 항쟁의 결과 6·29 민주화 선언이 발표되었고, 이에 따라 대통령 직선제로의 개헌이 이루어졌다. ②, ③은 유신 헌법에 대한 설명이다. ⑤는 4·19 혁명 이후에 개정된 헌법에 대한 설명이다.

06 4·19 혁명의 전개

이승만 정부가 장기 집권을 시도하면서 (가) 3·15 부정 선거가 일어났다. 이에 마산 등에서 부정 선거 규탄 시위가 전개되었고, (라) 김주열 학생의 시신이 마산 앞바다에서 발견되면서 시위가 격화되었다. 경찰의 무차별 발포로 많은 사상자가 발생하자 (다) 대학교수들이 시위에 동참하여 시국 선언을 발표하였고, (나) 결국 이승만은 하야 성명을 발표하고 대통령직에서 물러났다. 따라서 일어난 순서대로 나열하면 '(가) – (라) – (다) – (나)'이다.

07 내각 책임제 개헌

4·19 혁명 이후 헌법은 내각 책임제로 개정되었다. 이 헌법에 따라 실시된 총선거에서 민주당이 크게 승리하여 장면을 국무총리로 하는 정부가 출범하였다.

바로알기 ≫ 윤보선은 장면 내각의 대통령이었고, 박정희 중심의 군부 세력은 1961년 장면 내각의 무능과 사회 혼란을 이유로 정변을 일으켜 정권을 잡았다.

08 국가 재건 최고 회의의 군정

1961년 박정희를 중심으로 한 군부 세력은 5·16 군사 정변으로 정권을 장악하였다. 이들은 국가 재건 최고 회의를 만들어 군정을 실시하고 대통령 중심제로 헌법을 개정하였다. 개정된 헌법에 따라 치러진 선거에서 박정희가 대통령에 당선되었다.

바로알기 ≫ ①, ②, ④, ⑤는 모두 1963년 박정희 대통령 당선 이후의 일이다.

09 박정희 정부의 정책

박정희 정부는 경제 개발 5개년 계획을 추진하였다. 경제 개발에 필요한 자금을 마련하기 위해 국민들의 반대에도 불구하고 일본과 국교를 정상화하였다. 그리고 미국의 요청으로 베트남 전쟁에 국군을 파견하였다.

바로알기 ≫ ㄱ은 노무현 정부, ㄹ은 노태우 정부에 대한 설명이다.

10 유신 헌법의 제정

부마 민주 항쟁은 박정희 정부 때 일어났다. 1967년 대통령에 재선된 박정희는 1972년 유신 헌법을 제정하여 대통령에게 모든 권한을 집중시켰다. 이에 맞서 시위가 일어나자 정부는 긴급 조치를 잇달아 발동하여 민주화 운동을 탄압하였다. 이러한 상황에서 1979년 부산과 마산의 시민들이 유신 철폐를 요구하는 부마 민주 항쟁을 일으켰다.

바로알기 ≫ ② 금융 실명제는 김영삼 정부 때부터 시행되었다. ③, ⑤는 전두환 정부, ④는 이승만 정부에 대한 설명이다.

11 유신 헌법의 특징

자료로 이해하기 ≫ 유신 체제의 성립에 반발한 민주화 운동이 일어나자, 정부가 민주화 운동을 탄압하며 발표한 긴급 조치야.

- 대한민국 헌법을 부정, 반대, 왜곡 또는 비방하는 행위를 금한다.
- 유언비어를 날조, 유포하는 행위를 금한다.
- 이 조치를 위반한 자와 비방한 자는 법관의 영장 없이 체포·구속·압수 수색하며 15년 이하의 징역에 처한다.

– 대통령 긴급 조치 1호, 1974

제시된 자료는 유신 헌법으로 부여된 긴급 조치권을 발동한 것이므로, 밑줄 친 '헌법'은 유신 헌법에 해당한다. 1972년에 제정된 유신 헌법은 대통령의 중임 제한을 없애 영구 집권이 가능하도록 고친 헌법이다. 통일 주체 국민 회의에서 대통령을 선출하도록 하였고, 대통령에게 국회 의원의 3분의 1에 대한 임명권, 긴급 조치권 등을 부여하였다.

바로알기 ≫ ③ 6·29 민주화 선언은 1987년에 발표되었다.

12 신군부의 등장

1979년 박정희 대통령이 피살되는 10·26 사태가 일어나 유신 체제는 막을 내렸다. 그리고 1979년 12월 12일, 전두환을 중심으로 한 신군부 세력이 불법적으로 군대를 동원하여 권력을 장악하였다. 학생과 시민들은 1980년 5월, 신군부의 퇴진과 민주화를 요구하며 시위를 벌였고, 이를 저지하기 위해 신군부는 계엄을 전국으로 확대하였다. 이 시기 전라남도 광주에서도 계엄 철회와 민주주의 회복을 요구하는 5·18 민주화 운동이 일어났다.

바로알기 ≫ ①은 (나) 이후, ②, ③, ④는 (가) 이전에 일어났다.

13 5·18 민주화 운동

제시된 자료는 5·18 민주화 운동 중에 발표된 광주 시민의 궐기문이다. 전두환 중심의 신군부가 정권을 장악하고 계엄을 확대하자, 전라남도 광주에서는 계엄 철회와 민주주의의 회복을 요구하는 5·18 민주화 운동이 일어났다. 신군부는 이를 저지하기 위해 군대를 투입하여 시위를 폭력적으로 진압하였고, 시민들은 시민군을 조직하여 계엄군에 맞섰다.

바로알기 ≫ ① 10·26 사태는 박정희가 피살된 사건으로, 전두환 중심의 신군부가 정권을 장악하기 이전에 일어났다. ② 12·12 사태는 5·18 민주화 운동의 배경이 되었다. ③ 6·29 민주화 선언은 6월 민주 항쟁의 결과 발표되었다. ⑤는 6월 민주 항쟁에 대한 설명이다.

14 전두환 정부의 정책

삼청 교육대는 전두환 정부에서 설치하였다. 따라서 ㉠은 전두환 정부이다. 전두환 정부는 언론을 통폐합하고, 민주화 운동을 탄압하는 등 독재 정치를 유지하기 위해 노력하였다. 한편으로는 국민의 불만을 무마하기 위해 교복 자율화, 야간 통행금지 해제 등의 유화 정책도 실시하였다.

바로알기 ≫ ⑤는 노태우 정부에 대한 설명이다.

15 6월 민주 항쟁의 전개

제시된 자료는 6월 민주 항쟁 당시에 발표된 6·10 국민 대회 선언문이다. 따라서 밑줄 친 '민주 장정'은 1987년에 일어난 6월 민주 항쟁에 해당한다. 전두환 정부가 대통령 직선제로의 개헌을 거부하는 4·13 호헌 조치를 발표하자, 대통령 직선제 개헌과 전두환 정부의 퇴진을 요구하며 6월 민주 항쟁이 전개되었다.

바로알기 ≫ ① 사사오입 개헌은 1954년에 단행되었다. ②, ④, ⑤는 4·19 혁명에 해당하는 설명이다.

16 6월 민주 항쟁의 결과

6월 민주 항쟁의 결과 대통령 직선제 수용을 주요 내용으로 하는 6·29 민주화 선언이 발표되었다. 이후 5년 단임의 대통령 직선제 개헌이 이루어졌다.

바로알기 ≫ ① 6월 민주 항쟁의 결과 대통령 직선제로의 개헌이 이루어졌다. ②, ③은 유신 헌법과 관련된 내용이다. ⑤는 6월 민주 항쟁이 일어나기 이전에 전두환 정부가 단행한 개헌의 내용이다.

17 노태우 정부의 정책

제시된 자료에서 1988년에 대통령 직선제 개헌을 통해 평화적 정권을 이양하겠다는 내용을 통해 이 자료가 6·29 민주화 선언의 주요 내용임을 알 수 있다. 6·29 민주화 선언 이후에 개헌이 이루어졌고, 이 헌법에 따라 치러진 대통령 선거에서 노태우 후보가 당선되었다. 노태우 정부는 북방 외교를 통해 사회주의 국가들과 수교하였다.

바로알기 ≫ ①은 박정희 정부, ③은 김대중 정부, ④, ⑤는 김영삼 정부 시기에 있었던 사실이다.

18 김영삼 정부 시기의 정치 상황

제시된 자료에서 언급한 '역사 바로 세우기'는 김영삼 정부에서 추진하였다. 따라서 ㉠ 정부는 김영삼 정부이다. 김영삼 정부는 금융 거래를 정상화하고 세금을 합리적으로 부과하기 위해 금융 실명제를 시행하였으며, 지방 자치제를 전면적으로 실시하였다.

바로알기 ≫ ㄱ은 김대중 정부, ㄷ은 노무현 정부 시기의 상황이다.

19 김대중 정부의 성립

김영삼 정부와 노무현 정부 시기 사이에 수립된 (가) 정부는 김대중 정부이다. 1997년 치러진 대통령 선거에서 야당 후보인 김대중이 당선되면서 최초의 여야 간 평화적 정권 교체가 이루어졌다.

바로알기 ≫ ① 이승만 정부가 발췌 개헌을 단행하였다. ②, ④는 전두환 정부와 관련이 있다. ③ 제헌 국회에서 농지 개혁법을 제정하였다.

20 노무현 정부의 정책

노무현 정부는 권위주의 청산, 과거사 정리 사업 등을 추진하였으며, 김대중 정부에 이어 남북 정상 회담을 성사하였다.

바로알기 ≫ ②는 박정희 정부와 관련이 있다. ③ 이승만 정부에서 반민 특위(반민족 행위 특별 조사 위원회)가 활동하였다. ④ 전두환 중심의 신군부가 정권을 잡은 이후 5·18 민주화 운동이 일어났다. ⑤는 김영삼 정부와 관련이 있다.

서술형 문제

275쪽

01 6월 민주 항쟁의 전개와 결과

(1) 6월 민주 항쟁

(2) ① 전두환, ② 직선제

02 4·19 혁명의 의의

예시답안 ▶ 4·19 혁명은 학생과 시민의 힘으로 장기 독재 정권을 무너뜨리고 민주주의를 되찾은 사건이다.

채점 기준	점수
학생과 시민의 힘으로 장기 독재 정권을 무너뜨리고, 민주주의를 회복하였음을 모두 서술한 경우	상
학생과 시민의 힘으로 장기 독재 정권을 무너뜨리고, 민주주의를 회복한 사실 중 한 가지만 서술한 경우	하

03 유신 헌법의 특징

예시답안 ▶ 유신 헌법은 대통령의 중임 제한을 없앴고, 대통령에게 국회 의원의 3분의 1에 대한 임명권, 국회 해산권, 긴급 조치권 등을 부여하여 대통령에게 모든 권한을 집중시켰다.

채점 기준	점수
대통령의 중임 제한 철폐, 대통령에게 국회 의원 3분의 1 임명권·국회 해산권·긴급 조치권 부여를 모두 서술한 경우	상
대통령의 중임 제한 철폐, 대통령에게 국회 의원 3분의 1 임명권·국회 해산권·긴급 조치권 부여 중 일부만 서술한 경우	하

05 평화 통일을 위한 노력

277, 279쪽

A 1 (1) 남북 협상 (2) 여운형 2 제주 4·3 사건

B 1 ㉠ 애치슨 선언 ㉡ 소련 2 (다) – (라) – (나) – (가) 3 (1) × (2) ○

C 1 (1) ㄴ (2) ㄱ (3) ㄷ 2 (가) – (다) – (나)

3 (1) 민족 대단결 (2) 남북 기본 합의서(남북 사이의 화해와 불가침 및 교류·협력에 관한 합의서)

D 1 (1) 노무현 (2) 남북 정상 회담 2 김대중 정부 3 (1) ○ (2) ×

실력 탄탄 핵심 문제 280~281쪽

01 ④ 02 ⑤ 03 ④ 04 ③ 05 ① 06 ⑤ 07 ⑤ 08 ②
09 ⑤

01 좌우 합작 운동의 전개

미국, 영국, 소련의 대표가 한반도에서 최대 5년간 신탁 통치를 하기로 결정하자, 국내에서 신탁 통치를 둘러싼 좌우익 세력의 갈등이 심해졌다. 이에 김규식, 여운형 등은 좌우 합작 운동을 벌여 통일 정부를 수립하고자 하였다.

바로알기 》 ① 남북 협상은 김구와 김규식 등이 통일 정부 수립을 위해 북측 지도자와 만나 통일 정부 수립 문제를 논의한 사건이다. ② 정전 협정으로 6·25 전쟁이 중단되었다. ③ 김대중 정부 때 처음으로 남북 정상 회담이 열렸고, 이후 노무현 정부와 문재인 정부 때도 남북 정상 회담이 성사되었다. ⑤ 남북 적십자 회담은 1971년에 이산가족 문제를 협의하기 위해 개최되었다.

02 정부 수립 과정

미국이 유엔(UN)에 한반도 문제를 상정하자 (라) 유엔은 한반도에서 인구 비례에 따른 총선거를 결정하였다. 그러나 소련과 북한이 이 결정을 거부하여 (다) 유엔 소총회에서는 선거가 가능한 지역에서 총선거를 실시하기로 확정하였다. (나) 통일 정부 수립을 바라던 김구와 김규식은 1948년 4월 남북 협상을 벌여 통일 정부 수립 문제를 논의하였지만 큰 성과를 거두지 못하였다. (가) 결국 1948년 남한에서 대한민국 정부가 수립되었고, 북한에서도 김일성을 비롯한 사회주의 세력 간의 연합으로 정권이 들어섰다. 따라서 일어난 순서대로 나열하면 '(라) – (다) – (나) – (가)'이다.

03 6·25 전쟁의 배경

남과 북에 각각 정부와 정권이 수립된 후, 38도선 부근에서 남북한의 크고 작은 충돌이 일어나는 가운데, 미국은 한반도와 타이완을 미국의 태평양 방위선에서 제외한다는 애치슨 선언을 발표하였다. 한편, 소련은 북한과 비밀 군사 협정을 체결하여 군사적 지원을 약속하였다. 이러한 상황에서 북한은 남한을 기습 침입하여 6·25 전쟁을 일으켰다.

바로알기 》 ㄱ. 7·4 남북 공동 성명은 6·25 전쟁이 중단된 이후에 발표되었다. ㄷ. 6·25 전쟁 이전 한반도에서 미군과 소련군이 철수하였다.

04 6·25 전쟁의 전개

왼쪽 자료는 1950년 6월 북한이 남한을 기습 침공하여 3일 만에 서울을 함락한 사실과 관련이 있다. 오른쪽 자료는 1950년 10월 중국군이 참전한 사실과 관련이 있다. 이 시기 사이에 유엔군과 국군은 인천 상륙 작전을 벌여 서울을 수복하고 압록강 유역까지 진출하였다.

바로알기 》 ① 정전 협정으로 6·25 전쟁이 중단되었다. ②, ④, ⑤는 6·25 전쟁 이전의 사실이다.

05 6·25 전쟁의 영향

지도는 6·25 전쟁의 전개를 나타낸 것이다. 6·25 전쟁은 남북한에 막대한 인적·물적 피해를 남겼다. 또한 전쟁 이후 남북한 간에 적대감과 불신이 높아지면서 분단이 굳어져 갔고, 문화적 이질감도 커졌다.

바로알기 》 ① 냉전 체제가 본격화되는 국제 정세 속에서 1950년 6·25 전쟁이 일어났고, 1970년대에 냉전 체제가 완화되면서 남북한 사이에 교류가 시작되었다.

06 남북 기본 합의서

자료로 이해하기 》 1991년에 채택된 남북 기본 합의서에서 남과 북은 서로 상대방의 체제를 인정하고 존중하기로 하였어.

> 제1조 남과 북은 서로 상대방의 체제를 인정하고 존중한다.
> 제3조 남과 북은 상대방에 대한 비방·중상을 하지 아니한다.
> 제9조 남과 북은 상대방에 대하여 무력을 사용하지 않으며 상대방을 무력으로 침략하지 아니한다. — 불가침에 합의하였어.

제시된 자료는 1991년에 채택된 남북 기본 합의서(남북 사이의 화해와 불가침 및 교류·협력에 관한 합의서)의 내용이다. 1980년대 후반 냉전 체제가 종식되는 상황에서 남북 관계가 크게 진전되어 남북 기본 합의서가 채택되었다. 남북은 남북 기본 합의서를 통해 화해와 불가침, 교류와 협력에 합의하였다.

바로알기 》 ㄱ. 남북 기본 합의서는 노태우 정부 시기에 채택되었다. ㄴ. 7·4 남북 공동 성명은 남북 기본 합의서보다 먼저 발표되었다.

07 김영삼 정부의 통일 정책

김영삼 정부는 화해·협력, 남북 연합, 통일 국가에 이르는 통일 방안을 제시하였으며, 식량난을 겪는 북한에 쌀과 비료를 지원하였다.

바로알기 》 ① 남북 적십자 회담은 1971년에 열렸다. ② 김대중 정부 때 최초로 남북 정상 회담을 개최하였다. ③ 노태우 정부 때 남북한이 국제 연합에 동시 가입하였다. ④ 노태우 정부 때 남북이 한반도 비핵화 공동 선언에 합의하였다.

08 김대중 정부의 통일 정책

제시된 자료는 6·15 남북 공동 선언의 내용이다. 6·15 남북 공동 선언은 김대중 정부 때 발표되었다. 김대중 정부는 '햇볕 정책'이라고 불리는 대북 화해 협력 정책을 추진하여 1998년 금강산 관광이 시작되었고, 2000년에 남북 정상 회담이 개최되는 성과를 낳았다.

바로알기 》 ①은 박정희 정부, ③은 문재인 정부, ④는 노태우 정부, ⑤는 노무현 정부 때의 사실이다.

09 문재인 정부의 통일 정책

제시된 자료는 문재인 정부 때 발표된 판문점 선언이다. 문재인 정부가 출범한 후 남북한 사이에 화해와 협력의 분위기가 조성되었다. 2018년 4월 남북한 정상이 판문점에서 남북 정상 회담을 개최하여 한반도의 평화와 번영, 통일을 위한 판문점 선언을 발표하였다.

바로알기 ① 박정희 정부 때는 남북 적십자 회담 등이 열렸다. ② 노태우 정부 때는 남북 기본 합의서 채택 등이 이루어졌다. ③ 김대중 정부 때는 최초로 남북 정상 회담이 열렸다. ④ 노무현 정부 때는 제2차 남북 정상 회담을 열고 10·4 남북 공동 선언을 발표하였다.

서술형 문제

281쪽

01 7·4 남북 공동 성명의 통일 원칙

① 7·4 남북 공동 성명, ② 자주

02 6·25 전쟁의 영향

예시답안 6·25 전쟁으로 남북한 인구가 크게 감소하였고, 남북한 대부분의 건물과 산업 시설이 파괴되면서 전 국토가 황폐해졌다.

채점 기준	점수
남북한 인구의 감소, 산업 시설 파괴를 모두 서술한 경우	상
남북한 인구의 감소, 산업 시설 파괴 중 한 가지만 서술한 경우	하

시험 적중 마무리 문제

284~287쪽

01 ④ 02 ③ 03 ③ 04 ⑤ 05 ④ 06 ① 07 ④ 08 ②
09 ⑤ 10 ④ 11 ⑤ 12 ④ 13 ⑤ 14 ③ 15 ① 16 ⑤
17 ④ 18 ⑤ 19 ④ 20 ⑤ 21 ⑤ 22 ②

01 갑신정변과 동학 농민 운동

(가)는 갑신정변을 주도한 급진 개화파가 발표한 개혁안이고, (나)는 동학 농민 운동 당시에 농민군이 요구한 폐정 개혁안이다. 동학 농민 운동은 안으로는 사회 개혁을 추구한 반봉건 운동이었고, 밖으로는 외세의 침략을 막아 내려 한 반외세 운동이었다.

바로알기 ① 위정척사파는 개화에 반대하였다. ② 동학 농민 운동은 우금치 전투 패배로 실패하였다. ③ 임오군란(1882)은 동학 농민 운동(1894)보다 먼저 일어났다. ⑤ (가) 갑신정변은 급진 개화파가 주도하였고, (나) 동학 농민 운동은 농민들이 전개하였다.

02 갑오개혁의 내용

제시된 자료의 군국기무처는 갑오개혁을 주도한 기구이다. 일본이 경복궁을 점령하여 영향력이 강화되자 김홍집 중심의 내각이 구성되었다. 김홍집 내각은 군국기무처를 설치하고 제1차 갑오개혁을 실시하여 신분제를 폐지하는 등 개혁을 추진하였다.

바로알기 ①, ⑤는 광무개혁 시기의 사실이다. ②는 독립 협회의 활동이다. ④ 흥선 대원군은 갑오개혁 이전에 정계에서 은퇴하였다.

03 독립 협회의 활동

자료로 이해하기 러시아의 절영도 조차 요구를 거절하자는 주장이야. 독립 협회는 러시아의 절영도 조차 요구에 맞서 저항 운동을 벌였어.

> 현재 러시아가 우리 대한을 향하여 절영도를 요구하고 있습니다. …… 신하된 자가 만약 조그마한 땅이라도 타국인에게 주면 이는 황제 폐하의 역신이며 역대 임금의 죄인이며 우리 대한 2천만 동포 형제의 원수입니다.

제시된 자료는 독립 협회의 활동과 관련이 있다. 독립 협회는 만민 공동회를 열어 열강의 이권 침탈에 반대하였으며, 정부 대신들이 참여한 관민 공동회에서 헌의 6조를 결의하였다.

바로알기 ① 일부 지방의 지방관은 곡물의 유출을 막기 위해 방곡령을 선포하였다. ② 대한국 국제는 대한 제국에서 반포하였다. ④ 정부의 개화 정책으로 별기군이 설치되었다. ⑤ 국채 보상 운동은 1907년에 전개되었다.

04 을사늑약에 대한 저항

러일 전쟁에서 승리한 일본은 1905년 을사늑약을 강제로 체결하여 대한 제국의 외교권을 빼앗고 통감부를 설치하여 내정 전반을 간섭하였다. 고종은 을사늑약의 부당성을 국제 사회에 알리기 위해 헤이그 만국 평화 회의에 특사를 파견하였는데, 일본은 이를 구실로 고종을 퇴위시켰다.

바로알기 ① 한인 애국단은 1931년에 조직되었다. ②는 임오군란에 대한 설명으로, 을사늑약 체결 이전에 일어났다. ③은 1920년대에 전개된 의열단의 활동에 해당한다. ④ 6·10 만세 운동은 1926년에 일어났다.

05 대한민국 임시 정부의 수립

일제에 국권을 빼앗긴 이후 애국지사들은 만주, 연해주 등으로 건너가 민족 학교를 세우고 독립군을 길렀다. 국내외에는 대한 국민 의회, 한성 정부, 상하이 임시 정부가 수립되었는데, 이들은 3·1 운동을 계기로 통합되어 중국 상하이에서 대한민국 임시 정부가 수립되었다(1919). 한편, 3·1 운동 이후 만주와 연해주 지역에서 독립군 부대가 무장 투쟁을 벌였는데, 봉오동 전투와 청산리 대첩(1920)이 대표적이다. 따라서 대한민국 임시 정부가 수립된 시기는 연표에서 (라)에 해당한다.

06 신간회의 창립

3·1 운동 이후 일제가 이른바 문화 통치를 시행하자, 일부 민족주의 세력이 일제 식민 지배를 인정하고 민족의 역량을 키우자고 주장하였다. 이에 반대하던 비타협적 민족주의 계열과 사회주의 계열이 힘을 합하여 신간회를 창립하였다(1927).

바로알기 ≫ ② 독립 협회에서 만민 공동회를 개최하였다. ③ 동학 농민 운동은 1894년에서 1895년에 전개되었다. ④ 민립 대학 설립 운동, ⑤ 물산 장려 운동은 민족주의 계열 지식인들이 주도한 실력 양성 운동이다.

07 한인 애국단의 활동

1931년 김구는 한인 애국단을 조직하여 의열 투쟁에 나섰다. 한인 애국단의 이봉창은 도쿄에서 일본 국왕을 향해 폭탄을 던져 암살을 시도하였다. 또 다른 단원인 윤봉길은 상하이 훙커우 공원에서 열린 일본군 상하이 점령 기념식장에 폭탄을 던져 일제에 커다란 충격을 주었다.

(비폭력 투쟁을 내세웠던 3·1 운동이 일제에 의해 진압되자, 일부는 의열 투쟁을 전개하였어.)

바로알기 ≫ ① 신민회는 국권이 피탈되기 이전에 활동한 애국 계몽 운동 단체이다. ② 의열단은 김원봉이 조직한 단체로, 의거 활동을 전개하였다. ③ 한국 광복군은 대한민국 임시 정부에서 창설하였다. ⑤ 조선 건국 동맹은 여운형이 광복을 대비하여 조직한 단체이다.

08 1920년대 일제의 경제 수탈

제시된 그래프는 1920년대 산미 증식 계획에 따른 쌀 생산량과 일본으로의 이출량을 나타낸 것이다. 1920년부터 일제는 자국의 식량 부족 문제를 해결하기 위해 산미 증식 계획을 추진하였다. 산미 증식 계획으로 쌀 생산량은 그다지 늘지 않았지만 일본으로 이출되는 쌀의 양은 해마다 증가하였다. 그 결과 한국의 식량 사정이 크게 나빠졌다.

바로알기 ≫ ①, ③은 1910년대, ④는 1930년대 이후 일제의 식민 통치와 관련이 있다. ⑤는 1900년대의 일이다. 보안회는 일본의 황무지 개간권 요구를 저지시켰다.

09 1930년대 이후 한반도 정세

일제는 1930년대 이후 병참 기지화 정책을 펼치며 한반도를 군수 물자를 생산하는 공장으로 만들려고 하였다. 따라서 밑줄 친 '이 시기'는 1930년대 이후에 해당한다. 이 시기 일제는 병력을 확보하기 위해 징병제를 실시하여 한국인을 전쟁에 동원하였다.

바로알기 ≫ ① 방곡령은 일제 강점기 이전에 반포되었다. ② 1895년에 명성 황후가 시해된 을미사변이 일어났다. ③ 3·1 운동은 1919년에 일어났다. ④ 국채 보상 운동은 1907년에 일어났다.

10 물산 장려 운동의 전개

1920년대 들어 일본 자본과 상품이 본격적으로 진출하여 민족 기업은 위기를 맞았다. 그러자 민족의 산업을 발전시켜 경제적 자립을 이루자는 물산 장려 운동이 시작되었다. 물산 장려 운동은 '내 살림 내 것으로', '조선 사람 조선 것' 등의 구호를 내걸고 국산품 애용, 자급자족 등을 강조하였다.

바로알기 ≫ ① 형평 운동은 사회적 편견과 차별을 받던 백정들이 평등한 대우를 요구한 사회 운동이다. ② 원산 총파업은 노동자들이 임금 인상 등을 요구하며 일으킨 노동 쟁의이다. ③ 국채 보상 운동은 대한 제국이 일본에 진 빚을 갚기 위해 전개하였으며, 1907년 대구에서 시작되었다. ⑤ 암태도 소작 쟁의는 농민들이 지주의 착취에 반발하여 일으킨 농민 운동이다.

11 1970년대의 경제 성장

제시된 자료는 수출 100억 달러 달성을 기념하여 세워진 아치이다. 우리나라는 1977년 수출액 100억 달러를 돌파하였는데, 정부는 이 날을 수출의 날로 제정하고, 기념 아치를 세웠다. 1970년대에 정부는 철강, 화학, 조선과 같은 중화학 공업을 육성하며 수출 주도형 정책을 지속하였다.

바로알기 ≫ ㄱ. 삼백 산업은 6·25 전쟁 이후 미국의 원조 경제에 의존하던 시기에 발달하였다. ㄴ. 1980년대 중후반 3저 호황을 계기로 경제가 발달하였다.

12 외환 위기의 발생

그래프는 1996~1997년 사이에 원·달러 환율이 1,000원 이상 급등하였다가 이후 감소하는 상황을 나타낸다. 우리나라는 1997년 국제 통화 기금(IMF)으로부터 구제 금융을 지원받았다. 이러한 위기를 극복하기 위해 정부는 부실기업과 금융 기관을 구조 조정하였고, 민간에서는 금 모으기 운동을 벌였다.

바로알기 ≫ ① 국제 통화 기금(IMF)의 구제 금융을 갚는 과정에서 빈부 격차는 심화되었다. ② 신자유주의는 확산하였다. ③ 경부 고속 국도는 1970년에 개통되었다. ⑤ 농지 개혁은 이승만 정부에서 실시되었다.

13 이승만 정부의 개헌

이승만 정부는 장기적으로 집권하기 위해 여러 차례 헌법을 개정하였다. 1952년에는 경찰과 군대를 동원하여 대통령 직선제로 헌법을 개정(발췌 개헌)함으로써 재집권에 성공하였다. 2년 뒤에는 초대 대통령의 연임 횟수 제한을 없앤다는 내용의 개헌(사사오입 개헌)을 추진하였다.

바로알기 ≫ ㄱ. 박정희 정부는 대통령직을 3회까지 할 수 있도록 개헌하였다. ㄴ. 6월 민주 항쟁 이후에 대통령 5년 단임제 개헌이 단행되었다.

14 4·19 혁명의 전개

이승만 정부의 독재 정치로 부정부패가 심해지자 국민들의 불만이 커져 갔다. 그러던 중 이승만 정부와 자유당은 1960년 3월 15일에 치러진 정부통령 선거에서 대대적인 부정을 저질렀다. 이를 계기로 4·19 혁명이 일어나 이승만이 대통령에서 하야하였다. 이후 내각 책임제로 헌법이 개정되어 장면을 국무총리로 하는 장면 내각이 출범하였다.

바로알기 ≫ ①, ②, ④, ⑤는 모두 장면 내각 출범 이후의 사실이다.

15 박정희 정부의 정책

자료로 이해하기 ≫

유신 헌법은 통일 주체 국민 회의에서 대통령을 선출하도록 하였어.

> 제39조 ① 대통령은 통일 주체 국민 회의에서 토론 없이 무기명 투표로 선거한다.
> 제53조 ② 대통령은 …… 국민의 자유와 권리를 잠정적으로 정지하는 긴급 조치를 할 수 있다. ─ 유신 헌법은 대통령에게 긴급 조치권을 부여하였어.
> 제59조 ① 대통령은 국회를 해산할 수 있다.

제시된 자료는 박정희 정부에서 1972년에 제정한 유신 헌법의 내용이다. 박정희 정부 시기에는 부마 민주 항쟁이 일어났다.

바로알기 ≫ ②는 박정희 정부가 붕괴된 이후의 일이다. ③ 1987년 6월 민주 항쟁의 결과 6·29 민주화 선언이 발표되었다. ④ 4·19 혁명 이후 내각 책임제로 헌법이 개정되었다. ⑤ 제헌 국회에서 반민족 행위 처벌법을 제정하였다.

16 박정희 정부의 정책

박정희 정부는 경제 개발 자금을 마련하기 위해 일본과 국교를 정상화하였으며, 베트남에 국군을 파병하였다. 한편, 박정희는 장기 집권을 위해 3선 개헌을 단행하였고, 유신 체제하에서 민주화 운동을 탄압하기 위해 긴급 조치를 발동하였다.

바로알기 ≫ ⑤ 노태우 정부는 북방 외교를 통해 사회주의 국가들과 수교를 맺었다.

17 6월 민주 항쟁의 배경

제시된 자료는 6월 민주 항쟁의 결과 발표된 6·29 민주화 선언의 내용이다. 1987년 박종철이 경찰의 고문으로 사망하는 사건이 발생하자 국민은 진상 규명 및 정권 퇴진과 대통령 직선제 개헌을 요구하며 대규모 민주화 시위를 전개하였다. 그러나 전두환 정부는 개헌을 거부하는 4·13 호헌 조치를 발표하고 시위를 탄압하였다. 이에 시위가 전국으로 확산되어 6월 민주 항쟁이 일어났다.

바로알기 ≫ ①은 부마 민주 항쟁 등과 관련이 있다. ② 6월 민주 항쟁은 전두환 정부 시기에 일어났다. ③, ⑤는 4·19 혁명에 대한 설명이다.

18 김대중 정부의 정책

(가)는 김영삼 정부, (나)는 노무현 정부 시기에 있었던 사실이다. 이 사이 시기인 1997년에 치러진 대통령 선거에서 야당 후보인 김대중이 당선되면서 최초의 여야 간 평화적 정권 교체가 이루어졌다.

바로알기 ≫ ①, ②, ③, ④는 모두 (가) 이전에 일어났다.

19 남북 협상의 전개

광복 이후 미국은 유엔에 한반도 문제를 상정하였고, 유엔은 인구 비례에 따른 총선거 실시를 결정하였다. 그러나 소련과 북한이 이 결정을 거부하여 유엔 소총회에서는 선거가 가능한 지역에서 총선거를 실시하기로 확정하였다. 이에 김구와 김규식은 1948년 4월 남북 협상을 추진하여 통일 정부 수립 문제를 논의하였다.

바로알기 ≫ ① 5·10 총선거는 남한에서만 치러진 선거이다. ② 남북 기본 합의서는 노태우 정부 때 채택되었다. ③ '햇볕 정책'은 김대중 정부에서 추진하였다. ⑤ 12·12 사태는 전두환 중심의 신군부 세력이 정권을 장악한 사건이다.

20 6·25 전쟁의 전개

남과 북에 각각 정부와 정권이 수립된 후, 미군과 소련군은 한반도에서 철수하였다. 38도선 부근에서 남북한의 크고 작은 충돌이 일어나는 가운데, 미국은 한반도와 타이완을 미국의 태평양 방위선에서 제외한다는 애치슨 선언을 발표하였다. 반면, 소련은 북한과 비밀 군사 협정을 체결하여 군사적 지원을 약속하였다. 이러한 상황에서 1950년 6월 25일, 북한군의 남침으로 6·25 전쟁이 발발하였다. 국군은 서울을 함락당하고 낙동강 유역까지 후퇴하였으나, 유엔군과 인천 상륙 작전을 벌여 서울을 수복하였다. 6·25 전쟁은 남한과 북한 모두에 막대한 인적·물적 피해를 남겼다.

바로알기 ≫ ⑤ 6·25 전쟁 이후 남북한 간에 적대감과 불신이 높아지면서 분단이 굳어져 갔고, 문화적 이질감도 커졌다.

21 7·4 남북 공동 성명

제시된 자료는 7·4 남북 공동 성명의 내용이다. 1972년 7월 4일, 남북한 당국은 서울과 평양에서 '조국 통일의 3대 원칙'이 들어 있는 성명서를 동시에 발표하였다. 이는 남북한 사이에 비밀 특사가 오간 끝에 이루어진 성과였다. 이때 제시된 자주, 평화, 민족 대단결의 통일 원칙은 남북한 간 교류 협력의 기본 원칙이 되었다.

바로알기 ≫ ㄱ. 김대중 정부 때 최초로 남북 정상 회담을 열었다. ㄴ. 7·4 남북 공동 성명은 박정희 정부 시기에 발표되었다.

22 김대중 정부의 통일 정책

제시된 자료에서 김대중 정부, 햇볕 정책, 최초의 남북 정상 회담 등의 내용을 통해 해당 자료가 김대중 정부의 남북 정상 회담과 관련이 있음을 알 수 있다. 김대중 정부는 '햇볕 정책'이라고 불리는 대북 화해 협력 정책을 추진하였다. 그 결과 2000년 평양에서 남북 정상 회담이 개최되었다. 회담에서 발표된 6·15 남북 공동 선언에 따라 개성 공단 건설, 경의선 복구, 이산가족 상봉 등이 이루어져 남북한 사이의 교류와 협력이 더욱 활발해졌다.

바로알기 ≫ ① 남북 적십자 회담은 1971년에 열렸다. ③ 남북한은 노태우 정부 때 국제 연합(UN)에 동시 가입하였다. ④는 7·4 남북 공동 성명에 대한 설명이다. ⑤는 김영삼 정부 때의 일이다.